Osc

Marcello Sensini

La grammatica della lingua italiana

con la collaborazione di Federico Roncoroni

OSCAR MONDADORI

I edizione Oscar Guide & Manuali gennaio 1997

ISBN 978-88-04-46647-5

Questo volume è stato stampato
presso Mondadori Printing S.p.A.
Stabilimento NSM - Cles (TN)
Stampato in Italia. Printed in Italy

Anno 2011 - Ristampa 13 14

La prima edizione Oscar guide
è stata pubblicata in concomitanza
con la prima ristampa
di questo volume

La grammatica della lingua italiana

La lingua italiana e il suo sistema di norme

La lingua – parlata, scritta o trasmessa – è lo strumento più ricco, più flessibile e più efficace che l'uomo ha a disposizione per comunicare qualsiasi tipo di messaggio. Ma, per sfruttarne a pieno tutte le risorse, occorre conoscerne bene le caratteristiche, le strutture e le norme che ne regolano il funzionamento. Perciò, allo scopo di imparare a usare la lingua, è opportuno sottoporre il codice lingua a un approfondito esame. La lingua di cui ci occuperemo è, ovviamente, la lingua italiana, perché è quella che ci troviamo a usare quotidianamente nell'ambito delle nostre esperienze individuali e sociali.

1. La lingua e le sue norme

La lingua – ogni lingua – esiste in quanto viene usata per comunicare qualcosa, cioè in quanto si realizza in messaggi verbali o, come meglio si dice, in **atti linguistici** e **testi**. Il messaggio verbale, infatti, altro non è che la produzione materiale, mediante la lingua parlata o scritta o trasmessa, di ciò che si è pensato e si vuole comunicare e solo quando si materializza in un atto linguistico o in un testo la lingua esiste veramente.

Però, la produzione di un atto linguistico o di un testo non è un fatto puramente meccanico e casuale. Meccanicamente e casualmente, infatti, si possono produrre solo suoni più o meno articolati, parole prive di significato e frasi sconnesse e, quindi, messaggi assolutamente incomprensibili.

Un insieme di suoni accostati casualmente come *asac*, *ioc*, *mbibnao*, *uegl*, *tbtueic*, *ni*, *usoi*, *iagco* non forma parole dotate di significato. Né hanno un significato parole disposte alla rinfusa l'una accanto all'altra come *casa cubetti quel suoi felice in gioca coi bambino*.

Produrre un atto linguistico comporta una serie di operazioni distinte, anche se simultanee, che sono governate da un **codice** ben preciso, il codice appunto che governa il funzionamento della lingua in cui l'atto linguistico viene elaborato. In particolare, semplificando un poco le cose per essere più chiari, chi parla o scrive, per formulare un vero atto linguistico, compie contemporaneamente, per lo più senza rendersene conto, le seguenti operazioni:

- sceglie **parole** fornite di un significato, cioè costituite dalla giustapposizione di fonemi consentita dal codice della lingua;
- utilizza tali parole in base al loro **significato**, così come è fissato nel codice della lingua;
- organizza logicamente tali parole secondo le **norme** del codice della lingua.

Solo così chi parla o scrive può produrre un atto linguistico che costituisce un messaggio comprensibile: ad esempio, per riprendere i suoni e le parole riportate alla rinfusa più sopra, può dar vita al seguente messaggio: "Quel bambino gioca felice in casa coi suoi cubetti".

Perché l'atto linguistico sia veramente completo è necessario anche che chi parla o scrive conferisca alle parole che ha organizzato secondo le norme del codice una **forma** capace di comunicare l'**intenzione** che si propone di manifestare o lo **scopo** che si propone di ottenere e adeguata alla particolare situazione extralinguistica in cui la comunicazione si svolge. Ma per prima cosa è necessario che, nel momento della formulazione del messaggio, chi parla o scrive osservi le norme del codice cui la lingua appartiene. D'altra parte, anche chi ascolta o legge il messaggio prodotto dall'emittente può capirlo solo se è capace di decodificarlo, cioè se a sua volta conosce le norme del codice in cui il messaggio è formulato.

1.1. Come si apprendono le norme del codice che regolano l'uso di una lingua?

Le norme che regolano l'uso di una lingua non sono difficili da apprendere. Un bambino impara quelle fondamentali nel giro dei primissimi anni della sua vita semplicemente ascoltando chi usa la lingua, e alcuni linguisti contemporanei sono addirittura convinti che molte di tali norme fanno parte del patrimonio culturale di ogni individuo cui spetterebbe quindi soltanto il compito di attivarle, cioè di usarle nella produzione attiva di messaggi. Tuttavia, se non è difficile parlare e, entro certi limiti, neppure scrivere e leggere, certo è molto difficile saper parlare, saper scrivere e saper leggere, cioè saper utilizzare in modo veramente completo le infinite possibilità della lingua.

La lingua, infatti, va appresa: va conquistata attraverso l'ascolto di coloro che la usano, attraverso l'uso e attraverso la lettura, e va anche studiata nelle sue strutture, nelle sue funzioni e soprattutto nelle norme che regolano tali strutture e tali funzioni.

Ma dove si studiano tali norme? Dei linguaggi e delle lingue in generale si occupa la **linguistica** e dei segni e dei segnali che stanno alla base di tutti i linguaggi e di ogni forma di comunicazione si occupa la **semiologia**, mentre delle norme che regolano il funzionamento della lingua si occupa la **grammatica**.

2. La grammatica

La grammatica[1] è l'insieme delle norme che riguardano gli elementi costitutivi di una lingua in rapporto alle loro caratteristiche generali e in rapporto al loro uso nella realtà della elaborazione di messaggi verbali.

Nata nel mondo ellenistico nel III secolo a.C. come strumento di analisi della lingua in vista dell'interpretazione dei testi letterari antichi, la grammatica si è proposta, per secoli, di descrivere lo stato della lingua in un determinato momento (*grammatica descrittiva*) e di individuare le norme d'uso prevalenti che la caratterizzano per indicarle come leggi cui è necessario attenersi per l'uso corretto della lingua stessa (*grammatica normativa*). Essa, quindi, fu a lungo una disciplina finalizzata quasi esclusivamente all'insegnamento della lingua letteraria e volta per lo più a proporre, deducendolo dai migliori scrittori, un modello di lingua perfetta a cui conformarsi. Solo nella seconda metà

[1] Il termine "grammatica" deriva, attraverso il latino, dal greco *grammatiké* (*téchne*), '(arte) delle lettere' che a sua volta deriva dal verbo *gráphein*, 'scrivere'. La grammatica, infatti, alle sue origini e poi ancora a lungo fin quasi ai giorni nostri, era considerata "l'arte dello scrivere", cioè una disciplina ausiliaria che insegnava a capire i meccanismi espressivi della pagina scritta e a imitarli.

del secolo scorso la grammatica superò le sue posizioni rigidamente normative e, grazie alla linguistica storica, si aprì a nuovi interessi cominciando a occuparsi più dei fenomeni evolutivi della lingua che non dell'aspetto normativo. Inoltre, sempre a partire dagli ultimi decenni del secolo scorso, la grammatica, pur senza rinunciare ai suoi intenti descrittivi e, entro certi aspetti, normativi, prese a confrontare tra di loro sul piano dei suoni, della forma e del lessico gruppi di lingue imparentate tra loro per ricostruirne la storia, illustrarne i mutamenti e spiegarne le caratteristiche e gli scarti dalle norme (*grammatica storico-comparativa*). Nel nostro secolo, poi, la grammatica si è vista aprire nuove prospettive ad opera dello strutturalismo, secondo il quale, per comprendere bene i fenomeni linguistici, bisogna analizzarli nel complesso dei rapporti e delle situazioni in cui essi si realizzano: la lingua, secondo lo strutturalismo, va vista non come un insieme di suoni, di parole o di categorie grammaticali ciascuna a sé stante, ma come un sistema o come un insieme di sistemi tra di loro collegati in cui a contare sono i rapporti che, in base alle loro diverse funzioni, distinguono i vari elementi. Stimolata dallo strutturalismo o, meglio, dalle varie scuole in cui lo strutturalismo si è frantumato, la grammatica ha largamente rinnovato i suoi presupposti teorici e anche la sua terminologia: ha preso a occuparsi delle lingue nella loro realtà attuale di lingue parlate e ha dimostrato come le categorie tradizionali non hanno un valore autonomo e assoluto, ma in rapporto alla loro funzione e in quanto si differenziano da altre categorie della stessa lingua (*grammatica strutturalistica*). Con gli anni Sessanta, poi, un nuovo indirizzo linguistico ha affidato alla grammatica l'esaltante compito di individuare le "strutture profonde" del linguaggio, cioè il complesso di norme che da un determinato enunciato linguistico permettono di "generare", attraverso successive "trasformazioni", tutte le possibili frasi in esso contenute, perché il senso vero di un'espressione linguistica non è mai determinato soltanto dalle strutture fonologiche, morfologiche, sintattiche e semantiche (*grammatica generativo-trasformazionale*). Naturalmente, negli ultimi decenni, la grammatica ha tratto notevoli spunti anche dalle varie branche in cui la linguistica si è venuta specializzando: la **sociolinguistica**, che analizza la lingua nelle sue implicazioni e nei suoi rapporti con la realtà sociale e che ha ottenuto ottimi risultati mettendo in luce le interrelazioni tra i dialetti, la lingua e le classi sociali; la **psicolinguistica**, che propone di studiare le motivazioni del messaggio linguistico in rapporto sia all'emittente sia al destinatario, per cogliere i nessi esistenti tra il pensiero e la sua manifestazione verbale; la **semiologia**, la scienza che studia i vari tipi di segni, non solo linguistici ma anche gestuali, visivi e olfattivi, prodotti nell'ambito della vita sociale; la **linguistica testuale** che, partendo dal presupposto che un messaggio verbale non consiste nella semplice giustapposizione di parole o di frasi ma nell'unità costituita dal *testo*, studia la struttura dei testi e ne elenca i vari tipi.

Scienza complessa, la grammatica, grazie agli stimoli che le sono venuti dalle continue intuizioni della linguistica moderna, ha, con il tempo, attenuato il suo originario scopo normativo, inteso sempre e soltanto a individuare, mediante l'analisi della lingua e soprattutto dell'uso che di tale lingua hanno fatto i buoni scrittori, le "leggi" e le "regole" che essa segue e a indicarle come norme da seguire. Certo essa mantiene sempre un ruolo normativo che la porta a prescrivere certi usi e a condannarne altri, ma ormai ha assunto anche intenti di tipo diverso: tiene conto delle modifiche cui una lingua va incontro nell'uso quotidiano, nelle diverse situazioni comunicative e nei diversi livelli linguistici; registra i fenomeni linguistici che appaiono in contrasto con l'uso tradizionale e con le sue stesse norme e cerca di spiegarne le ragioni, sia sul piano storico sia su quello sociale; si offre sempre più spesso non solo come arcigna e rigida depositaria delle regole, ma come utile punto di riferimento nel continuo divenire della lingua e come formidabile strumento di organizzazione e di disciplina della lingua parlata e scritta.

3. Le parti della grammatica

La grammatica, alla luce delle moderne teorie linguistiche, è una scienza unitaria e organica che deve studiare la lingua nella sua globalità, perché globale, cioè compatto e indivisibile, è il testo-messaggio in cui la lingua si manifesta nella realtà degli atti linguistici.

La lingua – la lingua materna o una lingua straniera – non si apprende fonema per fonema, categoria morfologica per categoria morfologica o complemento per complemento, ma, per quanto gradualmente, come struttura unitaria. E quando formuliamo un messaggio non ci rendiamo neanche conto che veniamo aggiungendo un nome usato come soggetto a un verbo usato come predicato e così via, ma produciamo, senza perdere tempo a rifletterci sopra, un atto linguistico compiuto.

Tuttavia, per analizzare da vicino la struttura della lingua, è opportuno ripartire il discorso e procedere per successivi livelli di analisi. Pertanto, pur tenendo ben presente che la lingua è un insieme organico di elementi che funzionano tutti insieme e che sono quello che sono non in sé e per sé, ma per la funzione che svolgono l'uno accanto all'altro, descriveremo e analizzeremo, l'una dopo l'altra, le seguenti parti della grammatica:

• la **fonologia**, che studia i fonemi, cioè i suoni della lingua dal punto di vista della loro funzione e del loro organizzarsi in parole;

• la **morfologia**, che studia le parole occupandosi delle diverse forme che esse assumono nell'ambito di una frase a seconda del loro significato e a seconda della funzione che svolgono nella frase stessa;

• la **sintassi**, che studia i rapporti secondo cui le parole si combinano a formare le proposizioni e le proposizioni si combinano a formare i periodi, determinando la funzione reciproca di ciascuna parola nella proposizione e di ciascuna proposizione nel periodo;

• la **lessicologia**, che studia l'origine e la forma delle parole, in ordine al loro significato;

• la **semantica**, che studia le parole in ordine al loro significato, cioè in ordine al rapporto che esse intrattengono con i loro referenti.

Fonologia

La **fonologia** (dal greco *phoné*, 'suono, voce', e *lógos*, 'studio') è la scienza che studia i suoni linguistici di una particolare lingua dal punto di vista della loro funzione e del loro organizzarsi in parole. Essa si avvale, come disciplina preliminare e ausiliaria, della **fonetica** che, invece, studia i suoni linguistici dal punto di vista fisico, cioè studia tutti i suoni linguistici che possono essere prodotti dalla voce umana, analizzandone il modo in cui si formano e le caratteristiche.

1

Suoni e fonemi della lingua italiana

Ogni lingua è in primo luogo un fatto orale e, quindi, è costituita da **suoni** o **fonemi** prodotti dall'apparato fonatorio. I suoni sono poi rappresentati con simboli grafici, detti **lettere** o **grafemi**, che danno luogo alla lingua scritta e che costituiscono l'**alfabeto**.

1. I suoni prodotti dall'apparato fonatorio

I suoni di una lingua vengono prodotti dall'aria emessa dai polmoni che, passando attraverso la laringe per uscire dalla bocca e, in parte, dal naso, viene variamente modulata dagli ostacoli che incontra nel suo cammino e dal diverso atteggiarsi degli organi contenuti nella cavità orale.

Alla produzione dei suoni contribuiscono molti organi, opportunamente stimolati e coordinati da una particolare area cerebrale. Tali organi nel loro insieme costituiscono l'apparato fonatorio e, oltre ai polmoni, sono, come mostra il disegno a pagina seguente, le corde vocali (propriamente due delle quattro fibre muscolari poste ai bordi della laringe), il velo palatino ("palato molle") con l'ugola, il palato, la lingua, gli alveoli, i denti, le labbra e la cavità nasale.

Nessuno di questi organi, tranne in parte le corde vocali, è deputato originariamente ed esclusivamente alla produzione dei suoni. Però, con il tempo, nell'uomo, oltre a compiere le loro funzioni ordinarie (respirare, deglutire, masticare ecc.), essi si sono specializzati nell'articolazione dei suoni del linguaggio verbale.

In particolare, la varietà dei suoni di una lingua è data proprio dalla maggiore o minore intensità con cui l'aria proveniente dai polmoni attraverso i bronchi e la trachea fa vibrare, a causa della pressione più o meno intensa che esercita su di esse, le corde vocali e, poi, dal diverso modo in cui la cassa di risonanza, costituita dalla cavità orale con i suoi organi e da quella nasale, plasma o modula tali vibrazioni. Infatti, non solo il velo palatino, cioè la membrana del palato molle, può, abbassandosi, costringere l'aria a defluire non dalla bocca ma dal naso, dando luogo a suoni nasali, ma, una volta nella bocca, l'aria, carica delle vibrazioni impressele dalle corde vocali, può essere variamente modulata, se viene modificata l'apertura delle labbra o ristretta la cavità orale semplicemente spingendo la lingua più o meno in alto, più o meno indietro verso il palato, più o meno avanti verso gli alveoli e verso i denti.

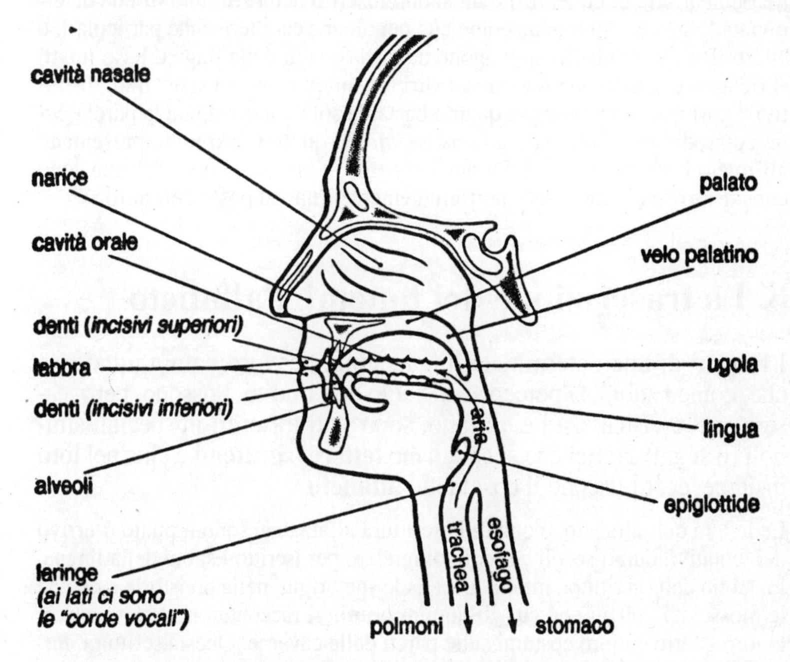

2. I suoni e i fonemi

I suoni che l'uomo può articolare e produrre mediante gli organi fonatori sono molto numerosi: tenendo conto di tutte le sfumature determinate dalla diversa intensità dell'aria emessa e dalla possibile variazione delle posizioni dei vari organi, essi assommano a circa un centinaio. Ma una lingua, in nome dei principi di economicità, chiarezza ed efficacia su cui si fonda la sua praticità come mezzo di comunicazione, utilizza un numero piuttosto ristretto di tali suoni, in tutto una trentina. I suoni articolati che vengono utilizzati in una lingua e che, quindi, contribuiscono a formare le unità superiori della lingua, dai morfemi alle parole, alle frasi, ai periodi e ai testi, si chiamano **fonemi.**

Il fonema è qualcosa di diverso dal suono. In particolare, il *suono* (che per convenzione viene scritto tra parentesi quadre: [p]) è, oltre che qualsiasi suono articolato prodotto dagli organi fonatori, il prodotto specifico della fonazione, studiato nel suo aspetto fisico-materiale: ad esempio il suono [p] è un'occlusiva bilabiale sorda. Il *fonema* (che per convenzione viene trascritto tra due barrette oblique: /p/) è un suono inserito nella struttura di una determinata lingua e si individua come tale per alcune caratteristiche particolari, o "tratti distintivi", che lo oppongono ad altri fonemi della lingua. Esso infatti si riconosce solo in opposizione ad altri fonemi attraverso i suoi "tratti distintivi": così /p/ è un fonema in quanto basta da solo a individuare la parola *pane* come diversa dalle parole *cane* e *rane*, le quali a loro volta presentano all'inizio i fonemi /c/ e /r/. Di norma, però, i termini suono e fonema sono considerati sinonimi e usati indifferentemente l'uno al posto dell'altro.

3. La trascrizione dei fonemi: l'alfabeto

I fonemi di una determinata lingua sono, per loro natura, qualcosa che, come i suoni, si percepiscono solo con l'udito. Possono, però, essere anche visualizzati e, di fatto, sono stati trascritti in speciali simboli (o segni) grafici che si chiamano **lettere** o **grafemi** e che, nel loro insieme, costituiscono il cosiddetto **alfabeto.**

Le lettere dell'alfabeto, e quindi la scrittura alfabetica, sono il punto d'arrivo dei tentativi, durati secoli e secoli, di rendere per iscritto i suoni della lingua. La storia della scrittura, infatti, affonda le sue origini nella preistoria e prende le mosse dai graffiti con cui gli uomini primitivi raccontarono le loro cacce, le loro guerre e i loro costumi sulle pareti delle caverne. Questa scrittura, fatta di disegni e di pittura, è detta **pittografica** e fu poi sostituita da una scrittura in cui le figure, anziché essere usate per indicare semplicemente ciò che rappresentavano, venivano stilizzate, cioè semplificate e schematizzate, e ridotte a puri segni simbolici cui era possibile attribuire più significati: gli **ideogrammi**, cosiddetti perché ogni figura stilizzata non era più la raffigurazione di un oggetto, ma il simbolo dell'oggetto o un'idea astratta, in qualche modo legata all'oggetto. Scrittura ideografica è, ad esempio, la scrittura geroglifica degli antichi Egizi, nella quale, per altro, accanto a veri e propri ideogrammi cominciarono ben presto ad apparire anche segni con valori fonetici, cioè segni che trascrivevano singoli suoni. E proprio la trascrizione dei singoli suoni mediante appositi segni sembra sia stata la strada che ha portato alla scrittura alfabetica. Furono, a quanto pare, gli Assiro-Babilonesi a inventare un sistema di trascrizione sillabica in cui ciascun segno rappresentava un'intera sillaba. Ma il merito di aver impresso una svolta decisiva alla storia della scrittura spetta ai Fenici che, nei primi secoli del II millennio a.C., cominciarono a scrivere attribuendo un segno particolare a ognuna delle consonanti che costituivano una parola, trascurando le vocali. Il primo alfabeto era nato, perché si era intuito che per esprimere per iscritto tutti i concetti che si volevano esprimere bastava individuare il ristretto numero di suoni che, opportunamente usati per parlare, avevano particolari caratteri distintivi (i fonemi) e rappresentarli ciascuno con un segno. Il sistema di scrittura usato dai Fenici fu poi perfezionato dai Greci. Essi, infatti, integrarono l'insieme dei segni consonantici dei Fenici con l'aggiunta di altri segni per le vocali. Così, ogni segno scritto, cioè ogni lettera o grafema, veniva a corrispondere a un suono della lingua e ogni fonema poteva essere, per quanto approssimativamente, trascritto. L'alfabeto era ormai una realtà.

4. L'alfabeto italiano

L'alfabeto italiano deriva da quello latino che a sua volta deriva da quello greco ed è costituito da 21 lettere, che possono essere scritte con caratteri minuscoli o maiuscoli:

a A *a*	**b B** *bi*	**c C** *ci*	**d D** *di*	**e E** *e*	**f F** *effe*	**g G** *gi*
h H *acca*	**i I** *i*	**l L** *elle*	**m M** *emme*	**n N** *enne*	**o O** *o*	**p P** *pi*
q Q *qu*	**r R** *erre*	**s S** *esse*	**t T** *ti*	**u U** *u*	**v V**[1] *vi* opp. *vu*	**z Z** *zeta*

A questi 21 segni vanno aggiunti altri 5 segni che servono per tra-

[1] La penultima delle 21 lettere dell'alfabeto tradizionale italiano si chiama *vi* o *vu*? Secondo i più è meglio chiamarla *vu*, ma non c'è nessun motivo di non chiamarla *vi*. Del resto non è un caso che mezza Italia legge la sigla TV che indica la televisione *tivù* (*tivvù*) e mezza Italia *tivì* (*tivvì*).

scrivere, in certa grafia antiquata, alcuni suoni particolari o per trascrivere suoni di parole straniere:

j J	**k K**	**w W**	**x X**	**y Y**
i lunga	*cappa*	*doppia vu*	*ics*	*ipsilon* o *i greca*

Pertanto, l'alfabeto italiano è costituito dai seguenti segni o lettere:

MINUSCOLE	**a**	**b**	**c**	**d**	**e**	**f**	**g**	**h**	**i**	**j**	**k**	**l**	**m**
	n	**o**	**p**	**q**	**r**	**s**	**t**	**u**	**v**	**w**	**x**	**y**	**z**
MAIUSCOLE	**A**	**B**	**C**	**D**	**E**	**F**	**G**	**H**	**I**	**J**	**K**	**L**	**M**
	N	**O**	**P**	**Q**	**R**	**S**	**T**	**U**	**V**	**W**	**X**	**Y**	**Z**

L'alfabeto italiano però è un **sistema di scrittura imperfetto**. Infatti, pur essendo uno degli alfabeti più completi, **non riesce a realizzare una perfetta corrispondenza tra fonemi e grafemi**: non riesce cioè a far sì che un solo segno (o lettera) rappresenti sempre e soltanto un suono della lingua e, viceversa, che ogni suono sia rappresentato da un solo segno. Così, tra fonemi e grafemi, ci sono alcune divergenze che, nel caso specifico, sono dovute alla complessità dei suoni di una lingua e ai diversi tempi e modi in cui la lingua parlata (fatta di suoni) e la lingua scritta (fatta di grafemi) si sono evolute e continuamente si evolvono.

Come meglio vedremo occupandoci dei singoli fonemi, nel rapporto tra fonemi e grafemi o, se si preferisce, tra pronuncia e scrittura, l'alfabeto italiano:

– presenta una corrispondenza precisa tra fonemi e lettere in 13 casi: **a**, **b**, **d**, **f**, **i**, **l**, **m**, **n**, **p**, **r**, **t**, **u**, **v**;

– è manchevole in 6 casi in cui si serve di una sola lettera per trascrivere due suoni: ciò succede con le vocali **e** e **o** e con le consonanti **c**, **g**, **s** e **z**;

– è manchevole perché non presenta lettere per trascrivere i fonemi **gl** + *i*; **gli** + *a*, *e*, *u*; **gn** + vocali; **sc** + *i* o *e*; **sci** + *a*, *o*, *u* e li rende con i dittonghi e i trittonghi **gli**, **glia**, **glie** ecc.; **gna**, **gni** ecc.; **sci**, **sce**, **scia** ecc.;

– è sovrabbondante perché presenta una lettera, la **h**, cui non corrisponde alcun suono;

– è antieconomico, perché presenta una lettera, la **q**, che è un doppione della lettera *c* + *u*; infatti uno stesso fonema, il fonema **cu**, può essere trascritto in due modi: ora con **cu** (*scuola*), ora con **qu** (*squadra*).

4.1. L'alfabeto fonetico dell'italiano

Le divergenze tra i suoni della lingua e i segni con cui essi si trascrivono non sono tipiche solo dell'italiano, ma esistono, e in misura ben maggiore, anche in altre lingue, ad esempio in francese e in inglese, e danno luogo a molteplici inconvenienti ed equivoci. Proprio per ovviare a queste manchevolezze degli alfabeti tradizionali, i linguisti hanno provveduto a creare i cosiddetti **alfabeti fonetici**, veri e propri strumenti scientifici convenzionali nei quali **ogni singolo segno rappresenta sempre e soltanto un singolo suono o fonema.**

Gli alfabeti fonetici, che si basano generalmente sulle lettere dell'alfabeto latino integrate con lettere dell'alfabeto greco e combinate con vari segni diacritici, risultano molto utili nello studio delle lingue parlate e, in particolare, nell'apprendimento delle lingue straniere.

Tra gli alfabeti fonetici, il più diffuso è indubbiamente quello elaborato dall'*Association Phonétique Internationale* ('Associazione Fonetica Internazionale') che permette di rappresentare i suoni delle più importanti lingue.

Nella tabella che segue riportiamo la trascrizione fonetica di tutti i suoni della nostra lingua. Per leggere la tabella, occorre tener conto delle norme dell'Associazione Fonetica Internazionale:

– le trascrizioni dei singoli suoni e dei suoni di un'intera parola sono sempre poste tra due barrette oblique //;
– la vocale su cui cade l'accento viene indicata con il segno ' posto a esponente davanti all'intera sillaba;
– il segno : posposto a una vocale indica che quella vocale è lunga;
– i suoni /gli/, /gn/, /sc/, /sci/, /z/, quando sono tra due vocali, si pronunciano doppi e quindi, nella trascrizione fonetica, si scrivono due volte.

SIMBOLO DEI SUONI SECONDO L'ALFABETO FONETICO	LETTERE DELL'ALFABETO	ESEMPIO	TRASCRIZIONE FONETICA
/a/	a	m*a*re	/'mare/
/b/	b	*b*uco, la*bb*ra	/'buco/, /'labbra/
/tʃ/	c + e, i	*c*ena, fa*cc*ia	/'tʃena/, /'fattʃa/
/k/	c + a, o, u ch + e, i qu + ua, ue, ui, uo	*c*ane, pa*cc*o, ri*cch*i *qu*adro, so*qqu*adro	/'kane/, /'pakko/, /'rikki/ /'kwadro/, /sok'kwadro/
/d/	d	*dado*	/'dado/

SIMBOLO DEI SUONI SECONDO L'ALFABETO FONETICO	LETTERE DELL'ALFABETO	ESEMPIO	TRASCRIZIONE FONETICA
/e/	é (chiusa)	r*é*te, p*é*sca	/ˈrete/, /ˈpeska/
/ɛ/	è (aperta)	b*è*ne, p*è*sca	/ˈbɛne/, /ˈpɛska/
/f/	f	*f*aro, tu*ff*o	/ˈfaro/, /ˈtuffo/
/g/	g + a, o, u gh + e, i	*g*atto, *gh*iro	/ˈgatto/, /ˈgiro/
/dʒ/	g + e, i	*g*elo, fa*gg*io	/ˈdʒelo/, /ˈfaddʒo/
/i/	i	*i*nut*i*le, pr*i*mo	/iˈnutile/, /ˈprimo/
/j/	i semiconsonantica	*i*eri, f*i*ume	/ˈjeri/, /ˈfjume/
/l/	l	*l*ana	/ˈlana/
/ʎ/	gl + i gli + a, e, o, u	fi*gl*i, fi*gli*o	/ˈfiʎi/, /ˈfiʎʎo/
/m/	m	ra*m*o	/ˈramo/
/n/	n	*n*ero, pa*nn*o	/ˈnero/, /ˈpanno/
/ɲ/	gn	*gn*omo, ra*gn*o	/ˈɲomo/, /ˈraɲɲo/
/o/	o (chiusa)	s*ó*le, b*ó*tte	/ˈsole/, /ˈbotte/
/ɔ/	o (aperta)	*ò*ro, b*ò*tta	/ˈɔro/, /ˈbɔtta/
/p/	p	*p*alo	/ˈpalo/
/r/	r	*r*amo	/ˈramo/
/s/	s (sorda)	*s*ano, *s*a*ss*o, *s*pe*s*a	/ˈsano/, /ˈsasso/, /ˈspesa/
/z/	s (sonora)	ro*s*a, sorri*s*o, *s*barra	/ˈroza/, /sorˈrizo/, /ˈzbarra/
/ʃ/	sc + e, i sci + a, o, u	*sc*elto, pe*sc*e, *sci*ame	/ˈʃelto/, /ˈpeʃʃe/, /ˈʃame/
/t/	t	*t*e*tt*o	/ˈtetto/
/u/	u	l*u*po	/ˈlupo/
/v/	v	*v*ita	/ˈvita/
/w/	u semiconsonantica	*u*omo, acq*u*a	/ˈwomo/, /ˈakkwa/
/ts/	z	*z*ampa, for*z*a	/ˈtsampa/, /ˈfɔrtsa/
/ʒ/	z	*z*ero, *z*an*z*ara	/ˈʒero/, /ʒanˈʒara/

5. I fonemi dell'italiano

I fonemi della lingua italiana si distinguono, secondo il modo in cui vengono articolati, in due gruppi: le **vocali** e le **consonanti**.

5.1. Le vocali

Le vocali sono i fonemi più semplici: per pronunciarle basta far uscire l'aria emessa dai polmoni dalla cavità orale senza frapporre alcun ostacolo al suo passaggio. La differenza di suono tra le varie vocali dipende dalle differenti posizioni delle mascelle, della lingua e delle labbra. La lingua italiana possiede, almeno nella pronuncia ufficiale modellata sul toscano, **7 fonemi vocalici**:

a, **e** aperta, **e** chiusa, **i**, **o** aperta, **o** chiusa, **u**

ma **solo 5 segni** per rappresentarli graficamente, perché **e** e **o** aperte o chiuse si scrivono allo stesso modo. In particolare, tenendo conto della pronuncia, il sistema vocalico italiano può essere così descritto:

• la vocale **a** (in trascrizione fonetica /a/) è la vocale più aperta: per pronunciarla basta aprire al massimo la gola, tenendo la lingua abbassata e immobile, e lasciar passare l'aria espirata dai polmoni. Es.: ***alba***, ***alto***, ***analisi***;

• la vocale **e** aperta (**è**: in trascrizione fonetica /ɛ/) si pronuncia sollevando la lingua e avvicinandola al palato duro. Es.: *pètali*, *sènza*, *pensièro*;

• la vocale **e** chiusa (**é**: in trascrizione fonetica /e/) si pronuncia sollevando maggiormente la lingua e avvicinandola al palato duro in un punto più avanzato. Es.: *céra*, *casétta*, *avére*;

• la vocale **i** (in trascrizione fonetica /i/) si pronuncia sollevando ulteriormente la lingua e avvicinandola al palato in un punto ancora più avanzato. Es.: *offrire*, *mio*, *interesse*;

• la vocale **o** aperta (**ò**: in trascrizione fonetica /ɔ/) si pronuncia restringendo le labbra, sollevando la lingua e avvicinandola alla parte posteriore del palato. Es.: *òro*, *stòria*, *ventòtto*;

• la vocale **o** chiusa (**ó**: in trascrizione fonetica /o/) si pronuncia restringendo e sporgendo ulteriormente le labbra e facendo retrocedere la lingua verso la parte posteriore del palato. Es.: *erróre*, *amóre*, *bisógno*;

• la vocale **u** (in trascrizione fonetica /u/) è la vocale più chiusa: si pronuncia arrotondando e sporgendo le labbra al massimo grado e toccando con la lingua il limite posteriore del palato. Es.: *uva*, *una*, *inutile*.

Tenendo conto della posizione della lingua rispetto al palato, il sistema vocalico italiano può essere così rappresentato, nel cosiddetto **triangolo vocalico**:

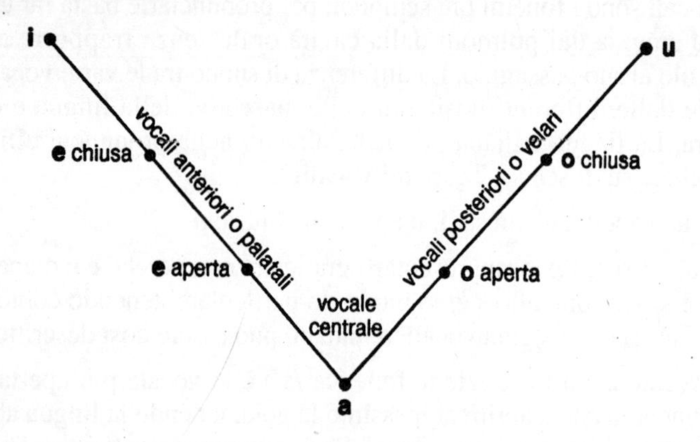

Come appare nel triangolo vocalico, le vocali si suddividono in *anteriori* o *palatali* (**e**, **i**) e in *posteriori* o *velari* (**o**, **u**) mentre la vocale **a** è detta *centrale*. Inoltre la vocale **a** è sempre aperta e le vocali **i** e **u** hanno sempre un timbro chiuso e insieme costituiscono le vocali *fondamentali* o *estreme*. Invece, le vocali *intermedie* del triangolo, sia anteriori (**e**) sia posteriori (**o**), possono avere tanto un timbro *aperto* quanto un timbro *chiuso*: ciò succede quando le due vocali sono **toniche**, cioè sono colpite dall'accento (quando sono atone, cioè in posizione non accentata, hanno un timbro intermedio tendente a quello chiuso), e, in questo caso, la loro pronuncia può dar luogo a non pochi problemi.

La differenza di pronuncia tra le due vocali aperte e chiuse dipende dalla differente origine storica delle due vocali e quindi, per sapere se una **e** o una **o** toniche devono essere pronunciate in un modo o nell'altro, bisogna risalire all'origine della parola che le contiene, studiare cioè l'etimologia della parola. Ciò non è sempre facile e in alcuni casi neppure risolutivo, perché l'uso linguistico ha spesso modificato il quadro evolutivo del vocalismo latino. La cosa migliore è consultare il dizionario che, per convenzione, indica sempre l'accento fonico della vocale **e** e della vocale **o** toniche, segnando l'accento grave (`) per indicare il suono aperto e l'accento acuto (´) per indicare il suono chiuso.

GRAFEMA O LETTERA	**a**	**e**		**i**	**o**		**u**
SUONO	*aperto*	*aperto*	*chiuso*	*chiuso*	*aperto*	*chiuso*	*chiuso*
TRASCRIZIONE FONETICA	/a/	/ɛ/	/e/	/i/	/ɔ/	/o/	/u/
ESEMPIO	cara	pètali	céra	micio	stòria	amóre	uva

La distinzione tra la pronuncia aperta o chiusa delle vocali **e** e **o** toniche è, essenzialmente, un fatto di proprietà espressiva. In genere solo i toscani (in particolare i fiorentini) che la sentono istintivamente e coloro che l'apprendono volontariamente (ad esempio gli attori) la rispettano. La maggior parte degli italiani, invece, usa un tipo di pronuncia che, risentendo di caratteristiche foniche regionali, tende a ignorare la distinzione tra vocali chiuse e aperte, riducendo di fatto le vocali da 7 a 5. La cosa, anche se produce un inevitabile impoverimento della nostra lingua, non è grave, perché rientra nelle tendenze livellatrici e omologatrici dell'uso linguistico, ma la distinzione deve essere conservata e rispettata quando costituisce un **tratto distintivo,** cioè una caratteristica che permette di distinguere parole che potrebbero confondersi l'una con l'altra, come parole che si scrivono in modo identico ma hanno significato diverso a seconda che contengano una **e** o una **o** aperta o chiusa.

Si vedano, in proposito, le seguenti tabelle:

	é CHIUSA	**è** APERTA
accetta	l'**accétta** (la scure)	egli **accètta**
collega	egli **colléga**	un **collèga**
corresse	che egli **corrésse** (da *correre*)	egli **corrèsse** (da *correggere*)
esca	l'**ésca**	**èsca!**
mente	la **ménte**	egli **mènte**
mento	il **ménto**	io **mènto**
messe	le **mésse** (plurale di *messa*)	la **mèsse** (la raccolta dei cereali)
pesca	la **pésca** (dei pesci)	la **pèsca** (frutto)
tema	la **téma** (la paura); che io **téma**	il **tèma**
venti	il numero **vénti**	i **vènti** (plurale di *vento*)

	ó CHIUSA	ò APERTA
botte	la **bótte**	le **bòtte** (le percosse)
colto	un uomo **cólto** (istruito)	un frutto **còlto** (raccolto)
corso	io ho **córso** (da *correre*)	un **còrso** (abitante della Corsica)
foro	il **fóro** (buco)	il **fòro** (piazza, tribunale)
fosse	che egli **fósse**	le **fòsse** (buche)
porsi	**pórsi** (mettersi)	io **pòrsi** (da *porgere*)
posta	**pósta** (participio di *porre*)	la **pòsta**
rocca	la **rócca** (per filare)	la **ròcca** (la fortezza)
rosa	**rósa** (participio di *rodere*)	la **ròsa**
volgo	il **vólgo**	io **vòlgo** (da *volgere*)
volto	il **vólto**	**vòlto** (participio di *volgere*)

Il contesto, ovviamente, può aiutare a distinguere, volta per volta, l'esatto significato dei vari omografi. Il dizionario, comunque, li registra tutti, distinguendoli l'uno dall'altro attraverso l'accento.

5.2. Le consonanti

Le consonanti sono suoni che possono essere pronunciati solo appoggiandosi a una vocale: esse, come dice il loro nome, suonano solo con l'aiuto di una vocale.

Di fatto, *b* e *c* si leggono "bi" e "ci", cioè unendo il suono di una vocale a quello della consonante, che da sola potrebbe essere pronunciata solo a fatica.

Per quanto riguarda la fonazione, le consonanti vengono articolate con il canale vocale chiuso, tutto o in parte, attraverso movimenti di apertura o di chiusura della bocca e attraverso l'utilizzo degli organi molli (la lingua, le labbra e il velo palatino), i quali, assumendo diverse posizioni rispetto alle parti rigide (i denti e il palato), possono creare una maggiore o minore resistenza al passaggio dell'aria proveniente dai polmoni. In pratica la varietà delle consonanti è prodotta dall'azione combinata di tre diversi fattori, che insieme determinano i **tratti distintivi** di ciascuna consonante, cioè le caratteristiche particolari che permettono di distinguere una consonante dall'altra:

• il **modo** di articolazione;

• il **luogo** di articolazione;

• il **grado** di articolazione.

Secondo il *modo di articolazione* le consonanti si distinguono in:

• **occlusive** o **esplosive** o **momentanee**: **p**, **b**, **t**, **d**, **c** di *cane* e di *chiesa* e **g** di *gatto* e di *ghiro*. Sono così dette dall'ostacolo-occlusione che l'aria proveniente dai polmoni incontra in un dato punto del canale vocale e dalla piccola esplosione che si produce per superare tale ostacolo quando vengono articolate, occlusione che dura un breve momento, in quanto non può essere prolungata;

• **continue**: quando possono essere pronunciate con un suono prolungabile a piacere, perché non si ha un'interruzione del flusso dell'aria né un'occlusione completa del canale vocale, ma solo un suo parziale restringimento. Esse si dividono in:

– **spiranti** o **fricative**: **f**, **v**;
– **sibilanti**: **s**, **sc** di *scena* e di *scimmia*;
– **liquide**: **l** (liquida laterale), **r** (liquida vibrante), **gl** di *egli* (liquida laterale palatale);
– **nasali**: **m**, **n**;

• **semiocclusive** o **affricate**: **z**, **c** di *cena* e **g** di *gelo*. Sono così dette perché uniscono i caratteri delle occlusive e delle continue, in quanto l'aria proveniente dai polmoni dapprima incontra un ostacolo al livello del palato e poi lo supera incanalandosi lungo un passaggio piuttosto stretto e dando luogo a una sorta di fruscio;

• **occlusive-labiovelari**: **q**. È così detta perché viene pronunciata come un'occlusiva articolata però attraverso un allungamento delle labbra verso l'esterno.

Secondo il *luogo di articolazione*, cioè l'organo vocale maggiormente interessato nella pronuncia e, quindi, l'organo che modifica la corrente d'aria proveniente dai polmoni, le consonanti si distinguono in:

• **labiali**: **p**, **b**, **m**, perché vengono articolate con le labbra; **m** è detta anche **nasale** perché risuona pure nel naso;

• **dentali**: **t**, **d**, perché si articolano con la punta della lingua che va ad appoggiarsi ai denti anteriori;

• **labiodentali**: **f**, **v**, perché vengono articolate usando le labbra e i denti;

• **alveolari**: **s**, **z**, **l**, **r**, **n**, perché sono articolate con la lingua che va ad appoggiarsi alle gengive; **n** è detta anche nasale perché risuona pure nel naso;

• **palatali**: **c** di *cena*, **g** di *gelo*, **gl** di *egli*, **gn**, **sc** di *scena* e di *scimmia*, perché si articolano con la lingua che si appoggia al palato;

• **velari**: **c** di *cane* e di *chiesa*, **g** di *gatto* e di *ghiro*, **q**, perché si articolano ritirando la lingua verso il velo pendulo o palato molle. Poiché sembrano articolate nella gola, queste consonanti sono chiamate anche **gutturali**.

Infine, secondo il *grado di articolazione*, cioè la risonanza che hanno, le consonanti si distinguono in:

• **sorde**: sono così chiamate le consonanti costituite da semplici rumori, senza alcuna risonanza, perché quando vengono pronunciate l'aria proveniente dai polmoni non fa vibrare le corde vocali. Si dividono in:

– **occlusive sorde**: **c** di *cane* e di *chiesa*, **p**, **t**;
– **spirante sorda**: **f**;
– **sibilante sorda**: **s** di *sole*;
– **semiocclusive sorde**: **c** di *cena*, **z** di *zolfo*;

• **sonore**: sono così chiamate le consonanti il cui suono è costituito da un soffio più o meno prolungato, dotato di risonanza, perché quando vengono pronunciate l'aria fa vibrare le corde vocali. Si dividono in:

– **occlusive sonore**: **g** di *gatto* e di *ghiro*, **b**, **d**;
– **fricativa sonora**: **v**;
– **sibilante sonora**: **s** di *sdraio*;
– **semiocclusive sonore**: **z** di *zero*, **g** di *gelo*.

Le *liquide* **l**, **r** e le *nasali* **m**, **n**, così come le vocali, sono sempre sonore. Invece, la *labiovelare* **q** è sempre sorda.

Così la consonante **p** si distingue dalla consonante **d** perché, pur essendo ambedue occlusive (pur avendo perciò il "tratto" dell'occlusione che le distingue entrambe dalla **f** che invece ha il "tratto" della continuità), la **p** ha il "tratto distintivo" della labialità mentre la **d** ha il "tratto" della dentalità. Invece le due occlusive **p** e **b** si distinguono tra loro perché la prima è sorda e la seconda sonora.

LE CONSONANTI

MODO DI ARTICOLAZIONE	OCCLUSIVE O ESPLOSIVE O MOMENTANEE		CONTINUE							SEMIOCCLUSIVE O AFFRICATE	
			SPIRANTI		SIBILANTI		LIQUIDE		NASALI		
GRADO DI ARTICOLAZIONE	SORDE	SONORE	SORDE	SONORE	SORDE	SONORE	SONORE		SONORE	SORDE	SONORE
PUNTO DI ARTICOLAZIONE							LATERALI	VIBRANTI			
LABIALI	**p** /p/	**b** /b/							**m** /m/		
LABIODENTALI			**f** /f/	**v** /v/							
DENTALI	**t** /t/	**d** /d/									
ALVEOLARI					**s** /s/ (di *seta*)	**s** /z/ (di *rosa*)	**l** /l/	**r** /r/	**n** /n/	**z** /ts/ (di *danza*)	**z** /dz/ (di *zeta*)
PALATALI					**sc** /ʃ/ (di *sciame*)		**gl** /ʎ/ (di *egli*)		**gn** /ɲ/	**c** /tʃ/ (di *cena*)	**g** /dʒ/ (di *gelo*)
VELARI	**c** /k/ (di *cane*) **q**	**g** /g/ (di *gatto*)									

Un altro "tratto" distintivo delle consonanti è la loro **durata**. Le consonanti, infatti, possono essere pronunciate in un tempo breve o in un tempo lungo: le consonanti di breve durata sono dette consonanti **semplici**, perché si scrivono una volta sola (*casa*, *seno*, *peli* ecc.); quelle di lunga durata sono dette, invece, consonanti **doppie**, perché si scrivono due volte (*cassa*, *senno*, *pelli* ecc.).

Il valore distintivo del "tratto" della durata è evidente: *casa*, con la consonante semplice è qualcosa di ben diverso da *cassa*, che presenta la consonante doppia. Lo stesso discorso vale per *seno/senno*, per *peli/pelli* ecc.

Per quello che riguarda la scrittura non è facile dare norme che permettano di evitare errori di ortografia nell'uso delle consonanti semplici e doppie, errori di ortografia che spesso sono dovuti alla tendenza di alcuni dialetti settentrionali a semplificare le doppie (si veda ad esempio il veneto *belo*, *stela* ecc.) e di alcuni dialetti meridionali a raddoppiare le semplici (si veda ad esempio *abbile*, *stazzione* ecc.). In generale, tuttavia, si possono dare le seguenti indicazioni:

• in alcuni casi la consonante doppia italiana deriva da una consonante doppia latina. Ad esempio, *canna* deriva dal latino *canna(m)*, *pelle* dal latino *pelle(m)*;

• spesso la consonante doppia italiana è la conseguenza di un processo di assimilazione, cioè della tendenza di una consonante a diventare simile a quella che, nel corpo della parola, la segue immediatamente. Ad esempio, *casa* con la consonante semplice deriva dal latino *casa*, mentre *cassa* deriva dal latino *capsa*, con assimilazione di *ps* in *ss*.

Si tenga anche presente, per evitare gli errori più comuni, che:

– la *s* sonora non raddoppia mai: *rosa*, *viso*, *esame* ecc.

– la consonante *b* non raddoppia mai davanti a *-ile*: *abile*, *automobile*, *carrozzabile* ecc.

– le consonanti *g* e *z* non raddoppiano mai davanti a *-ione*: *ragione*, *interruzione* ecc.

5.2.1. PARTICOLARITÀ NELLA PRONUNCIA DELLE CONSONANTI

La corrispondenza tra segno grafico (*grafema*) e suono (*fonema*) delle consonanti è pressoché perfetta per le consonanti **b**, **d**, **f**, **l**, **m**, **n**, **p**, **r**, **t**, **v**. Invece, i segni **c**, **g**, **s**, **z** rappresentano ciascuno due suoni diversi.

I due suoni di c *e* g

Le lettere **c** e **g** rappresentano due suoni:

• un suono **duro** o **velare** o **gutturale**, davanti alle vocali **a, o, u**, davanti a un'altra consonante e in fine di parola: *cane*, *corvo*, *curvo*, *gatto*, *gufo*, *goffo*, *grave*, *basic*;

• un suono **dolce** o **palatale**, davanti alle vocali palatali **e, i**: *cena*, *ciliegia*, *gelato*, *giro*.

Per indicare che una **c** o una **g** sono **dure** o **velari** anche se sono seguite da **e, i**, si inserisce tra la consonante e la vocale una **h**: *pochi*, *chitarra*, *luoghi*, *ghepardo*. Per indicare invece che una **c** o una **g** sono **dolci** o **palatali** anche davanti ad **a, o, u**, si inserisce tra la consonante e la vocale una **i**, che ha solo funzione grafica e quindi non viene pronunciata e che dà vita ai digrammi **ci** e **gi**: *caccia*, *bacio*, *ciurma*, *giallo*, *giocare*, *giurato*.

In talune parole la vocale **i** dopo la **c** appare anche davanti alla vocale **e**, anche se la **c** seguita da **e** ha di per sé suono palatale, cioè dolce (come in *cera*). Ciò succede: nelle parole in cui la **i** è etimologica, cioè era presente nelle corrispondenti parole latine: *deficiente*, *deficienza*, *sufficiente*, *insufficiente*, *sufficienza*, *insufficienza*, *efficiente*, *efficienza* (e composti), *società*, *socievole* (e composti), *specie*, *superficie*, *prospiciente*; nelle parole *cieco* e *cielo* dove il gruppo **ie** è il punto d'arrivo dell'evoluzione linguistica del dittongo latino *ae* (→ *ĕ* → *ie*); nelle parole in cui la **i** fa parte del suffisso derivativo *-iere*: *arciere*, *paciere*, *artificiere* e simili.

La **i** davanti a **e** si conserva, per motivi etimologici, anche dopo la **g** nelle parole *effigie* e *igiene*.

I due suoni di s *e* z

Le lettere **s** e **z** rappresentano due suoni, uno **sordo** o **aspro**, come in *seta* e in *danza*, e uno **sonoro** o **dolce**, come in *rosa* e *zeta*.

La s *sorda*

La **s** si pronuncia **sorda** o **aspra**, come in *seta*:

• quando è all'inizio di parola seguita da vocale: *sapere*, *santo*, *sale*;

• all'inizio o nel corpo della parola, quando è seguita dalle consonanti sorde **c, p, t, f, q**: *scale*, *spada*, *staffa*, *sfera*, *squadra*, *trasferire*;

• quando, nel corpo della parola, è preceduta da una consonante: *polso*, *borsa*, *psicologo*;

• quando, nel corpo della parola, è doppia: *rosso*, *disse*, *fossa*.

La* s *sonora

La **s** si pronuncia **sonora** o **dolce**, come in *rosa*:

• quando è all'inizio o nel corpo della parola ed è seguita dalle consonanti sonore **b**, **d**, **g**, **l**, **m**, **n**, **r**, **v**: *sbandare*, *disdire*, *sgusciare*, *slavato*, *snaturare*, *sradicare*, *sveglia*;

• quando si trova tra due vocali: *mese*, *viso*, *esame*. Ma sono frequenti anche i casi di **s** intervocalica sorda: *casa*, *cosa*, *naso*, *riso*;

• nelle parole, per lo più di registro dotto, in *-asi*, *-esi*, *-isi*, *-osi*: *stasi*, *genesi*, *dialisi*, *nevrosi*.

La* z *sorda

La **z** si pronuncia **sorda** o **aspra**, come in *danza*:

• quando è seguita dai gruppi **ia**, **ie**, **io**: *mestizia*, *impaziente*, *poliziotto*;

• quando è doppia: *pazzo*, *ruzzolare*;

• nelle parole terminanti in *-anza*, *-enza*, *-ezza*: *costanza*, *frequenza*, *bellezza*.

La* z *sonora

La **z** si pronuncia **sonora** o **dolce**, come in *zero*:

• quando si trova in principio di parola: *zeta*, *zefiro*, *zaino*. Fanno eccezione: *zampa*, *zappa*, *zolla*;

• quando si trova tra due vocali: *azalea*, *azoto*;

• nei suffissi *-izzare* e *-izzazione*: *nazionalizzare*, *nazionalizzazione*.

La h

La lettera **h** non rappresenta alcun suono, ma è un puro segno grafico: è, come anche si dice, una lettera muta. Essa si usa:

• per formare i digrammi **ch** e **gh**, cioè per rendere duro (o velare) il suono di **c** e di **g** seguite dalle vocali **e** e **i**: *cherubino*, *chilo*, *ghetto*, *ghiro*;

• nella prima, seconda, terza persona singolare e nella terza persona plurale del verbo *avere*: *ho*, *hai*, *ha*, *hanno*, per evitare equivoci con altre parole di suono uguale;

• in alcune interiezioni, per metterne in evidenza il valore esclamativo: *ah*, *ahi*, *ahimè*, *eh*, *oh*, *ohimè*.

La q

La consonante **q** si usa soltanto seguita dalla semivocale **u** e da un'altra vocale: *quadro*, *questo*, *liquido*, *quoziente*. Per altro, il suono rappresentato da questa lettera nella sequenza *q* + *u* + *vocale* è in tutto e per tutto uguale a quello della *c* velare nella sequenza *c* + *u* + *vocale* (*cuore*, *scuola*, *cuoio*) e, in teoria, sulla base di un criterio rigorosamente fonetico, la *q* potrebbe essere sostituita dalla *c* velare.

La **q**, dunque, è una lettera perfettamente inutile, in quanto priva di un preciso valore fonetico che la individui in opposizione ad altri suoni. Ma la sua sopravvivenza è garantita da una radicata tradizione ortografica che diversifica l'uso delle **q** e delle **c** in base a criteri etimologici. Le parole scritte con la **q**, infatti, risalgono a parole latine con la **q**: *quattuor* → 'quattro', *quando* → 'quando', *liquidu(m)* → 'liquido'. Le parole con **c** nella sequenza *c* + *u* + *vocale*, invece, derivano da parole latine in cui la **c** era seguita da una *ŏ* (= *o* breve) che poi si è evoluta nel dittongo *-uo*, con *u* semivocale: *cŏr* → 'cuore'; *cŏcum* → 'cuoco'; *cŏriu(m)* → 'cuoio'. In altre parole, come *proficuo*, *innocuo*, *acuire*, invece, la sequenza *c* + *u* + *vocale* è caratterizzata dalla presenza di una *u* vocalica, che fa sillaba con la *c*, come nelle parole latine corrispondenti: *pro-fi-cu-u(m)* → 'pro-fi-cu-o'; *in-no-cu-u(m)* → 'in-no-cu-o'; *a-cu-i-re* → 'a-cu-i-re'.

La lettera **q** raddoppia solo nella parola *soqquadro*. In tutti gli altri casi, il suo rafforzamento viene indicato dalla grafia **cq**: *acquistare*, *acqua*, *nacque*.

I digrammi

Nel corpo di una parola possono trovarsi raggruppate l'una accanto all'altra due o anche tre consonanti, ciascuna delle quali conserva il proprio suono, come nelle parole *strada* e *brigata*. Talora, però, due consonanti giustapposte non rappresentano due suoni distinti, ma un unico suono, come nelle parole *figli*, *scimmia*, *gnomo*: in questo caso si ha un **digramma**, cioè due lettere che rappresentano un solo suono.

In italiano ci sono sette digrammi: **ch**, **gh**, **ci**, **gi**, **gl**, **gn**, **sc**. Dei digrammi **ch**, **gh**, **ci**, **gi** abbiamo già parlato a proposito dei suoni di **c** e di **g**. Vediamo ora gli altri digrammi.

Il digramma gl

Il gruppo consonantico **gl** costituisce un digramma, con suono liquido palatale (dolce), quando è seguito dalla vocale **i**: *egli*, *figli*, *degli*. Se il digramma **gl** oltre che da una **i** è seguito da un'altra vocale, si ha il **trigramma** (gruppo di tre lettere che rappresenta un solo suono) **gli** come in *paglia*, *maglia*, *figlio*.

Se non è seguito dalla vocale **i**, il gruppo **gl** non forma digramma e conserva quindi la sua pronuncia naturale di **g** velare (dura) + **l** (liquida). Ciò succede in alcune parole di origine greca o latina: *gloria*, *glutine*, *gleba*, *gladiatore*, *glucosio*. Inoltre, sempre in parole di origine greca o latina, il gruppo **gl** eccezionalmente non forma digramma anche se è seguito dalla vocale **i**: *glicine*, *glicerina*, *glicemia*, *negligenza*, *geroglifico*, *ganglio*, *anglicano*, *glifo*, *glissare*.

Il digramma gn

Il gruppo consonantico **gn** forma un digramma, con un unico suono palatale-nasale, davanti a tutte le vocali: *gnomo*, *vergogna*, *agnello*, *bagnino*, *ognuno*. Raro all'inizio di parola, il fonema **gn** è molto frequente nel corpo delle parole, in posizione intervocalica.

Il digramma sc

Il gruppo consonantico **sc** forma un digramma e viene pronunciato come un unico suono sibilante palatale (dolce) quando è seguito dalle vocali **e** e **i**: *scena*, *scivolo*.

Quando invece è seguito dalle vocali **a**, **o**, **u** si comporta come un normale gruppo consonantico con due suoni distinti, sibilante e velare (duro): *scarpa*, *scopo*, *oscuro*.

Per ottenere il suono sibilante palatale (dolce) anche davanti alle vocali **a**, **o**, **u**, bisogna frapporre tra **sc** e le vocali in questione la vocale **i**: si ottiene così il *trigramma* **sci**, in cui la **i** è un semplice segno grafico e non si pronuncia: *sciarpa*, *lasciare*, *sciupare*. Il trigramma **sci** si trova eccezionalmente per effetto di una grafia etimologica, anche davanti alla vocale **e** nella parola *scienza* (lat. *scientia*) e *sciente* (lat. *scientem*) e nei loro derivati: *coscienza*, *scienziato*, *scientifico*, *cosciente*, *incosciente*, *scientismo*.

Per ottenere il suono sibilante e velare (duro) anche davanti alle vocali **e** e **i**, bisogna inserire tra **sc** e le vocali in questione una **h**: *scherma*, *schizzo*.

5.3. Particolarità ortografiche

La corretta scrittura delle parole – cioè l'ortografia (dal greco *orthós*, 'corretto', e *graphé*, 'scrittura') – presenta in italiano non poche difficoltà ed è causa di non pochi errori. Ciò è dovuto al fatto che non sempre, come abbiamo visto, le lettere dell'alfabeto corrispondono ai fonemi, cioè ai suoni della lingua e, anche, al fatto che le varie parole sono pronunciate in modo diverso nelle diverse regioni d'Italia. E se a tutto questo si aggiunge il fatto che, in molti casi, la scrittura corretta di una parola si fonda più che su norme ben precise sulla tradizione e sull'abitudine, si capisce come sia facile sbagliare. Comunque, l'ortografia è, ai fini della comunicazione, molto più importante di quanto non si creda e un errore di ortografia può compromettere il buon esito di un messaggio scritto. Certo, il senso del messaggio non viene danneggiato, tranne che in qualche raro caso in cui l'errore produce ambiguità o confusione, dalla presenza in esso di uno o più errori di ortografia, ma chi legge un messaggio e vi trova anche soltanto un errore di ortografia non si può certo fare una buona opinione di chi lo ha scritto e non può non pensare che si tratta di una persona talmente ignorante o sciatta da non saper neppure scrivere in modo corretto le parole della sua lingua. Per evitare inutili errori, diamo qui di seguito l'elenco ragionato delle più frequenti difficoltà ortografiche che si incontrano in italiano.

sce/scie

Si scrive sempre **sce** (*scena*, *scendere*, *scegliere*, *scelta*, *discesa*), tranne che nelle parole *scienza* e *coscienza* e nei loro composti (*scientifico*, *scienziato*, *coscientemente*, *coscienzioso*), nella parola *uscière* (raro *uscère*) e in *scìe* (plurale di *scìa*).

cie/ce, gie/ge

Le forme corrette sono quelle in **ce** e **ge**, perché la **c** e la **g** davanti alla vocale **e** sono di per sé dolci e quindi non hanno bisogno della *i*. Però la *i* si mantiene:

• in sillaba finale, nei plurali dei nomi in **-cia** e **-gia** quando la **i** non è un puro segno grafico, ma una vocale accentata (*bugìa* → *bugìe*), e quando *-cia* e *-gia* sono preceduti da vocale (*camicia* → *camicie*, *farmacia* → *farmacie*, *fiducia* → *fiducie*);

• nelle parole *cielo* e *cieco*;

• nelle parole *superficie*, *specie*, *deficienza*, *efficienza*, *sufficienza*, *effigie* e *igiene* e nei loro composti.

li/gli

Si usa **li-**:

• all'inizio di parola: *lieto*, *liana*, *liocorno*, *liuto*, *lieve* (le uniche eccezioni sono costituite dall'articolo *gli* e dai pronomi *gliene*, *glielo*, *gliela*, *glieli*);

• quando la *l* suona doppia: *allietare*, *allievo*, *cancelliere*, *idillio*, *sollievo*;

• nelle parole in cui l'accento cade sulla **i** e nei loro derivati: *malìa* (*ammaliare*, *maliarda*), *regalìa* e simili;

• in alcune parole che conservano la grafia originaria latina, perché sono arrivate in italiano non attraverso la lingua parlata, ma attraverso recuperi dotti, o che, comunque, riproducono la grafia latina come *ciliegia*, *concilio*, *cavaliere*, *esilio*, *mobilio*, *olio*, *milione*, *miliardo*, *petrolio*, *vigilia* e simili. Tra i nomi propri, i nomi di persona si scrivono tutti con **li-** (*Emilio*, *Amelio*, *Virgilio*), tranne *Guglielmo*; tra i nomi geografici alcuni, per lo più di origine latina, si scrivono con **li-** (*Italia*, *Sicilia*, *Versilia*), mentre altri, per lo più di origine straniera, si scrivono con il gruppo **gli-** (*Marsiglia*, *Siviglia*).

Si usa **gli-** in tutti gli altri casi: *bagaglio*, *consiglio*, *figlio*, *foglio*, *giglio*, *luglio*, *famiglia*, *vaglia*, *voglia* ecc. L'aggettivo, e sostantivo, *famigliare*, deriva da *famiglia*, ma ormai si scrive quasi sempre *familiare*.

mp/mb

Davanti alle labiali **p** e **b** si usa sempre la nasale **m** e mai la nasale *n*: *bambola*, *campo*, *gamba*, *imporre*, *comportarsi*.

n/gn

Si usa la nasale **n** seguita da **i** in parole che conservano o riproducono la grafia originaria latina, per lo più perché sono di origine dotta, come *colonia*, *scrutinio*, *genio*, *niente* e simili.

gn/gni

Dopo il suono **gn** la **i** non si mette mai (*ingegnere*, *cagna*, *ognuno*, *campagna* ecc.), tranne nei rari casi in cui la *i* è accentata (*compagnìa*) e nella desinenza della 1ª pers. plurale dell'indicativo presente e nella 1ª e 2ª pers. plurale del congiuntivo presente dei verbi in *-gnare* (*disegniamo*, *che voi bagniate*).

cuo/quo

Si usa **cuo** nelle parole derivate da parole latine contenenti la sillaba **cŏ** in cui la *o* breve si è dittongata in *uo*: *cuoco*, *scuola*, *cuore*, *cuoio*, *proficuo*, *innocuo*, *cospicuo*, *arcuato*, *percuotere* e simili.

Si usa **quo** nelle parole che per lo più avevano *quo* anche in latino: *quota*, *quotare*, *quotazione*, *quoziente*, *quotidiano*, *iniquo*, *liquore*.

cua, cue, cui/qua, que, qui

Si usa **cua**, **cue**, **cui** quando i gruppi *ua*, *ue* e *ui* non formano dittongo: *la-cu-a-le*, *cu-i*, *in-no-cu-e*, *ar-cu-a-to*.

Si usa **qua**, **que**, **qui** quando i gruppi *ua*, *ue* e *ui* formano dittongo: *qui*, *que-sto*, *qua-dro*.

cq/qq

Il raddoppiamento del suono *qu* si scrive **cqu**: *acqua* (e tutti i suoi derivati e composti: *acquazzone*, *acquedotto*, *acquitrino*, *annacquare* e simili), *acquisto* e derivati, *nacque*.

Fa eccezione solo *soqquadro*, che raddoppia in **qqu**.

gu/qu

Non bisogna confondere le parole scritte con il gruppo **gu** con quelle scritte con **qu**: *guida*, *guitto*, *guinzaglio*, *guidare*, *guancia*, *sguardo*, *uguaglianza* e *quinto*, *qualità*, *quaderno*, *quadro*, *quinterno*. Si vedano soprattutto le coppie *guanto/quanto* e *guizzo/quiz*.

z/zz

La **z** si scrive doppia:

• quando è preceduta da vocale ed è seguita da una sola vocale: *pazzo, prezzo, pozzo, mezzo*;

• nei nomi, negli aggettivi e nei verbi formati con i suffissi *-ozzo, -uzzo, -azzire, -ezzare, -izzare* e nei loro derivati: *organizzare, organizzatore, organizzato, generalizzare, predicozzo, peluzzo* ecc.

La **z** si scrive semplice nei gruppi *-zia, -zie, -zio*: *vizio, eccezione, stazione, servizio.*

5.4. Le lettere straniere

Nel nostro alfabeto, come si è visto, alle 21 lettere originarie della lingua italiana si sono aggiunte altre cinque lettere, necessarie per trascrivere parole di origine greca e latina o parole straniere.

Esse sono:

j J (i lunga): un tempo era usata in italiano per indicare la *i* semiconsonantica (*jeri*) o la doppia *i* delle desinenze plurali (*vizj*) e veniva pronunciata a tutti gli effetti come una *i*. Anche oggi, nei rari nomi propri in cui è stata conservata, la *j* mantiene il suono di una *i*: *Juventus, Jolanda*. Oggi l'uso più frequente di *j* si ha, come consonante, nelle parole di origine straniera, specialmente inglesi, e si pronuncia come *g* palatale (dolce): *jazz, jet*. Di fatto, quando le parole straniere che la contengono vengono italianizzate, la *j* si trascrive come una *g* palatale: *jungla* → *giungla.*

k K (cappa): si pronuncia come una *c* velare (dura). Si usa nei simboli come *km* (chilometro) e *kg* (chilogrammo) e, soprattutto, in parole di origine straniera: *poker, folk*. Quando le parole straniere che la contengono vengono italianizzate, la *k* si trascrive con la *c* velare davanti alle vocali *a, o, u*, e con il digramma *ch* davanti alle vocali *e* e *i*: *polka* → *polca*; *kimono* → *chimono.*

w W (doppia vu): nelle parole di origine tedesca si pronuncia come la *v* italiana: *würstel*. Nelle parole di origine inglese si pronuncia come la *u* italiana: *whisky*.

x X (ics): si pronuncia *cs*, cioè come una *c* velare (dura) e una sibilante. Si usa in parole di origine greca, come *xenofobia, xeroderma*, nel linguaggio matematico (*x*) per indicare un numero o una quantità ignoti e nella preposizione *ex*, per lo più usata come prefisso per indicare che una persona non ha più un determinato titolo o una determinata carica (*ex presidente*). Ma soprattutto si usa in parole di origine straniera: *taxi*, *marxismo*. Quando la parola che la contiene viene italianizzata, la *x* si trascrive con *cs*: *klaxon* → *clacson*.

y Y (ipsilon): si pronuncia per lo più come la vocale *i* e si trova in parole straniere: *boy*, *derby*, *yogurt*. In alcune parole inglesi si pronuncia *ai*: *linotype*.

5.5. Le semiconsonanti e le semivocali

Le semiconsonanti sono suoni intermedi tra quello vocalico e quello consonantico. Le semiconsonanti sono due: la semiconsonante palatale **i** (detta *jod* e trascritta foneticamente /j/) e la semiconsonante velare **u** (detta *uau* e trascritta foneticamente /w/). In pratica, si tratta delle vocali chiuse **i** e **u** pronunciate con una durata più breve, perché la voce passa quasi direttamente alla vocale che, di necessità, le segue. Esse, infatti, diversamente dalle vocali *i* e *u*, non sono mai pronunciate da sole, ma richiedono la presenza di una vocale tonica o atona con cui formano dittongo: *ieri*, *piano*; *uomo*, *guida*.

La differenza tra una **i** vocalica e una **i** semiconsonantica risulta evidente se si confrontano due parole come *tiro* e *piove*. In *tiro* la **i** è una vocale: è l'elemento portante della sillaba in cui si trova, è accentata ed è sostituibile solo da un'altra vocale: "tiro" → "toro". In *piove*, invece, la **i** è una semiconsonante: non è accentata, ha bisogno della vocale *o* per fare sillaba ed è sostituibile non con una vocale ma con una consonante: "piove" → "prove". Lo stesso discorso vale per distinguere la **u** vocalica di *utile* dalla **u** semiconsonantica di *uomo* o di *guida*.

Le semivocali (anche se il termine è spesso usato come sinonimo di semiconsonante) sono propriamente le vocali **i** e **u** usate, nei dittonghi, dopo una vocale tonica o atona: *dirai*, *noi*, *lui*, *laurea*, *neurologo*.

5.6. I dittonghi

I dittonghi sono unità sillabiche, cioè gruppi di lettere pronunciate con una sola emissione di voce, formate da una **i** o da una **u** semiconsonantiche non accentate e da una vocale, accentata o no: *pieno*, *pietà*, *uomo*, *guida*.

I dittonghi, a seconda della posizione della semiconsonante non accentata che li compone, si distinguono in:

- **dittonghi ascendenti**, quando la semiconsonante **i** o **u** viene prima della vocale. I dittonghi ascendenti, così detti perché in essi il tono della voce sale passando dal primo al secondo elemento, sono i dittonghi più frequenti e più caratteristici:

i	**ia** (*piazza*) **ie** (*ieri*) **io** (*odio*) **iu** (*fiume*)	**u**	**ua** (*quando*) **ue** (*quello*) **ui** (*qui*) **uo** (*uomo*)

• **dittonghi discendenti**, quando la vocale viene prima della semiconsonante che, allora, meglio si chiama semivocale. Sono così detti perché il tono della voce cala passando dal primo al secondo elemento e sono meno frequenti:

i	**ai** (*laico*) **ei** (*sei*) **oi** (*poi*) **ui** (*lui*)	**u**	**au** (*pausa*) **eu** (*eucalipto*)

I dittonghi **ie** e **uo** sono detti **dittonghi mobili** perché, in determinate situazioni, tendono a perdere le semiconsonanti **i** e **u** e a ridursi alle vocali **e** e **o**. Ciò succede nelle parole derivate o nelle voci verbali:
– quando sui dittonghi non cade più l'accento:

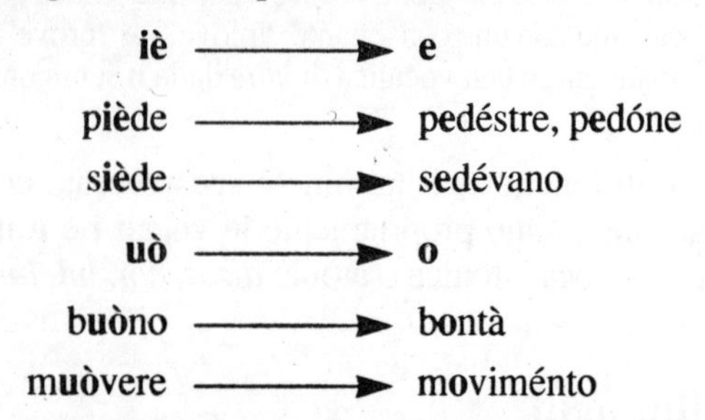

– quando il dittongo, pur essendo accentato, si trova in una sillaba chiusa, cioè terminante per consonante:

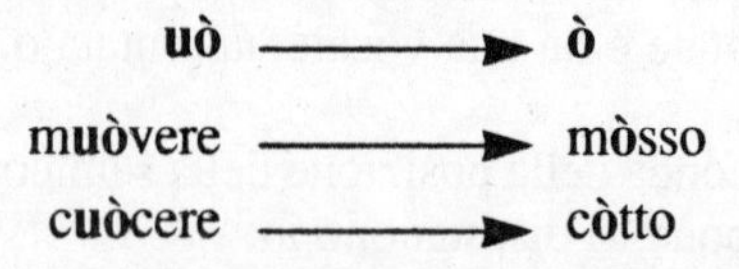

La lingua, però, tende sempre più spesso a stabilizzare il dittongo mobile e quindi a conservare i dittonghi **ie** e **uo** anche nei casi in cui dovrebbero cadere. Ciò succede specialmente:

– nelle forme dei verbi *nuotare*, *vuotare*, *abbuonare* (= condonare qualcosa), che conservano il dittongo mobile **uo** in tutta la coniugazione (*nuotiamo*, *nuotò*; *vuotate*, *vuotavano*; *abbuoniamo*, *abbuonò* ecc.), per evitare la confusione con le forme corrispondenti dei verbi *notare*, *votare*, *abbonare* (= sottoscrivere un abbonamento): *notiamo*, *notò*; *votate*, *votavano* ecc.;
– negli avverbi in *-mente*: *cieco → ciecamente*;
– in talune parole composte: *buontempone*, *buonuscita*, *fuorilegge*, *fuoriserie*;
– in talune parole composte: *piede → piedistallo*, *piedipiatti*;
– in talune parole derivanti da parole molto comuni e quindi sentite come ormai stabilizzate nelle loro forme: *fiera → fieristico*; *schiena → schienale*.

5.7. I trittonghi

In italiano, oltre ai dittonghi, vi sono anche i trittonghi, cioè una sequenza di tre vocali pronunciata con una sola emissione di voce e, quindi, formanti una sola sillaba. I trittonghi sono sempre costituiti dalle semiconsonanti **i** e **u** (o da una **i** semiconsonantica e da una **i** semivocalica) e da una vocale tonica: *buòi*, *suòi*, *copiài*, *mièi*, *aiuòla*.

5.8. Lo iato

Quando due vocali, pur essendo contigue nel corpo di una parola, non vengono pronunciate con una sola emissione di voce e quindi non formano dittongo, si ha uno iato (da *hiatum*, 'distacco, separazione'). In questo caso, le due vocali si pronunciano separatamente, con due suoni distinti e formano due sillabe diverse.

Ciò succede:

– quando si incontrano tra loro le vocali **a**, **e**, **o**: *pa-e-se*, *le-o-ne*, *bo-a-to*;
– quando sulla **i** e la **u** cade l'accento tonico e, quindi, non sono più semiconsonanti come in *vì-a*, *spì-a*, *pa-ù-ra*. Lo iato permane anche nelle parole derivate da parola con la **i** e la **u** accentate: *vi-à-le*; *spi-à-ta*; *pa-u-rò-so*;
– dopo il prefisso **ri-** (*ri-a-ve-re*, *ri-u-ni-re*) e dopo i prefissoidi **bi-** (*bi-en-na-le*) e **tri-** (*tri-an-go-lo*), in quanto il prefisso e i due prefissoidi sono sentiti come separati dagli altri elementi che compongono la parola;

– in parole derivate dal latino in cui la **u** di una sequenza **-uo-**, pur non essendo accentata, non è consonantica: *in-no-cu-o*.
– nelle parole come *bacio*, *sciame*, *foglio*, *giorno*, le sillabe **-cio**, **scia**, **-glio** e **gio** non contengono né dittonghi né vocali in iato. Infatti la **i** contenuta in tali sillabe è soltanto un segno grafico che serve a dare suono palatale, cioè dolce, ai suoni *c*, *g*, *sc*, *gl*, con i quali forma i digrammi e i trigrammi *ci*, *gi*, *sci*, *gli*.

6. La sillaba

La sillaba è un fonema o una sequenza di fonemi che si possono articolare in modo autonomo e compiuto mediante una sola emissione di voce. Essa è per lo più priva di significato e costituisce la più piccola combinazione fonica in cui una parola è divisibile e, nel contempo, è la base di ogni raggruppamento di fonemi in parole.

Per formare una sillaba, è necessario che la sequenza fonica contenga una vocale. Pertanto, anche una sola vocale può costituire una sillaba: *a-mo-re*.

Tutte le vocali, tranne la **u**, oltre che costituire da sole una sillaba, formano da sole una parola: **a** è una preposizione; **e** e **o** delle congiunzioni, **i** l'articolo determinativo plurale maschile.

Oltre che da una sola vocale, una sillaba può essere costituita:

• da un dittongo: ***uo**-mo*;

• da un trittongo: *a-**iuo**-la*;

• da una vocale preceduta o seguita da una consonante: ***ma**-re*, ***ar**-te*;

• da una vocale preceduta o seguita da due o più consonanti: ***scher**-zo*;

• da un dittongo accompagnato da una o più consonanti: ***piu**-ma*, ***duel**-lo*.

Le sillabe che terminano in vocale sono dette **aperte** o **libere**: ad esempio la parola *ta-vo-la* è costituita da tre sillabe aperte. Le sillabe che terminano in consonante sono dette **chiuse** o **implicate**; ad esempio nella parola *sud-di-tan-za*, sono sillabe chiuse la prima e la terza. La sillaba che contiene la vocale accentata della parola si chiama **tonica**, mentre le altre sillabe, prive di accento, sono dette **atone**: ad esempio, nella parola *tà-vo-la* la prima sillaba è tonica e le altre due sono atone.

6.1. Monosillabi e polisillabi

Premesso che una parola ha tante sillabe quante sono le vocali, i dittonghi o i trittonghi che contiene, le parole, in rapporto al numero di sillabe da cui sono composte, si distinguono in:

- **monosillabe**: parole di una sola sillaba: *a*, *e*, *da*, *con*, *miei*;
- **bisillabe**: parole di due sillabe: *so-le*, *ter-ra*, *fie-ra*, *co-piai*, *cie-co*;
- **trisillabe**: parole di tre sillabe: *ve-lo-ce*, *au-ti-sta*, *a-iuo-la*;
- **quadrisillabe**: parole di quattro sillabe: *ve-lo-ci-tà*, *pie-di-piat-ti*;
- **quinquesillabe**: parole di cinque sillabe: *con-fu-sio-na-rio*;

e così via. Generalmente, le parole con più di una sillaba si chiamano **polisillabe.**

6.2. Divisione delle parole in sillabe

Ognuna delle sillabe che compongono una parola è scandita come entità e come unità autonoma e distinta attraverso la fonazione, giacché ogni sillaba comporta sempre una sola emissione di voce. A causa delle particolari caratteristiche della lingua parlata che combina velocemente le sillabe in una catena fonica continua, spesso, soprattutto quando si scrive, la divisione in sillabe comporta non pochi problemi.

La cosa, come è noto, ha importanti risvolti pratici perché a volte, per ragioni di spazio, alla fine di una riga si è costretti a spezzare una parola scrivendo una o più sillabe nella riga successiva. Al di fuori delle necessità pratiche della scrittura, inoltre, la divisione in sillabe è molto importante anche in poesia, in quanto i versi sono proprio sistemi di parole organizzati in numeri precisi di sillabe.

Nella divisione delle parole in sillabe bisogna sempre rispettare e conservare integra l'unità della sillaba. Da questo principio generale discendono le seguenti regole fondamentali:

- una vocale, quando è all'inizio di parola ed è seguita da una sola consonante, fa sillaba a sé: *a-mi-co*;
- le vocali di un dittongo o di un trittongo non possono mai essere divise e, quindi, formano una sola sillaba: *a-iuo-la*, *pie-de*.

Erroneamente alcuni gruppi di vocali possono essere presi per dittonghi. Per non sbagliare è importante sapere che non forma dittongo il gruppo costituito dalla vocale **i** seguita da un'altra vocale nelle parole composte in cui la **i** ap partiene alla prima parte del composto e le altre vocali alla seconda parte: *ri-u-sci-re*, *chi-un-que*. Allo stesso modo non forma dittongo e quindi è separabile dal resto la **i** seguita da altre vocali nelle parole derivate, se la forma primitiva della parola era accentata sulla **i** e perciò non poteva formare dittongo: *spi-à-re* (da *spì-a*);

• due vocali in iato possono essere divise: *ma-e-stro*, *e-ro-e*;

• una consonante semplice posta tra due vocali o seguita da vocale forma sempre sillaba con la vocale che segue: *pa-lo*, *a-mo-re*, *fi-lo-so-fo*;

• le consonanti doppie si dividono sempre fra due sillabe, cioè una sta con la vocale che precede e l'altra con quella che segue: *bal-lo*, *car-ret-tie-re*, *ac-qua*;

• i gruppi di due o più consonanti diverse tra loro e consecutive formano sillaba con la vocale che le segue se costituiscono un gruppo che può trovarsi all'inizio di una parola: *ca-pri-no*, *de-sti-no*, *di-ma-gri-re* (in italiano esistono parole che iniziano con *pri-*, *sti-*, *gri-*: *primo*, *stima*, *grigio*);

• i gruppi di due o più consonanti diverse tra loro e consecutive si dividono in modo che la prima consonante del gruppo vada con la vocale precedente e l'altra o le altre con la vocale della sillaba che segue se non costituiscono un gruppo che può trovarsi all'inizio di una parola. Ciò succede, in particolare, con i gruppi consonantici *bd*, *bs*, *cm*, *cn*, *ct*, *dm*, *gm*, *lm*, *mb*, *mp*, *nc*, *nd*, *nt* ecc.: *bac-te-rio*, *im-por-tan-za*, *dif-te-ri-te*, *com-bi-na-zio-ne*;

• la *s* seguita da una o più consonanti (la cosiddetta *s* preconsonantica) forma sillaba con la vocale che segue: *ri-spo-sta*, *e-sclu-sio-ne*;

• le parole composte con i prefissi *trans-*, *tras-*, *dis-*, *cis-*, *in-* e simili si possono dividere secondo le regole sopra citate, oppure, specialmente se nella parola i due componenti sono sentiti ancora come distinti, conservando integro il prefisso: così si può sillabare tanto *tras-portare* quanto *tra-sportare*, tanto *dis-perdere* quanto *di-sperdere*. La tendenza della lingua, tuttavia, è quella di rispettare le regole generali: *tra-spor-ta-re*, *di-sper-de-re*, *di-spor-si*;

• i digrammi e i trigrammi non si dividono mai: *in-ge-gno*, *bi-scia*, *fi-glia-stro*.

6.3. Come "si taglia" una parola apostrofata in fine di riga

Dividere in sillabe una parola apostrofata crea spesso problemi. Di fronte all'espressione *dell'amico* c'è chi scrive *dello / amico*, chi *dell' / amico* e chi ancora *del- / l'amico*. La soluzione preferibile è l'ultima: **del- / l'amico**; le altre sono da rifiutare. Infatti la soluzione *dello / amico* è cacofonica, perché costringe a leggere sintagmi come *lo amico, la amica, lo elefante, dello evento* e, oltre tutto, quando appare stampata in un libro o in un giornale, finisce con il tradire la scelta stilistica dell'autore, il quale nel corpo della riga non scriverebbe certo *lo amico* o *lo elefante*. La soluzione *dell' / amico* invece, oltre che graficamente poco elegante, risulta contraria alle norme dell'elisione che pongono l'apostrofo proprio a segnalare la caduta eufonica di una vocale e a sottolineare la continuità fonica e morfologica tra le due parole accoppiate dall'elisione. Quest'ultima soluzione, dopo aver goduto, perché molto comoda, di una notevole fortuna su giornali e riviste, comincia a lasciare sempre più spesso il posto alla soluzione *del- / l'amico* mentre la soluzione *dello / amico* sembra ormai entrata in crisi da tempo.

7. L'accento

In ogni parola c'è una sillaba che viene pronunciata con maggior forza delle altre in quanto la voce si ferma su di essa più che sulle altre. Questa insistenza della voce sulla sillaba o, meglio, sulla vocale della sillaba in questione si chiama **accento tonico**, perché dà il *tono* alla parola, o anche semplicemente **accento**.

La sillaba e la vocale della parola su cui cade l'accento sono dette **toniche**, cioè colpite dall'accento tonico; le altre si chiamano **atone**, cioè prive di accento.

Secondo l'accento tonico, le parole si distinguono in:

• **tronche** o **ossitone**, quando l'accento cade sull'ultima sillaba: *bontà, virtù, parlerà*;

• **piane** o **parossitone**, quando l'accento cade sulla penultima sillaba: *pàne, civìle*;

• **sdrucciole** o **proparossitone**, quando l'accento cade sulla terzultima sillaba: *classìfica, tàvolo, psicòlogo*;

• **bisdrucciole**, quando l'accento cade sulla quartultima sillaba: *màndaglielo*, *scrìvimelo*;

• **trisdrucciole**, quando l'accento cade sulla quintultima sillaba: *òrdinaglielo*.

In italiano, la maggior parte delle parole sono piane, seguite, a lunga distanza, dalle sdrucciole e dalle tronche. Le parole bisdrucciole e trisdrucciole, invece, sono molto rare e sono per lo più forme verbali composte con pronomi enclitici.

Alcuni monosillabi sono atoni, cioè privi di accento, e, nella pronuncia, si appoggiano alla parola seguente o alla parola precedente: nel primo caso si chiamano **proclitici** (= piegati in avanti), nel secondo caso si chiamano **enclitici** (= piegati all'indietro) e per lo più si uniscono direttamente alle parole su cui si appoggiano. Parole proclitiche, in particolare, sono gli articoli determinativi *il*, *lo*, *la*, *i*, *gli*, *le* e le particelle pronominali *mi*, *ti*, *ci*, *vi*, *lo*, *la*, *ne* ecc.: *il mare*, *le stelle*, *gli uomini*, *ti scrivo*, *ne parlo*. Parole enclitiche, invece, sono le stesse particelle pronominali citate sopra quando siano poste dopo il verbo da cui dipendono, con il quale si fondono: *scrivimi*, *parlane*.

7.1. Tipi di accento

In italiano gli accenti grafici, cioè i segni con cui si marca la sillaba o meglio la vocale tonica della parola, sono di due tipi:

• l'accento **acuto**: ´;

• l'accento **grave**: `.

Si segna l'accento grave sulle vocali **a**, **i**, **u** quando è necessario (si veda il paragrafo 7.2): *libertà*, *più*, *capì*. Invece sulle vocali **e** ed **o** si segna l'accento acuto quando hanno suono chiuso, come nelle parole: *pésca* (= l'azione del pescare), *vólto* (= il viso), *perché*, *né*; si segna l'accento grave quando hanno suono aperto, come nelle parole: *pèsca* (= il frutto), *vòlto* (participio passato di *volgere*), *è*, *cioè*.

Il **circonflesso** (ˆ), erroneamente chiamato accento perché non indica alcuna elevazione della voce, è un segno ormai poco usato. Un tempo stava a indicare la contrazione di due lettere per sincope o la caduta di alcune lettere finali per apocope, in parole tipiche del linguaggio poetico: *fûro* (per *furono*), *finîr* (per *finirono*) e simili. Era usato inoltre per indicare la contrazione di due **i** in una sola nel plurale delle parole che al singolare finiscono in **-io** con la **i** atona: *indizî*, *matrimonî*, *studî* e simili. Ora si preferisce scrivere questi plurali con la **i**, senza il segno circonflesso. Fino a poco tempo fa, il circonflesso era molto usato nei plurali delle parole in **-io** con **i** atona per distinguerli dai plurali di altre parole: *princìpî* (plurale di *principio*) da *principi* (plurale di *principe*). Anche in questi casi, oggi si preferisce segnare l'accento tonico all'interno della parola (*princìpi* e *prìncipi*) o addirittura lasciare al contesto il compito di chiarire eventuali equivoci.

7.2. Uso dell'accento

In italiano tutte le parole, tranne le proclitiche e le enclitiche, hanno un accento tonico[2], che però non sempre è necessario indicare con l'accento grafico, cioè con il segno di accento. Di norma esso non si segna quando cade nel corpo della parola, cioè nelle parole piane, sdrucciole e bisdrucciole. Tuttavia, è **consigliabile** segnarlo anche in tali parole:

• quando solo l'accento distingue due o più parole omografe, cioè due o più parole che hanno identica grafia ma pronuncia e significato diversi come:

lèggere	leggère	nòcciolo	nocciòlo	abìtuati	abituàti
àmbito	ambìto	fòrmica	formìca	pòrto	portò
àncora	ancóra	nèttare	nettàre	cànto	cantò
tèndine	tendìne	sùbito	subìto	mòri	morì
circùito	circuìto	àltero	altèro		

àgito	agìto	agitò	càpitano	capitàno	capitanò
ìntimo	intìmo	intimò	càpito	capìto	capitò

• nelle forme plurali delle parole in *-orio* quando possono essere confuse con le forme plurali delle parole in *-ore*: *direttòri* (plurale di *direttorio*) / *direttóri* (plurale di *direttore*);

[2] L'accento tonico o semplicemente accento non deve essere confuso con l'accento grafico. Con il nome di *accento tonico*, infatti, si indica l'elevazione della voce che si compie nella pronuncia di una sillaba della parola. Invece, l'*accento grafico* è il segno che si può trovare sulla vocale della sillaba tonica della parola per indicare appunto che è la sillaba accentata. Tutte le parole, tranne le poche eccezioni che vedremo, hanno l'accento tonico. L'accento grafico, invece, si segna solo su alcune di esse e solo quando è necessario per mettere in evidenza una particolare accentuazione o un particolare timbro vocalico o per distinguere una parola da un'altra di identica grafia ma di diversa pronuncia.

• nelle forme plurali delle parole in *-io* quando possono essere confuse con i plurali di altre parole simili: *princìpi* (plurale di *principio*) / *prìncipi* (plurale di *principe*);

• nelle voci del verbo dare che possono essere confuse con i loro omografi: *dànno*, *dàto*, *dàgli*, *dàlle*;

• tutte le volte che si vuole indicare l'esatta pronuncia di una parola rara e difficile: *ecchìmosi*, *prosèliti*, *streptomicìna*.

È invece **obbligatorio** segnare l'accento grafico:

• sulle parole tronche di due o più sillabe: *città*, *caffè*, *virtù*, *mezzodì*;

• sui monosillabi che terminano con un dittongo ascendente: *può*, *più*;

• sui seguenti monosillabi: *ciò*, *già*, *giù*, *scià*;

• sui monosillabi che, scritti senza accento, si confonderebbero con altri monosillabi identici per forma ma diversi per significato:

dà (verbo)	**da** (preposizione)
dì (nome)	**di** (preposizione)
è (verbo)	**e** (congiunzione)
là (avverbio)	**la** (articolo)
lì (avverbio)	**li** (pronome)
né (congiunzione)	**ne** (particella pronominale e avverbio)
sì (avverbio)	**si** (pronome personale)
sé (pronome)[3]	**se** (congiunzione o pronome personale atono)

L'accento grafico, infine, va segnato sui composti di *tre*, di *re*, di *su* e di *blu* (*ventitré*, *viceré*, *lassù*, *rossoblù*), sui composti della congiunzione *che* (*benché*, *giacché*, *allorché*, *altroché* ecc.) e nelle parole composte il cui secondo membro sia monosillabo (*autogrù*, *lungopò*).

[3] Secondo alcuni grammatici, il pronome *sé* non va accentato quando è seguito da *stesso* o *medesimo*, perché allora non si può più confondere con la congiunzione *se*. Secondo altri, invece, va accentato anche se è seguito da *stesso* o *medesimo*. Secondo altri ancora non va accentato quando è seguito da *stesso* tranne che al plurale, perché *se stessi* e *se stesse* potrebbero essere confusi con *se (io) stessi* e *se (egli) stesse*.

8. I fenomeni fonetici di collegamento

Nella realtà della comunicazione orale quotidiana, noi non pronunciamo le parole che compongono i nostri discorsi staccandole le une dalle altre, ma le pronunciamo l'una dietro l'altra collegandole più o meno strettamente in gruppi abbastanza compatti. Così, il nostro discorso orale risulta costituito da una **catena fonica** in cui, anziché singole parole, si individuano gruppi di parole ciascuno dei quali gravita sulla sillaba tonica di una parola particolarmente significativa. Ad esempio, una frase come "Si è fatto tardi e Giacomo ha deciso di andare a casa a piedi", viene pronunciata dai parlanti di molte regioni italiane: *sèfatto tàrdi eggiàcomo àdecìso dandareaccàsa appièdi.*

Per effetto di questa compattazione in gruppi, le parole, nei punti in cui vengono in contatto le une con le altre nell'ambito dei vari gruppi, subiscono delle modifiche che i linguisti chiamano **fenomeni fonetici di collegamento** o anche **fenomeni di fonetica sintattica**, in quanto sono dovuti agli incontri di fonemi che si trovano collegati all'interno di una sequenza ordinata di parole. I più importanti fenomeni fonetici di collegamento sono l'**elisione** e il **troncamento** che rientrano nel più generale fenomeno dell'apocope, la **prostesi**, e il **rafforzamento sintattico**.

8.1. L'elisione

L'elisione è un fenomeno fonetico che consiste nella caduta della vocale atona finale di una parola davanti alla vocale iniziale della parola seguente. Graficamente l'elisione è indicata dalla presenza, in luogo della vocale caduta, del segno dell'**apostrofo**[4] che segnala come le due parole sono unite nella pronuncia ma restano distinte nella grafia:

lo amico → *l'*amico (nella pronuncia: *lamìco*).

In linea di massima, l'elisione è **obbligatoria** con:

[4] L'apostrofo, oltre che per indicare l'elisione, si usa per indicare: a) il *troncamento* di una sillaba (*po'* per *poco*, *be'* per *bene*) o il troncamento della vocale finale preceduta da altra vocale, per lo più la *i* dei dittonghi ascendenti negli imperativi *va'*, *sta'*, *fa'* (per *vai*, *stai* e *fai*); b) l'*aferesi* della vocale iniziale di una parola nella lingua poetica, ma in questo caso il segno /'/ va posto a sinistra: *'l* per *il*; c) la *soppressione* del millesimo e del centesimo nelle date: *il '500* (= il 1500), *il '68* (= il 1968, o in un altro contesto, 1868, 1768 ecc.).

• gli articoli **lo** e **la** e le preposizioni composte con tali articoli: *l'esta te, dell'uomo, all'indietro, l'edera, all'antica, sull'opera*;

• l'aggettivo dimostrativo **quello**: *quell'importante appuntamento*;

• gli aggettivi **bello** e **santo**: *bell'amico, bell'e fatto*; *un sant'uomo, sant'Agostino*;

• gli aggettivi **alcuna** e **nessuna** quando sono seguiti da *altra*: *alcun'altra, nessun'altra*;

• l'avverbio di luogo **ci** davanti al verbo *essere*: *c'è, c'erano*.

Invece, l'elisione è **facoltativa**, ma abbastanza frequente, con:

• l'aggettivo **questo**: *quest'anno, quest'uomo*;

• i pronomi **lo** e **la**, ma solo se non sussiste dubbio circa il genere maschile e femminile: *l'invitai*;

• le particelle pronominali atone **mi**, **ti**, **ci**, **si**, **vi**, **ne**: *m'avvicinai, t'aspettano, s'alzò, se n'accorse*;

• l'avverbio e congiunzione **come**: *com'è*;

• la preposizione **di** specialmente davanti a *i*: *d'inverno*;

• la preposizione **da**, ma solo in certe locuzioni: *d'ora in poi*;

• la congiunzione **anche** ma quasi esclusivamente davanti ai pronomi personali: *anch'io, anch'essi*.

L'elisione è facoltativa anche con l'articolo **gli** e le preposizioni articolate composte con esso, con il pronome **gli** (= a lui, a loro) e l'aggettivo **quegli**, quando la parola seguente inizia con **i**, ma ormai la lingua preferisce evitare l'elisione e le forme *gli italiani, agli italiani, gli intimai, quegli individui* sono più usate delle corrispondenti forme *gl'italiani, agl'italiani, gl'intimai, quegl'individui*. Si tende a evitare l'elisione anche con l'articolo indeterminativo femminile **una**, a meno che non sia seguito da **a** (*un'amica*) e con la preposizione **di** e con le particelle pronominali **mi**, **ti**, **ci**, **si**, **vi** quando sono seguite da vocale diversa da **i**. Ormai disusata è anche l'elisione di *questa, buona, grande, tutto, tutta, quanto, quanta, alcuna, nessuna, mezza, quattro, senza* e *povero*, tranne che in alcune espressioni stereotipate come *buon'ani ma, quest'estate, tutt'i giorni, quand'anche, a quattr'occhi, mezz'ora, senz'altro, pover'uomo* e simili. Del tutto disusata, infine, è l'elisione di **per ché** e di **che** davanti a **e** e **i**: *perch'erano, perch'io, ch'essi siano*.

L'elisione, infine, è **proibita** con·

• gli articoli, gli aggettivi e le preposizioni seguiti da parole comincianti con **i** semivocalica: *lo Ionio*, *di ieri*, *questa iattanza*;

• il pronome personale femminile **le** singolare (= a lei) e plurale (= a loro): *le annunciai*, *le avvertii*;

• il pronome personale maschile **li**: *li invitai*;

• la particella pronominale **ci** quando è seguita da vocale diversa dalle palatali **e** e **i** (*c'invitò*, *c'esortò*), perché la *c* elisa assumerebbe un suono velare: *ci occorse* non può essere eliso perché *c'occorse* si pronuncia *coccorse*;

• le parole che elise fanno nascere un equivoco tra maschile e femminile;

• la preposizione **da**, tranne che in poche locuzioni come *d'ora in poi* e *d'ora innanzi*, per evitare la confusione con la preposizione **di**: *provenire da Agrigento*, *appartamento da affittare*;

• le parole che, in una sequenza di più parole, provocano già l'elisione della parola precedente: *un'altra amica* è preferibile a *un'altr'amica*; ma si veda *quest'altr'anno*.

8.2. Il troncamento

Il troncamento è la caduta di una vocale finale (*troncamento vocalico*) o di una sillaba finale atona (*troncamento sillabico*) di una parola. Esso si verifica quando la vocale finale della parola da troncare è una **e** o una **o** preceduta da una **l**, **r**, **m**, **n** e la parola seguente comincia per vocale o per consonante diversa da **s** preconsonantica, **z**, **gn**, **ps**, **x**:

un uomo, *nessun paese*, *un gran fracasso*.

Il troncamento si distingue dall'elisione perché può coinvolgere un'intera sillaba (*un gran fracasso*) e può avvenire davanti a parola che comincia per consonante (*nessun paese*). Diversamente dall'elisione, inoltre, il troncamento, tranne poche eccezioni, non è segnalato dall'apostrofo.

Il troncamento era molto diffuso nell'italiano antico, specialmente nella lingua di livello letterario, ma oggi è usato solo con alcune parole ben precise o in certe locuzioni. In particolare, è **obbligatorio**:

• con l'articolo **uno**, gli aggettivi e pronomi **alcuno**, **nessuno**, **ciascuno**, l'aggettivo **buono**: *un amico*, *un cane*; *in alcun modo*, *nessun sol-*

lievo, ciascun partecipante; *buon uomo, buon gusto*; con gli aggettivi **bello, grande** e **santo**, al singolare e soltanto davanti a consonante: *bel tipo, gran fatica, san Pietro*; con **grande** il troncamento dà all'aggettivo un valore generico o scherzoso, mentre la forma piena lascia all'aggettivo un valore più intenso: *un gran delinquente* è diverso da *un grande delinquente*;

• con i nomi **signore, professore, dottore, ingegnere, cavaliere, frate** e **suora** usati come apposizione: *il signor Antonio, il professor Rossi, fra Cristoforo, suor Angela*. Con questi nomi, il troncamento avviene, eccezionalmente, anche davanti a **s** preconsonantica: *l'ingegner Scotti, il dottor Sperandini*.

Il troncamento, invece, è **frequente ma non obbligatorio**:

• con i pronomi e gli aggettivi **tale** e **quale**: *un tal uomo, un tal personaggio, qual è*; con **quale**, tranne che nelle forme come *qual è* o *la qual cosa*, è preferibile usare la forma piena, specialmente davanti a consonante: *quale amico, quale dono*;

• in alcune **locuzioni verbali** anche se il troncamento suona oggi piuttosto affettato: *aver sonno, voler bene, voler parlare, saper tacere, han bevuto tutti, son tornato, son partiti*;

• con le parole **amore, bene, fiore, fine, fino, male** ecc., quando sono usate in particolari locuzioni: *amor proprio, ben detto, fior di soldi, fior di farina, fin qui, in fin di vita, in fin dei conti, mal di testa*. Si vedano anche le locuzioni *a spron battuto, in particolar modo* e simili.

Casi particolari di troncamento sono quelli in cui la caduta dell'ultima sillaba è indicata dall'apostrofo: **po'** per *poco* (*un po' stanco, dammene un po'*), **mo'** per *modo* nella locuzione *a mo' di*, **to'** per *togli* o *prendi*, **be'** per *bene*. Vengono apostrofate, anche se sono troncamenti, pure le seconde persone singolari dell'imperativo dei verbi *dare, dire, fare, stare, andare*: **da', di', fa', sta', va'**. Con questi imperativi, però, sarebbe meglio riservare l'apostrofo a **di'**, che altrimenti potrebbe essere confuso con altre parole, e scrivere invece **fa, sta** e **va** senza apostrofo né accento e **dà** sempre accentato, per distinguerlo dalla preposizione *da*.

Tipiche della lingua letteraria e comunque reperibili solo in testi anteriori al Novecento, sono le forme di troncamento con apostrofo delle preposizioni articolate *a'* per *ai* e *de'* per *dei* o quelle di *fe'* per *fece*, *ve'* per *vedi*. *Ca'* per *casa*, invece, sopravvive ancora in espressioni come *Ca' Foscari*.

Del tutto eccezionali i troncamenti con accento di *diè* per *diede* e di *piè* per *piede*, in locuzioni come *a piè di pagina*, *a piè fermo* e simili.

Il troncamento di **frate** in **fra** è usuale davanti a un nome proprio iniziante per consonante (*fra Cristoforo*), ma non avviene quasi mai davanti a vocale (*frate Anselmo*). Anche davanti a consonante è evitato quando ingenera cacofonia: così non si dice *fra Francesco*, ma *frate Francesco*. Le grafie *fra'*, con l'apostrofo, o addirittura *frà*, con l'accento, usate per distinguerlo dalla preposizione *fra*, sono inutili.

L'elisione e il troncamento sono due fenomeni fonetici molto simili – entrambi sono forme di apocope, cioè di 'taglio' – e, nell'uso pratico della lingua, non è sempre facile distinguerli. Eppure, la distinzione è importante, perché l'elisione implica l'uso dell'apostrofo mentre il troncamento, tranne le eccezioni facilmente memorizzabili elencate sopra, non richiede l'apostrofo. Nel caso che la caduta di una vocale finale avvenga davanti a parola iniziante per consonante, non c'è problema: in questo caso si ha senz'altro un troncamento e l'apostrofo non ci va: *nessun luogo*, *un tavolo*. Ma se la caduta di una vocale avviene davanti a un'altra vocale, si ha elisione o troncamento e, quindi, bisogna o non bisogna apostrofarle? Un semplice espediente pratico può togliere d'impaccio: si ha troncamento e, quindi, non ci vuole l'apostrofo, quando la parola che ha perduto la vocale finale può stare, così mutilata, anche davanti a una parola dello stesso genere che comincia per consonante; in caso contrario si ha elisione e quindi ci vuole l'apostrofo. Così *buon uomo* è senza apostrofo ed è un troncamento perché si può dire anche *buon pane*; invece *pover' uomo*, che ha l'apostrofo, perché non si può dire *pover ragazzo*, è un'elisione.

8.3. La prostesi

La **prostesi** è un fenomeno fonetico consistente nell'aggiunta di una vocale (detta *prostetica*) all'inizio di una parola iniziante per consonante, per evitare l'incontro con la consonante finale di una parola precedente:

Per favore, mettimelo per *i*scritto

La prostesi, come l'elisione e il troncamento, avviene per ragioni di eufonia. Un tempo molto frequente, essa è oggi ridotta soltanto all'aggiunta della vocale *i* davanti a parole inizianti per *s* + consonante, quando le parole precedenti terminano per consonante, ma anche in questo caso è sempre meno usata: *in Ispagna*, *in istrada*.

8.4. Il rafforzamento sintattico

Il rafforzamento sintattico o consonantico è il fenomeno fonetico per cui una consonante iniziale di parola, quando è preceduta da determinate parole terminanti in vocale, può rafforzarsi, cioè può essere pronunciata come doppia: sto *bb*ene; a *cc*asa.

Il rafforzamento della consonante è un fenomeno che riguarda solo la pronuncia ed è detto sintattico perché avviene, all'interno di una frase, tra due parole consecutive che costituiscono un sintagma, cioè un gruppo di parole unite da precisi rapporti sintattici. Inoltre, come fenomeno fonetico, è normale nell'Italia centro-meridionale e tipico soprattutto della Toscana. Non si verifica, invece, nell'Italia settentrionale, dove la pronuncia è caratterizzata da una tendenza all'eliminazione di tutte le consonanti doppie.

Il rafforzamento consonantico si ha quando la parola precedente a quella iniziante per consonante è:

• una parola tronca: *sarò breve* → *sarò bbreve*;

• un monosillabo tonico, anche se non porta l'accento grafico: *sto male* → *sto mmale*; *ho visto* → *ho vvisto*; *è vero* → *è vvero*;

• alcuni monosillabi atoni, come **a**, **e**, **o**, **ma**, **se**, **che**, **chi**, **tra**, **fra**: *a Roma* → *a rroma*; *chi sei?* → *chi ssei?*

Il rafforzamento consonantico è un fenomeno essenzialmente orale, ma talvolta, quando alcune delle parole sopra citate si uniscono ad altre parole inizianti per consonanti a formare dei composti stabili, esso è registrato anche dalla grafia. Ciò succede:

• con **sopra-**, **sovra-** e **contro-**: *sopra**tt**utto*, *sopra**ll**uogo*, *sopra**nn**ome*; *sopra**vv**ivere*, *sovra**pp**orre*; *contra**dd**ire*, *contra**ff**are*, *contra**cc**olpo*;

• con **sì** e **così**: *si**ff**atto*, *cosi**dd**etto*;

• con **fra**: *fra**pp**orre*, *fra**tt**anto*;

• con le congiunzioni **e**, **o**, **né**: *e**bb**ene*, *e**pp**ure*; *o**pp**ure*, *o**ss**ia*; *ne**mm**eno*, *ne**pp**ure*;

• con le preposizioni **a**, **da** e **su**: *a**ll**o*, *a**tt**errare*, *a**dd**osso*; *da**ll**o*, *da**ff**are*, *da**pp**rima*, *da**vv**ero*; *su**pp**orre*, *su**cc**itato*;

• con gli avverbi **là** e **più**: *la**gg**iù*, *la**ss**ù*; *piu**tt**osto*, *piu**cc**heperfetto*.

Si vedano anche composti come *chi**cc**hessia*, *chi**ss**à*, *pressa**pp**oco*, *fa**bb**isogno*, *se**bb**ene*, *se**pp**ure*, in cui vari bisillabi e monosillabi provocano il rafforzamento sintattico delle consonanti che li seguono. Naturalmente, non mancano le eccezioni: così, *caffelatte* è più comune di *caffellatte*. Frequenti sono anche le oscillazioni di grafia, ma ormai forme come *soprattutto*, *soprannome*, *contraddire*, *pressappoco* e simili sono di gran lunga preferite alle forme senza rafforzamento consonantico. Si ricordi che *intra-* non produce rafforzamento: *intravedere*. L'apparente eccezione *intrattenere* si spiega con il fatto che la parola è sentita come composta da *in* + *trattenere*.

8.5. Un tipo particolare di rafforzamento sintattico: la *d* eufonica

La congiunzione **e**, la preposizione **a** e, meno frequentemente, la congiunzione **o**, quando, nella catena fonica, sono seguite da una parola iniziante per vocale, possono acquisire una **d** e trasformarsi in **ed**, **ad**, **od**: "taci **ed** ascolta"; "belle **ed** eleganti"; "questo treno va **ad** Ancona?"; "**ad** esempio"; "dolce **od** amaro?".

La **d** che si aggiunge alle tre forme **e**, **a**, **o**, è chiaramente una consonante eufonica (dal greco *euphonía*, 'bel suono'), cioè una consonante che ha la funzione di evitare il suono sgradevole prodotto dall'incontro di due vocali consecutive. La scelta della **d** come consonante eufonica è facilmente comprensibile se si pensa che le congiunzioni **e** e **o** e la preposizione **a** derivano dalle parole latine *et*, *aut* e *ad*.

Molto usate fino a qualche decennio fa, le forme eufoniche **ed**, **ad**, **od** sono oggi di uso sempre meno frequente: **od** è quasi del tutto scomparsa, **ed** e **ad** sono sentite come forme letterarie e preziose. Resistono soltanto, e vale la pena di utilizzarle, quando evitano incontri cacofonici come *e-e*, *a-a*, *o-o*.

2

La punteggiatura e le maiuscole

Per completare il quadro dei fenomeni collegati alla pronuncia e alla trascrizione grafica dei suoni della lingua, bisogna analizzare due altri aspetti, strettamente connessi alla fase dell'elaborazione orale dei testi, ma densi di problemi soprattutto in vista della loro trascrizione: la **punteggiatura**, che con i suoi segni regola e scandisce la catena fonica fissando pause e precisando particolari intonazioni espressive, e le **maiuscole** che nei testi marcano, con scopi espressivi ben precisi alcune parole piuttosto che altre.

1. La punteggiatura

La punteggiatura o interpunzione serve a regolare e a scandire, nella pagina scritta, il fluire delle parole e delle frasi, in modo da riprodurre il più fedelmente possibile le articolazioni logico-sintattiche e le intonazioni espressive del discorso parlato: dà ordine all'esposizione, lega e nello stesso tempo separa le varie parti del discorso, stabilendo successioni e gerarchie concettuali, e rispecchia, segnando o non segnando pause, lo stato d'animo o le intenzioni di chi scrive.

La punteggiatura è uno strumento linguistico molto importante: serve non solo nel momento della codificazione scritta della lingua orale, per fissare la struttura logico-sintattica del discorso e le diverse sfumature ritmico-espressive del parlato, ma serve anche nel momento, non meno fondamentale e decisivo, della codificazione della lingua scritta, perché facilita la lettura e la comprensione del testo scritto. Di fatto, prescindendo per il momento dalle sue funzioni stilistiche, la punteggiatura ha innanzitutto precise funzioni "tecniche" che la rendono indispensabile. Solo la punteggiatura, infatti, permette di capire la scansione logica delle varie parti del discorso e di stabilire, con sicurezza, se una certa frase ha un valore puramente enunciativo o se ha un valore interrogativo o esclamativo. In molti casi, poi, la punteggiatura, segnalando la scansione logica del discorso, è addirittura un elemento fondamentale per capire il senso di una frase. Si veda, ad esempio, come nelle due frasi seguenti la diversa punteggiatura dia luogo a un diverso significato:

Mentre la mamma dorme in camera sua, il bambino gioca.
Mentre la mamma dorme, in camera sua il bambino gioca.

Per altro, proprio per la sua importanza e per le diverse funzioni che è chiamata a svolgere nel testo scritto, la punteggiatura non ubbidisce a norme ben precise e facilmente individuabili. Essa, anzi, è un fatto eminentemente soggettivo e personale: ognuno, nel rispetto di talune consuetudini accettate da tutti, può servirsi liberamente della punteggiatura e farla diventare anche un fatto di stile, cioè un elemento atto a conseguire particolari effetti espressivi. Imparare a usare bene la punteggiatura, dunque, è importante, ma per impararlo, più che studiare le regole della grammatica, bisogna imparare a cogliere tutte le sfumature del ritmo e di intonazione della lingua parlata e prestare attenzione all'uso che della punteggiatura fanno scrittori e poeti.

2. I segni di punteggiatura

La punteggiatura per i suoi scopi si avvale di un organico sistema di segni detti, appunto, segni di punteggiatura o di interpunzione. Essi sono:

.	punto fermo	...	punti di sospensione
,	virgola	( )	parentesi
;	punto e virgola	-	trattino
:	due punti	" " « »	virgolette
?	punto interrogativo	—	lineetta
!	punto esclamativo	*	asterisco

Vediamo la funzione e il valore dei singoli segni, tenendo però ben presente che il loro uso non è vincolato da leggi ferree: ci sono, come è giusto, alcuni principi comuni che devono essere rispettati da tutti e che, come tali, segnaleremo, ma poi ognuno è libero di manipolare a suo piacere la punteggiatura, a patto che eviti i due opposti estremismi: l'uso di un'interpunzione troppo fitta, che sminuzza il discorso creando pause inutili e fuorvianti e rende faticosa la lettura e lento e pesante il ritmo del discorso, e la sciatteria di un'interpunzione troppo povera e, quindi, priva di valore indicativo.

2.1. Il punto

Il punto o punto fermo è il segno di punteggiatura più forte. Segna una pausa o uno stacco netto e quindi si pone alla fine di una frase di senso compiuto: isola infatti una frase dall'altra, indicando il passaggio da un momento del discorso a un altro. Se tra due frasi o due gruppi di frasi lo stacco è molto marcato, dopo il punto si va a capo e si inizia un nuovo capoverso. Dopo il punto fermo si usa sempre **l'iniziale maiuscola.**

Il punto fermo si usa anche per indicare l'avvenuto accorciamento di una parola e, quindi, nelle **abbreviazioni**: *ecc.* (= eccetera), *seg.* o *s.* (= seguente), *pag.* (= pagina), *pagg.* (= pagine), *cfr.* (= confronta), *v.* (= vedi), *art* (= articolo), *cap.* o *capp.* (= capitolo o capitoli), *sig.* o *sigg.* (= signore o signori), *prof.* o *proff.* (professore o professori).

Il punto fermo si usa anche nelle **sigle**: E.N.I. (= Ente Nazionale Idrocarburi); C.C. (= Corpo Consolare); D.L. (= Decreto Legge); d.d.l. (= disegno di legge); D.O.C. (= Denominazione di Origine Controllata); G.U. (= Gazzetta Ufficiale); S.E.eO. (= Salvo Errori e Omissioni, nelle fatture). Nel caso di al cune sigle molto diffuse e, soprattutto, in quelle che possono essere lette senza difficoltà come parole vere e proprie, si è abolito il punto: CONI (= Comitato Olimpico Nazionale Italiano), CONSOB (= Commissione Nazionale per le Società e la Borsa), FIOM (= Federazione Impiegati e Operai Metallurgici), IPSOA (= Istituto Professionale per lo Studio dell'Organizzazione Aziendale). Molte, anzi, sono diventate vere e proprie parole e nessuno ricorda più che fossero sigle: è il caso di Rai (= Radio Audizioni Italiane) e di Fiat (= Fabbrica Italiana Automobili Torino) che quasi nessuno scrive più RAI e FIAT e tanto meno R.A.I. e F.I.A.T.

Il punto non si mette mai, invece, nei simboli. Non si mette nei simboli della chimica (*C*, carbonio; *Zn*, zinco; H_2O, acqua) e nelle targhe automobili stiche (*MI*, Milano; *NA*, Napoli; *TN*, Trento). E non si mette neppure nei sim boli che indicano la misura delle diverse grandezze fisiche: *m* metro, *km* chi lometro, *l* litro, *dl* decilitro, *kg* chilogrammo ecc. L'omissione del punto nei simboli non è un fatto casuale, ma risponde a una precisa norma grammaticale. La grammatica, infatti, affida al punto fermo, tra le varie funzioni, anche quella di segnare la spezzatura di una parola abbreviata. Il punto, quindi, va usato, come si è visto, nelle abbreviazioni (*prof.*, *dott.*, *d.C.*), ma non nei simboli che non sono abbreviazioni: *kg* non è l'abbreviazione di chilogrammo (che sarebbe *chil.* opp. *Kil.*) ma il suo simbolo.

2.2. La virgola

La virgola è il segno di interpunzione che indica la pausa più breve ed è di impiego molto frequente e vario.

In particolare, la virgola **viene usata**:

• nelle enumerazioni e nelle descrizioni per separarne gli elementi. Di solito, l'ultimo elemento dell'elenco o della descrizione è preceduto non dalla virgola ma dalla congiunzione **e**: "Ho bisogno di pane, burro, olio e frutta"; "Era un uomo alto, magro, piuttosto curvo di spalle e leggermente strabico";
• per separare le frasi coordinate per asindeto: "Il nonno è originario di Roma, la nonna invece è nata a Napoli". Anche in questo caso, se le frasi collegate per asindeto sono più di due, e non si vuole costruire un asindeto totale, l'ultima è preceduta dalla congiunzione **e**: "Si alzò, si lavò in fretta, si truccò il viso, fece una rapida colazione e uscì";
• dopo un vocativo e, se il vocativo è inserito nel corpo della frase, anche davanti ad esso: "Paolo, ricordati di andare a trovare la zia"· "Ricordati Paolo di andare a trovare la zia"·
• prima e dopo un inciso o una apposizione, siano essi una sola parola, un'espressione più o meno lunga o un'intera frase: "Antonio, lo zio di Laura, è un ingegnere"; "L'uomo, preoccupato e teso per l'incertezza della situazione, non riusciva a spiccicare parola"; "Quel locale, dicono, è piuttosto malfamato";
• dopo le congiunzioni *infatti*, *di fatto*, *in effetti*: "Antonio si è procurato uno strappo muscolare. Infatti, domenica non giocherà" (oppure: "Domenica, infatti, non giocherà");
• per separare una proposizione da una coordinata introdotta dalle congiunzioni *ma*, *però*, *tuttavia*, *anzi*, nelle proposizioni coordinate: "Non sto bene, ma devo partire lo stesso";
• per separare dalla proposizione reggente una frase subordinata introdotta da *benché*, *sebbene*, *anche se*, *per quanto*, *poiché*, *giacché*, *quando*, *mentre*, *se* (con valore ipotetico): "Ti ho preparato un bel regalo, anche se non te lo meriti". Con altre congiunzioni subordinate, la virgola tra reggente e subordinata, un tempo normale, oggi non è più in uso. Le interrogative indirette e le proposizioni soggettive e oggettive, poi, la rifiutano decisamente. In taluni casi, con le subordinate relative, la virgola svolge una particolare funzione distintiva e, quindi, la sua assenza o presenza può modificare sostanzialmente il senso di una frase: "I ragazzi che non lo conoscevano sono stati conquistati dalla sua simpatia (= non tutti i ragazzi, ma solo quelli che non lo cono-

scevano)"; "I ragazzi, che non lo conoscevano, sono stati conquistati dalla sua simpatia (= nessuno dei ragazzi presenti lo conosceva)";
• dopo un avverbio, una locuzione avverbiale, una interiezione, un complemento di tipo circostanziale, cioè indicante una particolare circostanza accessoria, che costituiscono quasi delle frasi autonome aggiunte alla frase principale: "Veramente, quella persona è piuttosto antipatica"; "Sì, sono pronto"; "Bene, aspetterò"; "Accidenti, come è tardi"; "D'altra parte, non me la sento di accettare il suo invito"; "Per quanto a malincuore, devo rinunciare alle vacanze".

La virgola **non deve mai essere messa** tra il soggetto e il verbo. Qualche scrittore talvolta la usa per dare un particolare rilievo al soggetto, ma è un espediente da evitare, anche perché non riesce a suggerire l'intonazione espressiva che lo scrittore si propone di imitare. Così, una frase come "Noi, abbiamo spedito quella lettera al giornale" è da considerare sempre e comunque errata, anche se quel "Noi" separato dal verbo mediante la virgola vuole significare "siamo stati noi". Per lo stesso motivo, non si mette mai la virgola tra il verbo e il suo complemento oggetto, neppure per dare particolare rilievo all'oggetto. Una frase come: "Antonio ogni sera legge, quotidiani e riviste" è quindi errata. Infine, non si mette mai la virgola tra proposizione principale e proposizione soggettiva, oggettiva e interrogativa indiretta (non si può scrivere: "È evidente, che ha ragione Paolo", e neppure: "Fammi sapere, quando verrai").

La virgola, di preferenza, non si mette davanti alla congiunzione copulativa negativa **né** e alle congiunzioni disgiuntive **o**, **oppure** quando sono usate in una elencazione: "Non vuole né mangiare né dormire"; "Dammi quello che c'è: o una pera o una mela o un'arancia". Normalmente la virgola non si mette neppure davanti alla seconda congiunzione di una correlazione: "Sia il francese sia lo spagnolo derivano dal latino". Infine, non si mette la virgola davanti all'avverbio **eccetera** (per lo più **ecc.**): "Alla festa c'erano le solite facce: parenti, amici, colleghi ecc.".

2.3. Il punto e virgola

Il punto e virgola segna una pausa di media durata, meno netta del punto fermo e più lunga della virgola.

Si usa:

• in alternativa al punto fermo, per dividere, all'interno di un periodo, due o più proposizioni collegate tra loro che grammaticalmente potrebbero stare ciascuna a sé, separate da un punto fermo, ma che, per il significato complessivo del periodo, non è il caso di separare nettamente:

"Come il cane che scorta una mandra di porci, corre or qua or là a quei che si sbandano; ne addenta uno per un orecchio, e lo tira in ischiera; ne spinge un altro col muso; abbaia a un altro che esce di fila in quel momento; così il pellegrino acciuffa un di coloro, che già toccava la soglia, e lo strappa indietro; caccia indietro col bordone uno e un altro che s'avviavan da quella parte; grida agli altri che corron qua e là, senza saper dove; tanto che li raccozzò tutti nel mezzo del cortiletto." (A. Manzoni)

• in alternativa alla virgola, nelle enumerazioni e negli elenchi, quando i singoli elementi sono accompagnati da un'apposizione o da un'espansione più o meno lunga:

"Nel buio, l'uomo scorse un bambino, alto e robusto per la sua età; una donna vestita malamente di stracci; una ragazzina che poteva avere sì e no quindici anni; e, infine, un vecchio, che pareva il diavolo in persona."

Oggi il punto e virgola è sempre meno usato e si tende a sostituirlo con il punto fermo o con la virgola, a seconda dei casi.

2.4. I due punti

I due punti segnano una pausa piuttosto breve, ma diversamente dal punto e virgola hanno una funzione ben precisa: indicano che le parole che seguono sono una conseguenza o una spiegazione di quello che è stato detto prima.

In particolare i due punti **si usano**:

• per introdurre un elenco: "Paolo legge di tutto: novelle, racconti, romanzi, saggi e anche fumetti";
• per introdurre un esempio o una citazione: in questa funzione i due punti sono spesso usati in questo libro;
• per introdurre un discorso diretto: «La donna allora ribatté: "Noi non sappiamo nulla!"»;
• per introdurre una precisazione o una spiegazione: "Sognava una sola cosa: viaggiare per il mondo"; "I primi arrivati corsero alla porta della chiesa: era serrata" (A. Manzoni); "Finalmente tutti si trovarono d'accordo: saremmo partiti in treno".

A volte i due punti sostituiscono una congiunzione coordinante o subordinante: "Sono stanco morto: vado a letto (= e perciò vado a letto)"; "Non vengo al cinema: sono troppo stanco (= perché sono troppo stanco)".

I due punti **non si possono usare** tra il verbo e il suo complemento oggetto, anche se questo è costituito da un elenco di oggetti o di persone. Perciò nella frase: "Paolo legge novelle, racconti, romanzi, saggi e anche fumetti", i due punti non vanno usati. Allo stesso modo non vanno usati nella frase "Per la strada si potevano vedere uomini, donne, bambini e vecchi" perché separe rebbero il verbo dal soggetto.

2.5. Il punto interrogativo

Il punto interrogativo indica il tono ascendente della voce tipico delle frasi che esprimono una domanda diretta. Segna una pausa lunga, come il punto fermo, e si pone alla fine della frase: "Chi sei?".

2.6. Il punto esclamativo

Il punto esclamativo indica l'intonazione discendente della voce nelle frasi esclamative che esprimono stupore, meraviglia, dolore, rammarico o entusiasmo: "Che bello!"; "Quanto tempo è passato!". Si usa anche per sottolineare un comando o un'esortazione: "Vieni qui!"; "Ubbidisci alla mamma!". Infine, si usa dopo le interiezioni: "Ahimè!"; "Uffa!".

Il punto esclamativo segna una pausa lunga ed è quasi sempre seguito, come anche il punto interrogativo, dall'iniziale maiuscola. Talvolta, per sottolineare la rapidità con cui le domande o le esclamazioni si succedono, sia il punto interrogativo sia quello esclamativo sono seguiti dall'iniziale minuscola:

> «"Misericordia! cos'ha signor padrone?"; "Niente, niente", rispose don Abbondio, lasciandosi andare tutto ansante sul suo seggiolone. "Come, niente? La vuol dare ad intendere a me? così brutto com'è? Qualche gran caso è avvenuto."» (A. Manzoni)

Oggi, la tendenza della lingua è quella di evitare il più possibile l'uso del punto esclamativo, per la sua enfasi.

Talora per esprimere, più che una domanda, un forte senso di stupore o di incredulità, si usano insieme il punto interrogativo e il punto esclamativo: "Laura è andata al cinema con Paolo?!".

Un altro uso particolare, per quanto piuttosto raro, del punto interrogativo e del punto esclamativo è quello che vede l'uno o l'altro inseriti tra parentesi nel corpo di una frase, per commentare tacitamente e, per lo più, ironicamente il concetto o le opinioni riportate nella frase stessa o per richiamare l'attenzione su una singola parola, per lo più errata: "Antonio è riuscito a risolvere, da solo (?), il problema di geometria e si è preso un bel sette"; "Il cartello dice testualmente che la pinnacoteca (!) è chiusa per restauri".

2.7. I puntini di sospensione

I puntini di sospensione si usano, nel numero fisso di tre, per indicare:

- l'interruzione di un discorso che viene lasciato in sospeso, per imbarazzo, per reticenza o per convenienza: "Non vorrei dire, ma quel ragazzo..."; "Un modo ci sarebbe, se tu fossi d'accordo..."; "Mio cognato allora... ma parliamo d'altro";
- l'interruzione di un discorso che chi legge o ascolta può integrare da solo: "Chi ben comincia...";
- l'interruzione di una enumerazione che potrebbe continuare, ma che si ritiene inutile completare: "L'uomo era vestito come se dovesse andare al Polo Nord. Una volta al caldo, decise di spogliarsi: si levò i guanti, il berretto di lana, il paraorecchi, la sciarpa, il cappotto...".

I puntini di sospensione si usano anche nelle citazioni per indicare l'omissione di un passo. Per evitare equivoci, i puntini vengono per lo più messi tra parentesi tonde o quadre: (...) oppure [...]:

> Alessandro Manzoni, nel Capitolo secondo del romanzo, delinea un rapido ritratto dell'aspetto fisico e dell'abbigliamento di Lucia. Scrive, infatti, Manzoni: «[...] I neri e giovanili capelli, spartiti sopra la fronte, con una bianca e sottile dirizzatura, si rivolgean, dietro il capo, in cerchi molteplici di trecce, trapassate da lunghe spille d'argento, che si dividevano all'intorno [...] Intorno al collo aveva un vezzo di granati alternati con bottoni d'oro e filigrana: portava un bel busto di broccati a fiori: [...] una corta gonnella [...] due calze vermiglie, due pianelle di seta [...]».

2.8. Il trattino

Il trattino si usa per lo più per unire due parole, in genere nomi o aggettivi, che vengono accostate tra loro ma che non formano una parola composta, in quanto i due elementi conservano una certa autonomia di significato. In taluni casi, il trattino unisce due termini sostituendo una preposizione o una congiunzione: il conflitto *Iran-Iraq* (= tra Iran e Iraq); la partita *Inter-Milan* (= tra l'Inter e il Milan); l'alleanza *anglo-francese* (= tra gli inglesi e i francesi); il dizionario *italiano-latino* (= dall'italiano al latino). In altri casi, invece, collega i due membri dei cosiddetti nomi-frase: *uomo-rana*, *gonna-pantalone*, *piano-bar*.

Quando le due parole accostate formano un composto stabile, cioè un vero e proprio nome composto, il trattino non viene più usato: *cartastraccia, madreperla, pescecane*. Talvolta, coesistono le forme con il trattino e quelle senza il trattino: *vice-presidente / vicepresidente*; *auto-analisi / autoanalisi* e simili. In questi casi è meglio adottare la forma senza trattino. Più in generale, è consigliabile non abusare del trattino, coniando nessi congiunti che, se hanno un senso nei titoli dei giornali, dove sono giustificati per motivi di spazio, risultano piuttosto stucchevoli nell'uso quotidiano. Ad esempio, un "problema socio-economico" è, molto più semplicemente ed elegantemente, un "problema sociale ed economico".

Il trattino si usa anche:

• per collegare due numeri indicanti gli estremi di una cifra approssimata: "Il treno è in ritardo di 30-40 minuti";
• per dividere le parole in sillabe: "a-mo-re";
• per indicare che una lettera o un gruppo di lettere costituiscono la parte iniziale o la parte finale di una parola: nel primo caso il trattino segue la lettera o il gruppo di lettere, nel secondo caso li precede: "il prefisso *ippo-*, il suffisso alternativo *-accio*";
• per indicare, come segno dell'"a capo", l'interruzione di una parola a fine di riga (nei testi scritti a mano il trattino è raddoppiato: /=/.

2.9. Le virgolette

Le virgolette nella forma « » (**virgolette basse**) o nella forma " " (**virgolette alte**) vengono usate sempre in coppia:

• per delimitare il discorso diretto:

L'uomo allora disse: «Non ne posso più. Pensateci voi».

• per delimitare una citazione, cioè un breve passo in cui si riportano le parole precise di qualcuno:

Manzoni scrive che Don Abbondio non era «un cuor di leone».

• per introdurre in un testo il nome – la testata – di un giornale o di una rivista: il «Corriere della Sera», il settimanale femminile «Grazia».

I titoli delle opere letterarie (romanzi, poemi, liriche, tragedie, commedie e simili), delle opere musicali e dei film si scrivono invece sottolineati e, a stampa, risultano in corsivo: "Il romanzo *I Promessi Sposi* di A. Manzoni fu presto imitato da molti scrittori italiani"; "Nell'*Orlando Furioso*, L. Ariosto difende ed esalta gli ideali del Rinascimento"; "La *Nona* di Beethoven ha un coro finale".

• per mettere in evidenza che una parola o un gruppo di parole sono usati in un significato particolare, diverso da quello usuale, per esempio in senso ironico o allusivo o metaforico:

Grazie, ma non ho bisogno dei tuoi "servizi"; Lo sciopero "a singhiozzo" dei piloti ha paralizzato completamente il traffico aereo.

• per evidenziare in un testo l'utilizzo di una parola straniera (in questo caso si usano le virgolette semplici o apici), ma ormai, quando non la si inserisce senza alcuna evidenziazione, si preferisce sottolinearla e, a stampa, scriverla in corsivo:

Paolo si è comprato un 'trench' (opp. *trench* opp. trench) di lana.

La scelta tra i vari tipi di virgolette è legata a criteri grafici che variano da editore a editore. Nei testi a stampa, per altro, le virgolette più usate sono le basse, mentre le alte sono più frequenti nella scrittura a mano. Le une e le altre sono usate insieme quando si riporta un discorso diretto o una citazione all'interno di un altro discorso diretto: le basse all'esterno e le alte all'interno. Gli apici sono usati quasi esclusivamente per segnalare l'uso allusivo di una parola o di un'espressione

2.10. Le lineette

Le lineette si usavano molto nei testi a stampa fino a qualche decennio fa, in sostituzione delle virgolette per indicare il discorso diretto, in particolare quando era scandito in battute di dialogo:

– Come va? – chiese l'uomo.
– Abbastanza bene – rispose il nuovo arrivato.

Oggi sono quasi sempre sostituite dalle virgolette, anche se, talvolta, virgolette e lineette coesistono: "L'anno scorso – disse l'uomo – non l'ho mai visto".

Le lineette sono invece usate spesso in sostituzione delle parentesi, per delimitare un inciso: "Vorrei che mi parlassi delle più importanti espressioni letterarie – romanzi, poesie e testi teatrali – del secolo scorso"; "Se vai a trovare il nonno – e sarebbe ora –, passa a prendere anche me".

2.11. Le parentesi

Le parentesi tonde servono per isolare, all'interno di un testo, un inciso, cioè delle parole o delle frasi che hanno lo scopo di spiegare, precisare o commentare ciò che si sta dicendo, ma che non sono indispensabili per la comprensione del discorso:

> Quando Renzo si fu levato il farsetto (e ce ne volle), l'oste l'agguantò subito. (A. Manzoni)

Manzoni a parte, è consigliabile usare poco gli incisi parentetici, perché intralciano il discorso e ne rendono difficile la comprensione. In proposito si tenga presente il seguente principio: se ciò che si vuole precisare nell'inciso da mettere tra parentesi è veramente importante, è opportuno riassorbirlo nel testo; se invece è superfluo o divagante tanto che è sentito come parentetico, e quindi pressoché inutile, è meglio lasciarlo perdere del tutto.

Quando nel punto in cui si apre la parentesi dovrebbe cadere un segno di interpunzione, questo deve essere posto dopo la chiusura della parentesi, come risulta anche dall'esempio manzoniano sopra citato.

Le parentesi si usano anche:

- per segnalare l'autore di una citazione;
- per racchiudere i puntini che in una citazione indicano il taglio di una parte del testo.

Oltre alle parentesi tonde, esistono anche le parentesi quadre [ ] che si usano, ma molto raramente, per inserire le spiegazioni di una parola o di un'espressione presenti nel testo, non facilmente comprensibili altrimenti: "La costa della bella Albione [Gran Bretagna] apparve finalmente all'orizzonte". Le parentesi quadre sono usate più spesso di quelle rotonde per racchiudere i puntini che indicano l'avvenuto taglio di una parte del testo in una citazione

2.12. L'asterisco

L'**asterisco** si usa nei testi a stampa:

- posposto a una parola indica al lettore che la parola in questione è richiamata in nota, dove è oggetto di spiegazione·
- preposto a una parola, in un testo di linguistica, indica che la parola non è mai esistita ed è stata ricostruita attraverso la comparazione linguistica: "La parola *grappa* deriva dal lombardo *grapa* 'graspo', risalente al gotico **Krapfa*";
- segnato tre volte, sostituisce un nome proprio di persona o di luogo che l'autore non vuole indicare:

> Il padre Cristoforo da *** era un uomo più vicino ai sessanta che ai cinquanta. (A. Manzoni)

3. Le maiuscole

Le lettere dell'alfabeto italiano, come si è visto, si possono scrivere a caratteri maiuscoli e minuscoli.

Storicamente sono nate prima le lettere a carattere maiuscolo e, di fatto, le più antiche forme di scrittura greche e latine utilizzarono per lungo tempo solo le maiuscole. Le minuscole fecero la loro apparizione più tardi e, solo a partire dal VII-VIII secolo dopo Cristo, nei manoscritti medioevali si è cominciato a distinguere l'uso delle due forme limitando quello delle maiuscole a casi particolari.

Le lettere *minuscole* sono le lettere di uso "normale". Le *maiuscole* invece sono lettere particolari: si usano, infatti, per dare più risalto a una parola, sia che la si scriva tutta in maiuscolo sia che si scriva maiuscola solo la sua lettera iniziale. Il primo caso è piuttosto raro ed è riservato alle iscrizioni solenni su lapidi o monumenti, ai pochi casi in cui, per particolari fini espressivi, si vuole far risaltare una o più parole di un testo (ad esempio nei titoli di giornale, negli annunci pubblicitari e simili). Molto più frequente e vario, invece, è l'uso della maiuscola all'inizio della parola. Questo uso, però, ubbidisce solo in parte a criteri logici ed è, invece, per lo più frutto della tradizione o, addirittura, di scelte personali.

In particolare, comunque, si può dire che **la maiuscola all'inizio di una parola** si usa:

• per **segnalare l'inizio di un testo** e dopo un segno di punteggiatura forte, e quindi:

– all'inizio di un testo, quando cioè si comincia a scrivere, e dopo ogni punto fermo: "L'uomo bussò, ma nessuno gli rispose. Allora si voltò, scese lentamente le scale e uscì nella strada";
– dopo un punto interrogativo o un punto esclamativo: "Che cosa ne dici? Fammi sapere qualcosa al più presto"; "Che bella idea! Potremmo partire domani stesso". Se si succedono più domande o esclamazioni, quelle successive alla prima possono iniziare con la minuscola: "Perché ti disperi così? perché vuoi rinunciare a tutto? perché, piuttosto, non prendi tu l'iniziativa?";
– all'inizio di un discorso diretto preceduto o no dai due punti: «Allora Laura disse: "Passo a prenderti domani alle otto"».

• per **introdurre i nomi propri** o per promuovere a nomi propri taluni nomi comuni.

In particolare, si scrivono con la maiuscola:
– i nomi propri di persona, i cognomi, i soprannomi e gli appellativi: Paolo Bianchi, i Gonzaga, la famiglia Rossi, i Bianchi, Angelo Beolco detto il Ruzante, Lorenzo il Magnifico;
– il nome Dio, quando è usato per indicare la divinità di una religione monoteistica, e i nomi, i pronomi e gli aggettivi sostantivati che si riferiscono a Dio ("l'Onnipotente"; "Dio è buono"; "Egli ci aiuterà"), ai personaggi sacri ("la Madonna", "l'Immacolata"), ai simboli e agli oggetti del culto ("il Credo", "la Croce"). Ciò vale per le divinità e gli oggetti di culto di tutte le religioni: "Zeus, Giove, Allah, Brahama" ecc.;
– i nomi propri di animale: "Bisogna portare Fido dal veterinario";
– i nomi propri geografici: Milano, Francia, Asia, Tamigi, Pirenei. A proposito dei nomi geografici va ricordato che, di norma, parole come *monte*, *lago*, *fiume* non richiedono la maiuscola essendo nomi comuni: "I *monti* Pirenei separano la Francia dalla Spagna"; "la *città* di Firenze"; "il *fiume* Trebbia". Questi stessi nomi richiedono la maiuscola quando costituiscono parte integrante di un nome proprio geografico: il *Lago* Maggiore, il *Fiume* Rosso, il *Monte* Rosa, il *Mar* Rosso, *Città* del Capo;
– i nomi di via, viale, piazza, palazzo: *V*ia del *C*orso, *V*iale della *L*ibertà, *P*iazza del *M*ercato, *P*alazzo *S*trozzi, *P*onte *V*ecchio. Mentre i nomi *palazzo* e *ponte*, quando sono seguiti dal loro nome proprio, si scrivono sempre con l'iniziale maiuscola, i nomi *via*, *viale* e *piazza* si possono scrivere anche con l'iniziale minuscola;
– i nomi di festività religiose e civili: *P*asqua, *N*atale, *C*apodanno, il *P*rimo *M*aggio;
– i nomi propri dei corpi celesti: *M*arte, *A*ldebaran, *S*irio ecc. I nomi Terra, Sole e Luna hanno l'iniziale maiuscola solo quando sono usati in senso astronomico, in contesti scientifici: "La Terra gira intorno al Sole". Negli altri casi hanno l'iniziale minuscola: "Il sole era appena spuntato, quando..."; "La creazione del cielo e della terra";
– gli aggettivi derivanti dai nomi propri di città o di località, quando sono usati per indicare una zona geografica: nel *S*enese, il *B*iellese;
– i nomi indicanti istituzioni, enti, associazioni, partiti, squadre sportive: lo Stato, la Chiesa, la Croce Rossa, il Provveditorato agli Studi, il Milan e la Juventus. I nomi come *stato*, *chiesa*, *parlamento* richiedono l'iniziale maiuscola solo quando indicano effettivamente un'istituzione, non quando sono usati in un'altra accezione, cioè con un altro significato. "La *chiesa* di san Nereo è molto antica"; "I cittadini si riunirono a *parlamento*". Se il nome indicante enti, associazioni è costituito da una sigla, si scriverà a tutte lettere maiuscole: la CE, la NATO, il CONI, la CGIL (vedi anche p. 64);
– i numerali ordinali sostantivati che indicano i secoli e i nomi che indicano periodi storico-culturali o avvenimenti storico-politici di grande importanza:

il *T*recento, l'*O*ttocento, il *R*inascimento, l'*I*lluminismo, i *V*espri siciliani, la *R*ivoluzione francese;
– la prima parola dei titoli di libri, film, opere figurative, opere musicali, giornali e riviste, giacché un titolo può essere considerato un nome proprio di tipo particolare: *Storia della letteratura italiana*; *Le baruffe chiozzotte*; *Il barbiere di Siviglia*; la *Pietà* di Michelangelo; *Prendi i soldi e scappa*. Quando il titolo è costituito da più parole, si usa l'iniziale maiuscola solo per la prima, ma si può avere anche la *Divina Commedia*, e i *Promessi sposi* coesistono con *I Promessi Sposi*, l'*Orlando Furioso* con l'*Orlando furioso*, il "Corriere della Sera" con il "Corriere della sera" e "La Stampa" con "La stampa";
– i nomi che indicano gli abitanti di uno stato, di una città o di una regione: gli *I*taliani, i *F*rancesi, gli *S*vizzeri (gli aggettivi corrispondenti si scrivono invece con l'iniziale minuscola: i cittadini italiani, i libri francesi). Ormai, però, in conseguenza dell'uso imposto dai giornali, questi nomi si scrivono con l'iniziale minuscola ("I *m*ilanesi si lamentano del traffico") e l'iniziale maiuscola rimane solo ai nomi dei popoli primitivi (i Galli, gli Unni); in questo caso, tra l'altro, l'iniziale maiuscola distingue i popoli antichi da quelli moderni che portano lo stesso nome: ad esempio, i Romani di un tempo dai romani di oggi;
– i nomi che indicano alcune alte cariche politiche o pubbliche, specialmente se si tratta di cariche uniche: "il *P*residente della Repubblica" (ma "il presidente Pertini", perché è accompagnato dal nome proprio); "il *P*apa" (se indica la persona di un preciso pontefice, ma "il papa" con l'iniziale minuscola se indica la carica in sé e "papa Giovanni", perché è accompagnato dal nome proprio). Con gli altri nomi indicanti cariche pubbliche, si preferisce usare l'iniziale minuscola: il sindaco, il senatore, il deputato. Tra l'altro, di solito, con l'iniziale maiuscola (come nel caso di "il *P*apa/il papa"), si individua con precisione la persona che riveste la carica: "il *P*rovveditore agli Studi ha ricevuto il *P*reside"; invece, con l'iniziale minuscola, si indica la carica in sé: "Mio zio è preside in una scuola di Palermo";
– i nomi *M*ezzogiorno, *E*st, *O*vest, *O*ccidente, quando sono usati per indicare non i punti cardinali, ma zone geopolitiche: "I paesi dell'Est europeo si riuniranno domani a convegno";
– i nomi personificati, sia che si tratti di nomi comuni, per lo più astratti promossi a livello di concetti densi di significato o di valori ideali o spirituali (la *L*ibertà, la *P*atria, la *V*ita), sia che si tratti di nomi comuni di animali umanizzati ("il *G*atto e la *V*olpe si allontanarono ridendo"), sia che si tratti di nomi comuni di persone o di cose considerate come i rappresentanti per eccellenza del loro genere (il *L*ibro, cioè la Bibbia, il libro per eccellenza). In questi casi, però, l'uso della maiuscola è un fatto di natura stilistica e non grammaticale;
– i nomi di uffici, ditte, associazioni; il *M*inistero della pubblica istruzione, il

*P*rovveditorato agli studi, l'*A*mministrazione provinciale (inutile la maiuscola nell'aggettivo), il *L*iceo classico A. Volta, la *R*inascente;
– le sigle, sia quando sono usate come tali (*B*nl, *O*nu, *U*sl) sia quando sono svolte (*B*anca *N*azionale del *L*avoro, *O*rganizzazione delle *N*azioni *U*nite, *U*nità *S*anitaria *L*ocale). Sempre meno frequente è la grafia a tutto maiuscolo: ONU, USL, CGIL.

• per **esprimere ossequio** nelle formule di cortesia.

In questo caso si usa l'iniziale maiuscola nei pronomi e negli aggettivi possessivi di 3ª persona singolare o di 2ª persona plurale che si riferiscono al destinatario di una lettera cui ci si rivolge con il *lei* o con il *voi* di cortesia: "Egregio signor Rossi, abbiamo ricevuto la *S*ua lettera del 10 u.s. e siamo contenti di avvertir*L*a che..."; "In risposta alla spettabile *V*ostra del 10 u.s., *V*i comunichiamo che...".

L'obbligo della maiuscola, per altro, è di norma limitato **all'inizio di un testo** (dopo un segno di interpunzione forte e all'inizio del discorso diretto) e **ai nomi propri** o considerati come tali. Negli altri casi l'uso è oscillante e la tendenza della lingua è quella di sostituire la maiuscola con la minuscola che di fatto tende ormai a prevalere. Naturalmente, spesso l'uso della maiuscola o della minuscola è frutto di una scelta stilistica o retorica (è il caso dei nomi personificati) o, addirittura, di una scelta ideologica: scrivere "il Re" invece di "il re", ad esempio, significa di per sé esprimere una particolare opinione personale o prendere posizione a favore o contro l'istituto monarchico.

Morfologia

La morfologia o studio della forma (dal greco *morphé*, 'forma', e *ló-gos*, 'studio') classifica e descrive le forme delle varie parole e ne analizza le eventuali variazioni a seconda del loro particolare significato e della loro funzione nel discorso.

Tradizionalmente, le parole della lingua italiana, come oggetto di studio della morfologia, sono ripartite in nove categorie grammaticali, dette parti del discorso: **articolo**, **nome**, **aggettivo**, **pronome**, **verbo**, **avverbio**, **preposizione**, **congiunzione**, **interiezione**. Questa classificazione si fonda, in linea di massima, sulla **forma** delle parole e sul loro **significato**, ma spesso anche sulla loro **funzione**.

Fondamentale, comunque, per la morfologia, è la forma delle parole. Proprio sulla forma, infatti, si basa la divisione delle nove parti del discorso in due gruppi nettamente distinti:

• le **parti variabili** del discorso, cioè le parole che possiedono più forme e che, quindi, variano, mutando le desinenze, secondo il significato e le esigenze degli accordi che devono rispettare con le altre parole con cui vengono in contatto: *articolo*, *nome*, *aggettivo*, *pronome*, *verbo*;

• le **parti invariabili** del discorso, cioè quelle che presentano una sola forma e, quindi, non variano mai di forma: *avverbio*, *preposizione*, *congiunzione*, *interiezione*.

1

L'articolo

L'articolo[1] è la parte variabile del discorso che si premette al nome allo scopo di individuarlo e di inserirlo nel discorso:

Ho chiamato *il* medico.

La parola *il* che precede il nome "medico" è di per sé priva di significato ma se la togliamo la frase perde in chiarezza e quindi non ha senso dire: "Ho chiamato medico".

Insieme **articolo** e **nome** costituiscono un'unità inscindibile, il cosiddetto **sintagma** o **gruppo nominale**. Infatti l'articolo non può mai essere usato da solo, e il nome richiede sempre, tranne in alcuni casi particolari, la presenza dell'articolo. L'articolo, anzi, con la sua forza individuante, ha la proprietà di rendere **sostantivate** tutte le parole. Infatti, se si premette l'articolo a una qualsiasi parte del discorso, questa subisce un processo di ricategorizzazione (un processo che la porta a uscire dalla sua categoria grammaticale originaria per passare a un'altra) e diventa un nome.

Così le parole "se" e "ma" e le parole "dire" e "fare" sono rispettivamente congiunzioni e verbi infiniti ma, precedute dall'articolo, diventano nomi: "Con *i se* e *i ma* non si ottiene nulla"; "Tra *il dire* e *il fare* c'è di mezzo il mare".

Solitamente con una parte del discorso sostantivata dall'articolo si usa l'articolo al maschile singolare (o eventualmente plurale) nella forma richie-

[1] Il termine "articolo" deriva dal latino *articulus*, diminutivo di *artus*, 'arto, membro', e significa "piccolo arto, piccolo membro". L'articolo, infatti, è una piccola parte del discorso, un "piccolo elemento" che nel corpo di una frase dà un senso determinato o indeterminato al nome.

sta dal nome seguente: "Vorrei sapere *il perché* di tutto ciò"; "*I suoi 'no'* mi hanno scoraggiato". Se però l'articolo rende sostantivo un aggettivo qualificativo o un pronome relativo, si accorda con esso per genere e numero, proprio come se fosse riferito a un nome: "*Lo strano* è che non ti sei accorto di nulla"; "*Le azzurre* si sono imposte nella discesa libera"; "Verranno a trovarmi le ragazze con *le quali* ho trascorso le vacanze".

Funzioni

L'articolo, oltre a individuare e introdurre il nome, ed essere quindi un elemento obbligatorio del gruppo nominale come parte integrante del nome, svolge altre funzioni importanti.

• Sul piano morfologico-semantico l'articolo marca il genere e il numero del nome cui si accompagna ribadendoli o segnalandoli. Li ribadisce quando il nome già rivela con la sua desinenza numero e genere: *il* lup*o* / *i* lup*i*; *la* lup*a* / *le* lup*e*. Li segnala, invece, quando il nome, essendo di genere comune o invariabile, non ha desinenza per esprimere genere e numero: *il* collega / *la* collega; *il* nipote / *la* nipote; *il* gorilla / *i* gorilla.[2] Inoltre, quando il significato del nome varia a seconda del genere, l'articolo permette di stabilire quello corretto. Così l'articolo, insieme al contesto, permette di stabilire se il nome "boa" è usato nel significato di "serpente" ("*il* boa") o nel significato di "galleggiante" ("*la* boa"): "*Il* boa è fuggito dallo zoo"; "Raggiungiamo *la* boa e poi ci riposiamo".

• Sul piano semantico l'articolo permette di stabilire se la persona o la cosa indicate dal nome siano da intendersi in senso preciso o in senso generico. Così nella frase "Ho chiamato *il* medico" l'articolo inserisce il nome "medico" nel discorso specificando che si tratta di un medico ben noto a chi parla e a chi ascolta. Invece, nella frase "Ho chiamato *un* medico" il medico in questione è chiaramente un medico qualsiasi.

• Sempre sul piano semantico, infine, l'articolo ha la funzione di precisare se la persona o la cosa indicate dal nome cui si accompagna siano da intendere come un'entità singola, cioè come una singola persona o un singolo oggetto, o come un'intera classe di persone o di oggetti. Così nella frase "*L'aereo* è un mezzo di trasporto veloce e sicuro" il sintagma *l'aereo* indica tutti gli aerei, cioè la categoria di

[2] Per questa sua funzione l'articolo ha il valore di una vera e propria marca grammaticale, come un morfema grammaticale o desinenza.

mezzi di trasporto che si chiamano aerei. Invece nella frase "*L'aereo* è atterrato in orario" il sintagma *l'aereo* indica un aereo particolare, cioè uno solo dei tanti aerei che fanno servizio: ad esempio quello che sto aspettando all'aeroporto e su cui viaggia un mio amico. Nella frase "*L'aereo* vola", poi, il sintagma *l'aereo* può avere entrambi i significati, secondo il contesto in cui la frase è usata: se la frase è pronunciata da una persona che descrive i vari modi in cui si muovono i diversi mezzi di trasporto, il sintagma *l'aereo* indica l'intera categoria degli aerei, che hanno appunto la caratteristica di volare mentre altri mezzi solcano i mari; se, invece, la frase è pronunciata da una persona, ad esempio un pilota, che aveva motivo di temere che il suo aereo non riuscisse a volare, il sintagma *l'aereo* indica un singolo velivolo.[3]

Classificazione

La lingua italiana presenta due tipi di articoli, gli **articoli determinativi** e gli **articoli indeterminativi**, cui vanno aggiunti gli **articoli partitivi**. Bisogna poi tener conto dei casi in cui il nome è usato senza articolo, cioè con "**articolo zero**".

1. L'articolo determinativo

L'articolo determinativo individua il nome cui è premesso precisando che esso indica qualcosa di ben determinato per chi parla e per chi ascolta:

Ho chiamato *il* medico.

L'articolo determinativo si adopera perciò:

– con i nomi che indicano persone o cose che sono già note sia all'emittente (chi scrive o parla) sia al ricevente del messaggio (chi legge o ascolta): "Ha telefonato *il* nonno"; "*Il* cane mi sembra malato";

– con nomi che indicano persone o cose di cui si è parlato in precedenza: "Il nonno ha comprato *una* casa in collina, vicino a Torino. *La* casa è molto grande, immersa nel verde...". Come si vede, la prima volta in cui nella frase si parla della *casa* si usa l'articolo indeterminativo *una* ("*una* casa") perché

[3] Per tutte queste particolari funzioni morfologiche e semantiche, la moderna linguistica classifica l'articolo nella categoria dei determinanti (vedi la nota 5 a p. 160).

chi ascolta o legge non la conosce ancora. Ma quando, subito dopo, si riparla di essa si usa l'articolo determinativo *la* ("*la* casa") perché ormai è nota;
– con nomi che indicano persone o cose non ancora note ma precisate all'interno del messaggio stesso, mediante un complemento di specificazione oppure mediante una proposizione relativa: "*Il* centro di Milano è sempre molto affollato"; "Ho perso *il* maglione che mi avevi regalato"; "*Il* re dei Belgi è in visita ufficiale a Roma";
– con nomi che indicano cose uniche in natura o comunque inconfondibili nel loro genere: "*l'*equatore", "*il* sole" (l'espressione "C'è *un* sole..." significherebbe una cosa completamente diversa), "*la* terra", "*il* papa" (altra cosa sarebbe "*un* papa"), "*la* pioggia", "*la* neve", "*il* terremoto";
– con nomi che indicano materia: "*Il* petrolio non è inesauribile"; "*La* seta è un tessuto pregiato";
– con nomi che indicano un concetto astratto: "*La* ragione ci consente di distinguere *il* bene dal male";
– con nomi usati per indicare una categoria, un tipo, una specie o un insieme: "*Il* cavallo (= ogni cavallo) è un quadrupede"; "*I* ragazzi (= ogni ragazzo, tutti i ragazzi) devono praticare qualche sport".

In particolari contesti, per il suo significato fondamentale che è quello di determinare in modo preciso il nome che accompagna, l'articolo determinativo può assumere la funzione e il valore:
– di un aggettivo dimostrativo: "Entro *la* settimana (= entro questa settimana) sapremo i risultati delle analisi"; "Non conosco *il* ragazzo (= quel ragazzo) che sta parlando con mio fratello";
– di un pronome dimostrativo: "Dei due fratelli preferisco *il* più giovane (= quello più giovane)";
– di un aggettivo indefinito con senso distributivo: "*Il* lunedì pomeriggio (= ogni lunedì pomeriggio) vado in piscina";
– di una determinazione temporale: "*Il* mese scorso (= durante, nel mese scorso) sono stato a Londra".

1.1. Forme dell'articolo determinativo

L'articolo determinativo si accorda in genere e in numero con il nome cui si riferisce e presenta forme diverse a seconda di come inizia la parola che segue. In particolare, si usano:

• gli articoli **il** e **i**, con i nomi maschili, davanti a parole che cominciano per consonante (eccetto *x*, *y*, *z*, *s* preconsonantica e i gruppi consonantici *gn*, *pn*, *ps*, *sc*):

il cane, *i* cani; *il* bravo scolaro, *i* bravi scolari.

• gli articoli **lo** e **gli**,[4] con i nomi maschili, davanti a parole inizianti per vocale, davanti a parole inizianti per *x*, *y*, *z*, *s* preconsonantica, *gn*, *pn*, *ps*, *sc* e davanti alle semivocali *i* (cioè con la vocale *i* seguita da un'altra vocale) e *j*:

lo xilofono, *gli* xilofoni; *lo* juventino, *gli* juventini; *lo* yogurt, *gli* yogurt; *lo* pneumatico, *gli* pneumatici; *lo* zaino, *gli* zaini; *lo* psicologo, *gli* psicologi; *lo* straccio, *gli* stracci; *lo* gnomo, *gli* gnomi; *lo* iato, *gli* iati; *lo* sciatore, *gli* sciatori.

Davanti a parole inizianti per vocale, l'articolo *lo* si elide in **l'**:

*l'*albero; *l'*odioso fatto.

La forma plurale *gli* può essere elisa in *gl'* davanti a parole inizianti con *i*, ma la forma elisa è ormai caduta in disuso. Le forme "*gli* italiani", "*gli* interessi" hanno ormai sostituito "*gl'* italiani" e "*gl'* interessi".

La forma *lo* sopravvive davanti a consonante in alcune espressioni e in alcuni modi di dire ormai cristallizzati: "per *lo* più"; "per *lo* meno"; "passata la festa, gabbato *lo* santo".

Davanti al nome "dèi", plurale di "dio", si usa l'articolo *gli*: "*gli* dèi".

La grammatica, come è giusto, ha messo e mette ordine nel ginepraio dell'uso linguistico e detta norme e regole, ma l'uso ha pur sempre i suoi diritti e spesso li rivendica, sia attraverso la bocca dei parlanti sia attraverso la penna dei grandi scrittori. Il contrasto tra grammatica e uso è più che mai evidente proprio nel caso delle diverse forme dell'articolo determinativo. La grammatica ha dettato le sue regole non a capriccio, ma partendo da presupposti fonetici, cioè dal presupposto di codificare come regolari, e quindi esatti, gli incontri tra le vocali o le consonanti finali dei vari articoli e le vocali o le consonanti iniziali dei nomi cui essi si riferiscono, in modo da rendere più fluida la pronuncia. Così ha scelto e imposto **lo zio** invece di *il zio*, **lo gnocco** invece di *il gnocco*, **lo psicologo** e **gli psicologi** invece di *il psicologo* e *i psicologi*, **lo pneumatico** e **gli pneumatici** invece di *il pneumatico* e *i pneumatici*. Ma, poi, fa capolino l'uso e capita di leggere e di sentire anche *il zio*, *il gnocco*, *il psicologo* (e *i psicologi*), *il pneumatico* (e *i pneumatici*). E allora?

[4] Anticamente accanto a *i* e a *gli* esisteva, come plurale dell'articolo determinativo, la forma *li*: ad esempio, Dante scrive: "li parenti miei" (*Inferno*, I, v. 69). La forma *li* oggi è scomparsa e la si può trovare soltanto per indicare, con una formula antiquata e burocratica, le date: "li, 24 aprile 1997". Anche in questo caso, però, la forma *li* è ormai così estranea all'italiano contemporaneo che spesso la si trova scritta con l'accento, come se fosse l'avverbio di luogo *lì*, o con l'apostrofo come se fosse una parola tronca, *li'*. Talora poi viene erroneamente usata anche per indicare il giorno del mese, invece di *il*. Di norma, come è noto, la data nelle lettere si scrive senza articolo: 24 aprile 1997.

Allora è presto detto: nell'incertezza, visto che la grammatica esiste e ha formulato regole che dopotutto non sono neanche troppo difficili, la cosa migliore è attenersi alla grammatica: si comprime un poco la libertà espressiva dei singoli e, forse, si soffoca un poco la creatività linguistica dei parlanti, ma il danno è minimo e i vantaggi sono notevoli, giacché, se non altro, si sa di essere nel giusto e non si fa brutta figura.

Fino a qui tutto è chiaro e, certo, anche bello. Ma come la mettiamo con il signor Ugo Foscolo, poeta, prosatore e critico, che nel sonetto *A Zacinto* scrive "i zeffiri" ("le nubi estive e i zeffiri sereni") invece di "gli zeffiri", come vorrebbe la grammatica? E con il signor Giacomo Leopardi, poeta non meno illustre, che nel *Sabato del villaggio* scrive "il zappatore" ("e intanto siede alla sua parca mensa, / fischiando, il zappatore"), invece di "lo zappatore"? E con Giovanni Berchet che scrive "un spergiuro", con Gabriele d'Annunzio che scrive "i zaini", con Italo Calvino che scrive "il gnaulìo", con Carlo Emilio Gadda che scrive "nel sciocchezzaio"? Il problema è aperto ma è anche facile risolverlo. A parte, infatti, i casi in cui la scelta della forma considerata errata dalla grammatica è dettata da precise ragioni stilistiche o dalla volontà di rispettare usi linguistici particolari o di recuperare forme arcaiche, l'uso dei nostri maggiori scrittori rivela che la lingua è ricca e varia e che l'incertezza attuale circa le forme legittime di articoli è la conseguenza di un'incertezza antica che, però, come ha osservato Aldo Gabrielli, la grammatica ha voluto togliere di mezzo con le sue regolette.

- gli articoli **la** e **le** con tutti i nomi femminili:

  la ragazza, *le* ragazze; *la* spada, *le* spade.

La forma *la* si elide in **l'** davanti a parole inizianti per vocale, ma non davanti alle semivocali *i* e *j*:

*l'*amica; *l'*eredità; *l'*isola; *la* ionosfera; *la* Juventus.

La forma *le* può essere elisa in **l'** davanti a parola iniziante per vocale, ma ormai oggi si preferisce usare *le* anche in questi casi. Così, forme come "*l'*anime", "*l'*erbe", "*l'*isole" sono sentite come antiquate e poetiche e sono sostituite da "*le* anime", "*le* erbe", "*le* isole".

2. L'articolo indeterminativo

L'articolo indeterminativo introduce il nome cui si riferisce lasciandolo su un piano di genericità e di indeterminatezza:

Ho chiamato *un* medico.

Il significato originale e distintivo dell'articolo indeterminativo è quello di "uno qualsiasi" e, nel contempo, di "uno tra i tanti". Da questo significato fondamentale l'articolo indeterminativo è passato a esprimerne altri, a esso intimamente connessi. Così:

– l'articolo indeterminativo, come l'articolo determinativo, può essere utilizzato per indicare una categoria, un gruppo o un'intera specie: "*Un* atleta (non 'uno dei tanti atleti', ma 'ciascun atleta') deve allenarsi costantemente"; "*Uno* squalo (non 'uno dei tanti squali', ma 'tutti gli animali di tale specie') non può essere addomesticato";
– collocato prima di un numerale cardinale, l'articolo indeterminativo indica approssimazione e assume il significato di "circa", "pressappoco": "Ci sono *un* dieci pagine (= circa dieci pagine) da ripassare";
– nel linguaggio parlato l'articolo indeterminativo si usa per esprimere una sfumatura ammirativa o superlativa, con il significato di "talmente grande", "così bello", "così brutto", "così strano", e introduce una proposizione consecutiva espressa o sottintesa, secondo il contesto: "Ho avuto *una* paura!"; "Ho *una* fame!"; "Ha fatto *una* faccia!"; "Ho *un* sonno (= un tale sonno) che dormirei in piedi".

2.1. Forme dell'articolo indeterminativo

L'articolo indeterminativo ha soltanto il singolare, maschile e femminile. Si accorda quindi solo per genere con il nome cui si riferisce e, inoltre, presenta forme diverse a seconda di come inizia la parola che lo segue immediatamente. In particolare si usa:

• **un**, con i nomi maschili singolari, quando la parola che segue inizia con una vocale (tranne le semivocali *i* e *j*) o con una consonante diversa da *x*, *y*, *z*, *s* preconsonantica e dai gruppi *gn*, *pn*, *ps*:

> *un* allievo; *un* altro anno; *un* cane; *un* ottimo strumento.

L'articolo indeterminativo maschile singolare *un* rappresenta una forma a sé e non la forma elisa di *uno*. Di conseguenza *un* non deve mai essere apostrofato: "*Un* anno (non: *un'*anno)"; "*Un* altro ragazzo".

• **uno**, con i nomi maschili singolari, quando la parola che segue comincia con *x*, *y*, *z*, *s* preconsonantica, *gn*, *pn*, *ps* oppure con le semivocali *i* e *j*:

> *uno* sceicco; *uno* pneumatico; *uno* gnomo; *uno* zio; *uno* strano individuo; *uno* iato; *uno* juventino.

• **una**, con i nomi femminili singolari, quando la parola che segue comincia con una consonante, con le semivocali *i* e *j* o con una vocale:

una ragazza; *una* scena; *una* lunga inchiesta; *una* iena.

Quando è seguita da vocale, la forma *una* può essere elisa in *un'*: "*un'*inchiesta", "*un'*arpa", "*un'*attenta lettura". Ma nell'italiano contemporaneo sta diventando sempre più frequente l'uso della forma senza elisione anche davanti a vocale: così ormai si dice e si scrive sempre più spesso "*una* amica" che non "*un'*amica".

3. L'articolo partitivo

L'articolo partitivo indica una parte indeterminata di un tutto, indica cioè che la persona, animale o cosa designata dal nome che accompagna non è considerata nella sua totalità ma solo in parte. Formato dall'unione fra l'articolo determinativo e la preposizione *di*, l'articolo partitivo presenta tutte le forme articolate della preposizione *di* (**del**, **dello**, **della**, **dei**, **degli**, **delle**) ed equivale, per significato, alle espressioni: "un po' di", "una certa quantità di", "un certo numero di":

Dammi *del* pane (= un po' di pane). Mi occorre *della* stoffa rossa (= un po' di stoffa rossa). Hai *dello* zucchero (= un po' di zucchero) da darmi?

È evidente l'affinità dell'articolo partitivo con i pronomi indefiniti (*uno*, *qualche*, *alcuni*) e quindi con l'articolo indeterminativo. Al plurale, l'articolo partitivo equivale a "alcuni, alcune" o "qualche" e sostituisce il plurale dell'articolo indeterminativo "un" che non esiste:

Ho fatto *dei* brutti sogni (= alcuni brutti sogni).

L'uso dell'articolo partitivo è:
– frequente con il nome in funzione di complemento oggetto: "Ho incontrato *delle* persone molto simpatiche";
– meno frequente con il nome in funzione di soggetto: "Sono comparse *delle* strane macchie";
– piuttosto raro con il nome in funzione di complemento indiretto, introdotto dalle preposizioni *a*, *con*, *per*, *su*: "Ho parlato di te *a degli* amici"; "Possiede una biblioteca *con dei* bei libri antichi"; "Mi ha disturbato *per delle* inezie"; "Disegna *su dei* fogli ruvidi". Simili costrutti, però, sono considerati poco corretti e, quindi, è preferibile evitarli o sostituirli con altri più semplici: "Ho

parlato di te ad alcuni amici"; "Possiede una biblioteca con alcuni bei libri antichi"; "Mi ha disturbato per inezie"; "Disegna su fogli ruvidi".

Costruzione ripresa dalla lingua francese, l'articolo partitivo è ritenuto da alcuni grammatici una forma non del tutto corretta e al suo posto si suggerisce di usare il nome da solo oppure accompagnato da un aggettivo indefinito o da un'opportuna espressione:

In cucina c'è solo *un po' di* latte (invece che: *del* latte). Dalla strada *alcuni* ragazzi chiamano Andrea (invece che: *dei* ragazzi). Ci sono *libri e giornali* (invece che: *dei* libri e *dei* giornali).

Comunque, l'uso dell'articolo partitivo è ormai largamente presente tanto nella lingua scritta quanto in quella parlata.

4. Usi particolari dell'articolo

L'articolo con i nomi propri e i cognomi

Di norma i nomi propri di persona **rifiutano** l'articolo:

Carlo e Luigi ti aspettano. Passerò le vacanze con Maria.

Solo nelle parlate regionali dell'Italia settentrionale i nomi propri, specialmente femminili, vengono fatti precedere dall'articolo determinativo: "Ho incontrato *la* Paola"; "Telefona *all'* Antonio". Si tratta, comunque, di un uso che deve essere limitato al linguaggio familiare.

Invece, i nomi propri di persona **richiedono** l'articolo:

– quando sono preceduti da un nome comune o da un aggettivo oppure sono accompagnati da un'altra forma di determinazione: "*Il* principe Carlo"; "*Il* pestifero Pierino"; "Sei tu *il* Piero che telefona sempre a mia sorella?"; "Non sei più *la* Maria di un tempo!";

– quando sono usati in senso traslato per indicare il titolo di un'opera lirica: "Questa sera danno *l'Aida*".

Con i cognomi l'articolo si omette quando si parla di uomini: "Ho incontrato Bianchi". Il cognome con l'articolo, infatti, è tipico del linguaggio familiare di alcune regioni, "Ho incontrato *il* Bianchi". L'articolo, ovviamente, si omette sempre quando il cognome è preceduto dal nome: "Ho incontrato Carlo Bianchi". Ma si dice: "Ho incontrato *l'*ottimo Carlo Bianchi".

Se il cognome si riferisce a un'intera famiglia, invece, si usa l'articolo: "Nell'atrio ho visto *i* Rossetti (= la famiglia, i coniugi Rossetti)".

Tradizionalmente, l'articolo si usa anche quando il cognome si riferisce a una donna, per segnalare che si tratta appunto di una donna e non di un uomo: "Come insegnante di matematica, abbiamo *la* Moretti"; l'articolo invece non si usa se il cognome è preceduto dal nome: "Come insegnante di matematica, abbiamo Paola Moretti".

Infine i cognomi e i nomi propri vogliono l'articolo determinativo o indeterminativo:

– quando sono usati con valore di nomi comuni: "Non fare *il* catone (= il noioso moralista)"; "Si crede *un* picasso (= un grande pittore)";

– quando sono usati per indicare un'opera o l'intera produzione di un determinato artista o scrittore: "Hai visto *i* Rembrandt (= i dipinti di Rembrandt) del Museo Reale all'Aia?"; "*Un* Ken Follett (= un romanzo di Ken Follett) è sempre appassionante".

L'articolo con i titoli onorifici e professionali seguiti da un nome proprio

Con i titoli onorifici o professionali seguiti da un nome proprio, l'articolo è:

– **obbligatorio** con titoli come *signore*, *signora*, *dottore*, *professore*, *ingegnere*, *avvocato*, *principe*, *regina*: "*il* signor Bianchi, *l'*ingegner Antonio Consolandi, *il* principe Filippo";

– **facoltativo** con titoli come *re*, *padre*, *Papa*: "Papa Giovanni XXIII / il Papa Giovanni XXIII; padre Cristoforo / il padre Cristoforo";

– **assente** con titoli come *san*, *santo*, *don*, *donna*, *fra*, *suora*: "san Francesco, don Abbondio, fra Cristoforo, donna Assunta, suor Vincenza";

– **assente** con i titoli onorifici composti da un aggettivo possessivo e un nome al singolare: "Sua Santità, Vostra Eccellenza, Sua Signoria, Vostra Altezza Reale". L'articolo invece è **necessario** quando questi titoli sono usati al plurale: "*Le* Loro Altezze Reali, *Le* Loro Signorie".

L'articolo con i cognomi dei personaggi famosi

Con i **cognomi di illustri personaggi** della letteratura, della storia, dell'arte, della scienza e dello spettacolo, le modalità consacrate dall'uso hanno per lo più imposto l'articolo: "*il* Petronio, *l'* Ariosto, *il* Cellini, *il* Galilei, *il* Brunelleschi". La tendenza attuale, invece, è quella di omettere l'articolo per i personaggi novecenteschi e soprattutto contemporanei ("Moravia, Sciascia, Morandi, Guttuso, Fleming, Maradona, Tabucchi, Eco") e, sempre più spesso, anche per i personaggi dei secoli passati ("Petrarca, Ariosto, Cellini, Manzoni, Garibaldi, Verga, Hugo, Balzac, Dickens, Verdi").

L'articolo è sentito come **necessario** davanti al **cognome delle donne**, italiane e straniere, in funzione di determinante del sesso della persona: "La

Morante (= la scrittrice Elsa Morante) ha scritto anche fiabe"; "La Nannini (= la cantante Gianna Nannini) ha tenuto un concerto a Bologna". Invece dell'articolo, per far capire che si parla di una donna, si può premettere al cognome il nome ("Elsa Morante ha scritto anche fiabe"). Entrambe le soluzioni, però, sono parse a taluni discriminanti nei confronti delle donne, perché i cognomi maschili normalmente sono citati senza articolo e senza nome.

L'articolo con i nomi di parentela

Davanti ai nomi indicanti parentela l'articolo determinativo e indeterminativo si usa normalmente come davanti a tutti i nomi comuni: "*il* padre, *una* madre, *gli* zii, *la* zia, *il* cognato". L'**articolo determinativo**, però, **non si usa** quando i nomi di parentela sono preceduti da un **aggettivo possessivo** al singolare: "*mio* padre, *tua* madre, *sua* sorella, *nostro* cognato, *vostra* zia". Tuttavia esso **si usa**:

– se il nome di parentela è al plurale: "*i* miei zii";

– se il nome di parentela è preceduto dal possessivo *loro*: "il *loro* padre, la *loro* zia";

– se il nome di parentela è preceduto da un aggettivo qualificativo: "*la* mia cara zia";

– se il nome di parentela è un nome composto con prefisso o suffisso: "*il* mio prozio, *il* tuo bisnonno, *la* nostra sorellastra";

– se i nomi di parentela sono di tipo affettivo o sono dei diminutivi: "*il* mio babbo, *la* mia mamma, *il* mio fratellino".

L'articolo con i nomi geografici

Tra i nomi geografici, **vogliono** l'articolo:

– i nomi dei monti: *le* Alpi, *i* Pirenei, *l'*Etna;

– i nomi dei fiumi: *il* Tevere, *il* Tamigi, *l'*Arno, *la* Dora;

– i nomi dei laghi, dei mari e degli oceani: *il* Lario, *il* Garda, *il* Mediterraneo, *l'*Atlantico;

– i nomi delle regioni, degli Stati, dei continenti e delle isole maggiori: *il* Lazio, *la* Campania, *l'*Italia, *l'*Europa, *la* Sicilia, *le* Antille. Questi nomi però di solito rifiutano l'articolo quando sono introdotti dalla preposizione *in*: "andare *in* Francia", "vivere *in* Australia". In alcuni casi esistono tanto forme con l'articolo quanto forme senza l'articolo: "*in* Trentino / *nel* Trentino". Con i nomi femminili, l'articolo tende a mancare: "*in* Calabria", "*in* Toscana" e invece tende a essere presente con i nomi maschili o plurali: "*nel* Polesine", "*negli* Abruzzi", "*nelle* Marche" (ma cfr. "*in* Piemonte"). Naturalmente, se il nome è accompagnato da un aggettivo, da un complemento di specificazione o da una preposizione relativa, l'articolo rimane: "*nella* vicina Francia"; "*nell'*Europa del XIX secolo".

Tra i nomi geografici, **rifiutano** l'articolo:

– i nomi delle isole minori: "Corfù ha un clima molto mite"; "Zacinto è la patria di Ugo Foscolo". Sono numerose, però, le eccezioni: "*l'*Elba"; "*il* Giglio"; "*la* Maddalena";

– i nomi di città: "Visiteremo Firenze, Pisa e Siena". Fanno eccezione alcuni nomi di città, in cui l'articolo è parte integrante del nome stesso: *La Spezia*, *L'Aquila*, *L'Aia*, *Il Cairo*, *La Mecca*, *L'Avana*. Quando il nome di queste città è preceduto da una preposizione, preposizione e articolo si fondono insieme: "Andiamo *all'Aquila*"; "Le grandi strade *del Cairo*". Se il nome di queste città è accompagnato da un aggettivo, si evita il cumulo di due articoli: "La tua tranquilla Spezia". I nomi di città, però, richiedono l'articolo quando sono accompagnati da un aggettivo, da un'espansione di specificazione o da una preposizione relativa: "*La* Milano medioevale difese fieramente la sua indipendenza"; "Mi affascina *la* Vienna degli Asburgo".

L'articolo con i nomi dei giorni e dei mesi

I nomi dei mesi sono sempre **usati senza** articolo: "Febbraio è il mese più breve dell'anno". Se però sono accompagnati da un aggettivo qualificativo, da un complemento di specificazione o da una proposizione relativa, essi **richiedono** l'articolo: "*Il* luglio scorso è stato molto piovoso"; "*Il* settembre di due anni fa siamo andati a Roma".

Con i nomi dei giorni della settimana, la presenza o l'assenza dell'articolo determina un mutamento di significato. Se l'articolo manca, si intendono sottintesi gli aggettivi "scorso" o "prossimo", a seconda del contesto: "*Lunedì* (= lunedì scorso) ho incontrato Antonio"; "*Sabato* (= sabato prossimo) andrò in campagna". Se invece il nome del giorno della settimana è preceduto dall'articolo determinativo, quest'ultimo diventa sinonimo di "ogni": "*Il* sabato (= ogni sabato) vado in campagna"; "*Il* lunedì (= ogni lunedì) è la giornata più faticosa".

L'articolo con i nomi stranieri

I nomi stranieri – quelli che un tempo si liquidavano come "barbarismi" e che oggi ci si limita a segnalare come anglismi, francesismi e simili – hanno ormai raggiunto una larghissima diffusione nell'italiano contemporaneo, anche nel linguaggio quotidiano. Una presenza così massiccia, oltre a porre in campo problemi non indifferenti sul piano della purezza lessicale della nostra lingua, determina talora anche dei problemi di carattere prettamente morfologico. Ad esempio, quale articolo italiano si deve collocare davanti a una parola straniera, dal momento che le varie lingue straniere hanno un sistema di articoli per lo più diverso dal nostro? Vediamo.

Di norma, nella scelta dell'articolo italiano da collocare davanti a una parola straniera, si deve tener conto non della lettera o del gruppo di lettere con cui inizia la parola, bensì della loro **effettiva pronuncia**. Perciò:

– le parole francesi inizianti con il gruppo *ch*, che si pronuncia come *sc* di *scena*, vogliono gli articoli *lo*, *gli* o *uno* e le relative preposizioni articolate: *lo* chèque, *gli* Champs-Élysées, *uno* chalet;

– le parole inglesi inizianti con il gruppo *ch*, che si pronuncia come la *c* di *cena*, vogliono gli articoli *il*, *i* e *un*: *il* check-up, *i* check-up;

– le parole inglesi inizianti con il gruppo *sh*, che si pronuncia come *sc* di *scena*, vogliono gli articoli *lo*, *gli* e *uno*: *lo* shock, *gli* show, *uno* shampoo;

– le parole inglesi inizianti con la semivocale *j*, che si pronuncia come la *g* di *giallo*, vogliono gli articoli *il*, *i* e *un*: *il* jet, *i* jeans, *un* jumbo;

– con le parole inglesi inizianti con la semivocale *w*, che corrisponde alla nostra *u* di *uomo* e *uova* si dovrebbero usare gli articoli *l'* e *gli* e dire e scrivere: *l'*whisky, *l'*western, *l'*week-end; però in italiano la *w* inglese viene per lo più considerata e pronunciata come una *v* e quindi si è ormai diffusa la grafia e la pronuncia italianizzata: *il* whisky, *il* western, *il* week-end. Con l'articolo indeterminativo, poi, le forme *un* whisky, *un* western, *un* week-end sono normali;

– le parole inglesi inizianti con *y*, che si pronuncia come la semivocale *i* di *io*, ammettono tanto le forme *lo* e *uno* quanto le forme *l'* e *un*: *lo* yacht o *l'*yacht, *uno* yacht o *un* yacht;

– le parole inglesi inizianti per *h* aspirata vogliono gli articoli *lo*, *gli*, *uno* (*lo* humour, *uno* hobby, *lo* hobby) ma ormai sono più diffuse la grafia e la pronuncia italianizzate: *l'*humour, *l'*hobby, *un* hobby;

– le parole tedesche o olandesi inizianti per *w*, che si pronuncia come la *v* di *valore*, vogliono gli articoli *il*, *i* e *un*: *il* würstel, *i* würstel, *un* würstel;

– le parole francesi, spagnole e latine che iniziano con una *h* che non si pronuncia (*h* muta), vogliono i normali articoli prevocalici: *l'*hôtel, *gli* hôtel, *un* hôtel; *l'*hidalgo; *l'*habitat.

L'articolo con le sigle

Con le sigle si presentano vari casi:

• se la sigla comincia per vocale si usano gli articoli prevocalici *l'*, *gli*, *un* nel genere e nel numero richiesti dalla sigla: *l'*ACI, *l'*USL, *le* USSLL, *un* UFO, *gli* USA;

• se la sigla comincia per consonante:

– se la sigla viene pronunciata come una sola parola, si usa l'articolo preconsonantico richiesto da tale parola: *la* FIAT, *il* TAR, *lo* SME, *la* RAI;
– se la sigla viene pronunciata per lettere distinte si usa l'articolo richiesto dall'iniziale della prima lettera: *il* PDS (= il pidiesse), *il* Vhs (= il vu acca esse), *la* BNL (= la bi enne elle), *l'*FBI (= l'ef bi ai).

Omissione dell'articolo: "articolo zero"

A parte le norme che regolano l'uso dell'articolo con i nomi propri, i nomi geografici e gli aggettivi possessivi, l'articolo viene omesso anche in numerosi altri casi. Ad esempio, l'articolo **si omette**:
– davanti ai nomi che si uniscono strettamente al verbo, formando con esso un'unica espressione: *aver fame*, *aver sete*, *aver sonno*, *aver caldo*, *aver freddo*, *portare pazienza*, *prendere congedo*, *dare importanza*, *dare credito*, *fare amicizia*, *trovar lavoro*, *prender moglie*, *aver mal di testa*, *far pietà*, *sentire compassione*, *prender sonno*. Si noti la differenza tra "sento freddo" (= in questo momento) e "sento il freddo" (= sempre) e tra "fa freddo" e "fa un freddo...";
– davanti ai predicativi del soggetto o dell'oggetto: "Hanno eletto presidente dell'assemblea il tuo amico"; "Il tuo amico è stato eletto presidente dell'assemblea";
– nelle enumerazioni, soprattutto se si vuole rendere più rapido il discorso: "L'aeroplano sorvolò città, laghi, monti, mari e isole";
– nella maggior parte delle locuzioni avverbiali: *in apparenza*, *in fondo*, *di proposito*, *in realtà*, *per gradi*, *a bizzeffe*;
– nelle espressioni con valore modale e strumentale, nelle espressioni, cioè, che indicano "in che modo", "per mezzo di quale strumento" avviene una determinata azione: *andare a cavallo*, *andare a piedi*, *andare in bicicletta*, *viaggiare in treno*, *viaggiare in pullman*, *mangiare con appetito*, *agire con giudizio*, *con astuzia*, *con intelligenza*, *procedere in fretta*, *parlare con foga*, *con calma*;
– nelle locuzioni in cui un nome precisa o integra il significato di un altro: *abito da cerimonia*; *camera da letto*; *serata di gala*;
– in alcuni modi di dire ormai fissi, in cui nomi come "casa", "scuola", "chiesa", "ufficio", "giardino" sono usati in complementi di luogo: "il percorso da casa a scuola"; "Arrivo adesso da scuola"; "Vado in chiesa"; "Sono in giardino"; "Sono in ufficio"; "Sono in classe"; "Vado in giardino"; "Vive in città"; "Sono andato in campagna". Ma al contrario si usano anche espressioni come: "Vengo dalla chiesa"; "Arrivo dall'ufficio"; "Passo per il giardino";
– con i nomi plurali, quando si vuole lasciare indeterminato un oggetto: "Vende libri"; "Ci sono fiori?";

– nelle frasi negative: “Non c’è più vino”;

– con i nomi retti dalla preposizione *di* nelle espressioni indicanti materia: “una statua di marmo”; “un burattino di legno”; “un orologio d’oro”;

– nei complementi predicativi: “vivere da gran signore”; “comportarsi da gentiluomo”; “parlare da esperto”;

– nelle frasi proverbiali, in quanto la mancanza dell’articolo conferisce un valore generale al significato del proverbio stesso: “Paese che vai usanza che trovi”; “A nemico che fugge ponti d’oro”. Ma spesso, nei proverbi, si usa l’articolo determinativo con funzione generalizzante: “Tanto va la gatta al lardo che ci lascia lo zampino”;

– nelle espressioni esclamative e vocative: “Ragazzi, è pronto”; “Vittoria, amici!”; “Cameriere, per favore un gelato”;

– nei titoli di libri, di capitoli di libri o di film: “*Storia della letteratura italiana*”; “*Grammatica latina*”; “Capitolo terzo”; “*2001 Odissea nello spazio*”;

– nei titoli dei giornali: “Attacco aereo sulle basi dei ribelli”; “Grave incidente durante le manifestazioni antirazziali”;

– nelle iscrizioni e nelle insegne: “Bar - Tavola Calda”; “Ufficio Postale”; “Entrata”; “Arrivi”; “Partenze”; “Sale e Tabacchi”; “Piazza Roma”; “Cinema Politeama”;

– nelle coppie più o meno antitetiche: “pane e formaggio”, “pane e marmellata”, “marito e moglie”, “giorno e notte”.

Ma i casi in cui l’articolo viene omesso, legati come sono alla realtà della lingua viva, sono estremamente vari e diversi ed è impossibile fornire un’enumerazione davvero completa ed esauriente. Pertanto, in questo come in molti altri casi, risulta più opportuno rifarsi all’uso pratico della lingua piuttosto che aspettarsi precise indicazioni di ordine teorico. Del resto, l’omissione o l’uso dell’articolo davanti a un nome, come l’uso dell’articolo determinativo o di quello indeterminativo, non è solo un fatto grammaticale ma, come sempre, un fatto espressivo, cioè il frutto di una scelta di chi parla e di chi scrive in rapporto a particolari esigenze comunicative. Così, la medesima frase può assumere diversi significati con l’omissione dell’articolo, con l’uso dell’articolo determinativo e con l’uso dell’articolo indeterminativo: “Mio padre è direttore *di* banca”; “Mio padre è direttore *di una* banca”; “Mio padre è direttore *della* banca di piazza Cavour”.

La posizione dell’articolo

L’articolo determinativo, indeterminativo e partitivo si colloca sempre prima del nome, o della parte del discorso sostantivata, cui si riferisce. In particolare:

– se il nome non è preceduto da un aggettivo, l’articolo si colloca immediatamente prima del nome: “*il* cane”;

– se il nome è preceduto da uno o più aggettivi (qualificativi, possessivi, indefiniti, numerali), l'articolo si colloca, di norma, prima dell'aggettivo (o degli aggettivi): "*il* mio nuovo compasso"; "*le* due sorelle di Gianni"; "*un* tale comportamento"; "*l'* altro problema";
– se il nome è preceduto dall'aggettivo indefinito *tutto*, l'articolo si colloca dopo l'aggettivo *tutto*, ma prima dell'altro o degli altri aggettivi che eventualmente precedono il nome: "tutta *la* torta"; "tutti *i* miei cari amici".

Talvolta un'intera espressione separa l'articolo dal nome cui si riferisce: "*Il* già precedentemente citato saggio di Lorenz contiene molte interessanti considerazioni". Si tratta di una costruzione ormai molto rara, cui è preferibile una diversa organizzazione del discorso: "*Il* saggio di Lorenz già precedentemente citato contiene molte interessanti considerazioni". In alcune espressioni esclamative, infine, l'articolo sembra collocarsi fra l'aggettivo qualificativo e il nome: "Belli *i* tuoi jeans!"; "Furbo *l'*amico!". In realtà, l'aggettivo qualificativo che precede l'articolo non fa parte del gruppo nominale bensì di un gruppo verbale in cui il verbo è sottinteso: "(Sono) belli *i* tuoi jeans"; "(È) furbo *l'*amico'.

5. Le preposizioni articolate

L'articolo, legato come è al nome, si trova spesso a essere preceduto da una preposizione, nell'ambito dei vari complementi che caratterizzano una frase:

> Verrò a trovarti *con una* amica. Mi hanno parlato *di una* località stupenda.

Ma, mentre preposizioni e articoli indeterminativi si giustappongono semplicemente, le preposizioni **di**, **a**, **da**, **in**, **su** e l'articolo determinativo si fondono insieme a dar luogo alle cosiddette preposizioni articolate. Naturalmente, a ogni forma dell'articolo determinativo (**il**, **lo**, **l'**, **la**, **l'**, **i**, **gli**, **le**) corrisponde una forma di preposizione articolata, come appare dalla tabella alla pagina seguente.

Per l'uso delle preposizioni articolate valgono i medesimi criteri che regolano l'uso delle diverse forme dell'articolo determinativo. Ad esempio, si useranno le preposizioni articolate *del*, *al*, *dal*, *nel*, *sul* davanti alle parole che, come articolo determinativo, richiedono *il*; si useranno le preposizioni articolate *dello*, *allo*, *dallo*, *nello*, *sullo* davanti alle parole che, come articolo determinativo, richiedono *lo*: "Il prezzo *dello* zafferano è elevato"; "*Dalla* strada proviene il rumore *del* traffico"; "Manderemo una lettera *agli* amici"; "Il libro è *sul* tavolo".

PREPOSIZIONI SEMPLICI	ARTICOLI						
	il	lo	la	l'	i	gli	le
di	**del**	**dello**	**della**	**dell'**	**dei**	**degli**	**delle**
a	**al**	**allo**	**alla**	**all'**	**ai**	**agli**	**alle**
da	**dal**	**dallo**	**dalla**	**dall'**	**dai**	**dagli**	**dalle**
in	**nel**	**nello**	**nella**	**nell'**	**nei**	**negli**	**nelle**
su	**sul**	**sullo**	**sulla**	**sull'**	**sui**	**sugli**	**sulle**

Allo stesso modo, sulla base delle norme che regolano l'uso o l'omissione dell'articolo davanti ai nomi geografici, ai nomi propri e agli aggettivi possessivi, si devono usare le preposizioni articolate davanti ai nomi che richiedono l'articolo, le preposizioni semplici davanti a quelli che lo rifiutano: "Arrivo ora *dalla* nebbiosa Londra / Arrivo ora *da* Londra"; "I libri *del* professore sono sciupati / I libri *di* Mario sono sciupati".

Con le preposizioni *con* e *per* le forme articolate non sono più in uso. Così, le forme *col*, *collo*, *colla*, *coi*, *cogli*, *colle*, come *pel*, *pello*... sono ormai sostituite dalle corrispondenti forme staccate: *con il*, *con lo*, *con la*, *con i*, *con gli*, *con le*, *per il*, *per lo*... Soltanto la forma articolata *col* (= *con il*) è adoperata tuttora, per lo più nel linguaggio parlato: "C'era Maria *col* suo fratellino".

La forma articolata della preposizione *di* è usata, oltre che come preposizione articolata, anche come articolo partitivo con il significato di "un po' di", "una certa quantità di", "alcuni", "certi": "Sono venuti a trovarmi *dei* nostri amici"; "Guarda se c'è ancora *del* denaro nel cassetto". Per evitare grossolani errori, bisogna distinguere:

– quando le forme articolate della preposizione *di* sono usate come **articoli partitivi**, come nella frase: "Hai *dello* zucchero? (= un po' di zucchero)";

– quando, invece, sono usate come vere **preposizioni articolate** che introducono il complemento di specificazione, come nella frase: "il sapore *dello* zucchero".

2

Il nome o sostantivo

Il nome o sostantivo[1] è la parte del discorso con la quale si designano esseri animati, cose, idee, concetti, stati d'animo, azioni o fatti.

Nella frase "*Alberto*, un mio *amico* di *Roma*, correndo in *moto* a forte *velocità*, ha fatto una brutta *caduta* e si è slogato un *polso*", parole come *Alberto*, *amico*, *Roma*, *moto*, *velocità*, *caduta*, *polso*, che indicano rispettivamente degli esseri umani (*Alberto*, *amico*), una città (*Roma*), un'azione (*caduta*), degli oggetti (*moto*, *polso*) e un concetto astratto (*velocità*), sono **nomi**.

Tutte le parti del discorso e, più in generale, tutte le parole possono esercitare la funzione di nome o, come più esattamente si dice, possono essere **sostantivate**, cioè ricategorizzate in sostantivi: basta premettere alle varie parole l'articolo determinativo o indeterminativo e l'articolo, con la sua forza individuante, le trasforma in sostantivi.

Così, tra le varie parti del discorso, hanno più spesso valore di nomi comuni:

– gli aggettivi qualificativi: "*il bello*", "*il brutto*", "*l'utile*", "*il dilettevole*", "*la destra*", "*la sinistra*";

– i pronomi: "*il nulla*"; "Salutami *i tuoi*";

– i verbi:

a) infiniti: "Tra *il dire* e *il fare* c'è di mezzo il mare"; "*il bere*", "*lo scrivere*";

[1] Il termine "nome" deriva dal latino *nomen*, 'nome, denominazione': il nome, infatti, serve per "denominare", cioè per designare, indicare, chiamare e distinguere gli uni dagli altri persone, animali, cose, concetti e azioni. Il termine "sostantivo", invece, deriva dal tardo latino *nomen substantivum* che, secondo taluni, significa 'nome che indica una sostanza' (in contrapposizione al verbo, che indica un'azione, un evento o un processo) e, secondo altri, 'nome che può stare a sé' (in contrapposizione all'aggettivo, il *nomen adiectivum*, che invece può solo aggiungersi a un altro nome).

b) participi presenti: "*il cantante*";
c) participi passati: "*il ferito*";
– gli avverbi: "*Il domani* è incerto";
– le congiunzioni: "*I perché* (= le cause) di tale scelta sono un mistero";
– gli articoli: "*La* si apostrofa davanti a vocale".

Più in generale, tra le parole, possono essere usati come nomi comuni:

– i nomi propri di persona: "Sei *un giuda*"; "Preparami un *sandwich*";
– i nomi propri di luogo: "Ho comprato un *bikini*"; "un ottimo *chianti*";
– i gruppi di parole: "il *mal di denti*", "i *non ti scordar di me*", "la *stella alpina*";
– le voci onomatopeiche: «un breve *gre gre* di ranelle» (G. Pascoli, *La mia sera*, v. 4); "il *tic tac* della sveglia";
– le sigle: il "*DNA*", la "*FIAT*".

Per le norme che regolano l'uso delle parole sostantivate si veda quanto si è detto in proposito trattando dell'articolo alle pp. 66-67.

Funzioni

Il nome ha una funzione fondamentale nell'ambito del processo comunicativo, sia sul piano semantico sia sul piano sintattico. Sul **piano semantico**, il nome è il segno linguistico che permette di "denominare", cioè di designare, indicare e chiamare, distinguendoli gli uni dagli altri, tutti gli aspetti della realtà esterna all'uomo e anche quelli appartenenti alla sua sfera intellettiva e affettiva: sul nome, dunque, si fonda la possibilità stessa di entrare in rapporto con il reale e di farlo oggetto di un messaggio trasmissibile e comprensibile. Sul **piano sintattico**, poi, il nome è il costituente essenziale di ogni sintagma nominale (o gruppo nominale, in quanto è l'elemento portante del sintagma stesso, quello a cui si appoggiano per avere un significato tutti gli elementi che lo accompagnano. E poiché il sintagma nominale è uno dei due elementi fondamentali della frase, il nome è un elemento costitutivo anche della frase.

Classificazione

Il numero dei nomi è praticamente illimitato e, fra tutte le parti del discorso, i nomi sono quelli che seguono più da vicino l'evoluzione della lingua: nascono, mutano significato, tramontano, muoiono.

Nella lingua entrano di continuo nuovi nomi per rispondere alle sempre nuove esigenze dei parlanti: molti nomi vengono inventati per designare nuove entità animate o inanimate, altri vengono costruiti utilizzando elementi linguistici preesistenti, altri ancora, pur esistendo da tempo, vengono usati con significati nuovi e altri, infine, entrano nella nostra lingua da lingue straniere. Allo stesso modo, anche se con minor frequenza, alcuni nomi a un certo punto della loro esistenza cominciano a essere usati meno spesso, magari in concomitanza con la perdita d'importanza o il venir meno della cosa che indicano; altri scompaiono per ritornare in uso a distanza di tempo; altri, infine, scompaiono per sempre.

Nella sua estrema varietà, l'insieme dei nomi può essere classificato in vari modi. Ad esempio, si potrebbero dividere i nomi in gruppi comprendenti ciascuno i nomi indicanti le diverse categorie di esseri animati e di oggetti: nomi di persone, nomi di animali, nomi di vegetali, nomi di minerali, nomi di utensili, nomi di professioni. Una simile classificazione, però, darebbe luogo a una serie infinita di classi e sottoclassi che, anche se esaurissero l'intero patrimonio dei nomi esistenti, non avrebbero per noi alcuna rilevanza. A noi, infatti, interessa dividere i nomi in base a elementi strettamente legati alle caratteristiche semantiche e grammaticali del nome stesso e, quindi, in base a categorie come **significato**, **morfologia** e **forma**. Così, i nomi si dividono in base a:

significato	concreti astratti comuni propri collettivi individuali	
aspetto morfologico	maschili femminili singolari plurali	
forma	primitivi derivati alterati composti	diminutivi vezzeggiativi accrescitivi dispregiativi

1. Il nome: l'aspetto semantico

Dal punto di vista semantico, cioè a seconda del significato che esprimono, i nomi si dividono in: nomi **concreti** e nomi **astratti**, nomi **propri** e nomi **comuni**, nomi **individuali** e nomi **collettivi**.

Ogni nome, come è ovvio, può appartenere a più categorie semantiche: può cioè essere un nome comune e concreto, un nome proprio e concreto e simili.

1.1. I nomi concreti e i nomi astratti

I nomi, tradizionalmente, si distinguono in nomi concreti e in nomi astratti.

• I **nomi concreti** designano esseri, oggetti o fenomeni che appartengono al mondo esterno e sono percettibili con i sensi o che si immagina che esistano e appartengano a questo mondo anche se non sono percettibili con i sensi:

bambino; *leone*; *casa*; *medico*; *Pierino*; *abete*; *sedia*; *pioggia*; *Tevere*.

• I **nomi astratti**, invece, designano entità non percettibili con i sensi ma raffigurabili soltanto a livello mentale, come sentimenti, stati d'animo, concetti, qualità morali, proprietà di esseri o di cose e anche semplici azioni:

bellezza; *speranza*; *maturità*; *lealtà*; *giustizia*.

Nomi come *bambino*, *leone* e *Pierino* sono indubbiamente nomi concreti, in quanto indicano esseri o cose che si possono vedere e toccare. Allo stesso modo, nomi come *bellezza*, *lealtà* e *giustizia* sono chiaramente nomi astratti: infatti, mentre è possibile individuare nella realtà e percepire attraverso i sensi una persona bella, un atto giusto e un comportamento leale, la *bellezza*, la *giustizia* e la *lealtà* sono concetti astratti che appartengono all'attività intellettuale della mente umana.

Ma nella pratica la distinzione fra nomi concreti e nomi astratti è molto meno semplice di come potrebbe apparire a prima vista, tanto che, a questo proposito, le posizioni degli studiosi sono tutt'altro che concordi. Ad esempio, la parola *malattia* può essere definita un nome concreto, in quanto designa una condizione fisica ben precisa e percepibile, ma potrebbe essere definita anche un nome astratto, se consideriamo che si tratta di un'astrazione concettuale: infatti, è la "persona malata" e non la *malattia* che ha un preciso riscontro nella realtà sensibile. Analogamente, la parola *angelo* indica un essere ben definito, che è anche raffigurabile graficamente, ma la sua esistenza, indipendentemente dalle personali convinzioni religiose di ciascuno, non è certo percepibile concretamente attraverso i sensi: *angelo*, dunque, è un nome concreto o un nome astratto? Secondo la nostra definizione di nomi concreti e di nomi astratti, il nome *angelo* sarebbe un nome concreto, come *Giove*, *Dio* e anche *fantasma*, ma secondo altri studiosi *angelo* sarebbe un nome astratto.

Come si vede, se da un lato molti nomi sono indubbiamente "concreti" (*Pierino*, *caffettiera*, *leone*) e molti altri indubbiamente "astratti" (*lealtà*, *giustizia*, *virtù*), sono però moltissimi anche quelli che offrono un largo margine di incertezza, prestandosi per certi aspetti all'una e per certi aspetti all'altra definizione. Molto discussa, in particolare, è la definizione dei nomi che, come *partenza*, *corsa*, *salto* e *lettura*, indicano al tempo stesso un concetto astratto e un'azione percepibile con i sensi, anche se priva di consistenza materiale. Il problema è così complesso che alle due classi tradizionali dei nomi concreti e dei nomi astratti molti studiosi ne aggiungono ora una terza, quella dei nomi indicanti azione. Altri studiosi, invece, arrivano ad abolire la distinzione tra nomi concreti e nomi astratti in quanto priva di fondamento scientifico. A rendere ancora più labile questa differenza, del resto, gioca anche il fatto che molti nomi possono assumere valore astratto o concreto a seconda del contesto espressivo. Così, *bellezza* è un nome astratto quando viene usato nel senso di "fascino, eleganza", cioè come pura entità concettuale ("Tutti amano la *bellezza*"); ma è un nome concreto quando viene usato per indicare una "persona molto bella" ("Laura è una *bellezza*"). Allo stesso modo, nella frase "Vorrei un *succo* di frutta" il nome *succo* è un nome concreto; ma nella frase "Questo è il *succo* della faccenda" lo stesso nome è usato con valore astratto.

Spesso, per scopi espressivi e, quindi, per rendere più vivace ed efficace un testo scritto od orale, **si usa un nome astratto** là dove, in un registro espressivo più piatto e banale, si userebbe un nome concreto. Così, invece di dire "Quella ragazza è molto *bella*", si può dire "Quella ragazza è *una bellezza*". Il nome astratto *una bellezza* rende l'espressione più viva in quanto non si limita a segnalare che la ragazza in questione *è bella*, ma la fa apparire come la personificazione della bellezza. Allo stesso modo, e con i medesimi risultati espressivi, **si può usare un nome concreto** là dove, di solito, in un registro stilistico più piatto, si userebbe un nome astratto. Così, invece di "Paolo ha *una* buona *intelligenza*", si può dire "Paolo ha *una* bella *testa*": il nome concreto *testa* visualizza e vivacizza l'idea astratta di *intelligenza*, suggerendo l'immagine reale di una testa nella quale l'intelligenza opera fattivamente. Così, invece dell'astratto *intuizione* o *spirito critico*, si può usare il concreto *naso* ("Gianni ha buon *naso*") e invece di *generosità*, si può usare *cuore* ("Paolo è un giovane di buon *cuore*"). Il nome astratto si può usare invece del nome comune concreto anche nei titoli onorifici destinati a indicare personaggi di rango elevato. In questi casi, il nome astratto ha la funzione di un nome proprio e quindi va scritto con la lettera maiuscola. Così, l'astratto *Maestà* è il titolo onorifico riservato ai re e agli imperatori ("Sua Maestà", "Vostra Maestà", "Le loro Maestà") mentre *Altezza* ("Sua Altezza", "Vostra Altezza", "Le Loro Altezze") è riservato ai principi di sangue reale. Nella gerarchia ecclesiastica, invece, l'astratto *Santità* è il titolo riservato al pontefice; *Eminenza* spetta ai cardinali ed *Eccellenza* ai vescovi. *Eccellenza* era, un tempo, anche il titolo che si dava agli alti funzionari dello Stato, specialmente ai ministri e ai prefetti.

1.2. I nomi comuni e i nomi propri

I nomi, tradizionalmente, si distinguono anche in nomi comuni e in nomi propri.

• **I nomi comuni** indicano persone o cose in senso generico, designandoli come individui o elementi quasi di una medesima specie, categoria o classe:

ragazzo; *dottore*; *fiume*; *cavallo*; *sedia*; *zio*.

• **I nomi propri**, invece, indicano un solo individuo particolare di una specie o di una categoria, in modo tale da distinguerlo da tutti gli altri della medesima specie o categoria:

Paolo; *Rossi*; *Adige*; *Palermo*; *Maria*.

Il nome *zia* è un nome comune in quanto designa una persona qualsiasi appartenente alla classe delle persone note come "zie". Il nome *Maria*, invece, è un nome proprio perché designa una persona precisa, individuandola tra tutte le altre. La differenza tra nomi comuni e nomi propri appare evidente soprattutto nei gruppi nominali in cui un nome generico e quindi comune (*dottore*, *fiume*, *zio*) è individuato in modo preciso da un nome particolare e quindi proprio (*Rossi*, *Adige*, *Maria*): "il *dottor* Rossi", "il *fiume* Adige", "la *zia* Maria". Ma le cose non sono sempre così semplici. I nomi che indicano concetti astratti come *bontà*, *bellezza*, *lealtà* e i nomi che indicano elementi naturali come *aria*, *terra*, *argento*, *oro* sono nomi comuni anche se indicano individualità ben precise e determinate. Di converso, i nomi che indicano gli abitanti di una nazione, come *Francese*, *Italiano*, *Brasiliano*, sono per lo più considerati nomi propri anche se designano delle categorie di individui e non un individuo determinato. Inoltre, la differenza tra nomi comuni e nomi propri non è così rigida da non permettere un continuo passaggio dei nomi da una classe all'altra.

Sul piano grammaticale e sintattico, poi, la differenza tra nomi comuni e nomi propri è ancora più labile e si riduce al fatto che i nomi propri non possono, tranne che in rari casi, essere usati al plurale e che i nomi comuni, almeno quando il gruppo del nome di cui fanno parte è nella funzione di soggetto o di complemento oggetto, sono sempre preceduti dall'articolo, mentre la maggior parte dei nomi propri lo rifiuta. Nella pressoché totale mancanza di elementi atti a provare in modo sicuro la differenza tra nomi propri e nomi comuni sul piano semantico e sintattico, l'unica distinzione attendibile è affidata a un espediente grafico. Infatti, quando sono scritti, **i nomi propri**, diversamente dai nomi comuni, **richiedono l'iniziale maiuscola.**[2]

I nomi propri di persona sono costituiti da due elementi: il **nome** propriamente detto (o *nome individuale* o *nome di battesimo*) che indica la singola persona (*Paolo*, *Laura*, *Antonio*) e il **cognome** (o *nome di famiglia* o *nome di casato*) che indica il nucleo familiare di appartenenza della persona (*Bianchi*, *Di Stefano*, *Piras*, *Paglia*). Il cognome è importante perché permette di identificare e distinguere un *Paolo* da un altro: "Paolo Bianchi" è il *Paolo* della famiglia Bianchi. Tra l'altro, proprio perché il nome indica l'individuo (la parte) nell'ambito della famiglia (il tutto) segnalata dal cognome, si deve porre per prima la parte (Paolo) e dopo il tutto (Bianchi). Il cognome, quindi, va sempre posto dopo il nome: *Paolo* (dei) *Bianchi* e non *Bianchi Paolo*.

Ciò appare tanto più vero se si tiene conto del fatto che, originariamente, la maggior parte dei cognomi erano altrettanti complementi di specificazione che indicavano il nome del padre dell'individuo in questione: Dante Alighieri, ad esempio, originariamente si chiamava *Dante Alighierii*, cioè 'Dante (figlio) di Alighierio'. L'uso di porre il nome davanti al cognome – che è comune a tutti i paesi europei tranne l'Ungheria – permette, tra l'altro, di stabilire con sicurezza quale è il nome e quale è il cognome nei casi ambigui: così in casi come "Chiara Anselmo" o "Tentorio Battista", l'ordine delle parole ci dice senza ombra di dubbio che *Chiara* e *Tentorio* sono due nomi e *Anselmo* e *Battista* sono due cognomi.

L'inversione della sequenza nome-cognome è permessa solo negli elenchi alfabetici, come nelle rubriche telefoniche, negli schedari anagrafici, negli indici e nelle enciclopedie. In tutti gli altri casi, oltre che errata, è «un indizio di scarsa educazione culturale» (G. Ugolini).

Il **soprannome** è un appellativo – un aggettivo, un nome o una locuzione – che si aggiunge al nome di una persona per meglio individuarla tra altre o, anche, per prenderla in giro o per ingiuriarla, facendo riferimento a una sua qualità particolare ("Riccardo *Cuor di leone*"), a una sua caratteristica fisica ("Federico *Barbarossa*", "Jim *lo Smilzo*"), al suo mestiere e simili. Spesso il soprannome viene usato in sostituzione del nome: "*il Magnifico*" (= Lorenzo de' Medici), "*il Parmigianino*" (= il pittore Francesco Mazzola, nativo di Parma), "*il Moro*" (= Ludovico Sforza).

[2] Tuttavia, poiché talvolta i nomi propri possono essere usati come comuni e viceversa:
– i nomi propri si scrivono con l'iniziale minuscola quando sono usati come nomi comuni, per indicare non più un individuo, ma un tipo umano: "Sei un giuda (= un traditore)"; "Mi sento un ercole (= un tipo forzuto)";
– i nomi comuni si scrivono con l'iniziale maiuscola quando sono usati come nomi propri, ad esempio per indicare animali o cose personificate: "Il Gatto e la Volpe si scambiarono un'occhiata d'intesa".

Lo **pseudonimo** (dal greco *pseudés*, 'falso', e *ónoma*, 'nome') è un falso nome o cognome (o nome e cognome), assunto ad arte per mantenere segreta la propria vera identità, per sostituire un nome o un cognome poco bello, per far fronte a particolari esigenze artistico-professionali o per puro vezzo. Molto frequente nel mondo dello spettacolo (Raffaella Carrà è, all'anagrafe, Raffaella Pelloni, un cognome che evidentemente è stato a suo tempo considerato poco adatto per una giovane artista), lo pseudonimo è abbastanza frequente anche tra giornalisti e letterati (Italo Svevo è lo pseudonimo, allusivo alla sua condizione di intellettuale legato sia alla cultura italiana sia a quella tedesca, dello scrittore triestino Ettore Schmitz; Alberto Moravia è lo pseudonimo del romanziere Alberto Pincherle).

Il **patronimico**, infine, è un nome, o anche un cognome, che indica una persona attraverso il nome del padre. Tipico soprattutto del mondo greco antico, esso è derivato dal nome del padre della persona che si vuole indicare, per mezzo di un suffisso: *il Pelide* (= Achille, figlio di Peleo).

1.3. I nomi individuali e i nomi collettivi

I nomi, sempre sul piano del significato, si distinguono anche in nomi individuali e nomi collettivi.

• I **nomi individuali** designano una singola entità – essere vivente, oggetto o concetto –, indicandola con il suo nome proprio oppure con il nome comune della categoria cui appartiene:

Gianni; *ragazza*; *cavallo*; *imbuto*.

La maggior parte dei nomi sono nomi individuali. Essi, come è ovvio, possono anche indicare più individui, ma solo al plurale: *ragazze*, *cavalli*, *imbuti*.

• I **nomi collettivi** sono nomi che, pur essendo di numero singolare, indicano una pluralità di persone, di animali o di cose, sia numericamente indeterminata:

gente; *popolo*; *folla*; *squadra*; *gregge*; *sciame*; *fogliame*; *vasellame*;

sia numericamente determinata:

coppia; *paio*; *dozzina*; *centinaio*.

Al plurale, i nomi collettivi indicano due o più gruppi: *popoli*, *greggi*, *sciami*.

Per quanto riguarda la **concordanza** con il predicato, quando un nome collettivo, come *orda*, *folla*, *scolaresca*, è in funzione di soggetto, il verbo, di norma, va al singolare, a meno che il nome collettivo non sia al plurale: "Una gran *folla aspettava* l'oratore"; "Le *scolaresche* non *sono ammesse* in questo museo". Se però il nome collettivo è accompagnato da una specificazione che indica "da chi" o "da che cosa" è composto l'insieme designato dal nome collettivo, il verbo può anche essere accordato al plurale: "Una *parte* degli abitanti *ha lasciato* (oppure: *hanno lasciato*) il paese"; "Un *gruppo* di carabinieri *bloccò* (oppure: *bloccarono*) la strada". Naturalmente una frase come "La gente manifestava per la strada: tutti urlavano e correvano" è perfettamente corretta: la parola *gente*, infatti, pur essendo singolare, designa un insieme di individui e quindi il parlante, che la sente come un plurale, può riferirsi a tale insieme come a un nome al plurale.

1.4. I nomi numerabili e i nomi non numerabili

I nomi, infine, si dividono in numerabili e non numerabili:

- i nomi **numerabili** indicano entità – persone, animali o cose – che si possono contare, perché esistono in un numero praticamente infinito:

    uomo; *quaderno*; *cane*.

- i nomi **non numerabili** o nomi **massa** indicano entità che non possono essere numerate, cioè cose o concetti indistinti:

    latte; *sangue*; *pazienza*; *coraggio*.

Così, termini come *uomo*, *quaderno*, e *cane* sono nomi numerabili, in quanto possiedono il tratto della numerabilità e quindi possono essere usati al plurale: *gli uomini*, *due quaderni*, *quattro cani*. Invece termini come *latte*, *sangue*, *pazienza*, *coraggio*, *frumento*, *bellezza*, *aria* e *cemento* sono nomi non numerabili perché non possono essere accompagnati da numerali, cioè non hanno il tratto della numerabilità, e quindi non possono essere usati al plurale: non si può dire *i latti*, *i sangui*, *tre acque*, *due coraggi* e simili. Attraverso un processo di ricategorizzazione però anche i nomi non numerabili possono essere usati come numerabili, ma assumono allora un significato diverso: così il nome non numerabile *bellezza*, che è un nome non animato e non concreto ("La *bellezza* non è tutto"), può diventare un nome numerabile, animato e concreto nella frase: "In spiaggia ho visto tre giovani *bellezze* che prendono il sole". Allo stesso modo, il nome *polvere*, che di solito è un nome non numerabile come nella frase "I mobili sono coperti di *polvere*", può diventare numerabile, ma con un significato diverso come nell'espressione "Dare fuoco alle *polveri*". Si vedano anche i seguenti casi: *il ferro* (= il noto metallo) → *i ferri* (= gli oggetti di ferro); *il grano* (= la graminacea da cui si ricava la farina) → *i grani* (= i chicchi, i granelli).

2. Il nome: l'aspetto morfologico

Dal punto di vista morfologico, cioè dal punto di vista della **forma**, il nome ha una caratteristica fondamentale che lo individua e lo distingue dal verbo: di solito, ha forme diverse per esprimere il **genere** (*maschile/femminile*) e il **numero** (*singolare/plurale*):

gatt*o*/ gatt*a*, gatt*o*/gatt*i*, gatt*a*/gatt*e*.

Ogni nome, infatti, è formato da due parti, ciascuna delle quali è fornita di un significato. La prima parte, che si chiama **morfema lessicale** o **radice**, contiene e comunica il significato di base del nome; la seconda parte, che si chiama **morfema grammaticale** o **desinenza,** contiene le indicazioni di carattere grammaticale e, variando, fornisce indicazioni circa il genere e il numero del nome:

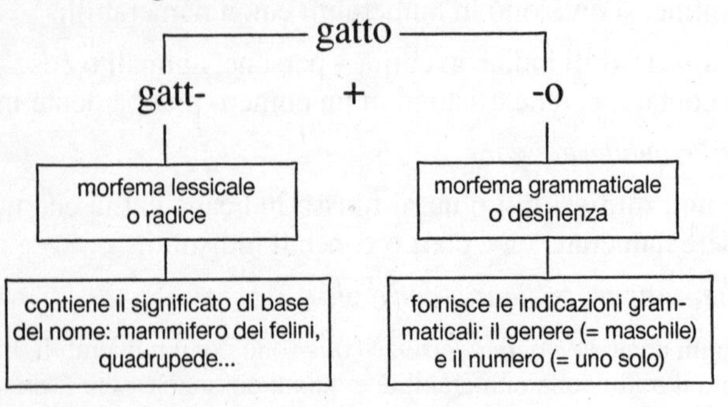

Ogni desinenza, come si vede, combina insieme due tipi di informazioni: quella relativa al numero e quella relativa al genere. Di fatto, nel nome *gatto* la desinenza *-o* ci dice due cose: che si tratta di un nome singolare e maschile.

L'insieme di tutte le desinenze di un nome, cioè l'insieme delle desinenze che si possono aggiungere alla radice di un nome, costituisce la **declinazione** (o flessione) del nome. La maggior parte dei nomi è declinabile e, di solito, le desinenze esprimono contemporaneamente il genere e il numero del nome: il gatt*o*, i gatt*i*, la gatt*a*, le gatt*e*. Alcuni nomi, però, sono declinabili solo quanto al numero e, quindi, le desinenze danno informazioni circa il numero del nome, ma non circa il genere: il presid*e* / la presid*e*, i presid*i* / le presid*i*. Altri sono indeclinabili, cioè non variano neppure quanto al numero: il cinem*a* / i cinem*a*. Nei paragrafi che seguono, analizzando il genere e il numero dei nomi, vedremo anche quali sono declinabili e quali invece no.

2.1. Il genere del nome: maschile e femminile

Tutti i nomi hanno un genere che può essere **maschile** o **femminile.**[3] L'individuazione del genere dei singoli nomi, che non è necessariamente marcato da desinenze diverse, è un fatto importante perché dal genere del nome dipendono non pochi elementi variabili del discorso, come le concordanze degli aggettivi che nell'ambito del sintagma nominale si riferiscono al nome. Ma stabilire se un nome è maschile o femminile non è sempre facile.

Tanto per cominciare, non bisogna confondere il genere **grammaticale** con il genere **naturale**: il genere grammaticale è un genere formale, cioè un fatto arbitrario che ha importanza solo ai fini della grammatica; il genere naturale, invece, coincide con il sesso e, quindi, ha un suo preciso riscontro nella realtà.

[3] Il latino, invece, come altre lingue indoeuropee, aveva tre generi: il maschile, il femminile e il neutro. Così, accanto ai nomi maschili (*lupus*, 'il lupo'; *poeta*, 'il poeta') e ai nomi femminili (*rosa*, 'la rosa'; *domina*, 'la padrona'), esistevano anche i nomi neutri, come *donum*, 'il dono', *consilium* 'il consiglio', *mare*, 'il mare'. E mentre il maschile e il femminile si riferivano al sesso degli esseri, per lo più animati, che indicavano, il neutro (da *neutrum*, 'né l'uno né l'altro') comprendeva soprattutto nomi di cose o di entità astratte per le quali non esisteva una distinzione di sesso. Neutri, poi, in latino erano anche i nomi dei frutti, che erano considerati sessualmente indifferenti rispetto alle piante, i cui nomi erano di genere femminile. Nel corso dell'evoluzione che ha portato dal latino parlato all'italiano, il genere maschile e il genere femminile sono passati direttamente dal latino all'italiano: *lupu(s)* → *lupu(m)* → 'il lupo'; *rosa* → *rosa(m)* → 'la rosa'. Il neutro, invece, non è passato in italiano: la sua scomparsa fu dovuta al fatto che nel latino parlato le consonanti finali delle parole si pronunciavano sempre debolmente e poi furono del tutto trascurate: così il neutro *donum* finì con il diventare *donu(m)* e poi 'dono' esattamente come il maschile *servus* → *servu(m)* → 'servo'. Nel passaggio dal latino all'italiano i nomi neutri sono, infatti, diventati quasi tutti nomi maschili: *consilium* → 'il consiglio', *mare* → 'il mare', *tribunal* → 'il tribunale'. Alcuni neutri plurali, però, sono diventati femminili singolari: *folia* (lett. 'le foglie') → 'la foglia'. Altri neutri plurali sono diventati femminili plurali: *bracchia* (plurale neutro di *bracchium*, 'il braccio') → 'le braccia'; *ligna* (plurale neutro di *lignum*, 'il legno') → 'le legna'; *ova* (plurale neutro di *ovum*, 'l'uovo') → 'le uova'. Questa particolare origine di nomi come *le braccia* e *le legna* spiega come simili forme di femminili plurali possano coesistere, anche se con significati talora diversi, con le forme maschili plurali *i bracci* e *i legni*, che derivano dai singolari regolari *il braccio* (da *bracchium*) e *il legno* (da *lignum*). Tra le lingue antiche, anche il greco, oltre al latino, presentava il neutro. Tra le lingue moderne, invece, il neutro si è conservato nel tedesco e nel russo. Il francese e lo spagnolo hanno due soli generi come l'italiano. Altre lingue sono addirittura prive di genere, come l'ungherese e il turco. L'inglese, infine, distingue il maschile, il femminile e il neutro solo nei pronomi di terza persona singolare (*he*, 'egli', *him*, 'lui' [compl. oggetto]; *she*, 'lei', *her*, 'lei' [compl. oggetto]; *it*,

Il genere grammaticale coincide con il genere naturale con i nomi che designano esseri animati. Così, sono di genere maschile i nomi che indicano persone e animali di sesso maschile (*padre*, *sarto*, *lupo*, *gatto*) e sono, invece, femminili i nomi che indicano persone e animali di sesso femminile (*madre*, *sarta*, *lupa*, *gatta*).

Non in tutti i casi genere grammaticale e genere naturale coincidono. Vi sono, infatti, alcuni nomi di persona che sono di genere femminile ma che, oltre che in riferimento a persone di sesso femminile, si usano anche per designare uomini: *spia*, *guardia*, *guida*, *recluta*, *sentinella*.[4] Con questi nomi, eventuali aggettivi e participi passati a essi riferiti devono, ovviamente, essere accordati al femminile, perché quello che conta è il genere grammaticale del nome. Così si dirà: "*La sentinella* è stat*a* molto scrupolos*a*".

Di converso, vi sono alcuni nomi di persona di genere maschile che designano per lo più donne, come taluni termini specialistici del linguaggio della musica: *il soprano*, *il mezzosoprano*, *il contralto*. Eventuali aggettivi e participi passati riferiti a questi nomi devono, naturalmente, essere sempre accordati al maschile, in base al genere grammaticale del nome: "Luisa Verdi è *un* famoso *soprano*". Ormai, però, sono entrate nell'uso, accanto alle forme, *il soprano*, *il mezzosoprano*, *il contralto*, anche le forme *la soprano*, *la mezzosoprano*, *la contralto* e, quindi, anche gli aggettivi e i participi passati a essi riferiti vengono accordati al femminile.

Invece, per i **nomi di cosa**, cioè per i nomi che indicano oggetti, concetti astratti o azioni, la distinzione tra genere maschile e genere femminile è del tutto arbitraria: il genere del nome non ha alcun legame con la cosa cui si riferisce, ma è fissato dall'uso e dalla consuetudine linguistica. Così è solo in base all'uso che *prato*, *libro*, *onore*, *arrivo* sono nomi di genere maschile mentre *carta*, *finestra*, *partenza*, *bontà* sono di genere femminile. Il genere, in questo caso, è un genere puramente grammaticale o, come si è detto, un genere formale, perché ha importanza solo ai fini della grammatica, cioè ai fini della concordanza di eventuali articoli, aggettivi o participi passati riferiti al nome.[5]

'esso' [neutro]) e negli aggettivi e pronomi possessivi che ne derivano (*his*, 'suo, di lui'; *her*, 'suo, di lei'; *its*, 'suo' [neutro]).

[4] Originariamente i nomi di genere femminile come *guardia*, *sentinella*, *staffetta* designavano incarichi o mansioni particolari, come appunto il far la guardia, l'azione di vigilare. Poi, nel corso della storia della lingua, questi nomi sono passati a indicare la persona, per lo più di sesso maschile, che adempiva quell'incarico o quella mansione, ma hanno conservato il genere femminile.

[5] Il maschile si adopera spesso per indicare un rappresentante qualsiasi di una specie,

Tuttavia, proprio per evitare errori di concordanza e, talora, anche di senso, è importante conoscere il genere di un nome di cosa. Nell'ambito di un discorso, il genere di un nome è facilmente deducibile dal contesto in cui il nome è inserito: ad esempio, dalla presenza di un articolo maschile o femminile davanti al nome ("*La* boa oscillava paurosamente tra le onde") o dalla presenza di un aggettivo concordato con il nome ("Ho bisogno di un barattolo di buon*a* colla adesiv*a*"). Quando, invece, un nome è usato da solo, oltre alla pratica dell'uso e alla consultazione del dizionario, che registra sempre il genere dei nomi, due elementi possono aiutare a individuare il genere di un nome: la **desinenza** e il **significato**.

In rapporto alla **desinenza** sono *maschili*:

– i nomi con la desinenza in **-o**: *il treno, il prato, il sonno, il discorso*. Molti nomi, pur avendo la desinenza in *-o*, sono, però, femminili: *la mano, la dinamo, la radio, la biro*. La parola *eco* al singolare è di preferenza femminile (*l'eco, una forte eco*), ma ormai comincia a essere usata anche come maschile (*un forte eco*); al plurale, invece, è sempre maschile (*gli echi*). Sono inoltre femminili molti nomi che terminano in *-o* per effetto di un accorciamento, come ad esempio: *la moto* (da motocicletta), *la foto* (da fotografia), *l'auto* (da automobile);
– i nomi che terminano con una **consonante**. Per lo più si tratta di nomi di origine straniera: *il bar, il camping, il computer, lo sponsor, lo slogan, il toast, l'ananas*. Ma, pur terminando in consonante, taluni sono femminili perché femminili sono nella loro lingua originaria: *la star, la miss, l'holding* ecc.

Sono, invece, *femminili*:

– i nomi con la desinenza in **-a**: *la casa, la luna, la sedia, la bellezza*. Numerosi, però, sono i nomi che, pur avendo la desinenza in *-a* (in particolare quasi tutti in *-ema* e in *-ma*), sono maschili: *il poema, il problema, il teorema, il cinema, il telegramma, il programma, lo stemma*. Sono maschili, nonostante la desinenza in *-a*, anche alcuni nomi propri: *Luca, Andrea, Elìa, Enea, Cosma, Barnaba, Babila, Aminta*;
– i nomi con la desinenza in **-i**: *la crisi, un'analisi, la tesi, la sintesi, l'oasi*. Ma alcuni sono maschili: *il brindisi, il bisturi, il safari, l'alibi*;
– i nomi che terminano in **-tà** e in **-tù**: *la bontà, la viltà, la gioventù*. Ma sono maschili alcuni nomi in **ù** di origine straniera: *il tutù, il caucciù, il tabù*.

I nomi con la desinenza in **-e**, poi, possono essere tanto di genere maschile quanto di genere femminile: *il mare, il dente, il piede, un ente, la nave, la neve*.

al di là di qualsiasi differenza di sesso: "L'*uomo* (= l'uomo e la donna) è un essere dotato di ragione". In questi casi il maschile è comprensivo anche del femminile e si chiama maschile generico.

In rapporto al **significato** sono *maschili*:

– i nomi degli alberi: *il ciliegio, il melo, il pioppo*. Ma non mancano anche i nomi di alberi femminili: *la vite, la quercia, la palma* (errata, invece, è la forma femminile *l'oliva* con cui in taluni dialetti si indica la pianta dell'ulivo);
– i nomi dei metalli, dei minerali e degli elementi chimici: *l'oro, l'argento, lo stagno, l'ossigeno, il cesio*;
– i nomi propri dei monti, dei mari, dei fiumi e dei laghi: *il Cervino, i Carpazi, gli Appennini, il Mediterraneo, lo Jonio, il Ticino, il Tevere, il Garda*. Tra i nomi dei monti e dei fiumi sono però numerosi anche quelli femminili: *le Alpi, le Ande, la Grigna, la Senna, la Dora Baltea*.

Sono, invece, *femminili*:

– i nomi dei frutti: *l'arancia, la pera, la banana, l'uva*. Numerosi, però, anche i nomi maschili: *il dattero, il mango, il mandarino, il pompelmo*;
– i nomi delle scienze: *l'astronomia, la matematica, la geometria, la psicologia, la biologia*;
– i nomi degli Stati e delle regioni: *l'Italia, la Francia, la Calabria, le Marche*. Ma numerosi sono anche i nomi maschili: *il Belgio, gli Stati Uniti, il Piemonte, il Friuli, gli Abruzzi*;
– i nomi dei continenti, delle città e delle isole: *l'Europa, l'Asia, l'affollata Milano, la moderna Tokio, la fredda Stoccolma, la Sicilia, le Baleari, le Bermude*. Ma, per quanto riguarda le città e le isole, non mancano anche i nomi maschili: *Il Cairo, il Pireo, il Madagascar, il Borneo*.

2.1.1. I FALSI CAMBIAMENTI DI GENERE

Alcuni nomi di cose presentano una opposizione **-o/-a** nelle desinenze come se fossero la forma maschile e la forma femminile della stessa parola. In realtà, la diversa desinenza non distingue i due nomi solo nel genere grammaticale, ma ne distingue anche il significato. Si tratta, infatti, di falsi cambiamenti di genere: quella che sembra una coppia maschile/femminile è, invece, costituita da nomi diversi che nella forma maschile significano una cosa e nella forma femminile un'altra. In taluni casi, le due forme – quella maschile e quella femminile – appartengono chiaramente **alla stessa radice** e altro non sono che la conseguenza di una differenziazione morfologica e semantica che ha portato i due nomi derivanti dalla stessa radice a specializzarsi, con desinenze diverse, per indicare due cose più o meno diverse. È il caso, ad esempio, di nomi come:

il buco (foro)	*la buca* (fossa)
il cerchio (circonferenza)	*la cerchia* (dei monti, degli amici)

il cero (grossa candela)	*la cera* (prodotta dalle api)
il corso (flusso, strada)	*la corsa* (atto del correre)
il gambo (stelo di un fiore)	*la gamba* (arto inferiore)
il manico (impugnatura)	*la manica* (parte dell'abito)
il palo (elemento fisso nel terreno)	*la pala* (attrezzo)
il palmo (spazio tra il pollice e il mignolo)	*la palma* (albero)
il panno (stoffa)	*la panna* (parte grassa del latte)
il pezzo (piccola parte)	*la pezza* (di stoffa)
lo spillo (oggetto appuntito)	*la spilla* (oggetto ornamentale)
il suolo (terra)	*la suola* (della scarpa)

In altri casi, invece, le due forme maschile/femminile hanno anche **un'origine completamente diversa** e l'uguaglianza delle loro radici è soltanto apparente. È il caso di nomi che, per questa loro caratteristica, sono spesso usati nei giochi di parole: *l'arco* (arma primitiva) / *l'arca* (scrigno, forziere); *il busto* (parte superiore del tronco) / *la busta* (involucro per lettera); *il collo* (parte del corpo) / *la colla* (adesivo); *il colpo* (urto, percossa) / *la colpa* (mancanza); *il limo* (fango) / *la lima* (utensile); *il pianto* (versare lacrime) / *la pianta* (albero, mappa); *il pizzo* (merletto; estremità appuntita; barbetta a punta) / *la pizza* (focaccia); *il pollo* (animale) / *la polla* (sorgente d'acqua); *il torto* (sopruso, colpa) / *la torta* (dolce) e simili.

Alcuni nomi, poi, presentano addirittura due forme perfettamente uguali (uguali, cioè, anche nella desinenza), una di genere maschile e una di genere femminile, con significati completamente diversi. Si tratta dei cosiddetti **omòfoni**, di cui abbiamo già avuto occasione di parlare:

il boa (serpente)	*la boa* (galleggiante)
il capitale (patrimonio)	*la capitale* (città più importante)
il fine (scopo)	*la fine* (termine)
il fronte (linea di combattimento)	*la fronte* (parte del viso)
il lama (animale)	*la lama* (oggetto tagliente)
il pianeta (corpo celeste)	*la pianeta* (paramento sacerdotale)

In questi casi soltanto l'articolo specifica il genere e quindi il significato del nome. In una frase di un discorso, invece, è il contesto che, anche in assenza dell'articolo, permette di stabilire il significato del nome e quindi il suo genere.

Altri nomi, inoltre, hanno **due forme di genere diverso**, una maschile e una femminile, ma senza sostanziale differenza di significato: *il secchio / la secchia*; *l'(o) orecchio / l'(a) orecchia*; *il tavolo / la tavola*; *il trave / la trave*.

Altri nomi, infine, hanno due forme – una maschile e una femminile – **perfettamente identiche** per forma e per significato. Si tratta di nomi che possono essere usati indifferentemente come maschili o come femminili: *l'(o) amalgama / l'(a) amalgama*. Tra questi, il nome *carcere* al singolare presenta tanto la forma maschile *il carcere* quanto la forma femminile *la carcere* che però appartiene alla lingua di livello letterario; al plurale, invece, la forma più diffusa è quella femminile, *le carceri*, ma esiste anche la forma maschile *i carceri*.

2.1.2. IL GENERE DEI NOMI STRANIERI

I nomi stranieri, se vengono usati in un contesto italiano, conservano di norma **lo stesso genere** che hanno nella lingua d'origine (il neutro passa al maschile):

– dal greco: il *pathos*, la *polis*;
– dal latino: il *casus belli*, la *pìetas*, il *curriculum*;
– dal francese: il *frappé*, la *boutique*;
– dallo spagnolo: il *golpe*, la *pelota*;
– dal tedesco: il *Putsch*, la *Realpolitik*.

Per quanto riguarda l'inglese, i nomi in italiano vengono usati come maschili o come femminili quando indicano esseri animati e, quindi, possono essere ricondotti al loro genere naturale: il *boy-friend*, il *cameraman*, il *gangster*, la *star*, le *girls*. Nel caso di nomi indicanti cose, oggetti, concetti o azioni, di solito il genere è maschile: il *flipper*, lo *smoking*, il *corner*, il *gap*, il *rally*. Talvolta, però, il parlante "sente" un nome come femminile, perché femminile è, in italiano, il genere della parola corrispondente: la *subway* ('la metropolitana'), la *gang* ('la banda'), la *disco-music*, la *privacy*.

2.2. La formazione del femminile

I nomi di cosa hanno, come si è visto, un genere grammaticale fisso, determinato dall'uso linguistico: essi, perciò, sono sempre maschili o femminili e non possono subire trasformazioni nel genere. Invece i nomi che designano esseri animati possono avere i due generi, maschile e femminile, a seconda che indichino un essere di sesso maschile o un essere di sesso femminile. Il più delle volte la forma base di tali nomi è quella maschile e quindi, quando devono essere usati per indicare esseri animati femminili, devono essere trasformati in femminili. A seconda di come avviene il passaggio dalla forma maschile alla corrispondente forma femminile, i nomi che indicano esseri animati si suddividono in: **nomi mobili** (*il sarto / la sarta*; *lo spettatore / la spettatrice*), **nomi indipendenti** (*il padre / la madre*), **nomi di genere comune** (*il preside / la preside*) e **nomi di genere promiscuo** (*il leopardo maschio / il leopardo femmina*).

2.3. I nomi mobili

La maggior parte dei nomi di esseri animati sono mobili, cioè passano dal maschile al femminile mediante il **cambiamento della desinenza** (o morfema grammaticale) o l'**aggiunta di un suffisso** senza modificare la radice (o morfema lessicale) o con modifiche minime determinate dalla necessità di conservare, ad esempio, il suono velare (cioè duro) di *c* o di *g* (du*ca* → duch*essa*). Così:

• i nomi che al maschile terminano in **-o** formano di norma il femminile assumendo la desinenza **-a**:

lo zi**o** / la zi**a** — il maestr**o** / la maestr**a**

Alcuni nomi in **-o**, però, formano il femminile aggiungendo alla radice il suffisso **-essa**:

il sindac**o** / la sindach**essa** — l'avvocat**o** / l'avvocat**essa**

Si tratta di forme femminili ora in disuso che hanno ormai assunto una connotazione ironica e scherzosa o addirittura spregiativa. Attualmente si preferisce perciò usare la forma maschile anche quando ci si riferisce a una donna.

• i nomi che al maschile terminano in **-a** formano di norma il femminile aggiungendo al tema il suffisso **-essa**:

il poet**a** / la poet**essa** — il duc**a** / la duch**essa**

Alcuni nomi in **-a** mantengono, però, la stessa forma per il maschile e per il femminile: sono nomi di genere comune, quindi si distinguono quanto al genere solo in virtù dell'articolo o in virtù di un eventuale aggettivo o participio ad essi riferito: *il* mi*o* collega / *la* mi*a* collega; *un* brav*o* pediatra / *una* brav*a* pediatra; Piero è *un* ipocrita / Piera è *un'*ipocrita; *un* grande artista / *una* grande artista.

• i nomi che al maschile terminano in **-e** formano il femminile in due modi diversi. Alcuni mutano la desinenza **-e** in **-a**:

l'infermier**e** / l'infermier**a** il cassier**e** / la cassier**a**

Altri – per lo più nomi indicanti professioni, cariche o titoli nobiliari e nomi di animali – aggiungono al tema il suffisso **-essa**:

l'ost**e** / l'ost**essa** il princip**e** / la princip**essa**

Altri, infine, presentano la stessa forma per il maschile e per il femminile e sono, quindi, nomi di genere comune:

il custode / la custode il nipote / la nipote

• i nomi che al maschile terminano in **-tore** – i cosiddetti *nomi di agente* – formano per lo più il femminile in **-trice**:

lo scrit**tore** / la scrit**trice** il tradi**tore** / la tradi**trice**

Alcuni invece formano il femminile assumendo la desinenza **-a**:

il pas**tore** / la pastor**a** il tin**tore** / la tintor**a**

Altri presentano al femminile tanto la forma in **-trice** quanto la forma in **-a**:

il tradi**tore** / la tradi**trice** o la traditor**a**

Il nome *fattore* assume di solito al femminile la forma *fattoressa*; ma nel significato di "persona che produce, che fa" presenta al femminile la forma *fattrice*. Il nome *dottore* presenta al femminile la forma *dottoressa*.

• i nomi che al maschile terminano in **-sore** formano il femminile in modi diversi. Alcuni assumono la desinenza in **-a**:

il predeces**sore** / la predecessor**a**

Altri, accanto alla forma in **-a**, presentano una forma che nasce dall'aggiunta della desinenza **-itrice** alla radice del verbo da cui derivano:

il difen**sore** / la difensor**a** o la difend**itrice**

Entrambe le forme di femminile, però, sono ormai cadute in disuso e si preferisce un'espressione di significato equivalente. Così invece di: "*La possessora* di quest'auto è Lidia" si può dire: "*La proprietaria* di quest'auto è Lidia" oppure: "Quest'auto appartiene a Lidia"; invece di "*La mia predecessora* ha lasciato molte pratiche in sospeso", si preferisce, quando il predecessore in questione è una donna: "*L'impiegata che mi ha preceduto* ha lasciato molte pratiche in sospeso".

Il nome *professore* fa al femminile *professoressa*.

• alcuni nomi, poi, formano il femminile al di fuori degli schemi sopra registrati o modificando sostanzialmente la radice:

l'abate / la (ab)badessa	il doge / la dogaressa
il dio / la dea	l'eroe / l'eroina
il re / la regina	lo zar / la zarina
il cane / la cagna	il gallo / la gallina

2.4. I nomi indipendenti

Alcuni nomi presentano **forme completamente diverse** per il maschile e per il femminile:

l'uomo / la donna	il padre / la madre
il babbo o il papà / la mamma	il maschio / la femmina
il marito / la moglie	il fratello / la sorella
il genero / la nuora	il porco / la scrofa
il montone / la pecora	il fuco / l'ape

Per la loro caratteristica di avere forme di maschile e di femminile derivanti da radici completamente diverse, questi nomi sono detti nomi indipendenti. In questa categoria rientrano anche gli aggettivi *celibe* (l'uomo non coniugato) e *nubile* (la donna non coniugata), che sono spesso usati come sostantivi.

2.5. I nomi di genere comune

Alcuni nomi presentano **un'unica forma** per il maschile e per il femminile. Con essi, che sono detti, appunto, nomi di genere comune, solo il contesto (l'articolo, l'eventuale desinenza degli aggettivi e dei participi passati che li accompagnano o la presenza nella frase di un nome dal genere naturale ben definito) permette di capire se ci si riferisce a un essere di genere maschile o femminile:

Mi ha scritto un*a* lontan*a* *parente*. L'*omicida* è stat*a* condannat*a*.

Appartengono alla categoria dei nomi di genere comune:

• alcuni nomi in **-e**:

il nipote / la nipote	il custode / la custode

• i nomi che rappresentano la forma sostantivata di participi presenti:

il cantante / la cantante	un insegnante / un'insegnante

- alcuni nomi in **-a**, per lo più di origine greca:

un ipocrita / un'ipocrita	il pediatra / la pediatra

- i nomi in **-ista** e in **-cida**:

un artista / un'artista	il giornalista / la giornalista
un omicida / un'omicida	il suicida / la suicida

Per quanto riguarda il plurale, i nomi in **-e** e i nomi derivanti da participi presenti mantengono la forma uguale per il maschile e per il femminile anche al plurale: i parenti / le parenti; gli inservienti / le inservienti.

I nomi in **-a**, in **-ista**, in **-cida** presentano, invece, al plurale forme diverse per il femminile e per il maschile: gli atleti / le atlete; i pianisti / le pianiste; i suicidi / le suicide.

2.6. I nomi di genere promiscuo

Tra i nomi di animali, alcuni si comportano come nomi mobili (*orso* / *orsa*; *leone* / *leonessa*) e altri come nomi indipendenti (*fuco* / *ape*; *toro* / *vacca*). La maggior parte dei nomi di animali, però, sono di genere promiscuo, hanno cioè **un'unica forma**, o maschile o femminile, che serve a designare sia il maschio sia la femmina:

il leopardo; l'usignolo; il falco; il delfino; lo scorpione; l'aquila.

Così, il nome *leopardo*, pur essendo di genere maschile, viene usato per indicare anche la femmina del leopardo e il nome *aquila*, che è di genere femminile, viene usato anche per indicare il maschio dell'aquila. Se poi si vuole proprio precisare il sesso di uno di questi animali, si deve ricorrere a espressioni come: *un leopardo maschio*, *un leopardo femmina*, oppure *il maschio della volpe*, *la femmina della volpe*:

Ho visto un magnifico *leopardo femmina*. *Il maschio dello sparviero* si alterna *alla femmina* nella cova delle uova.

Naturalmente, i nomi promiscui, quando sono accompagnati dall'articolo e da eventuali aggettivi e participi passati, esigono che queste forme siano accordate secondo il genere grammaticale del nome, indipendentemente dal fatto che l'animale di cui si parla sia un maschio o una femmina: "I cacciatori uccisero *un* magnifico *leopardo* che stava allattando i suoi piccoli".

Nell'italiano parlato alcuni nomi di animali hanno un'unica forma usata per il maschile e per il femminile come i nomi di genere promiscuo, ma questa forma indica indifferentemente sia il maschio sia la femmina: *il serpe / la serpe*; *il lepre / la lepre*.

La forma maschile *il serpe* e *il lepre*, però, è dialettale e quindi è meglio non usarla. La forma *il lepre*, in verità, ha una sua tradizione letteraria, ma è ormai disusata. Letterario e pressoché scomparso è anche *il tigre* accanto a *la tigre*.

Nomi promiscui, anche se non indicano animali ma persone, sono anche i nomi *una persona* e *una vittima*: "Il dottor Rossi è *una persona onesta*"; "*La prima vittima* delle mie ironie sarà Paolo".

2.7. Il femminile dei nomi propri di persona

I nomi propri di persona di genere maschile si trasformano in femminili cambiando in **-a** la desinenza del nome al maschile: Adrian*o* / Adrian*a*; Giovann*i* / Giovann*a*; Simon*e* / Simon*a*. Taluni nomi che, di solito, sono considerati più appropriati per un maschio si trasformano in femminili assumendo un suffisso diminutivo: Andre*a* / Andre*ina*; Giusepp*e* / Giusepp*ina* (ma anche Giusepp*a*); Cesar*e* / Cesar*ina*; Nicol*a* / Nicol*etta*. In questo modo tutti i nomi maschili, anche quelli sentiti come più appropriati a maschi, possono essere resi femminili e i nomi attribuibili solo a maschi sono rarissimi: *Abele*, *Dante*, *Walter*, *Mario* (*Marìa* non è il suo femminile), *Rocco* e pochi altri. Numerosi, invece, sono i nomi femminili che sono sentiti come appropriati solo a persone di sesso femminile e, quindi, non sono usati al maschile: *Ada*, *Alice*, *Anna*, *Beatrice*, *Elisabetta*, *Eva*, *Grazia*, *Maria* (*Màrio* non è il suo maschile), *Rita* e simili. Ma nei nomi propri non si può mai essere categorici perché padri e madri sono abilissimi non solo nel coniare nomi nuovi per i loro figli o nel trasformare nomi maschili in femminili e viceversa, ma anche ad affibbiare a una femmina un nome maschile che, terminando in *-a*, viene preso per un femminile: così non sono rare le fanciulle che si chiamano Amint*a*, Ene*a*, Elì*a*, Barnab*a* e simili.

2.8. Il femminile dei nomi indicanti cariche e professioni

I nomi che indicano professioni e cariche cui la donna è pervenuta in tempi recenti presentano non pochi problemi per quanto riguarda la formazione del femminile, tanto che gli stessi linguisti esprimono opinioni non sempre concordi. Infatti, mentre alcuni nomi maschili, come *sarto*, *maestro*, *re*, hanno un corrispettivo femminile (*sarta*, *maestra*, *regina*) usato normalmente e altri nomi si usano indifferentemente tanto per indicare un uomo come una donna (*il presidente*, *la presidente*; *il preside*, *la preside*), in molti altri casi la "femminilizzazione" del nome porta a espressioni per lo più sgradevoli sul piano eufonico e, soprattutto, tali da apparire ironiche o dispregiative. Risultano quindi poco accettabili espressioni come *la vigilessa*, *la medichessa*, *la giudichessa*, *la deputatessa*, *l'avvocatessa* e simili. Attualmente in questi casi si preferisce usare sempre il nome maschile anche per indicare la qualifica professionale e la carica di una donna: il senso della frase o il nome proprio che segue la qualifica eliminerà ogni dubbio. Così si dirà: "*Il medico* della scuola, dottoressa Verdi"; "*Il primo ministro* inglese, signora Thatcher"; "*Il vigile* Carla Bianchi"; "*L'amministratore delegato* della ditta, *ingegner* Luisa Rossi".

A proposito del femminile di questi nomi, però, una "Commissione nazionale per la parità donna-uomo" istituita presso la Presidenza del Consiglio ha recentemente (1986) raccomandato di evitare i nomi maschili e di sostituirli senz'altro con forme come *l'avvocata* (non *l'avvocato*, *l'avvocatessa* o *la donna avvocato*), *la notaia*, *la magistrata*, *la prefetta*, *l'amministratrice delegata*, *la consigliera comunale*, *la studente* (non *la studentessa*), *la vigile*, *la giudice*, *la prete* (non *la donna prete*), *la colonnella* e simili. Le raccomandazioni della Commissione, presentate come volte a favorire "un uso non sessista della lingua italiana", hanno suscitato al loro apparire molte polemiche, ma ultimamente hanno cominciato ad affermarsi: soprattutto attraverso la stampa – quotidiani e riviste – progressista, femminili come *ministra*, *avvocata* e *architetta* sono sempre più diffusi. Alcuni femminili tradizionali, come *dottoressa*, *professoressa* e *ispettrice*, però si sono ormai affermati, grazie all'uso, e vanno benissimo. Per i femminili di *deputato* e di *senatore* si tende ormai a usare *deputata* e *senatrice*, anch'esse suggerite dalla Commissione. *Filosofo* fa *filosofa* e per *diavolo* la forma popolare *diavola* tende a soppiantare *diavolessa*. Quanto a *direttore*, il femminile *direttrice* si usa soltanto per indicare una donna che dirige una scuola elementare, mentre per designare una donna a capo di un ufficio, di un giornale o di un determinato settore di un'azienda si preferisce usare il nome maschile: "Carl*a* Bianchi è il nuovo *direttore* del quotidiano della nostra città"; "L'*architetto* Lucia Airoldi, *direttore* dell'ufficio vendite, è partit*a* per gli Stati Uniti". La Commissione suddetta, però, si oppone all'uso di *direttore* e anche in questo caso propone e impone *direttrice*. Il nome *ambasciatrice* indica la moglie dell'ambasciatore: la donna cui è affidata la rappresentanza diplomatica di uno Stato presso un paese straniero deve essere indicata con il nome maschile *ambasciatore*: "Clara Booth Luce fu per alcuni anni *ambasciatore* degli USA in Italia".

2.9. Il numero del nome: singolare e plurale

Rispetto al numero, i nomi possono avere due forme: singolare o plurale.[6] Un nome è di numero **singolare** quando indica **un solo essere**

[6] L'indoeuropeo, la lingua madre di gran parte delle lingue parlate in Europa, e molte lingue antiche, oltre al numero singolare e al numero plurale, avevano anche il duale,

animato o **una sola cosa**: *il padre*, *un cavallo*, *una casa*. È di numero **plurale** quando indica **più esseri animati** o **più cose**: *i genitori*, *due cavalli*, *alcune case*.[7]

Dal punto di vista morfologico, la differenza tra i nomi singolari e i nomi plurali è marcata per lo più da una diversa desinenza. Ma ci sono anche nomi che hanno la medesima forma al singolare e al plurale (**nomi invariabili**), nomi privi di singolare o di plurale (**nomi difettivi**) e nomi con più forme di singolare e di plurale (**nomi sovrabbondanti**).

2.9.1. FORMAZIONE DEL PLURALE

Il plurale dei nomi si forma, nella maggior parte dei casi, **mutando la desinenza morfologica del singolare**. In particolare, ai fini della formazione del plurale, i nomi si possono dividere **in tre classi**, a seconda della desinenza del singolare:

CLASSE	SINGOLARE	PLURALE
1ª	nomi in **-a**	maschile → in **-i** femminile → in **-e**
2ª	nomi in **-o**	maschile e femminile → in **-i**
3ª	nomi in **-e**	maschile e femminile → in **-i**

che era usato per indicare una coppia di persone o di cose in opposizione al singolare "uno" e al plurale "più di due". Ad esempio, il greco antico distingueva con tre diverse desinenze i seguenti numeri: "una mano"/"le mani"/"le due mani". Poi, nel corso dell'evoluzione linguistica, il duale è venuto progressivamente scomparendo e oggi, tra le lingue indoeuropee, sopravvive solo nel lituano e nello sloveno. In italiano, i due numeri del nome rimasti – il singolare e il plurale – sono entrati direttamente dal latino: *lupi* (masc. pl.) → *i lupi*; *rosae* (femm. pl.) → *le rose*. Al latino risale anche la desinenza di plurale *-a* di alcuni nomi italiani di genere femminile, desinenza che però in latino era quella plurale dei nomi di genere neutro: è il caso, che abbiamo già avuto occasione di ricordare, di: *bracchia* (neutro pl.) → *le braccia*; *ova* (neutro pl.) → *le uova*.

[7] La linguistica moderna, come si è visto a p. 91, chiama numerabili i nomi che designano esseri, cose o entità suscettibili di partecipare dell'opposizione singolare/plurale e chiama invece non numerabili i nomi che designano esseri, cose o entità non suscettibili di partecipare di tale opposizione.

Nomi in -a *(prima classe)*

• I nomi che al singolare terminano in **-a** formano il plurale:
in **-i** se sono maschili:

il problem**a** / i problem**i** | il poet**a** / i poet**i**

in **-e** se sono femminili:

la ros**a** / le ros**e** | la cas**a** / le cas**e**

I nomi *ala* e *arma*, pur essendo femminili, formano il plurale in **-i**: le *ali* e le *armi*. I plurali le *ale* e le *arme* sono di registro letterario e sono caduti in disuso.

• I nomi che terminano in **-ca** e **-ga** conservano al plurale il suono velare (duro) della *c* e della *g*. Perciò formano il plurale in **-chi** e **-ghi** se sono maschili, in **-che** e **-ghe** se sono femminili:

il du**ca** / i du**chi** | il colle**ga** / i colle**ghi**
la pie**ga** / le pie**ghe** | l'al**ga** / le al**ghe**

Il nome *belga* non mantiene il suono velare al plurale maschile che fa *belgi*, ma lo mantiene al plurale femminile che fa *belghe*.

• I nomi femminili in **-cìa** e **-gìa** con **ì** tonica, cioè accentata, formano il plurale regolarmente in **-cìe** e **-gìe**, conservando la **i**:

la farma**cia** / le farma**cie** | la bu**gia** / le bu**gie**

• I nomi femminili in **-cia** e **-gia** con **i** atona, cioè non accentata, formano il plurale in **-cie** e **-gie** conservando la **i** se le consonanti **c** e **g** sono precedute da vocale:

la cami**cia** / le cami**cie** | la fidu**cia** / le fidu**cie**
l'auda**cia** / le auda**cie** | la cilie**gia** / le cilie**gie**
la so**cia** / le so**cie** | la vali**gia** / le vali**gie**

formano invece il plurale in **-ce** e **-ge** e, quindi, perdono la **i**, se le consonanti **c** e **g** sono precedute da consonante:

la buc**cia** / le buc**ce** | la man**cia** / le man**ce**
la goc**cia** / le goc**ce** | la doc**cia** / le doc**ce**
la pronun**cia** / le pronun**ce** | la pan**cia** / le pan**ce**
l'or**gia** / le or**ge** | la mic**cia** / le mic**ce**
la provin**cia** / le provin**ce** | la piog**gia** / le piog**ge**

Questa regola, per quanto codificata dalle grammatiche, non è né assolutamente valida né rispettata nell'uso. Da un lato, infatti, la **i** tende a rimanere in parole con i gruppi **-cia** e **-gia** preceduti da consonante, come *le provincie*, *le* *angoscie*, *le rinuncie*, in cui, secondo la regola, dovrebbero cadere. Dall'altro lato, invece, la **i** tende sempre più a scomparire in parole con i gruppi **-cia** e **-gia** preceduti da vocale, dove dovrebbe rimanere: *le ciliege*, *le valige*. Per risolvere i dubbi creati da una simile oscillazione di forme, il dizionario non sempre è utile, perché o si limita a segnalare tutte le forme possibili, o condanna come errate certe forme sulla base di criteri più che altro puristici. L'uso degli scrittori, poi, è così vario da non permettere una codificazione normativa. Un criterio discriminante di valore scientifico esiste ed è di natura etimologica: al plurale dovrebbero conservare la **i** le parole di origine latina in cui la vocale ha un reale valore sillabico e, come tale, è un elemento costitutivo da sempre della parola, come nelle parole *provincia* e *denuncia*; invece, dovrebbero perdere la **i** al plurale le parole di origine popolare come *valigia*, *camicia* e *ciliegia*, dove è un puro segno grafico usato per ottenere la pronuncia "dolce" delle consonanti **c** e **g**. L'utilizzazione di questo criterio però presuppone una conoscenza approfondita della storia della lingua e, quindi, non è sempre facile da applicare. In tanta incertezza, il criterio più sicuro è quello codificato nella regola grammaticale sopra esposta che, nella maggior parte dei casi, si concilia con il criterio etimologico. Per completare il discorso, va segnalato che la tendenza a eliminare, in quanto superflua, la **i** nel plurale dei nomi in **-cia** e **-gia**, anche se il gruppo **-cia** e **-gia** è preceduto da vocale, sembra inarrestabile e plurali come *le ciliege* e *le valige* sono ormai usati e accettati da tutti. Però, in alcuni casi, la conservazione della **i** può rendersi utile per evitare equivoci con altre forme: così, *camicia* fa al plurale *camicie* per evitare la confusione con il sostantivo singolare *càmice*; *audacia*, *efficacia* e *ferocia* fanno al plurale *audacie*, *efficacie* e *ferocie* per non essere confusi con gli aggettivi *audace*, *efficace* e *feroce*; infine *reggia* fa al plurale *reggie* per non essere confuso con la forma verbale *regge*, da *reggere*.

• I nomi femminili in **-scia** fanno per l'ordinario il plurale in **-sce**:

l'**ascia** / le **asce** — la **biscia** / le **bisce**
la **fascia** / le **fasce** — la **striscia** / le **strisce**

• Alcuni nomi maschili in **-a** sono invariabili, presentano cioè una forma uguale per il singolare e per il plurale (vedi p. 111):

il boa / i boa — il capoccia / i capoccia
il cinema / i cinema — il delta / i delta
il gorilla / i gorilla — il vaglia / i vaglia

Nomi in -o *(seconda classe)*

• I nomi, maschili e femminili, che al singolare terminano in **-o** formano il plurale in **-i**:

il tavol**o** / i tavol**i** la man**o** / le man**i**

• I nomi uscenti in **-co** e in **-go** formano il plurale in **-chi** e in **-ghi**, conservando il suono velare (duro) delle consonanti **c** e **g**, se sono piani, cioè accentati sulla penultima sillaba:

il bàn**co** / i ban**chi** l'albèr**go** / gli alber**ghi**

Fanno eccezione i nomi: *amico* / *amici*; *nemico* / *nemici*; *Greco* / *Greci*; *porco* / *porci*. Di *chirurgo*, il plurale *chirurgi* è ormai più usato di *chirurghi*.

• I nomi uscenti in **-co** e in **-go** formano il plurale in **-ci** e in **-gi**, con la palatizzazione, cioè l'addolcimento delle consonanti **c** e **g**, se sono sdruccioli, cioè accentati sulla terzultima sillaba:

il sìnda**co** / i sinda**ci** l'archeòlo**go** / gli archeolo**gi**
l'aspàra**go** / gli aspara**gi** il mèdi**co** / i medi**ci**

Fanno eccezione numerosi nomi, fra cui: *càrico* / *carichi*; *epìlogo* / *epiloghi*; *incàrico* / *incarichi*; *òbbligo* / *obblighi*; *pìzzico* / *pizzichi*; *pròlogo* / *prologhi*; *pròfugo* / *profughi*; *vàlico* / *valichi*.

Molto numerosi sono anche i nomi sdruccioli in **-co** e **-go** che presentano sia il plurale in **-chi**, **-ghi** sia il plurale in **-ci**, **-gi**: *antropòfago* / *antropofaghi* e *antropofagi*; *esòfago* / *esofaghi* e *esofagi*; *fàrmaco* / *farmachi* e *farmaci*; *stòmaco* / *stomachi* e *stomaci*; *sarcòfago* / *sarcofaghi* e *sarcofagi*. Il nome *mago*, infine, accanto al plurale *maghi* ha anche la forma *magi* nel significato particolare di 'sacerdoti orientali'.

Come si vede, la formazione del plurale dei nomi in **-co** e **-go** presenta molte oscillazioni dovute all'intrecciarsi, nel corso della storia della lingua, delle ragioni dell'etimologia, che tende a conservare il suono velare della **c** e della **g** nelle parole in cui tale suono era originario, e delle ragioni, non meno impellenti, dell'uso. Le regole che abbiamo enunciato codificano tendenze generali, ma le numerose eccezioni che presentano dimostrano come esse siano tutt'altro che salde e sicure e, del resto, l'estrema mobilità della lingua rende difficili o inutili codificazioni troppo rigide. Particolarmente dibattuto, in proposito, è il problema del plurale dei nomi in **-logo**, che dà luogo a non pochi dubbi. Per essi può valere, in linea di massima, la seguente regola pratica: i nomi in **-logo** hanno il plurale in **-logi** se si riferiscono a persone (*glottologi*, *psicologi*, *sociologi*, *teologi*) e hanno, invece, il plurale in **-loghi** se si riferiscono a cose (*dialoghi*, *prologhi*). L'applicazione di questa regola non solo porterebbe all'eliminazione di varianti popolari piuttosto diffuse come *psicologhi*, *biologhi*, *sociologhi*, ma eliminerebbe inutili doppioni, come *filologi*/

filologhi e, estesa ai rari nomi in **-fago**, eliminerebbe anche i doppioni *antropofagi/antropofaghi* e *sarcofagi/sarcofaghi*.

• I nomi uscenti in **-ìo** con la **i** tonica, cioè accentata, formano, senza eccezioni, il plurale regolarmente in **-ìi**:

lo z**ìo** / gli z**ìi**	il brus**ìo** / i brus**ìi**
il rinv**ìo** / i rinv**ìi**	il pend**ìo** / i pend**ìi**

• I nome uscenti in **-io** con la **i** atona, cioè non accentata, formano, invece, il plurale in **-i**. In taluni casi, infatti, la *-i-* del tema si fonde con la *-i* della desinenza plurale:

il camb**io** / i camb**i**	l'occh**io** / gli occh**i**

Invece nei nomi in cui la **-i-** del tema è solo un segno grafico con la funzione di rappresentare il suono palatale della consonante o del gruppo consonantico che precede la desinenza di singolare *-o*, tale *-i-* cade:

il figl**io** / i figl**i**	il bac**io** / i bac**i**

Il plurale con una sola **i** di alcuni di questi nomi può essere confuso con il plurale di altri nomi che hanno la medesima grafia: ad esempio, il *principio* e il *principe* hanno lo stesso plurale: i *principi*. Perciò, per evitare equivoci, si suole differenziare i plurali di tali coppie di nomi distinguendo quelli dei nomi in **-io** o con la doppia **i** finale, oppure segnando l'accento sulla sillaba tonica del nome o il segno circonflesso (ˆ) sulla *i* finale, oppure ponendo l'accento sulla sillaba tonica di entrambi i nomi:

il principio	*i principi, princìpi, principii, principî*
il principe	*i principi, prìncipi*
il martirio	*i martiri, martìri, martirii, martirî*
il martire	*i martiri, màrtiri*
l'arbitrio	*gli arbitri, arbìtri, arbitrii, arbitrî*
l'arbitro	*gli arbitri, àrbitri*

Fino a qualche tempo fa, la forma più diffusa, specialmente nei testi a stampa, era quella con l'accento tonico, ma oggi si tende a utilizzare la forma con una sola *i* finale, senza l'accento tonico, anche per i nomi in **-io** e a lasciare al contesto il compito di chiarire l'ambiguità. Il circonflesso sulla finale, invece, è per lo più usato ancora oggi per distinguere il plurale delle coppie di nomi in **-ore**, **-orio**: ad esempio: *motore → motori / motorio → motorî*.

• I nomi **uomo**, **dio** e **tempio** formano il plurale rispettivamente in **uomini**, **dei**, **templi** (ma ormai è più usata la forma *tempi*) per influenza delle corrispondenti forme latine (*homines*, *dei*, *templa*). Il nome **eco**, che al singolare, come si è visto, è per lo più di genere femminile, forma il plurale in **echi**, di genere maschile: "Si sentiva *un'eco fortissima*" / "Si sentivano *echi fortissimi*".

• Alcuni nomi di genere maschile uscenti in **-o** diventano al plurale di genere femminile e assumono la desinenza **-a**:

il pai**o** / le pai**a**	il ris**o** (= ridere) / le ris**a**
l'uov**o** / le uov**a**	il centinai**o** / le centinai**a**
il migliai**o** / le migliai**a**	il migli**o** / le migli**a**

• Quasi tutti i nomi femminili uscenti in **-o** sono invariabili, presentano cioè al plurale la stessa forma del singolare:

la bir**o** / le bir**o**   la mot**o** / le mot**o**

Nomi in -e (terza classe)

• I nomi che al singolare terminano in **-e** formano il plurale in **-i**, sia se sono maschili sia se sono femminili:

il padr**e** / i padr**i**	il pied**e** / i pied**i**
la legg**e** / le legg**i**	la nav**e** / le nav**i**

Il nome *bue* presenta il plurale irregolare *buoi*.

• I nomi uscenti in **-ie** sono solitamente invariabili (vedi p. 111):

la spec**ie** / le spec**ie**

Fanno eccezione i nomi *l'effigie*, *la superficie*, *la moglie* che formano il plurale in **-i**: *le effigi* (raro *le effigie*), *le superfici* (raro *le superficie*), *le mogli*.

2.9.2. Nomi con la medesima forma al singolare e al plurale (nomi invariabili)

Molti nomi conservano al plurale la medesima forma del singolare e si dicono perciò **nomi invariabili** (o *indeclinabili*). Con questi nomi, per distinguere il numero bisogna affidarsi all'articolo, alla desinenza degli aggettivi e dei participi passati a essi riferiti, alla persona del verbo e, più in generale, al contesto, cioè al senso globale della frase:

Vorrei *una biro* ross*a*. / Vorrei *tre biro* ross*e*. Questa è *una specie* che si *sta* estinguendo. / *Queste specie* si *stanno* estinguendo.

In particolare, sono invariabili:

- i nomi monosillabi terminanti in vocale:

il re / i re	lo sci / gli sci

- i nomi terminanti in vocale accentata:

il caffè / i caffè	la virtù / le virtù
la città / le città	l'età / le età

- i nomi delle lettere dell'alfabeto:

la effe / le effe	l'acca / le acca

- i nomi, per lo più di origine straniera, che terminano in consonante:

il goal / i goal	il film / i film
l'abat-jour / gli abat-jour	lo sport / gli sport

Però, i nomi stranieri che non sono entrati nell'uso comune dei parlanti e, quindi, sono sentiti ancora come forestierismi tendono a formare il plurale secondo le norme delle rispettive lingue di provenienza: *il raid / i raids*; *il lied / i lieder*.

Quanto alle parole latine e greche, esse, di solito, rimangono invariate: il *memorandum* / i *memorandum*; l'*album* / gli *album*; l'*iter* / gli *iter*; la *polis* / le *polis*; il *pathos* / i *pathos*. Talvolta, però, specialmente quando chi parla o scrive conosce bene il latino e il greco, è possibile trovare anche le forme plurali della lingua originaria: "Ricordatevi di compilare i vostri *curricula*"; "Sull'argomento ho preparato vari *memoranda*"; "Oggi parleremo delle *poleis* greche".

- i nomi in **-i**, per lo più femminili:

l'analisi / le analisi	la crisi / le crisi
la diagnosi / le diagnosi	la metropoli / le metropoli

- alcuni nomi maschili terminanti in **-a** come:

il boia / i boia	il cinema / i cinema
il capoccia / i capoccia	il gorilla / i gorilla

- quasi tutti i nomi femminili che terminano in **-o**:

l'auto / le auto	la foto / le foto
la radio / le radio	la moto / le moto

Il nome *mano*, però, forma il plurale regolarmente in *mani*.

- i nomi che terminano in **-ie**, tutti femminili:

la specie / le specie	la serie / le serie

Per *moglie*, *effigie* e *superficie* vedi a p. 110.

• tutti i cognomi e i nomi propri maschili che non terminano per **-o** e i nomi propri femminili che non terminano per **-a**: "I fratelli *Bandiera* furono fucilati nel 1844"; "Nella mia classe ci sono *tre Mattia* e *due Betty*".

Invece, se i nomi propri terminano in **-o** e in **-a** possono essere usati anche al plurale: "Nella mia classe ci sono *due Corradi* e *due Chiare*".

2.9.3. Nomi privi di singolare o di plurale (nomi difettivi)

Alcuni nomi possono essere usati solo al singolare e altri solo al plurale. Tali nomi, che mancano (o "difettano") di uno dei due numeri, si dicono **nomi difettivi**.

Sono usati **solo al plurale** e quindi mancano del singolare:

• i nomi che indicano oggetti formati da una coppia di elementi uguali: *gli occhiali*, *le molle* (del focolare), *le redini*, *le bretelle*, *le forbici*, *le tenaglie*, *le cesoie*, *le mutande*, *i calzoni*.

Nella lingua di livello familiare-colloquiale, però, si usano anche le forme singolari: *la forbice*, *la tenaglia*, *la cesoia*. Sempre nella lingua di livello familiare, il nome *il calzone*, al singolare, indica un particolare tipo di pizza farcita.

• alcuni nomi che indicano un insieme o una pluralità di persone o di cose o di atti: *le stoviglie*, *le sartie*, *le vettovaglie*, *i viveri*, *le viscere* (*i visceri*), *i dintorni*, *gli annali*, *le gramaglie*.

• alcuni nomi di origine latina: *le nozze*, *le esequie*, *le ferie*, *le vestigia*, *i posteri*, *le tenebre*, *le calende*, *le idi*, *gli sponsali*, *le interiora*.

Usato quasi sempre al plurale è anche il nome femminile *ambage* (= cammino tortuoso), che appartiene ormai al registro letterario e al plurale si usa quasi soltanto in senso figurato nell'espressione *senza ambagi* (= senza inutili giri di parole): "Parlami francamente senza tante ambagi".

Usati di preferenza solo al plurale sono anche alcuni nomi che pure hanno una normale forma singolare: *le dimissioni*, *le masserizie*, *i dintorni*, *le rigaglie*, *le frattaglie*.

Sono usati **solo al singolare** e quindi mancano del plurale:

• la maggior parte dei nomi astratti: *la pietà*, *la dolcezza*, *il valore*. Alcuni nomi astratti, usati al plurale assumono un significato diverso, trasformandosi in nomi concreti: "Ho portato in banca *i miei valori* (= oggetti di valore)"; "Assaggia *queste dolcezze* (= dolci, pasticcini particolarmente gustosi)".

• i nomi di metalli o di elementi chimici: *il ferro*, *il petrolio*, *l'idrogeno*, *il bronzo*. Alcuni nomi di metalli, usati al plurale, assumono un significato diverso: *i bronzi* di Riace (= le statue di bronzo rinvenute nei pressi di Riace); *i ferri* del mestiere (= gli strumenti necessari per esercitare un mestiere, anche in senso metaforico); *gli ori* di famiglia (= i gioielli, gli oggetti d'oro di famiglia).

• i nomi che indicano cose uniche in natura: *l'universo*, *l'equatore*.

• alcuni nomi di prodotti alimentari: *il latte*, *il miele*, *il pepe*, *il riso*, *il frumento*, *il mais*.

• alcuni nomi di malattie: *il morbillo*, *la lebbra*, *il vaiolo*, *la peste*, *il tifo*.

• alcuni nomi di uso esclusivamente poetico: *l'àere* (l'aria), *l'ètra* (l'aria), *la copia* (l'abbondanza), *la dimane* (l'indomani), *la tèma* (la paura), *l'uopo* (il bisogno).

• altri nomi come: *l'aria*, *la fame*, *la sete*, *il sangue*, *il fiele*. Il nome *aria* è usato al plurale solo in particolari espressioni come "darsi delle *arie*", "avere *arie* da gran dama" oppure nel senso di "pezzo d'opera".

Alcuni nomi **presentano un diverso significato** a seconda che siano usati al singolare o al plurale. Oltre ai nomi astratti e ad alcuni nomi di metalli di cui abbiamo già parlato, assumono al plurale un significato diverso rispetto al singolare anche i nomi seguenti:

– *il grano* (= il cereale) → *i grani* (= i chicchi, i granelli): "*Il grano* fu coltivato fin dall'antichità"; "Questa ricetta richiede alcuni *grani* di pepe";

– *il ceppo* (= parte iniziale del tronco; tronco o ramo reciso da bruciare) → *i ceppi* (= arnesi di legno usati anticamente per immobilizzare i condannati): "Ecco *un ceppo* per il caminetto"; "Il condannato fu esposto alla gogna in *ceppi*";

– *la gente* (= le persone) → *le genti* (= i popoli): "Alla cerimonia c'era molta *gente*"; "Alcuni miti sono simili presso tutte *le genti*";

– *il resto* (= parte restante di un tutto) → *i resti* (= le macerie; le testimonianze del passato; le spoglie di un defunto): "Non uscirò più per *il resto* della giornata"; "Abbiamo visitato *i resti* di una necropoli".

2.9.4. NOMI CON PIÙ FORME DI SINGOLARE E DI PLURALE (NOMI SOVRABBONDANTI)

Nella maggior parte dei casi a un nome singolare corrisponde un unico nome plurale e, viceversa, a un unico nome plurale corrisponde un unico nome singolare. Ma le cose non stanno sempre così. Alcuni nomi, infatti, presentano una doppia forma di singolare, altri una doppia forma di plurale. Tali nomi che "sovrabbondano" in uno dei due numeri si dicono nomi sovrabbondanti.

I nomi sovrabbondanti **nel singolare**, cioè quelli che presentano **una doppia forma di singolare**, sono alcuni nomi maschili che accanto alla forma in **-iero** presentano anche la forma in **-iere**. Le due forme hanno lo stesso significato, ma solo la prima è adoperata comunemente e l'altra è di uso solo letterario:

SINGOLARE		PLURALE
FORMA COMUNE	FORMA LETTERARIA	
il destr**iero**	il destr**iere**	i destr**ieri**
il forest**iero**	il forest**iere**	i forest**ieri**
il nocch**iero**	il nocch**iere**	i nocch**ieri**
lo sparv**iero**	lo sparv**iere**	gli sparv**ieri**

Una doppia forma di singolare hanno anche i seguenti nomi:

l'arma l'arm**e**	le armi	il gregge la gregg**ia**	i greggi (letterario: le greggi)
la semente la sement**a**	le sementi	il tomai**o** la tomai**a**	i tomai e le tomaie

Anche in questo caso, tra le due forme non c'è alcuna differenza di significato, ma una di esse (arm**e**, sement**a**, gregg**ia**, tomai**o**) è ormai di uso soltanto letterario.

Alcuni nomi maschili uscenti in **-o** presentano, invece, **due forme di plurale**: una forma regolare, di genere maschile, con desinenza in **-i** e una forma irregolare, di genere femminile, con desinenza in **-a**. Quanto al significato, la forma di plurale maschile ha, di solito, significato figurato, mentre la forma di plurale femminile viene usata in senso proprio, ma ormai questa differenza non è sempre rispettata in tutti i casi. Ecco i più importanti nomi maschili in **-o** con due forme di plurale:

il bracci**o**	i bracc**i** (*di un fiume, di una gru*) le bracci**a** (*del corpo umano*)
il budell**o**	i budell**i** (*vie strette, cunicoli*) le budell**a** (*gli intestini*)
il calcagn**o**	i calcagn**i** (*dei piedi, delle calze*) le calcagn**a** ("*Stare alle calcagna di qualcuno*")
il cervell**o**	i cervell**i** (*in senso metaforico*) le cervell**a** (*materia cerebrale*)
il cigli**o**	i cigl**i** (*di un burrone, di un fosso*) le cigli**a** (*dell'occhio*)
il corn**o**	i corn**i** (*strumenti musicali*) le corn**a** (*degli animali*)
il cuoi**o**	i cuo**i** (*pelli di animali conciate*) le cuoi**a** ("*Tirare le cuoia*")
il dit**o**	i dit**i** (*distinti l'uno dall'altro*) le dit**a** (*della mano, prese nell'insieme*)
il fil**o**	i fil**i** (*dell'erba, della luce ecc.*) le fil**a** (*di una congiura, del formaggio fuso*)
il fondament**o**	i fondament**i** (*di una scienza*) le fondament**a** (*di un edificio*)
il fus**o**	i fus**i** (*rocchetti della filatura, i fusi orari*) le fus**a** ("*Il gatto fa le fusa*")
il gest**o**	i gest**i** (*i movimenti*) le gest**a** (*le imprese*)

il grido { i gridi (*degli animali*) / le grida (*degli esseri umani*)

il labbro { i labbri (*di una ferita, di una tazza ecc.*) / le labbra (*della bocca*)

il lenzuolo { i lenzuoli (*presi uno per uno*) / le lenzuola (*il paio che si mette nel letto*)

il membro { i membri (*della famiglia, del parlamento ecc.*) / le membra (*del corpo*)

l'osso { gli ossi (*di un animale macellato*) / le ossa (*l'ossatura di un essere vivente*)

l'urlo { gli urli (*dell'uomo e degli animali*) / le urla (*solo dell'uomo*)

Alcuni nomi maschili sempre in **-o** presentano anch'essi due forme di plurale, una di genere maschile in **-i** e una di genere femminile in **-a**, ma tra le due forme non c'è sostanziale diversità di significati:

il filamento { i filamenti / le filamenta

il sopracciglio { i sopraccigli / le sopracciglia

il ginocchio { i ginocchi / le ginocchia

il vestigio { i vestigi / le vestigia

il gomito { i gomiti / le gomita

A questi nomi tutti maschili va aggiunto un nome femminile in **-a**, che presenta due forme, entrambe femminili, di plurale, con il medesimo significato:

la tempia { le tempia / le tempie

Un ristretto numero di nomi, infine, presenta **una doppia forma** sia al plurale sia al singolare:

l'orecchio/l'orecchia, gli orecchi/le orecchie; la strofa/la strofe, le strofe/le strofi; la quercia/la querce, le querce/le querci; la lauda/la laude, le laude/le laudi; il frutto/la frutta, i frutti/le frutta; il legno/la legna, i legni/le legna.

Le varie forme di *orecchio*, *strofa*, *quercia* e *lauda* hanno tutte all'incirca il medesimo significato. Una differenza di significato si rileva, invece, tra le diverse forme di *frutto/frutta*. La forma femminile *la frutta*, che è un singolare collettivo e che ha ormai soppiantato il plurale *le frutta*, si usa sempre in senso proprio: "Portate in tavola *la frutta*"; la forma maschile, invece, si può usare anche in senso figurato: "Paolo ora raccoglie *il frutto* del proprio lavoro". Inoltre, quando sono usate in senso proprio, le forme maschili indicano il prodotto della pianta: "Ho staccato *un frutto* dall'albero"; "Il melo è carico di *frutti*"; invece, la forma femminile indica il prodotto già raccolto: "Ricordati di comperare *la frutta*". Quanto a *legno/legna*, le forme femminili indicano solo la "legna da ardere": "Il nonno è andato a far *legna*"; "Bisogna aggiungere *legna* al fuoco"; le forme maschili, invece, si usano per tutti gli altri significati: "Il *legno* di noce è molto duro"; "In quella stanza vorrei mettere un pavimento in *legno*".

3. Il nome: l'aspetto formale

Dal punto di vista della forma o, meglio, in rapporto al modo in cui sono formati come parole, i nomi possono essere: **primitivi**, **derivati**, **alterati**, **composti**.

3.1. I nomi primitivi

I nomi, come tutte le parole, sono detti primitivi quando non derivano da nessun'altra parola:

fiore; *uomo*; *cane*; *pagina*.

I nomi *fiore*, *uomo*, *cane* e *pagina* sono nomi primitivi. Essi infatti non derivano da nessun'altra parola o, come è bene precisare, non derivano da nessun'altra parola della lingua di cui fanno parte, giacché tutti e quattro derivano, in senso storico e, quindi, etimologico, da parole latine.

I nomi primitivi, in quanto tali, sono costituiti soltanto dal **morfema lessicale** o **radice**, che in ogni parola è la parte portatrice del significato del nome, cioè del suo valore semantico (*fior-*, *uom-*, *can-*, *pagin-*), e dal **morfema grammaticale** o **desinenza**, che indica le caratteristiche grammaticali del nome, precisandone il genere e il numero (*-e*, *-o*, *-e*, *-a*). Essi sono il nucleo originale dei nomi di una lingua: numerosissimi e in continuo sviluppo, sono, infatti, il punto di partenza per la formazione di un gran numero di nomi: i **nomi derivati**, i **nomi alterati** e i **nomi composti**.

3.2. I nomi derivati

I nomi derivati sono nomi che "derivano" da altri nomi, che si sono cioè formati dalla radice di altri nomi:

fiorista; *fioraio*; *fioriera*; *fioritura*.

La derivazione da nomi primitivi, come succede per tutte le parole, avviene mediante l'aggiunta di un **morfema modificante** o **affisso** al morfema lessicale o radice, più o meno variato, del nome primitivo. Tale morfema modificante o affisso può essere un **suffisso** se si pone dopo la radice (fior-*ista*) o un **prefisso** se si pone davanti alla radice, cioè all'inizio del nome (*in*-coscienza).

Taluni nomi derivati presentano tanto un suffisso quanto un prefisso: *in*-fior-*escenza*.

I vari suffissi e prefissi, come anche i vari suffissoidi e prefissoidi che contribuiscono alla formazione dei nomi derivati, sono portatori ciascuno di un particolare significato e quindi danno ciascuno un particolare significato al nome cui vengono aggiunti. Per conoscere il significato dei vari suffissi, prefissi, suffissoidi e prefissoidi, si veda alle pp. 581 e ss.

3.3. I nomi alterati

I nomi alterati sono nomi che, mediante appositi suffissi, cioè mediante appositi morfemi modificanti posposti alla radice di altri nomi, "alterano", cioè modificano lievemente, il loro significato in modo da portarlo a esprimere particolari sfumature qualitative:

ragazzino; *ragazzone*; *ragazzaccio*.

I nomi *ragazzino*, *ragazzone* e *ragazzaccio* designano tutti, ugualmente, un "ragazzo", ma così alterati indicano ciascuno un particolare tipo di "ragazzo": *ragazzino* indica un "ragazzo minuto e/o molto giovane"; *ragazzone* indica un "ragazzo grande e grosso"; *ragazzaccio* indica un "ragazzo discolo e scapestrato”.[8] I suffissi *-ino*, *-one* e *-accio* infatti sono suffissi alterativi e, per quello che riguarda il significato che attribuiscono al nome, equivalgono agli aggettivi qualificativi di qualità.

I nomi alterati, a seconda dei suffissi che li modificano e, quindi, della sfumatura qualitativa che esprimono, si dividono in **diminutivi**, **vezzeggiativi**, **accrescitivi**, **peggiorativi**, come risulta dalla seguente tabella:

NOMI	SUFFISSI ALTERATIVI	ESEMPI
nomi **diminutivi** (indicano piccolezza)	**-ino*** **-etto**** **-ello** **-icello** **-icciolo**	tavolo → tavol-**ino** libro → libr-**etto** bambino → bambin-**ello** monte → mont-**icello** porto → port-**icciolo**
nomi **vezzeggiativi** (indicano piccolezza con una sfumatura di simpatia e di gentilezza)	**-uccio** **-otto** **-acchiotto** **-olo** **-uzzo**	cavallo → cavall-**uccio** bambino → bambin-**otto** orso → ors-**acchiotto** figlio → figli-**olo** labbro → labbr-**uzzo**
nomi **accrescitivi** (indicano grandezza)	**-one** **-accione** **-acchione**	libro → libr-**one** uomo → om-**accione** frate → frat-**acchione**
nomi **peggiorativi** (indicano disprezzo e avversione)	**-accio** **-astro** **-ucolo** **-azzo** **-onzolo** **-uncolo** **-uzzo** **-iciattolo**	libro → libr-**accio** medico → medic-**astro** poeta → poet-**ucolo** amore → amor-**azzo** medico → medic-**onzolo** uomo → om-**uncolo** via → vi-**uzza** fiume → fiume-**iciattolo**

* Nei diminutivi in *-ino*, i nomi in *-one* inseriscono una *c* tra la radice e il suffisso: *limone → limoncino*.
** Nei diminutivi in *-etto*, i nomi in *-cio* (con la *i* atona, cioè non accentata) perdono la *i*: *micio → micetto*.

[8] Sia i nomi derivati sia i nomi alterati si formano aggiungendo a un nome dei suffissi. Ma altro sono i nomi derivati altro i nomi alterati. Di fatto: i nomi derivati hanno, pur conservando lo stesso significato di base del nome primitivo da cui derivano, un significato del tutto diverso da esso: *latte → lattaio* = ‘colui che vende il latte’; *latteria* = ‘il

Osservazioni

– Una separazione netta tra i vari suffissi di alterazione non è possibile e il valore di un nome alterato, più che dal suffisso, dipende dalle intenzioni di chi parla o scrive e, quindi, dal contesto. Così i nomi **diminutivi** assumono spesso anche valore **vezzeggiativo** e, analogamente, i **vezzeggiativi** sono spesso anche **diminutivi**: "un micino" non è soltanto *un micio piccolo* ma anche *un micio grazioso* e "una mammina" non è soltanto *una mamma piccolina* ma, per lo più, *una mamma buona e dolce*. Anche la differenza tra **accrescitivi** e **peggiorativi** è minima e spesso si ha una **sovrapposizione di significato**: "una casona" può essere tanto *una casa grande* quanto *una casa squallida* oppure anche *una casa grande e squallida* nello stesso tempo. Il prefisso dispregiativo *-accio*, poi, può addirittura essere usato se **non in senso positivo** per lo meno in senso compassionevole-affettuoso e ironico: "Non gli manca un certo ingegnaccio negli affari". Infine, certi vezzeggiativi e certi diminutivi possono assumere anche un **valore dispregiativo**: "un romanzetto" non è tanto *un romanzo breve* quanto *un romanzo di scarso valore letterario*.

– Il nome alterato conserva per lo più **lo stesso genere** del nome da cui deriva: *un uomo → un omone*; *una ragazza → una ragazzina*. Talvolta, però, il nome alterato può essere **di genere diverso**. Ciò succede soprattutto con il suffisso *-one* che aggiunto a nomi femminili li fa diventare maschili: *una donna → un donnone*; *una bottiglia → un bottiglione*. Ma cfr. anche *una tigre → un tigrotto*. Qualche volta esistono due forme in *-one*, una maschile e una femminile, ma con due significati diversi: ad esempio, "una medagliona" è *una grossa medaglia*, mentre "un medaglione" è un portaritratti o il ritratto in posa di un personaggio illustre. La doppia forma maschile e femminile si conserva, infine, per i nomi alterati che possono dar luogo ad equivoci: *un bambinone / una bambinona*.

– Il **cambiamento di genere** tra nome primitivo e nome alterato avviene spesso anche nel caso dei diminutivi, ma in questo caso tra nome primitivo e nome alterato c'è sempre anche una differenza più o meno profonda di significato: *il sapone / la saponetta*; *la via / il viottolo; il tino / la tinozza*.

– I **nomi astratti**, in genere, non vengono alterati. I pochi che ammettono l'alterazione sono nomi che indicano vizi o sentimenti: *vizio → vizietto*, *viziaccio*; *amore → amoretto*, *amorazzo*, *amoruccio*, *amorino*; *capriccio → capriccetto*, *capricciaccio*.

negozio in cui si vendono il latte e i suoi derivati'; *lattiera* = 'il recipiente per il latte'. I nomi alterati, invece, hanno sempre lo stesso significato del nome da cui derivano e si differenziano da esso soltanto per sfumature di ordine qualitativo: *ragazzo → ragazzino* = 'ragazzo piccolo'; *ragazzone* = 'ragazzo grande e grosso'; *ragazzaccio* = 'ragazzo cattivo'.

– Possono essere alterati anche **i nomi propri di persona**, per lo più mediante suffissi diminutivi o vezzeggiativi: *Carlo* → *Carlino, Carletto*; *Grazia* → *Graziella*; *Anna* → *Annetta, Annina*. Più rari ma non impossibili, i nomi propri alterati con suffissi accrescitivi: *Carlo* → *Carlone*. I nomi propri di persona possono essere alterati anche mediante l'abbreviazione o altre forme di riduzione: *Giuseppe* → *Pino, Pinuccio*; *Luigi* → *Gigi, Gino*; *Arrigo* → *Righetto*; *Antonia* → *Nina, Ninetta*.

– Il suffisso **dispregiativo** *-aglia* trasforma i nomi in nomi collettivi: *soldataglia, ragazzaglia*.

– Talora si uniscono insieme **più suffissi** alterativi: *fior-ell-ino, cas-ett-ina*.

– Molti nomi presentano terminazioni uguali ai nomi alterati, ma sono dei **falsi alterati**: le loro sillabe finali, infatti, non sono suffissi alterativi, ma fanno parte della radice (o morfema lessicale) della parola. Così, "il bottone" e "il bottino" non hanno niente a che fare con "la botte"; "il limone" non ha nessun rapporto con "la lima" e "il tacchino" non è "un piccolo tacco". Qui di seguito riportiamo alcuni **falsi alterati** accostandoli ai nomi da cui sembrerebbero derivare: botte → *bottone*; botte → *bottino*; matto → *mattone*; tacco → *tacchino*; burro → *burrone*; foca → *focaccia*; mulo → *mulino*; lampo → *lampone*; rapa → *rapina*; lima → *limone*; torre → *torrone*; posto → *postino*; lupo → *lupino*; ago → *agone*; tifo → *tifone*; viso → *visone*; monte → *montone*.

– Molti **nomi alterati**, con l'uso, si sono ormai staccati dal nome da cui derivano: hanno ormai assunto **un significato proprio** del tutto distinto da quello del nome originario, e il parlante non li sente neppure più come nomi alterati. Così, "il cartone", di solito, non è "una carta grande", ma un particolare tipo di carta e ormai "il cannone" non è una "grande canna" ma un'arma da fuoco. Nomi come "cartone", "cannone" e simili, dunque, sono ormai da considerare **nomi derivati** e non nomi alterati. Il dizionario li registra come nomi derivati, limitandosi a segnalare, nell'etimologia, la loro caratteristica originaria di nomi alterati.

3.4. I nomi composti

I nomi composti sono nomi formati dall'unione di due o più parole:

pescespada; *francobollo*; *portalettere*; *buttafuori*.

Ognuna delle parole che si uniscono a formare un nome composto ha, come è ovvio, un significato particolare nella lingua, ma il risultato della loro unione porta alla fusione anche dei loro significati, di modo che i nomi composti vengono percepiti come un tutto unico. Così, con una sintesi che snellisce la lingua, "il portalettere", composto da una voce del verbo *portare* e dal nome *lettere*, è "colui che porta le lettere".

Le combinazioni che portano alla formazione dei nomi composti sono varie e possono coinvolgere parole di tutte le categorie grammaticali. Le elenchiamo qui di seguito specificando, caso per caso, come i nomi composti che ne risultano formano **il plurale**:

• **Nome + nome**: pesce + cane = **il pescecane**.
I nomi composti costituiti da due nomi formano il plurale modificando la desinenza del secondo nome, se entrambi i nomi sono dello stesso genere:

l'arcobalen**o** / gli arcobalen**i** il cavolfior**e** / i cavolfior**i**
il maremot**o** / i maremot**i** la madreperl**a** / le madreperl**e**

Se, invece, i due nomi sono di genere diverso, assume la desinenza del plurale il primo elemento del nome composto:

il grill**o**talpa / i grill**i**talpa il pesc**e**spada / i pesc**i**spada

Ma *il boccaporto* fa *i boccaporti*, *la ferrovia* fa *le ferrovie* e *la banconota* fa *le banconote*. Inoltre, *la cassapanca* può fare sia *le cassepanche* sia *le cassapanche*. Infine, *il crocevia*, *il fondovalle*, *il cruciverba* rimangono invariati al plurale.

In questa categoria rientrano anche i composti ***capo*** **+ nome**, che danno luogo a non pochi dubbi per quello che riguarda la formazione del plurale: anzi, spesso, sono causa di veri e propri errori. Il loro comportamento, infatti, è molto vario, ma può essere facilmente codificato:
– i composti che, in qualche modo, sono ormai sentiti come dei nomi semplici formano il plurale come dei normali nomi semplici, cioè modificando solo la desinenza finale:

il capolavoro / i capolavori
il capodanno / i capodanni
il capogiro / i capogiri
il capoverso / i capoversi
il capoluogo / i capoluoghi
il capostipite / i capostipiti

– i composti in cui l'elemento *capo* significa "colui che è a capo di..." e, quindi, designa una persona formano il plurale modificando la desinenza dell'elemento *capo*:

il caposquadra / i capisquadra
il capoufficio / i capiufficio
il capofamiglia / i capifamiglia
il capostazione / i capistazione
il capoclasse / i capiclasse
il capofila / i capifila

Alcuni di questi composti, però, possono modificare, oltre che la desinenza di *capo*, anche quella del secondo elemento: *il capocuoco / i capicuoco* oppure *i capicuochi*; *il capocomico/i capicomico* oppure *i capicomici*; *il capotreno / i capitreno* oppure *i capitreni*; *il caporedattore / i capiredattore* oppure *i capiredattori*; *il capomastro / i capimastro* oppure *i capimastri*.

– i composti di genere femminile, cioè quelli in cui l'elemento *capo* si riferisce a una donna, rimangono invariabili se significano "colei che è a capo di...":

la capoclasse / le capoclasse
la capolista / le capolista
la caposala / le caposala
la capoufficio / le capoufficio

Se, invece, l'elemento *capo* ha, nel composto, la funzione di semplice attributo, si mette al plurale il secondo elemento: *la capocuoca / le capocuoche*; *la capocronista / le capocroniste*.

• **Nome + aggettivo**: cassa + forte = **la cassaforte.**

I nomi composti formati da un nome seguito da un aggettivo, al plurale, di norma, modificano la desinenza di entrambi gli elementi:

la cass**a**fort**e** / le cass**e**fort**i** la terracott**a** / le terr**e**cott**e**

Ma *il palcoscenico* fa *i palcoscenici*, *il pianoforte* fa *i pianoforti* e *il camposanto* fa *i camposanti* (la forma *i campisanti* è ormai rara). Il nome *pellerossa*, poi, presenta al plurale sia la forma invariata *i pellerossa* sia la forma *i pellirosse*.

• **Aggettivo + nome**: basso + rilievo = **il bassorilievo.**

I nomi composti formati da un aggettivo seguito da un nome, al plurale, di norma, modificano solo la desinenza del secondo elemento, se il nome composto è maschile:

il bassorilievo / i bassorilievi il gentiluomo / i gentiluomini

Ma *l'altoforno* fa *gli altiforni* e *il bassofondo* può fare tanto *i bassofondi* quanto *i bassifondi*. Il nome *il purosangue* invece presenta al plurale o la forma invariata *i purosangue* o la forma *i purisangue*, con la desinenza plurale nel primo elemento. Il nome *mezzosangue*, invece, rimane invariato. Il neologismo *mezzobusto*, infine, fa *mezzibusti*.

Se il nome composto da un aggettivo e un nome è femminile, in genere entrambi gli elementi assumono la desinenza del plurale:

la malalingua / le malelingue la mezzaluna / le mezzelune

Ma *la mezzanotte* fa *le mezzanotti* oltre che *le mezzenotti*; *la falsariga* fa *le falsarighe* e *la piattaforma* fa *le piattaforme*.

• **Aggettivo + aggettivo**: sordo + muto = **il sordomuto.**
I nomi composti formati da due aggettivi formano il plurale modificando solo la desinenza del secondo elemento:

il sordomut**o** / i sordomut**i**

• **Verbo + nome**: passa + porto = **il passaporto.**
Nei nomi composti formati da un verbo più un nome, se il nome è singolare maschile, il nome composto assume la desinenza del plurale:

il passaport**o** / i passaport**i** il parafang**o** / i parafan**ghi**

Ma *parasole*, *perdigiorno*, *spartitraffico* e *tritaghiaccio* rimangono invariati al plurale.

Se il nome è singolare femminile, il nome composto rimane invariato:

il tritacarn**e** / i tritacarn**e** l'aspirapolver**e** / gli aspirapolver**e**

Fanno eccezione i nomi composti con il nome *mano*: *l'asciugamano* / *gli asciugamani*; *il battimano* / *i battimani*; *il corrimano* / *i corrimani*. Invece *il cacciavite*, *il salvagente* e *il baciamano* possono fare al plurale tanto *i cacciaviti*, *i salvagenti* e *i baciamani* quanto *i cacciavite*, *i salvagente* e *i baciamano*.

Se, invece, il nome è plurale, maschile o femminile, il nome composto rimane invariato:

il portaombrell**i** / i portaombrell**i**
il mangianastr**i** / i mangianastr**i**

• **Verbo + verbo**: dormi + veglia = **il dormiveglia.**
I nomi composti formati da due verbi (che secondo taluni linguisti rientrano nella categoria dei conglomerati, vedi a p. 577) rimangono invariati:

il dormivegli**a** / i dormivegli**a** il pigiapigi**a** / i pigiapigi**a**

• **Verbo + avverbio**: posa + piano = **il posapiano.**
I nomi composti da un verbo e da un avverbio rimangono invariati:

il posapian**o** / i posapian**o**

• **Preposizione** (o **avverbio**) + **nome**: sopra + nome = **il soprannome.**
I nomi composti formati da una preposizione più un nome formano il

plurale in modo vario. Se è dello stesso genere del nome che entra in composizione, il composto modifica la desinenza del nome:

il contrattacc**o** / i contrattacch**i**
il soprannom**e** / i soprannom**i**
il sottopassaggi**o** / i sottopassagg**i**

Ma *il senzatetto* e *il fuoricorso* rimangono invariati.

Se il nome è femminile, il nome composto rimane invariato:

il doposcuol**a** / i doposcuol**a** il sottoscal**a** / i sottoscal**a**
il retroterr**a** / i retroterr**a** il retroscen**a** / i retroscen**a**

Ma *la sottoveste* fa *le sottovesti* e *la soprattassa* fa *le soprattasse*, come tutti i composti con *sopra*.

• **Avverbio + aggettivo**: sempre + verde = **il sempreverde**.
I nomi composti da un avverbio e da un aggettivo formano il plurale modificando la desinenza dell'aggettivo:

il sempreverd**e** / i sempreverd**i**

• **Avverbio + verbo**: bene + stare = **il benestare**.
I nomi composti da un avverbio e da un verbo restano invariati al plurale.

• **Nome + preposizione + nome**: fico + di + India = **il ficodindia.**
I nomi composti formati da più di due elementi (in questo caso due nomi uniti da una preposizione) formano il plurale in modo vario e quindi non è possibile individuare una norma precisa. Ad esempio, *il fic***o***dindi***a** fa *fic***hi***dindi***a**, modificando la desinenza del primo nome; il *pom***o***dor***o**, composto da *pomo + di + oro* presenta ben tre forme di plurale, tutte ugualmente accettabili: *pom***o***dor***i** (preferibile), *pom***i***dor***o** e *pom***i***dor***i**.

La formazione del plurale dei nomi composti, come si vede, è piuttosto varia. In linea di massima, si può dire che i nomi composti, quando sono sentiti dal parlante come un tutto unico, formano il plurale come dei nomi normali, cioè mutando la desinenza finale. Negli altri casi, e nel caso in cui uno degli elementi che li costituiscono sia una parte invariabile del discorso, non è possibile individuare norme di valore generale. Come è ovvio, in caso di incertezza è opportuno ricorrere al dizionario che registra il plurale (o i plurali) di tutti i nomi composti.

Per tutti i nomi che nascono da altri tipi di formazione, come i **con-**

glomerati del tipo di *non ti scordare di me*, *non so che*), le **parole-frase** (del tipo di *guerra lampo*, *buono sconto*, *romanzo fiume*), le **parole macedonia** (del tipo di *fantascienza*, *informatica*) e le "**unità lessicali superiori**" (del tipo di *macchina per scrivere*) si vedano le pp. 577 e ss.

3

L'aggettivo

L'aggettivo[1] è la parte del discorso, variabile nel genere e nel numero, che si "aggiunge" a un nome per precisarne una qualità o per determinarne una caratteristica.

Dicendo "libro", si indica genericamente un libro; ma dicendo "libro *illustrato*", "*questo* libro", "il *tuo* libro", si precisa il concetto di libro indicandone delle qualità specifiche (*illustrato*) o determinandone particolari caratteristiche (*questo*, *tuo*).

Per sua natura, l'aggettivo **non ha esistenza autonoma**, ma deve sempre essere usato insieme al nome cui si riferisce e da cui dipende grammaticalmente.

Nella frase "Paolo ha comperato una automobile *nuova*", l'aggettivo *nuova* è strettamente legato al nome "automobile" (si può dire, senza che il significato della frase cambi sostanzialmente, "Paolo ha comperato un'automobile", ma non si può dire "Paolo ha comperato una *nuova*") e concorda con "automobile" nel genere e nel numero (non si può dire "Paolo ha comperato un'automobile *nuovo*" e neppure "Paolo ha comperato una automobile *nuove*"). Nella frase "Salutami i *tuoi*", l'aggettivo possessivo *tuoi* sembra essere usato autonomamente: in realtà, l'aggettivo, quando, come in questo caso, diviene autonomo, cessa di essere aggettivo e diventa a tutti gli effetti un nome.

[1] Il termine "aggettivo" deriva dal latino (*nomen*) *adiectivum*, '(parola) che si aggiunge', da *adiungo*, 'aggiungo'. Il termine descrive la caratteristica essenziale di questa parte del discorso, cioè quella di aggiungersi a un sostantivo (il *nomen substantivum*, 'nome che indica una sostanza e che può esistere da solo'), senza il quale, tranne che in rari casi, non potrebbe esistere.

Funzioni

L'aggettivo, in rapporto al nome cui si riferisce, ha due funzioni fondamentali a seconda che faccia parte del **gruppo del nome** o del **gruppo del verbo**:

• **una funzione attributiva**: quando l'aggettivo fa parte del gruppo del nome e il collegamento tra l'aggettivo e il nome è diretto:

Il cielo *azzurro* mi mette allegria.

In questo caso l'aggettivo espande o determina il nome cui si riferisce ed è un **aggettivo attributivo** o *segno attributivo del nome* o *attributo.*

• **una funzione predicativa**: quando l'aggettivo fa parte del gruppo del verbo e il collegamento tra l'aggettivo e il nome è attuato mediante una voce del verbo *essere* in funzione copulativa o di un verbo usato come copulativo:

Il cielo è *azzurro.* Paolo sembrava *felice.* Lia è nata *ricca.*

In questo caso l'aggettivo funziona come determinazione predicativa del soggetto, cioè specifica quale qualità o caratteristica ha il soggetto, costituisce la parte nominale di un predicato e si chiama **aggettivo predicativo.**

Classificazione

In base al tipo di informazione che aggiungono al nome, gli aggettivi si dividono in due categorie fondamentali: aggettivi qualificativi e aggettivi determinativi (o indicativi):

• gli **aggettivi qualificativi** sono quelli che si aggiungono al nome per segnalarne una particolare **qualità**: *bello*, *grande*, *rosso*, *intenso*, *profumato*, *malvagio*;

• gli **aggettivi determinativi** o **indicativi** sono quelli che si aggiungono a un nome per meglio specificarlo, attraverso una determinazione **possessiva** (*mio*, *tuo*, *suo*), **dimostrativa** (*questo*, *quello*), **indefinita** (*alcuni*, *taluni*), **numerica** (*due*, *sette*, *ottavo*), **interrogativa** (*quale?*, *quanti?*) o **esclamativa** (*quanti!*).

Questa distinzione tra aggettivi determinativi non è però sempre valida sul piano espressivo. In frasi come "Portami il cappotto *giallo*", "Ho prenotato un posto sull'*ultimo* aereo", "È venuta a trovarmi con il *nuovo* marito", gli aggettivi *giallo*, *ultimo* e *nuovo* non si limitano a qualificare rispettivamente il cappotto, l'aereo e il marito, ma li individuano anche in modo preciso rispetto agli altri cappotti, aerei e mariti. Perciò, sul piano espressivo, risulta più opportuno distinguere gli aggettivi in base non al tipo di informazione, ma in base alla qualità dell'informazione che aggiungono al nome.

In base alla qualità dell'informazione che aggiungono al nome gli aggettivi possono costituire una semplice espansione del nome o una determinazione necessaria del nome stesso:

- l'aggettivo è **una semplice espansione** del nome quando la precisazione contenuta nell'aggettivo non è indispensabile a individuare il significato del nome, ma si limita ad arricchire il significato del nome stesso:

  I *luminosi* raggi del sole scaldano la terra.

- l'aggettivo è, invece, **una determinazione necessaria** del nome quando la precisazione contenuta nell'aggettivo è indispensabile per individuare il nome stesso in modo univoco rispetto ad altri:

  Quel cane è un bassotto. Non trovo più il *tuo* quaderno. Comprami *sette* panini.

Naturalmente, tutti gli aggettivi determinativi sono indispensabili al significato del discorso ("Non trovo più il quaderno" ha un significato diverso da "Non trovo più il *tuo* quaderno"; "Comprami i panini" non ha lo stesso significato di "Comprami *sette* panini") e quindi costituiscono una determinazione necessaria del nome. Gli aggettivi qualificativi, invece, possono costituire sia una semplice espansione del nome, sia una determinazione necessaria di esso. Così, mentre l'aggettivo determinativo *sette* determina sempre il nome cui si riferisce ("Comprami *sette* panini"), l'aggettivo qualificativo *verde* può essere tanto una semplice espansione del nome, come nella frase "La ragazza indossava un bel vestito *verde*", quanto una determinazione necessaria del nome, come nella frase "Per la festa, il vestito *verde* è più indicato di quello scuro". Nel primo caso l'aggettivo *verde* può anche essere eliminato senza che la frase perda o muti significato. Nel secondo caso, invece, l'aggettivo non può essere eliminato senza che la frase non perda il suo significato: *verde* infatti non solo qualifica il nome "vestito", ma lo individua e lo distingue da quelli di colore diverso. Per altro, quando si dice che l'aggettivo qualificativo è una semplice espansione del nome come nella frase "La ragazza indossava un bel vestito *verde*", non si intende dire che esso è inutile. Nella frase in questione, infatti, l'aggettivo *verde* non serve certo per distinguere il vestito da un altro o la ragazza che lo indossa da un'altra, ma aggiunge pur sempre un'informazione al messaggio contenuto nella frase. Inutile, e quindi da evitare, è invece l'aggettivo cosiddetto esornativo, cioè l'aggettivo che non aggiunge assolutamente nulla al nome che accompagna ma si limita ad "ornarlo" senza avere nessun valore comunicativo e anche con scarso valore espressivo: esornativi sono, ad esempio, gli aggettivi che, nell'epica omerica, costituiscono delle vere e proprie formule fisse: "i *magnanimi* Achei", "l'*astuto* Ulisse", "la ben *chiomata* Elena", "il ben *temprato* e *lavorato* elmetto".

1. L'aggettivo qualificativo

Gli aggettivi qualificativi indicano le qualità o le caratteristiche di una persona, di un animale, di una cosa, di un luogo, di una situazione o di un'azione. Essi dunque espandono il significato del nome cui si riferiscono, arricchendolo di elementi distintivi o individuandolo, attraverso vari particolari, in mezzo ad altri simili.

Così "un gatto" è soltanto un gatto, ma "un gatto *nero*" è un gatto che ha una sua caratteristica particolare e, nel contempo, è diverso da "un gatto *bianco*".

Gli aggettivi qualificativi sono numerosissimi e molto vari e, come il nome, il verbo e l'avverbio, costituiscono una classe aperta di parole: infatti, continuamente si rinnovano e aumentano, tenendo il passo con le trasformazioni sociali, con le conquiste della scienza e della tecnica e, anche, della moda.

1.1. Genere e numero dell'aggettivo qualificativo

L'aggettivo qualificativo, non avendo una esistenza autonoma, non ha genere e numero propri, ma concorda nel genere e nel numero con il nome cui si riferisce:

un libr*o* nuov*o*, dei libr*i* nuov*i*; una cas*a* nuov*a*, delle cas*e* nuov*e*.

Per quanto riguarda il genere e il numero gli aggettivi qualificativi ricalcano la flessione grammaticale del nome. Così si possono distinguere tre classi di aggettivi qualificativi:

• alla 1ª classe appartengono gli aggettivi che presentano **quattro desinenze** e, quindi, forme diverse per i due generi e i due numeri:

l'abito nuov *-o*	gli abiti nuov *-i*
la casa nuov *-a*	le case nuov *-e*

• alla 2ª classe, invece, appartengono gli aggettivi che presentano **due**

sole desinenze (-*e* per il maschile e il femminile singolare; -*i* per il maschile e il femminile plurale) e quindi si limitano a distinguere il singolare dal plurale:

un uomo fort -*e* — degli uomini fort -*i*
una donna fort -*e* — delle donne fort -*i*

• alla 3ª classe appartengono gli aggettivi che al singolare **esconoin** ***-a*** sia al maschile sia al femminile e al plurale distinguono il maschile (in -*i*) dal femminile (in -*e*):

un uomo egoist -*a* — degli uomini egoist -*i*
una donna egoist -*a* — delle donne egoist -*e*

Rientrano in questa classe gli aggettivi:

– in -*ista* (*pessimista*, *socialista*);
– in -*asta* (*entusiasta*);
– in -*ita* (*cosmopolita*, *ipocrita*);
– in -*cida* (*suicida*, *omicida*);
– in -*ota* (*idiota*).

Numerosi aggettivi hanno un'unica forma per i due generi e, per questo, sono detti **invariabili**. Essi sono:

– gli aggettivi in -*i*, cioè l'aggettivo *pari* e i suoi derivati, *impari* e *dispari*: "un numero par*i*"; "due cifre par*i*";

– gli aggettivi indicanti colore che derivano da nomi: *rosa*, *marrone*, *viola*: "due vestiti ros*a*"; "una gomma marron*e*"; "tre gomme ros*a*";

– gli aggettivi usati in coppia per indicare gradazioni di colore: *rosso scuro*, *verde pastello*, *rosa pallido*: "delle piastrelle verd*e* bottiglia"; "una blusa verd*e* pastello";

– gli aggettivi terminanti in consonante o in vocale accentata e quelli di origine straniera: *blu*, *zulù*: "un cielo bl*u*"; "i cieli bl*u*"; "le acque bl*u*";

– le locuzioni avverbiali usate come aggettivi: *perbene*, *dabbene*, *dappoco*: "degli uomin*i* perben*e*"; "delle donn*e* perben*e*";

– alcuni aggettivi di recente formazione composti da *anti-* e un sostantivo: *antinebbia*, *antiruggine*, *antifurto*, *antiurto*: "strat*o* antiruggin*e*"; "sistem*i* antifurt*o*"; "svegli*a* antiurt*o*"; "min*a* anticarr*o*";

– l'aggettivo *arrosto*: "salsicc*e* arrost*o*"; "gallin*e* arrost*o*"; "poll*o* arrost*o*".

Alcuni aggettivi hanno **forme particolari di plurale**:

• gli aggettivi in *-co* (femm. *-ca*) formano il plurale:

in *-chi* (femm. *-che*) se sono piani, cioè accentati sulla penultima sillaba: bian*co*, bian*chi* (bian*che*); po*co*, po*chi* (po*che*);

in *-ci* (femm. *-che*) se sono sdruccioli, cioè accentati sulla terzultima: pacifi*co*, pacifi*ci* (pacifi*che*); acusti*co*, acusti*ci* (acusti*che*).

Fanno eccezione:

a) fra gli aggettivi piani: ami*co*, nemi*co* e gre*co* che hanno al maschile plurale le forme ami*ci*, nemi*ci* e gre*ci* (femm. plur. ami*che*, nemi*che* e gre*che*);
b) fra gli aggettivi sdruccioli: cari*co*, dimenti*co* e intrinse*co* che hanno al maschile plurale le forme cari*chi*, dimenti*chi* e intrinse*chi* (o, anche, intrinse*ci*).

• gli aggettivi in *-go* (femm. *-ga*) hanno il plurale in *-ghi* (femm. *-ghe*): analo*go*, analo*ghi*; analo*ga*, analo*ghe*.

Fanno eccezione: gli aggettivi in *-logo* e in *-fago* che al maschile plurale hanno le forme *-logi* e *-fagi* (il femm. plur. è regolare in *-loghe* e *-faghe*): popoli antropo*fagi*, preti teo*logi*.

• gli aggettivi in *-io* formano il plurale maschile:

con una sola *-i* se la *-i-* del gruppo *-io* è atona, cioè non accentata: ser*io*, ser*i* (femm. ser*ia*, ser*ie*); var*io*, var*i* (la forma var*ii* è ormai disusata) (femm. var*ia*, var*ie*);

con la doppia *-i* se la *-i-* del gruppo *-ìo* è tonica, cioè accentata: nat*ìo*, nat*ìi* (femm. nat*ìa*, nat*ìe*); p*ìo*, p*ìi* (femm. p*ìa*, p*ìe*).

• gli aggettivi femminili in *-cia* e in *-gia* hanno il plurale femminile:

in *-cie* e in *-gie* quando la *c* e la *g* sono precedute da vocale: sudi*cia*, sudi*cie*; fradi*cia*, fradi*cie*;

in *-ce* e in *-ge* quando la *c* e la *g* sono precedute da consonante: sag*gia*, sag*ge*; lis*cia*, lis*ce*.

• gli aggettivi composti, nati cioè dall'unione di due aggettivi, formano il femminile e il plurale solo nel secondo aggettivo:

uomo	sordomut*o*	uomo	italo-american*o*
uomini	sordomut*i*	scambi	italo-american*i*
donna	sordomut*a*	cultura	italo-american*a*
donne	sordomut*e*	parole	italo-american*e*

Gli aggettivi *bello*, *grande*, *santo*, *buono* presentano **più forme di singolare e di plurale**, forme che variano a seconda della lettera iniziale del sostantivo cui tali aggettivi si riferiscono. Questa varietà è dovuta all'intenso uso cui, da sempre, questi aggettivi sono sottoposti. Eccole:

BELLO

	davanti a z, ps, gn, x e s preconsonantica	*davanti a vocale*	*davanti alle altre consonanti*	*al femminile sempre*	*dopo il sostantivo*
singolare	**bello** { zaino, psichiatra, scolaro	**bell'** { albero, uomo, amico	**bel** { tavolo, vaso, gatto	**bella** { donna, amica	tavolo, vaso, gatto } **bello**
plurale	**begli** zaini	**begli** uomini (raro **begl'**)	**bei** tavoli	**belle** donne	tavoli **belli**

L'aggettivo **bello** quando è posto prima del sostantivo cui si riferisce si comporta come l'articolo determinativo. Il femminile singolare *bella* si può elidere in *bell'* davanti a vocale *a*: "*bell'*amica!". Il plurale maschile "regolare" *belli* si usa soltanto quando l'aggettivo è posposto al sostantivo o non lo precede direttamente: "libri *belli*"; "*Belli* i libri che mi hai mandato!".

GRANDE

	davanti a z, ps, gn x, s *preconsonantica e a vocale*	*davanti alle rimanenti consonanti*	*al femminile sempre*	*dopo il sostantivo*
singolare	**grande** { zaino, spazio, amico	**gran** opp. **grande** { signore, premio, freddo	**grande** opp. **gran** { donna, amica, scuola	uomo, compito, onore } **grande**
plurale	**grandi** zaini	**grandi** opp. **gran** signori	**grandi** amiche	tavoli **grandi**

Nel linguaggio familiare e quando si vogliono ottenere particolari effetti espressivi si usa la forma tronca *gran* anche davanti a *z* e *s* preconsonantica, specialmente se l'aggettivo è preceduto dall'articolo indeterminativo: "un *grande* stupido" o "un *gran* stupido". Davanti a vocale, la forma *grande* può essere elisa: "un *grande* uomo" o "un *grand'*uomo". Al plurale, invece, la forma *grandi*, che vale tanto per il maschile quanto per il femminile, non viene mai elisa.

SANTO

	davanti a vocale	*davanti a s preconsonantica*	*davanti alle rimanenti consonanti*	*al femminile*
singolare	**Sant'**Antonio	**Santo** Stefano	**San** { Carlo, Francesco, Severo	**Santa** Teresa **Sant'**Orsola
plurale	**Santi** Apostoli	**Santi** Stefano e Paolo	**Santi** Pietro e Paolo	**Sante** Vergini

L'aggettivo **santo** si tronca in *san* davanti a sostantivi maschili inizianti per consonante diversa da *s* preconsonantica. Davanti a sostantivi inizianti per *s* preconsonantica si usa *santo*. Davanti ai sostantivi inizianti per vocale, sia maschili che femminili, *santo* e *santa* subiscono l'elisione in *sant'*.

BUONO

	davanti a z, ps, gn, x e s preconsonantica	*davanti alle rimanenti consonanti e alle vocali*	*al femminile sempre*	*dopo il sostantivo*
singolare	**buono** { zaino, psicologo, scolaro	**buon** { padre, gioco, amico	**buona** { amica, psicologa, scolara	padre, gioco, amico } **buono**
plurale	**buoni** scolari	**buoni** amici	**buone** scolare	padri **buoni**

La forma maschile singolare **buono**, che secondo le norme morfologiche dovrebbe essere usata davanti a *z*, *ps*, *gn*, *x* e *s* preconsonantica, è ormai sentita come antiquata e sempre più spesso è sostituita dalla forma tronca *buon*, usuale davanti alle rimanenti consonanti e davanti a vocale. Così: invece di "un *buono* scolaro" comunemente si dice "un *buon* scolaro". La forma femminile singolare *buona* si elide in *buon'* davanti a vocale *a* e, se pure più raramente, anche davanti a sostantivi femminili inizianti per vocale diversa da *a*. Anche in questo caso l'elisione si attua più in base a esigenze stilistiche che a norme rigidamente morfologiche. Così si può dire e scrivere "una *buona* amica" ma anche "una *buon'* amica". Così si preferisce, di solito, dire o scrivere "una *buona* occasione", mentre "una *buon'* occasione" è una forma più rara. Certo, poi, "una *buona* ora" ha un significato diverso da "una *buon'* ora".

1.2. Concordanza dell'aggettivo qualificativo

L'aggettivo qualificativo **concorda in genere e numero con il nome** cui si riferisce:

Un papavero *rosso* brillava in mezzo alle spighe *dorate*.

Quando però l'aggettivo si riferisce a più nomi, bisogna distinguere:

• se i nomi sono tutti dello stesso genere, l'aggettivo **concorda con essi per il genere** e **assume il numero plurale**:

La zia ha comperato un divano e un tappeto *antichi*.
La donna sfoggiava una camicetta e una gonna *nuove*.

• se i nomi sono di genere diverso, singolari o plurali, l'aggettivo **assume il numero plurale** e di preferenza **il genere maschile** se si riferisce a nomi indicanti esseri animati:

Al mare ho conosciuto un ragazzo e una ragazza molto *simpatici*.

o se è usato in funzione di predicato:

Laura e i suoi amici sono *stanchi*.

Invece, se si riferisce a nomi indicanti cose, l'aggettivo può anche concordare, **al plurale**, con il **genere del nome più vicino**:

In salotto vorrei mettere una poltrona e un tavolo *rossi*.
In salotto vorrei mettere un tavolo e delle sedie *rosse*.

La concordanza dell'aggettivo al femminile plurale come nell'ultimo esempio può però generare ambiguità: è *rosso* anche il tavolo o sono *rosse* solo le sedie? Nel dubbio e per evitare confusione, o si ripete l'aggettivo anche davanti a "tavolo" oppure, ed è la soluzione migliore, si opera la concordanza "normale" dell'aggettivo al maschile plurale.

Quando due o più aggettivi qualificano lo stesso nome plurale, essi, come è ovvio, concordano entrambi in genere e numero con il nome: "Nella mia vita ho conosciuto poche persone onest*e* e sicur*e*". Se però tali aggettivi qualificano ciascuno un aspetto particolare del nome cui si riferiscono, essi vanno al singolare e concordano con il nome solo nel genere: "Il Presidente della Repubblica ha ricevuto i rappresentanti dei governi frances*e* e ingles*e*".

1.3. Il posto dell'aggettivo qualificativo

L'aggettivo qualificativo è un elemento mobile della frase: usato in funzione di attributo, può essere posto tanto prima quanto dopo il nome cui si riferisce.

La sua collocazione, però, non è indifferente: in parte dipende da scelte espressive personali e in parte va soggetta a precise norme e la sua posizione influisce sempre sul significato del gruppo del nome.[2] In linea di massima:

• l'aggettivo posto **dopo il nome** ha un valore **distintivo** e **restrittivo,** attribuisce cioè al nome qualità o caratteristiche particolari che si vogliono mettere in evidenza rispetto ad altre qualità o caratteristiche. Così nella frase "La bimba prese la bambola *vecchia*" l'aggettivo *vecchia* posposto al nome indica che c'erano più bambole e che tra tutte la bimba scelse proprio quella *vecchia* e non un'altra;

• l'aggettivo posto **davanti al nome** ha un valore solo **descrittivo**, in quanto si limita ad attribuire una qualità generica e quasi accessoria al nome cui è riferito. Così nella frase "La bimba prese la *vecchia* bambola", l'aggettivo *vecchia* preposto al nome ci dice soltanto che la bambola è vecchia: la descrive come tale senza opporla ad altre bambole.

La maggior parte degli aggettivi qualificativi assumono un significato diverso – distintivo/restrittivo o descrittivo – a seconda che siano posti dopo o prima del nome cui si riferiscono. Questa loro caratteristica è una delle tante risorse della lingua e ha una notevole importanza a livello espressivo, perché permette di differenziare attraverso sfumature apparentemente minime, ma in realtà fondamentali, il significato dei vari messaggi.

Così, "una ragazza *bella*" è una ragazza di cui si vuole mettere in evidenza una particolare qualità – la bellezza –; invece, dicendo "una *bella* ragazza", ci si limita a descrivere genericamente la ragazza, esprimendo un'opinione personale su di essa.

Così è possibile dire tanto "un caffè *amaro*" quanto "un *amaro* caffè".

[2] Quando è *in funzione di predicato* e fa quindi parte del gruppo verbale, l'aggettivo qualificativo si colloca sempre dopo il verbo: "Laura è *bionda*". Se però si vuole dare all'aggettivo particolare risalto, esso può anche essere posto davanti al verbo: "*Stupido* sei stato, non furbo!".

Ma i due messaggi hanno significati ben diversi. "Un caffè *amaro*" è un caffè non zuccherato; "un *amaro* caffè", invece, è un caffè, magari zuccheratissimo, bevuto in una circostanza spiacevole o in compagnia di una persona antipatica. Insomma, l'aggettivo *amaro* posto dopo il nome indica una qualità reale del nome, distinguendo tali caffè da quelli non amari. Invece, l'aggettivo *amaro* posto davanti al sostantivo perde il suo significato reale e ne assume uno legato allo stato d'animo che chi parla o scrive vuole comunicare.

Così "Paolo ha comperato un'automobile *nuova*" ha un significato diverso da "Paolo ha comperato una *nuova* automobile". Nel primo caso, si vuole dire che Paolo ha comperato una automobile *nuova*, cioè non un'automobile usata: l'aggettivo posposto al nome distingue l'auto in questione da tutte le altre. Nel secondo caso, invece, si vuole sottolineare il fatto che Paolo ha comperato una *nuova* automobile, cioè un nuovo tipo di automobile o, anche, un'altra automobile che va ad aggiungersi a quella o a quelle che già possiede: l'aggettivo preposto al nome si limita a precisare una caratteristica dell'auto in questione.

Così "il cielo *azzurro*" è, al di là del significato quasi identico, qualcosa di diverso da "l'*azzurro* cielo". Infatti, ponendo l'aggettivo *azzurro* dopo il sostantivo intendiamo definire in modo preciso il colore del cielo, distinguendolo dal "cielo *grigio*" o dal "cielo *rosso*". Invece, se poniamo l'aggettivo *azzurro* davanti al sostantivo gli diamo, oltre che una funzione descrittiva, una sfumatura soggettivo-ornamentale, quasi lirica: e non è certo un caso che, come vedremo, il linguaggio poetico privilegia, per le sue esigenze fondamentalmente descrittive, soggettive e ornamentali, gli aggettivi preposti ai nomi.

Così se si dice "le popolazioni *primitive* dell'Africa" si intende prendere in considerazione solo le popolazioni dell'Africa che vivono tuttora in condizioni primitive. Invece, se si dice "le *primitive* popolazioni dell'Africa" si generalizza il concetto e si prendono in considerazione tutte le popolazioni dell'Africa dei tempi preistorici.

In taluni casi, la differente collocazione dell'aggettivo rispetto al nome ha portato alla creazione di coppie di sintagmi di significato nettamente diverso. Infatti, in tali sintagmi nominali, mentre nel gruppo *nome + aggettivo* l'aggettivo ha conservato il suo valore proprio, nel gruppo *aggettivo + nome* l'aggettivo, in conseguenza del valore descrittivo connesso alla sua posizione prenominale, ha assunto un significato spesso metaforico e ha finito per costituire con il nome una sorta di locuzione stereotipata. Così, "un uomo *povero*" è una persona che dispone di scarse risorse economiche, invece "un *pover'* uomo" è una persona da compiangere, per la sfortuna, per la sua stupidità o per qualche altro motivo. Si vedano anche gli esempi seguenti:

un uomo *gentile*	→	un uomo cortese
un *gentil* uomo	→	un uomo nobile
un tipo *curioso*	→	un ficcanaso
un *curioso* tipo	→	un uomo strano
un uomo *bravo*	→	un uomo abile
un *brav'* uomo	→	un uomo onesto
una notizia *certa*	→	una notizia sicura
una *certa* notizia	→	una notizia imprecisa
una domanda *semplice*	→	una domanda facile
una *semplice* domanda	→	solo una domanda
il nome *proprio*	→	il nome diverso dal nome comune
il *proprio* nome	→	il mio o il suo nome
una statua *grande*	→	una statua di notevoli dimensioni
una *grande* statua	→	un'opera d'arte
cara Laura	→	è una formula convenzionale con cui ci si può rivolgere anche a una persona con cui non si è in particolare confidenza
Laura *cara*	→	è un'espressione più precisa che può avere anche una sfumatura ironico-affettuosa.

Se la maggior parte degli aggettivi può essere usata, pur con significato diverso, tanto dopo quanto prima del nome, alcuni tipi di aggettivi, per il loro particolare significato, che implica comunque un valore distintivo/restrittivo, vengono usati esclusivamente o preferibilmente **dopo il nome**. Essi sono:

– gli aggettivi che esprimono nazionalità o appartenenza a una categoria: un ragazzo *cinese*; la classe *operaia*; una scuola *elementare*;

– gli aggettivi che indicano forma, materia, colore: una piastrella *rettangolare*; un terreno *sabbioso*; una matassa di lana *gialla*;

– gli aggettivi che indicano luogo o posizione: il lato *destro* della strada;

– gli aggettivi che indicano una caratteristica materiale o fisica: un vestito *attillato*; un topino *cieco*;

– gli aggettivi verbali, cioè derivanti da participi, presenti o passati: un cibo *nutriente*; una sedia *rotta*;
– gli aggettivi relazionali, cioè gli aggettivi che, derivando da un nome, stabiliscono una relazione tra il nome da cui l'aggettivo deriva e il nome cui l'aggettivo si riferisce: quartiere *fieristico*; biglietto *ferroviario*;
– gli aggettivi alterati: una ragazza *bellina*; un pacco *pesantissimo*;
– gli aggettivi seguiti da un complemento: una famiglia *priva* di mezzi; un terreno *adatto* alle colture;
– gli aggettivi modificati da un avverbio: una vicenda molto *triste* (ma con gli avverbi *più* e *bene*, se la frase ha valore descrittivo, si ha: una ben *triste* faccenda; un più *felice* risultato).

Invece, alcuni aggettivi in cui è dominante il valore descrittivo tendono ad essere usati per lo più **prima del nome**. Ciò succede:
– quando l'aggettivo ha funzione di epiteto: la *povera* Lucia;
– quando l'aggettivo ha funzione puramente esornativa, quando cioè collocando l'aggettivo prima del nome si vuole mettere in rilievo l'aggettivo stesso e sottolineare che la qualità da esso indicata è intimamente connessa con il concetto espresso dal nome: "una *verde* vallata"; "un *profondo* affetto". L'abuso dell'aggettivo in posizione prenominale con funzione esornativa ha portato alla progressiva attenuazione del valore qualificativo e descrittivo dell'aggettivo e alla formazione di veri e propri aggettivi stereotipati che, per abitudine o per pigrizia, vengono costantemente applicati ai medesimi nomi: "una *secca* smentita"; "una *vibrata* protesta"; "un *tragico* epilogo".

Se poi gli aggettivi qualificativi riferiti a un nome sono più di uno:
– si mettono, di solito, prima del nome, se esprimono entrambi un carattere generico o esplicano una funzione ornamentale: "un *lungo, noioso* pomeriggio";
– si mettono, di solito, dopo il nome, se esprimono entrambi una caratteristica specifica e hanno lo stesso valore determinante: "un vestito *verde* e *giallo*"; "un giudizio *ingiusto* e *fazioso*";
– si mettono uno prima e l'altro dopo il nome, quando uno esprime un concetto generico e l'altro un concetto specifico: in questo caso, infatti, vale la norma secondo cui l'aggettivo generico precede il nome, mentre quello specifico lo segue: "una *lunga* crisi *economica*"; "un *tipico* prodotto *italiano*".

1.4. L'aggettivo sostantivato: l'aggettivo in funzione di nome

L'aggettivo qualificativo, come tutte le parti del discorso, può essere ricategorizzato e **funzionare da nome**. Ciò accade quando viene sostantivato dall'articolo (o da un aggettivo indefinito o da un numerale):

i poveri (= gli uomini poveri)
due straniere (= due donne straniere)
la permanente (= la pettinatura permanente).

L'aggettivo viene usato come sostantivo specialmente:

– per indicare un concetto astratto, in sostituzione del sostantivo corrispondente: *il bello* (= la bellezza, le cose belle); *il vero* (= la verità, le cose vere); la moda *dell'antico* (= la moda delle cose antiche, delle antichità);

– per indicare persone o cose fornite di particolari qualità o caratterizzate da particolari condizioni: "*Alcuni giovani* sono già partiti"; "In questo paese *il vecchio* e *il nuovo* coesistono in una curiosa mescolanza"; "*L'onesto* sarà premiato";

– per indicare i nomi di popoli che andrebbero scritti con l'iniziale maiuscola (*gli Italiani*, *i Francesi*, *i Siciliani*, *i Sardi*), anche se ormai essa è riservata solo ai popoli antichi (*i Romani*, *i Greci*);

– i nomi delle lingue e dei dialetti dei popoli: il *latino*, l'*italiano*, il *francese*, il *sardo*.

Talvolta, il processo che ha portato alla sostantivazione dell'aggettivo è così antico e diffuso che l'originario valore di aggettivo non è più avvertito da chi parla o scrive e ormai l'aggettivo sostantivato è diventato un sostantivo indipendente, registrato come tale nel dizionario:

il freddo; *il prossimo*; *un quotidiano*; *il comune*; *il futuro*.

Nel lessico italiano, anzi, una parte notevole dei nomi è costituita da aggettivi sostantivati, una categoria che oltretutto è in continuo sviluppo: *il privato* (= tutto ciò che si riferisce alla vita privata di una persona); *l'effimero* (= l'insieme delle manifestazioni e degli spettacoli organizzati per un periodo breve e destinati a una fruizione di massa); *l'indotto* (= il complesso delle attività produttive generate da una grande industria); *i mondiali* (= i campionati mondiali di calcio).

Naturalmente gli aggettivi ormai diventati nomi conservano sempre anche il loro valore originale:

Leggi *il quotidiano* della tua città. / Dacci oggi il nostro pane *quotidiano*.
Ama *il prossimo* tuo. / Ne parleremo la *prossima* volta.

Un caso particolare di aggettivi sostantivati è quello degli aggettivi che si usano in talune locuzioni avverbiali: "con *le buone* o con *le cattive*"; "*all'antica*"; "*all'improvviso*".

1.5. L'aggettivo con funzione avverbiale

L'aggettivo qualificativo, al maschile singolare, può essere riferito, anziché a un sostantivo, a un verbo:

Parlate *chiaro*. Mangiate *piano*. Abbiamo visto *giusto*.

In questo caso, poiché modifica un verbo, l'aggettivo ha valore di avverbio e si chiama appunto aggettivo con funzione avverbiale: "parlare *chiaro*" significa, infatti, "parlare *chiaramente* (*in modo chiaro*)".

1.6. Aggettivi primitivi e derivati

Quanto alla loro formazione, gli aggettivi qualificativi si possono distinguere in primitivi (o semplici) e derivati. In particolare:

• gli aggettivi qualificativi **primitivi** o **semplici** sono quelli che hanno una forma propria non derivata da altre parole: ad esempio *bianco*, *avara*, *nobili*. In essi il morfema grammaticale (o desinenza) si salda direttamente al morfema lessicale (o radice):

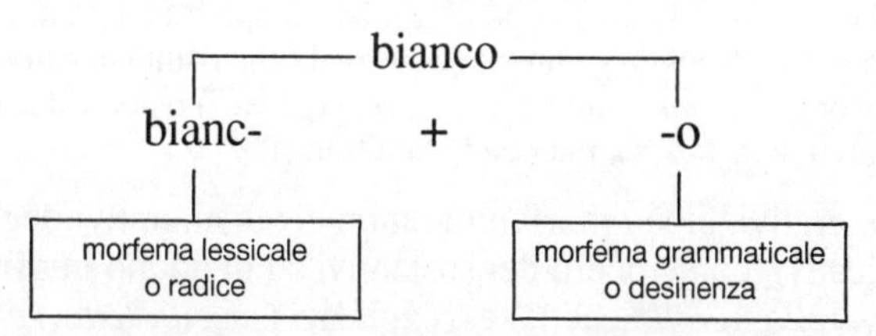

• gli aggettivi qualificativi **derivati**, invece, sono quelli che hanno origine da un'altra parola: ad esempio *mortale*, *poetico*, *solare*. Questi aggettivi nascono dalla radice, talvolta lievemente modificata, di un nome o di un verbo con l'aggiunta di un particolare suffisso (o morfema modificante) davanti alla desinenza:

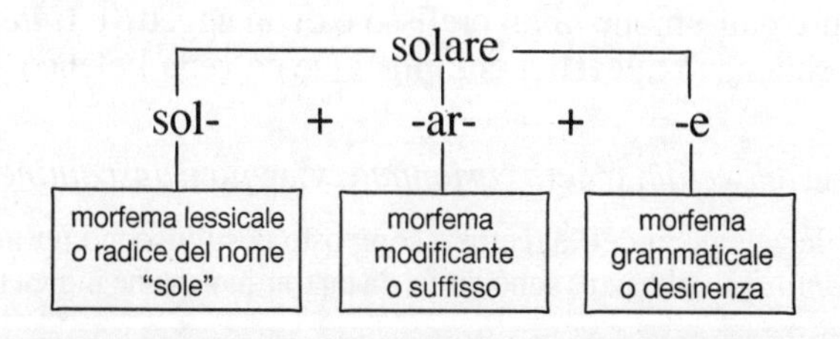

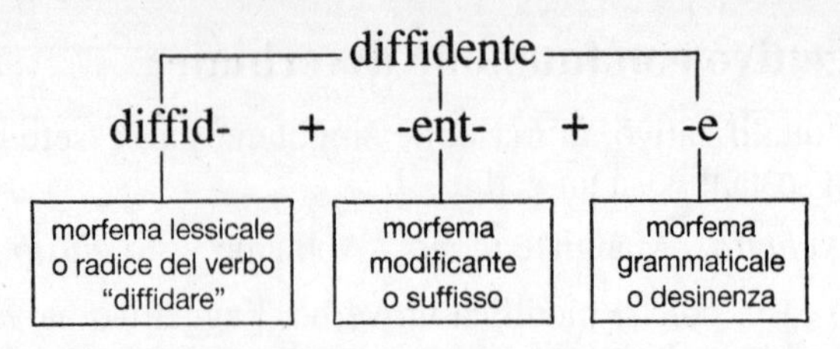

La maggior parte degli aggettivi – semplici e derivati – può dare vita, mediante l'aggiunta di prefissi e suffissi (se ne veda l'elenco alle pp. 558 e ss.), ad altri aggettivi derivati: nobile → *i*gnobile, fedele → *in*fedele.

1.7. Aggettivi alterati

Gli aggettivi qualificativi possono, mediante particolari suffissi, modificarsi in modo tale da esprimere sfumature delle qualità di cui sono portatori. Tali aggettivi si chiamano **alterati**.

L'aggettivo *furbo*, ad esempio, può essere alterato in *furbetto*, *furbino*, *furbone*, *furbacchione* e *furbastro*, forme che indicano tutte un modo particolare di essere "furbo" che oscilla tra un tipo di furbizia simpatica e infantile ("bimbo *furbetto*", "ragazza *furbina*") e un tipo di furbizia che risulta negativa ("Quella è una persona *furbona*", "un ragazzo *furbacchione*") o addirittura condannabile ("È un tipo *furbastro*, ma non la farà franca").

I suffissi alterativi, cioè i morfemi grammaticali alterativi degli aggettivi qualificativi, come quelli dei sostantivi, si dividono in **diminutivi** (*-ino*, *-etto*, *-ello*, *-erello* ecc.), **vezzeggiativi** (*-uccio*, *-etto*, *-ello* ecc.), **accrescitivi** (*-one*, *-acchione* ecc.), **peggiorativi** o **dispregiativi** (*-accio*, *-astro*, *-azzo* ecc.) e **attenuativi** (*-astro*, *-iccio*, *-occio*, *-ognolo* ecc.).

1.8. Aggettivi composti

Gli aggettivi qualificativi formati dall'unione di due aggettivi (*sacro* + *santo*) oppure dall'unione di un prefisso e di un aggettivo (*inter* + *nazionale*) si chiamano **aggettivi composti** (se ne veda l'elenco alle pp. 551 e ss.):

abito *grigioverde*; parete *variopinta*; viaggio *transcontinentale*.

Di norma, i due elementi dell'aggettivo composto costituiscono un'unica parola: *sacrosanto*. Talvolta però sono divisi da un trattino che ne indica la coesistenza, sottolineandone la mancata fusione in un'unica parola: ciò succede soprattutto quando l'aggettivo composto nasce in occasione di un fatto particolare e transitorio: "scambi commerciali *italo-cinesi*"; "guerra *russo-afgana*"; o quando l'aggettivo nasce dall'accostamento di due aggettivi di significato poco omogeneo: "corsi *teorico-pratici*". In entrambi i casi, sia che formino una parola sola sia che siano costituiti da due elementi separati da un trattino, gli aggettivi composti formano il femminile e il plurale solo nel secondo elemento: "parete *variopinta*, pareti *variopinte*"; "esercito *anglo-americano*, eserciti *anglo-americani*".

1.9. Gradi dell'aggettivo qualificativo

L'aggettivo qualificativo può esprimere anche il grado in cui una qualità è posseduta da una persona o cosa. Poiché una persona o una cosa possono avere una certa qualità in misura uguale, maggiore, minore o massima rispetto a un'altra persona o cosa, l'**aggettivo qualificativo ha tre gradi**:

• grado **positivo**: quando l'aggettivo esprime solo l'esistenza di una qualità: "Piero è *alto*";

• grado **comparativo**: quando l'aggettivo esprime la qualità stabilendo un confronto tra due persone o cose:

– **di maggioranza**: "Paolo è *più alto* di Antonio";
– **di uguaglianza**: "Paolo è *alto come* Antonio";
– **di minoranza**: "Paolo è *meno alto* di Antonio";

• grado **superlativo**: quando l'aggettivo esprime la qualità posseduta al massimo grado in due possibili accezioni:

– **in senso assoluto**: "Paolo è *altissimo*";
– **in senso relativo**: "Paolo è *il più alto* dei suoi compagni".

La possibilità di variare il proprio grado è una caratteristica dell'aggettivo ma, come vedremo, non tutti gli aggettivi la posseggono.

1.9.1. Grado comparativo

Il grado comparativo stabilisce un paragone fra due termini rispetto a una medesima qualità:

Paolo è *meno bello* di Luca.

oppure stabilisce un confronto fra due qualità riferite allo stesso termine:

Paolo è *più intelligente* che studioso.

Poiché il confronto tra due termini può essere impostato su un rapporto di maggioranza, di minoranza o di uguaglianza, il grado comparativo dell'aggettivo può essere **di maggioranza, minoranza, uguaglianza**:

• il **comparativo di maggioranza** si ha quando la qualità espressa dall'aggettivo è presente in misura maggiore nel primo che nel secondo termine di paragone:

Mio fratello è *più giovane di* me.

Il comparativo di maggioranza si forma ponendo l'avverbio *più* davanti all'aggettivo che indica la qualità messa a confronto (o davanti all'aggettivo che costituisce il primo termine di paragone se il confronto è istituito fra due aggettivi) e la preposizione *di* o la congiunzione *che* davanti al secondo termine di paragone. In particolare la preposizione *di*, semplice o articolata, si usa obbligatoriamente davanti all'avverbio *quanto* ed è da preferirsi davanti a un nome o a un pronome non retti da preposizione o avverbio: "Questo ristorante è *più* costoso *di quanto* pensassi"; "Il gatto è *più* agile *del* cane". "Mio fratello è *più* giovane *di* me".

Negli altri casi, davanti a un verbo o a un aggettivo, oppure davanti a un nome o a un pronome retti da preposizione, si deve invece usare la congiunzione *che*: "È *più* pericoloso restare qui *che* uscire nella tormenta"; "*Più* colto *che* avveduto, si è lasciato imbrogliare"; "Questa situazione è *più* spiacevole per me *che* per te".

• il **comparativo di minoranza** si ha quando la qualità espressa dall'aggettivo è presente in misura minore nel primo che nel secondo termine di paragone:

Il bue è *meno agile del* cavallo.

Il comparativo di minoranza si forma ponendo l'avverbio *meno* davanti all'aggettivo che indica la qualità messa a confronto (o davanti all'aggettivo che funge da primo termine di paragone se il confronto è istituito fra due aggettivi) e la preposizione *di*, o la congiunzione *che*, davanti al secondo termine di paragone, secondo gli stessi criteri già indicati per il comparativo di maggioranza: "La questione si è rivelata *meno* complicata *di quanto* avessimo temuto"; "Con me mio padre è *meno* severo *che* con mia sorella".

Quando i due termini di paragone sono costituiti da aggettivi, il comparativo di minoranza è di uso piuttosto raro. Perciò la frase "Quel libro è *meno* istruttivo *che* divertente" si trasforma nella frase "Quel libro è *più* divertente *che* istruttivo".

• il **comparativo di uguaglianza** si ha quando la qualità espressa dall'aggettivo è presente in misura uguale nei due termini di paragone:

Anna è *simpatica come* sua sorella.

Il comparativo di uguaglianza si forma ponendo davanti al secondo termine di paragone gli avverbi *quanto* o *come*, mentre il primo termine di paragone può essere usato da solo oppure può essere fatto precedere dagli avverbi *tanto* o *così*: "Io non sono bravo *come* te", "Quel viaggio risultò faticoso *come* avevamo previsto". Gli avverbi *tanto* e *così* davanti al primo termine di paragone sono usati raramente quando il paragone avviene tra due nomi o due pronomi, ma sono normali, anche se non indispensabili, se il paragone avviene tra due aggettivi o due verbi: "Paolo è (*tanto*) simpatico *quanto* educato"; "Laura sapeva *tanto* rendersi utile *quanto* divertirsi".

1.9.2. GRADO SUPERLATIVO

Il grado superlativo dell'aggettivo indica che una determinata qualità è posseduta al massimo grado o comunque in misura molto elevata. Il grado superlativo può essere **relativo** o **assoluto**:

• il **superlativo relativo** indica che una qualità è posseduta al massimo (superlativo relativo di maggioranza) o al minimo grado (superlativo relativo di minoranza) relativamente a un determinato gruppo di persone o cose:

Paolo è *il più ricco* di noi. La lezione di oggi è stata *la meno noiosa* di tutte.

Il gruppo di persone o cose, relativamente al quale una di esse possiede al massimo o al minimo grado una qualità, può essere espresso esplicitamente e dare luogo a un complemento partitivo introdotto dalle preposizioni *di*, *tra* o *fra*:

Piero è *il più vecchio* [dei fratelli] — [complemento partitivo]

oppure può essere sottinteso:

Abbiamo visitato solo *le* città *più importanti*.

Il superlativo relativo si forma utilizzando unitamente l'articolo determinativo e l'aggettivo al grado comparativo di maggioranza o di minoranza. L'articolo talvolta precede immediatamente l'avverbio *più* o *meno*: "Gianni è *il più simpatico* dei miei amici". Talvolta, invece, l'articolo è collocato prima del nome cui si riferisce: "*Il* fiume *più lungo* d'Italia è il Po".

Quando l'articolo è collocato prima del nome, esso non va ripetuto davanti all'aggettivo. La costruzione "*Il* ragazzo *il più diligente* della classe è Andrea" rappresenta una forma enfatica di origine francese che è meglio evitare.

Ma se il nome è preceduto dall'articolo indeterminativo è necessario far precedere l'aggettivo dall'articolo determinativo: "Un ragazzo, *il più diligente* della classe, ha preparato la relazione della gita"; "Leggendo il libro ho tralasciato un capitolo, *il meno interessante*".

Il superlativo relativo e il comparativo di maggioranza talora si confondono, specialmente quando hanno la stessa struttura (*articolo + avverbio + aggettivo*), come nelle due frasi seguenti: "Paolo è *il più diligente* dei due fratelli"; "Paolo è *il più diligente* dei miei allievi". Per non cadere in errore, bisogna badare non alla forma, ma al significato delle due strutture all'interno delle rispettive frasi, e tener conto del fatto che quando il confronto è tra due persone o cose, o due gruppi di persone o cose, si ha un comparativo e, invece, quando il confronto è tra una sola persona o cosa e l'insieme di tutte le altre persone o cose siffatte si ha un superlativo relativo. Pertanto nel primo esempio, poiché si prendono in considerazione due termini (due fratelli) e si confrontano tra loro, si ha un comparativo. Nel secondo, invece, si ha un superlativo relativo, perché il confronto avviene tra un solo allievo (Paolo) e l'insieme di tutti gli altri allievi. Per lo stesso motivo, in frasi come "La destra è la più agile delle mani" o "La destra è la mano più agile", si ha un comparativo. Invece, in frasi come "Il cane è il più fedele amico dell'uomo" o "Il cane è l'amico più fedele dell'uomo", si ha un superlativo relativo.

• il **superlativo assoluto** ("sciolto", cioè libero da qualsiasi confronto) indica che una qualità è posseduta al massimo grado o in misura elevatissima indipendentemente da ogni confronto e da ogni termine di riferimento:

> Questi bauli sono *pesantissimi*. Lia, *molto studiosa* e *intelligentissima*, ha sempre conseguito *ottimi* risultati negli studi.

Il superlativo assoluto si può formare in più modi:

– aggiungendo all'aggettivo al grado positivo, privato della desinenza morfologica, il suffisso *-issimo* (*-a*, *-i*, *-e*): alto → alt-*issimo*; veloce → veloc-*issimo*. Poiché la *-i-* del suffisso *-issimo* modifica la consonante finale del tema dell'aggettivo come la desinenza *-i* del plurale maschile, si può dire che il superlativo assoluto si forma aggiungendo *-ssimo* al plurale maschile dell'aggettivo:

AGGETTIVO	PLURALE MASCHILE	SUPERLATIVO
onesto	*onesti*	**onestissimo**
bello	*belli*	**bellissimo**
sporco	*sporchi*	**sporchissimo**
largo	*larghi*	**larghissimo**
pio	*pii*	**piissimo**
vario	*vari*	**varissimo**

– premettendo all'aggettivo di grado positivo un avverbio, che ne rafforza il significato, come *molto*, *assai*, *decisamente*, *incredibilmente*, *estremamente*, *oltremodo*: "Gli amici ti hanno trovato *molto simpatico*"; "È un uomo *incredibilmente ricco*"; "La conferenza è stata *estremamente interessante*". Questa costruzione sostituisce il superlativo in *-issimo* in taluni aggettivi in cui la forma in *-issimo* risulterebbe di difficile pronuncia o troppo lunga. Ad esempio gli aggettivi *stantio*, *idoneo*, *voluminoso* hanno come superlativi rispettivamente le forme *molto stantio*, *molto idoneo*, *molto voluminoso*;

– premettendo all'aggettivo di grado positivo prefissi come *arci-*, *ultra-*, *stra-*, *extra-*, *sopra-*, *sovra-*, *super-*, *iper-* ecc.: "Sono *arcistufo* delle tue lamentele"; "L'autobus era *sovraffollato*"; "Un cioccolato di qualità *sopraffina*";

– ripetendo due volte l'aggettivo di grado positivo: "Nella cesta c'è un gatto *piccolo piccolo*"; "Se ne andò via *zitto zitto*";

– rafforzando l'aggettivo positivo con un altro aggettivo di significato analogo: "Sono *stanco morto*"; "Quest'auto è *nuova fiammante*". In questo caso, però, è necessario utilizzare certe "formule" che fanno parte delle espressioni idiomatiche della lingua italiana. Ad esempio, si può dire *pieno zeppo* ma non si può dire *pieno gremito* o *pieno colmo*.

Alcuni aggettivi formano il superlativo assoluto in analogia con le corrispondenti forme latine:

– gli aggettivi *acre*, *aspro*, *celebre*, *integro*, *misero* e *salubre* formano il superlativo assoluto in *-errimo* (*-a*, *-i*, *-e*):

AGGETTIVO ITALIANO GRADO POSITIVO	AGGETTIVO LATINO GRADO SUPERLATIVO	AGGETTIVO ITALIANO GRADO SUPERLATIVO
acre	*acerrimus*	**acerrimo** (solo in senso figurato)
aspro	*asperrimus*	**asperrimo** (ma è accettabile anche la forma *asprissimo*)
celebre	*celeberrimus*	**celeberrimo**
integro	*integerrimus*	**integerrimo** (ma si usa la forma *integrissimo* se l'aggettivo è adoperato in senso proprio)
misero	*miserrimus*	**miserrimo** (ma è accettabile anche la forma *miserissimo*)
salubre	*saluberrimus*	**saluberrimo** (ma è accettabile anche la forma *salubrissimo*)

– gli aggettivi che terminano in *-dico*, *-fico* e *-volo* formano invece il superlativo in *-entissimo* (*-a*, *-i*, *-e*), sempre in analogia con le corrispondenti forme latine:

AGGETTIVO ITALIANO GRADO POSITIVO	AGGETTIVO LATINO GRADO SUPERLATIVO	AGGETTIVO ITALIANO GRADO SUPERLATIVO
malèdico	*maledicentissimus*	**maledicentissimo**
benèfico	*beneficentissimus*	**beneficentissimo**
munìfico	*munificentissimus*	**munificentissimo**
benèvolo	*benevolentissimus*	**benevolentissimo**
malèvolo	*malevolentissimus*	**malevolentissimo**

Gli aggettivi in *-errimo* e in *-entissimo* appartengono a un registro linguistico dotto e letterato e sono perciò di uso molto raro. A parte espressioni come "una vita *integerrima*", "una persona *integerrima*" e un "*acerrimo* nemico", entrate nel linguaggio comune, si preferisce ricorrere ad altre costruzioni del superlativo assoluto oppure a espressioni di significato equivalente: "Manzoni è uno scrittore *molto celebre* (invece di *celeberrimo*)"; "Questo tuo giudizio mi sembra *assai malevolo* (invece di *malevolentissimo*)"; "È un uomo di *estrema munificenza* (invece di *munificentissimo*)";
– di origine latina, infine, è anche il superlativo assoluto di *ampio*, *amplissimo* (*-a*, *-i*, *-e*), costruito sulla radice dell'aggettivo latino *ampl-us*: "Al di là del fiume si stende una *amplissima* pianura".

1.9.3. COMPARATIVI E SUPERLATIVI DI FORMA SPECIALE

Gli aggettivi qualificativi **buono**, **cattivo**, **grande** e **piccolo** presentano, assieme alle forme normali di comparativo e superlativo, anche **forme speciali** (dette "organiche" in quanto costituite da una parola sola) che non derivano dal grado positivo dell'aggettivo, ma da forme latine:

Quanto all'uso, le due forme degli aggettivi in questione si equivalgono, anche se le forme speciali sono preferite nelle espressioni di senso figurato. Così si dice: "È *il più grande* imbroglione che conosco", ma: "Occorre *il massimo* sforzo". Le forme speciali, inoltre, sono obbligatorie in espressioni come "la velocità *massima*", "le temperature *minime*", "per cause di forza *maggiore*", "la *maggiore* età", "il *maggiore* dei miei figli", "il *minore* dei miei figli", "il male *minore*".

GRADO POSITIVO	GRADO COMPARATIVO DI MAGGIORANZA	GRADO SUPERLATIVO	
		RELATIVO	ASSOLUTO
buono (lat. *bonus*)	più buono opp. **migliore** (lat. *melior*)	il più buono opp. **il migliore**	buonissimo (opp. molto buono, particolarmente buono ecc.) opp. **ottimo** (lat. *optimus*)
cattivo (lat. *malus*)	più cattivo opp. **peggiore** (lat. *peior*)	il più cattivo opp. **il peggiore**	cattivissimo (opp. molto cattivo, assai cattivo ecc.) opp. **pessimo** (lat. *peximus*)
grande (lat. *magnus*)	più grande opp. **maggiore** (lat. *maior*)	il più grande opp. **il maggiore**	grandissimo (opp. molto grande ecc.) opp. **massimo** (lat. *maximus*)
piccolo (lat. *parvus*)	più piccolo opp. **minore** (lat. *minor*)	il più piccolo opp. **il minore**	piccolissimo (opp. molto piccolo ecc.) opp. **minimo** (lat. *minimus*)

Come appare dalla tabella, con le forme speciali, il superlativo relativo si forma premettendo l'articolo al comparativo di maggioranza: "Paolo è *il migliore* dei miei amici"; "Roberto è *il minore* dei fratelli". Quando non è espresso esplicitamente il gruppo al quale si riferisce la qualificazione superlativa, si usano i superlativi assoluti *massimo* e *minimo*: "Non ho provato *il minimo* dispiacere"; "Da parte mia ti prometto *il massimo* impegno".

1.9.4. COMPARATIVI E SUPERLATIVI PRIVI DI GRADO POSITIVO

Derivano dal latino anche altre forme di comparativi e superlativi organici che non hanno, in latino come in italiano, il corrispondente aggettivo di grado positivo e che derivano da preposizioni latine, come si può vedere nella tabella a pagina seguente.

Alcune delle forme di comparativi e di superlativi derivanti da preposizioni latine vengono adoperate come comparativi e superlativi speciali di aggettivi

PREPOSIZIONE LATINA		GRADO COMPARATIVO DI MAGGIORANZA	GRADO SUPERLATIVO ASSOLUTO
ante	(= prima, davanti)	**anteriore**	–
extra	(= fuori)	**esteriore**	**estremo**
infra	(= sotto, in basso)	**inferiore**	**infimo**
intra	(= dentro)	**interiore**	**intimo**
prae	(= davanti)	–	**prossimo**
post	(= dopo, dietro)	**posteriore**	**postremo** o **postumo**
pro-prope	(= vicino)	–	**prossimo**
supra	(= sopra)	**superiore**	**supremo** o **sommo**
ultra	(= oltre, al di là)	**ulteriore**	**ultimo**

di grado positivo che per lo più hanno già dei normali comparativi e superlativi. Così *superiore* e *supremo* (o *sommo*) sono usati come comp. e superl. di *alto*; *inferiore* e *infimo* sono usati come comp. e superl. di *basso*; *interiore* e *intimo* sono usati come comp. e superl. di *interno*; *esteriore* e *estremo* sono usati come comp. e superl. di *esterno*. Ad esempio si dice: "Un albergo di *infima* (= bassissima) categoria"; "Uno studioso di *sommo* (= altissimo) ingegno"; "Le tue capacità sono *superiori* (= più alte) alle mie"; "Il guadagno è stato *inferiore* (= più basso) al previsto". Tra l'altro, come si vede dagli esempi, i comparativi *superiore* e *inferiore* (come del resto anche *anteriore* e *posteriore*) si costruiscono non con *di* o *che* ma con *a*: "un'intelligenza *superiore alla* media".

Quanto alla frequenza d'uso, le forme organiche come *inferiore/infimo*, *superiore/sommo* hanno la stessa diffusione delle forme normali *più basso/bassissimo*, *più alto/altissimo*. Le prime, però, appartengono a un registro più letterario e sono preferite alle altre nelle espressioni figurate. Così si dice: "una montagna *altissima*" ma "un *sommo* artista". E ancora: "il punto *più interno*" ma "un'*intima* convinzione".

Molti di questi comparativi e superlativi, inoltre, hanno perduto l'originario valore comparativo e superlativo e sono ormai sentiti dal parlante come aggettivi di grado positivo: "la vita *interiore*"; "un *intimo* convincimento"; "le zampe *anteriori*"; "le ruote *posteriori*"; "un *ulteriore* avviso". Alcuni di essi, poi, proprio perché considerati ormai di grado positivo, non solo formano il superlativo relativo utilizzando il superlativo assoluto ("Dobbiamo fare il *massimo* sforzo", "nel *supremo* istante della vita"), ma ammettono anche il superlativo assoluto e/o relativo: "le *ultimissime* parole"; "i *primissimi* giorni"; "i miei parenti *più prossimi*"; "le opinioni *più estreme*"; "i sentimenti *più intimi*".

Il superlativo *prossimo*, invece, può essere usato sia come superlativo relativo sia come sinonimo dell'aggettivo *vicino*: "Ci fermeremo al *prossimo* casello (= al *più vicino* casello)"; "La città è *prossima* al mare (= *vicina* al mare)".

Il comparativo *ulteriore*, che nell'italiano colto viene usato in alcune denominazioni geografiche come *Gallia ulteriore* ("la Gallia che sta al di là", rispetto alla *Gallia citeriore*, "la Gallia che sta al di qua"), è entrato nel linguaggio burocratico e poi nell'italiano medio come aggettivo positivo nel senso di *nuovo*, *altro*: "Presto verranno diramate *ulteriori* notizie"; "In attesa di raccogliere *ulteriori* prove".

Il superlativo *postremo* non è più in uso. Il superlativo *postumo* si è ridotto ad aggettivo di grado positivo con il significato di "(figlio) nato dopo la morte del padre" o di "(opera letteraria) pubblicata dopo la morte dell'autore".

1.9.5. AGGETTIVI CHE NON HANNO IL COMPARATIVO E IL SUPERLATIVO

Non tutti gli aggettivi qualificativi possono avere il comparativo e il superlativo. Non hanno questa forma:

– gli aggettivi qualificativi che indicano più che una vera e propria "qualità" una precisa caratteristica, una misura di tempo, una forma geometrica, una composizione materiale: in pratica, quegli stessi aggettivi che, per il loro valore distintivo-restrittivo, devono essere collocati dopo il nome cui si riferiscono. Così non è possibile formare il comparativo o il superlativo di espressioni come: una scuola *statale*, un oggetto *cubico*, un elemento *chimico*, una penisola *asiatica*, una rivista *settimanale*, un disturbo *psichico*;

– gli aggettivi indicanti nazionalità, provenienza regionale o credenza religiosa, come *italiano*, *siciliano*, *musulmano*. Talvolta questi aggettivi sono usati al grado superlativo in frasi come: "un prodotto *italianissimo*"; "un'usanza *sicilianissima*". Si tratta di costruzioni enfatiche che è meglio evitare sostituendole con espressioni di analogo significato: "un prodotto *tipicamente italiano*"; "un'usanza *tipica della Sicilia*". Molto diffuso, invece, è, con questi aggettivi, il grado comparativo in frasi come: "Qualcuno si crede *più cristiano* degli altri"; "Paolo è *più interista* del presidente della squadra"; "Sei *più musulmano* di un arabo"; "È *più marxista* di Marx"; "Mi sento *più italiano* di te";

– gli aggettivi che presentano già di per sé, al grado positivo, un significato di superlativo: *colossale*, *enorme*, *eterno*, *meraviglioso*, *straordinario*, *infinito*, *divino*. L'aggettivo *eccezionale* viene talvolta usato al comparativo e al superlativo, ma espressioni come "Un prezzo *eccezionalissimo*"; "Una notizia ancora *più eccezionale*" e "Lo spettacolo *più eccezionale* che abbiate mai visto" suonano decisamente ridondanti ed enfatiche;

– gli aggettivi alterati come *bellino*, *caruccio*, *mascalzoncello*. Alcuni di essi, però, possono essere usati al grado comparativo: "Mario è *più grassoccio* di suo fratello"; "Finalmente ti vedo *meno pallidino* del solito". Il loro uso al superlativo, invece, è piuttosto lezioso e ricercato: "un regalo *carinissimo*".

1.9.6. SUPERLATIVI SOSTANTIVATI E NOMI AL SUPERLATIVO

Gli aggettivi di grado superlativo, relativo e assoluto, come gli aggettivi qualificativi di grado positivo, possono talvolta essere usati con valore di sostantivo.

In tal caso sono sempre preceduti dall'articolo o dalla preposizione articolata: "*Sul più bello* della festa, è cominciato a piovere"; "Solo *i bravissimi* sono riusciti a risolvere quel problema"; "Perché ti aggreghi sempre *ai più stupidi*?"; "Sono *al massimo* della felicità"; "Il valore del dollaro ha toccato *il massimo* storico"; "Il motore dell'auto non tiene *il minimo*".

Di norma, solo l'aggettivo qualificativo e l'avverbio, grazie alle costruzioni del comparativo e del superlativo, possono esprimere gradi diversi di intensità. Talvolta, però, al fine di ottenere espressioni particolarmente efficaci, soprattutto nel linguaggio pubblicitario e in quello sportivo, la desinenza del superlativo viene aggiunta anche ai nomi. Nascono così: *occasionissima*, *affarissimi*, *campionissimo*, *salutissimi*, *augurissimi*, *padronissimo*, *poltronissima*, *veglionissimo*, *canzonissima*, *risatissima*, *finalissima*. Talora, poi, il superlativo del nome è presente anche in alcune locuzioni avverbiali come *in gambissima*, *a postissimo*, *d'accordissimo*. Si tratta di "curiosità" linguistico-grammaticali che possono risultare più o meno felici sul piano espressivo, ma di cui è meglio servirsi con molta cautela in quanto, usato troppo ripetutamente, il superlativo del nome suona banale e perde il suo scopo che è quello di richiamare l'attenzione.

1.9.7. COMPARATIVO E SUPERLATIVO DEGLI AGGETTIVI DETERMINATIVI

Tra gli aggettivi solo i qualificativi possono essere usati al grado comparativo e superlativo. Gli aggettivi determinativi (o indicativi), invece, non hanno né il comparativo né il superlativo. Fanno eccezione tre aggettivi indefiniti: **molto**, **tanto** e **poco**.

Molto presenta il comparativo **più** (che deriva dal latino *plus* e ha forme uguali al maschile, femminile, singolare e plurale) e il superlativo **moltissimo** (*-a*, *-i*, *-e*): "Ho *molti* libri"; "Ho *più* libri di te"; "Ho *moltissimi* libri".

Tanto presenta il superlativo **tantissimo** (*-a*, *-i*, *-e*): "Sono passati *tantissimi* anni".

Poco presenta il comparativo **meno** (che ha forme uguali per il maschile, femminile, singolare e plurale) e il superlativo **pochissimo** (*-a*, *-i*, *-e*): "Nella mia classe ci sono *pochi* ragazzi"; "Nella mia classe ci sono *meno* ragazzi che ragazze"; "Nella mia classe ci sono *pochissimi* ragazzi".

Eccezioni sono anche i superlativi *stessissimo*, da *stesso*, e *nessunissimo*, da *nessuno*, che però non sono di uso molto frequente.

2. Gli aggettivi determinativi o indicativi

Gli aggettivi determinativi o indicativi specificano il nome cui si riferiscono attraverso una particolare determinazione. Essi, a seconda del tipo di determinazione che esprimono, si distinguono in:

• **aggettivi possessivi**, se esprimono una determinazione di possesso: il *tuo* libro;

• **aggettivi dimostrativi**, se indicano una posizione nello spazio: *questo* libro;

• **aggettivi indefiniti**, se indicano una quantità generica: *alcuni* libri;

• **aggettivi numerali**, se indicano una quantità precisa o una posizione in una serie numerica: *sette* libri, il *settimo* libro;

• **aggettivi interrogativi**, se introducono una determinazione in forma di domanda: *quanti* libri?

• **aggettivi esclamativi**, se introducono una determinazione in forma di esclamazione: *quanti* libri!

Da un punto di vista sintattico, invece, gli aggettivi determinativi rientrano nella classe dei **determinanti** (vedi la nota 5 a p. 160) e si possono distinguere in due categorie: 1) quelli che convivono con l'articolo come prearticoli o postarticoli, come i numerali, la maggior parte dei possessivi e alcuni indefiniti ("l'*ottavo* piano"; "il *mio* libro"; "un *altro* uomo"); 2) quelli che si usano in sostituzione dell'articolo, come i dimostrativi, gli interrogativi, gli esclamativi, la maggior parte degli indefiniti e, in taluni casi, i possessivi.

Gli aggettivi determinativi sono chiamati anche aggettivi pronominali perché, oltre che accompagnare, come gli aggettivi qualificativi, il nome, possono anche sostituirlo e, quindi, essere usati anche come pronomi: "Questo è *il mio* cane, ma non vedo ancora *il tuo*".

2.1. Gli aggettivi possessivi

L'aggettivo possessivo precisa a chi appartiene la persona, l'animale o la cosa indicati dal nome cui è riferito:[3]

[3] Il concetto di possesso precisato dall'aggettivo possessivo non va sempre inteso come possesso reale e materiale, di una persona o di una cosa, ma in senso più ampio. In espressioni come "*mio* padre", "il *mio* ufficio", "la *vostra* insegnante", "la *tua* cara Laura", gli aggettivi *mio*, *vostra*, *tua* non indicano certo un rapporto di possesso ma

il *mio* cane; la *tua* amica; il *suo* libro; i *nostri* quaderni; le *vostre* matite; il *loro* banco.

L'aggettivo possessivo, unico tra tutti gli aggettivi, ha una duplice funzione: non solo precisa la persona del possessore ("la *mia* casa" precisa che la casa in questione è *mia* e non di un'altra persona), ma specifica anche l'oggetto posseduto ("la *mia* casa" specifica che la casa di cui si parla è la *mia* e non un'altra).

Come conseguenza della loro prima funzione, gli aggettivi possessivi sono sei, tanti quante le persone a cui qualcosa può appartenere: tre singolari (in rapporto alle tre persone singolari: *io*, *tu*, *egli*) e tre plurali (in rapporto alle tre persone plurali: *noi*, *voi*, *essi*). Invece, in conseguenza della loro seconda funzione, gli aggettivi possessivi concordano in genere e in numero con il nome cui si riferiscono. Si avranno pertanto i seguenti aggettivi possessivi:

PERSONA	SINGOLARE		PLURALE	
	MASCHILE	FEMMINILE	MASCHILE	FEMMINILE
1ª sing. (*io*)	**mio**	**mia**	**miei**	**mie**
2ª sing. (*tu*)	**tuo**	**tua**	**tuoi**	**tue**
3ª sing. (*egli*, *essa*)	**suo**	**sua**	**suoi**	**sue**
1ª plur. (*noi*)	**nostro**	**nostra**	**nostri**	**nostre**
2ª plur. (*voi*)	**vostro**	**vostra**	**vostri**	**vostre**
3ª plur. (*essi*, *esse*)	**loro**	**loro**	**loro**	**loro**

una relazione di parentela ("Ieri *mio* padre ha avuto un aumento"), un rapporto di consuetudine, di amicizia ("Quando torna la nostra *Laura*?"), di lavoro o di dipendenza ("I *nostri* allievi oggi sono tutti in gita") o anche una particolare abitudine ("Per nulla al mondo rinuncerebbe al *suo* riposino dopo pranzo"). In pratica, quello che viene definito aggettivo possessivo altro non è se non un equivalente dell'espansione-complemento di specificazione del nome. Infatti, secondo la linguistica generativa, l'aggettivo possessivo, nella struttura profonda della frase, è prodotto da un sintagma nominale costituito da un articolo determinativo (*il*) e da un complemento del nome (*di me*, *di te*, *di lui* ecc.): "il *mio* libro", dunque, è prodotto da "il libro *di me*". Quest'origine del possessivo spiega perché esso, unico tra tutti gli aggettivi, vari nel genere e nel numero sia in relazione con il nome cui si riferisce (*libro*, *casa* ecc.) sia in relazione con la persona cui rimanda (*io*, *tu*, *egli* ecc.).

Tutti gli aggettivi possessivi, come si è detto, concordano in genere e in numero con il sostantivo cui si riferiscono, cioè con la cosa (persona, animale o oggetto) posseduta: "il *mio* libro; i *tuoi* esami; la *sua* amica; le *sue* penne; il *nostro* insegnante; le *vostre* case". Gli aggettivi di terza persona *suo* (*sua*, *suoi*, *sue*) e *loro*, però, si regolano anche sul sostantivo che indica il possessore. In particolare, si deve usare *suo* (*sua*, *suoi*, *sue*) quando il possessore è uno solo: "Paolo mi ha prestato il *suo* giradischi"; "Paolo mi ha prestato i *suoi* appunti"; "Laura è venuta con le *sue* amiche". Invece, si deve usare *loro* (invariabile) quando i possessori sono due o più: "Paolo e Antonio mi hanno prestato il *loro* giradischi"; "I giocatori italiani sono partiti senza le *loro* divise".

Questo differente uso di *suo* e di *loro* comporta talora anche un diverso significato. Infatti, poiché *suo* (*sua*, *suoi*, *sue*) si riferisce sempre a persona singolare e *loro* a più persone, una cosa è dire: "Paolo e Antonio si occupano dei *loro* (= i propri) interessi" e un'altra è dire: "Paolo e Antonio si occupano dei *suoi* (= di lui, cioè di una persona nominata prima) interessi".

La lingua italiana, oltre alle forme *mio*, *tuo*, *suo*... che determinano con precisione le varie persone, possiede altre due forme di aggettivi possessivi: **proprio** e **altrui**.

Proprio (*propria*, *propri*, *proprie*), che è anche un aggettivo qualificativo e può avere funzione di avverbio, esprime l'idea di possesso in modo molto netto e preciso: "Egli pensa soltanto ai *propri* interessi"; "Tutti devono preoccuparsi della *propria* salute".

In particolare, *proprio* si usa:

– per rafforzare l'aggettivo possessivo: "Ho dipinto la casa con le *mie proprie* mani"; "Paolo e Laura hanno potuto contare solo sulle *loro proprie* forze". In questo caso, l'aggettivo *proprio* sottolinea il senso di proprietà o il valore affettivo del possesso, ma risulta piuttosto pesante ed è per lo più evitato;

– in sostituzione degli aggettivi possessivi di terza persona singolare e plurale *suo* e *loro*, soprattutto quando si vuole stabilire un più stretto rapporto tra possessore e cosa posseduta: "Paolo ama il *proprio* lavoro (invece di: il *suo* lavoro)"; "Gli uomini si battono in difesa della *propria* libertà (invece di: della *loro* libertà)". L'uso di *proprio* in luogo di *suo* e di *loro* è possibile solo quando si riferisce al soggetto della proposizione, cioè quando soggetto e possessore sono la medesima persona. Così, si può dire: "Carlo ha molta cura della *propria* auto", perché l'"auto" appartiene a "Carlo" che è il soggetto della proposizione. Invece, sarebbe errato dire: "Ho visto Carlo con la *propria* auto", perché *proprio*, in questo caso, non si riferisce al soggetto ("io"), ma al complemento oggetto ("Carlo").

L'uso di *proprio*, in sostituzione degli aggettivi possessivi di terza persona, è obbligatorio:

– nelle frasi con verbo impersonale: "Si deve fare il *proprio* dovere"; "È difficile saper ammettere i *propri* errori";

– quando è necessario evitare ambiguità di significato: in questo caso l'aggettivo *proprio* chiarisce che il possessore della cosa in questione è il soggetto della proposizione e non un altro elemento. Ad esempio, nella frase: "Piero chiede a Massimo i *suoi* pattini", non è chiaro se i "pattini" sono di Piero o di Massimo. Si dirà, pertanto: "Piero chiede a Massimo i *suoi* pattini", se i pattini sono di Massimo. Si dirà invece: "Piero chiede a Massimo i *propri* pattini", se appartengono a Piero.[4]

Infine, l'uso di *proprio* è preferibile nelle frasi che hanno come soggetto un pronome indefinito o un nome accompagnato da un aggettivo indefinito: "Ognuno avrà il *proprio* compito"; "Tutti i passeggeri presero i *propri* bagagli e si avviarono al treno".

Altrui è un aggettivo possessivo invariabile che indica un possessore indefinito, cioè attribuisce il possesso di una cosa a una persona generica, diversa da chi parla o da chi ascolta. Come significato corrisponde alle espressioni "di un altro, di un'altra, di altri, degli altri" e si usa soltanto in riferimento a persona: "Impara a rispettare le opinioni *altrui* (= degli altri)"; "Non bisogna impicciarsi degli affari *altrui* (= di altri)".

[4] Talvolta l'ambiguità generata dall'aggettivo possessivo è tale che nemmeno il ricorso a *proprio* è sufficiente a chiarire il discorso. Così, nella frase "Paolo sollevò Laura e la portò in braccio fino alla *sua* auto" non si capisce di chi sia l'auto, se di Paolo o di Laura. In questo caso, e in altri analoghi, se l'auto è di proprietà di Paolo (e quindi del soggetto della proposizione), per evitare ambiguità, si può usare l'aggettivo *proprio*: "Paolo sollevò Laura e la portò in braccio fino alla *propria* auto". Invece, se l'auto è di Laura (e quindi di una persona diversa dal soggetto della proposizione), per evitare ambiguità, bisogna usare le forme *di lui*, *di lei*, *di loro*: "Paolo sollevò Laura e la portò in braccio fino all'auto *di lei*". L'ambiguità di frasi siffatte dipende dal valore logico che il possessivo *suo* (o ovviamente il possessivo *loro*) ha in italiano: infatti, nella frase "Marco ama *suo* fratello" il possessivo "suo" si riferisce a "Marco", cioè al soggetto della frase; invece se, parlando di Marco con un'altra persona, dico: "Ho visto *suo* fratello", il possessivo "suo" si riferisce a una terza persona diversa tanto da me che parlo quanto dal mio interlocutore e significa: "di lui", cioè "di Marco". In latino la distinzione tra i due diversi valori logici del possessivo italiano "suo" è evidenziata anche a livello formale: se "suo" si riferisce al soggetto della frase in cui si trova si rende con *suus*: "Marcus fratrem *suum* diligit"; se invece "suo" si riferisce a una persona diversa dal soggetto si traduce con *eius*, che corrisponde appunto al nostro 'di lui': "Vidi fratrem *eius*".

2.1.1. LA POSIZIONE DELL'AGGETTIVO POSSESSIVO

Quando ha funzione attributiva, vale a dire quando si trova nel gruppo del nome, l'aggettivo possessivo si colloca di solito prima del nome cui si riferisce, più precisamente tra l'articolo (o un eventuale aggettivo dimostrativo o indefinito) e il nome: "i *loro* dischi"; "questa *tua* auto"; "qualunque *tuo* contributo".

Tra l'aggettivo possessivo e il nome cui esso si riferisce, naturalmente, si può inserire qualsiasi tipo di aggettivo: "I *miei* tre amici sono partiti per il mare"; "Paolo è venuto a trovarmi con il *suo* nuovo motorino".

In alcuni casi, però, l'aggettivo possessivo viene posto dopo il nome cui si accompagna. Ciò succede:

– nelle espressioni esclamative e vocative: "Figlio *mio*!"; "Ragazzi *miei*, qui bisogna sbrigarsi";

– in alcune espressioni particolari come: "a casa *mia*"; "per colpa *tua*"; "da parte *mia*"; "i fatti *miei*";

– quando si vuole dare particolare rilievo all'aggettivo possessivo: "Non toccare la roba *mia*!".

A differenza degli altri possessivi, *altrui* segue di solito il nome cui si riferisce: "Bisogna rispettare le opinioni *altrui*". Collocato prima del nome, conferisce un tono letterario alla frase: "Non compiacerti dell'*altrui* dolore".

Come gli altri aggettivi, il possessivo può anche avere funzione predicativa e trovarsi quindi nel gruppo del verbo: "Questa auto è *mia*"; "Questi dischi sono *loro*".

Nell'uso concreto della lingua, *proprio* e *altrui* non vengono mai utilizzati in funzione predicativa.

2.1.2. L'AGGETTIVO POSSESSIVO E L'ARTICOLO

L'aggettivo possessivo, di solito, è preceduto dall'articolo, determinativo o indeterminativo: "*la mia* casa"; "*un nostro* amico"; "Partiremo con *i vostri* amici".

L'articolo determinativo, però, si omette:

– quando l'aggettivo possessivo accompagna un nome indicante parentela (*padre*, *madre*, *figlio* ecc.): "*Mio* fratello frequenta il liceo"; "Abbiamo incontrato *vostra* madre".

Obbligatoria con nomi come *padre*, *madre*, *figlio*, *figlia*, *marito* e *moglie*, l'omissione dell'articolo davanti al possessivo è facoltativa davanti agli altri nomi. Perciò si può dire tanto "*mia* nonna" quanto "*la mia* nonna", tanto "*mia* suocera" quanto "*la mia* suocera", tanto "*mia* cognata" quanto "*la mia* cognata". Ma anche davanti a nomi indicanti parentela, l'articolo non si omette: a) quando i nomi indicanti parentela sono usati al plurale: "I *suoi* fratelli sono simpatici"; "Abitano qui le *tue* zie?"; b) quando i nomi indicanti parentela sono alterati (*fratellastro*, *nonnino*, *zietta*) o in forma vezzeggiativa (*mamma*, *babbo*, *papà*): "Il *suo* fratellino è una peste"; "Com'è giovane la *tua* mamma!"; c) quando i nomi indicanti parentela sono accompagnati da un aggettivo qualificativo o da un complemento di specificazione: "Il *mio* caro fratello"; "Non ho mai conosciuto il *mio* cugino di Napoli"; d) quando l'aggettivo possessivo che accompagna il nome indicante parentela è l'aggettivo di terza persona plurale *loro*: "Ho incontrato la *loro* zia"; "Il *loro* padre lavora all'estero".

– nelle espressioni esclamative o vocative: "Amore *mio*!"; "Signori *miei*, è ora di partire";

– in talune espressioni: "Ha agito di testa *sua*"; "Per colpa *tua* non siamo andati a teatro";

– quando l'aggettivo possessivo è usato in funzione predicativa: "Questo libro è *mio*".

2.1.3. OMISSIONE DELL'AGGETTIVO POSSESSIVO

Tutte le volte che il possessore è chiaramente intuibile dal contesto, l'aggettivo possessivo si omette:

Paolo alzò la testa dai libri.

In effetti, dire: "Paolo alzò la *sua* testa dai libri" sarebbe, oltre che ridondante, banale e goffo, giacché Paolo non può alzare dai libri che la sua testa. Per lo stesso motivo si dice sempre: "I nemici alzarono le braccia in segno di resa"; "Laura si è slogata la mano". L'aggettivo possessivo, in frasi come queste, si omette anche se la parte del corpo indicata non appartiene al soggetto della frase, purché sia presente un pronome personale complemento: "Il gatto *ti* ha graffiato la faccia"; "*Gli* strinsi la mano".

L'aggettivo possessivo si omette anche quando il possessore è facilmente intuibile dal contesto o è indicato chiaramente da qualche elemento. Per esempio:

Paolo mi ha restituito il libro.

Infatti, la precisazione "il *mio* libro" sarebbe chiaramente superflua. Allo stesso modo, nella frase "Oggi pomeriggio sono andata al cinema con il *bab-*

bo e con la *mamma*" la determinazione di possesso "con il *mio* babbo" e "con la *mia* mamma" non è necessaria, a meno che non si voglia dare alla frase una forte espressività, specialmente nella lingua di registro familiare.

Per concludere, è meglio non abusare dell'aggettivo possessivo. Infatti il suo uso frequente è un francesismo e appesantisce inutilmente la frase.

2.1.4. AGGETTIVI POSSESSIVI SOSTANTIVATI

L'aggettivo possessivo, di solito, si accompagna a un nome. In alcuni casi particolari, però, esso viene usato da solo al posto di un nome di cui ha ormai assunto stabilmente il significato: si chiama allora aggettivo possessivo sostantivato:

> "Non rispondere a questa *mia* perché fra pochi giorni sarò da te. Salutami i *tuoi* e arrivederci a presto".

Gli aggettivi possessivi sostantivati di uso più comune sono:

– *i miei, i tuoi...* per indicare i genitori, i familiari, i parenti più stretti oppure gli amici, gli alleati: "*I miei* non mi aiutano"; "Arrivano i *nostri*!";

– *il mio, il tuo...* per indicare il patrimonio, le proprietà oppure ciò che è dovuto a qualcuno: "Non desiderare *l'altrui*"; "Voglio soltanto *il mio*";

– *la mia, la tua...* nel linguaggio specifico della prosa epistolare per far riferimento a una lettera: "Abbiamo ricevuto la pregiata *Vostra*"; "Quando riceverai questa *mia*";

– *la mia, la tua...* per indicare "l'opinione", "il giudizio": "Adesso sentite *la mia*"; "Non rinuncia mai a dire *la sua*";

– *una delle mie, delle tue...* con il significato di "birichinate, stranezze" oppure "sciocchezze, spiritosaggini": "Non combinarne un'altra *delle tue*"; "Ne ha detta una *delle sue*";

– *dalla mia, dalla tua...* con il significato di "dalla mia parte, dalla tua parte...": "Sono tutti *dalla mia*"; "Ha sempre avuto la fortuna *dalla sua*".

2.1.5. LE FORME DI CORTESIA

Quando ci si rivolge, a voce o per iscritto, a una persona con cui non si è in particolare confidenza o con cui si hanno solo rapporti di carattere professionale, si usa sempre l'aggettivo possessivo di terza persona singolare (*forma di cortesia*) invece che quello di seconda persona singolare. Così, a un amico con cui si è in confidenza si dice: "Come sta *tua* sorella?". Invece, a un superiore o a una persona con cui si hanno solo rapporti formali si dice: "Come sta *sua* sorella?". Per iscritto, l'aggettivo possessivo, nella forma di cortesia, può assumere la maiuscola: "Come sta *Sua* sorella?".

Ormai caduto in disuso, invece, come forma di cortesia e di rispetto, è l'aggettivo possessivo di seconda persona plurale, che una volta era molto diffuso e ora resiste soltanto in taluni dialetti meridionali, specialmente in ambito familiare: "Come sta la *vostra* gentile signora?". Il possessivo di seconda persona plurale, come forma di cortesia, è invece tuttora molto usato nel linguaggio burocratico e in quello commerciale e, in genere, in tutti i messaggi scritti di tipo formale: "In risposta alla *Vostra* lettera del 10 luglio u.s., ci pregiamo comunicar*Vi* che siamo finalmente in grado di evadere la *Vostra* richiesta...".

2.2. Gli aggettivi dimostrativi

Gli aggettivi dimostrativi indicano la posizione di una persona o di una cosa nello spazio, nel tempo o nel discorso, rispetto a chi parla o a chi ascolta: si chiamano dimostrativi appunto perché hanno la funzione di "mostrare" il nome cui si riferiscono.[5]

In italiano, gli aggettivi dimostrativi sono **questo**, **quello** e **codesto**. Ad essi sono poi da aggiungere anche **stesso** e **medesimo**, che sono chiamati aggettivi dimostrativi di identità o identificativi.

2.2.1. QUESTO, QUELLO, CODESTO

Gli aggettivi dimostrativi **questo**, **quello** e **codesto** in funzione attributiva[6] si usano sempre prima del nome cui si riferiscono e non sono

[5] La grammatica strutturale e la grammatica generativa considerano gli aggettivi dimostrativi dei **determinanti**, cioè dei costituenti del sintagma nominale che dipendono nel genere e nel numero dal nome che specificano, attualizzano e determinano. I dimostrativi, pertanto, equivalgono all'articolo determinativo con cui, di fatto, sono commutabili e con cui sono incompatibili (si può dire tanto "*il* libro" quanto "*questo* libro", ma non "*il questo* libro"). Quanto alla funzione, i dimostrativi hanno per lo più funzione deittica (dal greco *déiknumi*, 'indico, mostro'), cioè quella di "mostrare" la persona o la cosa oggetto del discorso come se si facesse un gesto con la mano. In alcuni casi, *questo* e *quello* possono porre in relazione il nome cui si riferiscono con un altro elemento della frase, ad esempio un pronome relativo, e anticiparlo richiamando l'attenzione sul nome stesso: "*Quei* gioielli di cui ti avevo parlato ormai sono stati venduti". In questo caso, si dice che gli aggettivi dimostrativi hanno funzione anaforica (dal greco *anaphéro*, 'ripeto').

[6] Quando si trova in *funzione predicativa*, l'aggettivo dimostrativo si trova nel *gruppo del verbo*: "il mio libro è *quello*"; "La casa di Paolo mi sembra *quella*".

mai preceduti dall'articolo perché assolvono essi stessi la funzione di determinare il nome:

questo libro; *quella* cassa; *codesta* ditta; *questo* bel libro; *quella* mia casa; *codeste* tre ditte.

Possono essere preceduti dall'aggettivo indefinito *tutto*: "*tutti questi* libri".

Dal punto di vista morfologico, gli aggettivi dimostrativi, che concordano con il nome cui si riferiscono, presentano forme variabili nel genere e nel numero:

SINGOLARE		PLURALE	
MASCHILE	FEMMINILE	MASCHILE	FEMMINILE
questo **codesto** **quello**	**questa** **codesta** **quella**	**questi** **codesti** **(quelli)**[7]	**queste** **codeste** **quelle**

Dal punto di vista semantico ciascuno di questi aggettivi ha un significato e quindi un impiego ben precisi:

• **questo** indica persona o cosa vicina a chi parla (l'*emittente del messaggio*). Tale vicinanza può riguardare lo spazio materiale ("Di chi è *questo* vocabolario sulla mia scrivania?"), il tempo ("*Quest'*estate [= l'estate che deve venire] farò una lunga vacanza"), un argomento di cui si è appena parlato ("Ricordati *queste* mie parole") e, nella lingua scritta, uno spazio mentale ("*Questa* speranza mi indusse a partire").

Al maschile e al femminile singolare *questo* si può elidere davanti a parole inizianti per vocale, ma nell'italiano attuale l'elisione è sempre meno frequente: "*quest'*anno" o "*questo* anno"; "*quest'*arma" o "*questa* arma". Talvolta, *questo* viene rafforzato con gli avverbi di luogo *qui* e *qua*, sempre collocati dopo il sostantivo cui l'aggettivo dimostrativo si riferisce: "*Questo* ragazzo *qui* è il mio unico aiuto"; "Con *questa* gente *qua* c'è poco da fidarsi".

In alcune parlate dialettali e nel linguaggio familiare-colloquiale, *questo* (o, meglio, la forma medievale *esto*) si riduce per aferesi (cioè per la caduta di un suono all'inizio della parola) a *'sto* (*'sti* per il plurale, *'sta*, *'ste* per il singolare e il plurale femminile). Si tratta, però, di una forma che è preferibile evitare e che, comunque, deve essere limitata alla sola espressione orale:

[7] La forma *quelli* è usata solo come pronome.

"'*Sto* scemo di mio fratello, guarda cos'ha combinato!". La forma del femminile singolare abbreviata '*sta* ha, però, dato vita ad alcuni avverbi composti di uso normale: *stamani*, *stamattina*, *stasera*, *stanotte*, *stavolta*.

• **codesto** (meno comune *cotesto*) indica persona o cosa vicina a chi ascolta o legge (il *ricevente del messaggio*). Tale vicinanza può essere riferita allo spazio materiale ("Portami *codesto* foglio che hai in mano"), al tempo ("In *codesta* occasione non ti sei comportato bene"), a un argomento del discorso ("Non dovevi farmi *codeste* cose") e a uno spazio mentale ("*Codesto* tuo atteggiamento non mi piace").

Ormai *codesto* è praticamente caduto in disuso e, al suo posto, si usa quasi sempre *quello*: "Portami *quei* fogli che hai in mano". *Codesto*, però, continua a essere usato nella parlata toscana e, ma sempre con minore frequenza, anche nella lingua letteraria. Nel linguaggio burocratico e commerciale, dove pure sopravvive, indica, con effetto spersonalizzante, l'ufficio, l'ente o l'autorità cui ci si rivolge: "Il sottoscritto Luigi Rossi, avendo inoltrato domanda di rimborso presso *codesto* ufficio...".

• **quello** indica persona o cosa lontana sia da chi parla o scrive (l'*emittente*) sia da chi ascolta o legge (il *ricevente del messaggio*). Tale lontananza può riguardare lo spazio materiale ("Arriveremo fino a *quel* torrente in fondo alla valle"), il tempo ("*Quell'*anno al mare siamo stati proprio bene"), un argomento del discorso ("Lasciamo perdere il resto e prendiamo in considerazione *quella* tua affermazione di ieri") e uno spazio mentale ("*Quella* paura non lo lasciava mai").

Quanto al genere e al numero *quello* assume forme diverse a seconda di come inizia la parola seguente. In pratica, esso si comporta come l'articolo determinativo, come risulta dalla tabella seguente:

	davanti a z, ps, gn, x, y, s *preconsonantica*	*davanti alle altre consonanti*	*davanti a vocali*
sing. masch.	**quello** zaino	**quel** tavolo	**quell'**albero
sing. femm.	**quella** zucca	**quella** matita	**quell'**estate
plur. masch.	**quegli** psichiatri	**quei** tavoli	**quegli** alberi
plur. femm.	**quelle** streghe	**quelle** ragazze	**quelle** auto

A volte *quello* viene rinforzato con gli avverbi di luogo *lì* e *là*, sempre posposti al nome cui l'aggettivo dimostrativo si riferisce: "Non toccare *quelle* scatole *là*".

2.2.2. AGGETTIVI DIMOSTRATIVI SOSTANTIVATI

A differenza degli aggettivi qualificativi, i dimostrativi, di norma, non possono essere usati come sostantivi. Tuttavia, *questo* e *quello* assumono **valore di sostantivo** in alcune particolari espressioni: «C'è stata una grandinata *in quel* (= nella zona) di Milano"; "*In quella* (= proprio in quel momento), ecco arrivare l'orco"; "*Quelle* (= le ragazze, le alunne) della II B sono antipatiche"; "*Quelli* della Juventus (= i tifosi) sono amareggiati per la sconfitta". Come si vede, quando è usato con valore di sostantivo, *quello* assume al plurale maschile la forma regolare *quelli*.

Un uso sostantivato degli aggettivi dimostrativi è anche l'uso di *questo* e *quello* in senso **neutro**, per indicare *questa cosa* o *quella cosa*, per lo più in senso collettivo ("tutte quelle cose" o "tutte queste cose"): "E *questo* non è tutto"; "*Quello* che non sai è ancora peggio".

Per lo più in casi siffatti, invece di *questo* in senso neutro, si usa il pronome *ciò*.

2.2.3. STESSO E MEDESIMO

Affini ai dimostrativi sono gli aggettivi **stesso** e **medesimo**, che indicano identità e uguaglianza tra persone o cose e sono perciò più propriamente chiamati aggettivi dimostrativi di identità o identificativi. Variabili nel genere e nel numero, hanno il significato di "uguale, identico", stanno sempre prima del nome e, diversamente dai dimostrativi, possono essere preceduti dall'articolo:

> Paolo e Laura frequentano la *stessa* scuola. Marco dice sempre le *medesime* cose.

Spesso, invece che indicare identità e uguaglianza, *stesso* e *medesimo* vengono usati per rafforzare il nome cui si riferiscono e dargli maggior risalto: in questo caso si pongono preferibilmente dopo il nome e significano "perfino, proprio lui, lui in persona": "Io *stessa* (= perfino io) ammetto di aver sbagliato"; "Il preside *stesso* (= il preside in persona) ha consegnato le medaglie ai vincitori"; "Lo *stesso* preside della Scuola (= il preside in persona: ma qui *stesso* precede il nome cui si riferisce perché il sintagma nominale è piuttosto lungo) ha consegnato le medaglie ai vincitori"; "Paolo *medesimo* (= perfino Paolo, anche Paolo) non ha saputo cosa dire".

Questa funzione rafforzativa di *stesso* (più raramente di *medesimo*) è molto frequente con i pronomi personali ("io *stesso*"), riflessivi ("me *stesso*"), dimostrativi ("questo *stesso*") e possessivi ("il vostro *stesso*").

Quanto all'uso, *stesso* e *medesimo* non differiscono tra loro. Tuttavia, *stesso* ha quasi completamente soppiantato *medesimo*, che è sentito come piuttosto letterario e ricercato.

Sono considerati aggettivi dimostrativi identificativi anche gli aggettivi indefiniti **tale** e **certo** e gli aggettivi **simile** e **siffatto** quando significano "questo", "quello", "di questo tipo", "di questa natura", quando cioè hanno funzione dimostrativa: "*Certe* cose non si dicono"; "Dopo *tali* avvertimenti tutto tornò normale"; "Un *simile* comportamento è indegno di te".

2.3. Gli aggettivi indefiniti

Gli aggettivi indefiniti si uniscono a un nome di persona, di animale o di cosa per esprimere un'idea di quantità vaga e indeterminata o di qualità generica e imprecisa:[8]

> *Molti* ragazzi parteciperanno alla gita. Paolo si è trasferito in un'*altra* scuola. Ho usato un foglio *qualsiasi*.

[8] Gli indefiniti costituiscono la sottocategoria più vasta degli aggettivi determinativi e, nel contempo, anche la meno facilmente delimitabile in quanto in essa confluiscono forme di significato molto diverso. La stessa denominazione di "indefinito" è in contraddizione con quella di "determinativi" che si dà alla categoria di cui fanno parte. Come può essere "indefinito" ciò che appartiene alla categoria di ciò che "determina", cioè "definisce"? La contraddizione però è solo apparente. Anche gli indefiniti sono dei determinativi perché hanno la funzione di determinare, per quanto in modo generico, la quantità o la qualità del nome che accompagnano. Indubbiamente i dimostrativi *questo* e *quello* e i numerali *tre*, *venti*, *ottavo* sembrano assolvere meglio la loro funzione di determinativi perché "indicano" e "quantificano" con precisione; ma, a un esame più attento, anche gli indefiniti *molto*, *nessuno*, *poco* rivelano una loro funzione determinativa. Certo, "*sette* libri" sono sette libri per tutti, mentre "molti libri" possono essere dieci, venti, trenta, cento o mille libri, a seconda delle diverse situazioni e delle diverse opinioni, ma in "*molti* libri" *molti* esclude pur sempre *pochi*, *nessuno*, *alcuni* e quindi in qualche modo determina. Per contro, l'indefinito *tutto* può sembrare tutt'altro che un indefinito in quanto "determina" con assoluta precisione il nome che accompagna: "Ho comprato *tutti* i libri". Proprio per l'impossibilità di arrivare a una definizione onnicomprensiva di questa sottocategoria di aggettivi, la linguistica moderna invita a prescindere il più possibile da analisi fondate sul "senso" di questi aggettivi e si limita ad analizzarli, in rapporto alla loro funzione e alla loro posizione, come i determinanti: così alcuni sono dei "quantitativi" (*parecchio*), altri dei "distributivi" (*ciascuno*, *ogni*), altri dei "negativi" (*nessuno*, *alcuno*); alcuni poi sono dei "prearticoli" ("*tutta* la classe") e altri, invece, dei "postarticoli" ("un *altro* uomo"). Taluni linguisti, poi, chiamano tutti i cosiddetti indefiniti "quantificatori indefiniti", perché, come i numerali ("quantificatori definiti"), contengono in sé un'idea di quantità che va da *nessuno* a *tutto*.

La parola "molti" riferita a "ragazzi" ci informa che i ragazzi non saranno pochi, ma non ne precisa il numero. Nel secondo esempio, la parola "altra", riferita a "scuola", ci fa capire che Paolo frequenta una scuola diversa da quella che frequentava prima, ma non ci dice quale sia la nuova scuola. Nel terzo esempio, "qualsiasi" attribuito a "foglio" non ci informa sulla qualità precisa del foglio ma ci dice soltanto che si tratta, appunto, di un foglio qualsiasi.

Per la genericità e l'indeterminatezza dell'indicazione che attribuiscono al nome, gli aggettivi indefiniti possono essere paragonati agli articoli indeterminativi e si contrappongono agli aggettivi dimostrativi che presentano, invece, evidenti analogie con gli articoli determinativi. Proprio per il fatto che svolgono una funzione analoga a quella dell'articolo indeterminativo, gli aggettivi indefiniti, a parte alcune eccezioni che verranno di volta in volta segnalate, rifiutano l'articolo.

Gli aggettivi indefiniti costituiscono una classe di parole ormai chiusa e, quindi, non soggetta ad ampliamenti. Derivati per lo più dal latino attraverso una serie di modifiche, essi sono rimasti praticamente inalterati per numero e morfologia nel corso della storia della lingua italiana.

Abbastanza numerosi e di uso frequente, sono molto vari per forme e per significato e l'unico elemento che hanno in comune è proprio il "tratto indefinito" che li contrappone agli altri aggettivi (possessivi, dimostrativi e numerali) forniti del "tratto definito", e che li porta a indicare in modo generico la quantità o la qualità. Per questo motivo, la loro classificazione non è facile. Tuttavia, poiché alcuni di essi possono essere usati solo come aggettivi, altri solo come pronomi, e altri tanto come aggettivi quanto come pronomi, gli indefiniti possono essere raggruppati in tre vaste categorie, come appare dalla tabella della pagina seguente, in cui sono distinti anche in base al fatto che indichino una quantità indefinita o una qualità indefinita e in base al fatto che siano variabili per genere e numero o invariabili.

Nei paragrafi che seguono, gli indefiniti sono raggruppati a seconda che siano solo aggettivi o aggettivi e pronomi o solo pronomi, e di ciascuno sono analizzate tutte le caratteristiche morfologiche, semantiche, etimologiche e, quando è necessario, sintattiche.

2.3.1. Indefiniti che possono avere solo funzione di aggettivo

Gli indefiniti che possono essere usati solo in funzione di aggettivi sono:

• **ogni**: invariabile, precede sempre il nome cui si riferisce e si usa so-

	AGGETTIVI	AGGETTIVI E PRONOMI	PRONOMI
QUANTITÀ INDEFINITA	**ogni** **qualche**	**alcuno, -a, -i, -e** **ciascuno, -a** **taluno, -a, -i, -e** **certuno, -a, -i, -e** **certo, -a, -i, -e** **tale, -i** **altro, -a, -i, -e** **nessuno, -a** **poco, -a, -i, -e** **parecchio, -a, -i, -e,** **molto, -a, -i, -e** **alquanto, -a, -i, -e** **tanto, -a, -i, -e** **altrettanto, -a, -i, -e** **troppo, -a, -i, -e** **tutto, -a, -i, -e**	**ognuno, -a** **qualcuno, -a** **qualcosa** **un tale** **altri** (sing.) **nulla** **niente**
QUALITÀ INDEFINITA	**qualunque** **qualsiasi** **qualsivoglia**	**diverso, -a, -i, -e** **vario, -a, -i, -e**	**qualcuno** **chiunque** **chicchessia** **checché**

lo unitamente a nomi al singolare. Individua singolarmente ciascuno dei componenti di una totalità di persone o di cose:

Ogni ragazzo vorrebbe possedere una moto.

In taluni casi ha il significato di *qualsiasi*: "Secondo me, il marito è al di sopra di *ogni* sospetto". Seguito da un aggettivo numerale, acquista valore distributivo e indica il ripetersi di un fatto o di un'azione a intervalli regolari di tempo: "Questa medicina va presa *ogni* sei ore".

• **qualche**: invariabile, si usa solo unitamente a nomi al singolare. Indica una pluralità indefinita, ma limitata:

Qualche studente (= più di uno, ma non molti) non si è presentato agli esami.

Oltre che pluralità, *qualche* può esprimere, in taluni casi, altri significati: il significato dell'articolo indeterminativo: "Se Luca è così triste, ci sarà pure *qualche* (= un) motivo"; il significato di "un certo", quando è accompagnato dall'articolo indeterminativo: "Sono gioielli di *un qualche* valore (= un certo valore)".

• **qualunque**: invariabile, significa "quale che sia, di qualsiasi tipo":

Puoi venire da me a *qualunque* ora.

A differenza della maggior parte degli altri indefiniti, *qualunque* può essere preceduto dall'articolo indeterminativo: "Puoi venire da me a (una) *qualunque* ora". Può essere inoltre collocato dopo il nome cui si riferisce, cosa che succede sempre quando il nome è al plurale: "Puoi venire da me a un'ora *qualunque*"; "Sono delle persone *qualunque*". In questo caso, *qualunque* ha spesso significato spregiativo (= banale, insignificante).

• **qualsiasi**: invariabile, ha lo stesso significato di *qualunque*:

Qualsiasi studente di medicina saprebbe far meglio del dottor Rossi.

Come *qualunque*, *qualsiasi* può essere preceduto dall'articolo indeterminativo e può essere posposto al nome, assumendo spesso, in tal caso, un significato spregiativo: la collocazione dopo il nome, del resto, è d'obbligo quando *qualsiasi* accompagna un nome plurale: "Un *qualsiasi* avvocato risolverebbe facilmente la causa"; "Non è un tipo *qualsiasi*"; "Mi sembrano persone *qualsiasi*".

• **qualsivoglia, qualsisia**: invariabili, hanno lo stesso significato e le stesse modalità d'uso di *qualsiasi*, ma si adoperano con frequenza molto minore in quanto appartengono al registro letterario della lingua:

Prendiamo un *qualsivoglia* punto nello spazio.

2.3.2. INDEFINITI CHE POSSONO AVERE FUNZIONE SIA DI AGGETTIVO SIA DI PRONOME

Gli indefiniti che possono essere usati sia come aggettivi, e quindi accompagnare il nome cui si riferiscono ("Non ho visto *nessun* ragazzo"), sia come pronomi, e quindi sostituirsi al nome ("Non ho visto *nessuno*"), sono:

• **poco**: variabile per genere e numero, indica una quantità oggettivamente esigua oppure insufficiente rispetto a una determinata necessità:

Nelle strade si vedono *pochi* passanti. C'è *poco* gelato: non basterà per tutti.

Poco ha un superlativo regolare, *pochissimo* (*-a*, *-i*, *-e*), e un comparativo irregolare, *meno*, che presenta forme uguali per entrambi i generi e i numeri: "Oggi ho *meno* lavoro di ieri".

• **alquanto**: variabile per genere e per numero, è di uso poco comune e indica una quantità non particolarmente rilevante ma comunque soddisfacente:

Erano presenti *alquanti* ragazzi.

• **parecchio**: variabile per genere e numero, indica una quantità rilevante ma lievemente inferiore rispetto a quella indicata da *molto*:

Manca *parecchio* tempo alla partenza.

La differenza di significato tra *parecchio* e *molto* è lieve e, quindi, i due aggettivi vengono spesso usati come sinonimi: "Ho ancora *parecchi* giorni di ferie" oppure "Ho ancora *molti* giorni di ferie".

• **tanto**: variabile per genere e numero, indica, come *molto* ma con maggior enfasi, una quantità decisamente rilevante:

Ho aspettato *tanto* tempo!

In correlazione con *che* o *da*, *tanto* assume il significato di "così grande" e introduce una proposizione consecutiva: "Ha *tanto* amore per i suoi figli che non ne vede i difetti". In correlazione con *quanto* o con se stesso, introduce una proposizione comparativa di uguaglianza: "La nonna ha comprato *tanti* regali *quanti* sono i suoi nipotini"; "*Tanti* tagliandi mi consegnerai, *tanti* premi ti darò".

• **altrettanto**: variabile per genere e numero, ha valore correlativo ed esprime uguaglianza nella quantità:

Ho comprato tre berretti e *altrettante* sciarpe. Ho *altrettanto* sonno di te.

• **molto**: variabile per genere e numero, indica una quantità decisamente rilevante:

Ho *molta* fame.

Molto ha un superlativo regolare, *moltissimo* (*-a*, *-i*, *-e*), e un comparativo irregolare, *più*, che presenta un'unica forma al maschile, femminile, singolare e plurale: "Questo lavoro mi dà *più* noie che soddisfazioni".

• **troppo**: variabile per genere e numero, indica una quantità che si ritiene eccessiva:

Qui c'è *troppa* gente.

• **tutto**: variabile per genere e numero, si usa per indicare una totalità oppure per esprimere la straordinaria abbondanza di qualcosa:

Hai mangiato *tutti* i biscotti. Con *tutta* questa neve non si può viaggiare.

Come appare dagli esempi, di solito *tutto* si usa unitamente a un articolo determinativo o a un aggettivo dimostrativo, che si collocano fra *tutto* e il nome cui si riferisce. In alcune espressioni particolari, che hanno ormai un valore di formule fisse, *tutto* si unisce direttamente al nome cui si riferisce: *di tutto cuore*, *a tutto spiano*, *in tutta confidenza*, *con tutta evidenza*, *a tutto vapore*.

Quando si accompagna a un nome proprio di persona o di luogo, *tutto* rifiuta o vuole l'articolo determinativo secondo le stesse norme che regolano in generale la caduta o la presenza dell'articolo determinativo davanti a un nome proprio: "Ho girato *tutta la* Sicilia"; "Ho letto *tutto* 'Linus'"; "Conosce bene *tutto* Leopardi".

Quando è usato con i numerali (a parte *uno*), *tutto* si unisce a essi mediante la congiunzione *e*: "Ho portato dal veterinario *tutti e* tre i miei gatti".

Infine, *tutto* è spesso usato come sostantivo: "Vogliamo *tutto*!"; "*Tutto* qui costa un occhio della testa".

• **nessuno**: variabile nel genere, ma privo di plurale, significa "non uno", "neppure uno" e indica assenza o numerazione assoluta:

Nessun cliente si è lamentato. *Nessuna* donna si è presentata.

Nessuno si tronca in *nessun* davanti a vocale e a consonante, ma non davanti a *s* preconsonantica, *ps*, *gn*, *x*, *y*, *z*. Il femminile *nessuna* si può elidere in *nessun'* davanti a vocale, ma è ugualmente corretta la forma senza elisione.

Nessuno si usa spesso, in luogo del più corretto *alcuno*, in frasi che contengono già un'altra negazione. In questo caso è sempre posposto al verbo: "Non si è lamentato *nessun* cliente".

Nelle proposizioni interrogative dirette e nelle interrogative indirette introdotte dalla congiunzione *se*, *nessuno* assume valore positivo e vale "qualche"; in questo caso, anche se posposto al verbo, non richiede necessariamente l'avverbio di negazione: "Hai *nessuna* notizia dei tuoi?"; "C'è *nessuna* lettera per me?" (ma anche "Non c'è *nessuna* lettera per me?").

• **alcuno**: variabile per genere e numero, si adopera al singolare nelle frasi negative o dopo la preposizione *senza* come equivalente di *nessuno* per indicare mancanza assoluta:

Hai fatto questo lavoro senza *alcun* impegno. Non c'è *alcuna* difficoltà. Non ti posso dare *alcun* aiuto.

Al plurale, ha lo stesso significato di *qualche* e indica un numero non elevato di persone o cose:

Ci sono *alcune* cose che non capisco. Hanno parlato in suo favore *alcuni* testimoni.

Alcuno, maschile singolare, si tronca in *alcun* davanti a vocale e consonante, ma non davanti a *s* preconsonantica, *ps*, *gn*, *x*, *y*, *z*. *Alcuna*, femminile singolare, si può elidere in *alcun'* davanti a vocale, ma è ugualmente corretta la forma senza elisione.

Alcuno appartiene a un registro linguistico di tono elevato ed è perciò di uso meno frequente rispetto a *nessuno* e a *qualche* che, per lo più, lo sostituiscono. Così, invece di "Non c'è *alcuna* difficoltà" ormai si dice "Non c'è *nessuna* difficoltà" e, invece di "Hanno parlato in suo favore *alcuni* testimoni", si dice "*Qualche* testimone ha parlato in suo favore".

• **veruno**: variabile per genere, ma non per numero, ha lo stesso significato di *alcuno* in frase negativa, ma è piuttosto antiquato e letterario e ormai disusato:

È stato condannato senza *veruna* colpa.

• **ciascuno**: variabile per genere, si adopera esclusivamente al singolare e ha lo stesso significato di *ogni*, di cui è meno usato:

Ciascun bambino reciterà una poesia.

Il maschile *ciascuno* si tronca in *ciascun* davanti a vocale e consonante, ma non davanti a *s* preconsonantica, *ps*, *gn*, *x*, *y*, *z*. Il femminile *ciascuna* si può elidere in *ciascun'* davanti a vocale, ma è ugualmente corretta la forma senza elisione.

Lo stesso significato di *ciascuno* hanno **ciascheduno** (**-a**), che è di uso ormai molto raro, e **cadauno** (**-a**) che, invece, è usato soprattutto nel linguaggio commerciale: "Bluse a diecimila lire *cadauna*".

Quando specifica un soggetto plurale, l'indefinito *ciascuno* ammette ben tre costruzioni con l'aggettivo possessivo: 1) "Voi amate *ciascuno* la *vostra* famiglia"; 2) "Voi amate *ciascuno* la *sua* famiglia"; 3) "Voi amate *ciascuno* la *propria* famiglia".

Nel primo caso si considera come possessore il soggetto specifico della frase, *voi*, e perciò si usa *vostra*. Nel secondo caso, invece, si considera come possessore il soggetto secondario, cioè l'indefinito distributivo *ciascuno* e perciò si usa *sua*. Nel terzo caso, invece, si evita ogni ambiguità e si usa *propria*. Tutte e tre le costruzioni sono legittime, ma l'ultima, in virtù della sua chiarezza e precisione, è preferibile.

La stessa varietà nell'uso dell'aggettivo possessivo, naturalmente, sussiste anche quando l'indefinito *ciascuno* determina, anziché un soggetto, un complemento oggetto plurale: 1) "Riponi i dischi *ciascuno* al *loro* posto"; 2) "Riponi i dischi *ciascuno* al *suo* posto"; 3) "Riponi i dischi *ciascuno* al *proprio* posto".

• **taluno**: variabile per genere e numero, si adopera per lo più solo al plurale con significato analogo ad *alcuno* e *certo*, rispetto ai quali, però, è di tono letterario:

Taluni studiosi ritengono prossimi vari mutamenti climatici.

Spesso *taluno* è collocato in correlazione con il pronome indefinito *talaltro*: "*Taluni* insegnanti ti giudicano maturo, *talaltri*, invece, dicono che sei ancora molto infantile".

• **certuno**: variabile per genere e numero, ha lo stesso significato e le stesse modalità d'uso di *taluno*, ma è di tono letterario e perciò di uso poco frequente:

In *certune* occasioni non so come comportarmi.

• **altro**: variabile per genere e numero, può assumere molteplici significati a seconda del contesto in cui è inserito. Infatti: può esprimere il concetto di ripetizione e aggiunta: "Devi fare molti *altri* progressi, prima di partecipare a una gara di sci"; può indicare differenza e diversità: "Prima abitavo in un'*altra* città"; può significare "restante, rimanente": "Cosa farai dell'*altra* stoffa?"; può significare "scorso, precedente": "L'*altro* quadrimestre ho fatto molte assenze"; può significare "prossimo, seguente": "Quest'*altr*'anno andrò al mare"; può significare "nuovo": "Alberto crede di diventare un *altro* Coppi"; unito ai pronomi personali di prima e seconda persona plurale *noi* e *voi*, assume un valore rafforzativo e distintivo: "Mentre *voi altri* (o *voialtri*) ve la spassate, *noi altri* (o *noialtri*) lavoriamo".

• **diverso**: variabile per genere e numero, ha valore di aggettivo indefinito con il significato di "parecchio", "un certo numero", quando è usato unitamente a nomi plurali o singolari collettivi:

Alla conferenza c'era *diversa* gente. Ciò accadde *diversi* anni fa.

Più comunemente *diverso* ha valore di aggettivo qualificativo con il significato di "differente": "Su questo argomento ho un'opinione *diversa* dalla tua".

• **vario**: variabile per genere e numero, ha valore di aggettivo indefinito con il significato di "parecchio" quando è usato unitamente a nomi plurali o singolari collettivi:

Ho *varie* cose da dirti.

Più comunemente *vario* ha valore di aggettivo qualificativo con il significato di "differente, variato, multiforme": «"Il mondo è bello perché è *vario*", dice un proverbio».

• **tale**: variabile nel numero[9] ma non nel genere, indica persona o cosa ignota o che non si vuol precisare. Usato al singolare è per lo più preceduto dall'articolo indeterminativo:

Ti vuole al telefono un *tal* Rossi.

Preceduto dall'articolo determinativo indica persona o cosa indeterminata:

Vorrei vedere la *tal* persona.

Sempre con l'articolo determinativo, ma posposto al nome, ha un valore più forte: "Vieni il giorno *tale*, all'ora *tale*".

Al plurale si usa per lo più senza articolo:

Sono arrivati alcuni loro amici, *tali* Rossi.

Può essere preceduto da "questo" o "quello" in funzione rafforzativa:

Bisognerà poi parlare di questa *tal* faccenda.

Tale, non di rado, ha funzione di aggettivo dimostrativo, sia nel significato di "questo" e "quello" ("Mi ha detto che non aveva più bisogno di me e con *tali* parole mi ha congedato") sia nel significato di "simile, siffatto" ("*Tali* episodi sono molto gravi"). In correlazione con *che* e *da*, significa "così grande" e introduce o sottintende la proposizione consecutiva: "Ho una *tale* fame *che* mangerei anche un sasso"; "Mi sono preso un *tale* spavento (sottinteso: 'che mi è passato il sonno')". In correlazione con *quale* o anche con se stesso, *tale* indica identità o somiglianza molto accentuata: "Quel bambino è *tale* (e) *quale* sua madre"; "*Tale* il padre, *tale* il figlio".

• **certo**: variabile per genere e numero, presenta molteplici significati: usato al singolare e preceduto dall'articolo indeterminativo *un*, esprime una quantità non molto grande ma neppure troppo esigua: "Ha scritto saggi di *un certo* valore"; sempre al singolare e preceduto dall'articolo *un*, può essere sinonimo di "un tale" per indicare una persona la cui identità non è nota: "Ti ha cercato *un certo* Carlo"; usato al plurale, è sinonimo di "alcuno" e "qualche": "Vado al cinema con *cer-*

[9] Il singolo *tale* può essere troncato in *tal*, specialmente davanti a parola iniziante per consonante.

ti miei amici"; assume il significato di "simile", "tale", "siffatto", per lo più in senso spregiativo: "È meglio non frequentare *certa* gente"; ha valore intensivo: "Nella traduzione del brano hai fatto *certi* errori!".

Oltre a essere un aggettivo indefinito, *certo* è un aggettivo qualificativo con il significato di "sicuro", "chiaro", "evidente" e come tale deve essere sempre collocato dopo il nome cui si riferisce. Quindi una cosa è dire: "Posso darti notizie *certe* (= notizie sicure)", un'altra è dire: "Posso darti *certe* notizie (= alcune notizie)", e un'altra ancora: "Posso darti *certe* notizie!".

2.3.3. INDEFINITI CHE POSSONO AVERE SOLO FUNZIONE DI PRONOME

Gli indefiniti che si possono usare solo come pronomi, cioè in sostituzione di un nome, sono: **uno**, **qualcuno**, **qualcosa**, **ognuno**, **chiunque**, **chicchessia**, **talaltro**, **checché**, **niente**, **altri**, **nulla**, **alcunché**. Per l'analisi dei loro significati e delle loro funzioni, si veda *Il pronome* alle pp. 216-219.

2.4. Gli aggettivi numerali

I numerali[10] sono aggettivi che forniscono precise informazioni quantitative al nome cui si riferiscono:

Ho bisogno di *quattro* pennarelli. Paolo abita al *terzo* piano.
Questo quadro ha un prezzo *doppio* di quello.

In base al tipo di informazione quantitativa che aggiungono al nome, i numerali si distinguono in:

- **cardinali**: *uno*, *due*, *tre*...
- **ordinali**: *primo*, *secondo*, *terzo*...
- **moltiplicativi**: *doppio*, *triplo*...

[10] I numerali rappresentano la categoria di parole più ricca della lingua, giacché sono infiniti come i numeri naturali che indicano. La grammatica tradizionale li divide in cardinali, quando indicano una quantità precisa di cose (*uno*, *due*, *tre*...), in ordinali, quando determinano l'ordine di successione in una serie (*primo*, *secondo*, *terzo*...), in moltiplicativi, quando definiscono una quantità indicando di quanto è maggiore rispetto a un'altra (*doppio*, *triplo*...) e li considera tutti aggettivi determinativi. Invece, la grammatica distribuzionale e la grammatica generativa inseriscono i numerali cardinali nella classe dei determinanti (come gli articoli, i dimostrativi, i possessivi e gli indefiniti) e i numerali ordinali e i numerali moltiplicativi tra gli aggettivi qualificativi.

2.4.1. AGGETTIVI NUMERALI CARDINALI

Gli aggettivi numerali cardinali determinano in modo preciso e assoluto la quantità numerica delle cose di cui si parla:

uno straccio; *tre* quaderni; *due* libri; *quattro* case.

I cardinali corrispondono alla serie infinita dei numeri e sono detti "cardinali" perché costituiscono il "cardine", il "fondamento" di tutta la numerazione. Essi si possono considerare aggettivi di quantità "determinata" ed "esatta" rispetto agli aggettivi indefiniti che, invece, indicano una quantità "generica" e "approssimativa": "Il Comune ha deciso di regalare *dieci* pennarelli e *qualche* matita a *ogni* bambino che frequenta le *tre* scuole pubbliche della città".

Gli aggettivi numerali cardinali sono invariabili, tranne *uno* che al femminile ha la forma *una* e *mille* che al plurale ha la forma *-mila* (dal latino *milia*): "*tremila* uomini". Inoltre, i cardinali da *uno* a *dieci* e i cardinali *venti*, *cento*, *mille* sono parole primitive; i nomi delle decine che terminano in *-anta* sono parole derivate; tutti gli altri cardinali sono parole composte.

Osservazioni

– Come l'articolo indeterminativo, l'aggettivo numerale cardinale **uno** si tronca in *un* davanti a vocale ("*un* amico") e a consonante ("*un* cane"), ma non davanti a *s* preconsonantica, *ps*, *gn*, *x*, *y*, *z* ("*uno* straccio"; "*uno* zio"); al femminile *una* si elide davanti a vocale: "*un*'amica". Quando è in combinazione con altri numeri (*ventuno*, *trentuno*, *duecentouno*...) e accompagna un nome plurale, *uno* di solito rimane invariato sia che segua il nome sia che lo preceda (in questo caso *uno* subisce quasi sempre il troncamento): "alle ore *ventuno*"; "*trentuno* donne" oppure (con troncamento) "*trentun* donne"; "di anni *quarantuno*" oppure (con troncamento) "di *quarantun* anni". Se però, come spesso succede con *cento* e con *mille*, non fa corpo con il numerale con cui è in combinazione ma è collegato dalla congiunzione *e*, *uno* trascina il nome al singolare e concorda con esso nel genere: "Le mille e *una* notte".

– **Tre** non deve essere accentato in quanto è un monosillabo, ma vanno accentati i suoi composti: "*tre* ragazzi"; "*ventitré* ragazzi".

– Le **decine da venti in poi** troncano la vocale finale quando si uniscono a *uno* e a *otto*: *ventuno*, *ventotto*, *trentuno*, *trentotto*. Con *cento*, *duecento* ecc., però, sono corrette anche le forme non tronche e, anzi, *centouno*, *centootto*, *duecentootto*, *novecentootto* ecc. sono ormai più usate di *centuno*, *centotto*, *duecentotto* ecc. La medesima oscillazione si ha con *ottanta*: *centottanta* o *centoottanta*. Le decine da *venti* a *novanta* e *cento* si possono elidere quando sono seguite dal nome "anno": *vent'anni/venti anni*, *quarant'anni/quaranta anni*, *cent'anni/cento anni*. *Mille* invece non si elide mai.

Tra i numerali i composti di **dieci**, **diciassette** e **diciannove** presentano il raddoppiamento della *s* di *sette* e della *n* di *nove* dovuto al fenomeno fonetico dell'assimilazione. *Diciassette*, infatti, deriva dal latino *decem ac septem* → *decemseptem* → *diciassette* con assimilazione di *ms* in *ss* (e di *pt* in *tt*); *diciannove* deriva dal latino *decem ac novem* → *decem novem* → *decemnovem* → *diciannove*. Il raddoppiamento delle due consonanti, ovviamente, non si ha nei composti di *sette* e *nove* con le altre decine: *ventisette*, *ventinove*, *trentasette*, *trentanove* ecc. In latino, infatti, le decine superiori a dieci terminavano in vocali (*viginti*, *triginti* ecc.) e, quindi, nel passaggio dal latino all'italiano non si sono verificati fenomeni fonetici di assimilazione.

– Gli **aggettivi numerali costituiti da più elementi** si scrivono uniti: *trentaquattro*, *quattrocentododici*, *cinquecentoquattro*. Però, i numeri composti che hanno come primo elemento *cento* o *mille* oppure li contengono possono anche essere scritti staccati e uniti mediante la congiunzione *e*: "*centoquattordici* pagine" oppure "*cento e quattordici* pagine"; "*milletrecento* lire" oppure "*mille e trecento* lire". Quando **cento** o **mille** sono uniti a *uno* mediante la congiunzione *e*, *uno*, come si è visto, deve accordarsi per genere al nome e quest'ultimo deve essere al singolare: "*centouno* pagine" ma "*cento e una* pagina".

– I cardinali **milione** (= mille migliaia) e **miliardo** (= mille milioni) non sono aggettivi numerali ma nomi maschili e, di conseguenza, presentano regolari forme plurali. I loro multipli si scrivono staccati, ma senza congiunzioni: *tre milioni*; *quattro miliardi*. Quando non sono seguiti da un numerale, *milione* e *miliardo* vogliono dopo di sé un complemento partitivo introdotto dalla preposizione *di*: "*tre miliardi di* lire"; "*alcuni milioni di* abitanti". Quando invece sono seguiti da un aggettivo numerale, cui di solito sono uniti con la congiunzione *e*, non reggono più un partitivo e quindi la preposizione *di* si omette: "*un milione e quattrocentomila* lire".

Posizione e uso

– L'aggettivo numerale, in funzione attributiva, si colloca normalmente prima del nome cui si riferisce: "Stasera inizia uno sceneggiato in sei puntate"; "Il padre di Paolo è un uomo di quarantatré anni". Posto dopo il nome, il cardinale acquista un particolare rilievo: "Il signor Paolo Bianchi, di anni ventiquattro, è rimasto vittima, ieri, di un grave incidente stradale".

– In talune espressioni il numerale cardinale si colloca dopo il nome, ma in questo caso assume il valore di un numerale ordinale o, meglio, sostituisce un ordinale perché in tali espressioni si fa riferimento a un posto indicato in una serie: "Bisogna studiare a memoria a pagina *ventisei*" (= alla ventiseiesima pagina del libro); "Mi hanno dato la camera *otto*" (= l'ottava camera dell'albergo); "Troviamoci all'uscita *sette*" (= la settima uscita dello stadio). Questo tipo di costruzione si usa in particolare nelle espressioni con cui si indicano le ore e le date. In questo caso, il nome che accompagna il numerale viene spesso sottinteso e quindi il cardinale risulta sostantivato: "Paolo è nato *nel*(l'anno) *1975*" (propriamente: nell'anno che si colloca al millenovecentosettantacinquesimo posto nella serie degli anni successivi alla nascita di Cristo); "Sono *le* (ore) *quattro*" (propriamente: la quarta ora dopo la mezzanotte o il mezzogiorno); "Il prossimo incontro è stato fissato per *il* (giorno) *dodici* ottobre" (propriamente: il dodicesimo giorno del mese di ottobre). Con l'aggettivo numerale cardinale posposto, in funzione di ordinale, il nome cui esso si riferisce può essere sottinteso anche quando la situazione o il contesto permettono di capire a che cosa si allude: "Mi dia la chiave *della* (camera) *ventotto*".

– Se il nome cui si riferisce il numerale cardinale è accompagnato dall'articolo e/o da un aggettivo possessivo o dimostrativo, il numerale cardinale si pospone a essi: "*I tre* cani di mio zio hanno messo in fuga un ladro"; "Vieni a vedere *questi tre* cani"; "*I miei tre* cani sono ferocissimi". Se, invece, il nome è preceduto da un aggettivo qualificativo, l'aggettivo numerale cardinale si colloca prima di esso: "Ho incontrato *quattro* simpatici ragazzi"; "Questi *quattro* grossi cani sono ferocissimi".

– Come gli altri aggettivi anche il numerale cardinale può avere funzione predicativa e in tal caso si colloca nel gruppo del verbo: "I nani amici di Biancaneve erano *sette*".

– L'aggettivo numerale cardinale, di solito, non è preceduto dall'articolo né dalla preposizione articolata: "Ho comprato *tre* romanzi polizieschi".

L'articolo determinativo, invece, si usa davanti al numero cardinale quando mediante il numerale cardinale si vuole indicare l'entità numerica di un intero gruppo, quando cioè l'aggettivo cardinale potrebbe essere sostituito o accompagnato da "*tutti*": "Sono malati *i due* cani di mio zio (= mio zio possiede *due* cani)"; "Sono malati *due* cani di mio zio (= mio zio possiede *più di due* cani)".

Infine, quando l'aggettivo numerale cardinale è preceduto dall'articolo indeterminativo maschile *un*, assume un valore approssimativo: "Ci saranno *un trenta* persone (= circa trenta persone)".

– Talvolta gli aggettivi numerali cardinali vengono usati per indicare una quantità generica e approssimativa, come se fossero aggettivi indefiniti, con valore indeterminato e iperbolico: "Sono cadute *tre gocce* (= poche gocce) e poi è tornato il sole"; "Andiamo a fare *quattro passi* (= una breve passeggiata)"; "Ti faccio *mille scuse* (= tante scuse)". Quando è usato con valore di indefinito, l'aggettivo numerale cardinale va sempre scritto in lettere.

– I numerali cardinali, come tutti gli aggettivi, possono essere ricategorizzati e usati come sostantivi: "Ho venduto la mia vecchia *Cinquecento*"; "Paolo ha una pagella tutta piena di *otto*". Valore di sostantivo hanno, naturalmente, i cardinali usati nei calcoli aritmetici e nelle espressioni matematiche: "Il *due* nell'*otto* sta quattro volte": "1500 : 3 = 500". In molte espressioni di uso comune, in cui tra l'altro è usato in funzione di numerale ordinale perché indica un posto occupato in una serie , il cardinale assume valore di sostantivo semplicemente perché, come si è detto, è sottinteso il nome cui si riferisce: "Vorrei un paio di scarpe *del* (numero) *trentotto*"; "Partirò *il* (giorno) *tre* luglio"; "La seconda guerra mondiale scoppiò *nel*(l'anno) *1939*".

2.4.2. AGGETTIVI NUMERALI ORDINALI

Gli aggettivi numerali ordinali indicano l'ordine di successione di qualcosa in una serie numerica:

il *quinto* giorno della settimana; il *decimo* posto.

Come si può facilmente intuire, si ha un numerale ordinale per ognuno dei numerali cardinali: a uno corrisponde *primo*, a due corrisponde *secondo*, a tre *terzo* e così via.

I numerali ordinali sono tutti variabili nel genere e nel numero e quindi si accordano morfologicamente con il nome cui si riferiscono comportandosi come aggettivi della prima classe (*primo*, *-a*, *-i*, *-e*). Di norma, inoltre, sono accompagnati dall'articolo: "*la terza* scala a sinistra".

I primi dieci ordinali hanno una forma particolare derivata dai corrispondenti ordinali latini: *primo*, *secondo*, *terzo*, *quarto*, *quinto*, *sesto*, *settimo*, *ottavo*, *nono*, *decimo*. Tutti gli altri, dall'undici in poi, si formano in modo uniforme aggiungendo il suffisso *-esimo* al cardinale che nella composizione, per lo più, perde la vocale finale: *undicesimo*, *quattordicesimo*, *ventesimo*, *quarantasettesimo*, *centesimo*, *trecentesimo*, *duemillesimo*. La caduta della vocale finale del cardinale non avviene nei composti con tre, perché l'ultima vocale è accentata: *ventitreesimo*, *ottantatreesimo*.

Dall'undicesimo al novantanovesimo gli ordinali presentano, oltre alla forma di uso comune, anche altre forme di derivazione latina come: *decimoprimo* e *undecimo*, *decimosecondo* e *duodecimo*, *decimoterzo*, *vigesimo*, *ventesimoprimo* e *vigesimoprimo*, *trigesimo*, *trentesimoprimo* e *trigesimoprimo* e così via. Queste forme, che sono sempre posposte al nome cui si riferiscono, si usano solo per indicare papi, sovrani, secoli e in particolari espressioni letterarie: "Pio *duodecimo* precedette Giovanni *vigesimoterzo*"; "Leopardi è considerato il maggior lirico del secolo *decimonono*"; "È consuetudine celebrare una messa in onore del defunto nel (giorno) *trigesimo* della morte (= il trentesimo giorno dopo la morte)".

Gli aggettivi numerali ordinali oltre che trascritti in lettere possono essere rappresentati con le cifre arabe accompagnate, in alto a destra, dal segno esponenziale ° per il maschile e ª per il femminile: 1° (*primo*), 2ª (*seconda*), 3° (*terzo*)... o con le cifre romane senza segno esponenziale: I (*primo* e *prima*), II (*secondo* e *seconda*), III (*terzo* e *terza*)...

Si possono considerare ordinali anche **ultimo**, **penultimo**, **terzultimo**, **quartultimo** e così via, anche se, ovviamente, questa serie non può essere molto lunga.

Posizione e uso

L'aggettivo numerale ordinale, in funzione attributiva, precede solitamente il nome: "Abbiamo prenotato una poltrona di *quinta* fila"; "Paolo ha vinto il *primo* premio".

Si colloca invece dopo il nome:

– quando indica l'ordine di successione di pontefici, sovrani e altri grandi personaggi: "Elisabetta I"; "Pio XII"; "Vittorio Emanuele II". In questo caso, come si vede, l'ordinale viene espresso in cifre romane;

– quando indica i capitoli di un libro o i successivi paragrafi di un testo: "I 'Promessi sposi' - Capitolo I". Anche in questo caso, l'ordinale viene per lo più espresso in cifre, romane o arabe. Se però l'ordinale è usato all'interno di un normale testo, esso precede il nome ed è sempre scritto in lettere: "Dei 'Promessi sposi' mi è piaciuto soprattutto il *primo* capitolo";

– quando indica le classi di un corso di studi o la successione di documenti: "L'alunno Paolo Bianchi è ammesso alla classe *III*". Anche in questo caso, l'ordinale viene per lo più espresso in cifre, romane (III) o anche arabe (3ª), ma, se è usato all'interno di un testo, precede il nome ed è sempre scritto in lettere: "Paolo frequenta la *terza* media".

L'aggettivo numerale ordinale, come si è visto, tende a essere sostituito dal corrispondente cardinale posposto: "la camera *otto*"; "la fila *tre*"; "la cabina *sei*".

Naturalmente, come gli altri aggettivi, il numerale ordinale può anche avere funzione predicativa e collocarsi nel sintagma verbale: "Questo compito in classe è *il secondo* del quadrimestre".

L'aggettivo numerale ordinale, come tutte le parti del discorso, può essere sostantivato dall'articolo: "Beati gli ultimi, perché saranno *i primi*". In molti casi, poi, l'ordinale assume valore di sostantivo quando si sottintende il nome cui si riferisce. In tali casi è per lo più preceduto dall'articolo e può essere accompagnato da un aggettivo. "Entro *i primi* (giorni) di dicembre saranno pagate *le tredicesime* (mensilità)"; "Paolo è stato promosso in *seconda* (classe)"; "*La mia quinta* (la quinta marcia della macchina) è difficile da ingranare".

In particolare, sono di uso molto frequente i numerali ordinali sostantivati *primo* per "minuto primo" e *secondo* per "minuto secondo": "Sono le ore tredici, cinque (minuti) *primi* e sette (minuti) *secondi*".

Un altro numerale ordinale sostantivato d'uso molto frequente è *il primo* per indicare il giorno iniziale del mese: "Sono nato *il primo* di dicembre"; "*Il primo* maggio ricorre la festa dei lavoratori".

2.4.3. AGGETTIVI NUMERALI MOLTIPLICATIVI

Gli aggettivi numerali moltiplicativi definiscono una quantità indicando di quante volte essa è maggiore rispetto a un'altra: *doppio*, *triplo*, *quadruplo*. Variabili nel genere e nel numero, anche se si usano per lo più solo al singolare, concordano con il nome cui si riferiscono e possono essergli liberamente anteposti o posposti:

> Antonio ha voluto una *doppia* razione (oppure: una razione *doppia*) di cibo.

Quando però sono seguiti da una determinazione comparativa, possono solo seguire il nome:

> L'attuazione del progetto comporta un costo *doppio* del previsto.
> Questo pacco ha un peso *quadruplo* rispetto all'altro.

In teoria, a ognuno dei numerali cardinali corrisponde un numerale moltiplicativo. Di fatto, però, si usano soltanto i moltiplicativi corrispondenti ai numeri più bassi: *semplice* che corrisponde a *uno*, *doppio* a *due*, *triplo* a *tre*, *quadruplo* a *quattro*. I moltiplicativi corrispondenti agli altri numeri sono di uso molto raro e vengono sostituiti da espressioni equivalenti. Così, invece di *quintuplo*, si dice comunemente *di cinque volte maggiore*; invece di *decuplo*, *di dieci volte maggiore*; invece di *centuplo*, *di cento volte maggiore* e così via: "La popolazione di questa città è oggi *venti volte maggiore* di quella che era nell'immediato dopoguerra".

Sono considerati moltiplicativi anche gli aggettivi *duplice*, *triplice*, *quadruplice* ecc. Variabili nel numero ma non nel genere, questi aggettivi significano "formato da due, tre, quattro o più elementi" o, anche, "che serve a due, tre, quattro o più scopi": "Italia, Germania e Austria stipularono la *Triplice* Alleanza nel 1882". Spesso però *duplice*, *triplice*, *quadruplice* sono usati come sinonimi di *doppio*, *triplo*, *quadruplo*: "un documento in *triplice* copia" (oppure "in *tripla* copia" o anche "in *tre* copie").

2.4.4. ALTRE FORME INDICANTI NUMERO

I numeri cardinali e ordinali sono alla base di molte parole che indicano numero e che, perciò, pur appartenendo propriamente alla classe degli aggettivi qualificativi o dei sostantivi, o pur essendo delle locuzioni, vanno tutte genericamente sotto il nome di **numerali: distributivi, frazionari** e **collettivi**.

• I numerali **distributivi** indicano come più persone o cose sono ripartite o ordinate nello spazio o nel tempo. Sono costituiti da locuzioni formate da numerali cardinali uniti a preposizioni e aggettivi e pronomi indefiniti, come *a uno a uno, a due a due...*; *(uno) per uno, due per uno, (due) per due...*; *uno per volta, due per volta...*; *uno alla volta, due alla volta...*; *uno ciascuno, due ciascuno, tre ciascuno...*; *uno per ciascuno, due per ciascuno...*; *ogni tre, ogni quattro...*:

> Bisogna entrare *uno per volta.* I bambini camminavano in fila *per due.* Devi prendere questa medicina *ogni sei ore.*

Il latino aveva forme speciali di aggettivi con valore distributivo, ma di esse è sopravvissuta in italiano solo la forma **singolo** che significa “uno alla volta” e che si usa soprattutto al plurale: “Ora analizzeremo insieme *singoli* casi”. In latino esistono anche degli avverbi distributivi: *semel*, ‘una volta’, *bis*, ‘due volte’, *ter*, ‘tre volte’. In italiano le forme latine *bis* e *ter* sono concentrate in particolari formule e con particolare valore. Così *bis*, oltre che come sostantivo (“chiedere il *bis*”, cioè chiedere la ripetizione di qualcosa, specialmente di uno spettacolo) e come interiezione (“*bis! bis!*”), si usa come aggettivo nel senso di supplementare (“volo *bis*”) o aggiuntivo (“Articoli 2 e 2 *bis*”).

• I numerali **frazionari** indicano una o più parti di un tutto. Formati dall’unione di un numerale cardinale e di un numerale ordinale, sono nomi e possono essere scritti sia in lettere, nei testi normali, sia in cifre, nei testi scientifico-matematici:

> *due terzi* $\left(\frac{2}{3}\right)$; Il capitale è aumentato di *un terzo.*

Fanno parte dei numerali frazionari anche i nomi **mezzo** e **metà** che indicano la divisione dell’unità in due parti uguali: “Tre è un *mezzo* di sei”; “Prendine *metà*”.

Mezzo può essere usato anche come aggettivo e in questo caso concorda in genere e numero con il sostantivo cui si riferisce: “Vorrei *mezzo litro* di minerale”; “Al bambino date solo *mezza porzione*”; “Ha parlato senza *mezzi termini*”. Quando, invece, è usato come nome, *mezzo* non concorda mai perché corrisponde a “un mezzo”. Si dirà perciò: “un litro e *mezzo*”, “una mela e *mezzo*”, “le otto e *mezzo*”, “due mele e *mezzo*”. Costruzioni come “una mela e *mezza*”

(= una mela e [una] mezza [mela]), "le otto e mezza" (= le [ore] otto e [una] mezza [ora]), pur frequenti nel parlato, sono scorrette. *Mezzo*, infine, può anche essere usato come avverbio e anche in questo caso non si concorda: "La donna era *mezzo* svestita" (ma non mancano esempi di concordanza, anche in ottimi scrittori: A. Manzoni, ad esempio, scrive: "Le montagne erano *mezze* vestite di nebbia").

• I numerali **collettivi** indicano una quantità numerica di persone o cose considerate come un insieme:

Passami un *paio* di caramelle. In giardino c'è una *ventina* di ragazzi. Questo contratto vale per un *triennio*.

I numerali collettivi sono in grande maggioranza sostantivi e buona parte di essi corrisponde a dei numerali cardinali: **paio** (al plurale è femminile "quest*e* due *paia*") e **coppia** indicano un insieme di *due* elementi e **decina**, **dozzina**, **ventina**, **trentina**, **centinaio** (al plurale è femminile: "quell*e centinaia*"), **migliaio** (al plurale è femminile: "quest*e* tre *migliaia*") indicano rispettivamente un insieme di *dieci*, *dodici*, *venti*, *trenta*, *cento*, *mille* elementi. Mentre il numerale cardinale esprime sempre una quantità numerica precisa, il numerale collettivo può essere usato per indicare una quantità approssimata. Così: "un uomo di *quarant'* anni" è un uomo che ha esattamente quarant'anni; invece "un uomo di una *quarantina* d'anni" è un uomo che ha all'incirca quarant'anni; "una *dozzina* di uova" può indicare tanto 12 uova quanto circa 12 uova.

Rientrano, inoltre, nella categoria dei numerali collettivi:

– gli aggettivi che indicano la ricorrenza di un certo numero di anni: *decennale*, *ventennale*, *centenario*, *millenario*: "una manifestazione *biennale*", "un reperto *millenario*". Tali aggettivi vengono spesso sostantivati: "il *centenario* della morte di Garibaldi"; "il *cinquantennale* della Liberazione";

– i nomi che indicano un periodo di due, tre, quattro, dieci e più anni: *biennio*, *triennio*, *quinquennio*, *decennio*, *ventennio*, *lustro* (= cinque anni), *secolo* (= cento anni): "Tra un *quinquennio* vedremo i frutti del nostro investimento"; "Il *biennio* delle superiori è molto selettivo";

– gli aggettivi che indicano gli anni o l'età di una persona: *decenne* (= che ha dieci anni), *quindicenne*, *ventenne*, *settantenne* (opp. *settuagenario*), *ottantenne* (opp. *ottuagenario*), *novantenne* (opp. *nonagenario*): "un ragazzo appena *decenne*". Tali aggettivi possono essere anche sostantivati: "un gruppo di *quindicenni*";

– i nomi che indicano un periodo di due, tre o più mesi: *bimestre*, *trimestre*, *semestre* e gli aggettivi corrispondenti (*bimestrale*, *trimestrale*): "L'affitto si paga ogni *trimestre*"; "La scadenza è *trimestrale*";

– i termini specifici usati nel gioco del lotto e della tombola: *ambo*, *terno*, *quaterna*, *cinquina*: "Al lotto fai *cinquina* quando indovini tutti e cinque i numeri estratti su una certa ruota";

– i nomi che, nel linguaggio specifico della musica, indicano un componimento per due, tre, quattro, cinque esecutori o un gruppo di due, tre esecutori che si esibiscono insieme: *duetto* (o *duo*), *terzetto* (o *trio*), *quartetto*, *quintetto*: "Ho ascoltato un allegro *duetto*"; "Tre miei amici hanno costituito un *trio* strumentale". Gli stessi termini (*duetto*, *terzetto* ecc.) sono usati anche, per lo più in senso scherzoso, per indicare un gruppo di persone affiatate che agiscono abitualmente assieme: "Siete un bel *terzetto* di rompiscatole!";

– i nomi che, nel linguaggio specifico della metrica, definiscono una strofa in base al numero dei versi da cui è costituita: *terzina*, *quartina*, *sestina*, *ottava*: "le *ottave* dell''Orlando Furioso'"; "Il sonetto è costituito da due *quartine* e da due *terzine*";

– gli aggettivi che, nel linguaggio specifico della metrica, indicano il numero di sillabe dei versi e quindi i versi stessi: *senario*, *novenario*: "versi *novenari*". Tali aggettivi possono anche essere usati sostantivati: "un componimento in *novenari*".

Per indicare gruppi superiori a due, si usano le forme *tutti e tre* (o *tutt'e tre*), *tutti e quattro* (o *tutt'e quattro*) e così via.

Sono aggettivi i numerali collettivi **ambedue** (invariabile), **ambo** (rari *ambi* e *ambe*) e **entrambi** (femminile *entrambe*), che significano "tutti e due". Come l'aggettivo *tutto*, essi si collocano sempre prima del nome cui si riferiscono e del relativo articolo: "*Ambedue* i miei genitori sono attualmente all'estero"; "Si è fratturato *entrambe* le gambe". Se però il nome è preceduto da un aggettivo, vanno collocati prima di esso: "*Entrambi* questi libri sono miei". Infine, usati da soli assumono valore di pronomi: "Ho visto Lucia e Laura: *entrambe* ti salutano".

Il latino non possedeva nomi specifici per indicare grandi numeri come quelli espressi con le cifre 1.000.000, 1.000.000.000, che indicano quantità numeriche così elevate ed eccezionali da essere, un tempo, inutili in termini pratici. Con il passare dei secoli, però, le cose, soprattutto per effetto dell'incremento dei traffici e dei commerci, sono cambiate, e nel mondo dell'economia e della finanza si è sentita l'esigenza di coniare nomi adatti a indicare anche quei grandi numeri. Così, tra il XIII e il XIV secolo, in ambienti commerciali toscani, aggiungendo a *mille* il suffisso accrescitivo *-one* è nato il sostantivo **milione**, che propriamente significa dunque "grande mille" e che indica la cifra 1.000.000. Poi, nel XVIII secolo, in Francia o in Inghilterra, è stato coniato il sostantivo **bilione**, da *bi* + *(mi)lione*, con il significato di "mille milioni", cioè 1.000.000.000. Ma ben presto, in Francia e subito dopo in Italia, *bilione* è stato quasi definitivamente sostituito, con lo stesso significato, dal sostantivo **miliardo**, nato da *milione* con la sostituzione del suffisso *-one* con *-ardo*. *Bilione*, tuttavia, continua a essere usato dai tedeschi e dagli inglesi nel senso di "un milione di milioni" o "mille miliardi". Allo stesso modo di bilione sono stati poi coniati anche il **trilione**, che si scrive con 15 zeri, il **quadrilione**, che si scrive con 18 zeri, e il **quinquilione**, che si scrive con 21 zeri, ma che sono poco usati come nomi di numeri, se si eccettua l'uso che ne fa... il plurimiliardario Paperon de' Paperoni!

2.4.5. I NUMERI SI SCRIVONO IN LETTERE O IN CIFRE?

I numerali cardinali si possono scrivere in due modi: possono essere normalmente trascritti in lettere (*uno, due*...) o rappresentati, per mezzo di un particolare sistema di segni appositamente inventato, in cifre (*1, 2*...). La rappresentazione in cifre è, ovviamente, usuale in tutti i testi di carattere tecnico-scientifico, nei calcoli matematici (*6 + 2 = 8*), nelle misure di peso e di lunghezza ("Il Monte Bianco è alto *4810* metri"), nelle tabelle e nei resoconti finanziari. In tutti gli altri casi, cioè tutte le volte che i cardinali sono usati nell'ambito di testi di carattere non tecnico-scientifico, la grammatica impone la trascrizione in lettere: "La mia famiglia è composta da *sei* persone". Spesso, però, anche nei testi di carattere non specialistico, ormai si ricorre sempre alle cifre, quando la trascrizione in lettere del cardinale risulterebbe troppo lunga e faticosa. Così si scrive "Ho comperato *dodici* pennarelli colorati", ma "Gli alunni di questa scuola sono complessivamente *1579*".

2.4.6. LE DATE

Il modo di indicare le date varia a seconda dei contesti. Nei documenti burocratici e in testa o in calce alle lettere si possono usare, senza sostanziale differenza, le formule: "5 agosto 1997" o "5.8.1997" o tutte queste formule con '97 invece di 1997.

Nei documenti a stampa predisposti per la lettura mediante elaboratori elettronici e quindi forniti di apposite caselle, i numeri corrispondenti a unità devono essere preceduti da 0:

0	5	0	8	9	7

Nei testi di carattere narrativo-espositivo (testi letterari, narrativi e simili) si indicano in cifre il giorno e l'anno e in lettere il mese: "La battaglia decisiva avvenne a Waterloo, il *18* giugno *1815*, e segnò la fine di Napoleone". Nei testi di registro elevato o letterario, ma talora anche nel registro colloquiale e familiare, se nella data non è espresso l'anno, il nome del mese può essere preceduto dalla preposizione *di*: "Ci siamo dati appuntamento per il 5 *di* settembre". Talvolta, quando la data è completa, la preposizione *di* passa davanti all'anno: "Il 5 settembre *del* 1944 (oppure *del* '44)".

Per indicare il giorno iniziale di un mese, si può utilizzare in luogo del cardinale ("l'*1* maggio"), il numerale ordinale *primo* (con ellissi del sostantivo "giorno"): "La festa patronale ricorre il *primo* di febbraio".

2.4.7. I NUMERI ROMANI

Il sistema di simboli con cui attualmente rappresentiamo i numeri del nostro sistema decimale è quello delle **cifre arabe**. Inventato in India, intorno al 500 d.C. e introdotto in Occidente dagli Arabi intorno al Mille, esso utilizza le cifre che rappresentano le prime nove unità della serie numerica e lo zero, e compone i vari numeri giustapponendo tali cifre secondo un principio che assegna a ogni cifra un valore diverso a seconda della posizione che occupa: le unità, le decine, le centinaia, le migliaia e così via.

Gli antichi Romani, invece, pur adottando anch'essi il sistema decimale, utilizzavano un diverso sistema di simboli, le **cifre romane**. Tali cifre rappresentavano i numeri componendo variamente alcuni segni fondamentali che raffiguravano, stilizzandole, le forme dei bastoncini che anticamente venivano usati per contare (I), la forma di una mano allargata (V), quella di una mano sovrapposta a un'altra (X) e simili. In particolare, i segni fondamentali della numerazione romana sono sette: I (1), V (5), X (10), L (50), C (100), D (500), M (1000). Tutti gli altri numeri si ottengono combinando questi segni fondamentali secondo le regole seguenti:

– segni uguali accostati si intendono addizionati: III = 3;

– non si possono mai accostare più di tre segni uguali. Quando sarebbe necessario accostarne quattro, si utilizza il sistema della sottrazione, per cui ad esempio 4 non si scrive IIII, bensì IV, cioè 5-1;

– i numeri posti alla sinistra del numero maggiore si intendono sottratti, i numeri posti alla destra del numero maggiore si intendono aggiunti:

VIII = 8 IX = 9
XIII = 13 XIV = 14
XXX = 30 XL = 40
LX = 60 XC = 90
CX = 110 CD = 400
CM = 900 MC = 1100
MCMXC = 1990 MM = 2000

– se un numero reca una linea sovrapposta, la cifra da esso indicata va moltiplicata per mille: $\overline{X} = 10.000$; se un numero reca sovrapposto il segno $\overline{\mid\;\mid}$ la cifra da esso indicata deve essere moltiplicata per centomila: $\overline{\mid X \mid} = 1.000.000$.

Come si è detto, i numeri romani si usano, in sostituzione del numerale ordinale in lettere, solo in casi particolari, come per indicare i capitoli o i paragrafi di un libro, la successione di documenti, le classi di un corso di studi: “Gli alunni della IV B sono in gita”; “Prendete il cap. I, par. III”. Se però il numerale ordinale è all’interno di un normale testo, bisogna scriverlo in lettere: “Paolo frequenta la *terza* media”.

Invece, i numeri romani si usano sempre per distinguere secondo l’ordine di successione sovrani e pontefici con lo stesso nome: Elisabetta I (*prima*); Luigi XIV (*quattordicesimo* opp. *decimo quarto*); Pio XI (*undicesimo* opp. *decimo primo* opp. *undecimo*).

Si usa il numero romano, collocato prima o dopo il nome, anche per indicare i secoli: “Viviamo nel secolo XX (oppure nel XX secolo)”; “La battaglia di Canne avvenne nel III secolo a.C.”.

I secoli dal XIII in avanti si possono indicare anche con l’aggettivo numerale cardinale (in tal caso sostantivato) corrispondente alle centinaia, che deve essere preceduto dall’articolo e scritto in lettere, con l’iniziale maiuscola:

il secolo XIII opp. *il Duecento* (dal 1200 al 1299)
il secolo XIV opp. *il Trecento* (dal 1300 al 1399)
il secolo XV opp. *il Quattrocento* (dal 1400 al 1499)
il secolo XVI opp. *il Cinquecento* (dal 1500 al 1599)
il secolo XVII opp. *il Seicento* (dal 1600 al 1699)
il secolo XVIII opp. *il Settecento* (dal 1700 al 1799)
il secolo XIX opp. *l’Ottocento* (dal 1800 al 1899)
il secolo XX opp. *il Novecento* (dal 1900 al 1999).

2.5. Gli aggettivi interrogativi

Gli aggettivi interrogativi servono a chiedere, attraverso una domanda diretta o indiretta, la quantità, l’identità o la qualità del sostantivo cui si riferiscono:

Quale cantante preferisci? Vorrei sapere *quanti* anni hai. Di *che* umore sei?

In italiano gli aggettivi interrogativi sono tre: **quale, che, quanto.** Essi si usano sempre davanti al nome cui si riferiscono e non sono mai preceduti dall'articolo o dalla preposizione articolata. In particolare:

• **quale**: variabile nel numero, serve per chiedere informazioni relative alla identità o alla qualità del sostantivo cui si riferisce:

In *quale* zona abiti? Non so *quali* progetti abbia in mente.

Al singolare *quale* può subire il troncamento in *qual* davanti a vocale e, talvolta, anche davanti a consonante diversa da *z*, *x*, *gn*, *pn* o *s* preconsonantica: "*Qual* è la tua opinione?"; "*Qual* era il suo atteggiamento?"; "*Qual* buon vento vi porta?". Ovviamente, poiché si tratta di un troncamento e non di una elisione, è errato collocare l'apostrofo dopo *qual*.

• **che**: invariabile, ha la stessa funzione di *quale* e nell'uso attuale della lingua tende sempre più a sostituirlo:

Che libro leggi? *Che* lavori stai facendo?

Per domandare l'ora, si può usare tanto l'espressione "*Che ora è?*" quanto l'espressione "*Che ore sono?*". «Dicendo "*Che ora è?*"» osserva A. Gabrielli «ci si riferisce all'ora singola segnata dall'orologio in questo momento; dicendo, invece, "*Che ore sono?*" ci si riferisce al complesso delle ore segnate sul quadrante.» E le risposte possibili saranno: "È l'ora una" (da preferire a "Sono la una", cioè "Sono le ore una"), "Sono le due", "Sono le ventuno", "Sono le otto e mezzo" (per l'uso di mezzo, cfr. pp. 180-181) ecc.

• **quanto**: variabile in genere e numero, serve per chiedere informazioni relative alla quantità del sostantivo cui si riferisce:

Quanto tempo ti fermerai? Fammi sapere *quanto* tempo ti fermerai.

2.6. Gli aggettivi esclamativi

Gli aggettivi **quale, che** e **quanto** possono anche essere utilizzati per introdurre una esclamazione, cioè per sottolineare con una certa enfasi la qualità (*quale*, *che*) o la quantità (*quanto*) del sostantivo cui si riferiscono. In questo caso *quale*, *che* e *quanto* sono detti aggettivi esclamativi:

Quale sfacciataggine! *Che* meravigliosa giornata! *Quanti* soldi!

L'aggettivo esclamativo *che* viene talvolta utilizzato in unione con un aggettivo qualificativo, senza alcun sostantivo: "*Che* bella!"; "*Che* simpatico!"; "*Che* stupidi!". Quest'uso è considerato da taluni grammatici scorretto, in quanto, essendo *che* un aggettivo, dovrebbe accompagnarsi a un sostantivo e non a un altro aggettivo. I grammatici, perciò, propongono, in sostituzione di tali forme, le espressioni: “Che bella ragazza!”; “Che simpatico ragazzo!”; “Che uomini stupidi!”, oppure: “Come è bella!”; “Come è simpatico!”; “Come sono stupidi!”. Ma, ormai, la forma *Che bella!* e le altre simili sono entrate nell’uso e sono accettabili.

Quanto alla posizione nella frase, gli aggettivi interrogativi ed esclamativi precedono sempre il sostantivo cui si riferiscono: “Di *quanti* soldi hai bisogno?”; “Non so *quale* libro scegliere”; “*Che* meraviglia!”; “*Quanto* rumore!”. *Quale* e *quanto* (ma non *che*) possono essere utilizzati anche in funzione predicativa, vale a dire nel gruppo del verbo: anche in tal caso precedono sempre il verbo: “*Quali* ti sembrano le sue intenzioni?”; “La tua proposta *qual* è?”; “*Quanti* sono gli assenti?”; “*Quale* allor ci apparia / la vita umana e il fato!” (G. Leopardi, *A Silvia*).

Nella lingua scritta, il valore interrogativo ed esclamativo di una frase è indicato rispettivamente dal punto interrogativo e dal punto esclamativo posti alla fine della frase: “Quanti soldi hai speso?”; “Quanti soldi hai speso!”. Più coerentemente, altre lingue, come ad esempio lo spagnolo, provvedono a segnalare l’intonazione interrogativa o esclamativa ponendo il punto interrogativo o esclamativo anche all’inizio della frase:

¿ Cuanto tiempo se necesita para llegar a Madrid? (= Quanto tempo occorre per arrivare a Madrid?); ¡ Qué sorpresa! (= Ma che sorpresa!)

Nella lingua parlata, invece, il valore interrogativo è indicato da una *intonazione melodica ascendente*:

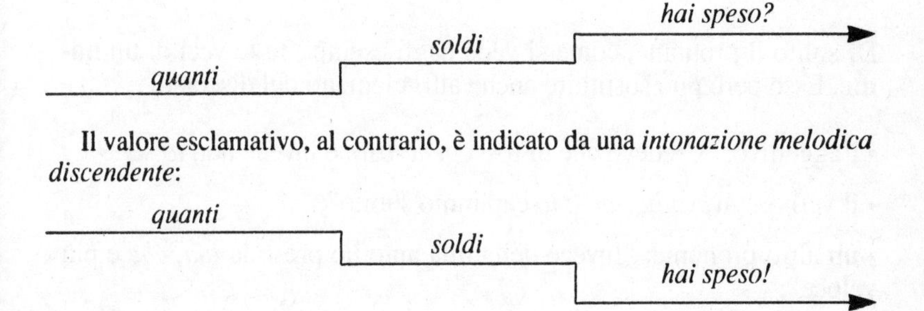

Il valore esclamativo, al contrario, è indicato da una *intonazione melodica discendente*:

4

Il pronome o sostituente

Il pronome[1] è la parte variabile del discorso che si usa al posto di un'altra parola e ne fa le veci:

> Ieri Paolo è tornato a casa presto, ma *oggi* non *lo* vedo ancora arrivare. Poco fa, *qualcuno* ha bussato alla porta.

Nel primo esempio, la parola *lo* è un pronome: nella seconda parte della frase, infatti, sostituisce il nome "Paolo", evitando una inutile ripetizione del tipo "Ieri *Paolo* è tornato a casa presto, ma oggi non vedo ancora *Paolo* arrivare". Nel secondo esempio, *qualcuno* è un pronome: è usato, infatti, al posto di un nome che non si può o non si vuole precisare e ne fa a tutti gli effetti le veci.

Di solito il pronome, come si vede dagli esempi, fa le veci di un **nome**. Esso però può sostituire anche altri elementi del discorso:

- l'aggettivo: "Credevo che tu fossi *generoso*, e invece non *lo* sei;
- il verbo: "*Aveva bevuto* e *lo* capimmo subito";
- un altro pronome: "Invece della mia auto ho preso la *tua*, *che* è più veloce";
- un'intera frase: «"*Dove è andato a cacciarsi Paolo?*" "Non *lo* so"».

[1] Il termine "pronome" deriva dal latino *pronome(n)* e letteralmente significa 'al posto del nome': è composto infatti da *pro*, 'invece di, in luogo di', e da *nomen*, 'nome'.

Funzioni

Il pronome ha fondamentalmente la **funzione di sostituente**,[2] funzione che esercita in diversi modi. Di fatto:

– taluni pronomi possono sostituire un termine già usato in precedenza per evitare una ripetizione (**funzione anaforica** o **di ripresa**):

Paolo è uscito, ma più tardi *lo* troveremo senz'altro...

Questa funzione, che giova all'economicità della frase e che quindi è di carattere prettamente stilistico, può essere svolta dal pronome in due modi: con una sostituzione che evita la ripetizione lasciando inalterata la struttura della frase o con una sostituzione che evita la ripetizione trasformando la struttura della frase. Così, nelle frasi "Oggi è venuto a trovarmi Paolo. Paolo è finalmente guarito", si può evitare la ripetizione di "Paolo" in due modi:

• sostituendo al secondo "Paolo" il pronome *egli* e lasciando inalterata la struttura delle frasi: "Oggi è venuto a trovarmi Paolo. *Egli* è finalmente guarito". In questo caso, il pronome ha, accanto alla funzione sostitutiva, anche una **funzione coordinante**;

• trasformando le due frasi in una sola attraverso la sostituzione del secondo "Paolo" con il pronome relativo *che*: "Oggi è venuto a trovarmi Paolo, *che* è finalmente guarito". In quest'ultimo caso, il pronome ha chiaramente una **funzione subordinante**;

– taluni pronomi possono sostituire un termine che annuncia qualcuno o qualcosa che non sono ancora stati nominati, assumendo una **funzione cataforica** (o *di rimando*): "Lo sanno tutti: il vincitore del concorso è il figlio del sindaco".

[2] Secondo taluni grammatici, possono fungere da sostituenti non solo le parole che vengono tradizionalmente catalogate tra i pronomi, ma anche altre parole, come nomi comuni e propri, interi gruppi nominali e avverbi. Così nella frase "Maria chiamò subito il marito, ma *l'uomo* era ormai lontano", il nome *l'uomo* sostituisce "il marito", come lo sostituirebbe *egli*. Allo stesso modo, nella frase "Paolo corse subito a casa per vedere se Laura era per caso rientrata, ma anche *là* non c'era", l'avverbio *là* è un sostituente giacché sostituisce "a casa". Sostituenti, infine, possono essere anche tutti gli aggettivi qualificativi, quando sono usati da soli, senza essere accompagnati dal nome cui si riferiscono: "Sono venute a cercarti due belle ragazze, una con i capelli e gli occhi scuri e un'altra più giovane, bionda e vestita in modo elegante. La *bruna* ha detto che ripasseranno domani o dopo perché vogliono parlarti". E sostituente a tutti gli effetti è anche il verbo *fare*, che viene spesso usato al posto di qualsiasi verbo e qualsiasi gruppo del verbo già usati. Così, nella frase "Laura anche quest'anno andrà al mare, come *ha fatto* sempre negli ultimi tempi", *ha fatto* sta al posto di "è andata al mare".

Taluni pronomi, poi, (per l'esattezza i pronomi personali di 1ª e 2ª persona singolare e plurale *io*, *tu*, *noi* e *voi*) non hanno una vera e propria funzione sostitutiva, bensì una **funzione designativa**: essi, infatti, indicano le persone che partecipano al processo comunicativo e assolvono a pieno titolo la funzione di soggetto, come dei veri e propri nomi. Così nella frase "*Io* partirò domani", il pronome *io* non sostituisce nessun nome, ma ha lo stesso ruolo di un nome o di un gruppo del nome che, per altro, non è espresso e non sarà mai espresso.

Altri pronomi, infine, sostituiscono il nome solo apparentemente: in realtà essi sono semplicemente usati senza il nome cui si riferiscono, che, quindi, è sottinteso. È questo il caso dei cosiddetti **pronomi determinativi** – possessivi, dimostrativi e numerali – e dei cosiddetti **pronomi qualificativi**. Così, nella frase "I tuoi genitori sono già partiti, *i miei* invece partiranno domani", *i miei* sottintende il sostantivo *genitori*. Allo stesso modo, nella frase "In cortile ci sono due automobili; la *rossa* è quella di Paolo e la *gialla* è di Laura", *la rossa* e *la gialla* stanno rispettivamente per "l'automobile rossa" e "l'automobile gialla".

Classificazione

In base al loro significato e alla loro funzione i pronomi si distinguono in:

• **pronomi personali**: *io*, *tu*, *egli*, *noi*, *voi*, *essi*, *lui*, *lei*, *loro* ecc.: "*Io* ho saputo da *lui* che *tu* eri già partito"; "Il preside *li* chiamò per nome uno per uno"; "Queste ragazze *si* lodano troppo"; "*Te lo* dirò domani";

• **pronomi possessivi**: *mio*, *tuo*, *miei*, *loro* ecc.: "La mia auto e la *tua* (sottinteso: *auto*) sono posteggiate più in là";

• **pronomi dimostrativi**: *questo*, *quello*, *codesto*, *ciò* ecc.: "Questa auto e *quella* (sottinteso: *auto*) sono di mio zio"; "Non mi parlare più di *costui*"; "Di *ciò* parleremo un'altra volta";

• **pronomi indefiniti**: *taluni*, *certuni*, *molti*, *parecchi* ecc.: "Lo zio ha portato molti dolci, ma è meglio che tu ne mangi *pochi* (sottinteso: *dolci*)"; "*Chiunque* potrebbe dirti come stanno veramente le cose"; "*Ognuno* deve fare il possibile per salvaguardare le foreste e gli animali selvatici che vi vivono";

• **pronomi numerali**: *uno*, *due*, *tre* ecc., *il primo*, *il secondo*, *il terzo* ecc., *il doppio*, *il triplo* ecc.: “Paolo prenderà il primo posto libero, Antonio *il secondo* e Sergio *il terzo*”;

- **pronomi relativi**: *chi*, *che*, *il quale*, *la quale* ecc.: “Gioco in una squadra *che* perde sempre”;

- **pronomi interrogativi ed esclamativi**: *che?*, *chi?*, *quale?*, *che!* ecc.: “*Che* fai?”; “*Chi* si vede!”.

Tra tutti questi tipi di pronome, quelli possessivi, dimostrativi, indefiniti, numerali, interrogativi ed esclamativi possono, tranne alcuni, funzionare anche come **aggettivi** e per questa loro doppia funzione, ora di aggettivi e ora di pronomi, sono tradizionalmente detti anche **aggettivi grammaticali**. Distinguere se sono usati come pronomi o come aggettivi non è difficile: sono aggettivi quando accompagnano un nome e, invece, sono pronomi quando lo sostituiscono o ne fanno le veci.

1. I pronomi personali

I pronomi personali sono forme che consentono di indicare, senza specificare o ripetere il nome proprio o comune, le persone che prendono parte a un processo comunicativo. Essi indicano:

- la persona che parla o **1ª persona**: **io** (plurale **noi**);
- la persona che ascolta o **2ª persona**: **tu** (plurale **voi**);
- la persona di cui si parla o **3ª persona**: **egli** (plurale **essi**).

In realtà solo i pronomi di 3ª persona singolare e plurale (*egli*, *ella*, *esso*, *essa* ecc.) sono veri **pronomi personali**, che sostituiscono un nome, indicando la persona, l’animale o la cosa di cui si parla: nella frase “Egli è partito”, il pronome di 3ª persona singolare *egli* sostituisce effettivamente un nome, come “Paolo” oppure “il dottore” oppure “mio fratello”. Invece, come si è detto analizzando le varie funzioni dei pronomi, i pronomi di 1ª e di 2ª persona singolare e plurale (*io*, *tu*, *noi*, *voi*) più che pronomi sono **nomi personali**, perché indicano rispettivamente chi parla e chi ascolta senza fare le veci di nessun nome. Di fatto, nella frase “*Io* lavoro e *tu* non fai niente”, i pronomi *io* e *tu* sono due forme invariabili equivalenti a due nomi propri che sono usate per designare i due elementi principali di ogni atto comunicativo: la persona che parla (l’emittente) e il suo interlocutore diretto, cioè colui che ascolta (il destinatario).

I pronomi personali presentano forme diverse a seconda:

delle **persone** che indicano:
- **1ª persona** → singolare e plurale
- **2ª persona** → singolare e plurale
- **3ª persona** → singolare e plurale; maschile e femminile

della **funzione sintattica** che svolgono:
- **pronomi personali soggetto**
- **pronomi personali complemento** → forme toniche o forti; forme atone o deboli

Ma ecco il quadro complessivo di tutti i pronomi personali. In esso sono registrati anche i pronomi personali *sé* e *si*, che si usano soltanto per la 3ª persona singolare e plurale con valore riflessivo, cioè soltanto riferiti al soggetto della proposizione in cui si trovano, e le varie particelle pronominali *ci*, *vi* e *ne*.

PRONOMI PERSONALI IN FUNZIONE DI SOGGETTO			PRONOMI PERSONALI IN FUNZIONE DI COMPLEMENTO	
			FORME TONICHE O FORTI	FORME ATONE O DEBOLI
1ª persona singolare		**io**	**me** (*di me*, *a me*, *con me* ecc.)	**mi**
2ª persona singolare		**tu**	**te** (*di te*, *a te*, *con te* ecc.)	**ti**
3ª persona singolare	maschile	**egli (lui), esso**	**lui** (*di lui*, *a lui*, *con lui* ecc.), **sé**, **ciò**	**lo, gli, lui, esso, ne** (= di lui), **si**
	femminile	**ella (lei), essa**	**lei** (*di lei*, *a lei*, *con lei* ecc.), **sé**	**la, le, essa, ne** (= di lei), **si**
1ª persona plurale		**noi**	**noi** (*di noi*, *a noi*, *con noi* ecc.)	**ci**
2ª persona plurale		**voi**	**voi** (*di voi*, *a voi*, *con voi* ecc.)	**vi**
3ª persona plurale	maschile	**essi (loro)**	**essi, loro** (*di loro*, *a loro*, ecc.), **sé**	**li, ne** (= di loro), **si**
	femminile	**esse (loro)**	**esse, loro** (*di loro*, *a loro*, ecc.), **sé**	**le, ne** (= di loro), **si**

1.1. I pronomi personali soggetto

I pronomi personali soggetto sono quelli che, nella frase, sono usati in funzione di soggetto e sono sei, come le persone che possono fungere da soggetto:

1ª persona singolare	**io**
2ª persona singolare	**tu**
3ª persona singolare	**egli**, *esso*, *lui*; *ella*, *essa*, *lei*
1ª persona plurale	**noi**
2ª persona plurale	**voi**
3ª persona plurale	**essi**, *loro*; *esse*, *loro*

Vediamo di analizzarli partitamente:

• **io, tu, noi, voi**

Il pronome soggetto di 1ª persona è **io** per il singolare e **noi** per il plurale; quello di 2ª persona è **tu** per il singolare e **voi** per il plurale. Tutti e quattro sono invariabili quanto al genere, valgono cioè tanto per il soggetto maschile quanto per quello femminile:

Io parlo e *tu* ridi. *Noi* partiamo ora: *voi* raggiungeteci presto.

Quando i pronomi *io* e *tu* sono usati insieme come soggetti, la forma più corretta è "Tu ed io", con i due pronomi soggetto regolari. La lingua parlata, però, ha ormai imposto anche la forma "Io e te", con il pronome complemento *te* in luogo del pronome soggetto *tu*. Da evitare, perché di livello chiaramente familiare, forme come "Vai *te*", "Vieni anche *te*", "Prendine un po' anche *te*", dove *te* invece di *tu* è un vero e proprio errore.

Nel linguaggio parlato di livello familiare *noi* e *voi* vengono spesso rafforzati da *altri*: "*Noi altri* (opp. *noialtri*) andiamo avanti".

Le alte personalità dello Stato e della Chiesa, quando parlano in veste ufficiale, usano *noi* anziché *io* come pronome personale di 1ª persona. Si tratta di una costruzione ripresa dal latino e definita, infatti, con espressione latina, *pluralis majestatis*, 'plurale di maestà': "*Noi rivolgiamo* il *nostro* saluto...".

Con finalità diverse, cioè per "spersonalizzare" il discorso o per confonde-

re il proprio “io” nell’anonimato della pluralità, il pronome di 1ª persona plurale *noi* viene spesso usato in luogo del pronome di 1ª persona singolare anche:
– negli articoli giornalistici e nelle interviste televisive: “*Abbiamo intervistato* il sindaco che *ci* ha rilasciato le seguenti dichiarazioni...”;
– nelle lettere commerciali: “Egregio Ingegnere, *abbiamo ricevuto* la sua risposta alla *nostra* inserzione (rif. 698) e la sua candidatura *ci* sembra tale...”.

Come è evidente negli esempi riportati, quando si usa il “noi” come pronome personale soggetto, il verbo, gli aggettivi possessivi e tutti i pronomi riferiti al soggetto vanno opportunamente accordati alla 1ª persona plurale.

La 1ª persona plurale *noi*, infine, si usa in luogo della 1ª persona singolare *io* anche nel cosiddetto “plurale di modestia”, quando si vuole attenuare la perentorietà di una affermazione, magari con risvolti ironici. Così la frase “*Noi siamo* di parere del tutto opposto” è meno forte della frase “*Io sono* di parere del tutto opposto”.

• egli, ella, esso, essa, essi, esse

Il pronome personale di 3ª persona singolare e plurale presenta una notevole varietà di forme. Infatti, a causa del particolare ruolo che riveste nel discorso, ha forme distinte per il soggetto maschile e per il soggetto femminile e distingue se il soggetto è una persona o un animale o una cosa:

	SINGOLARE	PLURALE
MASCHILE	**egli** ⟶ riferito a una persona **esso** ⟶ riferito ad animale o cosa	**essi**
FEMMINILE	**ella** ⟶ riferito a una persona **essa** ⟶ riferito a una persona, animale o cosa	**esse**

La grammatica, dunque, prescrive per il maschile singolare l’uso di *egli* in riferimento a una persona (“Non rivolgerti a Paolo: *egli* non sa nulla”) e di *esso* in riferimento a un animale oppure a un oggetto (“Laura cercò di trattenere il cane, ma *esso* si era ormai avventato contro lo sconosciuto”). Per il femminile singolare, invece, prescrive *ella* (o anche *essa*) in riferimento a una persona (“Anna veniva a scuola con me, ma ora *ella* si è trasferita in un’altra città”) ed *essa* in riferimento a un animale o a un oggetto (“Non sprecare questa vernice:

essa è molto costosa"). Per il plurale, infine, la grammatica prescrive l'uso di *essi* per il maschile e di *esse* per il femminile, in riferimento sia a persone sia ad animali od oggetti ("Le mie cugine sono più grandi di me: *esse*, infatti, sono già all'università").

1.1.1. I PRONOMI COMPLEMENTO IN FUNZIONE DI SOGGETTO: *ME, TE, LUI, LEI, LORO*

Tutte le forme di pronomi personali suggerite dalla grammatica, però, sono ormai sentite come preziose e letterarie e, quando ci si riferisce a persone, nei testi di livello medio sono molto più usati, anche in funzione di soggetto, **lui**, **lei** e, per il plurale, **loro**, cioè i corrispondenti pronomi complemento di forma forte: "Non rivolgerti a Paolo: *lui* non sa nulla"; "Non sappiamo cosa sia successo a Laura: *lei* non ha detto niente"; "*Loro* sono già partiti". Talvolta, nel parlato, **lui** e **lei** si usano anche in riferimento ad animali: "Non dare cibo in scatola al mio gatto: *lui* mangia solo carne fresca".

I pronomi complemento di forma forte **me**, **te**, **lui**, **lei**, **loro**, del resto, assumono spesso funzione di soggetto sostituendo i pronomi *io*, *tu*, *egli*, *ella*, *essa*, *essi*, *esse*. Ciò succede di norma:

• nelle frasi esclamative prive di verbo: "Sventurato *me*!"; "Fortunato *te*!"; "Beato *lui*!".

Ma alla 1ª e 2ª persona singolare, se il verbo è espresso: "Come sono sventurato, *io*!"; "Come sei fortunato, *tu*!".

• quando il pronome è in funzione di predicato: "Se io fossi *te*, sarei contento di partire"; "Spesso mio fratello sembra *me*".

Con la 1ª e la 2ª persona singolare, però, se c'è identità di persona tra il soggetto e il predicato, si usano i pronomi soggetto *io* e *tu*: "Non mi sento più *io*"; "Non mi sembri più *tu*". Se però il pronome personale di 1ª e 2ª persona è accompagnato dall'aggettivo dimostrativo-identificativo *stesso* si usano *me* e *te*: "Invece di imitare gli altri, devi essere *te* stesso".

• quando il pronome personale è introdotto da *come* e *quanto*: "Anche Carlo, come *me*, non si trova bene qui"; "Sono stanco quanto *te*"; "Sei bella quanto *lei*".

Con la 1ª e la 2ª persona singolare, però, se il verbo è ripetuto, si usano *io* e *tu*: "Sono stanco quanto sei stanco *tu*".

• quando il verbo è di modo indefinito, specialmente nel costrutto del participio e del gerundio assoluti: "Morto *te*, chissà cosa succederà"; "Essendo *lui* in viaggio, non sapevano cosa fare".

Alla 3ª persona singolare e plurale, poi, l'uso di **lui**, **lei** e **loro** è d'obbligo:

• dopo *pure*, *neppure*, *neanche*, *nemmeno* e simili: "Non sono potuti entrare neppure *loro*"; "Pure *lei* darà l'esame domani". Dopo *anche* sono ammesse sia le forme *egli*, *ella*, *essi*, *esse*, che però appartengono al registro letterario o medio-alto, sia le forme *lui*, *lei*, *loro*: "Anch'*egli* è d'accordo / anche *lui* è d'accordo"; "Daranno anch'*essi* un contributo / daranno anche *loro* un contributo";

• in tutti i casi in cui si vuole mettere in particolare rilievo il soggetto, specialmente nelle contrapposizioni o nelle frasi enfatiche: "È stato *lui*!"; "*Lei* dice una cosa, *lui* ne sostiene un'altra". Ma questo caso rientra nella tendenza ormai diffusa a usare sempre più spesso, come si è visto, le forme *lui*, *lei*, *loro* in sostituzione di *egli*, *esso*, *ella*, *essa*, *essi*, *esse*.

1.1.2. USO DEL PRONOME SOGGETTO

A differenza di quanto accade in altre lingue, in italiano l'uso dei pronomi personali in funzione di soggetto è piuttosto limitato, perché la forma verbale, attraverso la desinenza, indica da sola il soggetto:

legg-*o* = *io* leggo; legg-*i* = *tu* leggi; legg-*e* = *egli* legge.

Il pronome, però, è sentito come necessario, e perciò deve essere espresso:

– quando il verbo presenta la stessa forma per più persone e, quindi, è necessario evitare ambiguità: "Credi che *io* dica il falso?"; "Credi che *lui* dica il falso?";
– quando si vuole mettere in particolare rilievo la persona-soggetto, come nelle espressioni enfatiche e nelle contrapposizioni: "L'ho fatto *io*"; "L'ha detto *lui*"; "*Noi* abbiamo fatto tutto il lavoro e *lui* si prende il merito";
– quando il verbo è di modo indefinito e il suo soggetto è diverso da quello della reggente: "Arrivato *lui*, la festa incominciò"; "Essendo *tu* poco allenato, le tappe saranno brevi". Ma si dirà invece: "Appena arrivato, cominciò a parlare"; "Essendo poco allenato, devi fare tappe brevi";
– nelle espressioni in cui il verbo è sottinteso: "*Tu* qui? Non mi sembra vero".

Inoltre, come è facilmente intuibile, il pronome personale soggetto non può essere sottinteso se è introdotto da *e*, *anche*, *pure*, *neppure*, *come* e simili: "Verremo Carlo e *io*"; "Anche *tu* devi preparare i documenti".

1.2. I pronomi personali complemento

I pronomi personali complemento sono quelli che, nella frase, sono usati in funzione di complemento. Essi presentano due forme particolari, ben differenti l'una dall'altra:

• una **forma tonica** o **forte**, così detta perché è fortemente accentata e dà particolare rilievo al pronome (*pronomi tonici*): **me, te, lui, lei, noi, voi, loro**;

• una **forma atona** o **debole**, così detta perché non è accentata e nel discorso si appoggia alla parola vicina (*pronomi atoni*): **mi, ti, lo, la, le, ci, vi, li, gli, le, (loro)**.

1.2.1. Le forme toniche

I pronomi tonici **me, te, lui, lei, noi, voi, loro** si usano:

• obbligatoriamente in funzione di complemento indiretto di termine, quando è introdotto dalla preposizione *a*: "Consegna il libro a *me*";

• obbligatoriamente in funzione di complemento indiretto introdotto da qualsiasi preposizione o locuzione preposizionale: "Questo regalo è per *te* o per *lui*?"; "Arriveremo dopo di *te*";

• di preferenza, in funzione di complemento oggetto diretto, specialmente se si vuole mettere in evidenza il pronome: "Laura ha visto *te* e non ha capito più niente"; "Vogliono *lui*".

Osservazioni

– Il pronome personale nella funzione di complemento di forma tonica può stare sia prima sia dopo il verbo, ma se lo si mette prima del verbo assume, nella frase, un rilievo particolare. Si osservi la differenza tra "Voglio parlare con *lui*" e "Con *lui* voglio parlare, non con la sua segretaria" o tra "Devi rimproverare *lui*, non *me*" e "*Lui*, non *me* devi rimproverare".

– Le forme toniche del pronome personale in funzione di complemento indiretto, come anche quelle in funzione di soggetto, possono in taluni casi essere rinforzate con gli aggettivi indefiniti *stesso* e, più raramente, *medesimo*: "Devi contare solo su *te stesso*".

– In italiano esistono, per il complemento di compagnia, le forme composte di pronome personale tonico *meco* (= con me), *teco* (= con te) e *seco* (= con sé), che derivano dalle corrispondenti forme composte latine *mecum*, *tecum*, *secum* (in latino esistevano anche le forme *nobiscum*, 'con noi', e *vobiscum*, 'con voi'), ma sono ormai cadute in disuso e si trovano soltanto in testi letterari dei secoli passati: "Vieni *meco*"; "Se ne andò portando *seco* il bimbo".

– "Paolo pensa *a lui*" significa che Paolo sta pensando *a qualcuno già nominato prima*, come nella frase "Piero è partito e Paolo pensa sempre a lui". Invece "Paolo pensa sempre *a sé*" significa che Paolo pensa sempre *a se stesso*: *sé*, infatti, è un pronome riflessivo e si può usare soltanto se è riferito al soggetto della proposizione. Perciò la costruzione: "Paolo è un egoista perché pensa sempre a *lui*" è sbagliata e va corretta in "Paolo è un egoista perché pensa sempre a *sé*".

– Alla 3ª persona singolare e plurale, le forme *lui*, *lei* e *loro* si usano come pronomi complemento solo in riferimento a persone e solo se la persona è diversa dal soggetto della proposizione: "Laura è innamorata di Paolo e pensa sempre *a lui*"; "Siamo stati *da lei* a Roma"; "*Per loro* va sempre tutto bene". Quando invece la persona cui il pronome personale complemento si riferisce coincide con il soggetto della frase e, quindi, ha valore riflessivo, si usa *sé*: "Paolo è pieno *di sé*"; "Laura pensa solo *per sé*"; "I miei compagni sanno badare bene *a sé*". In riferimento ad animali o cose, invece di *lui*, *lei* e *loro* si usano le forme *esso*, *essa*, *essi*, *esse*: "Le mie piante crescono stentatamente, eppure dedico *ad esse* moltissime cure"; "Quel sacco a pelo è eccezionale: *con esso* non ho mai avuto freddo". Diversamente dalle altre forme toniche, però, *esso*, *essa*, *essi*, *esse* non possono mai essere usati in funzione di complemento oggetto, ma solo in funzione di complemento indiretto preceduto da una preposizione (in funzione di complemento oggetto si usano sempre le forme atone *lo*, *la*, *li*, *le*).

1.2.2. LE FORME ATONE

I pronomi atoni **mi**, **ti**, **lo**, **gli**, **la**, **le**, **ci**, **vi**, **li**, **le**, (**loro**), che sono detti anche, e più esattamente, "particelle pronominali", si usano:

• in funzione di complemento oggetto diretto: "*Mi* hanno scelto"; "*Lo* accusano tutti";

• in funzione di complemento indiretto di termine, quando esso non è introdotto dalla preposizione *a* perché non si vuole dare particolare rilievo al pronome: "Domani *ti* dirò tutto"; "Per la sua festa, *gli* darò questi fiori".

La 1ª e 2ª persona singolare e plurale presentano forme identiche per il maschile e per il femminile e, ai fini della sintassi, per il complemento oggetto e per il complemento indiretto di termine. Perciò, la 1ª persona singolare *mi* vale "me" ("*Mi* guardano tutti") e "a me" ("*Mi* ha dato un bacio"); la 2ª persona singolare *ti* vale "te" ("*Ti* saluto") e "a te" ("*Ti* scriverò presto"); la 1ª persona plurale *ci* vale "noi" ("Paolo *ci* ha piantato in asso") e "a noi" ("Laura *ci* ha regalato un libro") e, infine, la 2ª persona plurale *vi* vale "voi" ("*Vi* aiuto volentieri") e "a voi" ("Gianni *vi* manda i suoi saluti").

Alla 3ª persona, invece, il pronome personale presenta forme diverse per il maschile e per il femminile e, anche, sul piano della sintassi, per il complemento oggetto e per il complemento indiretto di termine. Si ha infatti:

– per il complemento oggetto diretto: *lo* (= lui) per il maschile singolare; *la* (= lei) per il femminile singolare; *li* (= loro) per il maschile plurale; *le* (= loro) per il femminile plurale:

L'insegnante { *lo* / *la* / *li* / *le* } chiamò per nome.

– per il complemento indiretto di termine: *gli* (= a lui) per il maschile singolare; *le* (= a lei) per il femminile singolare; *loro* (= a loro) per il maschile e il femminile plurale:

Il poliziotto { *gli* disse / *le* disse / disse *loro* } di ritornare pure a casa.

Oggi, però, si va generalizzando nell'uso vivo della lingua l'uso toscano del pronome di 3ª persona singolare *gli* in funzione di complemento di termine anche per la 3ª persona plurale maschile e femminile, invece di *loro*: "Li chiamò e *gli* disse tutta la verità" in luogo di "Li chiamò e disse *loro* tutta la verità". Nella lingua familiare e colloquiale, poi, *gli* tende a sostituire anche il corrispondente pronome femminile singolare *le* ("Telefonale e di*gli* di venire da noi domani" invece di "Telefonale e di*le* di venire da noi domani"), ma si tratta di un uso errato che è meglio evitare tenendo ben distinti i due generi. Ancora meno giustificabile è l'uso, tipicamente dialettale, di *ci* in luogo di *gli*: "Allora io *ci* ho detto" invece di "Allora io *gli* ho detto".

Infine, quando il pronome di 3ª persona si riferisce al soggetto della proposizione in cui si trova, invece di *lo*, *la*, *li*, *le* ecc., si usa la forma atona del pronome riflessivo *si*, che, come vedremo, vale tanto per il complemento oggetto (= sé) quanto per il complemento di termine (= a sé): "Paolo *si* veste elegantemente"; "Paolo *si* strofinò gli occhi".

Osservazioni

• I pronomi di forma atona devono sempre stare vicini al verbo che li regge, perché, essendo privi di accento, hanno bisogno di appoggiarsi ad esso. In particolare, di norma, essi si collocano **prima del verbo** e, poiché così si appoggiano su di esso per la pronuncia, si dice che sono proclitici (cioè "piegati in avanti"): "*Vi* ho detto che è partito"; "*Li* vedo da qui".

Talvolta, però, i pronomi di forma atona devono essere posti **dopo il verbo**: diventano allora enclitici (cioè "piegati all'indietro") e si uniscono al verbo formando un'unica parola. Ciò succede quando questi pronomi

– determinano l'avverbio *ecco*: "Ecco*mi* qui";

– sono complementi:

a) di un infinito: "Ho bisogno di *vederti*"; "Esco per *comprargli* le medicine". Come si vede, unendosi al pronome di forma debole, l'infinito perde la vocale finale. E con i cosiddetti verbi servili (*potere*, *dovere*, *sapere* ecc.) seguiti da un infinito, il pronome di forma debole deve essere collocato prima del verbo servile, in posizione proclitica, o dopo il verbo all'infinito in posizione enclitica? La grammatica dice che il pronome deve andare dopo l'infinito, perché del verbo all'infinito è complemento: "Non posso aiutar*ti*". Ma è accettabile anche la costruzione con il pronome posto prima del verbo servile: "Non *ti* posso aiutare";

b) di un gerundio: "Non vedendo*ti* arrivare, mi sono preoccupato";

c) di un participio passato: "La proposta da voi fatta*mi* è inaccettabile";

d) di un imperativo usato per esprimere un ordine o una esortazione: "*Datemi* ancora un po' di tempo". Quando invece l'imperativo in forma negativa esprime un divieto, il pronome può essere sia posposto sia anteposto al verbo: "Non toccar*lo*" oppure "Non *lo* toccare". Se la forma dell'imperativo è tronca, come succede con gli imperativi *di'* (dal verbo *dire*), *dà* (dal verbo *dare*), *fa* (dal verbo *fare*), *sta* (dal verbo *stare*), *va* (dal verbo *andare*), i pronomi atoni raddoppiano la consonante iniziale: "*Dimmi* tutto"; "*Datti* da fare"; "*Dalle* quei fiori". Il raddoppiamento della consonante, però, non avviene con il pronome *gli*: "*Dagli* tutto"; "*Stagli* vicino".

La posizione enclitica della particella, infine, viene talvolta utilizzata nei telegrammi, nelle inserzioni economiche e negli annunci pubblicitari al fine di risparmiare spazio e denaro usando un minor numero di parole: "Affitta*si* (= *si* affitta) magazzino 500 mq"; "Invio*ti* (= *ti* invio) documenti richiesti".

• Il pronome atono di 3ª persona maschile singolare *lo*, che di solito è usato in funzione di complemento oggetto ("Non *lo* vedo da ieri"), oltre che un nome può sostituire anche:

a) un aggettivo, con il significato di *tale*: "Speravo che la festa sarebbe stata divertente, ma non *lo* è stata (= non è stata *tale*, non è stata *divertente*)";

b) un'intera espressione o frase, con il significato dei pronomi dimostrativi *ciò* e *questo*: "Vorrei partire con voi ma il lavoro non me *lo* permette (= il lavoro non mi permette *ciò*, cioè *di partire con voi*)"; "Tu mi chiedi continuamente quando sarà pronto l'appartamento ma io non te *lo* so dire (= non ti so dire *ciò*, cioè *quando sarà pronto l'appartamento*)".

In questi casi, il pronome *lo* ha un valore "neutro". Un valore particolare, assai simile al valore "neutro" di *lo*, ha anche il pronome atono di 3ª persona femminile singolare *la*, in determinate espressioni idiomatiche: "È uno che *la* sa lunga"; "Conta*la* giusta"; "Per far*la* breve: ho perso il treno"; "Sentendo lo sparo se *la* diedero a gambe"; "Ce *la* siamo cavata a stento"; "Non far*la* lunga: ti sei fatto solo un taglietto"; "Ce *l*'ha con me"; "Non *la* farai franca anche questa volta"; "Ve *l*'ho fatta!"; "Questa volta *la* paghi". In queste espressioni, in effetti, la particella *la* da un lato sostituisce un nome sottinteso e ha perciò valore di pronome, dall'altro lato, però, presenta un suo significato autonomo, assumendo essa stessa quasi il valore di un nome.

• Espressioni come "*A me mi* piace la musica rock", "*A lui gli* hanno dato uno schiaffo", "*A Gianni* non *dirgli* niente" sono chiaramente errate o per lo meno ridondanti, perché presentano un pronome di troppo. Perciò, poiché di norma non si può usare contemporaneamente con la stessa funzione logica il pronome di forma debole e il pronome di forma forte oppure il pronome e il nome cui esso si riferisce, sarà opportuno dire e scrivere più esattamente: "*A me* piace la musica rock" oppure "*Mi* piace la musica rock"; "*A lui* hanno dato uno schiaffo" oppure "*Gli* hanno dato uno schiaffo"; "*A Gianni* non dire niente".

Però, nella lingua parlata e nella lingua scritta di livello medio, le costruzioni con il doppio pronome o con il pronome più il nome sono talvolta accettabili, soprattutto se consentono di conseguire una maggior vivacità espressiva. Sarà bene, in tal caso, utilizzare opportunamente la punteggiatura, e nella lingua parlata modulare accortamente il ritmo della frase, in modo da separare un pronome dall'altro o il nome dal pronome: "*Lei*, *l*'ho incontrata proprio ieri, *lui* non *lo* vedo da mesi"; "*A noi*, nessuno *ci* dice mai niente"; "*Li* vedo spesso, *Luca e Michele*, al cineforum"; "Guarda*le*, *le mie rose*! Non sono splendide?". Si tratta, comunque, di una costruzione non sempre gradevole, di cui è meglio non abusare.

Il pronome di forma debole *lo*, quando ha valore "neutro" (= ciò), viene spesso collocato prima della frase cui si riferisce. Anche questo è un caso di ridondanza (o ripetizione) volta a dare una maggior incisività espressiva al parlato. Infatti, la costruzione "Prevedevo che ti saresti messo nei guai" è indubbiamente meno vivace dell'espressione "*Lo* prevedevo, che ti saresti messo nei guai!". Anche in questo caso, però, è meglio non abusare di un costrutto pur sempre ridondante.

1.3. I pronomi personali riflessivi

I pronomi personali riflessivi sono i pronomi personali che si usano per costruire la **forma riflessiva** dei verbi, cioè la forma verbale in cui l'azione espressa dal verbo e compiuta dal soggetto "si riflette", cioè ricade sul soggetto stesso:

Io *mi* lavo (= *io* lavo *me*).

Questi pronomi, proprio perché rimandano alla persona che compie l'azione, **si riferiscono sempre e soltanto al soggetto** della proposizione in cui si trovano e presentano la seguente forma:

	singolare	plurale
1ª persona	**mi**	**ci**
2ª persona	**ti**	**vi**
3ª persona	**si** **sé**	**si** **sé, loro**

In particolare:

• per la 1ª e 2ª persona singolare e plurale si usano, come riflessivi, i pronomi atoni **mi**, **ti**, **ci**, **vi**, cioè gli stessi che si usano come pronomi complemento quando l'oggetto è diverso dal soggetto:

Io *mi* lavo, Tu *ti* lavi, Noi *ci* laviamo, Voi *vi* lavate.

Per dare più rilievo alla frase, si possono anche usare i corrispondenti pronomi tonici *me*, *te*, *noi*, *voi*, seguiti dagli aggettivi dimostrativi *stesso* o *medesimo*: "Penserò a salvare *me stesso*"; "Tu lodi troppo *te stesso*".

• per la 3ª persona singolare e plurale, invece, esiste un apposito pronome riflessivo, **si**, valido sia per il maschile sia per il femminile:

Paolo *si* loda troppo. Laura *si* loda troppo. Questi ragazzi *si* lodano troppo. Queste ragazze *si* lodano troppo.

Oltre che in funzione di complemento oggetto, il pronome personale riflessivo *si* può essere usato anche in funzione di complemento indiretto di termine, con il valore di "a sé": "Paolo *si* disse (= disse a sé) che era meglio star zitto".

Per la 3ª persona singolare e plurale, accanto alla forma atona **si** esiste anche la forma tonica **sé**, che viene usata per lo più insieme con gli aggettivi *stesso* e *medesimo*:

• facoltativamente, quando si vuole dare più rilievo all'espressione: "Paolo difende troppo *sé* (opp. *se stesso*) e i suoi amici".

La forma tonica *sé*, però, non può essere usata al posto di *si* nella forma più propriamente riflessiva come "Egli *si* lava" (un'espressione come "Egli lava *sé*" non ha alcun senso) e nella forma cosiddetta riflessiva apparente come "Egli *si* lava le mani" (un'espressione come "Egli lava le mani *a sé*" non ha senso).

• obbligatoriamente, quando il pronome riflessivo è introdotto da una preposizione: "Paolo pensa soltanto *a sé* e parla soltanto *di sé*".

Se il pronome di 3ª persona non è riferito al soggetto della proposizione in cui si trova, anziché *sé* si usano, come si è visto, le forme *lui*, *lei* e *loro*: "Paolo è contento che i suoi compagni si rivolgano a *lui* per avere notizie sulla partita".

Osservazioni

– I pronomi riflessivi di 3ª persona *si* e *sé* si possono riferire anche a un oggetto indeterminato: "Su questi sentieri è facile rompers*i* (= che *uno* si rompa) una gamba"; "Non è giusto vivere senza fermarsi mai a riflettere un po' su *sé* e sulla propria vita".

– Il pronome *sé* è sostituito dal pronome di 3ª persona plurale *loro* quando, pur riferendosi al soggetto della proposizione di cui fa parte, ha significato reciproco e dopo le preposizioni e le locuzioni preposizionali *tra*, *fra*, *in mezzo a*, *insieme con* e simili: "I ragazzi scherzano *tra loro*"; "I ragazzi hanno accolto con entusiasmo *in mezzo a loro* il nuovo arrivato".

– I pronomi *ci*, *vi*, *si*, oltre che avere valore riflessivo, possono anche esprimere una reciprocità d'azione: "*Ci* salutammo (= ci salutammo l'un l'altro) affettuosamente"; "Voi *vi* amate (= vi amate l'un l'altro)". Talvolta, anzi, non è facile individuare se le particelle *ci*, *vi*, *si* hanno valore riflessivo oppure reciproco. Una costruzione come "Essi *si* stimano" può, infatti, significare sia "Essi *si* stimano *reciprocamente*" sia "Essi stimano *se stessi*". Per lo più il valore reciproco viene evidenziato da un avverbio ("Noi *ci* stimiamo *reciprocamente*" oppure "*a vicenda*"), da un pronome ("Essi *si* lodano *l'un l'altro*") o da un complemento partitivo ("*Vi* lodate *tra voi*"), ma spesso solo l'analisi del contesto consente di interpretare correttamente la frase.

– Alcuni verbi, detti appunto *verbi pronominali*, sono sempre accompagnati dalle particelle pronominali *mi*, *ti*, *ci*, *vi*, *si* che non hanno in questo caso un valore riflessivo ma rappresentano una parte integrante del verbo stesso. Sono, ad esempio, verbi pronominali: *arrabbiar*si (*io* mi *arrabbio*, *tu* ti *arrabbi*), *incamminar*si (*egli* si *incamminò*, *noi* ci *incamminammo*), *pentir*si (*voi* vi *pentirete*, *essi* si *pentiranno*), *vergognar*si (*tu* ti sei *vergognato*, *essi* si sono *vergognati*).

1.3.1. LE PARTICELLE *CI* E *VI*

Le particelle **ci** e **vi**[3] sono, propriamente, delle **particelle avverbiali**. Il loro primo impiego, quindi, è quello di **avverbi di luogo**, con valore di stato in luogo, moto a luogo, moto attraverso luogo: "Questo paesino è delizioso: *ci* (= qui, in questo luogo) vivo benissimo"; "Non sono ancora andato al supermercato ma *vi* (= là, in quel luogo) andrò fra poco"; "Quella strada così stretta e tortuosa è poco sicura: non *ci* (= per quel luogo) passerò più". Poi, le particelle avverbiali *ci* e *vi* si sono specializzate in funzione pronominale e hanno preso ad assolvere il compito di **forme atone dei pronomi** di prima e seconda persona plurale, sia in funzione di complemento oggetto sia in funzione di complemento di termine: "*Ci* detestano"; "*Ci* piace molto la tua casa"; "*Vi* vedrò domani"; "*Vi* spedirò quei libri".

In alcune particolari costruzioni, tipiche soprattutto del parlato, *ci* e *vi* possono essere usati anche come pronomi personali di 3ª persona singolare e plurale. In tal caso hanno valore di complemento indiretto e possono riferirsi sia a persone sia a cose: "Certo che li conosco: *ci* (= con loro) vado a scuola assieme"; "Quel pasticcione di Carlo? È meglio non contar*ci* (= su di lui)"; "Vedi questa bici? *Ci* (= con essa) faccio delle corse!".

Abbastanza diffuso nel parlato, ma di ambito decisamente dialettale e perciò, come si è detto, da evitare, è l'uso di *ci* in luogo di *gli* o di *loro*, nel significato di "a lui, a lei, a loro": "Appena lo vedo, *ci dico* tutto".

Da ultimo, l'uso ha portato le particelle *ci* e *vi* anche a svolgere la funzione di **pronome dimostrativo**, per lo più con valore neutro: "Partire? Non *vi* (= a ciò) penso neppure"; "Gianni vuole andare in vacanza da solo: io non *ci* (= in ciò) vedo nulla di male, e tu?"; "*Ci* (= in ciò) provo gusto"; "Sarà anche vero, ma io non *ci* (= ciò) credo"; "Non *ci* (= di ciò) capisco niente".

[3] Tra *ci* e *vi* non esiste alcuna differenza di significato. La particella *ci*, però, è oggi di uso molto più frequente e molto più comune di *vi*, che suona piuttosto libresca e di norma viene utilizzata solo in testi di registro letterario.

Sia quando hanno valore di pronome neutro sia quando hanno valore di avverbio di luogo, le particelle *ci* e *vi* sono usate spesso con **valore esclusivamente rafforzativo**. Si tratta di costruzioni ridondanti ma di norma accettabili, specialmente nella lingua parlata e anche nella lingua scritta, quando si vuole riprodurre la vivacità e l'immediatezza del parlato popolare: "A quello che è successo ieri non *ci* penso più"; "Con i tipi come te non *ci* parlo"; "In questa città non *ci* si può più vivere!"; "In piscina oggi è meglio che non *ci* vai".

1.3.2. LA PARTICELLA *NE*

Anche la particella **ne** ha originariamente **valore avverbiale**: è, infatti, un **avverbio di luogo** che con i verbi di moto significa *da lì*, *da là*, *da quel luogo*: "Paolo è arrivato a Firenze ieri, ma *ne* (= da là) è ripartito quasi subito per raggiungerti al mare"; «"Sei stato in biblioteca?" "Sì, *ne* (= da quel luogo) torno proprio ora"».

Poi, però, anche *ne* ha assunto la funzione di **particella pronominale** e, sulla base del suo significato originale, si è specializzata nella funzione di complemento di provenienza o di specificazione e di complemento partitivo. In particolare, come particella pronominale, **ne** può essere:

- **pronome personale riferito a persona**: in tal caso corrisponde per significato a *di lui*, *di lei*, *di loro*; *da lui*, *da lei*, *da loro*: "È innamorata di Antonio e *ne* (= di lui) parla sempre"; "Non frequento più quelle persone perché *ne* (= di esse) disapprovo il comportamento"; "Io l'ho sempre trattato benissimo ma *ne* (= da lui) ho ricevuto solo sgarbi";
- **pronome dimostrativo**: in tal caso corrisponde per significato a *di questo*, *di questa*, *di questi*, *di queste*; *da quello*, *da quella*, *da quelli*, *da quelle*: "Se vuoi che ti compri il motorino devi promettere che *ne* (= di questo) avrai cura"; "Ho visto quei documentari e *ne* (= da quelli) sono stato molto impressionato";
- **pronome neutro**: in tal caso corrisponde per significato a *di ciò*, *da ciò* e viene usato solitamente in sostituzione di un'intera espressione o frase: "È stato lui: *ne* (= di ciò) sono sicuro".

La particella *ne*, infine, viene usata in numerose espressioni idiomatiche in cui non sempre ha un preciso valore grammaticale e un significato univoco: "Non poter*ne* più"; "Averse*ne* a male"; "Far*ne* di tutti i colori"; "*Ne* vale la pena"; "*Ne* va della vita" ecc.

Per quanto riguarda la sua collocazione, *ne*, come le altre particelle pronominali, può essere tanto *proclitica* quanto *enclitica*: "Stimo molto Mario e *ne* ammiro soprattutto l'onestà"; "Se hai troppi libri, regala*ne* qualcuno alla biblioteca scolastica". Con le forme di imperativo *dà*, *fa*, *di'*, *sta*, anche *ne* subisce il raddoppiamento della consonante iniziale: "Quanti pacchi! Dan*ne* qualcuno a me"; "È un posto pericoloso: stan*ne* lontano".

Spesso la particella pronominale *ne* viene usata a scopi esclusivamente stilistico-espressivi, come **rafforzativo**. In taluni casi, essa costituisce effettivamente un elemento utile alla chiarezza e all'immediatezza del discorso ed è indubbiamente accettabile, soprattutto nel parlato e nei testi scritti di livello colloquiale: "*Di tipi* come te *ne* conosco tanti"; "Quante *ne* hai *di queste figurine*?"; "*Ne* racconti *di storie*!"; "*Di soldi* non *ne* hanno molti, ma se la cavano benino". Accettabile l'uso della particella *ne* come rafforzativo e anche in funzione avverbiale ("*Da questo paese* me *ne* vado via senza rimpianti"; "Se *ne* sta sempre *in casa* tutta sola") o in espressioni in cui è parte integrante dell'espressione stessa ("Non averte*ne* a male *di quel che ti ho detto*"; "*Non ne* posso più *del tuo comportamento*"). Invece, sono del tutto inaccettabili, e quindi da evitare perché inutilmente pesanti prima ancora che scorrette, costruzioni come "Ha commesso un errore e ora se *ne* vergogna *di esso*"; "Non continuare a parlar*ne di loro*"; "È un posto pericoloso: stan*ne* lontano *da lì*".

1.3.3. COMBINAZIONI DI PRONOMI ATONI

I pronomi personali atoni *mi*, *ti*, *si*, *ci*, *vi*, modificati in *me*, *te*, *se*, *ce*, *ve*, sono spesso usati insieme con i pronomi, pure atoni, *lo*, *la*, *li*, *le* e con la particella *ne* in particolari nessi personali come *me lo*, *me la*, *me li*, *me le*, *te lo*, *te la* ecc.:

Te lo dirò poi. *Me ne* dia un paio.

Naturalmente i due pronomi atoni usati in coppia hanno funzioni ben diverse, in quanto dal punto di vista sintattico rappresentano ciascuno un complemento diverso: il pronome che occupa il primo posto svolge la funzione di *complemento di termine* e quello che occupa il secondo posto la funzione di *complemento oggetto* o, nel caso della particella *ne*, la funzione di *complemento di specificazione* o *di argomento*. Ad esempio, "*Me lo* dia" vale "Dia *a me ciò*"; "*Me ne* ha parlato personalmente" vale "Ha parlato *a me di ciò* personalmente"; "*Ce lo* presenti, per favore" vale "Presenti *a noi lui*, per favore" e così via.

Si avranno pertanto le seguenti **coppie di pronomi personali atoni**:

1ª singolare	**me lo**	**me la**	**me li**	**me le**	**me ne**
2ª singolare	**te lo**	**te la**	**te li**	**te le**	**te ne**
3ª singolare	**se lo**	**se la**	**se li**	**se le**	**se ne**
1ª plurale	**ce lo**	**ce la**	**ce li**	**ce le**	**ce ne**
2ª plurale	**ve lo**	**ve la**	**ve li**	**ve le**	**ve ne**
3ª plurale	**se lo**	**se la**	**se li**	**se le**	**se ne**

Anche il pronome atono complemento di termine *gli* si combina con i pronomi atoni complemento oggetto *lo*, *la*, *li*, *le* e con la particella pronominale *ne* e, in unione con essi, costituisce (modificandosi in **glie-**) le forme **glielo**, **gliela**, **glieli**, **gliele**, **gliene** che si scrivono sempre unite e che si usano indifferentemente per il maschile e per il femminile, per il singolare e il plurale:

> Se questa lettera è per Mario, *gliela* voglio consegnare io. Paolo e Mario avevano bisogno di soldi e io *glieli* ho prestati volentieri. È meglio che *gliene* parli di persona.

Di norma, la coppia di pronomi atoni precede il verbo. Quando però il verbo è al modo imperativo, participio, gerundio o infinito, la coppia dei pronomi atoni si colloca dopo il verbo e forma con esso un'unica parola: "Il tuo maglione rosa mi piace molto: regalando*melo* mi faresti felice".

Quando si unisce alla coppia di pronomi atoni, l'infinito perde la vocale finale: "Se hai bisogno dello shampoo, vado a comprar*telo*". Le coppie di pronomi atoni che iniziano con una consonante la raddoppiano unendosi agli imperativi tronchi *di'*, *dà*, *fa*, *sta*, *va'*: "Quel libro è mio: *dammelo*"; "Se sai chi è stato, *diccelo*"; "*Fattelo* da te". Il raddoppiamento della consonante, però, non avviene se la coppia di pronomi inizia con *gli*: "*Diglielo*!"; "Se vuole quell'indirizzo, *daglielo*!". Nelle forme composte del gerundio e dell'infinito, la coppia dei pronomi atoni si unisce al verbo ausiliare: "Per Luisa quell'anellino era un caro ricordo: dovrai scusarti per aver*glielo* perso".

Con i verbi servili *potere*, *dovere*, *volere*, *sapere* ecc. seguiti da un infinito, la coppia di pronomi atoni può essere collocata sia prima del verbo (*posizione proclitica*) sia dopo il verbo (*posizione enclitica*): "*Me lo* puoi prestare?" oppure "Puoi prestar*melo*?"; "Non *te lo* saprei dire" oppure "Non saprei dir*telo*".

I verbi *andare* e *stare* sono spesso accompagnati dalla coppia di particelle *me ne*, *te ne*, *se ne*, *ce ne*, *ve ne* in funzione essenzialmente espressivo-rafforzativa. Di fatto, frasi come "Qui *me ne* sto in pace", "Stat*tene* tranquillo", "*Se ne* andò via contento", "*Me ne* vado via dalla città perché non sopporto i rumori del traffico" hanno lo stesso significato delle corrispondenti frasi prive delle particelle pronominali ("Qui sto in pace", "Sta tranquillo", "Andò via contento", "Vado via dalla città perché non sopporto i rumori del traffico"), ma risultano indubbiamente più vivaci dal punto di vista espressivo.

I pronomi personali di forma atona *mi*, *ti*, *gli*, *le*, *ci*, *vi*, *li* possono combinarsi anche con la particella *ci* e con il *si* passivante o impersonale e dare luogo, conservando la loro forma, ad altri nessi:

mi ci, ti ci, gli ci, le ci...: "*Gli ci* volle un giorno";
mi si, ti si, gli si, le si...: "*Gli si* spezzò il tubo in mano".

Talvolta si può arrivare anche a combinazioni di tre elementi, come **me ce ne, te ce ne** e simili: "Un chiodo non basta: *te ce ne* vogliono almeno due". Ma si tratta di nessi piuttosto pesanti ed è meglio evitarli risolvendo diversamente la frase.

1.4. I pronomi allocutivi di cortesia

I pronomi con cui ci si rivolge, per iscritto e oralmente, a una o più persone – il destinatario o i destinatari di un messaggio – sono, di norma, i pronomi di 2ª pers. sing. e plur. **tu** e **voi**, che proprio per questo si chiamano pronomi allocutivi (dal latino *adloqui*, 'rivolgere la parola a qualcuno'). Non sempre, però, si è in tale confidenza con una persona da poterle "dare del tu". Spesso, anzi, capita di rivolgersi a una persona con il **lei** o, anche, con il **voi**. I pronomi *lei* e *voi*, quando sono usati in questa funzione, sono detti pronomi allocutivi di cortesia. Ma vediamo quando e come si usano le varie forme di allocuzione.

• Normalmente, quando ci si rivolge a una persona con cui si è in rapporto di confidenza, si usa il pronome di 2ª pers. sing. *tu*: "E *tu*, come stai?".

• Quando ci si rivolge a una persona – uomo o donna – di particolare riguardo o con la quale non si è in confidenza, si usa il pronome di 3ª pers. sing. femminile *lei*, che è il più comune: "Passi prima *lei*, dottore". Entrato nell'uso fra Trecento e Quattrocento, il *lei* contese il campo tanto a *ella* quanto a *voi*, poi, nel Cinquecento, per influsso dello spagnolo, soppiantò il *voi* e relegò la forma *ella* entro gli spazi sempre più ristretti del registro espressivo letterario, imponendosi come la forma più usata e più facile, nonostante gli sforzi del regime fascista di sradicarla per sostituirla con il più "romano" *voi*.

Lei è un pronome di terza persona singolare femminile e quindi tutti i pronomi che si riferiscono alla persona cui ci si rivolge devono essere pronomi di terza persona singolare femminile ("*La* vogliono al telefono, dottore"; "Domani *le* porterò il modulo firmato, signor Rossi"). Invece, gli aggettivi o i participi passati che eventualmente si riferiscono al pronome di cortesia *lei* si accordano preferibilmente con il genere della persona cui ci si rivolge, saranno cioè al maschile se ci si rivolge a un uomo ("*Lei*, caro *signore*, è molto buon*o*") e al femminile se ci si rivolge a una donna ("*Lei*, cara *signora*, è molto buon*a*").

• Il pronome allocutivo *ella* si riferisce, come il pronome *lei*, a una persona sola, uomo o donna, ma suona prezioso e ricercato. Oggi, non è più in uso e compare, con l'iniziale maiuscola (*Ella*), solo in testi di elevato registro espressivo o in testi burocratici: "*Ella*, signor giudice, indubbiamente conosce la situazione".

Con il pronome allocutivo *ella*, tutti i pronomi, gli aggettivi e i participi passati che si riferiscono alla persona cui ci si rivolge devono essere obbligatoriamente accordati al femminile, anche se la persona in questione è un uomo: "*Ella* è assai stimat*a*, dottore".

• Il plurale di *lei* e di *ella*, quando ci si rivolge a più persone di riguardo o con cui non si ha confidenza, è *loro*: "Vengano pure avanti *loro*, signori"; "*Si* accomodino".

Il *loro*, però, suona ormai piuttosto formale. Perciò, anche quando ci si rivolge a più persone a ciascuna delle quali si darebbe del *lei*, si preferisce usare il plurale di *tu*, cioè *voi*.

• Il normale pronome allocutivo di 2ª persona plurale *voi* è, oggi, il pronome più usato anche per rivolgersi a due o più persone con cui non si hanno rapporti di amicizia e di confidenza: "Venite pure avanti *voi*, signori"; "Accomodate*vi*, per favore".

Invece, il *voi* come pronome allocutivo di cortesia riferito a una sola persona è ormai caduto in disuso. Molto frequente nel passato, oggi sopravvive solo nel parlato di alcune zone dell'Italia centro-meridionale: «Fatemi l'onore di accomodarvi, signora Maria»; «Voi come state, zio?». Naturalmente, il *voi* di cortesia richiede il verbo alla 2ª pers. plurale, ma l'accordo degli aggettivi e dei participi passati si fa al singolare, maschile o femminile, a seconda del sesso della persona cui ci si rivolge: «*Voi*, *signore*, siete molto generos*o*».

Nel linguaggio commerciale, il *voi* è spesso usato, in funzione spersonalizzante e generalizzante, per rivolgersi a un ufficio o a una ditta. In questo caso, il *voi* richiede tutte le concordanze al maschile plurale:

> "Spett.le Ditta 'Moda oggi',
> siamo lieti di informar*Vi* che intendiamo accettare la *Vostra* offerta relativa ai capi invernali. *Vi* preghiamo però di essere particolarmente sollecit*i* nella consegna...".

I pronomi allocutivi *tu*, *voi* e *lei* hanno ciascuno i propri derivati, per i vari usi grammaticali e sintattici. Così *tu* ha come particella pronominale *ti* e ha *tuo* come aggettivo o aggettivo pronominale: "*Ti* scrivo per avere *tue* notizie". *Voi* ha *vi* e *vostro*: "Cari amici, *vi* saremmo grati se ci inviaste il *vostro* nuovo indirizzo". *Lei* ha *la*, *le*, *li* e *suo*: "Egregio avvocato, *le* comunico la mia intenzione di venire a trovar*la* nel *suo* studio". Le particelle pronominali, gli aggettivi e gli aggettivi pronominali di *voi* e di *lei*, come gli stessi *voi* e *lei*, nelle lettere di carattere commerciale e, anche, in quelle private di tono molto formale, sono di solito scritti con l'iniziale maiuscola; nelle lettere private di tono amichevole anche se non confidenziale, l'iniziale maiuscola è un'inutile ostentazione di formalità o, peggio, una forma di servilismo. Di fatto oggi si preferisce usare la minuscola: "Gentile signora, *le* (oppure *Le*) comunico che passerà a far*le* (oppure far*Le*) visita un nostro collaboratore in vista della scadenza della *sua* (oppure *Sua*) polizza assicurativa".

2. I pronomi possessivi

I pronomi possessivi precisano a chi appartiene ciò che è indicato dal nome che sostituiscono:

> La tua casa è più grande della *mia*.

Nell'esempio, la parola *mia* è un pronome possessivo: sta, infatti, al posto del nome "casa", di cui evita la ripetizione ("La tua casa è più grande della mia casa") e, al tempo stesso, indica a chi appartiene.

I pronomi possessivi corrispondono esattamente agli aggettivi possessivi: infatti, i possessivi **mio**, **tuo**, **suo** ecc. funzionano come aggettivi quando accompagnano il nome cui si riferiscono e, invece, funzionano come pronomi quando ne fanno le veci:

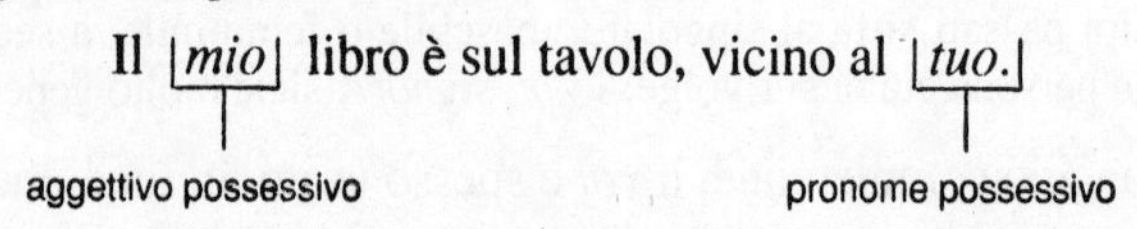

Come risulta dagli esempi, i possessivi, quando funzionano come pronomi, sono sempre preceduti dall'articolo determinativo (o dalla preposizione articolata):

Tuo fratello assomiglia a*l mio*.[4]

I pronomi possessivi, al pari dei corrispondenti aggettivi, sono variabili in genere e numero e sono tanti quante sono le persone cui può appartenere una cosa: *il mio*, *il tuo*, *il suo*, *il nostro*, *il vostro*, *il loro* (si veda la tabella completa dei possessivi a p. 154). Anch'essi, come gli aggettivi possessivi, si accordano in genere e numero con il nome che sostituiscono, cioè con la cosa posseduta: "La mia auto e la *tua* sono state multate"; "Noi conosciamo bene i nostri doveri, ma voi non sapete quali sono i *vostri*". I possessivi *il suo* (*la sua*, *i suoi*, *le sue*) e *il loro* (*la loro*, *i loro*, *le loro*) concordano in genere e numero con il nome che sostituiscono, ma si regolano anche sul nome che indica il possessore. Infatti, quando il possessore è uno solo si usa *il suo*, *la sua*, *i suoi*, *le sue*: "Paolo ha perso sia i miei appunti sia *i suoi*". Quando i possessori sono due o più si usa *il loro*, *la loro*, *i loro*, *le loro*: "Paolo e Laura hanno perso sia i miei appunti sia *i loro*".

Oltre a quelli sopra indicati, sono pronomi possessivi anche *il proprio* (*la propria*, *i propri*, *le proprie*) e *l'altrui* (*la altrui*, *gli altrui*, *le altrui*), il cui uso segue le modalità già indicate a proposito dei corrispondenti aggettivi. In particolare si ricordi che *il proprio* si può usare solo quando il possessore coincide con il soggetto della proposizione: "Io mi occupo del mio lavoro, Paolo *del proprio*"; negli altri casi bisogna usare il possessivo *il suo* (*la sua* ecc.): "Mentre passeggiavo con mia madre, ho incontrato Gianni con *la sua*". Si tenga anche presente che l'uso di *altrui* in funzione di pronome è raro. Perciò, quando si vuole evitare la ripetizione del nome della cosa posseduta, si ricorre al dimostrativo *quello* seguito da *altrui*: "Affronta i tuoi problemi, non *quelli altrui*".

3. I pronomi dimostrativi

I pronomi dimostrativi specificano l'identità o la posizione, nello spazio o nel tempo, della persona o della cosa indicate dal nome che sostituiscono:

[4] Quelli che tradizionalmente vengono chiamati pronomi possessivi non sono dei veri e propri pronomi o sostituenti. Essi, infatti, non sostituiscono il nome cui si riferiscono, ma si limitano a sottintenderlo e conservano perciò il loro ruolo originario di aggettivi attributivi: "Passami il tuo libro e il *mio* (sottinteso *libro*)".

Non voglio questa stoffa ma *quella*.

Nell'esempio, la parola *quella* è un pronome dimostrativo: sta, infatti, al posto del nome "stoffa", di cui evita la ripetizione ("Non voglio questa stoffa ma quella stoffa"), e, al tempo stesso, specifica in quale punto dello spazio si trova la cosa in questione rispetto a chi ascolta.

I pronomi dimostrativi sono **questo**, **quello**, **codesto**, che corrispondono esattamente agli aggettivi dimostrativi e che hanno funzione di pronomi quando sono usati in sostituzione del nome cui si riferiscono, e **questi**, **quegli**; **costui**, **costei**; **costoro**; **colui**, **colei**; **coloro**; **ciò**, che, invece, hanno solo la funzione di pronomi.

Per l'uso di *questo*, *quello* e *codesto* rimandiamo ai corrispondenti aggettivi dimostrativi, ricordando che essi funzionano da aggettivi quando accompagnano il nome e, invece, funzionano da pronomi quando lo sostituiscono:

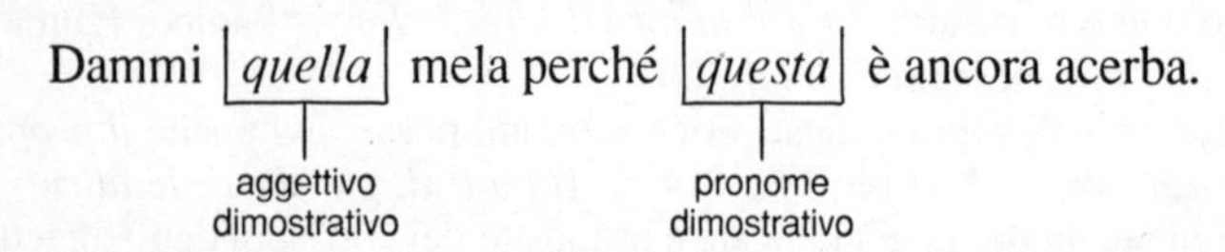

I pronomi dimostrativi *questo* e *quello*, al maschile singolare, possono essere usati con valore "neutro" con il significato di "questa cosa, queste cose, quella cosa, quelle cose": "*Quello* che hai fatto è pazzesco"; "Paolo partirà domani per Londra e ormai non pensa che a *quello*". In tali costruzioni, però, è preferibile usare il pronome dimostrativo "neutro" *ciò*. In talune locuzioni assume valore "neutro" anche il femminile *questa*: "Senti *questa*"; "*Questa* è davvero buona".

Analizziamo invece puntualmente le forme che hanno solo funzione di **pronomi dimostrativi**:

• **questi** e **quegli**: si adoperano solo al maschile singolare, solo in riferimento a persone e solo in funzione di soggetto. *Questi* equivale a *questo* e, quindi, indica persona vicina a chi parla. *Quegli*, invece, equivale a *quello* e indica persona lontana rispetto a chi parla. Spesso sono usati in correlazione tra loro e in questo caso *questi* indica l'ultima persona citata mentre *quegli* la prima persona citata: "Carlo e Luca sono gemelli, ma *questi* (= Luca) è biondissimo, *quegli* (= Carlo) ha gli occhi azzurri e i capelli scuri".

Questi e soprattutto *quegli* appartengono a un registro linguistico decisamente elevato e sono quindi piuttosto rari. Nella lingua colloquiale sono sostituiti dai corrispondenti aggettivi pronominali *questo* e *quello*.

• **costui** (**costei**, **costoro**): equivale a *questo* o a *codesto*, ma può essere riferito solo a persona. Di uso prevalentemente letterario, ha di solito valore spregiativo: "Non mi parlare più di *costui*"; "Chi è *costei*?"; "*Costoro* non mi piacciono proprio".

• **colui** (**colei**, **coloro**): equivale a *quello*, ma può essere riferito solo a persona. Di uso prevalentemente letterario, ha spesso valore spregiativo: "Che cosa vuole *colui*?".

Nella lingua parlata e scritta di livello medio, *colui* si usa esclusivamente in coppia con il pronome relativo *che* per formare le correlazioni *colui che*, *colei che*, *coloro che*: "Il certificato di iscrizione verrà rilasciato a *coloro che* ne faranno richiesta". Anche in questo caso, però, tende ad essere sostituito da *quello*.

• **ciò**: invariabile, ha sempre valore "neutro" e non può quindi essere mai usato per sostituire un nome indicante una persona, un animale o un oggetto specifico. Equivale per significato a "questa cosa, queste cose, quella cosa, quelle cose": "*Ciò* che dici è interessante"; "Vuoi un impegno scritto? *Ciò* mi sembra giusto"; "Di *ciò* parleremo un'altra volta".

Quando è usato con valore di complemento diretto o indiretto, *ciò* può essere sostituito dalle particelle pronominali *ne* (= di ciò), *ci* e *vi* (= a ciò) e *lo* (= ciò): "*Ne* parleremo domani"; "Non *ci* voglio nemmeno pensare"; "Non si preoccupi: *vi* baderò di persona"; "Stac*ci* attento"; "*Lo* farò subito".

Quanto all'uso, la scelta tra le particelle pronominali e *ciò* dipende da ragioni di carattere stilistico. *Ciò*, comunque, è meno usato delle particelle pronominali nel parlato, ma dà maggior vigore all'espressione: "Di *ciò* parleremo domani" è indubbiamente più forte di "*Ne* parleremo domani". Da evitare, perché errate, le accoppiate *ciò* + particella pronominale. Infatti, la frase "*Di ciò ne* parleremo domani", molto frequente nella lingua parlata di livello colloquiale, equivale a "Di ciò di ciò parleremo domani".

Sono dimostrativi anche i pronomi **stesso** (*stessa*, *stessi*, *stesse*) e **medesimo** (*medesima*, *medesimi*, *medesime*) che, come i corrispondenti aggettivi, sono da taluni chiamati dimostrativi di identità o identificativi perché oltre a sostituire qualcosa determinano l'identità o l'uguaglianza tra le persone e le cose che sostituiscono. Il loro uso in funzione di pronomi è identico a quello in funzione di aggettivi:

> Abbiamo la *stessa* (= aggettivo) insegnante dell'anno scorso. / L'insegnante di matematica è *la stessa* (= pronome) dell'anno scorso.

Come pronome, *stesso* può essere usato anche con valore "neutro", nel significato di "la stessa cosa": "Gianni è partito per il mare e io farò *lo stesso* tra pochi giorni"; "Fa *lo stesso*"; "Per me è *lo stesso*".

4. I pronomi indefiniti

I pronomi indefiniti indicano in modo generico e impreciso l'identità o la quantità della persona o della cosa specificate dal nome che sostituiscono o di cui fanno le veci:

> Se ti regalano molti libri, ricordati che ne vorrei *alcuni* anch'io.

Nell'esempio, *alcuni*, che fa le veci del nome *libri* indicandone una quantità imprecisata, è un pronome indefinito. Pronome indefinito è anche *qualcuno* che nella frase "*Qualcuno* ha bussato" sostituisce a tutti gli effetti un nome generico come "una persona".

Tra i pronomi indefiniti, alcuni possono essere usati anche **in funzione di aggettivi**, anzi sono aggettivi indefiniti che, quando sono usati senza il nome cui si riferiscono, fungono da pronomi. Altri, invece, possono essere usati **solo come pronomi**.

4.1. Indefiniti che possono avere funzione sia di aggettivo sia di pronome

Gli indefiniti che, quando sono usati con un nome funzionano da aggettivi e, invece, quando sono usati senza il nome funzionano da pronomi, sono: **poco**, **alquanto**, **parecchio**, **tanto**, **altrettanto**, **molto**, **troppo**, **tutto**, **nessuno**, **alcuno**, **veruno**, **ciascuno**, **taluno**, **certuno**, **altro**, **diverso**, **vario**, **tale**, **certo**:

> Ho bisogno di *molti* soldi.

aggettivo
indefinito

Quanto costano questi bottoni? Me ne servono *molti.*

pronome
indefinito

Quanto al loro significato e al loro uso, questi pronomi indefiniti equivalgono in tutto e per tutto ai corrispondenti aggettivi: si veda *Aggettivo*, pp. 164-173, integrandole con le seguenti osservazioni.

Osservazioni

– **Alcuno** (**-a**, **-i**, **-e**) come pronome indica un numero indeterminato, ma sempre esiguo, di persone o di cose. Al plurale è di uso normale: "*Alcuni* hanno sollevato obiezioni"; "Ho invitato tutte le nostre compagne, ma *alcune* non si sono fatte vedere". Al singolare, di norma, si usa solo in frasi negative: "Non si è ancora fatto vivo *alcuno*". Nella lingua parlata, però, è per lo più sostituito da *nessuno*: "Non si è ancora fatto vivo *nessuno*".

– **Altro** (**-a**, **-i**, **-e**) usato come pronome è sempre accompagnato dall'articolo e significa "altra persona, altre persone": "Se non vieni tu, inviterò *un altro*"; "Non preoccuparti di quello che pensano *gli altri*". Usato senza articolo al maschile singolare, assume valore neutro con il significato di "altra cosa, altre cose": "Le occorre *altro*?". Spesso viene usato in correlazione con il pronome indefinito *uno* nelle espressioni *l'uno... l'altro*, *gli uni... gli altri* e simili: "Paolo e Laura non riescono mai a mettersi d'accordo: *l'uno* dice una cosa, *l'altra* ribatte subito".

– Il pronome **tale** (**tali**) preceduto dall'articolo indeterminativo o partitivo significa "una certa persona" e si usa per indicare una persona la cui identità non è nota a chi parla: "Ha telefonato *un tale* dal tuo ufficio". Preceduto dai dimostrativi *quello*, *quella*, *quelli*, *quelle*, *tale* indica invece una persona nota o già nominata in precedenza: "Ha telefonato di nuovo *quel tale* che ti aveva cercato qualche giorno fa".

– Preceduto dall'articolo indeterminativo maschile singolare, **tanto** assume il valore di aggettivo sostantivato e corrisponde per significato a "una certa cifra": "Paolo si paga il motorino dando al padre *un tanto* al mese".

– Funzione di pronomi hanno anche **meno** (invariabile) e **pochissimo** (**-a**, **-i**, **-e**) che sono rispettivamente il comparativo e il superlativo di *poco*: "I dolci fanno ingrassare e quindi cerco di mangiarne *pochissimi*"; "Ieri c'era molto vento ma oggi ce n'è *meno*".

– Funzione di pronomi hanno anche **più** (invariabile) e **moltissimo** (**-a**, **-i**, **-e**) che sono rispettivamente il comparativo e il superlativo di *molto*: "Quest'inverno abbiamo avuto poca neve; l'anno scorso, invece, ne è caduta *mol-*

tissima"; "Non ti preoccupare per i soldi: ne abbiamo *più* di quanti ce ne occorrano".

– **Più** e **meno**, usati unitamente all'articolo determinativo maschile singolare o plurale, assumono il valore di aggettivi sostantivati: "*Il più* è fatto"; "Questo è *il meno*"; "*I più* tirano *i meno*"; "Le opinioni erano molte, ma *i più* sostenevano che l'uomo era innocente".

– I pronomi indefiniti **poco** (*pochissimo*, *meno*), **molto** (*moltissimo*, *più*), **tanto**, **troppo**, **tutto**, **altrettanto**, **altro** possono essere usati anche con valore neutro, con il significato di: "poche cose, pochissime cose, meno cose, molte cose, moltissime cose, più cose, tante cose, troppe cose, tutte le cose, la stessa cosa, altre cose": "Ha fatto *poco* (*pochissimo*) per aiutarci"; "Ha fatto *meno* del necessario"; "Ha fatto *più* del necessario"; "Ci ha dato *tanto*"; "Qui manca *tutto*"; "Se tu mi insulti, io farò *altrettanto*"; "Desideri *altro*?"; "Non c'è *altro* da fare".

– Le parole **poco** (*pochissimo*, *meno*), **molto** (*moltissimo*, *più*), **tanto**, **troppo**, **altrettanto** sono:

a) pronomi indefiniti, quando fanno le veci di un nome maschile singolare (solo *meno* e *più* possono sostituire indifferentemente nomi maschili o femminili, singolari o plurali): "Il gelato ti fa male, mangiane *meno* (= meno gelato)", "Non comprare altro latte, perché ce n'è *molto* (= molto latte) in frigorifero";

b) pronomi indefiniti con valore neutro, quando non sostituiscono un nome precedentemente espresso ma equivalgono per significato a "poche cose, pochissime cose, meno cose, molte cose" ecc. o anche a "pochi soldi, meno soldi, molti soldi" ecc. In tal caso, hanno per lo più la funzione logica di soggetto o di complemento oggetto ma, sia pure più raramente, possono essere anche un complemento indiretto: "Mi basta *poco* per vivere"; "Hai messo *troppo* in quella valigia";

c) aggettivi indefiniti, quando accompagnano un nome di cui assumono il genere e il numero: "Per questo vaso bastano *pochi* fiori"; "Non si può aprire il cancello: c'è *troppa* neve";

d) avverbi, quando accompagnano un aggettivo ("Tu sei *troppo* curioso") o un altro avverbio ("Cammini *troppo* lentamente"; "Lui rispose *altrettanto* tranquillamente") o quando accompagnano un verbo specificando in che misura si verifica l'azione indicata dal verbo stesso ("Abbiamo lavorato *troppo*"; "A Roma ci fermeremo *pochissimo*"; "Avete dormito *meno* di me").

4.2. Indefiniti che possono avere solo funzione di pronome

Gli indefiniti che si possono usare solo come pronomi sono:

• **uno** (femm. **una**): indica una singola persona (talvolta anche un animale o una cosa) in modo generico, senza precisarne l'identità: "Ha telefonato *uno* che voleva parlarti"; "Questa è *una* delle zone più belle del paese".

Per la sua indeterminatezza, il pronome *uno* assume spesso valore impersonale: "*Uno* non può pensare a tutto (= non si può pensare a tutto)"; "*Uno* deve aver cura della propria salute (= si deve aver cura della propria salute)".

Usato in correlazione con il pronome indefinito *altro*, *uno* è sempre preceduto dall'articolo determinativo e ammette anche il plurale: "*L'uno* o l'altro si faranno vivi"; "Per non sbagliare, ho invitato *l'una* e l'altra"; "Ho ascoltato le opinioni *degli uni* e degli altri e sono convinto che mentano tutti"; "Camminate in silenzio *l'uno* dietro l'altro". Le locuzioni correlative *l'un l'altro*, *l'uno con l'altro* e simili esprimono reciprocità: "I due fratelli si odiavano *l'un l'altro* (= reciprocamente)"; "I giocatori delle due squadre si insultavano *gli uni con gli altri* (= a vicenda)".

Nella locuzione *ad uno ad uno*, il pronome *uno* assume valore distributivo, con il significato di "uno per volta, uno dopo l'altro": "*Ad uno ad uno* mi hanno abbandonato tutti".

La forma femminile singolare *una* del pronome indefinito *uno* viene usata in alcune espressioni idiomatiche al posto di determinati nomi di cui ha ormai assunto stabilmente il significato. In tali costruzioni, *una* assume il valore grammaticale di un nome e può anche unirsi a un aggettivo: "Mai che me ne vada bene *una* (= iniziativa, azione)"; "Adesso te ne dico *una* (= novità, indiscrezione) incredibile"; "Ne ha combinata *una* (= birbonata, mascalzonata) imperdonabile".

• **qualcuno** (femm. **qualcuna**): variabile nel genere, si usa solo al singolare. Indica, in maniera imprecisa e indeterminata, una sola persona e talora anche una sola cosa: "*Qualcuno* ha rotto il mio giradischi". Per lo più, però, indica una quantità indeterminata, ma piuttosto esigua, di persone o di cose: "A *qualcuno* la mia proposta è piaciuta, ma i più l'hanno giudicata assurda"; "Ho preparato parecchie tartine: prendine *qualcuna*".

In talune espressioni introdotte dai verbi *essere*, *diventare*, *sentirsi* e simili, *qualcuno* è usato come nome, con il significato di "persona importante": "Quell'uomo è *qualcuno*"; "Voglio diventare *qualcuno*".

• **ognuno** (femm. **ognuna**): variabile nel genere, si usa solo al singolare. Indica ciascuno degli elementi di un gruppo o di un insieme considerati individualmente: "*Ognuno* darà il suo contributo".

Diversamente da *ciascuno*, che gli corrisponde come significato, *ognuno* è solo pronome. Nelle espressioni partitive, comunque, è spesso sostituito da *ciascuno*: "*Ciascuno* di voi deve assumersi le sue responsabilità". Talvolta, come *ciascuno*, può essere usato come apposizione al singolare anche di un soggetto al plurale: "Noi abbiamo *ognuno* un compito ben preciso".

• **chiunque**: invariabile nel genere, si usa solo al singolare. Significa "qualunque persona" e quindi può essere usato solo in riferimento a persone: "Saprebbe farlo *chiunque*".

Chiunque può anche significare (anzi è il suo significato originario) "qualunque persona che". In questo caso è un pronome misto che assomma in sé il valore di pronome indefinito e di pronome relativo e mette in relazione due proposizioni: "A questo corso può iscriversi *chiunque* (= qualunque persona che) abbia la licenza media".

• **chicchessia**: invariabile, si usa solo al singolare e solo in riferimento a persone. Di uso poco frequente perché di registro letterario, nelle frasi positive corrisponde per significato a "chiunque, qualunque persona" e in quelle negative significa "nessuno": "Chiedilo pure a *chicchessia* (= a chiunque)"; "Non ho paura di *chicchessia* (= di nessuno)".

• **altri**: si usa solo al maschile singolare, con il significato di "un altro, un'altra persona, qualcun altro". Di impiego poco frequente, appartiene al registro letterario della lingua: "*Altri* potrebbe rimproverarti i tuoi errori, non certo io".

• **qualcosa**: invariabile, ha sempre valore "neutro" e serve per indicare, in modo indeterminato, "una" o "alcuna cosa". Nonostante derivi dalla fusione dell'aggettivo indefinito *qualche* con il nome *cosa*, si accorda normalmente al maschile, perché il nome *cosa* si è completamente desemantizzato: "Dimmi *qualcosa* delle tue vacanze"; "È successo *qualcosa* di bello".

Seguito dall'avverbio *come*, *qualcosa* assume il significato di "all'incirca, più o meno": "Quella villa costa *qualcosa come* seicento milioni". Preceduto dall'articolo indeterminativo, invece, *qualcosa* assume valore di nome e significa "un certo non so che": "In quell'uomo c'è *un qualcosa* che non mi piace".

• **checché**: invariabile, ha valore di pronome misto, indefinito e relativo, e viene usato con valore "neutro" nel significato di "qualunque cosa che", come soggetto o complemento oggetto. Ma si tratta di una forma di registro letterario, ormai caduta in disuso: "*Checché* tu ne dica, è una brava persona".

• **checchessia**: invariabile, è usato con valore "neutro" con il significato di "qualsiasi cosa" nelle frasi positive e di "nulla, niente" nelle frasi negative. Di registro letterario, è ormai disusato: "Sono disposto ad accettare *checchessia* (= qualsiasi cosa)"; "Non voglio accettare *checchessia* (= niente)".

• **alcunché**: invariabile, ha sempre valore "neutro". Nelle frasi positive significa "qualcosa", in quelle negative "nulla", ma è una forma di registro letterario, ormai poco usata: "Nel suo comportamento c'è sempre stato *alcunché* (= qualcosa) di strano"; "Non ci vedo *alcunché* (= nulla) di male".

• **niente** e **nulla**: invariabili, sono pronomi indefiniti negativi con valore "neutro". Significano "nessuna cosa" e vogliono l'accordo al maschile singolare degli eventuali participi a essi riferiti. Se sono collocati prima del verbo, non richiedono un'altra negazione; se invece sono collocati dopo il verbo, quest'ultimo deve essere accompagnato da un'altra negazione: "Non lo interessa *niente*"; "*Niente* lo interessa"; "Non ha paura di *niente*"; "*Niente* potrà convincermi del contrario"; "Non è stato fatto *nulla* per migliorare la situazione".

Nelle proposizioni interrogative dirette e in quelle indirette introdotte dalla congiunzione *se*, *niente* e *nulla* assumono valore positivo con il significato di "qualche cosa". "C'è *niente* da mangiare?"; "Mi domando se Antonio avrebbe *niente* in contrario".

Preceduti dall'articolo, *niente* e *nulla* assumono il valore di un nome maschile singolare, con diversi significati: "Quell'uomo è venuto su *dal nulla* (= da origini molto umili)"; "Ha venduto la sua casa per *un niente* (= per una cifra irrisoria)"; "In confronto a lui mi sento *un nulla* (= una nullità, un incapace)"; "Gianni aveva gli occhi fissi *nel nulla* (= nel vuoto)".

Talvolta, *niente* e *nulla* hanno il significato di "cosa di scarsa importanza": "Ti angosci per *nulla*"; "I tuoi problemi sono *niente* rispetto ai miei".

Niente e *nulla* possono anche avere funzione di avverbi: in tal caso modificano un verbo, un aggettivo o un altro avverbio e significano "per nulla, niente affatto": "Non me ne importa *nulla*"; "Questo abito è *niente* comodo"; «"Posso uscire?" "*Niente* affatto"».

5. I pronomi numerali

I pronomi numerali indicano in modo preciso la quantità numerica del nome che sostituiscono o la sua posizione in una serie numerica.

Dei *due* Paolo è senz'altro il più simpatico. Il *terzo* in ordine alfabetico sono io. Perché io ho pagato *il doppio* di te?

I pronomi numerali corrispondono, per le forme e per l'uso, agli aggettivi numerali: si dividono quindi anch'essi in **cardinali** (*uno, due, tre*...), **ordinali** (*il primo, il secondo, il terzo*...) e **moltiplicativi** (*il doppio, il triplo*...).

I pronomi numerali, in realtà, non esistono: essi, come risulta dagli esempi, o sono aggettivi sostantivati ("Perché io ho pagato il *doppio* di te?") o sottintendono, senza farne le veci e senza sostituirlo, il nome cui si riferiscono: "Dei *due* (sott. *ragazzi*) Paolo è senz'altro il più simpatico"; "Il *terzo* (sott. *candidato*) in ordine alfabetico sono io".

6. I pronomi relativi

Il pronome relativo è un pronome che, oltre alla funzione di sostituire una parola,[5] svolge quella di **mettere in relazione** due proposizioni subordinando la seconda alla prima.

Ho visto Paolo *che* usciva.

La frase "Ho visto Paolo che usciva" nasce dall'unione di due proposizioni autonome: "Ho visto Paolo" e "Paolo usciva". La parola *che* sostituisce, infatti, la parola "Paolo" nella seconda proposizione evitando una brutta ripetizione e, quindi, è un pronome, e nello stesso tempo collega le due proposizioni *mettendole in relazione* perciò è un pronome relativo. Il pronome relativo si trova sempre in una proposizione dipendente. La proposizione che contiene la parola sostituita nella subordinata dal pronome relativo è detta **proposizione reggente**; la proposizione dipendente introdotta dal pronome relativo, invece, è detta **proposizione subordinata relativa**:

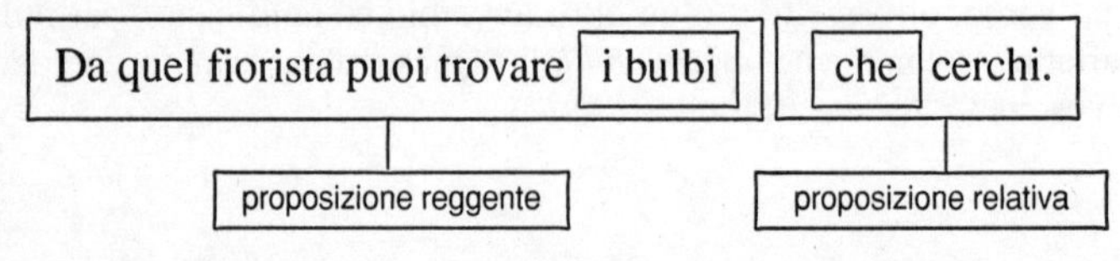

[5] Come gli altri pronomi, il pronome relativo può sostituire non solo un nome, ma qualsiasi altra parola o espressione: un altro pronome ("Parla tu *che* sai lo spagnolo"), un'interiezione ("Smettetela con quei vostri 'oooh' *che* mi fanno impazzire") e così via.

Talvolta, invece che seguire la reggente, la proposizione relativa si inserisce in essa interrompendola:

I pronomi relativi sono: **che** (invariabile); **cui** (invariabile); **il quale, la quale, i quali, le quali.**

A essi vanno aggiunti i **pronomi relativi misti**, così detti perché corrispondono per significato a un pronome dimostrativo o indefinito + un pronome relativo: **chi** (= *colui che*, *colei che*, *coloro che*); **chiunque** (= *qualunque persona che*, *tutti quelli che*, *tutte quelle che*); **quanto** (= *tutto ciò che*); **quanti** (= *tutti coloro che*, *tutte coloro che*).

Vediamoli uno per uno:

• **che**: è il pronome relativo di uso più frequente per la sua brevità ed eleganza.[6] Invariabile nel genere e nel numero, serve sia per il singolare sia per il plurale, sia per il maschile sia per il femminile. Si riferisce sia alle persone sia alle cose e può essere *soggetto* o *complemento oggetto* della proposizione che introduce:

Il ragazzo *che* (= *soggetto*) parla è mio fratello;
Il ragazzo *che* (= *complemento oggetto*) vedi è mio fratello.

[6] In italiano esistono vari *che*, uguali nella forma ma diversissimi tra loro, oltre che per origine storica, per la funzione che svolgono all'interno della frase: saperli riconoscere è importante, anche in vista di una loro eventuale traduzione in una lingua straniera. In particolare *che* può essere: a) aggettivo interrogativo: "*Che* vestito mi metto oggi?"; "Non so *che* vestito mettermi oggi"; b) pronome interrogativo: "*Che* vuoi?"; "Non so *che* fare"; c) aggettivo esclamativo: "*Che* donna!"; d) pronome esclamativo: "*Che* sento!"; e) pronome indefinito: "Un certo non so *che*"; f) pronome relativo: "L'uomo *che* parla è mio zio" (anche con valore neutro: "Paola è anche bella, *il che* non guasta"); g) congiunzione introduttiva di varie specie di subordinate: "Dicono *che* partirai presto"; "Era così pallido *che* sembrava morto"; "Bada *che* non scappi"; h) congiunzione eccettuativa: "Antonio non pensa *che* a sé"; i) congiunzione coordinativa in espressioni correlative: "Sia *che* tu venga sia *che* tu non venga"; l) congiunzione utilizzata nella formazione di altre congiunzioni (*giacché*, *benché*, *affinché*) o di locuzioni congiuntive (*in modo che*, *nel momento che*).

Nelle altre funzioni – cioè nelle espansioni-complementi indiretti – *che* non può essere usato ed è sostituito da *cui* o da *il quale*, *la quale* ecc. Però è corretto, anche se appartiene a un livello espressivo medio-basso, l'uso di *che* con valore temporale in luogo di **nel quale** (e *nella quale*, *nei quali*, *nelle quali*) o di *in cui*: "L'anno *che* (o *nel quale*) ci siamo conosciuti"; "Il giovedì è il giorno *che* (o *nel quale*) vado a lezione di piano"; "La domenica *che* (o *nella quale*) ti ho incontrato allo stadio pioveva".

Nel parlato familiare-colloquiale il pronome relativo *che* assume talvolta anche il valore di un complemento di luogo nel senso di *nel quale*, *nella quale* ecc. o di *in cui*: "Paese *che* vai, usanza che trovi". Si tratta, però, di una costruzione non del tutto accettabile. Assolutamente errate, invece, sono frasi come "La persona *che* parlo è un insegnante"; qui, infatti, il nesso relativo non può essere costituito da *che* ma da un pronome relativo in grado di interagire con una preposizione per formare un complemento indiretto, cioè il relativo *quale* o il relativo *cui*. Pertanto la frase deve essere corretta in "La persona *di cui* (oppure *della quale*) parlo è un insegnante".

Oltre che un nome, il pronome relativo *che* può sostituire un'intera frase: in questo caso è preceduto dall'articolo determinativo o dalla preposizione articolata e ha valore neutro in quanto corrisponde per significato a *la qual cosa*, *della qual cosa* ecc. oppure a *ciò*, *di ciò* ecc.: "Il nonno è malato, *il che* (= e ciò oppure la qual cosa) mi rattrista molto"; "Sono stato villano, *del che* (= e di ciò) ti chiedo scusa".

Ma si tratta di un costrutto pesante ed enfatico e quindi è meglio sostituirlo con le forme di relativi o di dimostrativi cui corrisponde: "Il nonno è malato *e ciò* mi rattrista"; "Sono stato villano *e di ciò* ti chiedo scusa" (oppure "*e me ne* scuso").

Del tutto particolare è la costruzione del pronome relativo *che*, con valore neutro e quindi riferito a una cosa, preceduto dalla preposizione semplice, come nella frase: "Ho *di che* parlarti per un giorno intero".

Un unico pronome relativo *che* può reggere due proposizioni tra di loro coordinate, se nelle due proposizioni esso ha la medesima funzione sintattica: "Il ragazzo *che* parlava e rideva tranquillamente con gli amici non sapeva ancora nulla". Ma se nelle due proposizioni il *che* ha prima una funzione e poi un'altra, è meglio ripetere il pronome relativo all'inizio di ogni proposizione: "Il ragazzo *che* (= soggetto) parla e *che* (= complemento oggetto) vedi ridere così tranquillamente, è un tipo molto sereno".

La concordanza in genere e numero della forma verbale e degli eventuali aggettivi riferiti a *che* si fa, come è ovvio, con il nome di cui *che* è il sostituente: "È stato premiato il ragazz*o che è* risultat*o* più brav*o*; È stata premiata la ragazz*a che è* risultat*a* più brav*a*; Sono stati premiati i ragazz*i che sono* risultat*i* più brav*i*; Sono state premiate le ragazz*e che sono* risultat*e* più brav*e*".

• **cui**: invariabile nel genere e nel numero, serve per il maschile e per il femminile, per il singolare e per il plurale, per le persone e per le cose, ma può essere usato solo come complemento indiretto, preceduto da una preposizione semplice, propria o impropria. Così, *cui* assume il valore di tutti i complementi indiretti: "La questione *di cui* ti parlo è complessa"; "Il ragazzo *a cui* sto scrivendo è francese"; "Voglio conoscere gli amici *con cui* esci"; "La casa *in cui* abito è molto elegante"; "La signora *presso cui* andrò a vivere a Londra è amica di mia madre". Come complemento di termine *cui* si può usare anche senza preposizione: "Il ragazzo *cui* (= a cui) sto scrivendo è francese".

Collocato fra l'articolo determinativo (o una preposizione articolata) e il nome, *cui* assume il valore di complemento di specificazione con il significato di *del quale*, *della quale*, *dei quali*, *delle quali*: "Domani conoscerai Anna, *la cui bellezza* (= la bellezza della quale) affascina tutti"; "Sono stati presi provvedimenti *sulla cui legalità* (= sulla legalità dei quali) ci sarebbe da discutere".

Costrutti come *il di cui*, *la di cui*, *i di cui*, *le di cui*, con la preposizione *di* inserita tra l'articolo e il pronome *cui*, sono scorretti e quindi da sostituire con le forme *il cui*, *la cui* ecc.

Sconsigliabile è anche l'uso della locuzione congiuntiva *per cui* nella quale *cui* sostituisce un'intera frase assumendo valore neutro, con il significato di "per la qual cosa, e per ciò". Pertanto, invece di "Non piove da molti mesi, *per cui* i fiumi sono in secca" e "Ho lavorato troppo, *per cui* sono stanco" è preferibile dire "Non piove da molti mesi *e per ciò* i fiumi sono in secca" e "Ho lavorato troppo *e per questo* sono stanco".

• **il quale** (**la quale**, **i quali**, **le quali**) è il pronome relativo più ricco di forme e, quindi, più chiaro e più preciso, e può sostituire tutti gli altri pronomi relativi. Variabile nel genere e nel numero, concorda con il nome cui si riferisce e può essere usato per tutte le funzioni logiche, sia come soggetto, sia come complemento oggetto, sia come complemento indiretto preceduto dalla opportuna preposizione: "All'incidente erano presenti alcune persone, *le quali* (= soggetto) hanno chiamato subito l'autoambulanza"; "Oggi Paolo leggerà la relazione per preparare *la quale* (= complemento oggetto) ha lavorato per parecchie settimane"; "Non so niente del ragazzo *del quale* (= complemento di argomento) mi avete parlato il mese scorso"; "Ho incontrato la persona *alla quale* (= complemento di termine) avete mandato in omaggio il libro"; "Il balcone *sul quale* (= complemento di luogo) gioca quel bambino mi sembra poco sicuro".

Il pronome relativo *il quale*, però, è di uso piuttosto ridotto rispetto ai pronomi *che* e *cui*, perché conferisce alla frase un tono sostenuto e talora suona addirittura ricercato e letterario. Così, nella lingua parlata e scritta di livello non particolarmente elevato, *il quale* tende ad essere sostituito da *che*, quando è in funzione di soggetto o di complemento oggetto (in questo caso la sostituzione avviene ormai sempre), e da *cui*, quando è in funzione di complemento indiretto: "La famiglia *che* abita vicino a noi è molto simpatica"; "Ricordati di ringraziare la signora *da cui* hai ricevuto tante cortesie".

Le forme invariabili *che* e *cui*, in effetti, hanno, rispetto alle forme composte *il quale*, *la quale* ecc., il vantaggio di essere più agili e di rendere più spedito il discorso. Tuttavia, l'uso del pronome relativo *il quale*, *la quale* ecc. è preferibile o, addirittura, indispensabile:

– quando la forma *che*, essendo invariabile, potrebbe creare ambiguità circa il nome cui si riferisce. Così, la frase "Ho incontrato il nipote di Teresa, che ormai abita a Milano" suona ambigua perché non si capisce chi abita a Milano: perciò, a seconda dei casi, bisognerà dire "Ho incontrato il nipote di Teresa, *il quale* ormai abita a Milano" oppure "Ho incontrato il nipote di Teresa, *la quale* ormai abita a Milano". Lo stesso, ovviamente, può succedere con il pronome *cui*: "Ho finalmente visto il figlio della signora Vincenza, *con cui* (= *con il quale* o *con la quale*?) siamo stati al mare l'anno scorso";
– quando nel periodo si susseguono altri *che*, non necessariamente tutti relativi: "Mi hanno detto che Mario, *che* (meglio: *il quale*) da tempo era insoddisfatto del suo lavoro, *che* gli rendeva ben poco, ha finalmente trovato un altro impiego";
– quando il relativo è lontano dal nome cui si riferisce: "Molte persone ho incontrato al mare durante l'estate, *che* (meglio: *le quali*) mi hanno insegnato a stare al mondo". In questi casi, per maggior chiarezza, si può ripetere il nome cui il pronome si riferisce, trasformando *il quale* in aggettivo: "Sono pervenute a codesto ufficio alcune indicazioni relative agli esami di maturità, *le quali indicazioni* non fanno però riferimento ai problemi relativi al caso in questione". La ripetizione del nome dopo il relativo, per altro, è abituale in testi di ordine burocratico o legale, nei quali è necessario evitare ogni possibile ambiguità. Tale uso, però, risulta piuttosto enfatico e pesante ed è per lo

più evitato nella lingua parlata e scritta di livello familiare e, anche, di registro letterario;
– quando il pronome relativo è soggetto o complemento oggetto di una proposizione con il verbo di modo indefinito (gerundio, participio, infinito): in questo caso l'uso di *il quale* è obbligatorio: "Questo è un esame per superare *il quale* dovrò studiare almeno due mesi";
– quando all'interno della frase si determina una evidente cacofonia. Ad esempio, invece di dire "Ci sono sempre due o tre scioc*che che chie*dono la parola per niente" è meglio dire "Ci sono sempre due o tre sciocche *le quali* chiedono la parola per niente".

Nei complementi di stato in luogo, di moto a luogo e di moto da luogo, le forme *in cui*, *da cui*, *nel quale*, *nei quali*, *dal quale*, *dai quali* ecc. possono essere sostituite dagli avverbi relativi **dove** (nel registro letterario *ove*) e **donde** (nel registro letterario *onde*): "Un luogo *dove* (= in cui, nel quale) vorrei abitare è Genova"; "Il paese *donde* (oppure *da dove* = da cui, dal quale) proveniva non era neppure segnato sulla carta geografica"; "Dobbiamo scegliere la località *dove* (= in cui, nella quale) andare in vacanza". L'avverbio relativo *dove* può essere usato per collegare due proposizioni anche se non deve sostituire alcun nome, con il significato di "nel luogo in cui": "Resta *dove* sei".

Gli avverbi relativi di luogo *dove*, *ove*, *donde* e *onde* equivalgono di per sé, come si è visto, a un pronome relativo (*in cui*, *nel quale* ecc.), perciò è errato unire all'avverbio relativo in questione il pronome relativo *che*, come è tipico di alcune parlate dialettali: "La città *dove che* vado a lavorare è poco lontano da qui"; "Il quartiere *dove che* abita Luca è in periferia".

Osservazioni

– Di norma il pronome relativo segue immediatamente il nome cui si riferisce e che sostituisce: "Non conosco *il ragazzo con cui* sta parlando Luisa"; "*I problemi che* dovrò affrontare sono gravi".

Se il nome è accompagnato da un aggettivo e/o da un altro nome (cioè, in analisi logica, da un attributo e/o da un'apposizione) oppure da un complemento di specificazione, il pronome relativo si colloca immediatamente dopo di essi: "Il *lavoro* lungo e complesso *che* devo affrontare mi preoccupa molto"; "Mi rivolgerò al *dottor Rossi*, esperto fiscalista, *che* ho già consultato altre volte"; "Perché non apriamo *la scatola* di cioccolatini *che* ci ha regalato la zia?".

Appunto perché il pronome relativo deve essere collocato quanto più pos-

sibile vicino al nome cui si riferisce, spesso la proposizione relativa interrompe la reggente: "Paolo, *che ha dato ieri gli esami*, partirà presto per il mare".[7]
– Quando in una frase ci sono due pronomi relativi riferiti allo stesso nome e uno di essi è lontano dal nome cui si riferisce, è opportuno ribadire e rafforzare il legame di quest'ultimo con il nome collegandolo ad esso mediante la congiunzione *e*: "La persona *di cui* tutti parlano *e che* tu non hai mai voluto incontrare, è finalmente riuscita a ottenere quello che voleva".

La congiunzione deve essere usata anche quando il pronome relativo si richiama a un nome da cui è separato da un'espressione retta da un participio passato: "Non so se la persona interpellata da tua madre, *e che* io avevo già preso in considerazione, potrà aiutarci". Infatti, il participio passato "interpellata" equivale a "*che* è stata interpellata". In casi siffatti, per altro, è molto meglio costruire una frase più simmetrica nelle due parti e dire: "Non so se la persona *che* è stata interpellata da tua madre, e *che* io, del resto, avevo già preso in considerazione, potrà aiutarci".

7. I pronomi misti

I pronomi misti sono pronomi che fondono in un'unica forma due pronomi diversi: un **pronome dimostrativo** (*colui*, *colei*, *quello*, *quella*) o un **indefinito** (*qualcuno*, *qualcuna*, *uno*, *una*) (oppure un nome accompagnato da un aggettivo indefinito) **e un relativo** (*che*, *il quale*, *la quale*). La loro funzione è quella, tipica del pronome relativo, di **connettere due proposizioni**: la reggente di cui parla il pronome dimostrativo o indefinito e la subordinata che è introdotta dal relativo:

[7] Il pronome relativo deve stare sempre vicino al nome, soprattutto per non generare equivoci anche piuttosto goffi come quello che racconta L. Satta nelle righe seguenti: «Sulle scatole dei medicinali inviate in omaggio ai medici si leggeva un tempo, e forse si legge ancora: "Campione gratuito *per i signori medici*, *di cui* è vietata la vendita". Che rischi corrono i tutori della nostra salute: anche quello di essere venduti! Si dirà: ma proprio perché tutti sappiamo che solitamente i medici possono essere anche "condotti" in qualsiasi luogo, ma non condotti al mercato, il senso della frase è chiaro: no, bisogna aiutarlo, il senso. E qui, se proprio si voleva lasciare il pronome lontano dal nome, bastava scrivere, in luogo di quel *di cui* ambiguo nel genere e nel numero, *del quale*, senza dubbio legato a *campione* singolare. Così, la concordanza, nei tempi composti, del participio passato con il nome cui si riferisce non è obbligatoria e si può dire "la carne *che* abbiamo mangiat*o*" come "la carne *che* abbiamo mangiat*a*", ma sarà meglio dire "la carne del macellaio *che* abbiamo mangiat*a*", perché "la carne del macellaio *che* abbiamo mangiat*o*", se non fa pensare a una goffaggine grammaticale, fa pensare ai cannibali!».

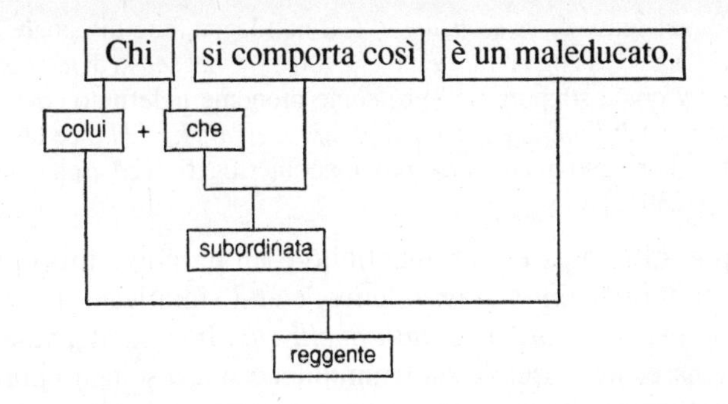

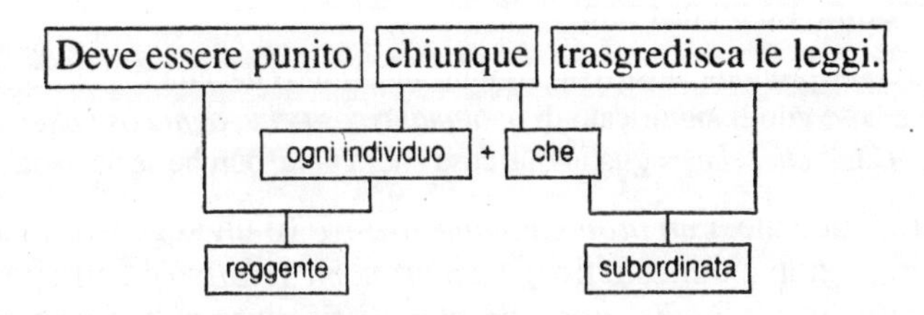

La caratteristica di equivalere a un pronome dimostrativo o indefinito + un pronome relativo fa sì che questi pronomi siano gli unici relativi che non hanno bisogno di essere preceduti da un nome o da una preposizione.

I pronomi misti sono:

• **chi**: equivale a un *dimostrativo + un relativo* e corrisponde per significato a *colui il quale*, *colei la quale* (oppure *colui che*, *colei che*). Invariabile, vale solo per il singolare, sia maschile sia femminile, si riferisce soltanto a esseri animati e può essere usato con valore sia di soggetto sia di complemento. "*Chi* (= colui oppure colei che) rompe paga"; "*Chi* (= colui che) ti ha detto questa cosa è un bugiard*o*"; "*Chi* (= colei che) ti ha detto questa cosa è una bugiard*a*"; "Ammiro *chi* (= colui che) è onesto"; "Esci pure con *chi* (= colui che) vuoi".

Per il plurale, si fa ricorso alle forme sciolte *coloro che*, *quelli che*: "*Coloro che* ti hanno detto questa cosa sono dei bugiardi". Tuttavia, il pronome *chi*, pur essendo grammaticalmente singolare, può avere senso plurale e indicare una pluralità di persone: "Avrà uno sconto *chi* (= coloro che) salderà la fattura entro dieci giorni". Solo il contesto, comunque, può indicare se si debba attribuire a *chi* valore di singolare o di plurale.

Il pronome *chi* può essere usato anche: a) come pronome misto relativo-indefinito nel senso di *qualcuno che* ("Abbiamo trovato *chi* si occuperà della consegna"), nel senso di *se qualcuno* ("*Chi* non legge, può disegnare"), nel senso di *chiunque* ("Venga pure avanti *chi* vuole") e nel senso di *nessuno che* ("Non c'è *chi* possa sopportarlo"); b) come pronome indefinito correlativo con il significato di *l'uno... l'altro* o di *gli uni... gli altri*: "*Chi* dice una cosa, *chi* un'altra". Per l'uso di *chi* come pronome interrogativo ed esclamativo si veda alle pp. 230-231.

• **chiunque**: oltre a essere un indefinito è un pronome misto corrispondente a un *indefinito + un relativo*, con il significato di *qualunque persona che*, *ognuno che*, *tutti quelli che*. Invariabile, vale solo per il singolare, sia maschile sia femminile, e si usa soltanto in riferimento a persona: "*Chiunque* (= qualunque persona che) danneggia la natura, commette un crimine".

Disusato come pronome misto è il pronome indefinito **checché**, che si riferisce soltanto a cose con il significato di *qualunque cosa che*, *ogni cosa che*, *tutto ciò che*: "Dagli *checché* (= qualunque cosa che) vuole, purché se ne vada".

• **quanto**: equivale a un *pronome dimostrativo* (o un aggettivo indefinito + un pronome dimostrativo) + *un pronome relativo* e corrisponde per significato a *ciò che*, *tutto ciò che*. Si riferisce soltanto a cose: "Penso sempre *a quanto* (= a tutto ciò che) hai fatto per noi".

Pronome misto *quanto* è anche nell'espressione della lingua parlata "Questo è *quanto*" che, a seconda dei casi, corrisponde per significato a "Questo è tutto ciò 'che avevo da dire' oppure 'che posso dirti' oppure 'che ho visto' oppure 'che possiedo' ecc.".

• **quanti** (femm. **quante**): equivale a un *pronome dimostrativo* (o a un aggettivo indefinito + un pronome dimostrativo) + *un pronome relativo* e corrisponde per significato a *quelli che*, *quelle che*, *tutti quelli che*, *tutte quelle che*. Si usa solo al plurale, sia maschile sia femminile, e per lo più in riferimento a persone: "L'opuscolo verrà spedito *a quanti* (= a tutti quelli che) ne faranno richiesta".

I pronomi misti, poiché corrispondono per significato a due pronomi, hanno sempre all'interno della frase in cui si trovano due distinte funzioni logiche – una per ognuno dei pronomi componenti – che possono essere uguali o anche differenti l'una dall'altra. In particolare ogni pronome misto può essere:
– soggetto sia nella reggente sia nella subordinata: "*Chi* (= colui il quale) dice una cosa simile sbaglia";
– soggetto nella reggente e oggetto nella subordinata: "Non riesce più a capirti neppure *chi* (= colui il quale) tu consideri più legato a te";

– oggetto sia nella reggente sia nella subordinata: "Lodo *chi* (= coloro i quali) vedo lavorare con profitto";

– oggetto nella reggente e soggetto nella subordinata: "Io lodo *chiunque* (= ogni persona la quale) lo meriti";

– complemento indiretto nella reggente e soggetto nella subordinata: "Darò una ricompensa *a quanti* (= a tutti coloro i quali) mi aiuteranno"; "Accetterò i consigli *di chiunque* (= di qualunque persona la quale) sia competente";

– complemento indiretto nella reggente e oggetto nella subordinata: "Sono stato ricompensato *da chi* (= da coloro i quali) ho aiutato";

– complemento indiretto sia nella reggente sia nella subordinata. L'uso del pronome misto in questo caso è possibile solo se i due pronomi che costituiscono il pronome misto hanno la stessa funzione logica, cioè quando sono preceduti dalla stessa preposizione: "Affiderò anche questo incarico *a chi* (= a colui al quale) ho affidato tutti gli altri"; "*Con quanti* (= con coloro con i quali) ho avuto occasione di parlare, mi sono trovato perfettamente d'accordo".

Non è però possibile usare il pronome misto e bisogna pertanto ricorrere alle forme composte *colui che*, *colei che*, *ogni persona la quale* ecc. quando:

– il pronome dimostrativo o indefinito della reggente e il pronome relativo della subordinata sono espansioni-complementi indiretti introdotti da differenti preposizioni: così la frase "Non darò nulla *a chi* sono stato offeso" è errata e deve essere sostituita con "Non darò nulla *a colui dal quale* sono stato offeso";

– il pronome dimostrativo o indefinito della reggente ha valore di soggetto o di oggetto e il pronome relativo della subordinata ha valore di complemento indiretto: così la frase "Detesto *chi* sono stato offeso" è errata e va sostituita con "Detesto *colui dal quale* sono stato offeso".

• Valore di relativi misti hanno anche gli avverbi di luogo **dovunque** e **ovunque**, in quanto corrispondono a *in qualunque luogo in cui*, *in qualsiasi luogo in cui*, *in ogni luogo in cui*: "Comportati educatamente *dovunque* (= in qualsiasi luogo in cui) ti trovi"; "Lo segue come un cagnolino, *ovunque* (= in qualsiasi luogo in cui) va".

8. I pronomi interrogativi

I pronomi interrogativi introducono una domanda, diretta o indiretta, chiedendo informazioni o precisazioni circa l'identità, la qualità o la quantità di qualcuno o di qualcosa:

Chi sei? Dimmi *chi* sei.

I pronomi interrogativi sono **chi?**, **che?**, **quale?**, **quanto?**.[8] Di essi solo *chi?* ha esclusivamente la funzione di pronome. Gli altri, *che?*, *quale?*, *quanto?*, possono essere usati sia in funzione di aggettivi, quando accompagnano il nome cui si riferiscono, sia in funzione di pronomi, quando lo sostituiscono o, meglio, lo sottintendono:

		AGGETTIVO	PRONOME
identità	persone	**Che** uomo sei?	**Chi** sei?
	cose	**Che** canzone canti?	**Che** canti?
qualità		**Quale** canzone preferisci?	**Quale** preferisci?
quantità		**Quanta** fatica ti costa?	**Quanto** ti costa?

In particolare:

• **chi?** (invariabile): serve per il singolare e il plurale, per il maschile e il femminile e si usa esclusivamente in riferimento a persone, per chiedere un'informazione relativa all'identità: "Di *chi* parli?"; "Non so di *chi* parli".

L'interrogativo *chi?*, ovviamente, vale anche per il femminile e può essere usato con valore di plurale, ma solo la concordanza di eventuali aggettivi e participi o la forma del verbo che reggono lo rivela: "*Chi* ha parlato per prim*a*?"; "*Chi sono* que*i* brutt*i* ceff*i*?".

• **che?** (invariabile): si usa solo in riferimento a cose ed equivale per significato a "quale cosa, quali cose": "*Che* fai?"; "A *che* pensi?"; "Non so di *che* ti preoccupi". Gli eventuali aggettivi o participi riferiti

[8] In italiano non esistono forme di pronomi che siano soltanto interrogativi o esclamativi, ma come pronomi interrogativi ed esclamativi si usano forme che hanno già altre funzioni, come *chi*, che è pronome relativo misto, o *che*, di cui abbiamo già visto, tra le tante, la funzione di pronome relativo. Originariamente, nella lingua latina, le forme del pronome relativo e del pronome interrogativo erano diverse: *qui*, *quae*, *quod* erano pronomi relativi e *quis* (maschile e femminile), *quid* (neutro) erano pronomi interrogativi. Ma poi il fatto che l'aggettivo interrogativo *qui*, *quae*, *quod* coincideva di per sé con il pronome e l'aggettivo relativo e la perdita delle desinenze finali del primo, tipica del latino parlato, hanno portato, in italiano, alle forme del relativo e dell'interrogativo coincidenti tra di esse: *chi* e *che*.

a *che?* si accordano al maschile singolare: "*Che* mi dici di bell*o*?"; "Non so *che* sia accadut*o*".

Nella lingua parlata, però, *che?* suona piuttosto letterario ed è per lo più sostituito dall'espressione **che cosa?**, talvolta anche abbreviata in **cosa?**: "*Che cosa* è success*o*?"; "*Cosa* è success*o*?". Come si vede, nelle espressioni *che cosa?* e *cosa?* la parola "cosa" si è desemantizzata, ha cioè perso il suo significato originario ed è diventata un semplice "strumento grammaticale": infatti, sebbene sia femminile, concorda al maschile.

• **quale?** (oppure, per troncamento, **qual?**), **quali?**: invariabile nel genere, distingue il singolare dal plurale; si usa in riferimento a persone e a cose e serve a chiedere informazioni circa l'identità e la qualità: "Queste gonne mi piacciono tutte e non so *quale* comperare"; "*Quali* di questi libri preferiresti leggere?".

Qual non è la forma elisa di *quale* ma la forma tronca: essa, come tutte le forme tronche, non ammette mai l'apostrofo. Perciò non si scrive mai *qual'è*, ma **qual è** sia che si riferisca a un nome maschile ("*Qual è* il libro che preferisci?") sia che si riferisca a un nome femminile ("*Qual è* la pagina cui ti riferisci?").

• **quanto?**, **quanta?**, **quanti?**, **quante?**: variabili nel genere e nel numero, servono a chiedere informazioni relative alla quantità e si usano in riferimento sia a esseri viventi sia a cose:

> Se non hai più fogli te li posso dare io: *quanti* ne vuoi? Mi serve la rete metallica per riparare il recinto, ma non so *quanta*.

Oltre che per sostituire o, meglio, sottintendere un nome citato in precedenza, *quanti* e *quante* possono essere usati anche sottintendendo "uomini, individui, persone" e simili: "*Quanti* hanno approvato la mia proposta?"; "In *quante* sarete stasera?". Particolare è il significato di *quanti* nell'espressione della lingua parlata di livello familiare ma ormai di uso comune: "*Quanti ne abbiamo oggi?*", che corrisponde a "Che giorno del mese è?".

9. I pronomi esclamativi

Tutti i pronomi interrogativi, come i corrispondenti aggettivi interrogativi, possono essere usati anche in funzione di pronomi esclamativi:

> *Chi* si vede! *Quanti* potrebbero parlare e invece se ne stanno zitti! *Che*! non siete ancora pronti! *Che* sento! *Quante* sono!

Nella lingua parlata, le frasi interrogative e quelle esclamative, che sono formate dalle stesse parole, si distinguono solo per la diversa intonazione melodica, che è *ascendente* nell'interrogativa e *discendente* nella esclamativa:

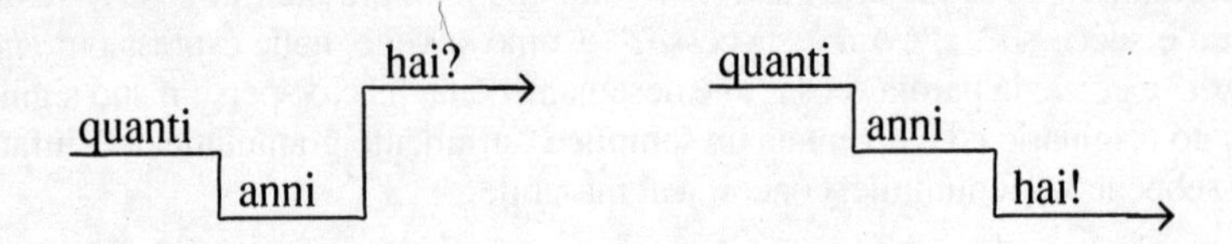

5

Il verbo

Il verbo[1] è la parte variabile del discorso che, da sola o insieme ad altri elementi, fornisce, collocandole nel tempo, informazioni circa il soggetto della frase.[2] Le informazioni date dal verbo possono essere molto varie e, in particolare, possono riguardare:

- un'**azione** compiuta dal soggetto: "Elena *legge* il giornale";
- un'**azione** subìta dal soggetto: "Elena *è stata promossa*"; "Elena *ha subìto* un furto";
- un'**azione** compiuta e allo stesso tempo subìta dal soggetto: "Elena *si lava*";

[1] Il termine "verbo" deriva dal latino *verbum*, 'parola'. Il verbo, in effetti, è la parola per eccellenza: la parola più importante del discorso, senza la quale non è possibile formulare un enunciato di senso compiuto.

[2] Di solito, per individuare e definire il verbo si dice che esso è la parte del discorso che indica un'azione o uno stato. Ma questa definizione è parziale e deviante. Essa, infatti, fondata come è sul significato del verbo, parte dal presupposto che, in una frase, il *nome* indichi la *cosa* e che il *verbo* indichi l'*azione* o lo *stato*, ma la duplice equazione *nome = cosa* e *verbo = azione* non è sempre valida, giacché nomi come *salto*, *corsa*, *volo* indicano azioni non meno dei corrispondenti verbi *saltare*, *correre* e *volare*. Perciò, la linguistica moderna evita di definire il verbo in base al significato e preferisce individuarlo e definirlo sulla base della funzione che svolge nella frase e che è quella di fornire notizie e informazioni circa il soggetto. In particolare, nella linguistica strutturale, il verbo è considerato il costituente più importante del sintagma o gruppo verbale e viene definito sia attraverso le marche di modo, tempo, persona e numero che lo individuano tra tutte le altre parti del discorso e gli permettono di indicare un gran numero di eventi e di circostanze, sia in base al suo contesto, cioè in base al fatto che, in italiano, di solito è preceduto da un sintagma o gruppo nominale soggetto.

• uno **stato** del soggetto: "Elena *sta* spesso in casa";
• un **modo di essere** del soggetto: "Elena *è* gentile";
• l'**esistenza** del soggetto: "*C'è* Elena".

Nelle frasi degli esempi, le parole *legge*, *è stata promossa*, *ha subìto*, *sta* ed *è* sono verbi e ciascuno di essi dice qualcosa riguardo al soggetto della frase in cui si trova. Così, nella prima frase, il verbo *legge* esprime un'azione compiuta dal soggetto Elena; nella seconda e nella terza frase, i verbi *è stata promossa* e *ha subìto* indicano azioni subìte dal soggetto; nella quarta frase, il verbo *sta* indica uno stato o una situazione del soggetto; nella quinta frase, il verbo *è*, insieme all'aggettivo *gentile*, indica un modo di essere del soggetto e, infine, nell'ultima frase, il verbo *è* esprime la semplice esistenza del soggetto.

Funzioni

Il verbo ha, nella frase, la funzione di **predicato**, cioè rappresenta l'elemento della frase o, meglio, del sintagma o gruppo verbale, che "predica" qualcosa del soggetto, informando circa "cosa fa", "cosa è" o "come è" il soggetto. In virtù di questa sua funzione, il verbo risulta il centro sintattico della frase e intorno ad esso si collocano tutti gli altri elementi che compongono la frase. Infatti, solo la presenza del verbo consente a un gruppo di parole di esprimere un senso compiuto e di costituire una frase. Perciò, una frase contiene sempre, espresso o sottinteso, un verbo.

In alcune particolari situazioni comunicative, come ad esempio nei titoli dei giornali, nelle inserzioni pubblicitarie o in certe esclamazioni, si possono anche trovare enunciati privi di verbo, che si chiamano **frasi nominali**. In tali casi, però, il verbo è, di fatto, sottinteso e si può agevolmente "ricostruire" sulla base degli altri elementi dell'enunciato: "Una bomba all'aeroporto: due i feriti (sottinteso: *Scoppia* oppure *È scoppiata* una bomba...: *sono* oppure *sono stati* due i feriti)"; "Aiuto! (sottinteso: *Portate* aiuto!)".

Un'altra funzione del verbo nella frase è quella di **collocare nel tempo l'informazione** che esso dà riguardo al soggetto. Il verbo, infatti, non si limita a dire, ad esempio, che *qualcuno compie l'azione di "leggere" il giornale*, ma precisa anche: 1) se l'azione di leggere avviene contemporaneamente a quando si parla, se è avvenuta prima di quando si parla o se avverrà posteriormente a quando si parla; 2) se l'azione è presentata come un fatto reale o come un fatto possibile o come un fatto ipotetico o come un ordine; 3) se l'azione è compiuta da una o più persone e se è compiuta da chi parla, da chi ascolta o da una persona diversa tanto da chi parla quanto da chi ascolta. Il verbo, come vedremo, assolve questa funzione da solo, attraverso gli elementi che lo compongono.

Classificazione

I verbi costituiscono una classe di parole molto ricca e in continuo sviluppo. Ovviamente, a causa del loro numero e della loro estrema varietà, qualsiasi tentativo di classificazione che si basi sul significato è, più ancora che impossibile, inutile. Non ha alcun senso, ad esempio, raggruppare i verbi a seconda che indichino azione o stato. Inutile sarebbe anche una distinzione volta a classificarli a seconda che si riferiscano a soggetti animati o inanimati, concreti o astratti e così via. Più sensata è, allora, la classificazione di tutti i verbi sulla base della desinenza dell'infinito, una classificazione che porta a individuare e a distinguere tre gruppi di verbi, quelli in **-are**, in **-ere** e in **-ire**. Anche noi, più avanti, classificheremo i verbi, sulla base della desinenza dell'infinito, in quelle che, come vedremo, sono le tre **coniugazioni**. Ma questa classificazione ha un valore puramente catalogico e paradigmatico.

Così, nell'impossibilità e nell'inutilità di addivenire a una classificazione globale dei verbi in base al significato e alla forma, la cosa migliore è analizzare i verbi in rapporto al ruolo che svolgono nella frase. In particolare, perciò, distingueremo e analizzeremo i verbi secondo:

GENERE	**transitivo** → *lavare*		
	intransitivo → *andare*		
FORMA	**attiva** – il soggetto compie l'azione → io *lavo*		
	passiva – il soggetto subisce l'azione → io *sono lavato*		
	riflessiva	il soggetto compie e subisce l'azione	propria → io *mi lavo*
			apparente → io *mi lavo* le mani
			reciproca → essi *si picchiano*
			pronominale → io *mi vergogno*
PERSONA	**prima** – colui o coloro che parlano → io lav-*o*, noi lav-*iamo*		
	seconda – colui o coloro che ascoltano → tu lav-*i*, voi lav-*ate*		
	terza – colui o coloro o ciò di cui si parla	egli lav-*a*	
		essi lav-*ano*	

NUMERO
- **singolare** – un solo soggetto → Paolo dorm-*e*
- **plurale** – più soggetti → Paolo e Giovanni dorm-*ono*

TEMPO
- **presente** – azione contemporanea → io *lavo*
- **passato** – azione anteriore
  - passato prossimo → io *ho lavato*
  - imperfetto → io *lavavo*
  - passato remoto → io *lavai*
  - trapassato prossimo → io *avevo lavato*
  - trapassato remoto → io *ebbi lavato*
- **futuro** – azione posteriore
  - futuro semplice → io *laverò*
  - futuro anteriore → io *avrò lavato*

MODO
- **finito** (fornito di desinenze personali)
  - indicativo
    - presente
    - imperfetto
    - passato prossimo
    - passato remoto
    - trapassato prossimo
    - trapassato remoto
    - futuro semplice
    - futuro anteriore
  - congiuntivo
    - presente
    - imperfetto
    - passato
    - trapassato
  - condizionale
    - presente
    - passato
  - imperativo
- **indefinito** (privo di desinenze)
  - infinito
    - presente
    - passato
  - participio
    - presente
    - passato
  - gerundio
    - presente
    - passato

FUNZIONE
- **ausiliare** – forma i tempi composti
  - essere → io *sono andato*
  - avere → io *ho parlato*
- **predicativo**
  – ha senso compiuto e funge da predicato verbale → io *mangio*
- **copulativo**
  – unisce il soggetto al nome del predicato → il cielo *è* azzurro (*)
- **d'appoggio**
  - servile → io *posso* parlare
  - aspettuale → io *continuo* a parlare
  - causativo → io ti *ho fatto* piangere
  - fraseologico → mi *sono visto* costretto

CONIUGAZIONE
- **regolare**
  - 1ª coniugazione → *am-are*
  - 2ª coniugazione → *ved-ére, légg-ere*
  - 3ª coniugazione → *sent-ire*
- **impersonale** → *piove*
- **difettiva** → *solere*
- **sovrabbondante** → *compiere/compire*
- **irregolare** → *andare*

(*) La distinzione dei verbi in *predicativi* e in *copulativi* sarà affrontata nella *Sintassi*.

1. Il genere dei verbi: transitivi e intransitivi

In base al genere o, meglio, al modo in cui organizzano il rapporto tra il soggetto e il resto della frase quando sono chiamati a esprimere un'azione o uno stato, i verbi si dividono in due categorie: **verbi transitivi e verbi intransitivi.**

1.1. I verbi transitivi

Sono transitivi[3] i verbi che esprimono un'azione che dal soggetto passa direttamente – cioè si esercita – su una persona, un animale o una cosa che la riceve e che per questo si chiama **oggetto** del verbo:

[3] Il termine "transitivo" deriva dal tardo latino *transitivus*, che, da *transire*, 'passare al di là', significa 'che passa': infatti, transitivo si dice un verbo "che fa passare" l'azione dal soggetto all'oggetto.

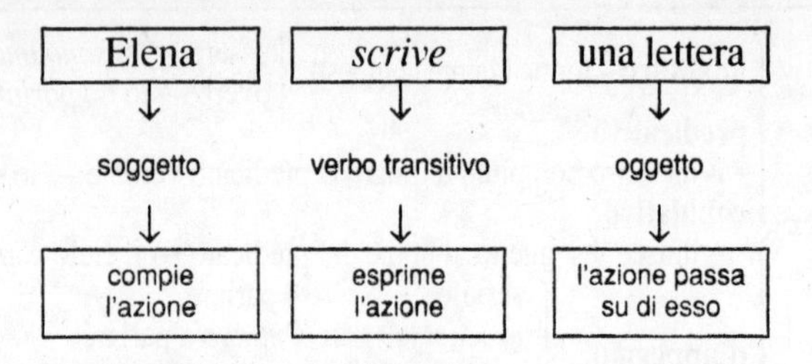

In una frase come "Elena scrive una lettera", l'oggetto su cui va a cadere l'azione dello *scrivere* è indicato: "una lettera". Ma l'oggetto può anche non essere espresso: "Elena *scrive*". In questo caso, il verbo è usato **in senso assoluto** o, come taluni grammatici preferiscono dire, **in senso intransitivo**. Esso, comunque, pur non avendo l'oggetto espresso, continua a essere transitivo a tutti gli effetti, perché l'azione espressa da un verbo come *scrivere* (o *leggere*, *saltare*, *mangiare* ecc.) implica necessariamente l'esistenza di qualcosa che sia oggetto di tale azione.

1.2. I verbi intransitivi

Sono intransitivi[4] i verbi che esprimono uno stato o un'azione che non passa direttamente su un oggetto, ma si esaurisce nel soggetto stesso che la compie o trova il suo compimento in un complemento indiretto:

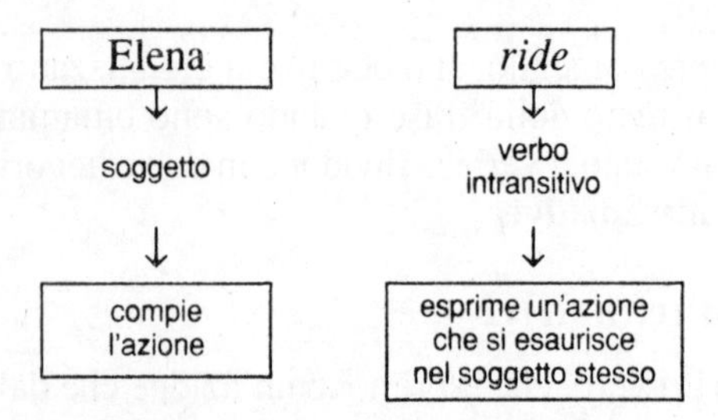

Il verbo intransitivo vede esaurirsi nel soggetto l'azione che esprime e, quindi, non ammette un complemento oggetto diretto dopo di sé. Ciò, però, non

[4] Il termine "intransitivo", composto con il prefisso negativo *in-*, ha significato contrario a transitivo: intransitivo, infatti, si dice un verbo "che non fa passare l'azione", ma la trattiene nel soggetto.

significa che l'azione che esso indica non possa aver bisogno di un completamento in un altro elemento della frase e, quindi, passare su qualche altro elemento della frase, costituito da un complemento indiretto, cioè da un complemento introdotto da una preposizione: "Elena ride *di tutto*". Nel caso di verbi intransitivi come *ubbidire*, *giocare*, *aderire*, *rinunciare* ecc., il completamento dell'azione che indicano è talmente necessario, perché essi abbiano un senso, che tali verbi hanno per lo più un "oggetto" su cui "passa" l'azione, anche se risulta espresso non da un complemento oggetto, ma da un **complemento indiretto**, cioè introdotto da una preposizione: "*Ubbidisci alla* mamma"; "Tutti *aderiscono alla* tua iniziativa". Per questa loro caratteristica, questi verbi sono chiamati **transitivi indiretti** da taluni grammatici.

1.3. La funzione transitiva e la funzione intransitiva

Individuare i verbi esclusivamente transitivi o esclusivamente intransitivi non è facile. La transitività o l'intransitività non è una proprietà semantica, intrinseca e immutabile, di un verbo, ma una **funzione** grammaticale e, come tale, varia a seconda del contesto in cui il verbo è usato: in un certo contesto, cioè in un certo predicato verbale, il verbo può essere usato in **funzione transitiva** (con complemento oggetto espresso) e in un altro contesto può essere usato in **funzione intransitiva**.

• Così, nella lingua italiana, sono piuttosto numerosi i verbi **intransitivi**, come i verbi che indicano movimento (*andare*, *venire*, *correre*, *passeggiare*...), produzione di suoni (*abbaiare*, *miagolare*, *ululare*, *gemere*, *sfrigolare*...), stato o modo di essere (*arrossire*, *impallidire*, *dormire*...), azione che riguarda esclusivamente il soggetto e non può "passare" ad altri (*nascere*, *morire*, *partire*, *uscire*, *sbadigliare*, *invecchiare*...):

> *Partiremo* domani per Roma. L'elefante *barrisce*. Claudio *è nato* nel 1975.

Ma taluni di questi verbi possono essere costruiti con un complemento oggetto diretto e quindi essere usati in **senso transitivo**:

> Un trucco troppo accentuato *invecchia il volto*. Il mendicante *strideva una canzonetta* con il suo violino scordato. Il preside ha *abbaiato qualche minaccia*, ma non ci ha sospesi.

Altri, invece, **diventano transitivi** solo quando sono seguiti, in forma di complemento oggetto, da un nome che ha la stessa radice del verbo o che è strettamente collegato al verbo sul piano semantico:

Visse una vita lunga e felice. *Pianse* tutte *le sue lacrime*.

In casi come questi, il complemento oggetto è chiamato **complemento oggetto interno**, in quanto deriva dall'"interno" stesso del verbo o del suo significato. Si veda la *Sintassi*.

• Quanto ai verbi **transitivi**, si è già visto come la maggior parte di essi possano essere utilizzati sia come transitivi, con un complemento oggetto espresso, sia in **funzione intransitiva**, senza complemento oggetto o, meglio, con complemento oggetto sottinteso:

FUNZIONE TRANSITIVA	FUNZIONE INTRANSITIVA
Il bambino *ha mangiato* una fetta di torta	Il bambino *ha* già *mangiato*?
Ho studiato solo la lezione di storia	*Studierò* fino all'ora di cena.
L'attore *recitò* un monologo	Quell'attrice *recita* molto bene.

• Parecchi verbi, poi, assumono addirittura significato diverso se sono usati come **transitivi** con un complemento oggetto espresso, oppure come **intransitivi** sia assoluti, cioè non determinati da alcun complemento indiretto, sia accompagnati dalla determinazione di un complemento indiretto:

FUNZIONE TRANSITIVA	FUNZIONE INTRANSITIVA
L'incendio *bruciò* la casa.	La casa *brucia*.
Paolo *ha cambiato* auto.	Il tempo *cambia*.
Laura *fischia* un allegro motivo.	Il vento *fischia*.
Il cavallo *saltò* l'ostacolo.	Le cavallette *saltano* nei prati.
Non *aspirare* il fumo della sigaretta.	Suo padre *aspira* alla carica di sindaco.
Il maltempo *rovinerà* il raccolto.	La frana *rovinò* sulla casa.

Altri verbi, infine, possono essere **transitivi** quando sono costruiti con un complemento oggetto e, invece, **intransitivi** quando sono costruiti con un complemento indiretto. Anche in questo caso la diversità di funzione implica una totale differenza di significato:

FUNZIONE TRANSITIVA	FUNZIONE INTRANSITIVA
Contate gli alunni presenti. (= rilevatene il numero)	Non *contate* su di me. (= non fate affidamento)
Il nonno *ha ceduto* (= ha venduto) il suo negozio per 300 milioni.	Il poveretto *ha ceduto* (= si è arreso) alle minacce di quel delinquente.
Paolo *ha atteso* (= ha aspettato) il tuo ritorno con ansia.	La nonna *attende* (= si dedica) ancora personalmente alle faccende domestiche.
Finisci (= esegui sino alla fine) i compiti.	La strada *finisce* (= ha termine, sbocca) in un acquitrino.

La grammatica, insomma, definisce la differenza di genere tra i vari verbi e, in linea teorica, ne stabilisce anche l'appartenenza alla categoria dei transitivi o a quella degli intransitivi. Ma, con le sue esigenze codificative, non può tener conto di tutti gli usi linguistici e, perciò, le sue distinzioni e catalogazioni sono, per forza di cose, imprecise. Perciò, in caso di dubbio circa la legittimità della costruzione di un verbo come transitivo o come intransitivo, è necessario consultare il dizionario, il quale non solo indica se e quando un verbo è transitivo o intransitivo, ma illustra anche, con opportuni esempi, le possibili costruzioni corrette.

2. La forma del verbo: attiva, passiva e riflessiva

Il verbo, secondo il ruolo che attribuisce al soggetto della frase, può avere forma **attiva, passiva** e **riflessiva.**

Per designare l'*attivo*, il *passivo* e il *riflessivo* si usano, oltre al termine "forma", anche i termini "voce" e "genere". Questi termini, però, sono piuttosto generici, perché possono essere usati per indicare anche altre categorie grammaticali e, quindi, taluni linguisti preferiscono usare un termine più specifico come **diàtesi** (dal greco *diáthesis*, 'distribuzione, ordinamento'). Alcuni linguisti, invece, usano il termine **direzione**.

2.1. La forma attiva

Il verbo è di forma attiva[5] quando il soggetto compie l'azione, cioè quando ha un ruolo attivo rispetto all'azione indicata dal verbo ed è quindi l'*agente* (dal latino *agens*, 'colui che fa, che agisce') della frase:

Il medico *visitò* il malato.

Tutti i verbi, transitivi e intransitivi, **hanno la forma attiva**. Infatti, oltre ai verbi che indicano azione, sono attivi anche i verbi intransitivi in cui il soggetto rappresenta la persona o la cosa che si trovano in una determinata condizione o in un determinato stato, giacché anche con essi il soggetto è l'*agente* della frase: "Il bambino *dorme*"; "La casa *sta* in mezzo al prato".[6]

2.2. La forma passiva

Il verbo, invece, è di forma passiva[7] quando il soggetto subisce da parte di qualcuno o di qualcosa l'azione indicata dal verbo:

Il malato *è stato visitato* dal medico.

Come si vede dall'esempio, quando il verbo è di forma passiva, il vero *agente* della frase non è il soggetto ("il malato"), bensì il complemento ("dal medico"), che viene definito appunto **complemento d'agente** se l'*agente* è un essere animato o **complemento di causa efficiente** se l'*agente* è un oggetto inanimato ("La strada fu ostruita *da una frana*").

Se tutti i verbi, transitivi e intransitivi, hanno la forma attiva, possono avere la forma passiva solo i verbi transitivi che, nella forma attiva, abbiano un complemento oggetto espresso perché, come vedremo nel paragrafo seguente, è proprio il complemento oggetto che diventa soggetto nella forma passiva.[8]

[5] Il termine "attivo" deriva dal latino *activu(m)*, un aggettivo che presenta la radice del verbo *agere*, 'fare' e che significa "che fa", "che compie" un'azione. La forma attiva, infatti, è la forma del verbo che esprime l'azione compiuta dal soggetto, cioè quella che vede il soggetto *fare* l'azione.

[6] Per la coniugazione dei verbi in forma attiva, si vedano le tavole alle pp. 304-309.

[7] Il termine "passivo" deriva dal tardo latino *passivu(m)*, un aggettivo che presenta la radice del verbo *pati*, 'patire, subire' e che significa "che patisce", "che subisce". La forma passiva, infatti, è la forma del verbo che presenta l'azione come *subìta* dal soggetto.

[8] Per la coniugazione dei verbi in forma passiva, coniugazione che comporta una variazione della struttura del verbo rispetto a quelli di forma attiva, si veda la tavola alle pp. 310-311.

2.2.1. IL PASSAGGIO DALLA FORMA ATTIVA ALLA FORMA PASSIVA

Nel passaggio da una frase attiva a una frase passiva, il verbo assume la forma passiva, il complemento oggetto diventa soggetto e il soggetto diventa complemento d'agente o di causa efficiente, preceduto dalla preposizione "da":

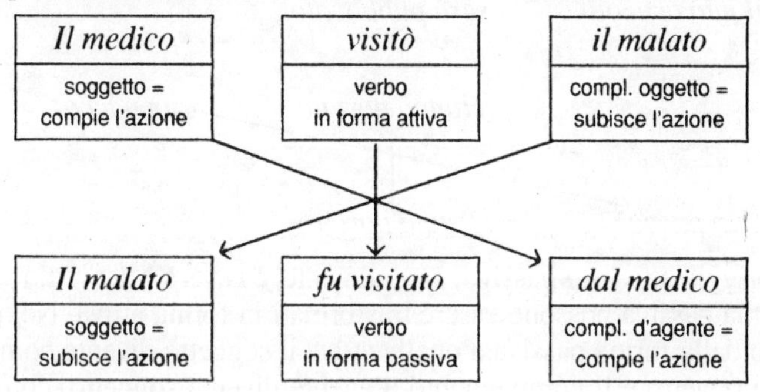

Non possono, perciò, passare dalla forma attiva a quella passiva i verbi transitivi usati in senso assoluto o intransitivamente, cioè senza complemento oggetto. Infatti, se manca il complemento oggetto nella costruzione attiva, è impossibile dare un soggetto alla costruzione passiva che risulterebbe perciò priva di significato:

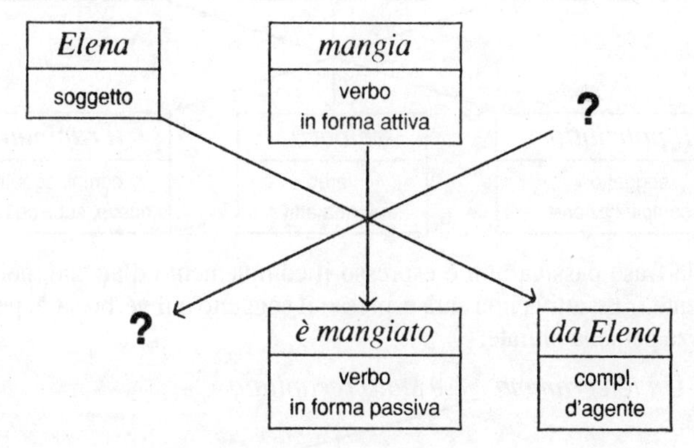

A maggior ragione, come si è visto, non può essere costruito in forma passiva un verbo intransitivo, cioè un verbo indicante un'azione che riguarda e coinvolge solo il soggetto stesso e che, dunque, non "passa" su un complemento oggetto.

Può invece passare dalla forma attiva a quella passiva una frase in cui non sia espresso il soggetto. In tal caso, nella forma passiva non sarà espresso il complemento d'agente o di causa efficiente:

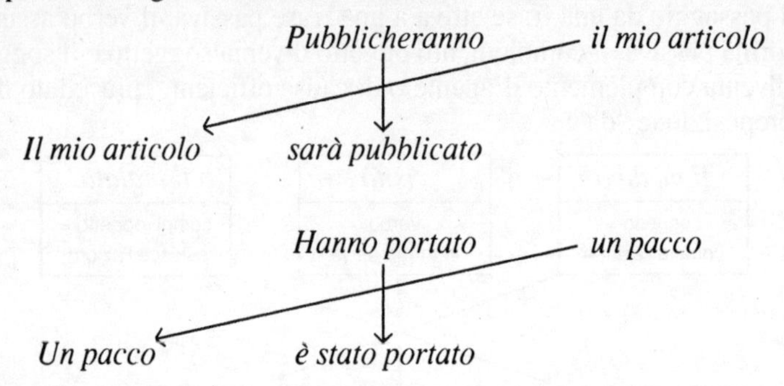

Il passaggio attivo → passivo, naturalmente, è **reversibile**: tutti i verbi in forma passiva possono essere trasformati in forma attiva. Nel passaggio dalla forma passiva a quella attiva il soggetto diventa complemento oggetto e il complemento d'agente diventa soggetto, come si può rilevare dallo schema che segue:

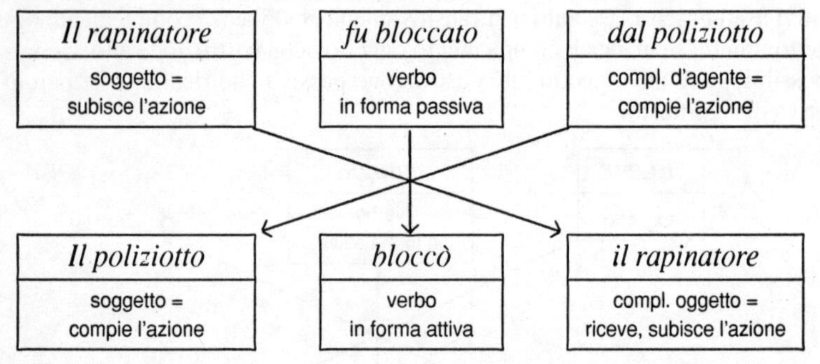

Se nella frase passiva non è espresso il complemento d'agente, nella corrispondente frase attiva non sarà espresso il soggetto e il verbo sarà, per lo più, alla terza persona plurale:

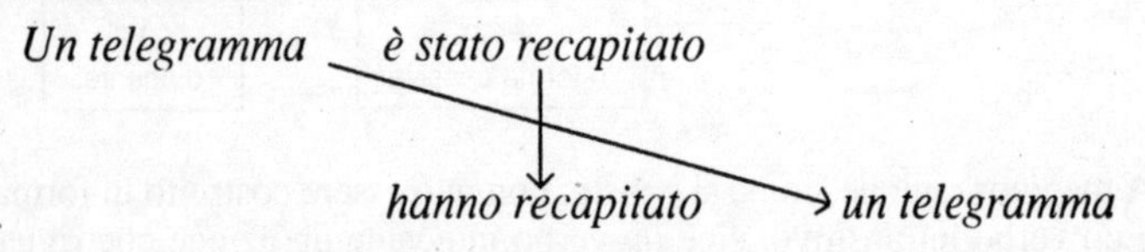

Quando una frase con il verbo di forma attiva viene trasformata in una frase con lo stesso verbo in forma passiva, il significato delle due frasi non cambia. Così le due frasi "Il lupo assalì il gregge" e "Il gregge è stato assalito dal lupo" vogliono dire la medesima cosa: mutano i rapporti grammaticali tra i diversi protagonisti dell'azione, ma non i loro ruoli nell'azione, giacché in entrambe le frasi c'è sempre un solo assalitore ("il lupo") e un solo assalito ("il gregge"). Di fatto, come afferma la linguistica moderna, nella trasformazione dall'attivo al passivo muta la cosiddetta **struttura superficiale** della frase e non la sua **struttura profonda.**

Tuttavia, se non investe il significato della frase, il passaggio dalla forma attiva alla forma passiva ha **una rilevanza stilistico-espressiva** non indifferente: poiché infatti il soggetto è sempre, non foss'altro per la sua posizione iniziale, l'elemento più appariscente della frase, è chiaro che nella frase attiva l'attenzione di chi parla è tutta concentrata sul "lupo" che assale, mentre nella frase passiva è concentrata piuttosto sul "gregge" che è assalito. Inoltre, la forma attiva, proprio perché evidenzia chi compie l'azione, è particolarmente adatta a indicare la partecipazione di chi parla o di chi scrive ai fatti narrati. Invece, la forma passiva sottolinea maggiormente l'azione e, quindi, è più adatta per presentare il fatto in sé, con un certo distacco cronachistico: non per niente, la forma passiva è usata spesso, per lo più con l'ellissi del verbo *essere* ("Sequestrati dalla polizia dieci chili di eroina"), nei titoli di giornali.

2.2.2. I VARI MODI DI FORMARE IL PASSIVO

In italiano, il modo più usuale di formare il passivo di un verbo consiste, come risulta dagli esempi sopra riportati e come si vedrà nel prospetto della coniugazione dei verbi, nel premettere al participio passato le voci dell'ausiliare *essere*:

loda → *è lodato*
lodò → *fu lodato*

Ma, per quanto di gran lunga più frequente, la costruzione del passivo con l'ausiliare "essere" non è l'unica. Il passivo, infatti, si può formare anche, con lievi diversità di significato e, talora, con miglior effetto espressivo:

• con il verbo *venire* che funziona da ausiliare a tutti gli effetti ma limitatamente ai tempi che richiedono un ausiliare di forma semplice:

"Paolo *viene lodato* (= è lodato) da tutti"; "Il guasto *verrà riparato* (= sarà riparato) al più presto".

• con i verbi *andare*, *stare*, *restare*, *rimanere*, *finire*, ma anche in questo caso solo limitatamente ai tempi che richiedono un ausiliare di forma semplice: "L'edificio *andò distrutto* (= fu distrutto) durante il terremoto"; "Gli uffici *resteranno chiusi* (= saranno chiusi) due giorni"; "Il poveretto *finì ucciso* (= fu ucciso) in un'imboscata".

• con la particella pronominale *si* (che in tal caso si definisce "passivante") premessa alla 3ª persona singolare o plurale del verbo di forma attiva: "All'improvviso *si sentì* (= fu sentita) una voce"; "In questo punto *si costruirà* (= sarà costruito) il nuovo ospedale".

La costruzione con il *si* passivante, come si vede, dà alla frase un valore impersonale: "Da questa finestra *si vede* (= uno può vedere, la gente può vedere) il mare"; "In un attimo *si accesero* (= furono accese, qualcuno accese) tutte le luci"; "Poveri noi se *si scopriranno* (= se saranno scoperte, se qualcuno scoprirà) le nostre bugie". Per questo motivo, il *si* passivante è usato spesso nelle inserzioni commerciali: "*Si vendono* appartamenti". Nelle inserzioni, tra l'altro, per ragioni di spazio e di brevità la particella *si* viene collocata dopo il verbo e forma con esso un'unica parola: "*Vendesi* appartamento". Se il verbo è alla 3ª persona plurale, esso, unendosi alla particella *si*, perde l'ultima lettera: "*Affittansi* monolocali arredati"; "*Vendonsi* appartamenti". Forme come "Affittasi monolocali" e "Vendesi appartamenti" sono errate: a un soggetto plurale deve infatti corrispondere un predicato al plurale.

2.3. La forma riflessiva

Il verbo transitivo, oltre a quella attiva e passiva, ha una terza forma che si chiama **riflessiva** e che completa la gamma delle condizioni del soggetto rispetto all'azione espressa dal verbo. Se, infatti, nella forma attiva il soggetto compie l'azione ("Io lodo") e nella forma passiva subisce da altri l'azione ("Io sono lodato"), nella forma riflessiva il soggetto compie e nello stesso tempo subisce l'azione o, meglio, compie volontariamente un'azione su se stesso ("Io mi lodo") o a vantaggio di se stesso o, comunque, nella sua sfera di interesse ("Io mi lavo le mani").

In verità, in italiano, il riflessivo non è, dal punto di vista morfologico, una vera e propria forma, poiché utilizza le stesse voci dell'attivo facendole semplicemente precedere dai pronomi personali atoni *mi*, *ti*, *ci*, *vi* (per la 1ª e la 2ª persona singolare e plurale) e *si* (per la 3ª persona singolare e plurale),[9] ma dal punto di vista della funzione e del significato ha una sua precisa autonomia.

Sotto la denominazione complessiva di **verbi riflessivi** sono di solito raggruppati, più o meno esattamente, verbi che sono tutti caratterizzati dal fatto di essere transitivi, di essere preceduti dai pronomi atoni *mi*, *ti*, *ci*, *vi*, *si* e di volere tutti come ausiliare, nei tempi composti, il verbo *essere*, ma che esprimono diversi tipi di "riflessività" e quindi hanno diverso significato e diverso valore.

All'interno della forma riflessiva, perciò, è opportuno distinguere tra

– una **forma riflessiva propria** ("Io mi lavo")
– una **forma riflessiva apparente** ("Io mi asciugo i capelli")
– una **forma riflessiva reciproca** ("Gianni e Paolo si picchiano").

A parte, infine, ma sempre in questo paragrafo, analizzeremo la **forma pronominale** ("Io mi vergogno"), in quanto i verbi pronominali, pur essendo verbi intransitivi e non avendo niente a che fare con la forma riflessiva, esprimono pur sempre un evento o un'azione che si realizza nell'ambito del soggetto.

2.3.1. LA FORMA RIFLESSIVA PROPRIA

Un verbo ha forma riflessiva propria quando l'azione compiuta dal soggetto ritorna – "si riflette" – sul soggetto stesso che la compie, quando cioè il soggetto compie e nello stesso tempo subisce l'azione, perché soggetto e oggetto sono la medesima persona o cosa:

Io *mi lavo*.

Il verbo *lavare* è un verbo transitivo e, quindi, si può costruire con un complemento oggetto: così, nella frase "Io lavo l'automobile", l'azione di *lavare* "passa" da *io* (soggetto) a *automobile* (complemento oggetto). Anche nella frase "Io mi lavo" l'azione del *lavare* "passa" da un soggetto a un complemento oggetto, ma in questo caso la persona che fa l'azione (*io*) è la stessa

[9] La particella *si* è presente in varie costruzioni e ha diversi valori: a) valore riflessivo proprio: "Mario *si* lava (= lava *sé*)"; b) valore riflessivo apparente: "Mario *si* lava le mani (= lava *a sé* le mani)"; c) valore riflessivo reciproco: "Mario e Antonio *si* detestano (= l'uno detesta l'altro)"; d) valore pronominale: "Mario *si* vergogna"; e) valore passivante: "Qui *si* vendono (= sono venduti) vestiti usati"; f) valore impersonale: "In campagna, *si* va (= la gente va) a dormire presto".

che la riceve come complemento oggetto (*mi*). La frase "Io mi lavo", dunque, equivale alla frase "Io lavo me" e l'azione compiuta dal soggetto non "passa" a un oggetto esterno, ma "si riflette" sul soggetto stesso.

Nelle forme riflessive proprie, le particelle pronominali *mi*, *ti*, *ci*, *vi*, *si* hanno sempre la funzione di complemento oggetto. Esse, di solito, precedono il verbo:

> Io *mi* lavo, tu *ti* lavi, egli *si* lava, noi *ci* laviamo, voi *vi* lavate, essi *si* lavano.[10]

Quando invece il verbo riflessivo è usato all'imperativo, all'infinito, al participio o al gerundio, le particelle pronominali seguono il verbo, unendosi ad esso e formando una sola parola:

> Lava*ti* bene! Antonio non vuole lavar*si*. Lavando*si*, si strappò i punti della ferita. Lavato*si*, uscì.

La forma riflessiva propria è la forma riflessiva più tipica. Essa può essere usata con tutti i verbi transitivi, purché ci sia identità di persona tra soggetto e oggetto. Di fatto, in frasi come "Io ti lavo" e "Tu mi lavi", non si ha la forma riflessiva perché i pronomi *ti* e *mi* sono sì complementi oggetti, ma non c'è identità di persona tra il soggetto e l'oggetto.

2.3.2. La forma riflessiva apparente

Un verbo ha forma riflessiva apparente quando le particelle pronominali *mi*, *ti*, *ci*, *vi*, *si* che lo accompagnano, pur riferendosi al soggetto, non svolgono la funzione di complemento oggetto, come nei verbi riflessivi propriamente detti, ma di complemento di termine (= *a me*, *a te*, *a voi*, *a noi*, *a sé*) e l'azione compiuta dal soggetto "passa" su un normale complemento oggetto:

> Io *mi lavo* le mani.

Nella frase "Io mi lavo" il verbo ha forma riflessiva perché *mi lavo* equivale a *lavo me stesso* e quindi il pronome atono *mi* vale *me* (complemento oggetto). Invece nella frase "Io mi lavo le mani", non c'è forma riflessiva perché *mi* è complemento di termine (= *a me*), e l'azione di *lavare* non si riflette sul soggetto che la compie, ma "passa" sul complemento oggetto *le mani*. La frase, infatti, significa: "Io lavo le mani a me". Questa particolare forma del verbo si chiama forma riflessiva apparente: *riflessiva*, perché nella struttura esterio-

[10] Per la coniugazione dei verbi in forma riflessiva, si veda la tavola alle pp. 312-313.

re assomiglia a una forma riflessiva e perché l'azione, pur transitando su un oggetto diverso dal soggetto, è considerata anche in rapporto al soggetto; *apparente*, perché in realtà altro non è che una normale forma transitiva con il complemento oggetto e con un complemento di termine costituito da una particella pronominale.

La forma riflessiva apparente è propria di tutti i verbi transitivi che, costruiti con un complemento oggetto, indicano un'azione che riguarda da vicino il soggetto, come *lavarsi/asciugarsi* (le mani, i capelli, la faccia), *pettinarsi* (i capelli), *guardarsi* (le mani, il viso, le scarpe), *prepararsi* (la cena, il letto, la valigia):

> Non *guardarti* sempre le mani quando parli. *Mi asciugo* le mani e ti raggiungo. Ogni mattina *ci prepariamo* una bella colazione e poi la prendiamo in giardino.

2.3.3. LA FORMA RIFLESSIVA RECIPROCA

Un verbo ha forma riflessiva reciproca quando l'azione, compiuta da due o più soggetti, ricade sui soggetti stessi che la compiono scambievolmente uno verso l'altro:

> Gianni e Paolo *si picchiano*.

Nella frase "Gianni e Paolo si picchiano" il verbo transitivo *picchiano* regge un pronome personale atono riferito al soggetto come nella forma riflessiva, ma la frase non corrisponde a "Gianni e Paolo picchiano se stessi" bensì a "Gianni e Paolo si picchiano tra loro, si picchiano l'un l'altro". Il verbo *si picchiano* indica, dunque, un'azione reciproca compiuta e subìta vicendevolmente dai due soggetti e la frase, quanto al significato, equivale a due proposizioni distinte, ciascuna delle quali ha per complemento oggetto il soggetto dell'altra: "Gianni picchia Paolo" + "Paolo picchia Gianni" → "Gianni e Paolo si picchiano".

La forma riflessiva reciproca è propria di molti verbi transitivi come, ad esempio, *abbracciarsi*, *aiutarsi*, *baciarsi*, *insultarsi*, *ritrovarsi*, *scambiarsi* ecc.:

> Quando *ci siamo rivisti*, *ci siamo salutati* come se non fosse successo niente. Anna e Laura *si sono scambiate* un segnale d'intesa.

Talora, per far apparire chiaramente il valore reciproco del verbo, è opportuno aggiungere alla forma verbale le locuzioni *tra (di) noi*, *tra (di) voi*, *tra (di) loro*, *l'un l'altro*, *gli uni e gli altri*, *reciprocamente* e simili.

Questo espediente è necessario tutte le volte che la frase risulta ambigua perché la forma riflessiva reciproca coincide con la forma riflessiva propria con il verbo al plurale. Infatti, una costruzione come "Essi si lodano" può significare tanto "Essi lodano *se stessi*" (forma riflessiva propria: "Ognuno di essi loda se stesso") quanto "Essi si lodano l'un l'altro" (forma riflessiva reciproca: "Ognuno di essi loda l'altro").

2.3.4. Il riflessivo "d'affetto"

Talvolta, specialmente nella lingua parlata o scritta di registro medio, ma ormai anche in quella di registro formale, i pronomi personali *mi*, *ti*, *ci*, *vi*, *si* si usano, davanti ai verbi transitivi, al di fuori di qualsiasi funzione riflessiva anche soltanto apparente, con un **valore intensificante**, e quindi in funzione puramente espressiva. Così, invece di dire "Ha bevuto tutta la bottiglia", si dice "*Si* è bevuto tutta la bottiglia" e invece di "Ho fatto un bel sonno", si dice "*Mi* sono fatto un bel sonno". Le frasi con i pronomi personali *si* e *mi*, rispetto a quelle con il verbo in forma attiva, rendono più immediato e più vivace il messaggio, introducendovi una notazione personale che caratterizza l'azione espressa dal verbo come particolarmente interessante o significativa o divertente per il soggetto. I pronomi personali in questione non sono propriamente dei riflessivi, ma poiché esprimono l'atteggiamento affettivo del soggetto dell'azione, vengono chiamati **riflessivi "d'affetto"**. Riflessivi "d'affetto" sono, del resto, anche i pronomi personali *mi*, *ti*, *ci*, *vi*, *si* rafforzati da *ne* e, quindi, nella forma forte *me*, *te*, *ce*, *ve*, *se* che, sempre nel registro medio della lingua parlata e scritta, accompagnano talora certi verbi intransitivi: "*Me ne* vado subito"; "Paolo *se ne* sta sempre in casa a leggere".

2.3.5. La forma pronominale

La forma pronominale è una forma verbale in cui le particelle pronominali *mi*, *ti*, *ci*, *vi*, *si* che accompagnano il verbo non hanno alcun valore riflessivo, ma fanno parte del verbo stesso, che è un verbo intransitivo:

Io *mi pento*. Tu non *ti sei accorto* di nulla.

Le particelle pronominali *mi* e *ti* che nei due esempi accompagnano le forme verbali "*mi* pento" e "*ti* sei accorto" non hanno valore riflessivo ("Io *mi pento*" non corrisponde a "Io pento me" e "Tu non *ti sei accorto* di nulla" non corrisponde a "Hai accorto te stesso"), ma fanno parte del verbo stesso: sono incorporate in esso. Nella lingua italiana, infatti, non esistono i verbi "pentire" e "accorgere", bensì i verbi "pentirsi" e "accorgersi", i quali sono intransitivi e alla prima persona singolare dell'indicativo presente fanno, appunto, "mi pento" e "mi accorgo".

I verbi di forma pronominale, cioè i verbi accompagnati da una particella pronominale che non ha valore riflessivo ma è parte integrante del verbo, si chiamano **verbi intransitivi pronominali**. Essi comprendono, sostanzialmente, tre diversi tipi di verbi:

• un gruppo di verbi che, per lo meno oggi,[11] hanno soltanto la forma pronominale e, quindi, non si possono usare senza i pronomi personali *mi*, *ti*, *ci*, *vi*, *si* che, come si è visto, formano un tutto unico con il verbo: *pentirsi*, *vergognarsi*, *accanirsi*, *accorgersi*, *adirarsi*, *arrabbiarsi*, *arrendersi*, *avvalersi*, *imbattersi*, *impadronirsi*, *intestardirsi*, *lagnarsi*, *ribellarsi*.

Si tratta, come si vede, di verbi che indicano avvenimenti o azioni che si realizzano, in modo per lo più autonomo, all'interno di un individuo, e devono la presenza del pronome personale al fatto che l'avvenimento o l'azione che esprimono possono essere riferiti solo al soggetto.[12] Per distinguerli dai verbi riflessivi, basta togliere loro la particella pronominale: se la voce che ne risulta non è compresa nel lessico italiano (*arrendere?*, *accorgere?*, *impadronire?*), il verbo è senz'altro un verbo intransitivo pronominale.

• un gruppo di verbi transitivi indicanti eventi, azioni o stati d'animo che riguardano strettamente il soggetto, come *addormentare*, *svegliare*, *allontanare*, *abbattere*, *accostare*, *abbandonare*, *alzare*, *avviare*, *decidere*, *dimenticare*, *fermare*, *eccitare*, *rallegrare*, *rattristare*, *irritare*, *muovere*, *offendere*, *ricordare* ecc. e che, usati con la particella pronominale, acquistano valore intransitivo: *addormentarsi*, *svegliarsi*, *allontanarsi*, *abbattersi*, *dimenticarsi* ecc.

[11] Un tempo, nel Duecento e poi ancora fino al Cinquecento, molti verbi intransitivi pronominali erano usati anche nella forma senza pronome e, addirittura, come transitivi: *vergognare*, per 'vergognarsi', *pentire* per 'pentirsi' e, anche, *arrendere la città* per 'fare arrendere, consegnare la città'.

[12] Questi verbi, naturalmente, possono essere riferiti anche a un elemento della frase diverso dal soggetto, ma in questo caso perdono la forma pronominale e devono essere preceduti da un verbo causativo come "fare", cioè da un verbo che sposti il riferimento dal soggetto: "Le tue parole hanno fatto vergognare tutti".

Così, il verbo *annoiare* può essere usato come transitivo, con un complemento oggetto: "Il tuo discorso *ha annoiato* tutti i presenti". Ma se si premette al verbo il pronome personale, il verbo diventa intransitivo pronominale: "Io *mi annoio*", dove *mi annoio* non significa "io annoio me stesso" ma "sono preso dalla noia".

• un gruppo di verbi intransitivi che possono essere usati anche come intransitivi pronominali, ora conservando lo stesso significato, come *approfittare/approfittarsi* ("Claudio *ha approfittato* dell'assenza di Paolo per andare a spasso" / "Quell'uomo *si è approfittato* della tua buona fede"), e ora, invece, con una lieve differenza di significato, come *sedere* (= stare seduti)/*sedersi* (= porsi a sedere); *infuriare* (= imperversare)/*infuriarsi* (= diventare furibondo): "La peste *infuria* nella città assediata" / "Antonio *si infuria* per un nonnulla".

3. Le "variabili" del verbo: persona, numero, tempo, modo

Il verbo è la parte più variabile del discorso. Unico tra tutte le parti del discorso, esso è in grado di comunicare, attraverso la semplice variazione degli elementi che lo compongono, una serie di informazioni relative all'azione o alla situazione che indica. Ogni verbo, infatti, è costituito da una parte invariabile, quella iniziale, che si chiama **radice** (o *morfema lessicale*), e da una parte variabile, quella finale, che si chiama **desinenza** (o *morfema grammaticale*). La radice, come in tutte le parole, contiene e trasmette il significato del verbo. La desinenza, invece, trasmette tutte le informazioni necessarie sia per individuare il soggetto, cioè l'essere o la cosa cui si riferisce l'azione o la situazione espressa dal verbo, quanto alla **persona** e al **numero**, sia per stabilire il **tempo** e per precisare il **modo** in cui avviene l'azione o ha senso lo stato o la qualità espressa dal verbo.

Così, nella frase "Paolo chiuse la porta", il verbo *chiuse* non solo ci informa dell'azione compiuta dal soggetto che, come risulta dal significato della radice *chiu(d)-*, consiste nel *chiudere* (non nell'*aprire* o nel *rompere* o nel *verniciare*) una porta, ma attraverso la desinenza *-se* ci dice anche che:

1) la persona che compie l'azione di chiudere la porta è una sola e non due o più;

2) la persona che compie l'azione è una terza persona, cioè una persona diversa da chi parla e da chi ascolta;
3) l'azione è avvenuta nel passato;
4) l'azione, avvenuta nel passato, si è esaurita completamente nel passato;
5) l'azione è avvenuta realmente.[13]

L'insieme ordinato delle forme che un verbo può assumere per indicare la persona, il numero, il tempo e il modo si chiama **coniugazione.** Prima di vedere quali sono le coniugazioni del verbo e come si articolano le varie forme verbali, analizziamo puntualmente il significato e il valore degli **elementi variabili** che costituiscono tali forme verbali, cioè **le persone, il numero, i tempi** e **i modi.**

3.1. La persona e il numero

Il verbo modifica le sue desinenze secondo la persona e il numero per individuare, accordandosi con esso, il soggetto, cioè l'essere o la cosa che compie o subisce l'azione o cui si riferisce la situazione espressa dal verbo stesso. Così, quanto al **numero**, il verbo, a seconda che il soggetto sia singolare o plurale, può essere:

1) di numero **singolare**
2) di numero **plurale.**

Invece, quanto alla **persona**, il verbo, sempre in rapporto al soggetto, ha **tre persone**, ciascuna delle quali può essere singolare o plurale, e può essere:

1) di **prima persona** → quando il soggetto è l'emittente del messaggio { *io* → 1ª pers. sing.; *noi* → 1ª pers. plur. }

2) di **seconda persona** → quando il soggetto è il destinatario { *tu* → 2ª pers. sing.; *voi* → 2ª pers. plur. }

[13] Come già sappiamo, sempre attraverso la sua forma, il verbo *chiuse* ci dice che il soggetto ha compiuto personalmente l'azione e che quindi, come si è visto, il verbo è usato nella diàtesi attiva. Inoltre la presenza dopo il verbo di un complemento oggetto ci informa che l'azione in questione è passata da un soggetto ("Paolo") a un altro elemento che l'ha subìta ("la porta") e che quindi, come pure si è visto, il verbo è usato in funzione transitiva.

3) di **terza persona** → quando il soggetto è ciò di cui si parla
- *egli*, *esso*, *essa* → 3ª pers. sing. (il cane; Paolo; il libro)
- *essi*, *esse* → 3ª pers. plur. (Paolo e Giovanni; i cani; i libri)

Nei suoi diversi tempi e modi, dunque, il verbo presenta di norma **sei diverse desinenze** che corrispondono alle **sei persone** (tre singolari e tre plurali) che possono avere funzione di soggetto:

NUMERO	PERSONA	RADICE	DESINENZA
SINGOLARE	1ª (io)	pens-	**-o**
	2ª (tu)	pens-	**-i**
	3ª (egli)	pens-	**-a**
PLURALE	1ª (noi)	pens-	**-iamo**
	2ª (voi)	pens-	**-ate**
	3ª (essi)	pens-	**-ano**

Come si vede dalla tabella, le forme verbali *penso*, *pensi*, ... sono costituite dalla radice *pens-*, identica per tutte le persone, che contiene il significato del verbo, e da una serie di desinenze (*-o*, *-i*, *-a*, *-iamo*, *-ate*, *-ano*) che informano circa il **numero** e la **persona** del soggetto, indicando cioè se è singolare o plurale e se è una prima, una seconda o una terza persona.

Se la voce verbale fosse una forma composta costituita dal verbo *essere* e dal participio passato, quest'ultimo, accordandosi con il soggetto nel genere, indicherebbe anche il **genere** e, quindi, oltre a indicare il numero e la persona, segnalerebbe anche se il soggetto è maschile o femminile: "Carlo è partit*o*"; "Laura è partit*a*"; "Noi siamo partit*i*"; "Voi non siete partit*e*".

3.2. Il tempo

Il verbo, attraverso la variazione della desinenza, è in grado di collocare nel tempo l'evento (l'azione o la situazione) che esprime, indicando il rapporto temporale che intercorre tra l'evento in questione e la persona che lo enuncia.

Un qualsiasi evento può essere presentato da chi lo enuncia come:

• **contemporaneo** rispetto al momento in cui lo enuncia:

"io studi-*o*"	ora, nel presente

• **anteriore** rispetto al momento in cui lo enuncia:

"io studi-*avo*"	ieri, nel passato

• **posteriore** rispetto al momento in cui lo enuncia:

"io studi-*erò*"	domani, nel futuro

Pertanto, il verbo ha tre **tempi** fondamentali (o "tempi assoluti"):

il **presente** che indica la contemporaneità → *io parlo*

il **passato** che indica l'anteriorità e che si articola in:
- passato prossimo → *ho parlato*
- passato remoto → *parlai*
- imperfetto → *parlavo*
- trapassato prossimo → *avevo parlato*
- trapassato remoto → *ebbi parlato*

il **futuro** che indica la posteriorità e che si articola in:
- futuro semplice → *parlerò*
- futuro anteriore → *avrò parlato*

La lingua, dunque, con il tempo verbale indica il momento – passato, presente o futuro – in cui si realizza l'evento indicato dal verbo: "Egli *dorme* tranquillo"; "Egli *dormì* tranquillo"; "Egli *dormirà* tranquillo". Ma la lingua, mediante il tempo, può esprimere anche la relazione di tempo di un evento con un altro evento: "Quando *aveva finito* il suo lavoro, *dormiva* tranquillo".

I tempi che situano l'evento in una dimensione cronologica autonoma sono detti **tempi assoluti** o **reali**: essi sono, oltre al presente, l'imperfetto, il passato prossimo, il passato remoto e il futuro semplice. I tempi, invece, che stabiliscono una relazione cronologica di anteriorità o di posteriorità rispetto a tempi assoluti indicanti un altro evento che si è realizzato nel passato o che si realizzerà nel futuro, si chiamano **tempi relativi**. I tempi relativi sono il trapassato prossimo, il trapassato remoto e il futuro anteriore. Come si vede, sono tutti tempi composti e, ovviamente, possono essere usati solo in relazione a un tempo assoluto: il trapassato prossimo in relazione a un imperfetto ("Quando *aveva finito* il suo lavoro, *dormiva* tranquillo"); il trapassato remoto in relazione a un passato remoto ("Quando *ebbe finito* il suo lavoro, *dormì* tranquillo"); il futuro anteriore in relazione a un futuro semplice ("Quando *avrà finito* il suo lavoro, *dormirà* tranquillo").

Talvolta, ha valore relativo anche il passato prossimo, in rapporto con un tempo passato: "Quando ti *ha visto, è scappato* via". Inoltre, per indicare un'azione che si svolgeva nel passato quando ne accadde un'altra, viene usato con valore relativo anche un tempo semplice come l'imperfetto (*imperfetto di contemporaneità*): "Paolo *dormiva*, quando *fu svegliato* da un rumore secco".

Per quanto riguarda la forma, i tempi verbali si distinguono in:

• **semplici**, quando sono costituiti da una sola parola, formata dalla radice del verbo + le desinenze, la cui variazione segnala, oltre alla persona e al numero del soggetto, il variare dei tempi: *am-o*, *parl-avi*, *dorm-ire*;[14]

• **composti**, quando sono formati da una voce degli ausiliari *essere* o *avere* + il participio passato del verbo: *hanno amato*, *avevo detto*, *sarei andato*. Nei tempi composti, i diversi tempi sono segnalati dalla variazione dell'ausiliare, che segnala anche la persona e il numero. Il participio, invece, si limita a segnalare il numero e, talvolta, il genere del soggetto.

3.3. Il modo

Un fatto (un'azione o una situazione) può essere presentato da chi parla, scrive o pensa in modi diversi, secondo il suo punto di vista, il suo stato d'animo o il suo atteggiamento nei confronti dell'interlocutore: può essere presentato come certo e sicuro ("Non *fumo* più") oppure come solo ipotizzato e perciò incerto ("Ah, se tu *fumassi* di meno!") oppure come possibile a determinate condizioni ("*Fumerei* di meno, se fossi meno nervoso") oppure nella forma di un comando ("*Fuma* di meno!").

Il verbo esprime questi diversi modi di presentare un fatto attraverso diversi modi verbali, caratterizzati e "marcati" da particolari variazioni della desinenza o della struttura stessa del verbo. In italiano, esistono sette modi verbali:

• quattro **modi finiti**, così detti perché sono *definiti* in rapporto alla persona-soggetto, cioè presentano desinenze differenziate che permettono di individuare (di "definire") le varie persone che possono avere funzione di soggetto:

– **indicativo**: (io) *dormo*;

[14] Nella forma passiva, i tempi semplici sono costituiti da due parole (*sono amato*) e i tempi composti da tre (*sono stato amato*).

– **congiuntivo**: (che io) *dorma*;
– **condizionale**: (io) *dormirei*;
– **imperativo**: *dormi* (tu)!

• tre **modi indefiniti**, così detti perché sono *non definiti* rispetto alla persona-soggetto, cioè hanno desinenze che si modificano in base al tempo dell'azione, ma mai in base alla persona e, solo in taluni casi, in base al genere e al numero:
– **infinito**: *dormire*;
– **participio**: *dormito*;
– **gerundio**: *dormendo*.

L'infinito, il participio e il gerundio sono chiamati anche **forme nominali del verbo** o **nomi verbali**. Infatti, il loro valore verbale si è molto indebolito ed essi hanno spesso funzione di nomi, cioè di sostantivi, e di aggettivi.

QUADRO GENERALE DEI MODI E DEI TEMPI DEL VERBO

MODI		TEMPI		
		PRESENTE	PASSATO	FUTURO
FINITI	**indicativo**	presente	imperfetto passato prossimo passato remoto trapassato prossimo trapassato remoto	futuro semplice futuro anteriore
FINITI	**congiuntivo**	presente	imperfetto passato trapassato	
FINITI	**condizionale**	presente	passato	
FINITI	**imperativo**	presente		
INDEFINITI	**infinito**	presente	passato	
INDEFINITI	**participio**	presente	passato	
INDEFINITI	**gerundio**	presente	passato	

3.4. L'aspetto

Oltre al tempo in cui l'azione si colloca e al modo in cui l'azione viene presentata, la lingua, attraverso il verbo, può indicare anche l'aspetto dell'azione, cioè la maniera in cui si presenta agli occhi di chi parla l'azione espressa dal verbo, rispetto alla sua durata, alla sua compiutezza e al suo svolgimento.

La lingua italiana, diversamente dal greco antico o dalle lingue slave che hanno conservato ampie tracce del fenomeno, esprime l'aspetto dell'azione soltanto in due tempi: l'*imperfetto* e il *passato remoto*. L'imperfetto, infatti, esprime l'**aspetto durativo** dell'azione: "Il telefono *squillava* nella casa deserta". Il passato remoto, invece, esprime l'**aspetto non durativo** (o **momentaneo** o **puntuale**) dell'azione: "Il telefono *squillò* nella casa deserta".

Dal punto di vista del tempo le frasi: "La ragazza *urlò* per la paura" e "La ragazza *urlava* per la paura" sono identiche: l'azione espressa dai verbi è in entrambi i casi riferita al passato. Ma le due frasi non dicono la stessa cosa. Uguali in quanto al tempo in cui collocano l'azione, differiscono per l'aspetto dell'azione che esprimono. Il passato remoto *urlò*, infatti, presenta l'azione come avvenuta in un particolare momento del passato e nel passato conclusa: indica cioè l'aspetto momentaneo dell'azione. L'imperfetto *urlava*, invece, presenta la stessa azione nella sua durata e nel suo ripetersi nel tempo passato: ci dice che la ragazza non si limitò a urlare una volta ma che faceva riecheggiare spesso le sue grida di paura: l'imperfetto, dunque, esprime l'aspetto durativo dell'azione.

La lingua italiana, per altro, ha anche altri modi di esprimere l'aspetto dell'azione attraverso il verbo. Alcuni verbi, infatti, sono di per sé **momentanei** o **durativi**, indicano cioè un evento che si compie in un momento o un evento che si realizza attraverso un certo periodo di tempo. Così, ad esempio, *trovare* è verbo momentaneo, *cercare* è durativo; *cadere* è momentaneo, *giacere* è durativo; *scorgere* è momentaneo, *guardare* è durativo. Ma i verbi soltanto momentanei (come *scoppiare*, *precipitarsi*, *svegliarsi*) o soltanto durativi (come *camminare*, *passeggiare*, *dormire*) sono pochi: ad esempio, *correre* è indubbiamente momentaneo, ma se la corsa dura a lungo è anche durativo.

Altri verbi, invece, esprimono di per sé l'**aspetto ingressivo** o **incoativo** dell'azione, indicano cioè l'inizio di un'azione che si sviluppa progressivamente nel tempo: *arrossire* (e in generale tutti i verbi che, nel presente indicativo, assumono la desinenza in *-sco*), *invecchiare*, *imputridire*.

In alcuni casi, infine, l'italiano, come altre lingue, può esprimere la **durata**, lo svolgimento o il compimento dell'azione ricorrendo all'aiuto di altri verbi che, proprio perché contribuiscono a indicare l'"aspetto" dell'azione, si chiamano **verbi aspettuali** (si veda alle pp. 288-290). Così, con l'aiuto di verbi come *stare*, *cominciare*, *mettersi*, *accingersi*, il verbo esprime l'aspetto ingressivo: "Sto per dirtelo"; "Cominciavo a essere stanco"; "Mi misi a studiare". Invece, con l'aiuto di verbi come *finire* e *smettere*, il verbo esprime l'aspetto conclusivo dell'evento: "Finisco di mangiare"; "Ha smesso di piovere".

4. Uso dei modi e dei tempi

Ogni modo verbale ha, in italiano, un suo particolare significato e una sua particolare funzione e, inoltre, si articola in un determinato numero di tempi. I tempi verbali, a loro volta, quando indicano la scansione temporale di un fatto, hanno ciascuno un valore particolare. Esaminiamo, quindi, analiticamente i vari modi e i vari tempi.

4.1. Il modo indicativo e i suoi tempi

L'**indicativo**[15] è il modo verbale della realtà, della certezza e della obiettività. Si usa pertanto, sia nelle proposizioni indipendenti sia in quelle dipendenti, per indicare ciò che è vero e sicuro o, comunque, è ritenuto e presentato come tale:

Paolo *è* innocente. Io so che Paolo *è* innocente.

L'indicativo presenta **otto tempi**, di cui quattro semplici (il *presente*, l'*imperfetto*, il *passato remoto*, il *futuro*) e quattro composti (il *passato prossimo*, il *trapassato prossimo*, il *trapassato remoto*, il *futuro anteriore*). Così, per la sua stessa natura di modo della realtà e dell'obiettività, l'indicativo, con i suoi otto tempi, è l'unico modo verbale in grado di individuare e di determinare tutti e tre i momenti fondamentali in cui può realizzarsi un fatto o aver valore una affermazione: la **contemporaneità** (*presente*), l'**anteriorità** nelle sue diverse "distanze" e nei suoi diversi rapporti (*passato prossimo*, *passato remoto*, *trapassato prossimo*, *trapassato remoto*) e la **posteriorità** in senso assoluto e in senso relativo (*futuro*, *futuro anteriore*).

[15] Il termine "indicativo" deriva dal verbo latino *indicare*, 'indicare, mostrare con il dito indice' e significa "(modo) che serve a indicare qualcosa, cioè a individuare ed esprimere in modo chiaro un fatto specifico".

Attualmente, almeno nel parlato e in testi di registro non particolarmente elevato, l'**indicativo** tende sempre più a sostituire altri modi verbali. In particolare, viene spesso usato al posto:

– del **congiuntivo** nelle proposizioni dipendenti indicanti dubbio, incertezza, timore e simili: "Credo che Francesco *è* malato (= sia malato)"; "Temo che Gianni *è arrivato* (= sia arrivato) in ritardo";

– del **congiuntivo** e del **condizionale** nel periodo ipotetico: "*Era* meglio se *partivi* con l'altro treno (= sarebbe stato meglio se tu fossi partito...)".

L'affermarsi dell'indicativo al posto del congiuntivo e del condizionale opera certamente una semplificazione della lingua ma determina anche un notevole **appiattimento espressivo**, in quanto così chi parla o scrive rinuncia a distinguere con differenziati modi verbali la categoria della realtà da quella dell'eventualità, della possibilità e simili.

4.1.1. L'INDICATIVO PRESENTE

Il **presente** (*io lodo*) indica la contemporaneità dell'azione rispetto al momento in cui la si esprime. Esso, infatti, indica un'azione, uno stato o un modo di essere che si verificano o sussistono nel momento in cui si parla o si scrive:

Il telefono *squilla*. Oggi *è* una bella giornata.

Il presente, però, si usa anche per esprimere fatti che prescindono dalla contemporaneità. Ad esempio, può indicare:

• un fatto consueto, che si ripete regolarmente (**presente di consuetudine**):

Il treno per Torino *parte* alle nove.

• un fatto che è sempre vero (**presente atemporale**), come:

– nelle leggi e nelle definizioni scientifiche: "La somma degli angoli interni di un triangolo *è* 180°"; "Il gatto *è* un felino";

– nelle descrizioni geografiche: "Il Tirreno *bagna* le coste della Toscana e del Lazio";

– nelle verità accettate da tutti: "La libertà non *ha* prezzo";

– nei proverbi e nelle massime che vogliono esprimere verità universali, ponendole fuori dal tempo: "Chi *rompe paga*";

– nelle citazioni letterarie: "Giacomo Leopardi *dice* che il dolore *è* l'unica realtà per l'uomo".

• un fatto che è accaduto nel passato (**presente storico**). Il presente, infatti, viene spesso usato, nei testi narrativi o storico-descrittivi, al posto di un tempo passato per dare immediatezza e vivacità ai fatti narrati o descritti:

> «"Viva San Marco!" esclamò Renzo. Il pescatore non disse nulla. *Toccano* finalmente quella riva: Renzo vi *si slancia*: *ringrazia* Dio tra sé, e poi con la bocca il barcaiolo; *mette* le mani in tasca, *tira* fuori una berlinga [...] e la *porge* al galantuomo [...]» (A. Manzoni)

Talvolta, per la sua espressività e vivacità, questo particolare tipo di presente si usa anche nel parlato, per dare maggiore drammaticità al racconto: "Ieri ero in piazza Cavour e un bel momento chi *vedo*? Proprio Giovanni che *passeggia* con Laura".

Il presente storico è anche quello che viene utilizzato nei titoli dei giornali: "*Ruba* un camion e *scorrazza* per tutta la notte attraverso la città"; "L'Inter *batte* il Milan".

• un fatto che si verificherà sicuramente nel futuro (**presente per il futuro**): "Giovanni *parte* domani"; "Anna è uscita, ma *torna* subito".

In questi casi, il compito di proiettare nel futuro l'azione è affidato all'avverbio che sempre accompagna il verbo (*domani*, *subito* e simili). Ma un simile uso, che è tipico specialmente del parlato e dei testi di registro colloquiale e che è l'effetto di una livellazione semantica del valore dei tempi, è da evitare.

4.1.2. L'INDICATIVO IMPERFETTO

L'**imperfetto**[16] (*io lodavo*) indica un'azione passata considerata nel suo svolgimento e, quindi, presentata nel suo farsi. Esso, pertanto, esprime la "durata" di un'azione nel passato.

> Laura *rideva* di gusto.

Si usa:

• nelle narrazioni (**imperfetto narrativo**). L'imperfetto, anzi, è il tempo tipico delle narrazioni:

[16] Il termine "imperfetto", dal verbo latino *imperficere*, 'non portare a termine del tutto', significa propriamente "non compiuto, non terminato". L'imperfetto, infatti, è il tempo che esprime non un'azione compiuta (come ad esempio il passato remoto: *rise*, *pianse*, *piovve*), ma un'azione (una situazione, un evento, un fatto) passata che il parlante considera nel suo sviluppo e quindi un'azione passata ma non del tutto compiuta nel passato, proprio perché colta nel suo farsi o, come meglio si dice, nella sua durata (*rideva*, *piangeva*, *pioveva*).

– sia quando ha **valore assoluto**:

«Un leggero sole meridiano *rallegrava* la giornata, e Marcovaldo *passava* qualche ora a guardare le foglie, seduto su una panchina [...]. Vicino a lui *veniva* a sedersi un vecchietto, ingobbito nel suo cappotto tutto rammendato: *era* un certo signor Rizzieri, pensionato e solo al mondo.» (I. Calvino)

– sia quando è utilizzato con **valore relativo**, per indicare un'azione che si svolgeva nel passato quando ne accadde un'altra (**imperfetto di contemporaneità**):

Dormivo da un paio d'ore, quando squillò il telefono.

Nelle narrazioni, talvolta, l'imperfetto si usa in luogo del passato remoto con un valore leggermente più enfatico del presente storico (**imperfetto storico** o **cronachistico**):

«All'alba del 1° settembre 1939, le truppe corazzate tedesche attraversarono il confine e invasero la Polonia. Malgrado un'accanita resistenza, i polacchi furono sbaragliati, e il 7 settembre i tedeschi *erano* in vista di Varsavia, che però resistette.» (G. Anselmi)

• nelle descrizioni (**imperfetto descrittivo**):

«L'uomo le *apparve* davanti all'improvviso. *Era* un tipo alto e massiccio. *Aveva* i capelli neri, lunghi e spettinati, e una barba incolta. *Indossava* un vecchio impermeabile [...].»

• per indicare un'azione che si ripeteva abitualmente nel passato (**imperfetto di consuetudine**):

L'anno scorso *andavamo* spesso in piscina.

• nel parlato, specialmente nel registro familiare, l'imperfetto, talvolta, assume un valore modale diverso dall'indicativo e sostituisce il condizionale presente, soprattutto quando si vuole rendere più cortese una richiesta (**imperfetto desiderativo**):

Volevo (= vorrei) un chilo di pesce.

o giustificare un comportamento (**imperfetto di cortesia**):

Scusate, *volevo* solo dirvi che esco un momento.

Sempre nel parlato di registro familiare, l'imperfetto si usa anche in luogo del condizionale passato, per esprimere un desiderio o una eventualità: "*Vo-*

levo (= avrei voluto) intervenire, ma non ho osato"; "*Potevi* (= avresti potuto) almeno avvertirmi". Infine, nel passato ipotetico della irrealtà, l'imperfetto tende a sostituire il congiuntivo trapassato della pròtasi e, nel parlato, anche il condizionale passato dell'apòdosi: "Se *partivo* (= se fossi partito), non *succedeva* (= sarebbe successo) niente".

4.1.3. L'INDICATIVO PASSATO PROSSIMO

Il **passato prossimo** (io *ho lodato*; io *sono partito*) indica un fatto avvenuto in un passato molto recente:

Ieri *ho incontrato* Paolo.

oppure un fatto avvenuto in un passato anche molto lontano, ma i cui effetti perdurano ancora nel presente:

Carlo *si è trasferito* qui da Roma vent'anni fa.

Il passato prossimo, dunque, diversamente da quello che fa pensare la qualifica di "prossimo", non indica soltanto un'azione o un fatto avvenuto da poco, come nel primo esempio. Il fatto espresso nel secondo esempio, infatti, è accaduto da molto tempo e, quindi, è tutt'altro che collocato in un "passato prossimo", ma viene lo stesso indicato dal passato prossimo perché le sue conseguenze durano ancora nel presente.

Il passato prossimo viene spesso usato anche come **tempo relativo**, in rapporto con un tempo passato: "Appena mi *ha visto*, è scappato via". Nel parlato, specialmente nel registro familiare, è posto in relazione anche con un tempo presente: "Appena *ho finito*, ti telefono". Ma in simili contesti, in un registro più formale della lingua, si trova il futuro anteriore in relazione con un futuro semplice: "Appena *avrò finito*, ti telefonerò".

4.1.4. L'INDICATIVO PASSATO REMOTO

Il **passato remoto** (*io lodai*) indica un fatto avvenuto nel passato, considerato al di fuori della sua durata e concluso nel passato:

In Lombardia, nel Seicento, molte persone *morirono* di peste.

È il tempo usato, in alternanza con l'imperfetto, nei **testi narrativi**:

«Per una di quelle stradicciole, tornava bel bello dalla passeggiata verso casa [...] don Abbondio. [...] Diceva tranquillamente il suo uffizio [...] e talvolta, tra un salmo e l'altro, chiudeva il breviario [...]. A un certo punto, svoltata la stradetta, il curato [...]

vide una cosa che non s'aspettava [...]. Due uomini stavano l'uno dirimpetto all'altro [...]. Don Abbondio *affrettò* il passo [...] e quando *si trovò* a fronte dei due galantuomini, *disse* mentalmente: ci siamo; e si *fermò* su due piedi.» (A. Manzoni)

Nella lingua di oggi il **passato remoto** viene sempre più spesso **sostituito dal passato prossimo**, anche per indicare eventi accaduti in un passato piuttosto lontano:

Dieci anni fa *abbiamo fatto* un lungo viaggio in Spagna e *ci siamo divertiti* moltissimo.

Questa tendenza del passato prossimo a scalzare il passato remoto è favorita soprattutto dagli usi regionali. Essa, infatti, è particolarmente forte nelle parlate regionali dell'Italia settentrionale (specialmente in Piemonte, in Lombardia e nel Veneto), mentre nelle regioni dell'Italia meridionale il passato remoto si rivela ancora molto vitale, anche perché in molte parlate del Sud (specialmente in Sicilia, in Calabria, ma anche nel Lazio) il passato remoto è normalmente utilizzato anche in contesti che, alludendo a fatti avvenuti in un momento vicinissimo al presente, richiederebbero il passato prossimo: "Questa mattina *mi alzai* presto"; "Ieri *vedesti* tuo fratello?".

Di fatto, mentre l'uso del passato remoto al posto del passato prossimo è sentito tuttora come fortemente regionale, l'uso del passato prossimo invece del passato remoto si va ormai generalizzando anche al di fuori dell'Italia settentrionale e anche nel registro medio-alto. Tuttavia, è utile ricordare che una differenza tra i due tempi esiste e che non si fonda sulla lontananza nel tempo dell'evento, ma sulla sua **durata**. Entrambi i tempi, infatti, indicano un evento accaduto nel passato, ma il passato prossimo indica un evento, più o meno lontano, i cui effetti durano ancora nel presente; il passato remoto, invece, indica un evento più o meno lontano nel tempo, ma completamente concluso nel passato. Così, correttamente, diremo: "Lo zio Anselmo *ha smesso* di lavorare da ormai cinque anni", perché lo zio Anselmo continua tuttora a non lavorare. Diremo invece: "L'uomo *accompagnò* il cliente alla porta e lo *salutò*" perché l'azione espressa dal verbo si esaurisce tutta nel passato.

4.1.5. L'INDICATIVO TRAPASSATO PROSSIMO

Il **trapassato prossimo** (io *avevo lodato*, io *ero partito*) esprime un fatto avvenuto prima di un altro fatto del passato e ad esso collegato. Si tratta, dunque, di un **tempo relativo**, che si usa tanto nelle proposizioni dipendenti quanto nelle indipendenti, in rapporto con un imperfetto, con un passato prossimo o con un passato remoto:

Ero stanco, perché *avevo viaggiato* tutta la notte. Quando sono arrivato, lei *era* già *andata* via. *Ero* appena *rientrata*, quando squillò il telefono.

4.1.6. L'INDICATIVO TRAPASSATO REMOTO

Il **trapassato remoto** (io *ebbi lodato*, io *fui partito*) indica un fatto avvenuto e definitivamente concluso nel passato, prima di un altro fatto passato. Il trapassato remoto, dunque, è un **tempo relativo** e si trova praticamente solo in proposizioni dipendenti temporali introdotte da *quando*, *dopo che*, *(non) appena (che)* e simili:

Non appena *ebbe finito* di parlare, se ne andò.

Questo tempo, però, è ormai di uso molto limitato, specialmente nel linguaggio parlato, ed è sempre più spesso sostituito dal passato remoto.

4.1.7. L'INDICATIVO FUTURO SEMPLICE

Il **futuro semplice** (io *loderò*) indica un fatto che, nel momento in cui si parla o si scrive, deve ancora avvenire o giungere a compimento:

Paolo *partirà* per le vacanze domani o dopo. Non *finirò* il lavoro prima di sabato.

In alcuni contesti, il futuro semplice assume valori diversi da quelli propri dell'indicativo o viene usato, in luogo di altri tempi dell'indicativo, per esprimere particolari sfumature concettuali. Così, può essere usato:

- per esprimere **approssimazione**: "*Peserà* (= secondo me pesa) almeno dieci chili"; "*Saranno* (= sono circa) le dieci";
- per esprimere **dubbio**: "Dove *sarà* Paolo?";
- per esprimere un **ordine** relativo al futuro (**imperativo futuro**): "*Farete* come vi ho detto e non *parlerete* della cosa con nessuno";
- per **attenuare** un'affermazione: "Ti *dirò* che quel tipo non mi piace affatto";
- con valore **dubitativo-esclamativo**: "Non *crederai* che sia stato io!?".

4.1.8. L'INDICATIVO FUTURO ANTERIORE

Il **futuro anteriore** (io *avrò lodato*, io *sarò partito*) indica un evento futuro che sarà già compiuto o dovrà necessariamente essere compiuto prima che se ne realizzi un altro, anch'esso futuro. Il futuro anteriore è chiaramente un **tempo relativo** che si usa solo in rapporto con un futuro semplice:

Non appena *avrò finito* questo lavoro, andrò in vacanza.

Nel parlato e in testi anche scritti, di registro non particolarmente elevato, il futuro anteriore viene sempre più spesso sostituito dal futuro semplice: "Non appena *finirò* questo lavoro, andrò in vacanza". Ciò, del resto, succede normalmente quando tra le due azioni dislocate nel futuro non c'è un rilevante intervallo di tempo o quando si vuole sottolineare la contemporaneità delle due azioni future: "Appena *arriverò* ti telefonerò". Naturalmente, nella lingua scritta, quando si vuole puntualizzare efficacemente l'anteriorità di un'azione collocata nel futuro rispetto a un'altra pure essa futura, il futuro anteriore conserva tutta la sua forza di tempo con valore relativo: "Quando *avrò saputo* la verità, deciderò il da farsi".

Come il futuro semplice, il futuro anteriore, usato in senso assoluto, in determinati contesti, può esprimere **dubbio** ("Dove *sarà finita* la mia matita?") o **approssimazione** ("Allora mio padre *avrà avuto* sì e no trent'anni") o può avere valore **concessivo** ("Le *avremo prese*, ma ne abbiamo anche date").

4.2. Il modo congiuntivo e i suoi tempi

Il **congiuntivo**[17] è il modo della possibilità, del dubbio e dell'incertezza. Si contrappone all'indicativo, il modo dell'obiettività reale, come modo della soggettività e indica che l'evento espresso dal verbo non è presentato come certo e reale, ma come possibile, verosimile, incerto, ipotizzabile, dubbio, desiderabile, sperato o temuto. Di fatto, nelle **proposizioni indipendenti**, il congiuntivo è usato per esprimere:

- un dubbio o una supposizione (**congiuntivo dubitativo**): "Che *stia* per piovere?";
- un desiderio o un augurio (**congiuntivo desiderativo** o **ottativo**: "*Venisse* presto quel momento!"; "*Fossimo* almeno felici!"; "La fortuna ti *assista*!";
- un'esortazione, un invito o un ordine (**congiuntivo esortativo**): "*Sia* gentile: mi *spieghi* come si compila questo modulo"; "*Esca* immediatamente!";
- una concessione (**congiuntivo concessivo**): "*Sia* anche veramente colpevole, ma è pur sempre un amico".

Nelle proposizioni subordinate, dove è di uso molto frequente, il

[17] Il termine "congiuntivo", dal latino *coniungere*, 'congiungere, unire', significa "modo che congiunge". Il *coniunctivus modus*, infatti, è il modo di molte proposizioni dipendenti che sono "congiunte" alle reggenti.

congiuntivo è usato di norma in dipendenza di verbi che esprimono dubbio, incertezza, desiderio, augurio, speranza e timore, cioè di verbi che rimandano sempre alla valutazione o all'opinione soggettiva di chi parla o scrive:

Credo che Paolo *sia* contento. Mi sembra che Laura *parta* domani. Mi auguro che tu *possa* tornare presto.

Inoltre, il congiuntivo è il modo di molte **proposizioni dipendenti** introdotte da funzionali subordinanti come *perché*, *affinché*, *se*, *che*, *benché* e simili. In particolare, il congiuntivo è il modo delle proposizioni:

- **finali**: "Li abbiamo chiamati *perché ci aiutassero*";
- **consecutive**: "Devi scrivere in modo *che tutti possano capire*";
- **concessive**: "*Benché sia ormai primavera*, fa ancora molto freddo".

E può essere usato anche in molte altre proposizioni dipendenti:

- **temporali**: "Bisogna pulire tutto *prima che rientri mia madre*";
- **condizionali**: "*Qualora sorgesse qualche imprevisto* avvertimi";
- **comparative**: "Le cose sono andate meglio *di quanto non prevedessimo*".

Il congiuntivo presenta **quattro tempi**: due semplici (il *presente* e l'*imperfetto*) e due composti (il *passato* e il *trapassato*).

Nell'italiano contemporaneo il congiuntivo è in crisi: incalzato dall'indicativo, che mira a usurparne il posto, esso è in lenta ma inesorabile decadenza. Il parlante, infatti, sempre più spesso dice: "Non so quanti chili di ciliegie *hanno* comprato" anziché "Non so quanti chili di ciliegie *abbiano* comprato". E fin qui niente di grave, giacché ormai nelle interrogative dirette l'indicativo, che insiste sulla realtà dell'azione, è usato sempre più spesso del congiuntivo, che invece sottolinea l'incertezza implicita nel dubbio. Più grave, invece, è il caso in cui l'indicativo sostituisce il congiuntivo in frasi come "Mi sembra che Maria *è* già partita" o "Credo che Paolo *è* tornato". In queste frasi, infatti, l'indicativo, che è il tempo della certezza e della sicurezza, fa letteralmente a pugni con i verbi reggenti *mi sembra* e *credo* che, invece, esprimono opinione, incertezza e dubbio e che, quindi, vorrebbero il congiuntivo. Insomma: altro è dire "*So* che *hai detto* la verità" e altro è dire "*Credo* che tu *abbia detto* la verità". Eppure, nonostante la logica e il buon senso ancora più che la grammatica assegnino competenze ben precise all'indicativo e al congiuntivo, l'indicativo tende sempre più a imporsi a danno del congiuntivo.

Le cause di questa invadenza dell'indicativo sono molteplici: la diffusione su scala nazionale di modi espressivi delle parlate regionali dell'Italia centro-meridionale che ignorano l'uso del congiuntivo presente; la difficoltà di memorizzare le forme, spesso irregolari, dei tempi del congiuntivo; la coincidenza o la quasi coincidenza di molte desinenze dei tempi del congiuntivo con quelle dei tempi dell'indicativo; e, anche, la tendenza del parlante a indicare azioni, eventi, stati d'animo e modi di essere in forma oggettivo-realistica usando l'indicativo che è il modo appunto dell'oggettività e della realtà, quasi a manifestare e ad accreditare, anche attraverso la lingua, una sicurezza o una convinzione che forse non ha dentro di sé.

A ogni modo, quale che ne sia la causa, la crisi del congiuntivo è un dato di fatto e, purtroppo, non serviranno certo le leggi della grammatica a salvare questo modo del verbo dal pericolo di scomparire. L'uso, anzi, è, a lungo andare, più forte di tutte le leggi più o meno codificate della grammatica e ha avuto ragione, attraverso gli anni e i secoli, di forme, leggi e regole ben più salde del povero congiuntivo e ha trasformato in normali, anzi, in norme, quelle che, un tempo, erano eccezioni o veri errori.

Tuttavia, sarà bene tener presente che rinunciare al congiuntivo e, di conseguenza, all'opposizione *indicativo/congiuntivo*, cioè *modo della certezza/modo del dubbio e dell'opinione*, vuole dire rinunciare a esprimere sfumature di significato tutt'altro che secondarie e inutili. Si veda, per esempio, la differenza di significato che esiste tra le coppie di frasi seguenti e che è tutta affidata all'opposizione *indicativo/congiuntivo*: "Dicono che le pesche *sono* ormai mature" (chi parla accetta l'opinione altrui come un dato di fatto e, quindi, considera la cosa sicura) / "Dicono che le pesche *siano mature*" (chi parla non è personalmente convinto della cosa e la presenta in modo dubitativo, lasciando ad altri la responsabilità dell'affermazione); "Penso che *sei* triste" (ti penso triste: mi rendo conto che, con tutto quello che ti è successo, non puoi non essere triste) / "Penso che tu *sia* triste" (ho l'impressione che tu abbia motivo di essere triste); "Aspetterò finché *tornerà*" (e sono sicuro che tornerà) / "Aspetterò finché *torni*" (ma non sono sicuro se tornerà).

4.2.1. IL CONGIUNTIVO PRESENTE

Il congiuntivo **presente** (che io *lodi*) indica un evento possibile nel momento in cui si parla o si scrive. Nelle proposizioni indipendenti viene usato per esprimere un dubbio, un augurio o un'ipotesi, per lo più in forma interrogativa:

> Che *sia* arrabbiato con noi?

Alla terza persona singolare e alla terza plurale il congiuntivo presente esprime esortazione, invito, ordine, sostituendo le corrispondenti persone mancanti dell'imperativo: "*Si accomodi*, signora"; "*Si fermi* qui!"; "*Entrino* prima coloro che hanno già il biglietto".

Nelle proposizioni subordinate si usa per esprimere la contemporaneità dell'azione in dipendenza di un presente o di un futuro:

Desidero che Elena *resti* qui. Tutti penseranno che tu *sia* matto.

Poiché il congiuntivo è privo di futuro, il congiuntivo presente assolve anche la funzione del futuro e, quindi, oltre alla contemporaneità indica la posteriorità dell'azione: "Spero che tu *stia* bene (adesso: contemporaneità)" e "Spero che tu *venga* presto (domani, in futuro: posteriorità)".

4.2.2. Il congiuntivo imperfetto

Il congiuntivo **imperfetto** (che io *lodassi*) esprime, nelle proposizioni indipendenti, un evento – un desiderio o un augurio – che è impossibile che si realizzi, che si teme che non si realizzi o che è soltanto ipotizzabile nel futuro:

Magari *vincessimo* la partita! Oh, se Paolo mi *invitasse* a uscire con lui! *Fossi* promosso!

Oppure esprime un dubbio riferito a un fatto anteriore:

Che *fosse* sincero?

Nelle proposizioni subordinate, il congiuntivo imperfetto esprime la contemporaneità o la posteriorità rispetto a un tempo presente o passato della reggente:

Credo che allora *vivesse* da sola. Credevo che *abitasse* ancora in campagna.

Il congiuntivo imperfetto si usa anche in proposizioni subordinate a una reggente con il verbo al condizionale presente o passato, per esprimere un evento contemporaneo o futuro rispetto a quello enunciato nella reggente: "Sarebbe bene che il nonno non *fumasse* più"; "Avrei voluto che Giorgio mi *telefonasse* appena a casa, ma lui dice che non ne avrà il tempo". Il congiuntivo imperfetto si usa, inoltre, nella pròtasi del periodo ipotetico della possibilità ("Se *partissi*, te lo farei sapere per tempo") o dell'irrealtà ("Se *stessi* bene, ti accompagnerei").

4.2.3. Il congiuntivo passato

Il congiuntivo **passato** (che io *abbia lodato*, che io *sia partito*) indica un dubbio o una possibilità riferiti al passato, per lo più in forma di domanda:

Paolo ride: che *abbia saputo* del nostro scherzo?

Nelle proposizioni subordinate, esprime anteriorità rispetto a un presente o a un futuro della reggente:

Credo che Laura *sia partita* questa mattina. Paolo crederà che tu non *abbia voluto* parlargli.

4.2.4. IL CONGIUNTIVO TRAPASSATO

Il congiuntivo **trapassato** (che io *avessi lodato*, che io *fossi partito*) si usa per esprimere una possibilità o un desiderio riferiti al passato e che non si sono realizzati:

Ah, se *fossi stato* più prudente!

Nelle proposizioni subordinate esprime anteriorità rispetto a un tempo passato della reggente:

Credevo che tu *avessi* già *mangiato*.

Il congiuntivo trapassato si usa anche in proposizioni dipendenti da una reggente con il verbo al condizionale presente o passato per esprimere un'azione che si sarebbe potuta verificare nel passato ma che non è accaduta: "Vorrei che tu *avessi accettato* quel lavoro"; "Avrei preferito che tu *avessi scelto* con più calma". Si usa, inoltre, nella pròtasi del periodo ipotetico dell'irrealtà nel passato: "Se tu *fossi venuto* con noi, ti saresti annoiato".

4.3. Il modo condizionale e i suoi tempi

Il **condizionale**[18] è il modo della possibilità condizionata: presenta l'evento (un'azione, una situazione o un modo di essere) espresso dal verbo come possibile o realizzabile solo a certe condizioni:

Ti *divertiresti*, se venissi con noi.

Usato da solo, il condizionale può esprimere un dubbio ("Che cosa *dovrei* fare?"), un desiderio ("*Vorrei* mangiare") o un'eventualità per lo più spiacevole, presentata con un senso di incredulità, di stupore o di sdegno ("Dunque *saresti stato* tu a raccontare in giro queste cose?"; "Paolo non *avrebbe* mai *fatto* una cosa simile"). Serve, inoltre, per

[18] Il termine "condizionale" deriva dal latino *condicione(m)*, 'fatto cui è subordinato il verificarsi di un altro fatto' (dal verbo *condicere*, 'stabilire di comune accordo'). Il *conditionalis modus*, infatti, è il modo che esprime un evento la cui attuazione è "condizionata" dal realizzarsi di un altro evento.

esprimere un'opinione personale in forma attenuata ("Mi *sembrerebbe* giusto avvertirlo").

Il condizionale presenta **due tempi**: uno semplice, il *condizionale presente*, e uno composto, il *condizionale passato*.

4.3.1. IL CONDIZIONALE PRESENTE

Il condizionale **presente** (io *loderei*) si usa, nell'apòdosi di un periodo ipotetico, per esprimere un evento che si potrebbe verificare nel presente a condizione che si verifichi (o si sia verificato) un altro evento:

> Se ti allenassi di più, *vinceresti* senz'altro la gara. Se avessi preso l'aereo, *sarei* già a casa.

Il condizionale presente si usa anche, in proposizioni indipendenti o dipendenti, per esprimere cortesemente una richiesta ("Mi *passeresti* quel giornale?"), una supposizione ("Il vero responsabile *sarebbe* un noto uomo politico"), un'opinione personale presentata in forma attenuata ("Secondo me, *bisognerebbe* telefonargli subito"), un dubbio, in forma diretta ("Che cosa *dovrei* fare?") o in forma indiretta ("Non so proprio che cosa *dovrei* fare"). Inoltre, si usa in alcune locuzioni per esprimere per lo più rimprovero o disappunto: "E costui chi *sarebbe*?"; "Come *sarebbe* a dire?".

4.3.2. IL CONDIZIONALE PASSATO

Il condizionale **passato** (io *avrei lodato*, io *sarei partito*) si usa, nell'apòdosi del periodo ipotetico, per indicare un evento che si sarebbe verificato nel passato se si fosse verificata, sempre nel passato, una certa condizione:

> Se avessi avuto più tempo, *avrei finito* il libro.

Come il condizionale presente, il condizionale passato si usa, in proposizioni indipendenti o dipendenti, per esprimere un'opinione personale in forma attenuata ("Non *avresti dovuto* fare ciò"), una supposizione ("A quanto si dice, qualcuno *avrebbe avvertito* la polizia prima dell'attentato") o un dubbio, in forma diretta ("A chi *avrei dovuto* rivolgermi?") o in forma indiretta ("Non so proprio a chi *avrei dovuto* rivolgermi").

Come tempo relativo, in dipendenza da un tempo del passato, specialmente nelle proposizioni oggettive, soggettive e interrogative indirette, il condizionale passato si usa per indicare un fatto che si sarebbe potuto realizzare in un'epoca successiva: "Pensavo che *sarebbe tornato* per tempo"; "Era chiaro a tutti che le cose *sarebbero finite* malamente"; "Gli domandai se *sarebbe partito*". Spesso, in questi casi, in dipendenza da verbi che esprimono speranza, previsione, timore, promessa e simili, il condizionale passato si usa al posto del congiuntivo imperfetto: la differenza tra la costruzione con il condizionale passato e quella con il congiuntivo è minima, ma la prima sottolinea chiaramente che l'evento sperato, temuto o previsto, deve intendersi riferito a un momento futuro rispetto al tempo della reggente:

Speravo { che mi *aiutassero*
che mi *avrebbero aiutato*.

4.4. Il modo imperativo e i suoi tempi

L'**imperativo**[19] è il modo che si usa per esprimere un ordine, un comando, un suggerimento, un invito, una preghiera o un divieto:

Venite qui subito! *Sii* gentile, *aiuta* il tuo amico!

L'imperativo ha **un solo** tempo, il **presente**, perché non si possono dare ordini per il passato, e ha forme proprie solo per le seconde persone (*loda*, *lodate*).

Per le altre persone – per la 3ª singolare e per la 1ª e 3ª plurali, giacché, come è ovvio, non si usa l'imperativo alla 1ª singolare in quanto non ha senso esprimere un comando rivolto in prima persona a se stessi – si usano le corrispondenti forme del congiuntivo presente (**congiuntivo esortativo**):

Si *segga*. Forza, *diamo* una mano anche noi. *Vengano* pure avanti, signori.

Osservazioni

– Un comando, un ordine e un'esortazione sono sempre rivolti al futuro e, quindi, l'imperativo presente vale di per sé come futuro. Talvolta, però, per esprimere un comando che è destinato a essere eseguito a distanza di tempo o un ordine al quale si deve ubbidire non solo subito ma anche nel futuro, si usa l'**indicativo futuro**: "*Sarete* di ritorno qui per le dieci, chiaro!"; "*Resterai* in casa tutto il giorno, e, per uscire, *aspetterai* una mia telefonata!". L'indicati-

[19] Il termine "imperativo" deriva dal verbo latino *imperare*, 'comandare'. L'*imperativus modus*, infatti, è il modo del verbo che esprime un comando.

vo futuro, inoltre, serve anche a esprimere un comando in forma attenuata: "Per domani *eseguirete* gli esercizi che vi ho dettato".

– Spesso per esprimere un ordine o per prescrivere o suggerire un certo comportamento a una o più persone (per esempio nelle indicazioni delle norme per l'uso di certi prodotti o di certi manufatti), si usa l'**infinito** che, in questo caso, funziona da vero e proprio **imperativo impersonale**: "*Circolare! Circolare!*"; "*Spalmare* leggermente sulla parte indolenzita"; "*Conservare* al riparo dalla luce".

– Il **comando negativo** – un divieto o una proibizione – si esprime nella 2ª persona singolare con l'avverbio *non* seguito dall'infinito: "Non *parlare*!". Per le altre persone si usano le forme dell'imperativo e del congiuntivo esortativo precedute sempre dall'avverbio *non*: "Non parli!"; "Non parliamo più"; "Non parlate!"; "Non vengano!".

– Al **passivo**, l'imperativo vero e proprio (cioè quello delle 2ᵉ persone) è usato quasi esclusivamente nella lingua di registro letterario: "Siate sempre rispettati e amati!". Spesso, perciò, esso è sostituito, con una sfumatura di significato leggermente diversa, da una perifrasi con i verbi servili ("Possiate essere sempre rispettati e amati") o da una perifrasi con i verbi causativi *farsi*, *lasciarsi* e simili: "Lasciati aiutare!"; "Fatevi consigliare per bene"; "Non lasciarti ingannare!".

– Il modo **imperativo** è indubbiamente un modo molto funzionale sul piano espressivo, in quanto permette di formulare un ordine o una richiesta in maniera concisa, rapida e, soprattutto, chiara. Però, esso (e talvolta anche il **congiuntivo esortativo** che lo sostituisce nelle persone mancanti) ha un tono perentorio, di secco comando, che non si adatta a tutte le situazioni comunicative. Spesso, perciò, si rende opportuno attenuare la carica aggressiva dell'imperativo facendo ricorso a costruzioni certo meno concise e immediate ma più gentili, tali da non indisporre il destinatario del messaggio. Così si può trasformare l'ordine in un invito o, addirittura, in una preghiera, utilizzando, insieme all'imperativo, **espressioni di cortesia**, come *per piacere*, *se possibile*, *se non disturbo*, *per favore*, *se non ti spiace*, *ti prego*, *su*, *dai* e simili: "*Aspetti* un momento, *per favore*"; "*Dai*, *vieni* qui"; "*Portamelo* subito, *se non ti reca troppo disturbo*". Sempre per ridurre la perentorietà dell'imperativo, si può far precedere l'ordine o la richiesta da **formule** come *ti* (*le*, *vi* ecc.) *spiace*, *ti spiacerebbe*, *ti sarebbe possibile*, *cerca di*, *ti prego di* ("*Ti spiacerebbe* chiudere la finestra?"; "*La prego di* aspettare un momento, signore"; "*Cerca di* studiare di più, la prossima volta") oppure dai **verbi servili** *potere*, *dovere*, *volere* ("*Dovresti* studiare di più"; "*Potresti* fare meno rumore"). Infine, se si vuole formulare in tono cortese una richiesta, si può sostituire all'imperativo il **condizionale** presente in forma interrogativa: "Mi *presteresti* il tuo registratore?".

I modi indefiniti

I modi indefiniti, come si è visto, sono caratterizzati dal fatto di non indicare mai la persona e il numero. Essi, inoltre, sono molto vicini, per la funzione che svolgono, al nome – sostantivo e aggettivo – tanto che potrebbero meglio essere chiamati **nomi verbali** o **forme nominali del verbo.**

4.5. Il modo infinito e i suoi tempi

L'**infinito**[20] è il modo, indefinito per eccellenza, che esprime un evento – l'azione, il fatto, la situazione indicata dal verbo – in maniera generica e indeterminata: esprime, cioè, il semplice significato del verbo: *mangiare*; *essere*; *ringiovanire*; *dormire*. Esso ha **due** tempi: uno semplice, il **presente** (*lodare*), e uno composto, il **passato** (*avere lodato*, *essere partito*).[21]

Come tutti i modi indefiniti, l'infinito è, nello stesso tempo, una **forma verbale** e una **forma nominale** e, quindi, può essere usato in funzione di verbo e di sostantivo. In particolare:

• in **funzione di verbo**, l'infinito si usa in numerose **proposizioni dipendenti implicite** ("Credevo di *conoscerlo* bene"; "Spero di *rivederti* presto"; "Ti prego di *uscire*"; "Temo di *avere sbagliato*") e in dipendenza di **verbi servili** (vedi a p. 286) o **fraseologici** (vedi a p. 291): ("Voglio *partire* subito"; "La partita sta per *iniziare*").

Nelle **proposizioni indipendenti**, invece, l'infinito viene usato:

– per esprimere un ordine o dare un'istruzione, in luogo dell'imperativo: "*Circolare! Circolare!*"; "*Mescolare* lentamente per cinque minuti";

[20] Il termine "infinito" deriva dal latino *infinitu(m)*, che, composto da *in-*, 'non' e *finitum*, 'finito', significa "che non è finito", cioè "che è privo di determinazioni precise", "che è indeterminato, indefinito". L'*infinitus* o *infinitivus modus*, infatti, è il modo che indica l'evento espresso dal verbo senza determinazione di persona e di numero.

[21] L'italiano, diversamente dal latino, non ha una forma particolare di "infinito futuro". Per esprimere l'idea di infinito futuro, si può ricorrere a costruzioni perifrastiche come *essere per partire*, *essere sul punto di partire* e simili.

– per esprimere un comando negativo o un divieto: "*Non toccare* il mio disegno!" "*Non calpestare* l'erba";
– in frasi interrogative ed esclamative: "Che *pensare*?"; "Io *venire* a spasso con te?!"; "*Poterlo* rivedere almeno una volta!";
– nelle narrazioni, introdotto dall'avverbio *ecco* o dalla preposizione *a*, per mettere in risalto un fatto o un'azione conferendo al racconto una maggior vivacità: "Proprio in quell'istante *ecco arrivare* Paolo a piedi"; "Tutti stavano zitti: e noi, invece, *a gridare* e *a cercare* di convincerli che facendo così sbagliavano".

• in **funzione di sostantivo**, l'infinito (specialmente l'infinito presente, più di rado quello passato) può essere usato come soggetto ("*Lavorare* [= il lavoro] stanca"), come oggetto ("Amo *leggere* [= la lettura]") o come complemento indiretto ("È arrivato anche il momento *di partire* [= della partenza]"). Come sostantivo, l'infinito può essere attualizzato dall'articolo o dalla preposizione articolata: "*L'aver imparato* bene l'inglese gli giovò molto"; "Tra *il dire* e *il fare* c'è di mezzo il mare"; "Fummo svegliati *dall'abbaiare* dei cani". In taluni casi, il valore nominale dell'infinito si è a tal punto affermato che l'infinito è diventato un vero e proprio sostantivo e non solo è registrato sul dizionario come tale (*il dovere*, *il potere*), ma può anche formare il plurale ("*i doveri*", "*i poteri*") ed essere qualificato o determinato da un aggettivo ("Un *potere* ingiusto"; "Quel *dovere* mai rispettato").

Tuttavia, l'infinito, anche quando è usato in funzione nominale, conserva sempre il suo **valore verbale**, come dimostra il fatto che può essere costruito con un oggetto o modificato da un avverbio: "Non mi piace *studiare la matematica*"; "Mi spiace, ma riguardo *all'attaccare quel poster* in classe non sono d'accordo"; "*Mangiare troppo* è dannoso alla salute". Proprio questo residuo di valore verbale, del resto, distingue l'infinito con funzione di sostantivo dai sostantivi di significato affine derivanti dalla stessa radice: di fatto, diversamente dall'infinito in funzione sostantivata, il sostantivo non può reggere un oggetto ma viene determinato da un complemento di specificazione ("*Studiare matematica* è noioso" → "*Lo studio della matematica* è noioso"). Inoltre, a differenziare l'infinito sostantivato dal sostantivo corrispondente contribuisce anche il fatto che per lo più il primo indica un'"azione" mentre il secondo indica una "cosa" o, comunque, il risultato di un'azione: "*Collezionare* francobolli è non solo divertente ma anche redditizio" / "Ho venduto la mia *collezione* di francobolli".

4.6. Il participio e i suoi tempi

Il **participio**[22] è un modo che esprime il significato del verbo, cioè l'evento indicato dal verbo, come se fosse una qualità caratteristica di un determinato soggetto (persona, animale o cosa), di cui diventa un attributo:

un rumore *irritante*; dei rumori *irritanti*;
il passaporto *scaduto*; la medicina *scaduta*.

Questo modo verbale, dunque, "partecipa" sia delle caratteristiche del verbo, in quanto esprime un'azione o un modo di essere, sia delle caratteristiche dell'aggettivo, in quanto concorda in genere e numero con il sostantivo cui si riferisce.

Il participio ha **due** tempi, entrambi semplici, il *presente* e il *passato*.[23]

4.6.1. Il participio presente

Il participio **presente** (*lodante*, *partente*) ha sempre valore attivo e varia solo quanto al numero. Come **verbo**, corrisponde per significato a una proposizione relativa che esprime un'azione contemporanea a quella indicata dalla reggente:

Udimmo una voce *invocante* (= che invocava) aiuto.

Come **aggettivo**, corrisponde a un attributo del nome:

Abbiamo assistito a uno spettacolo *divertente*.

Il participio presente, di fatto, può avere tanto valore di verbo quanto di aggettivo. Il suo uso come verbo, però, è piuttosto raro e quasi del tutto limitato

[22] Il termine "participio" deriva, attraverso il francese *participe*, dal latino *participiu(m)*, 'che partecipa'. Il participio, infatti, è il modo del verbo che, esprimendo il significato del verbo in funzione di attributo di un nome, "partecipa" sia delle caratteristiche del verbo sia del nome.

[23] L'italiano non possiede il participio futuro, che invece nel latino completava il quadro dei tempi anche di questo modo: *amaturus*, *-a*, *-um*, '(colui) che amerà'; *venturus*, *-a*, *-um*, '(colui) che verrà'. Però in italiano sono conservate, come aggettivi o come aggettivi sostantivati, alcune parole che continuano le corrispondenti forme del participio futuro latino: *futuro* (come sostantivo: *il futuro*), *venturo* ("l'anno venturo"), *nascituro*, *morituro*, *duraturo* e simili.

alla lingua letteraria ("Addio, monti *sorgenti* dall'acque...") o alla lingua burocratica, che si compiace di forme antiquate e stereotipate ("Il dottor Rossi, *facente* funzione di direttore"; "Il funzionario *dirigente* l'Ufficio beni immobili"). Al suo posto, nella lingua parlata e scritta, si usa per lo più una proposizione relativa: "Dalla folla *accorrente* (più usuale: *che accorreva*) da tutte le parti, si levò un grido".

Invece, il participio presente è molto usato in funzione di aggettivo: "un libro *divertente*"; "un sole *splendente*"; "un viso *sorridente*"; "un vetro *trasparente*". Come aggettivo, il participio presente può avere il comparativo e il superlativo: "Il telefilm di ieri sera era *più avvincente* del solito"; "Ho letto un articolo *interessantissimo*". Inoltre, può essere sostantivato e, quindi, usato come vero e proprio nome: "Questo *brillante* è molto prezioso".

Molte parole in *-ante*, *-ente*, *-iente*, che oggi sono considerate **aggettivi** e **sostantivi** e, come tali, sono registrate nel dizionario, erano in origine participi presenti. Si pensi, tra gli aggettivi, a forme come *arrogante*, *paziente*, *ubbidiente*, *interessante*, *detergente*, *pesante*, *convivente*, *importante*, *insolente*, *maleodorante* e simili. Tra i sostantivi, invece, si pensi a parole come *il presidente*, *il comandante*, *il dirigente*, *l'insegnante*, *lo studente*, *il conducente*, *il concorrente*, *il passante*, *il commerciante*, *il mandante*, *l'intendente*, *il praticante*, *il cantante*, *l'emigrante* e simili. Talvolta l'origine di alcuni sostantivi dal participio di un verbo è, oggi, ancora più difficile da intuire perché essi non derivano da un verbo della lingua italiana, bensì dal corrispondente verbo latino:

– il docente (da *doceo*, 'insegno');
– il discente (da *disco*, 'apprendo, imparo');
– il mittente (da *mitto*, 'mando, invio');
– il recipiente (da *recipio*, 'raccolgo, contengo');
– il serpente (da *serpo*, 'striscio');
– l'utente (da *utor*, 'uso').

4.6.2. IL PARTICIPIO PASSATO

Il participio **passato** (*lodato*, *-a*, *-i*, *-e*), come il participio presente, accomuna in sé la funzione verbale con quella di aggettivo.

Come **aggettivo**, il participio passato funge da attributo o da elemento del predicato nominale, concorda in genere e in numero con il sostantivo cui si riferisce e, quanto al significato, corrisponde a una proposizione relativa con il verbo al passato, a una proposizione temporale o a una proposizione causale:

> I nemici *sconfitti* (= dopo essere stati sconfitti) si diedero alla fuga. La polizia ha catturato il bandito *evaso* (= che era evaso).

Spesso il participio passato in funzione di aggettivo è stato sostantivato e funziona come nome: *l'evaso, il laureato, l'invitato* e simili. In taluni casi, come è accaduto per il participio presente, alcuni participi passati sono diventati nomi a tutti gli effetti e il parlante non li sente più come participi: *il fatto, il successo, il gelato, il messo, la data, il prefisso* e simili.

Come **verbo**, il participio passato, diversamente dal participio presente, ha conservato il suo valore verbale, che è passivo nei verbi transitivi (*lodato* = che è stato lodato) e attivo nei verbi intransitivi (*partito* = che è partito). Unito a un sostantivo o a un pronome, il participio passato, infatti, è spesso usato come elemento centrale di varie proposizioni dipendenti implicite, con valore temporale, causale, concessivo o relativo, che esprimono un'azione o un fatto anteriori a quelli espressi dalla reggente:

> *Spaventati* (= poiché furono spaventati) dal rumore, i ladri fuggirono. *Risolto* quel problema (= dopo che quel problema fu risolto), tutta la controversia finì in nulla.

Usato come verbo di una proposizione dipendente implicita, il participio passato può essere congiunto, come nel primo esempio, con la proposizione reggente dall'identità del soggetto, con il quale esso concorda: "*Arrivate* a casa, le poverette si misero a letto con le ossa rotte dalla stanchezza". Ma il participio passato, come nel secondo esempio, può anche concordare con un elemento contenuto nella stessa proposizione dipendente, la quale allora è del tutto sciolta dalla proposizione reggente: "*Morto* Tiberio, i Romani elessero imperatore Caligola".

Sempre con il suo valore verbale, il participio passato, unito ai verbi ausiliari *essere* e *avere*, serve a formare i tempi composti dei verbi transitivi, intransitivi, riflessivi e pronominali e, unito all'ausiliare *essere* (e, più raramente, *venire*), serve a costruire tutti i tempi del passivo:

> *Sono tornati* a casa. *Avevo spedito* il pacco. *Sono stati lodati* da tutti.

L'uso del participio passato

L'uso del participio passato in proposizioni dipendenti con valore temporale, causale o concessivo, dà spesso luogo a gravi errori. Per evitare di sbagliare, prima di usare tale costruzione è necessario tener presente che:

- il participio passato dei verbi transitivi ha sempre valore passivo e può essere usato per costruire una subordinata implicita solo

– se il soggetto della subordinata coincide con quello della reggente: pertanto è corretta una costruzione come: "Il cantante, *applaudito* (= essendo stato applaudito) da un pubblico entusiasta, concesse un bis", ma è inaccettabile ed errata una costruzione come: "Il pubblico, *applaudito* (= essendo stato applaudito?!!) a lungo, chiese un bis";
– se il complemento d'agente sottinteso della subordinata coincide con il soggetto della reggente: "*Parato* il rigore (dal portiere), il portiere fu portato in trionfo dai tifosi esultanti"; "*Rapinata* la banca (dai banditi), i banditi fuggirono a tutta velocità con una macchina rubata";

• il participio passato di un verbo intransitivo con valore attivo può essere usato per costruire una subordinata solo se il soggetto della subordinata è espresso o coincide con quello della principale. Perciò è corretta una costruzione come: "*Morto il nonno*, il nipote partì per l'America", ma è inaccettabile una costruzione come: "Il nonno era gravemente ammalato; appena *morto*, il nipote partì per l'America".

La concordanza del participio passato

– Quando è accompagnato dall'ausiliare *essere*, il participio passato si accorda in genere e numero con il soggetto:

Carla è arrivat*a* ieri. I bambini sono andat*i* a scuola.

Con i verbi riflessivi apparenti e con i verbi pronominali seguiti da un complemento oggetto, l'accordo del participio passato in genere e numero può avvenire sia con il soggetto sia, e preferibilmente, con il complemento oggetto:

Finalmente Paolo si è tagliat*i* (oppure tagliat*o*) i capelli.

– Quando è accompagnato dall'ausiliare *avere*, il participio passato resta di norma invariato:

Paolo ha comprat*o* due dischi nuovi.

Se però è preceduto dal complemento oggetto, il participio passato può concordare con esso, anche se la forma invariata è di gran lunga più frequente:

Vorrei ascoltare i due nuovi dischi che Paolo ha comprat*o* (oppure comprat*i*).

La concordanza con il complemento oggetto, tuttavia, è obbligatoria quando esso è costituito dai pronomi *lo*, *la*, *li*, *le*:

Paolo ha saputo che sono usciti due nuovi dischi e li ha comperat*i*.

4.7. Il gerundio e i suoi tempi

Il **gerundio**[24] è il modo che presenta l'evento – azione o stato – indicato dal verbo mettendolo in rapporto con il verificarsi di un altro evento, espresso dal verbo finito della proposizione reggente da cui dipende. Esso, infatti, si usa esclusivamente in proposizioni dipendenti implicite e può esprimere:

• il modo in cui ci si comporta compiendo l'azione: "La ragazza entrò *correndo* (= di corsa)";

• il mezzo o lo strumento con cui si compie l'azione: "*Leggendo* (= con la lettura) si diventa intelligenti";

• l'occasione o la circostanza di tempo in cui avviene l'azione: "*Andando* a scuola (= mentre vado a scuola), incontro sempre Marco";

• la causa che determina l'azione: "*Sapendo* (= poiché sapevo) come stavano le cose, sono stata zitta";

• il fatto nonostante il quale non si verifica l'evento espresso dal verbo della reggente: "Pur *avendo lavorato* (= nonostante abbia lavorato) tutto il giorno, non sono stanco";

• la condizione necessaria perché si verifichi l'evento espresso dalla reggente: "Solo *ubbidendomi* (= solo se mi ubbidirai), potrai farcela".

Il gerundio, non avendo una desinenza per indicare la persona che compie l'azione da esso espressa, acquista automaticamente come soggetto il sogget-

[24] Il termine "gerundio", dalle forme *gerundiu(m) / gerundu(m) / gerendu(m)*, 'che deve essere fatto', dal verbo *(se) gerere*, 'comportar(si)', è tratto dalla formula *modus gerundi*, 'modo di (com)portarsi'. Infatti, il gerundio è il modo indicante l'azione da compiere o che si compie in rapporto a un'altra azione. Dal punto di vista linguistico, il gerundio è un modo indefinito del verbo, intermedio tra l'infinito e il participio. È, infatti, un infinito declinato, cioè usato nei casi obliqui: "*Leggendo* (= con il leggere) buoni libri, Paolo si è formato una cultura"; "È inciampato *correndo* (= nel correre)". Ed è un participio che non ammette accordi morfologici e che ha conservato appieno il suo valore verbale: infatti può essere costruito con il complemento oggetto, se appartiene a un verbo transitivo, o con un complemento indiretto, se appartiene a un verbo intransitivo: "Si è rotto un dente, *mangiando il pane*"; "*Tornando a casa*, ho incontrato Gianni". Diversamente dal participio, inoltre, il gerundio non ha sviluppato il valore nominale e non è diventato un aggettivo: non può, pertanto, essere usato come attributo, mentre come complemento predicativo viene usato solo in sostituzione del participio presente, ormai disusato: "Camminava *barcollando*".

to del verbo della reggente: "*Tornando* a casa (= mentre [io] tornavo a casa), [io] ho incontrato Gianni". Se, invece, si vuole usare il gerundio in forma assoluta, cioè riferirlo a una persona diversa dal soggetto del verbo della reggente, bisogna esprimere il soggetto nella frase con il verbo al gerundio: "*Essendo il nonno ammalato*, Paolo rinunciò a partire per il mare". Se, infatti, il soggetto del gerundio non fosse espresso, il soggetto del verbo della reggente diventerebbe automaticamente soggetto anche del gerundio e la frase avrebbe un significato completamente diverso: "*Essendo ammalato*, Paolo rinunciò a partire per il mare". Più in generale, il gerundio assoluto, cioè il gerundio con soggetto diverso da quello della reggente, deve essere accompagnato dal suo soggetto,[25] perché altrimenti la frase non è grammaticalmente accettabile e, oltre tutto, risulta ambigua quanto al significato. Così, una frase come "*Avendo un po' di febbre*, il padre proibì a Gianni di uscire" è scorretta, perché non è espresso il soggetto del gerundio, che ovviamente non è *il padre*, soggetto della reggente, e non specifica chi abbia la febbre. Per risolvere l'ambiguità, e per rendere la frase corretta, si deve dare al gerundio il suo soggetto ("*Avendo Gianni un po' di febbre*, il padre gli proibì di uscire") oppure si deve risolvere il gerundio in una proposizione dipendente esplicita, con il verbo al modo finito: "*Poiché Gianni aveva un po' di febbre*, il padre gli proibì di uscire". Del resto, il gerundio, specialmente passato, è oggi di uso non molto frequente quando ha un soggetto diverso da quello della reggente. Tale costrutto, infatti, è sentito come letterario e, quindi, nel parlato, e ormai anche nella lingua scritta, viene sostituito da proposizioni subordinate o coordinate con il verbo di modo finito.

Il gerundio ha **due** tempi: uno semplice, il *presente*, e uno composto, il *passato*. In sé, inoltre, il gerundio è una forma invariabile, che non subisce modificazioni di genere e di numero, ma nelle forme composta e passiva vede modificarsi, come un aggettivo in *-o*, la desinenza del participio passato tanto nel genere quanto nel numero.[26]

[25] Il soggetto del gerundio non va espresso, ovviamente, nei casi in cui il gerundio è usato con valore impersonale: "*Essendo* tardi, preferì tornare a casa"; "*Sbagliando*, si impara".

[26] L'italiano conserva, sotto forma di aggettivi o di sostantivi, alcune tracce di un modo del sistema verbale latino, scomparso nelle lingue neolatine, il "gerundivo", una forma nominale della diàtesi passiva che indicava necessità, dovere, bisogno: *amandus*, 'che deve essere amato, da amarsi'; *legendus*, 'che deve essere letto, che bisogna leggere, da leggersi'. I relitti più diffusi di tale modo in italiano sono: *reverendo* o *il reverendo* (= [persona] che deve essere riverita); *l'educando* (= ragazzo da educare); *il tagliando* (= parte di un documento che deve essere tagliato e conservato); *l'agenda* (= taccuino dove sono registrate 'le cose da fare', dal latino *agere*, 'fare'); *il moltiplicando, il dividendo, l'addendo, il minuendo* (= il numero da moltiplicare, dividere, ag-

4.7.1. IL GERUNDIO PRESENTE

Il gerundio **presente** (*lodando*, *partendo*) indica azione contemporanea a quella espressa dal verbo della reggente:

Ci risponde sempre
Ci rispose, come sempre, } *sorridendo.*
Ci risponderà, come sempre,

Oltre che nelle proposizioni dipendenti, dove, come si è visto, presenta l'azione o lo stato del verbo in funzione di complemento di circostanza in rapporto all'azione della reggente, il gerundio presente si usa in alcune **costruzioni perifrastiche** molto frequenti nella lingua parlata e scritta:

– la perifrasi *stare* + gerundio, che esprime **azione durativa**, cioè azione che si prolunga nel tempo: "Elena *sta dormendo*"; "*Stavo leggendo*, quando squillò il telefono". Tipica originariamente dei dialetti meridionali, questa perifrasi è ormai diffusa nella lingua parlata e scritta di ogni registro;
– la perifrasi *andare* + gerundio, che esprime **azione progressiva**, cioè un'azione considerata nel suo farsi e svilupparsi: "Quel ragazzo *va acquistando* sicurezza ogni giorno di più"; "Il malato *andava migliorando*";
– la perifrasi *venire* + gerundio, che esprime anch'essa **azione progressiva**, sottolineando il graduale farsi dell'azione: "Paolo *si venne* presto *accorgendo* che lo avevano ingannato".

In tutte queste forme perifrastiche, l'azione vera e propria è espressa dal gerundio, mentre i verbi *stare*, *andare* e *venire* hanno una funzione paragonabile a quella dei verbi servili. Perciò, dal punto di vista sintattico, costruzioni come *sta dormendo* o *va acquistando* costituiscono un unico predicato.

4.7.2. IL GERUNDIO PASSATO

Il gerundio **passato** (*avendo lodato*, *essendo partito*) esprime un'azione anteriore a quella indicata nella reggente:

giungere o sottrarre); *venerando* (= da onorare); *erigendo* (= da erigere) e simili. Queste parole, nonostante l'identità della desinenza, non hanno nulla a che fare con il gerundio italiano, né per origine né per significato. Veri e propri gerundi usati come sostantivi, invece, sono i termini del linguaggio musicale *crescendo* e *diminuendo*, che indicano la notazione musicale usata per avvertire di aumentare e di diminuire l'intensità del suono o della voce. Il termine *crescendo*, tra l'altro, è spesso usato anche per indicare il rapido aumento di intensità o di forma di un evento o di una cosa: "La sua vita è stata tutta un *crescendo* di successi"; "La partita di ieri è finita in un *crescendo* di fischi".

Avendo ormai *sbrigato* tutte le commissioni, tornerò a casa. *Essendo partita* Laura, sono rimasta sola.

Il gerundio passato, come si è detto, non è molto usato. Di solito viene sostituito da subordinate esplicite o da proposizioni coordinanti: "Dal momento che ho sbrigato tutte le commissioni, tornerò a casa"; "Laura è partita e sono rimasta sola".

5. I verbi d'appoggio: ausiliari, servili, aspettuali, causativi

Taluni verbi, oltre ad avere un loro significato autonomo, si associano agli altri verbi con cui formano un tutto unico dal punto di vista sintattico, in quanto costituiscono un unico predicato. In tali costrutti perifrastici, uno dei due verbi, il secondo, esprime il concetto principale e l'altro, il primo, gli fa da **verbo d'appoggio** o **di servizio**, con diverse funzioni:

• lo aiuta a costruire i tempi composti: "Tutti *hanno* lodato il tuo comportamento" o le forme del passato: "Essi *sono stati* premiati giustamente" (**verbi ausiliari**);

• ne precisa, completa o arricchisce il significato in ordine:

– alla modalità dell'azione: "Oggi *devo* uscire presto"; "Oggi *voglio* uscire presto" (**verbi servili**);
– all'aspetto dell'azione: "Paolo *ha cominciato* a studiare" (**verbi aspettuali**);
– alla responsabilità dell'azione: "La polizia *ha fatto* uscire tutti dalla sala" (**verbi causativi**).

5.1. I verbi ausiliari

I più importanti e più usati verbi "di servizio" sono i verbi **essere** e **avere** che, proprio per l'importanza della loro funzione, sono detti verbi ausiliari.[27]

[27] Il termine "ausiliare" deriva dal latino *auxilium*, 'aiuto': i verbi ausiliari *essere* e *avere*, infatti, "aiutano" gli altri verbi a formare i tempi composti della forma attiva e tutti i tempi della forma passiva.

Infatti, **essere** e **avere** (che hanno per altro anche un loro significato e possono essere usati anche da soli, come predicati autonomi)[28] aiutano gli altri verbi:

- a formare i tempi composti;
- a formare il passivo.

In particolare, l'ausiliare **essere** si usa:

- per formare i propri tempi composti: "Io sono" → "Io *sono stato*";
- per formare il passivo di tutti i verbi: "Io amo" → "Io *sono* amato";
- per formare i tempi composti di tutti i verbi riflessivi:

– riflessivo proprio: "Io mi pettino" → "Io mi *sono* pettinato";
– riflessivo apparente: "Io mi lavo le mani" → "Io mi *sono* lavato le mani";
– riflessivo reciproco: "Paolo e Claudia si abbracciano" → "Paolo e Claudia si *sono* abbracciati";

- per formare i tempi composti degli intransitivi pronominali: "Io mi vergogno" → "Io mi *sono* vergognato";
- per formare i tempi composti dei verbi impersonali o dei verbi usati impersonalmente: "Nevica" → "Ieri *è* nevicato" (i verbi impersonali indicanti fenomeni meteorologici ammettono anche *avere*, il quale, anzi, tende a prevalere nell'uso vivo della lingua: "Ieri *ha nevicato* tutto il giorno"[29]); "Oggi si vota" → "Ieri *si* è votato";

[28] I verbi *essere* e *avere*, quando hanno un loro significato autonomo, svolgono una normale funzione predicativa: possono, quindi, essere usati anche da soli, come predicati verbali (si veda alle pp. 422 e ss.). In particolare, il verbo *essere*, quando ha funzione predicativa e funziona come predicato verbale, è intransitivo e richiede sempre l'ausiliare *essere*; quanto al significato, vale "esistere" ("Oggi *ci sono* farmaci straordinari") oppure "trovarsi, stare, risiedere, vivere, appartenere" e in questo caso è determinato da vari complementi. "Maria *è* (= si trova) in casa"; "La nonna *è* (= vive) con noi da molti anni"; "Paolo *è* (= sta) con Laura"; "*Siamo* (= ci troviamo) nei pasticci"; "Questo gioiello *era* (= apparteneva) della nonna"; "Di chi *è* (= a chi appartiene) questo cappotto?"; "*Sono* di Milano (= sono originario di Milano)"; "Il tuo disco *è* (= si trova) qui"; "Questo libro *è* per te (= destinato a te)". Il verbo *essere*, inoltre, può svolgere funzione copulativa, può cioè fungere da copula (= congiunzione) tra il soggetto e il predicato formando il predicato nominale: "Anna *è* molto graziosa"; "La rosa *è* un fiore". Il verbo *avere* usato da solo, in funzione predicativa e, quindi, come predicato verbale, significa "possedere", "ottenere", è transitivo e richiede l'ausiliare *avere*: "Laura *ha* un bel cane"; "*Avete* sempre *avuto* tutto da noi".

[29] Per l'uso degli ausiliari con gli impersonali che indicano fenomeni meteorologici, si veda alle pp. 314 e ss.

• per formare i tempi composti della maggior parte dei verbi intransitivi: "Io vado" → "Io *sono* andato".

L'ausiliare **avere** si usa:

• per formare i propri tempi composti: "Io ho" → "Io *ho avuto*";

• per formare i tempi composti di tutti i verbi transitivi: "Io leggo" → "Io *ho* letto";

• per formare i tempi composti di alcuni verbi intransitivi: "Io dormo" → "Io *ho* dormito";

• per formare i tempi composti delle locuzioni impersonali che contengono il verbo *fare*: "Oggi fa molto caldo" → "Ieri *ha* fatto molto caldo".

L'uso degli ausiliari con i vari verbi è, come si vede, codificato in modo preciso, tranne che per quello che riguarda i verbi intransitivi. Tra questi, infatti, alcuni, e sono la maggioranza, richiedono **essere**, altri, invece, richiedono **avere**, ma non è possibile dare una regola precisa per distinguere gli uni dagli altri: alcuni verbi richiedono l'ausiliare *essere* ("Io parto" → "Io *sono* partito"), altri vogliono l'ausiliare *avere* ("Io dormo" → "Io *ho* dormito") e altri ancora ammettono, con modalità e significati diversi, tanto *essere* quanto *avere* ("Io corro" → "Io *sono* corso" / "Io *ho* corso"). Perciò, per risolvere eventuali dubbi, è necessario consultare il dizionario che fornisce in proposito indicazioni precise.

In linea di massima, comunque, per quanto riguarda i verbi intransitivi può essere utile tenere presente che:

– i verbi che indicano *uno stato, un modo di essere* o *una condizione* vista come conseguenza di un processo fisico o morale, vogliono quasi sempre l'ausiliare **essere**: "*sono* rimasto, *sono* giaciuto, *sono* diventato, *sono* apparso, *sono* sembrato, *sono* nato, *sono* impallidito, *sono* rincitrullito";

– i verbi che indicano *un'attività fisica* vogliono quasi sempre l'ausiliare **avere**: "*ho* camminato, *ha* muggito, *ha* abbaiato";

– i verbi impersonali che significano "accadere" vogliono sempre **essere**: "*è* accaduto, *è* successo";

– i verbi impersonali relativi a fenomeni meteorologici ammettono tanto **essere** quanto **avere**, con una lieve sfumatura di significato (si veda alle pp. 314-315 e 317): "*è* piovuto / *ha* piovuto";

– i verbi che indicano una forte sensazione, un suono o una luce, ammettono tanto **essere** quanto **avere**: "Paolo *ha* trasalito / *è* trasalito"; "Il teatro *ha* echeggiato di applausi" / "L'urlo *è* echeggiato in tutto il palazzo"; "Una luce *ha* brillato nel buio della notte" / "Un sorriso gli *è* brillato negli occhi";

– i verbi che indicano movimento vogliono l'ausiliare **avere** se indicano movimento in sé ("*ho* danzato", "*ho* viaggiato"), l'ausiliare **essere** se implicano spostamento da un luogo a un altro ("*sono* arrivato, *sono* entrato, *sono* uscito, *sono* partito, *sono* andato");
– alcuni verbi come *volare*, *vivere*, *emigrare*, *appartenere*, *naufragare*, *sussistere*, *durare* ecc. ammettono tanto **essere** quanto **avere**, ma con una precisa differenza: con il verbo *essere* indicano un'azione per lo più compiuta e quindi un fatto o un avvenimento, mentre con il verbo *avere* indicano un'azione considerata nel suo svolgimento: "Il nonno *è* vissuto fino a novant'anni" / "Grazie a quell'eredità *ha* vissuto da gran signore senza lavorare"; "Quando ho aperto la gabbia l'uccellino *è* volato via" / "L'aquila *ha* volato a lungo prima di posarsi";
– i verbi come *crescere*, *cominciare*, *cambiare*, *mancare*, *bruciare*, *annegare* ecc. sono per lo più intransitivi, ma possono essere costruiti transitivamente e richiedono l'ausiliare **essere** quando sono usati intransitivamente (quando non reggono un complemento oggetto) e l'ausiliare **avere** quando sono usati transitivamente (quando reggono un complemento oggetto): "Il cespuglio di rose *è* cresciuto rigoglioso" / "Quella donna *ha* cresciuto i suoi figli da sola"; "Il concerto *è* incominciato in ritardo" / "Paolo ieri *ha* cominciato il suo nuovo lavoro".

Per l'uso dell'ausiliare con i verbi servili, vedi il paragrafo seguente.

5.2. I verbi servili

I verbi servili sono verbi che si uniscono a un altro verbo, posto all'infinito, per qualificarne l'azione espressa come:

necessaria: Io parto → Io *devo* partire;
possibile: Io parto → Io *posso* partire;
voluta: Io parto → Io *voglio* partire.

I più importanti verbi servili sono appunto i verbi **dovere**, **potere** e **volere**. Essi sono detti anche *ausiliari modali* perché precisano secondo quale *modalità* va intesa l'azione espressa dal verbo: come un *dovere*, come una *possibilità* o come un'*intenzione*.[30]

[30] I verbi *dovere*, *potere* e *volere*, oltre che come servili, seguiti da un verbo all'infinito, hanno anche un valore autonomo e possono quindi essere usati come normali verbi predicativi: "*Devo* molta gratitudine ad Antonio"; "È un uomo che *può* molto"; "*Vorrei* un gelato alla crema".

In quanto verbi “al servizio” di altri verbi, i verbi servili *dovere*, *potere* e *volere* nei tempi composti prendono preferibilmente l’ausiliare richiesto dal verbo che accompagnano:

Paolo *è partito* presto. → Paolo *è dovuto partire* presto.
Ho studiato tutto ieri. → *Ho dovuto studiare* tutto ieri.

Oggi, però, nell’uso linguistico quotidiano e specialmente nel registro familiare, si va estendendo sempre più l’uso dell’ausiliare *avere*, cioè l’ausiliare che i tre verbi in questione richiedono quando sono usati come verbi autonomi: “Non *ha* potuto arrivare in tempo”; “*Ha* dovuto partire”; “Non *hanno* voluto venire”. Questo costrutto è però da evitare. L’ausiliare *avere*, per altro, è d’obbligo quando *dovere*, *potere* e *volere* sono servili del verbo *essere*: “Non *ho* voluto essere noioso”; “*Avresti* potuto essere più gentile”.

Quando i verbi servili *dovere*, *potere* e *volere* accompagnano un verbo che regge un pronome personale atono, il pronome (*mi*, *ti*, *ci*, *vi*, *si*, *lo*, *la*, *gli* ecc.) può precedere il verbo servile o l’infinito del verbo: “Il preside *vi* vuole vedere subito” / “Il preside vuole veder*vi* subito”.

Nei tempi composti, nel primo caso, quando la particella pronominale precede il verbo si usa l’ausiliare *essere*; nel secondo caso, quando la particella segue l’infinito si usa invece l’ausiliare *avere*: “*Si sono* voluti riposare” / “*Hanno* voluto riposar*si*”.

Oltre ai verbi *dovere*, *potere* e *volere*, che sono i più usati, possono avere la funzione di verbi servili anche alcuni altri verbi, come *osare*, *preferire*, *solere* (= essere solito), *sapere* (= essere in grado di), *desiderare* e simili:

Non *oserò* mai fare una simile richiesta. *Soleva* trascorrere le giornate nell’ozio. Non *seppe* resistere alla tentazione.

Questi verbi, ovviamente, hanno anche un loro significato autonomo e possono quindi essere usati come normali verbi predicativi: “Non *so* il suo numero di telefono”; “*Preferirei* quello rosso”. Nei tempi composti, inoltre, essi conservano, anche quando sono usati come verbi servili, l’ausiliare che utilizzano come verbi autonomi: in pratica utilizzano tutti l’ausiliare *avere* (“Non *ha* osato venire”; “*Hanno* preferito andare via prima”) tranne *solere*, che richiede *essere*: “Il nonno, la domenica, *è* sempre *stato* solito uscire con gli amici”. Con questa categoria di verbi servili, infine, l’eventuale pronome personale atono deve essere sempre posto dopo l’infinito: “Non oso più chieder*ti* niente”; “Preferirei incontrar*lo* domani”.

5.3. I verbi aspettuali

I verbi aspettuali[31] sono verbi che, oltre ad avere un significato proprio, possono accompagnare un altro verbo di modo indefinito (un infinito introdotto da una preposizione o un gerundio), per precisare un "aspetto" dell'azione che esprimono, e in particolare:

• un'azione prossima a iniziare: *accingersi a*, *essere sul punto di*, *stare per*:

Paolo *si accinge a* partire. La partita *sta per* iniziare.

• un'azione che inizia: *cominciare a*, *mettersi a*:

Paolo *cominciò a* ridere. Poi *si mise a* piovere.

• un'azione che viene tentata: *sforzarsi di*, *cercare di*, *tentare di*, *provare a*:

Cerca di venire presto. Il poveretto *si sforzò di* alzarsi.

• un'azione in svolgimento: *stare* + gerundio, *andare* + gerundio:

Sta nevicando da ieri. Laura *va domandando* a tutti la stessa cosa.

• un'azione che dura nel tempo: *continuare a*, *insistere a*:

Antonio *continua a* tacere. *Insiste a* dichiararsi innocente.

[31] Nella grammatica tradizionale i verbi aspettuali sono classificati come verbi fraseologici, cioè "verbi che formano una frase, un'espressione propria di una determinata lingua" (dal francese *phraséologie*, composto del greco *phrásis*, 'espressione' e del francese *-logie*, '-logia'). Di fatto, costrutti sintattici come "accingersi a parlare", "essere sul punto di partire", "stare per uscire", "cercare di dormire" e simili sono indubbiamente delle forme fraseologiche, cioè delle espressioni tipiche della lingua italiana, in quanto sono costituite dalla giustapposizione di più sintagmi e in quanto sono usate esclusivamente in italiano, mentre le altre lingue usano espressioni diverse. Tuttavia, l'espressione verbi fraseologici per indicare verbi come *accingersi*, *cercare* e simili è piuttosto generica: in primo luogo perché, a ben vedere, anche i verbi servili possono essere considerati fraseologici, in quanto anch'essi sono usati in unione con altri verbi a formare un'unica espressione verbale; in secondo luogo, perché essa descrive soltanto la caratteristica dei verbi in questione e non la loro vera funzione, che è appunto quella di precisare l'"aspetto" dell'azione indicata dal verbo. Perciò, per il fatto che esprimono una rappresentazione del tempo simile, anche se non identica, all'aspetto del verbo, tali verbi possono meglio essere denominati verbi aspettuali. Alcuni linguisti, poi, preferiscono addirittura chiamarli verbi semiausiliari o verbi ausiliari di tempo, perché nel sintagma verbale hanno il ruolo di ausiliari.

• un'azione che si avvia verso una certa conclusione: *finire per*:

Finirete per picchiarvi.

• un'azione che finisce: *finire di*, *cessare di*, *terminare di*, *smettere di*:

L'uomo *finì di* parlare e tacque. *Ha smesso di* piovere.

• un'azione finita in un certo modo: *finire con*:

Il poveretto *finì con* il restare in miseria.

I verbi aspettuali, come si vede, sono verbi come *stare*, *cominciare*, *iniziare*, *attaccare*, *continuare*, *smettere*, *finire*, *finirla*, *cessare*, *piantarla*, *tentare*, *provare* e simili; verbi intransitivi pronominali come *accingersi*, *sforzarsi* e simili; e, infine, anche espressioni verbali come *essere sul punto di*, *andare avanti a*, *essere lì lì per*.[32] Inoltre, diversamente dai verbi servili, cui sotto molti punti di vista assomigliano, essi non si uniscono direttamente all'infinito del verbo che accompagnano e con cui, come nel caso dei verbi servili, costituiscono un'unica unità sintattica, cioè un unico predicato, ma hanno bisogno della mediazione di una preposizione come *a*, *di* o *per* ("*Comincio a* lavorare"; "*Smettila di* chiacchierare"; "*Stavo per* partire"), mentre altri si costruiscono addirittura con il gerundio ("*Stavo parlando* con te").

In particolare:

– nelle costruzioni che esprimono l'imminenza, l'inizio e lo sviluppo dell'azione, il verbo aspettuale è, di norma, seguito dalla preposizione *a* + l'infinito: "Si accingeva *a* uscire"; "Cominciò *a* parlare"; "Continuava *a* ridere". Con il verbo *stare*, però, si usa la preposizione *per*: "Sto *per* partire";

– nelle costruzioni che esprimono il protrarsi dell'azione (azione durativa), il verbo aspettuale è seguito da un gerundio: "Sto *parlando*"; "Ma che cosa vai *facendo*?". Nell'italiano parlato di alcune regioni meridionali, l'azione durativa viene espressa non con *stare* + gerundio ("Sto parlando"), ma con *stare* + la preposizione *a* + l'infinito: "Sto a parlare con un amico"; "Che stai a fare lì?". Ma si tratta di un uso dialettale e quindi da evitare;

– nelle costruzioni che esprimono la conclusione di un'azione, il verbo aspettuale è, di norma, seguito dalla preposizione *di* + l'infinito: "Il bambino ha smesso *di* piangere"; "Hai finito *di* studiare?". In alcune espressioni partico-

[32] Come è ovvio, tutti i verbi catalogati in questo paragrafo hanno anche un loro significato autonomo e, quindi, oltre che essere usati come verbi aspettuali, possono essere usati come normali verbi predicativi: "Mario *sta* bene" (funzione predicativa) / "Mario *sta per* partire" (funzione aspettuale); "*Ho finito* il disegno" (funzione predicativa) / "*Ho finito di* parlare" (funzione aspettuale).

lari, il verbo *finire* richiede le preposizioni *per* o *con* (quest'ultima con l'articolo): "Finirete *per* picchiarvi"; "Finì *con il* restare in miseria".

Nei tempi composti, i verbi aspettuali, diversamente dai verbi servili, richiedono ciascuno il **proprio ausiliare**: "Paolo *ha* continuato a ridere tutto il tempo"; "Mi *sono* sforzato di mangiare, ma non ce l'ho fatta".

5.4. I verbi causativi

I verbi causativi (o *fattitivi*)[33] sono quei verbi, come *fare* e *lasciare*, che si accompagnano a un altro verbo, posto all'infinito, per esprimere un'azione causata – fatta eseguire o lasciata eseguire – dal soggetto e non direttamente compiuta da esso:

> Maria *ha fatto* piangere il fratellino. Il preside *lasciò* uscire gli studenti un'ora prima.

Nelle due frasi dell'esempio il predicato è costituito da due verbi distinti, il primo dei quali fa ancora una volta d'appoggio all'altro: il secondo verbo, infatti, esprime, al solito, il valore semantico fondamentale del predicato (rispettivamente, l'azione di *piangere* e di *uscire*); invece, il primo verbo (rispettivamente, *ha fatto* e *lasciò*) modifica tale valore "spostando" il significato del verbo, e quindi l'azione compiuta dal soggetto, su un altro elemento della frase: così, per effetto di questo "spostamento", il soggetto risulta colui che ha *causato* – ha ordinato, ha provocato, ha prodotto, ha permesso, ha autorizzato – l'azione, ma non colui che la compie. Così, nella frase "Maria *ha fatto piangere* il fratellino", Maria *ha causato* il pianto del fratellino, cioè ha fatto in modo che il fratellino piangesse. Nella frase "Cesare *fece arrestare* dai soldati i traditori", Cesare ha provocato l'arresto dei traditori da parte dei soldati, cioè ha ordinato ai soldati di arrestare i traditori.[34]

[33] La grammatica tradizionale cataloga i verbi causativi tra i verbi fraseologici. Di fatto, come i verbi servili e, soprattutto, i verbi aspettuali, i verbi *fare* e *lasciare* seguiti dall'infinito sono verbi fraseologici, perché danno luogo a espressioni tipiche della lingua italiana, ma una simile denominazione risulta troppo generica e nulla dice circa il reale significato e la reale funzione dei due verbi. Meglio, dunque, denominarli verbi causativi (o fattitivi) o anche, come fanno alcuni linguisti, verbi semiausiliari causativi.

[34] I verbi *fare* e *lasciare* hanno anche un loro significato autonomo e possono essere usati come normali predicati: "Che cosa *fai*?"; "Paolo *ha lasciato* la scuola".

5.5. Altri verbi fraseologici

Anche verbi come *vedersi*, *lasciarsi*, *trovarsi*, *riuscire*, *andare* e simili si accompagnano all'infinito, preceduto o meno da una preposizione, di altri verbi cui funzionano da verbo d'appoggio, completandone o modificandone il significato, e con cui formano una sola unità sintattica:

Paolo *si è lasciato* ingannare dalle apparenze. Non *sono riuscito a* chiudere occhio.

Il verbo *andare* e i verbi pronominali *vedersi*, *sentirsi* e *trovarsi*, che indicano le sensazioni o l'atteggiamento del soggetto dell'azione, si accompagnano anche a un participio passato:

La poveretta *si è sentita* perduta. Questa operazione *va eseguita* subito.

Tutti questi verbi non rientrano propriamente né nella categoria dei verbi servili né in quella degli aspettuali né in quella dei causativi e quindi si possono considerare genericamente **verbi fraseologici**. Alcuni, tra l'altro, hanno un puro valore espressivo e in taluni casi, come si è visto, sostituiscono, con lievi sfumature di significato, il verbo ausiliare *essere* nelle forme passive: "*Mi vidi* costretto (= fui costretto)"; "*Si sentì* commosso (= fu commosso)"; "La nave *andò* distrutta (= fu distrutta)". In qualche caso, però, la differenza tra la forma passiva con *essere* e queste forme perifrastiche è netta: "Il poveretto *fu vinto* dalle circostanze della vita" è diverso da "Il poveretto *si lasciò vincere* dalle circostanze della vita".

6. La coniugazione verbale

La coniugazione di un verbo è l'insieme ordinato delle varie forme che un verbo – attivo, passivo o riflessivo – può assumere per indicare la persona, il numero, il tempo e il modo dell'evento espresso dal verbo.

In ciascun verbo, la coniugazione è caratterizzata dalla continua variazione della forma del verbo stesso o, meglio, di una parte di esso. Infatti, ogni forma verbale, in generale, è costituita da due elementi:

- una parte invariabile, quella iniziale, che si chiama **radice** (o *morfema lessicale*), che contiene e trasmette il significato del verbo, e che talora coincide con il tema del verbo;
- una parte variabile, quella finale, che si chiama **desinenza** (o *morfema morfologico*), che contiene e trasmette tutte le informazioni necessarie per individuare, quanto al *numero* e alla *persona*, il soggetto,

cioè l'essere o la cosa cui si riferisce l'evento espresso dal verbo, per stabilire il *tempo* e per precisare il *modo* in cui avviene o ha senso l'evento espresso dal verbo.

Più in particolare, in talune forme, come *amo*, *ami*, *vedo*, *vedi*, la forma verbale si articola semplicemente nei due elementi che abbiamo detto:

• una **radice** (*am-*, *ved-*), che coincide con il **tema** e che contiene il significato del verbo;

• una **desinenza** (*-o*, *-i*), che individua la persona che compie l'azione (*desinenza personale*) e, insieme ad altri elementi del contesto in cui il verbo è inserito, il tempo e il modo.

Invece, in altre forme, come *amavo*, *amate*, *amare*, *vedere*, *sentire*, *leggerò* e simili, la struttura del verbo risulta più complessa perché presenta:

• una **radice** (*am-*, *ved-*, *sent-*, *legg-*), che contiene il significato di base del verbo;

• una **vocale tematica** che, unendosi alla radice, forma il **tema del verbo** e che, essendo diversa a seconda della coniugazione (prima coniugazione: *-a-*; seconda coniugazione: *-e-*; terza coniugazione: *-i-*), determina buona parte delle differenze fra le tre coniugazioni: *am-***a***-re*, *ved-***e***-re*, *sent-***i***-re*, *am-***a***-vo*, *am-***a***-te*, *legg-***e***-rò*. La vocale tematica non compare in tutte le forme: come si è visto in forme come in *am-o*, *ved-o*, *ved-i* e in (*che io*) *am-i*, la radice si unisce direttamente alla desinenza;

• un elemento morfologico che individua e segnala il *tempo* e il *modo* del verbo: ad esempio, in *am-a-***v***-o* l'elemento *v* individua e qualifica il tempo imperfetto dell'indicativo; in *legg-e-***r***-ò* l'elemento *r* individua e qualifica il tempo futuro dell'indicativo;

• un elemento morfologico finale che individua e segnala la *persona* e il *numero*: *am-a-v-***o**; *am-a-va-***te**.

Si avranno, pertanto, due tipi di forme verbali che possiamo così schematizzare:

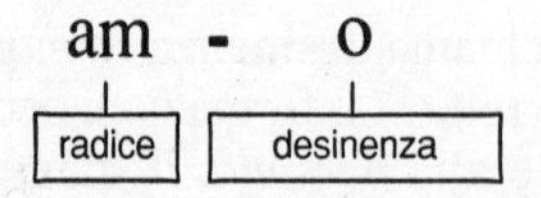

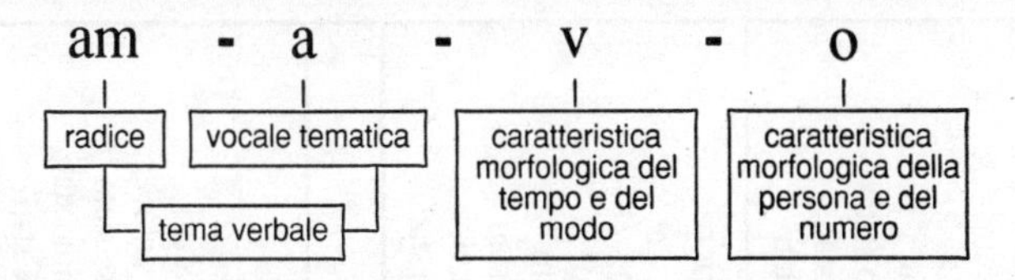

Vedremo ora, nell'ordine, la coniugazione dei verbi ausiliari, le tre coniugazioni regolari attive, le tre coniugazioni regolari passive, le tre coniugazioni regolari riflessive e le coniugazioni dei verbi irregolari.

6.1. La coniugazione dei verbi ausiliari

I verbi ausiliari *essere* e *avere* presentano una coniugazione del tutto anomala rispetto agli altri verbi della lingua italiana. Il verbo *essere*, in particolare, ha una coniugazione propria, derivante direttamente dalle corrispondenti forme latine, e quindi non è riconducibile a nessuna delle coniugazioni italiane. Il verbo *avere*, invece, è propriamente un verbo della 2ª coniugazione, ma a causa dell'estrema frequenza con cui è sempre stato usato e quindi della lunga usura cui è sottoposto, ha subìto un gran numero di trasformazioni che lo hanno reso molto diverso dai verbi di quella coniugazione.

ESSERE

INDICATIVO			
Presente	**Passato prossimo**	**Imperfetto**	**Trapassato prossimo**
(io) sono (tu) sei (egli) è (noi) siamo (voi) siete (essi) sono	(io) sono stato (tu) sei stato (egli) è stato (noi) siamo stati (voi) siete stati (essi) sono stati	(io) ero (tu) eri (egli) era (noi) eravamo (voi) eravate (essi) èrano	(io) ero stato (tu) eri stato (egli) era stato (noi) eravamo stati (voi) eravate stati (essi) èrano stati
Passato remoto	**Trapassato remoto**	**Futuro semplice**	**Futuro anteriore**
(io) fui (tu) fosti (egli) fu (noi) fummo (voi) foste (essi) fùrono	(io) fui stato (tu) fosti stato (egli) fu stato (noi) fummo stati (voi) foste stati (essi) fùrono stati	(io) sarò (tu) sarai (egli) sarà (noi) saremo (voi) sarete (essi) saranno	(io) sarò stato (tu) sarai stato (egli) sarà stato (noi) saremo stati (voi) sarete stati (essi) saranno stati
CONGIUNTIVO			
Presente	**Passato**	**Imperfetto**	**Trapassato**
(che io) sia (che tu) sia (che egli) sia (che noi) siamo (che voi) siate (che essi) sìano	(che io) sia stato (che tu) sia stato (che egli) sia stato (che noi) siamo stati (che voi) siate stati (che essi) sìano stati	(che io) fossi (che tu) fossi (che egli) fosse (che noi) fóssimo (che voi) foste (che essi) fóssero	(che io) fossi stato (che tu) fossi stato (che egli) fosse stato (che noi) fóssimo stati (che voi) foste stati (che essi) fóssero stati

CONDIZIONALE		IMPERATIVO	
Presente	**Passato**	**Presente**	**Futuro**
(io) sarei	(io) sarei stato	–	–
(tu) saresti	(tu) saresti stato	sii (tu)	sarai (tu)
(egli) sarebbe	(egli) sarebbe stato	sia (egli)	sarà (egli)
(noi) saremmo	(noi) saremmo stati	siamo (noi)	saremo (noi)
(voi) sareste	(voi) sareste stati	siate (voi)	sarete (voi)
(essi) sarèbbero	(essi) sarèbbero stati	sìano (essi)	saranno (essi)

INFINITO		PARTICIPIO		GERUNDIO	
Presente	**Passato**	**Presente**	**Passato**	**Presente**	**Passato**
essere	essere stato	(ènte)	stato	essendo	essendo stato

Osservazioni

1) All'imperativo, solo la seconda persona singolare ha una forma propria. Le altre sono quelle del congiuntivo presente usato in funzione di esortativo.

2) Il participio presente *essènte* non viene mai usato. Participio presente di *essere* è considerato anche *ente* che però non ha valore verbale e viene usato solo come sostantivo: "Secondo il pensiero religioso Dio è l'*ente* (= essere) supremo"; "Ho bisogno di rivolgermi a un *ente* (= istituzione) assistenziale"; "ENEL significa *Ente* (= industria) Nazionale Energia Elettrica".

3) Il vero participio passato del verbo *essere* è la voce arcaica *suto* (da *essuto*). La forma *stato* è, propriamente, il participio passato del verbo *stare*.

4) Il verbo *essere* presenta alcune forme antiquate che è bene conoscere perché si trovano nei testi letterari, specialmente poetici, anteriori al Novecento: *(io) era* per *(io) ero*; *(egli) fia* per *(egli) sarà*; *(essi) fieno* e *(essi) fiano* per *(essi) saranno*; *(essi) fòro* e *(essi) furo* per *(essi) furono*; *(che tu) sii* per *(che tu) sia*; *(io) sarìa* per *(io) sarei*; *(essi) sariano* e *(essi) forano* per *(essi) sarebbero*.

AVERE

INDICATIVO			
Presente	**Passato prossimo**	**Imperfetto**	**Trapassato prossimo**
(io) ho (tu) hai (egli) ha (noi) abbiamo (voi) avete (essi) hanno	(io) ho avuto (tu) hai avuto (egli) ha avuto (noi) abbiamo avuto (voi) avete avuto (essi) hanno avuto	(io) avevo (tu) avevi (egli) aveva (noi) avevamo (voi) avevate (essi) avévano	(io) avevo avuto (tu) avevi avuto (egli) aveva avuto (noi) avevamo avuto (voi) avevate avuto (essi) avévano avuto
Passato remoto	**Trapassato remoto**	**Futuro semplice**	**Futuro anteriore**
(io) ebbi (tu) avesti (egli) ebbe (noi) avemmo (voi) aveste (essi) èbbero	(io) ebbi avuto (tu) avesti avuto (egli) ebbe avuto (noi) avemmo avuto (voi) aveste avuto (essi) èbbero avuto	(io) avrò (tu) avrai (egli) avrà (noi) avremo (voi) avrete (essi) avranno	(io) avrò avuto (tu) avrai avuto (egli) avrà avuto (noi) avremo avuto (voi) avrete avuto (essi) avranno avuto
CONGIUNTIVO			
Presente	**Passato**	**Imperfetto**	**Trapassato**
(che io) àbbia (che tu) àbbia (che egli) àbbia (che noi) abbiamo (che voi) abbiate (che essi) àbbiano	(che io) àbbia avuto (che tu) àbbia avuto (che egli) àbbia avuto (che noi) abbiamo avuto (che voi) abbiate avuto (che essi) àbbiano avuto	(che io) avessi (che tu) avessi (che egli) avesse (che noi) avéssimo (che voi) aveste (che essi) avéssero	(che io) avessi avuto (che tu) avessi avuto (che egli) avesse avuto (che noi) avéssimo avuto (che voi) aveste avuto (che essi) avéssero avuto

CONDIZIONALE		IMPERATIVO	
Presente	**Passato**	**Presente**	**Futuro**
(io) avrei (tu) avresti (egli) avrebbe (noi) avremmo (voi) avreste (essi) avrèbbero	(io) avrei avuto (tu) avresti avuto (egli) avrebbe avuto (noi) avremmo avuto (voi) avreste avuto (essi) avrèbbero avuto	– abbi (tu) àbbia (egli) abbiamo (noi) abbiate (voi) àbbiano (essi)	– avrai (tu) avrà (egli) avremo (noi) avrete (voi) avranno (essi)

INFINITO		PARTICIPIO		GERUNDIO	
Presente	**Passato**	**Presente**	**Passato**	**Presente**	**Passato**
avere	avere avuto	avente	avuto	avendo	avendo avuto

Osservazioni

1) Per le tre persone singolari e per la terza persona plurale del presente indicativo esistono anche le forme accentate e prive dell'*h*: *io ò*, *tu ài*, *egli à*, *essi ànno*. Ma queste forme sono piuttosto rare.
2) All'imperativo, solo la seconda persona singolare ha una forma propria. Le altre sono quelle del congiuntivo presente usato in funzione di esortativo.
3) Il participio presente *avente* è ormai usato soltanto in alcune locuzioni tipiche del linguaggio giuridico e burocratico: "Gli *aventi* diritto"; "Gli *aventi* causa". Esiste anche un'altra forma di participio presente, costruita sulla radice del congiuntivo presente, *abbiente*, ma ha ormai perso il suo valore verbale ed è usata solo come aggettivo o aggettivo sostantivato nel significato di "possidente, benestante": "Proviene da una famiglia molto *abbiente*"; "Solo i più *abbienti* possono permettersi una simile spesa".
4) Il verbo *avere* presenta alcune forme antiquate, reperibili in testi letterari, specialmente poetici, anteriori al Novecento: *(egli) have* per *(egli) ha*; *(che io) aggia* per *(che io) abbia*; *(che essi) avessino* o *avessano* per *(che essi) avessero*; *(io) avria* per *(io) avrei*; *(essi) avriano* per *(essi) avrebbero*.

6.2. Le tre coniugazioni regolari

La lingua italiana presenta **tre coniugazioni verbali**, corrispondenti ai tre gruppi in cui i verbi si distinguono a seconda della terminazione dell'infinito presente o, meglio, a seconda della vocale tematica che li caratterizza nella terminazione dell'infinito presente:

- la **1ª coniugazione** comprende i verbi che all'infinito presente terminano in **-are**, quindi sono caratterizzati dalla vocale tematica **-a**: *amare*;
- la **2ª coniugazione** comprende i verbi che all'infinito presente terminano in **-ere**, quindi sono caratterizzati dalla vocale tematica **-e**: *vedere*, *léggere*;
- la **3ª coniugazione** comprende i verbi che all'infinito presente terminano in **-ire**, quindi sono caratterizzati dalla vocale tematica **-i**: *dormire*.

Per illustrare la coniugazione dei verbi, proponiamo qui di seguito un verbo modello, scelto tra i più comuni, per ciascuna delle tre coniugazioni. Sulla base di questi modelli di coniugazioni (o, come si dice, di questi **paradigmi**), si coniugano tutti gli altri verbi **regolari** delle singole coniugazioni, cioè quei verbi che in tutti i modi e i tempi conservano immutata la radice, cui aggiungono le desinenze tipiche della coniugazione cui appartengono. A parte, invece, si pongono alcuni verbi che, a causa della loro diversa evoluzione linguistica, si discostano in modo più o meno ampio dai modelli perché non mantengono costante la radice nei diversi tempi e modi e/o perché presentano desinenze diverse da quelle delle coniugazioni cui appartengono. Questi verbi, proprio per il loro comportamento anomalo, si chiamano **irregolari** e, come tali, saranno esaminati a parte.

6.2.1. LA CONIUGAZIONE ATTIVA

Cominciamo con il presentare le tre coniugazioni regolari di forma **attiva**, prendendo come modello i verbi ***amare*** (1ª coniugazione), ***temere*** (2ª coniugazione), ***sentire*** (3ª coniugazione).[35] Nello schema, la ra-

[35] I tre verbi scelti come modelli sono transitivi e formano i tempi composti con l'ausiliare *avere* + il participio passato. I verbi intransitivi che formano i tempi composti con l'ausiliare *avere* (come *parlare*, *piangere*, *mentire*) hanno la stessa coniugazione dei verbi transitivi. Per gli intransitivi che richiedono l'ausiliare *essere* (come *andare*,

dice e la desinenza sono separate da un trattino: per coniugare gli altri verbi regolari, è sufficiente aggiungere alla radice del verbo la desinenza della coniugazione cui appartengono.

La 1ª coniugazione

La 1ª coniugazione (verbi in **-are**) è la coniugazione più ricca di verbi ed è quella che presenta meno verbi irregolari.

Essa, infatti, contiene in gran parte i verbi, per lo più regolari, della 1ª coniugazione latina e al patrimonio di per sé notevole del latino vede continuamente aggiungersi il frutto della formazione di nuovi verbi: basti pensare anche solo alla prolificità del suffisso *-izzare*, che, nel linguaggio della scienza, della tecnica e della politica, è continuamente usato per formare nuovi verbi da sostantivi, nomi propri e aggettivi: *sincronizzare*, *normalizzare*, *coventrizzare*.

Alle pp. 304-305 diamo, come modello di flessione dei verbi della 1ª coniugazione, la coniugazione del verbo *amare*.

Particolarità dei verbi della 1ª coniugazione

– I verbi in *-care* (come *caricare*, *imbiancare*, *recare*) e in *-gare* (come *litigare*, *pregare*) conservano il suono velare (duro) della *c* e della *g* in tutta la coniugazione: perciò prendono una *h* davanti alle desinenze che iniziano per *e* o per *i*: *io manc-o*, *tu manc-h-i*, *noi manc-h-iamo*; *io preg-o*, *tu preg-h-i*, *io preg-h-erò*.

– Nei verbi in *-ciare* (*baciare*, *cominciare*), *-giare* (*mangiare*, *fregiare*) e *-sciare* (*lasciare*, *fasciare*) la *i* finale della radice cade davanti alle desinenze che iniziano per *e* o per *i*, in quanto tale *i* non è più necessaria per dare alla *c* e alla *g* il suono palatale (dolce): *io cominci-o*, *tu cominc-i*, *io cominc-erò*; *io mangi-o*, *tu mang-i*, *io mang-erò*; *io lasci-o*, *tu lasc-i*, *io lasc-erò*. La tendenza all'eliminazione della *i* sta coinvolgendo anche verbi come *annunciare*, *pronunciare* e simili in cui la *i* non era, in origine, un semplice segno grafico ma aveva valore sillabico: così, ormai, si scrive *io annunc-erò*, *io annunc-erei*. Qualche verbo, però, resiste alla perdita generalizzata della *i*: *io effigi-erò*; *io associ-erò*.

– Nei verbi in *-gliare* (come *consigliare*, *pigliare*, *sbagliare*, *sorvegliare*) la *i* della radice è un "segno grafico" e, quindi, cade davanti alle desinenze che

nascere, *partire*) le differenze di coniugazione riguardano solo i tempi composti, che si formano con i tempi semplici del verbo *essere* + il participio passato del verbo, che concorda in genere e numero con il soggetto: io sono partit*o*, io sono partit*a*, noi siamo partit*i*, noi siamo partit*e*.

cominciano per *i*, mentre si conserva davanti alle desinenze che cominciano per *a*, *e*, *o*: *io sbagli-o*, *tu sbagli-erai*, ma *tu sbagl-i*, *che essi sbagl-ino*.

– I verbi in *-iare* che alla 1ª persona singolare dell'indicativo presente hanno l'accento sulla *i* (come *avvìo*, *invìo*, *scìo*) conservano la *i* della radice, purché continui a essere accentata, anche davanti a desinenza cominciante per *i*: *tu spì-i*, *che essi spì-ino*. Invece nella 1ª e 2ª persona plurale dell'indicativo presente e del congiuntivo presente, dove non è accentata, la *i* della radice cade davanti a desinenza iniziante per *i*: *noi sp-iàmo*, *voi sp-iàte*. Se, sempre nei verbi in *-iare*, nella 1ª persona singolare dell'indicativo presente la *i* della radice non è accentata (come *stùdio*, *gònfio*, *dilànio*), essa cade sempre davanti alla desinenza iniziante per *i*: *tu stud-i*, *voi stud-iate*, *che essi stud-ino*. La *i* della radice, però, si conserva anche davanti alla *i* della desinenza, per evitare ambiguità con altre forme: così si dice *tu odii* (da *odiare*) per evitare confusione con *tu odi* (da *udire*), *tu varii* (da *variare*) per evitare confusione con *tu vari* (da *varare*).

– I verbi in *-gnare* (come *bagnare*, *insegnare*, *sognare*) si comportano del tutto regolarmente e, quindi, presentano regolarmente la *i* in tutte le forme in cui essa fa parte della desinenza e cioè nella 1ª persona plurale dell'indicativo presente (*noi insegn-iamo*) e del congiuntivo presente (*che noi insegn-iamo*) e nella 2ª persona plurale del congiuntivo presente (*che voi insegn-iate*): la forma *voi insegn-ate*, infatti, è, invece, la 2ª persona plurale dell'indicativo presente. Attualmente, però, poiché la pronuncia non fa sentire la *-i-* nel gruppo *-gnia-*, anche nella lingua scritta vengono accettate le forme senza *i*: *noi insegnamo* (indicativo e congiuntivo presente) e *che voi insegnate*.

– I verbi che presentano nella radice il dittongo mobile *uo*, secondo la regola dovrebbero conservare il dittongo *uo* quando si trova in sillaba tonica e, invece, semplificarlo in *o* nelle forme in cui l'accento si sposta sulla desinenza: *io suòno*, *tu suòni*, *egli suòna*, ma *noi soniàmo*, *voi sonàte*, *io sonàvo*, *io sonerò*. Nella realtà dell'uso linguistico, però, la situazione è molto fluida e spesso si trova il dittongo *uo* al posto di *o* e viceversa. La tendenza in atto, per altro, sembra rivolta a uniformare la coniugazione dei singoli verbi, e quindi a usare il dittongo in tutte le forme o a non usarlo mai. Così, in alcuni verbi (come *arruolare*, *ruotare*, *tuonare*) il dittongo si è generalizzato in tutte le voci: *io tuòno*, *io tuonàvo*, *io tuonerò*. In altri, invece (come *giocare*, *innovare*, *rinnovare*), si è generalizzata la semplificazione del dittongo in *o*: *io giòco*, *voi giocàte*, *io giocherò*. In altri casi ancora, la situazione è incerta, ma la tendenza dominante è quella di eliminare il dittongo in tutti i verbi più usati e di conservarlo soltanto in quelli in cui la sua semplificazione potrebbe far sorgere qualche confusione tra forme verbali diverse: così si dice *io vuoto* (dal verbo *vuotare*) per distinguerlo da *io voto* (dal verbo *votare*) e *io nuoto* (dal verbo *nuotare*) per distinguerlo da *io noto* (dal verbo *notare*).

La 2ª coniugazione

La 2ª coniugazione (verbi in **-ere**) contiene pochi verbi, ma tra essi ci sono quelli più usati della lingua italiana. La maggior parte di essi è irregolare ed è costituita sia da verbi con desinenza accentata (*vedére, temére*) sia da verbi con desinenza non accentata (*rídere, léggere*).

Infatti, nella 2ª coniugazione italiana sono confluiti sia i verbi della 2ª coniugazione latina che terminavano in *-ere*, con la vocale tematica *e* lunga e quindi accentata (*vid-ere* → "vedére"), sia i verbi della 3ª coniugazione latina che terminavano in *-ere*, con la vocale *e* breve e quindi non accentata (*lég-ere* → "léggere"). Tranne questa differenza di accenti all'infinito presente, i due tipi di verbi hanno la medesima coniugazione. Appartengono alla 2ª coniugazione anche i verbi in **-arre** (*trarre* e composti), **-orre** (*porre* e composti) e **-urre** (*condurre, dedurre*), che nascono dalla contrazione di verbi latini della 3ª coniugazione in *-ere*: *tráhere* → "trarre"; *pónere* → "porre"; *condúcere* → "condurre".

Alle pp. 306-307 diamo, come modello della flessione dei verbi della 2ª coniugazione, la coniugazione del verbo *temere*.

Particolarità dei verbi della 2ª coniugazione

– Il passato remoto alla 1ª e 3ª persona singolare e alla 3ª persona plurale presenta due diverse forme: una in *-éi*, *-é*, *-erono* e una in *-ètti*, *-ètte*, *-ettero*. La prima serie di forme è sentita come piuttosto letteraria, però è preferibile se la radice del verbo finisce in *t*: si dirà quindi *potei* e *riflettei* piuttosto che *potetti* e *riflettetti*.

– Nei verbi in *-cere*, *-gere* e *-scere* (come *vincere*, *scorgere*, *crescere*) le consonanti *c* e *g* hanno suono palatale (dolce) davanti alle desinenze inizianti per *e* o per *i* e suono velare (duro) davanti a quelle inizianti per *a* o per *o*, senza ricorrere ad alcun espediente grafico: *io vinc-o*, *egli vinc-e*, *noi vinc-eremo*, *che voi vinc-iate*. Alcuni verbi irregolari (come *conoscere*, *crescere*, *giacere*, *piacere*, *tacere*), però, conservano sempre il suono palatale (dolce) e perciò inseriscono una *i*, con valore puramente grafico, davanti alle desinenze che cominciano per *a* oppure per *o*: *io cuoc-i-o*, *noi cuoc-i-amo*. Il mantenimento del suono palatale e, quindi, l'inserimento della *i* grafica si hanno, naturalmente, anche nei participi passati in *-uto* dei verbi in *-cere* e *-scere*: *conosc-i-uto*, *cresc-i-uto*, *giac-i-uto*, *piac-i-uto*.

– I verbi in *-gnere* (come *spegnere*) si comportano regolarmente: presentano quindi la *i* nelle voci in cui tale vocale fa parte della desinenza, cioè nella 1ª persona plurale dell'indicativo presente (*noi spegn-iamo*) e nella 1ª e 2ª persona plurale del congiuntivo presente (*che noi spegn-iamo*, *che voi spegn-iate*). Attualmente, però si va diffondendo anche la forma senza *i*: *noi spegnamo* ecc.

– Nei verbi che presentano nella radice il dittongo mobile *uo* (come *muovere*, *nuocere*, *riscuotere*), il dittongo *uo* si conserva in posizione tonica, ma si semplifica nella vocale *o* tutte le volte che, nel corso della coniugazione, viene a trovarsi in sillaba atona o in sillaba tonica ma chiusa, cioè terminante in consonante: così si ha *io muòvo*, *tu muòvi*, *egli muòve* ma *noi moviàmo*, *voi movéte*, *io movévo* e *io mòssi* (perché, pur essendo accentata, la sillaba *mos-* è chiusa). La medesima regola vale anche per il dittongo mobile *ie* di verbi come *possedere* e *tenere*: il dittongo *ie* appare tutte le volte in cui la vocale *e* della radice dell'infinito viene a trovarsi in posizione tonica e in sillaba aperta: così si ha *io possièdo*, *tu possièdi*, *essi possièdono*, ma *noi possediàmo*, *voi possedéte* e anche *io tengo*, *essi tengono* e simili (perché, pur essendo in posizione tonica, la *e* è in sillaba chiusa).

La 3ª coniugazione

La 3ª coniugazione (verbi in **-ire**) è una coniugazione ricca di forme.

I verbi della 3ª coniugazione, infatti, continuano in gran parte quelli della 4ª coniugazione latina, ma la 3ª italiana ha finito con l'accogliere anche molti verbi che in latino appartenevano alla 2ª (*florere* → "fiorire") e alla 3ª (*cápere* → "capire"). Inoltre, anche se in misura minore rispetto alla 1ª coniugazione, anche la 3ª va continuamente arricchendosi con verbi di nuova formazione.

Alle pp. 308-309 diamo, come modello della flessione dei verbi della 3ª coniugazione, la coniugazione del verbo *sentire*.

Particolarità dei verbi della 3ª coniugazione

– I verbi della 3ª coniugazione che seguono il modello costituito dal verbo *sentire* non sono numerosi: *aprire*, *avvertire*, *bollire*, *capire*, *divertire*, *dormire*, *fuggire* e pochi altri. Molto più numerosi sono i verbi che alla 1ª, 2ª e 3ª pers. sing. e alla 3ª pers. plur. dell'indicativo presente, del congiuntivo presente e dell'imperativo presente inseriscono tra la radice e la desinenza l'infisso *-isc-*:

INDICATIVO PRESENTE	CONGIUNTIVO PRESENTE	IMPERATIVO
(io) fin-isc-o	(che io) fin-isc-a	–
(tu) fin-isc-i	(che tu) fin-isc-a	fin-isc-i (tu)
(egli) fin-isc-e	(che egli) fin-isc-a	fin-isc-a (egli)
(noi) fin-iamo	(che noi) fin-iamo	fin-iamo (noi)
(voi) fin-ite	(che voi) fin-iate	fin-ite (voi)
(essi) fin-isc-ono	(che essi) fin-isc-ano	fin-isc-ano (essi)

Si comportano in questo modo i verbi *agire*, *ammonire*, *capire*, *chiarire*, *costruire*, *favorire*, *ferire*, *finire*, *fiorire*, *fornire*, *guarire*, *impedire*, *patire*, *percepire*, *preferire*, *punire*, *rapire*, *scolpire*, *subire*, *tradire*, *unire*.

Alcuni verbi possono avere sia la forma con l'infisso sia quella senza infisso. Quest'ultima, essendo più breve e più semplice, risulta la forma più usata: *aborrire*: *aborrisco/aborro*; *applaudire*: *applaudisco/applaudo*; *assorbire*: *assorbisco/assorbo*; *inghiottire*: *inghiottisco/inghiotto*; *mentire*: *mentisco/mento*; *nutrire*: *nutrisco/nutro*; *tossire*: *tossisco/tosso*.

– Il participio presente dei verbi della 3ª coniugazione, come risulta dalla tabella, presenta la desinenza *-ente*: *fuggente*, *partente*, *seguente*. Molti verbi, però, presentano il participio presente in *-iente*: *nutriente*, *obbediente*, *proveniente*. Direttamente dalle corrispondenti forme latine derivano invece i participi *paziente* (da *patire*) e *senziente* (da *sentire*) che è molto più usato di *sentente*.

– Il verbo *cucire* conserva il suono palatale (dolce) della *c* in tutta la coniugazione e perciò inserisce una *i* davanti alle desinenze che iniziano per *a* o per *o*: *io cuc-i-o*, *noi cuc-i-amo*.

– Il verbo *fuggire* modifica il suono palatale della *g* in velare davanti alle desinenze inizianti per *a* o per *o*, ma senza alcuna variazione grafica: *io fuggo*, *tu fuggi*, *essi fuggono*, *che egli fugga*.

6.2.2. La coniugazione passiva

Nella coniugazione **passiva** le voci verbali sono costituite dalle voci dell'ausiliare ***essere*** seguite dal **participio passato** del verbo da coniugare.[36] L'ausiliare *essere* va coniugato al modo, tempo e persona che si vuole ottenere; il participio passato si accorda in genere e numero con il soggetto: "L'albero è stat*o* abbattut*o*"; "Gli alberi sono stat*i* abbattut*i*".

Alle pp. 310-311 diamo lo schema della coniugazione passiva di un verbo della 1ª coniugazione. In modo del tutto analogo si coniugano in forma passiva i verbi della 2ª e della 3ª coniugazione.

Circa le singole forme, l'**imperativo** presente ha una voce autonoma solo per la 2ª persona singolare (*sii amato*); per le altre persone ricorre alle forme del congiuntivo presente. Il passivo, inoltre, non possiede il **participio presente**: la forma *essente amato*, registrata nella tabella, è una forma costruita teoricamente.

[36] Per gli altri verbi che possono avere funzione di ausiliari nella costruzione della forma passiva si veda alle pp. 245-246.

AMARE

INDICATIVO			
Presente	**Passato prossimo**	**Imperfetto**	**Trapassato prossimo**
(io) am-o (tu) am-i (egli) am-a (noi) am-iamo (voi) am-ate (essi) am-ano	(io) ho amato (tu) hai amato (egli) ha amato (noi) abbiamo amato (voi) avete amato (essi) hanno amato	(io) am-avo (tu) am-avi (egli) am-ava (noi) am-avamo (voi) am-avate (essi) am-avano	(io) avevo amato (tu) avevi amato (egli) aveva amato (noi) avevamo amato (voi) avevate amato (essi) avevano amato
Passato remoto	**Trapassato remoto**	**Futuro semplice**	**Futuro anteriore**
(io) am-ai (tu) am-asti (egli) am-ò (noi) am-ammo (voi) am-aste (essi) am-arono	(io) ebbi amato (tu) avesti amato (egli) ebbe amato (noi) avemmo amato (voi) aveste amato (essi) ebbero amato	(io) am-erò (tu) am-erai (egli) am-erà (noi) am-eremo (voi) am-erete (essi) am-eranno	(io) avrò amato (tu) avrai amato (egli) avrà amato (noi) avremo amato (voi) avrete amato (essi) avranno amato
CONGIUNTIVO			
Presente	**Passato**	**Imperfetto**	**Trapassato**
(che) io am-i (che) tu am-i (che) egli am-i (che) noi am-iamo (che) voi am-iate (che) essi am-ino	(che io) abbia amato (che tu) abbia amato (che egli) abbia amato (che noi) abbiamo amato (che voi) abbiate amato (che essi) abbiano amato	(che io) am-assi (che tu) am-assi (che egli) am-asse (che noi) am-assimo (che voi) am-aste (che essi) am-assero	(che io) avessi amato (che tu) avessi amato (che egli) avesse amato (che noi) avessimo amato (che voi) aveste amato (che essi) avessero amato

CONDIZIONALE		IMPERATIVO	
Presente	**Passato**	**Presente**	**Futuro**
(io) am-erei	(io) avrei amato	–	–
(tu) am-eresti	(tu) avresti amato	am-a (tu)	amerai (tu)
(egli) am-erebbe	(egli) avrebbe amato	am-i (egli)	amerà (egli)
(noi) am-eremmo	(noi) avremmo amato	am-iamo (noi)	ameremo (noi)
(voi) am-ereste	(voi) avreste amato	am-ate (voi)	amerete (voi)
(essi) am-erebbero	(essi) avrebbero amato	am-ino (essi)	ameranno (essi)

INFINITO		PARTICIPIO		GERUNDIO	
Presente	**Passato**	**Presente**	**Passato**	**Presente**	**Passato**
am-are	aver amato	am-ante	am-ato	am-ando	avendo amato

TEMERE

INDICATIVO			
Presente	**Passato prossimo**	**Imperfetto**	**Trapassato prossimo**
(io) tem-o (tu) tem-i (egli) tem-e (noi) tem-iamo (voi) tem-ete (essi) tem-ono	(io) ho temuto (tu) hai temuto (egli) ha temuto (noi) abbiamo temuto (voi) avete temuto (essi) hanno temuto	(io) tem-evo (tu) tem-evi (egli) tem-eva (noi) tem-evamo (voi) tem-evate (essi) tem-evano	(io) avevo temuto (tu) avevi temuto (egli) aveva temuto (noi) avevamo temuto (voi) avevate temuto (essi) avevano temuto
Passato remoto	**Trapassato remoto**	**Futuro semplice**	**Futuro anteriore**
(io) tem-ei (*o* tem-etti) (tu) tem-esti (egli) tem-é (*o* tem-ette) (noi) tem-emmo (voi) tem-este (essi) tem-erono (*o* tem-ettero)	(io) ebbi temuto (tu) avesti temuto (egli) ebbe temuto (noi) avemmo temuto (voi) aveste temuto (essi) ebbero temuto	(io) tem-erò (tu) tem-erai (egli) tem-erà (noi) tem-eremo (voi) tem-erete (essi) tem-eranno	(io) avrò temuto (tu) avrai temuto (egli) avrà temuto (noi) avremo temuto (voi) avrete temuto (essi) avranno temuto
CONGIUNTIVO			
Presente	**Passato**	**Imperfetto**	**Trapassato**
(che) io tem-a (che) tu tem-a (che) egli tem-a (che) noi tem-iamo (che) voi tem-iate (che) essi tem-ano	(che io) abbia temuto (che tu) abbia temuto (che egli) abbia temuto (che noi) abbiamo temuto (che voi) abbiate temuto (che essi) abbiano temuto	(che io) tem-essi (che tu) tem-essi (che egli) tem-esse (che noi) tem-essimo (che voi) tem-este (che essi) tem-essero	(che io) avessi temuto (che tu) avessi temuto (che egli) avesse temuto (che noi) avessimo temuto (che voi) aveste temuto (che essi) avessero temuto

CONDIZIONALE		IMPERATIVO	
Presente	**Passato**	**Presente**	**Futuro**
(io) tem-erei	(io) avrei temuto	–	–
(tu) tem-eresti	(tu) avresti temuto	tem-i (tu)	temerai (tu)
(egli) tem-erebbe	(egli) avrebbe temuto	tem-a (egli)	temerà (egli)
(noi) tem-eremmo	(noi) avremmo temuto	tem-iamo (noi)	temeremo (noi)
(voi) tem-ereste	(voi) avreste temuto	tem-ete (voi)	temerete (voi)
(essi) tem-erebbero	(essi) avrebbero temuto	tem-ano (essi)	temeranno (essi)

INFINITO		PARTICIPIO		GERUNDIO	
Presente	**Passato**	**Presente**	**Passato**	**Presente**	**Passato**
tem-ere	aver temuto	tem-ente	tem-uto	tem-endo	avendo temuto

SENTIRE

INDICATIVO			
Presente	**Passato prossimo**	**Imperfetto**	**Trapassato prossimo**
(io) sent-o (tu) sent-i (egli) sent-e (noi) sent-iamo (voi) sent-ite (essi) sent-ono	(io) ho sentito (tu) hai sentito (egli) ha sentito (noi) abbiamo sentito (voi) avete sentito (essi) hanno sentito	(io) sent-ivo (tu) sent-ivi (egli) sent-iva (noi) sent-ivamo (voi) sent-ivate (essi) sent-ivano	(io) avevo sentito (tu) avevi sentito (egli) aveva sentito (noi) avevamo sentito (voi) avevate sentito (essi) avevano sentito
Passato remoto	**Trapassato remoto**	**Futuro semplice**	**Futuro anteriore**
(io) sent-ii (tu) sent-isti (egli) sentì (noi) sent-immo (voi) sent-iste (essi) sent-irono	(io) ebbi sentito (tu) avesti sentito (egli) ebbe sentito (noi) avemmo sentito (voi) aveste sentito (essi) ebbero sentito	(io) sent-irò (tu) sent-irai (egli) sent-irà (noi) sent-iremo (voi) sent-irete (essi) sent-iranno	(io) avrò sentito (tu) avrai sentito (egli) avrà sentito (noi) avremo sentito (voi) avrete sentito (essi) avranno sentito
CONGIUNTIVO			
Presente	**Passato**	**Imperfetto**	**Trapassato**
(che io) sent-a (che tu) sent-a (che egli) sent-a (che noi) sent-iamo (che voi) sent-iate (che essi) sent-ano	(che io) abbia sentito (che tu) abbia sentito (che egli) abbia sentito (che noi) abbiamo sentito (che voi) abbiate sentito (che essi) abbiano sentito	(che io) sent-issi (che tu) sent-issi (che egli) sent-isse (che noi) sent-issimo (che voi) sent-iste (che essi) sent-issero	(che io) avessi sentito (che tu) avessi sentito (che egli) avesse sentito (che noi) avessimo sentito (che voi) aveste sentito (che essi) avessero sentito

CONDIZIONALE		IMPERATIVO	
Presente	**Passato**	**Presente**	**Futuro**
(io) sent-irei (tu) sent-iresti (egli) sent-irebbe (noi) sent-iremmo (voi) sent-ireste (essi) sent-irebbero	(io) avrei sentito (tu) avresti sentito (egli) avrebbe sentito (noi) avremmo sentito (voi) avreste sentito (essi) avrebbero sentito	– sent-i (tu) sent-a (egli) sent-iamo (noi) sent-ite (voi) sent-ano (essi)	– sentirai (tu) sentirà (egli) sentiremo (noi) sentirete (voi) sentiranno (essi)

INFINITO		PARTICIPIO		GERUNDIO	
Presente	**Passato**	**Presente**	**Passato**	**Presente**	**Passato**
sent-ire	aver sentito	sent-ente (senziente)	sent-ito	sent-endo	avendo sentito

ESSERE AMATO

INDICATIVO			
Presente	**Passato prossimo**	**Imperfetto**	**Trapassato prossimo**
(io) sono amato (tu) sei amato (egli) è amato (noi) siamo amati (voi) siete amati (essi) sono amati	(io) sono stato amato (tu) sei stato amato (egli) è stato amato (noi) siamo stati amati (voi) siete stati amati (essi) sono stati amati	(io) ero amato (tu) eri amato (egli) era amato (noi) eravamo amati (voi) eravate amati (essi) erano amati	(io) ero stato amato (tu) eri stato amato (egli) era stato amato (noi) eravamo stati amati (voi) eravate state amati (essi) erano stati amati
Passato remoto	**Trapassato remoto**	**Futuro semplice**	**Futuro anteriore**
(io) fui amato (tu) fosti amato (egli) fu amato (noi) fummo amati (voi) foste amati (essi) furono amati	(io) fui stato amato (tu) fosti stato amato (egli) fu stato amato (noi) fummo stati amati (voi) foste stati amati (essi) furono stati amati	(io) sarò amato (tu) sarai amato (egli) sarà amato (noi) saremo amati (voi) sarete amati (essi) saranno amati	(io) sarò stato amato (tu) sarai stato amato (egli) sarà stato amato (noi) saremo stati amati (voi) sarete stati amati (essi) saranno stati amati
CONGIUNTIVO			
Presente	**Passato**	**Imperfetto**	**Trapassato**
(che io) sia amato (che tu) sia amato (che egli) sia amato (che noi) siamo amati (che voi) siate amati (che essi) siano amati	(che io) sia stato amato (che tu) sia stato amato (che egli) sia stato amato (che noi) siamo stati amati (che voi) siate stati amati (che essi) siano stati amati	(che io) fossi amato (che tu) fossi amato (che egli) fosse amato (che noi) fossimo amati (che voi) foste amati (che essi) fossero amati	(che io) fossi stato amato (che tu) fossi stato amato (che egli) fosse stato amato (che noi) fossimo stati amati (che voi) foste stati amati (che essi) fossero stati amati

CONDIZIONALE		IMPERATIVO	
Presente	**Passato**	**Presente**	**Futuro**
(io) sarei amato	(io) sarei stato amato	–	–
(tu) saresti amato	(tu) saresti stato amato	sii amato (tu)	sarai amato (tu)
(egli) sarebbe amato	(egli) sarebbe stato amato	sia amato (egli)	sarà amato (egli)
(noi) saremmo amati	(noi) saremmo stati amati	siamo amati (noi)	saremo amati (noi)
(voi) sareste amati	(voi) sareste stati amati	siate amati (voi)	sarete amati (voi)
(essi) sarebbero amati	(essi) sarebbero stati amati	siano amati (essi)	saranno amati (essi)

INFINITO		PARTICIPIO		GERUNDIO	
Presente	**Passato**	**Presente**	**Passato**	**Presente**	**Passato**
essere amato	essere stato amato	essente amato	stato amato	essendo amato	essendo stato amato

LAVARSI

INDICATIVO			
Presente	**Passato prossimo**	**Imperfetto**	**Trapassato prossimo**
(io) mi lavo (tu) ti lavi (egli) si lava (noi) ci laviamo (voi) vi lavate (essi) si lavano	(io) mi sono lavato (tu) ti sei lavato (egli) si è lavato (noi) ci siamo lavati (voi) vi siete lavati (essi) si sono lavati	(io) mi lavavo (tu) ti lavavi (egli) si lavava (noi) ci lavavamo (voi) vi lavavate (essi) si lavavano	(io) mi ero lavato (tu) ti eri lavato (egli) si era lavato (noi) ci eravamo lavati (voi) vi eravate lavati (essi) si erano lavati
Passato remoto	**Trapassato remoto**	**Futuro semplice**	**Futuro anteriore**
(io) mi lavai (tu) ti lavasti (egli) si lavò (noi) ci lavammo (voi) vi lavaste (essi) si lavarono	(io) mi fui lavato (tu) ti fosti lavato (egli) si fu lavato (noi) ci fummo lavati (voi) vi foste lavati (essi) si furono lavati	(io) mi laverò (tu) ti laverai (egli) si laverà (noi) ci laveremo (voi) vi laverete (essi) si laveranno	(io) mi sarò lavato (tu) ti sarai lavato (egli) si sarà lavato (noi) ci saremo lavati (voi) vi sarete lavati (essi) si saranno lavati

CONGIUNTIVO			
Presente	**Passato**	**Imperfetto**	**Trapassato**
(che io) mi lavi (che tu) ti lavi (che egli) si lavi (che noi) ci laviamo (che voi) vi laviate (che essi) si lavino	(che io) mi sia lavato (che tu) ti sia lavato (che egli) si sia lavato (che noi) ci siamo lavati (che voi) vi siate lavati (che essi) si siano lavati	(che io) mi lavassi (che tu) ti lavassi (che egli) si lavasse (che noi) ci lavassimo (che voi) vi lavaste (che essi) si lavassero	(che io) mi fossi lavato (che tu) ti fossi lavato (che egli) si fosse lavato (che noi) ci fossimo lavati (che voi) vi foste lavati (che essi) si fossero lavati

CONDIZIONALE		IMPERATIVO	
Presente	**Passato**	**Presente**	**Futuro**
(io) mi laverei	(io) mi sarei lavato	–	–
(tu) ti laveresti	(tu) ti saresti lavato	làvati (tu)	ti laverai (tu)
(egli) si laverebbe	(egli) si sarebbe lavato	si lavi (egli)	si laverà (egli)
(noi) ci laveremmo	(noi) ci saremmo lavati	laviamoci (noi)	ci laveremo (noi)
(voi) vi lavereste	(voi) vi sareste lavati	lavatevi (voi)	vi laverete (voi)
(essi) si laverebbero	(essi) si sarebbero lavati	si lavino (essi)	si laveranno (essi)

INFINITO		PARTICIPIO		GERUNDIO	
Presente	**Passato**	**Presente**	**Passato**	**Presente**	**Passato**
lavarsi (lavarmi, lavarti, lavarci, lavarvi)	essersi lavato (essermi lavato, esserti lavato, esserci lavati, esservi lavati, essersi lavati)	lavantesi (lavantisi)	lavatosi (lavatomi, lavatoti lavatici, làvativi, lavatisi)	lavandosi (lavandomi, lavandoti lavandoci, lavandovi)	essendosi lavato (essendomi lavato, essendoti lavato, essendoci lavati, essendovi lavati, essendosi lavati)

6.2.3. LA CONIUGAZIONE RIFLESSIVA

La caratteristica della coniugazione riflessiva è costituita dal fatto che le voci verbali sono accompagnate dalle particelle pronominali *mi*, *ti*, *si*, *ci*, *vi*, *si*. Nell'indicativo, nel congiuntivo e nel condizionale, tali particelle precedono il verbo (sono cioè **proclitiche**): *io mi lavo*, *che io mi lavi*, *io mi laverei*. Nei modi indefiniti e nell'imperativo presente, escluse la 3ª persona singolare e plurale, le particelle sono poste dopo il verbo e si fondono con esso o, nei tempi composti, con l'ausiliare *essere*, a formare una sola parola (sono cioè **enclitiche**): *lavarsi*, *lavatosi*, *lavandosi*, *essersi lavato*, *làvati!*. Nelle forme negative della 2ª persona singolare e plurale dell'imperativo presente, le particelle pronominali possono stare indifferentemente prima o dopo il verbo: *non ti lavare* oppure *non lavarti*.

Quando il verbo riflessivo è all'infinito retto da un verbo servile, la particella pronominale può essere posta davanti al verbo servile (*io mi voglio lavare*) o può essere incorporata al verbo riflessivo (*io voglio lavarmi*). Se il verbo riflessivo è all'infinito retto dai verbi causativi *fare* e *lasciare*, la particella pronominale si unisce sempre al verbo reggente: *mi faccio lavare*, *fammi lavare*.

Nei tempi composti, i verbi riflessivi utilizzano sempre l'**ausiliare *essere*** e, quindi, il participio passato si accorda sempre in genere e numero con il soggetto: *io mi sono lavato*, *esse si sono lavate*.

Se il verbo riflessivo è accompagnato da un verbo servile, nei tempi composti si ha, come di norma, l'ausiliare *essere* quando la particella pronominale è posta davanti al verbo (*si è dovuto lavare*) e l'ausiliare *avere* quando la particella è posta dopo il verbo, come nei tempi indefiniti (*ha dovuto lavarsi*).

Alle pp. 312-313 diamo la tabella della coniugazione **riflessiva** di un verbo della 1ª coniugazione: *lavarsi*. In modo del tutto analogo si coniugano, in forma riflessiva, i verbi della 2ª e della 3ª coniugazione.

6.3. I verbi impersonali

I verbi impersonali sono verbi che esprimono un'azione o una condizione che non si può attribuire a persone o a cose determinate e, per questo, si usano soltanto nella 3ª persona singolare dei modi finiti e nei modi indefiniti:

> *Nevica* da ieri. D'estate *albeggia* presto. Finalmente ha smesso di *piovere*.

Propriamente sono **impersonali** i verbi che indicano **fenomeni**

meteorologici, come *albeggiare*, *annottare*, *diluviare*, *grandinare*, *imbrunire*, *lampeggiare*, *nevicare*, *piovere*, *piovigginare*, *tuonare* e le locuzioni *fare bello*, *fare caldo*, *fare freddo*:[37]

Piove, *tuona* e *lampeggia*: che temporale!

Quando sono usati in senso figurato, questi verbi possono essere costruiti personalmente, con un soggetto: "*Grandinavano* sassi da tutte le parti"; "Se non studierete di più, *pioveranno* i quattro"; "Mi *hai tempestato* di insulti e pretendi di avere ragione!"; "*Tuonano* i cannoni".

Ci sono poi alcuni **verbi** e alcune **locuzioni** che, oltre ad essere usati normalmente in forma personale (con un soggetto espresso), sono spesso usate in forma impersonale:

FORMA PERSONALE	FORMA IMPERSONALE
Accadono cose strane. Questa soluzione *conviene* anche a te. *È necessaria* la tua presenza.	*Accadde* che egli dovette partire. *Conviene* partire subito. *È necessario* che tu venga al più presto.

Rientrano in questa categoria:

• i verbi che esprimono necessità, convenienza, avvenimento, apparenza, come *accadere*, *avvenire*, *bisognare*, *capitare*, *convenire*, *importare*, *necessitare*, *occorrere*, *parere*, *sembrare* e simili: "*Bisogna* andare"; "*Mi sembra* che sia ora";

• le locuzioni verbali formate dai verbi *essere*, *stare*, *andare* accompagnati da un oggetto o un verbo o seguiti da una proposizione soggettiva: *è necessario*, *è bello*, *è chiaro*, *è bene*, *è male*, *va bene*, *non sta be-*

[37] I verbi indicanti fenomeni meteorologici sono usati senza soggetto e sintatticamente possono addirittura costituire un predicato che forma da solo un'intera frase ("Piove"), perché sono sentiti come dotati di un significato in sé completo. L'uomo, infatti, ha sempre considerato i fenomeni meteorologici come eventi naturali che accadono di per sé e che, quindi, non sono riconducibili a nessun soggetto preciso. Tali verbi, in effetti, sono impersonali anche in latino: *pluit* ('piove'), *tonat* ('tuona'), *fulgurat* ('lampeggia'), *illucescit* ('albeggia'). Talvolta, però, in latino, questi verbi potevano avere un soggetto più o meno personalizzato: *Jupiter tonat*, 'Giove tuona', oppure *Coelum ningit*, 'il cielo nevica'. Una traccia di questo soggetto è rimasta nel pronome personale neutro che fa da soggetto fittizio ai verbi impersonali indicanti fenomeni atmosferici in alcune lingue europee moderne: "piove", infatti, in inglese si dice *it rains*; in tedesco *es regnet*; in francese *il pleut*.

ne, *sta male* ecc.: "*Non è giusto* che tu faccia così"; "*È bene* che la zia parta subito";

• i verbi come *credere*, *dire*, *mormorare*, *vociferare*, *ritenere*, *pensare* e simili, costruiti alla 3ª persona singolare, preceduti dalla particella *si* e seguiti da una proposizione soggettiva: "*Si dice* che costruiranno una nuova piscina".

I verbi e le locuzioni di questi due ultimi gruppi non possono essere considerati, propriamente, costruzioni impersonali in quanto, in realtà, essi non sono privi di soggetto: infatti, ciascuno di essi ha il suo soggetto espresso nella proposizione di modo indefinito ("Bisogna *andare*") o di modo finito ("Mi sembra *che sia ora*") che li accompagna e che è detta appunto *proposizione soggettiva*. D'altra parte, però, tali verbi presentano effettivamente una componente di "impersonalità", giacché il loro soggetto non è costituito, come di norma, da una delle sei "persone" verbali.

Infine, **qualunque verbo può essere costruito impersonalmente** premettendo la particella pronominale **si**, in funzione di soggetto indefinito e generico, alla 3ª persona singolare del verbo: *si vede*, *si muore*, *si parte*, *si dorme*.

In questa trattoria *si mangia* proprio bene. Oggi non *si vola*.

Con i verbi riflessivi e pronominali, che già presentano normalmente la particella *si*, si usa quando sono costruiti impersonalmente la particella *ci*: *ci si diverte*, *ci si lava*.

Una volta, *ci si divertiva* con poco.

In italiano, la particella pronominale *si* che accompagna i verbi costruiti impersonalmente ha una funzione di soggetto indefinito e generico: corrisponde, cioè, per significato, a un soggetto indefinito come "la gente", "uno", "tutti" e simili: "Con questi soldi *si vive* (= uno vive) poveramente"; "*Si mangia* (= la gente mangia) bene in questo ristorante"; "Qui *si lavora* (= tutti lavorano)".[38]

[38] In francese e in tedesco, invece, i verbi usati impersonalmente hanno un vero e proprio soggetto indeterminato, costituito da una forma apposita: in francese *on* (dal latino *homo*, 'uomo'): *on dit*, 'si dice'; in tedesco *man* (cfr. il tedesco *Mann*, 'uomo'): *man sagt*, 'si dice'. Anche l'italiano antico possedeva una costruzione per l'impersonale simile a quella del francese e del tedesco: impiegava, infatti, la particella *uom* o *om* (da "uomo"): Dante, infatti, scrive: "... qui conven ch'*om voli* (= conviene che si voli)" (*Purgatorio*, IV, v. 27); "... sì che l'*uom ti mesca* (= in modo tale che ti si versi da bere, qualcuno ti mesca da bere)" (*Paradiso*, XVII, v. 12).

La costruzione impersonale con la particella pronominale *si* e la 3ª persona singolare del verbo, come anche la costruzione personale di verbi come *bisognare*, *sembrare*, *accadere* e simili, sono molto usate nella lingua parlata e scritta per precise ragioni espressive. La forma impersonale, infatti, offre a chi la usa un grande vantaggio: gli permette di "spersonalizzare" ciò che dice, cioè di esprimere un concetto – un'opinione o un giudizio, ma anche un ordine o un rimprovero – senza dover indicare il soggetto e, quindi, rendendo meno duro l'ordine, il rimprovero o il giudizio: "*Bisogna* fare presto"; "Qui *si lavora* o *si dorme*?"; "*Si dice* che suo zio sia stato arrestato per truffa".[39]

6.3.1. L'AUSILIARE CON I VERBI IMPERSONALI

Nei tempi composti, i verbi impersonali e quelli usati impersonalmente richiedono tutti l'**ausiliare *essere***: "*È piovuto* per più giorni"; "Qui non *si è lavorato* abbastanza". Per i verbi indicanti fenomeni meteorologici, però, è ammesso anche l'ausiliare *avere*, il quale, anzi, tende ormai a prevalere nell'uso vivo della lingua: "*Ha piovuto* per più giorni". L'ausiliare *avere*, per altro, è d'obbligo nelle locuzioni impersonali che contengono il verbo *fare*: "*Ha fatto bello* tutta la settimana".

6.3.2. IL PARTICIPIO PASSATO CON I VERBI IMPERSONALI

Nei tempi composti dei verbi impersonali, il participio passato presenta sempre la desinenza del maschile singolare, resta cioè invariato: "È piovut*o*"; "Ha nevicat*o*"; "Aveva fatt*o* brutto". Nei tempi composti dei verbi usati impersonalmente, invece, il participio passato presenta la desinenza del maschile singolare se il verbo, quando è usato personalmente, richiede l'ausiliare *avere*: "Io *ho* riso molto → Si è ris*o* molto"; "*Abbiamo* dormito → Si è dormit*o*". Però, se il verbo, quando è usato personalmente, richiede l'ausiliare *essere*, il participio passato assume la desinenza maschile plurale (e anche, più raramente, femminile plurale): "*Sono* partito in tempo → Si è partit*i* in

[39] Accanto alle costruzioni impersonali usuali, nella lingua quotidiana, il parlante utilizza spesso anche altri costrutti che, pur avendo un soggetto, espresso o sottinteso, più o meno fittizio, permettono di conseguire il medesimo effetto spersonalizzante. Così, quando parliamo, talora usiamo il verbo alla 3ª persona plurale, un costrutto già frequente in latino: "*Dicono* che poi Paolo sia fuggito per la paura". Altre volte usiamo, invece, il soggetto generico *la gente*: "*La gente* è stanca di questa situazione". Altre volte ancora usiamo il pronome indefinito *uno*: "*Uno* si annoia a sentire sempre le stesse cose". Nella lingua scritta, talvolta, si trova usato anche il verbo alla 2ª persona singolare: "Nell'ultimo gruppo di liriche leopardiane, *noti* come il poeta sia indirizzato verso nuove forme espressive". Ma questa costruzione, già frequente in latino, è oggi poco usata, perché è sentita come piuttosto ricercata.

tempo". Infine, nella costruzione impersonale del verbo *essere* e dei verbi riflessivi, il participio passato assume sempre la desinenza maschile o femminile plurale: "Ci si era molto divertit*i*"; "Ci si era un po' preoccupat*e*".

6.4. I verbi difettivi

Alcuni verbi si usano solo in determinate voci e mancano di parecchie altre che o non sono mai esistite o sono ormai cadute in disuso. Tali verbi vengono detti **difettivi** (dal latino *deficere*, 'mancare') e nelle voci di cui sono privi vengono sostituiti da verbi o da locuzioni di significato affine:

Tale norma *vige* tuttora. / Tale norma *è stata in vigore* fino a ieri.

Diamo qui di seguito i verbi difettivi più comuni: di ciascuno indichiamo le voci in uso e i verbi o le locuzioni utili per la sostituzione di quelle di cui difettano. Nella tabella, l'infinito di alcuni verbi è posto tra parentesi, perché non è comunemente usato.

VERBO	FORME IN USO	SINONIMI SOSTITUTIVI
(Addirsi)	Indicativo presente: *si addice*, *si addicono*; imperfetto: *si addiceva*, *si addicevano*. Congiuntivo presente: *si addica*, *si addicano*; imperfetto: *si addicesse*, *si addicessero*. Participio presente: *addicentesi*. Gerundio presente: *addicendosi*.	convenire, essere adatto.
(Aggradare)	Indicativo presente: *aggrada*.	piacere, essere gradito.
(Consùmere)	Indicativo passato remoto: *consunsi*, *consunse*, *consunsero*. Participio passato: *consunto*. Tutti i tempi composti.	consumare, logorare.
Delinquere	Infinito presente: *delinquere*. Participio presente: *delinquente* (usato solo con valore di nome).	commettere delitti, azioni illegali.
Fallàre	Indicativo presente: *falla*. Participio passato: *fallato*.	commettere una scorrettezza, comportarsi male.

VERBO	FORME IN USO	SINONIMI SOSTITUTIVI
Fèrvere	Indicativo presente: *ferve*, *fèrvono*; imperfetto: *ferveva*, *fervévano*. Gerundio presente: *fervendo*. Participio presente: *fervente* (usato solo con valore di aggettivo).	essere ardente; essere in pieno svolgimento, in piena attività.
Incombere	Indicativo presente: *incombe*, *incombono*; imperfetto: *incombeva*, *incombevano*; passato remoto: *incombette*, *incombettero*. Congiuntivo presente: *incomba*, *incombano*; imperfetto: *incombesse*, *incombessero*. Condizionale presente: *incomberebbe*, *incomberebbero*. Gerundio presente: *incombendo*. Participio presente: *incombente* (usato solo con valore di aggettivo).	essere imminente, sovrastare minacciosamente.
(Lùcere)	Indicativo presente: *luce*, *lùcono*; imperfetto: *luceva*, *lucévano*. Congiuntivo imperfetto: *lucesse*, *lucessero*. (I composti *rilucere* e *traslucere* si usano in tutti i tempi semplici)	risplendere.
Ostare	Indicativo presente: *osta*, *òstano*.	opporsi.
Prudere	Indicativo presente: *prude*, *prudono*; imperfetto: *prudeva*, *prudevano*; futuro: *pruderà*, *pruderanno*. Congiuntivo presente: *pruda*, *prudano*; imperfetto: *prudesse*, *prudessero*. Condizionale presente: *pruderebbe*, *pruderebbero*. Gerundio presente: *prudendo*.	provocare prurito.
Solére	Indicativo presente: *sòglio*, *suòli*, *suòle*, *sogliàmo*, *soléte*, *sògliono*; imperfetto: *solevo*, *solevi*, *soleva*, *solevamo*, *solevate*, *solevano*; passato remoto: *soléi*, *solésti*. Congiun-	essere solito; avere l'abitudine, la consuetudine. *segue →*

VERBO	FORME IN USO	SINONIMI SOSTITUTIVI
	tivo presente: *sòglia*, *sòglia*, *sòglia*, *sogliàmo*, *sogliàte*, *sògliano*; imperfetto: *solessi*, *solessi*, *solesse*, *solessimo*, *soleste*, *solessero*. Participio passato: *sòlito* (usato solo con valore di aggettivo). Gerundio presente: *solendo*.	
Tàngere	Indicativo presente: *tange*, *tàngono*. Participio presente: *tangente* (usato per lo più con valore di nome o di aggettivo).	toccare.
Ùrgere	Indicativo presente: *urge*, *urgono*; imperfetto: *urgeva*, *urgevano*; futuro: *urgerà*, *urgeranno*. Congiuntivo presente: *urga*, *urgano*; imperfetto: *urgesse*, *urgessero*. Condizionale presente: *urgerebbe*, *urgerebbero*. Participio presente: *urgente* (usato solo con valore di aggettivo). Gerundio presente: *urgendo*.	essere assolutamente necessario.
Vértere	Indicativo presente: *verte*, *vèrtono*; imperfetto: *verteva*, *vertevano*; passato remoto: *vertè*, *verterono*; futuro: *verterà*, *verteranno*. Congiuntivo presente: *verta*, *vertano*; imperfetto: *vertesse*, *vertessero*. Condizionale presente: *verterebbe*, *verterebbero*. Participio presente: *vertente* (usato solo nella prosa burocratica). Gerundio presente: *vertendo*	riguardare.
Vìgere	Indicativo presente: *vige*, *vìgono*; imperfetto: *vigeva*, *vigevano*; futuro: *vigerà*, *vigeranno*. Congiuntivo presente: *viga*, *vigano*. Condizionale presente: *vigerebbe*, *vigerebbero*. Participio presente: *vigente*. Gerundio presente: *vigendo*.	essere in vigore.

Alcuni verbi difettivi sono usati raramente e solo in contesti affettati o scherzosi: "Ciò non mi *tange*". Altri sono usati solo in proverbi e massime: "Chi non fa non *falla*". Altri sopravvivono in espressioni stereotipate del linguaggio burocratico: "Nulla *osta* al trasferimento del richiedente". Altri, infine, appartengono esclusivamente al linguaggio letterario e, come tali, si trovano soltanto in testi poetici dei secoli passati. Tra questi ultimi che, per la loro rarità, non sono registrati nella tabella dei più usati verbi difettivi, ricordiamo i verbi:

– *angere* (= angustiare, addolorare) di cui è usata solo la 3ª persona singolare dell'indicativo presente *ange*: "Tanto un vano amor l'*ange* e martira" (T. Tasso);

– *aulire* (= olezzare, mandare buon profumo) di cui sono usate solo le forme *aulisce* (indicativo presente, 3ª persona singolare), *auliva*, *aulivano* (indicativo imperfetto, 3ª persona singolare e plurale), *aulente* (participio presente): "piove sui mirti/divini/.../sui ginepri folti di coccole *aulenti*" (G. D'Annunzio);

– *calére* (= importare) di cui è usata solo la forma *cale* (indicativo presente, 3ª persona singolare): "Non ti *cal* d'allegria, schivi gli spassi" (G. Leopardi);

– *ire* (= andare) di cui sono usate solo le forme *ire* (infinito presente) e *ito* (participio passato) e inoltre tutte le voci composte: "Chicchirichì le tre formiche/chicchirichì dove *son ite*/chicchirichì *son ite* al ballo" (Poesia popolare toscana); "Donne che ragionando *ite* per via" (F. Petrarca);

– *redere* (= ritornare) di cui sono usate le forme: *riedo*, *riede*, *riedono* (indicativo presente, 1ª, 3ª persona singolare e 3ª persona plurale) e *rediva* (indicativo imperfetto, 3ª persona singolare): "E intanto *riede* alla sua parca mensa, fischiando, il zappator" (G. Leopardi).

Difettivi sono anche i verbi *concernere*, *convergere*, *dirimere*, *discernere*, *esimere*, *splendere*, *stridere* che, mancando del participio passato o presentandone uno ormai disusato, non possono formare i tempi composti. Anche in questo caso, le voci mancanti sono sostituite dalle voci di verbi di significato affine: "La stella polare *splende* alta nel cielo" → "La stella polare *ha brillato* tutta la notte nel cielo serena".

Invece i verbi *ardire*, *atterrire*, *marcire*, *sparire* non si adoperano di solito nelle forme dell'indicativo presente *ardiamo*, *atterriamo*, *marciamo*, *spariamo* e nelle forme del congiuntivo presente *ardiamo/ardiate*, *atterriamo/atterriate*, *marciamo/marciate*, *spariamo/spariate* in quanto tali forme si confonderebbero con le corrispondenti voci di *ardere*, *atterrare*, *marciare*, *sparare*. In tali casi si ricorre preferibilmente ai verbi di significato corrispondente come: *osare*, *spaventare*, *imputridire*, *scomparire*: "Desidero che voi (*spariate*) *scompariate* immediatamente da qui!"; "Credo che voi (*atterriate*) *spaventiate* il mio cane con quegli urli".

6.5. I verbi sovrabbondanti

Alcuni verbi possono appartenere a due diverse coniugazioni, perché da una stessa radice sono nate due forme diverse:

starnut-	-are	Ieri Paolo *starnutava* di continuo.
	-ire	Ieri Paolo *starnutiva* di continuo.

Questi verbi che hanno uguale radice e uguale significato ma appartengono a due diverse coniugazioni, si chiamano, per la loro "sovrabbondanza" di forme, **verbi sovrabbondanti**. Tra essi i più importanti sono: *adempiere/adempire*; *ammansare/ammansire*; *annerare/annerire*; *colorare/colorire*; *compiere/compire*; *dimagrare/dimagrire*; *indurare/indurire*; *infradiciare/infradicire*; *intorbidare/intorbidire*; *riempiere/riempire*; *starnutare/starnutire*:

Noi *abbiamo adempiuto/adempito* il nostro dovere.

Solo apparentemente sovrabbondanti sono, invece, i verbi che, cambiando coniugazione, cambiano anche significato. Taluni di essi derivano da radici etimologicamente identiche e hanno significati affini:

abbrunare (mettere il lutto)	Le bandiere *erano state abbrunate*.
abbrunire (rendere bruno)	Il sole *abbrunisce* la pelle.
arrossare (rendere rosso)	Il vento mi *ha arrossato* le guance.
arrossire (diventare rosso)	*Siamo arrossiti* di vergogna.
fallare (sbagliare, commettere un'azione scorretta)	*Ho fallato* nei tuoi confronti.
fallire (*trans.* sbagliare)	*Ho fallito* il canestro.
(*intrans.* far fallimento)	Quella ditta sta per *fallire*.
imboscare (nascondere)	Dove *hai imboscato* le sigarette?
imboschire (rendere boscoso)	Bisogna *imboschire* i monti per ridurre il pericolo di valanghe.
impazzare (far pazzie)	La folla *impazzava* attorno ai carri.
impazzire (diventare pazzo)	*Impazzisco* per il rumore.
scolorare (togliere il colore)	L'acqua calda *scolora* i tessuti.
scolorire (perdere il colore)	I disegni a pastello *scoloriscono* col tempo.
sfiorare (toccare lievemente)	Un'auto lo *ha sfiorato*.
sfiorire (appassire)	Le rose *sono sfiorite*.

Altri, invece, derivano da radici completamente diverse e hanno anche significati diversissimi:

atterrare (*intrans.* scendere a terra)	L'aereo *atterra*.
(*trans.* gettare a terra)	Lo *atterrò* con un pugno.
atterrire (spaventare)	Lo *atterrì* con le sue minacce.
ardere (bruciare)	*Ardeva* dalla febbre.
ardire (osare)	Non *ardì* ribattere.

6.6. I verbi irregolari

Tutti i verbi che, nella loro flessione, si discostano dal modello della coniugazione cui appartengono sono detti **irregolari**.

Le divergenze dei verbi irregolari rispetto al modello delle varie coniugazioni possono essere costituite dal mutamento della radice nei diversi modi e tempi o dal cambiamento della desinenza o da ambedue le cose insieme, ma non sono mai un fatto inspiegabile e, tanto meno, casuale. I verbi cosiddetti irregolari, infatti, non soltanto sono tali solo in rapporto a un modello astratto, anche se dominante, di coniugazione, ma sono sempre il frutto di una precisa e documentabile evoluzione linguistica. Taluni di essi, così, continuano in italiano anomalie già proprie dei verbi latini da cui derivano; altri, invece, costituiscono il risultato di trasformazioni dovute alle pressioni cui sono stati sottoposti dall'uso continuo e che li hanno resi più agili o più chiari o, semplicemente, più facili da pronunciare. Oltre tutto, è opportuno precisare che un verbo irregolare non è mai tale in tutte le sue voci, giacché alcune di esse seguono il modello della coniugazione regolare.

L'italiano presenta un gran numero di verbi irregolari, talvolta difficili da memorizzare. Solo la pratica permette di evitare errori e, quindi, in caso di dubbio è più che mai utile ricorrere al dizionario che riporta sempre tutte le forme irregolari dei verbi. Ad ogni buon conto, diamo qui di seguito l'elenco dei verbi irregolari più usati, divisi nelle tre coniugazioni.

Di ogni verbo sono registrati, di norma, solo i tempi in parte o in tutto irregolari: come è ovvio, tutti gli altri tempi si coniugano conformemente al modello regolare; l'indicazione *ecc.* posta alla fine di alcune voci significa che la coniugazione continua sulla base delle forme indicate; la forma registrata tra parentesi accanto a un'altra forma è da intendersi come quella meno usata.

Verbi irregolari della prima coniugazione

VERBO	FORME
Andare	Indicativo pres.: *vado (vo)*, *vai*, *va*, *andiamo*, *andate*, *vanno*; imperf.: *andavo*, *andavi*, *ecc.*; pass. rem.: *andai*, *andasti*, *ecc.*; fut.: *andrò*, *andrai*, *ecc.* Congiuntivo pres.: *vada*, *vada*, *vada*, *andiamo*, *andiate*, *vadano*; imperf.: *andassi*, *ecc.* Condizionale pres.: *andrei*, *andresti*, *ecc.* Imperativo pres.: *va* (o *va'* o *vai*), *vada*, *andiamo*, *andate*, *vadano*. Participio pres.: *andante*; pass.: *andato*. Gerundio pres.: *andando*.
Dare	Indicativo pres.: *do*, *dai*, *dà*, *diamo*, *date*, *danno*; imperf.: *davo*, *davi*, *ecc.*; pass. rem.: *dièdi (detti)*, *désti*, *dìède (dètte)*, *démmo*, *déste*, *dièdero (dèttero)*; fut.: *darò*, *darai*, *ecc.* Congiuntivo pres.: *dia*, *dia*, *dia*, *diamo*, *diate*, *diano*; imperf.: *déssi*, *déssi*, *désse*, *déssimo*, *déste*, *déssero*. Condizionale pres.: *darei*, *daresti*, *ecc.* Imperativo pres.: *dà* (o *da'* o *dai*), *dia*, *diamo*, *date*, *diano*. Participio pres.: *dante* (raro); pass.: *dato*. Gerundio pres.: *dando*.
Fare (dal latino *facĕre*)	Indicativo pres.: *faccio (fo)*, *fai*, *fa*, *facciamo*, *fate*, *fanno*; imperf.: *facevo*, *facevi*, *ecc.*; pass. rem.: *féci*, *facesti*, *féce*, *facemmo*, *faceste*, *fécero*; fut.: *farò*, *farai*, *ecc.* Congiuntivo pres.: *faccia*, *faccia*, *faccia*, *facciamo*, *facciate*, *facciano*; imperf.: *facessi*, *facessi*, *facesse*, *facessimo*, *faceste*, *facessero*. Condizionale pres.: *farei*, *faresti*, *ecc.* Imperativo pres.: *fa* (o *fa'* o *fai*), *faccia*, *facciamo*, *fate*, *facciano*. Participio pres.: *facente*; pass.: *fatto*. Gerundio pres.: *facendo*.
Stare	Indicativo pres.: *sto*, *stai*, *sta*, *stiamo*, *state*, *stanno*; imperf.: *stavo*, *stavi*, *ecc.*; pass. rem.: *stètti*, *stésti*, *stètte*, *stémmo*, *stéste*, *stèttero*; fut.: *starò*, *starai*, *ecc.* Congiuntivo pres.: *stia*, *stia*, *stia*, *stiamo*, *stiate*, *stiano*; imperf.: *stéssi*, *stéssi*, *stésse*, *stéssimo*, *stéste*, *stéssero*. Condizionale pres.: *starei*, *staresti*, *ecc.* Imperativo pres.: *sta* (o *sta'* o *stai*), *stia*, *stiamo*, *state*, *stiano*. Participio pres.: *stante*; pass.: *stato*. Gerundio pres.: *stando*.

Verbi irregolari della seconda coniugazione

VERBO	FORME
Accèndere	Indicativo pass. rem.: *accési, accendesti, accése, accendemmo, accendeste, accésero.* Participio pass.: *accéso.*
Acclùdere	Indicativo pass. rem.: *acclusi, accludesti, accluse, accludemmo, accludeste, acclusero.* Participio pass.: *accluso.*
Accòrgersi	Indicativo pass. rem.: *mi accòrsi, ti accorgesti, si accòrse, ci accorgemmo, vi accorgeste, si accòrsero.* Participio pass.: *accòrtosi.*
Affliggere	Indicativo pass. rem.: *afflissi, affliggesti, afflisse, affliggemmo, affliggeste, afflissero.* Participio pass.: *afflitto.*
Allùdere	Indicativo pass. rem.: *allusi, alludesti, alluse, alludemmo, alludeste, allusero.* Participio pass.: *alluso.*
Annettere	Indicativo pass. rem.: *annettéi (annèssi), annettesti, annetté (annèsse), annettemmo, annetteste, annettérono (annèssero).* Participio pass.: *annèsso.*
Appendere	Indicativo pass. rem.: *appési, appendesti, appése, appendemmo, appendeste, appésero.* Participio pass.: *appéso.*
Àrdere	Indicativo pass. rem.: *arsi, ardesti, arse, ardemmo, ardeste, arsero.* Participio pass.: *arso.*
Assistere	Indicativo pass. rem.: *assistei* o *assistetti, assistesti, assisté* o *assistette, assistemmo, assisteste, assisterono* o *assistettero.* Participio pass.: *assistito.*
Assòlvere	Indicativo pass. rem.: *assòlsi, assolvesti, assòlse, assolvemmo, assolveste, assòlsero.* Participio pass.: *assòlto.*
Assùmere	Indicativo pass. rem.: *assunsi, assumesti, assunse, assumemmo, assumeste, assunsero.* Participio pass.: *assunto.*
	segue →

Verbi irregolari della seconda coniugazione ***(seguito)***

VERBO	FORME
Attìngere	Indicativo pass. rem.: *attinsi*, *attingesti*, *attinse*, *attingemmo*, *attingeste*, *attinsero*. Participio pass.: *attinto*.
Bére (dal latino *bibĕre*)	Indicativo pres.: *bévo*, *bévi*, *béve*, *beviamo*, *bevete*, *bévono*; imperf.: *bevevo*, *bevevi*, *ecc.*; pass. rem.: *bévvi (bevéi, bevètti)*, *bevesti*, *bévve (bevé, bevètte)*, *bevemmo*, *beveste*, *bévvero (bevérono, bevéttero)*; fut.: *berrò*, *berrai*, *ecc.* Congiuntivo pres.: *béva*, *béva*, *ecc.*; imperf.: *bevessi*, *ecc.* Condizionale pres.: *berrei*, *berresti*, *ecc.* Imperativo pres.: *bévi*, *béva*, *beviamo*, *bevete*, *bévano*. Participio pres.: *bevente*; pass.: *bevuto*. Gerundio pres.: *bevendo*.
Cadére	Indicativo pass. rem.: *caddi*, *cadesti*, *cadde*, *cademmo*, *cadeste*, *caddero*; fut.: *cadrò*, *cadrai*, *ecc.* Condizionale pres.: *cadrei*, *cadresti*, *ecc.* In tutti gli altri tempi segue la coniugazione regolare.
Chièdere	Indicativo pass. rem.: *chièsi*, *chiedesti*, *chièse*, *chiedemmo*, *chiedeste*, *chièsero*. Participio pass.: *chièsto*.
Chiùdere	Indicativo pass. rem.: *chiusi*, *chiudesti*, *chiuse*, *chiudemmo*, *chiudeste*, *chiusero*. Participio pass.: *chiuso*.
Cìngere	Indicativo pass. rem.: *cinsi*, *cingesti*, *cinse*, *cingemmo*, *cingeste*, *cinsero*. Participio pass.: *cinto*.
Cògliere	Indicativo pres.: *còlgo*, *cògli*, *còglie*, *cogliamo*, *cogliete*, *còlgono*; imperf.: *coglievo*, *coglievi*, *ecc.*; pass. rem.: *còlsi*, *cogliesti*, *còlse*, *cogliemmo*, *coglieste*, *còlsero*; fut.: *coglierò*, *coglierai*, *ecc.* Congiuntivo pres.: *còlga*, *còlga*, *còlga*, *cogliamo*, *cogliate*, *còlgano*; imperf.: *cogliessi*, *ecc.* Condizionale pres.: *coglierei*, *coglieresti*, *ecc.* Participio pres.: *cogliente*; pass.: *còlto*. Gerundio pres.: *cogliendo*.
Comprìmere	Indicativo pass. rem.: *comprèssi*, *comprimesti*, *comprèsse*, *comprimemmo*, *comprimeste*, *comprèssero*. Participio pass.: *comprèsso*.

segue →

Verbi irregolari della seconda coniugazione ***(seguito)***

VERBO	FORME
Concèdere	Indicativo pass. rem.: *concèssi*, *concedesti*, *concèsse*, *concedemmo*, *concedeste*, *concèssero*. Participio pass.: *concèsso*.
Condurre (dal latino *conducĕre*)	Indicativo pres.: *conduco*, *conduci*, *conduce*, *conduciamo*, *conducete*, *conducono*; imperf.: *conducevo*, *conducevi*, *ecc*.; pass. rem.: *condussi*, *conducesti*, *condusse*, *conducemmo*, *conduceste*, *condussero*; fut.: *condurrò*, *condurrai*, *condurrà*, *condurremo*, *condurrete*, *condurranno*. Congiuntivo pres.: *conduca*, *conduca*, *conduca*, *conduciamo*, *conduciate*, *conducano*; imperf.: *conducessi*, *ecc*. Condizionale pres.: *condurrei*, *condurresti*, *condurrebbe*, *condurremmo*, *condurreste*, *condurrebbero*. Imperativo pres.: *conduci*, *conduca*, *conduciamo*, *conducete*, *conducano*. Participio pres.: *conducente*; pass.: *condotto*. Gerundio pres.: *conducendo*.
Conòscere	Indicativo pass. rem.: *conóbbi*, *conoscesti*, *conóbbe*, *conoscemmo*, *conosceste*, *conóbbero*. Participio pass.: *conosciuto*.
Contùndere	Indicativo pass. rem.: *contusi*, *condundesti*, *contuse*, *contundemmo*, *condundeste*, *contusero*. Participio pass.: *contuso*.
Convèrgere	Indicativo pass. rem.: *convèrsi*, *convergesti*, *convèrse*, *convergemmo*, *convergeste*, *convèrsero*. Participio pass.: *convèrso* (raro).
Córrere	Indicativo pass. rem.: *córsi*, *corresti*, *córse*, *corremmo*, *correste*, *córsero*. Participio pass.: *córso*.
Créscere	Indicativo pass. rem.: *crébbi*, *crescesti*, *crébbe*, *crescemmo*, *cresceste*, *crébbero*. Participio pass.: *cresciuto*.
Cuòcere	Indicativo pres.: *cuòcio*, *cuòci*, *cuòce*, *cociamo*, *cocete*, *cuòciono*; imperf.: *cocevo*, *cocevi*, *ecc*.; pass. rem.: *còs-* *segue →*

Verbi irregolari della seconda coniugazione *(seguito)*

VERBO	FORME
	si, cocesti, còsse, cocemmo, coceste, còssero; fut.: *cocerò, cocerai, ecc.* Congiuntivo pres.: *cuòcia, cuòcia, cuòcia, cociamo, cociate, cuòciano*; imperf.: *cocessi, ecc.* Condizionale pres.: *cocerei, coceresti, ecc.* Imperativo pres.: *cuòci, cuòcia, cociamo, cocete, cuòciano.* Participio pres.: *cocente*; pass.: *cotto* (*cociuto*, raro). Gerundio pres.: *cocendo.*
Decìdere	Indicativo pass. rem.: *decisi, decidesti, decise, decidemmo, decideste, decisero.* Participio pass.: *deciso.*
Devòlvere	È irregolare solo il participio passato: *devoluto.*
Difèndere	Indicativo pass. rem.: *difési, difendesti, difése, difendemmo, difendeste, difésero.* Participio pass.: *diféso.*
Dipìngere	Indicativo pass. rem.: *dipinsi, dipingesti, dipinse, dipingemmo, dipingeste, dipinsero.* Participio pass.: *dipinto.*
Dirìgere	Indicativo pass. rem.: *dirèssi, dirigesti, dirèsse, dirigemmo, dirigeste, dirèssero.* Participio pass.: *dirètto.*
Discùtere	Indicativo pass. rem.: *discussi, discutesti, discusse, discutemmo, discuteste, discussero.* Participio pass.: *discusso.*
Distìnguere	Indicativo pass. rem.: *distinsi, distinguesti, distinse, distinguemmo, distingueste, distinsero.* Participio pass.: *distinto.*
Divìdere	Indicativo pass. rem.: *divisi, dividesti, divise, dividemmo, divideste, divisero.* Participio pass.: *diviso.*
Dolére (dolérsi)	Indicativo pres.: *mi dòlgo, ti duòli, si duòle, ci doliamo (dogliamo), vi dolete, si dòlgono*; imperf.: *mi dolevo, ti dolevi, ecc.*; pass. rem.: *mi dòlsi, ti dolesti, si dòlse, ci dolemmo, vi doleste, si dòlsero*; fut.: *mi dorrò, ti dorrai,*

segue →

Verbi irregolari della seconda coniugazione *(seguito)*

VERBO	FORME
	si dorrà, ci dorremo, vi dorrete, si dorranno. Congiuntivo pres.: *mi dòlga, ti dòlga, si dòlga, ci doliamo (dogliamo), vi doliate (dogliate), si dòlgano*; imperf.: *mi dolessi, ti dolessi, ecc.* Condizionale pres.: *mi dorrei, ti dorresti, si dorrebbe, ci dorremmo, vi dorreste, si dorrebbero.* Imperativo pres.: *duòliti, si dòlga, dogliamoci (doliamoci), doletevi, si dòlgano.* Participio pres.: *dolente*; pass.: *doluto (dolutosi).* Gerundio pres.: *dolendo (dolendosi).*
Dovére (dal latino *debere*)	Indicativo pres.: *dèvo (dèbbo), dèvi, dève, dobbiamo, dovete, dèvono (dèbbono)*; imperf.: *dovevo, dovevi, ecc.*; pass. rem.: *dovéi (dovetti), dovesti, ecc.*; fut.: *dovrò, dovrai, ecc.* Congiuntivo pres.: *dèva (dèbba), dèva, dèva, dobbiamo, dobbiate, dèvano (debbano)*; imperf.: *dovessi, dovessi, ecc.* Condizionale pres.: *dovrei, dovresti, ecc.* Imperativo pres.: (manca). Participio pres.: (manca); pass.: *dovuto.* Gerundio pres.: *dovendo.*
Eccèllere	Indicativo pass. rem.: *eccèlsi, eccellesti, eccèlse, eccellemmo, eccelleste, eccèlsero.* Participio pass.: *eccèlso.*
Elìdere	Indicativo pass. rem.: *elisi, elidesti, elise, elidemmo, elideste, elisero.* Participio pass.: *eliso.*
Emèrgere	Indicativo pass. rem.: *emèrsi, emergesti, emèrse, emergemmo, emergeste, emèrsero.* Participio pass.: *emèrso.*
Esistere	Participio pass.: *esistito.*
Espèllere	Indicativo pass. rem.: *espulsi, espellesti, espulse, espellemmo, espelleste, espulsero.* Participio pass.: *espulso.*
Figgere	Indicativo pass. rem.: *fissi, figgesti, fisse, figgemmo, figgeste, fissero.* Participio pass.: *fitto.*
Fingere	Indicativo pass. rem.: *finsi, fingesti, finse, fingemmo, fingeste, finsero.* Participio pass.: *finto.*
	segue →

Verbi irregolari della seconda coniugazione *(seguito)*

VERBO	FORME
Flèttere	Indicativo pass. rem.: *flettéi (flèssi), flettesti, fletté (flèsse), flettemmo, fletteste, flettérono (flèssero).* Participio pass.: *flèsso.*
Fóndere	Indicativo pass. rem.: *fusi, fondesti, fuse, fondemmo, fondeste, fusero.* Participio pass.: *fuso.*
Fràngere	Indicativo pass. rem.: *fransi, frangesti, franse, frangemmo, frangeste, fransero.* Participio pass.: *franto.*
Frìggere	Indicativo pass. rem.: *frissi, friggesti, frisse, friggemmo, friggeste, frissero.* Participio pass.: *fritto.*
Fùngere	Indicativo pass. rem.: *funsi, fungesti, funse, fungemmo, fungeste, funsero.* Participio pass.: *funto* (raro).
Giacére	Indicativo pres.: *giaccio, giaci, giace, giacciamo (giaciamo), giacete, giacciono*; pass. rem.: *giacqui, giacesti, giacque, giacemmo, giaceste, giacquero.* Congiuntivo pres.: *giaccia, giaccia, giaccia, giacciamo (giaciamo), giacciate (giaciate), giacciano.* Imperativo pres.: *giaci, giaccia, giacciamo (giaciamo), giacete, giacciano.*
Giungere	Indicativo pass. rem.: *giunsi, giungesti, giunse, giungemmo, giungeste, giunsero.* Participio pass.: *giunto.*
Godére	Indicativo fut.: *godrò, ecc.* Condizionale pres.: *godrei, ecc.*
Indùlgere	Indicativo pass. rem.: *indulsi, indulgesti, indulse, indulgemmo, indulgeste, indulsero.* Participio pass.: *indulto* (raro).
Intrìdere	Indicativo pass. rem.: *intrisi, intridesti, intrise, intridemmo, intrideste, intrisero.* Participio pass.: *intriso.*
Invàdere	Indicativo pass. rem.: *invasi, invadesti, invase, invademmo, invadeste, invasero.* Participio pass.: *invaso.*

segue →

Verbi irregolari della seconda coniugazione *(seguito)*

VERBO	FORME
Lèdere	Indicativo pass. rem.: *lési, ledesti, lése, ledemmo, lede-ste, lésero.* Participio pass.: *léso.*
Lèggere	Indicativo pass. rem.: *lèssi, leggesti, lèsse, leggemmo, leggeste, lèssero.* Participio pass.: *lètto.*
Méttere	Indicativo pass. rem.: *misi, mettesti, mise, mettemmo, metteste, misero.* Participio pass.: *mésso.*
Mòrdere	Indicativo pass. rem.: *mòrsi, mordesti, mòrse, mordem-mo, mordeste, mòrsero.* Participio pass.: *mòrso.*
Mùngere	Indicativo pass. rem.: *munsi, mungesti, munse, mungem-mo, mungeste, munsero.* Participio pass.: *munto.*
Muòvere	Indicativo pass. rem.: *mòssi, movesti, mòsse, movemmo, moveste, mòssero.* Participio pass.: *mòsso.*
Nàscere	Indicativo pass. rem.: *nacqui, nascesti, nacque, nascem-mo, nasceste, nacquero.* Participio pass.: *nato.*
Nascóndere	Indicativo pass. rem.: *nascósi, nascondesti, nascóse, na-scondemmo, nascondeste, nascósero.* Participio pass.: *nascósto.*
Nuòcere	Indicativo pres.: *nòccio, nuoci, nuoce, nociamo, nocete, nòcciono*; imperf.: *nocevo, nocevi, ecc.*; pass. rem.: *nòc-qui, nocesti, nòcque, nocemmo, noceste, nòcquero*; fut.: *nocerò, nocerai, ecc.* Congiuntivo pres.: *nòccia, nòccia, nòccia, nociamo, nociate, nòcciano*; imperf.: *nocessi, ecc.* Condizionale pres.: *nocerei, noceresti, ecc.* Impera-tivo pres.: *nuòci, nòccia, nociamo, nocete, nòcciano.* Participio pres.: *nocente*; pass.: *nociuto.* Gerundio pres.: *nocendo.*
Parére	Indicativo pres.: *paio, pari, pare, paiamo, parete, paio-no*; imperf.: *parevo, parevi, ecc.*; pass. rem.: *parvi, pa-resti, parve, paremmo, pareste, parvero*; fut.: *parrò,*

segue →

Verbi irregolari della seconda coniugazione ***(seguito)***

VERBO	FORME
	parrai, parrà, parremo, parrete, parranno. Congiuntivo pres.: *paia, paia, paia, paiamo, paiate, paiano*; imperf.: *paressi, paressi, ecc.* Condizionale pres.: *parrei, parresti, parrebbe, parremmo, parreste, parrebbero.* Imperativo pres.: (manca). Participio pres.: *parvente* (raro); pass.: *parso.* Gerundio pres.: *parendo.*
Pèrdere	Indicativo pass. rem.: *pèrsi, perdesti, pèrse, perdemmo, perdeste, pèrsero.* Participio pass.: *pèrso (perduto).*
Persuadére	Indicativo pass. rem.: *persuasi, persuadesti, persuase, persuademmo, persuadeste, persuasero.* Participio pass.: *persuaso.*
Piacére	Indicativo pres.: *piaccio, piaci, piace, piacciamo (piaciamo), piacete, piacciono*; pass. rem.: *piacqui, piacesti, piacque, piacemmo, piaceste, piacquero.* Congiuntivo pres.: *piaccia, piaccia, piaccia, piacciamo (piaciamo), piacciate (piaciate), piacciano.* Imperativo pres.: *piaci, piaccia, piacciamo, piacete, piacciano.*
Piàngere	Indicativo pass. rem.: *piansi, piangesti, pianse, piangemmo, piangeste, piansero.* Participio pass.: *pianto.*
Piòvere	Indicativo pass. rem.: *piòvvi, piovesti, piòvve, piovemmo, pioveste, piòvvero.* Participio pass.: *piovuto.*
Pòrgere	Indicativo pass. rem.: *pòrsi, porgesti, pòrse, porgemmo, porgeste, porsero.* Participio pass.: *pòrto.*
Pórre (dal latino *ponĕre*)	Indicativo pres.: *póngo, póni, póne, poniamo, ponete, póngono*; imperf.: *ponevo, ponevi, ecc.*; pass. rem.: *pósi, ponesti, póse, ponemmo, poneste, pósero*; fut.: *porrò, porrai, ecc.* Congiuntivo pres.: *pónga, pónga, pónga, poniamo, poniate, póngano*; imperf.: *ponessi, ecc.* Condizionale pres.: *porrei, porresti, ecc.* Imperativo pres.: *póni, pónga, poniamo, ponete, póngano.* Participio pres.: *ponente*; pass.: *posto.* Gerundio pres.: *ponendo.*
	segue →

Verbi irregolari della seconda coniugazione *(seguito)*

VERBO	FORME
Potére (dal latino classico *posse*, attraverso il latino popolare *potere*)	Indicativo pres.: *posso*, *puoi*, *può*, *possiamo*, *potete*, *possono*; imperf.: *potevo*, *potevi*, *ecc*.; pass. rem.: *potéi*, *potesti*, *ecc*.; fut.: *potrò*, *potrai*, *ecc*. Congiuntivo pres.: *possa*, *possa*, *possa*, *possiamo*, *possiate*, *possano*; imperf.: *potessi*, *ecc*. Condizionale pres.: *potrei*, *potresti*, *ecc*. Imperativo pres.: (manca). Participio pres.: *potente* (con valore di aggettivo o sostantivo); pass.: *potuto*.
Prèndere	Indicativo pass. rem.: *prési*, *prendesti*, *prése*, *prendemmo*, *prendeste*, *présero*. Participio pass.: *préso*.
Protèggere	Indicativo pass. rem.: *protèssi*, *proteggesti*, *protèsse*, *proteggemmo*, *proteggeste*, *protessero*. Participio pass.: *protètto*.
Pùngere	Indicativo pass. rem.: *punsi*, *pungesti*, *punse*, *pungemmo*, *pungeste*, *punsero*. Participio pass.: *punto*.
Ràdere	Indicativo pass. rem.: *rasi*, *radesti*, *rase*, *rademmo*, *radeste*, *rasero*. Participio pass.: *raso*.
Redìgere	Indicativo pass. rem.: *redassi*, *redigesti*, *redasse*, *redigemmo*, *redigeste*, *redassero*. Participio pass.: *redatto*.
Redìmere	Indicativo pass. rem.: *redènsi*, *redimesti*, *redènse*, *redimemmo*, *redimeste*, *redènsero*. Participio pass.: *redènto*.
Règgere	Indicativo pass. rem.: *rèssi*, *reggesti*, *rèsse*, *reggemmo*, *reggeste*, *rèssero*. Participio pass.: *rètto*.
Rèndere	Indicativo pass. rem.: *rési*, *rendesti*, *rése*, *rendemmo*, *rendeste*, *résero*. Participio pass.: *réso*·
Ridere	Indicativo pass. rem.: *risi*, *ridesti*, *rise*, *ridemmo*, *rideste*, *risero*. Participio pass.: *riso*.
Rifùlgere	Indicativo pass. rem.: *rifulsi*, *rifulgesti*, *rifulse*, *rifulgemmo*, *rifulgeste*, *rifulsero*. Participio pass.: *rifulso*.

segue →

Verbi irregolari della seconda coniugazione ***(seguito)***

VERBO	FORME
Rimanére	Indicativo pres.: *rimango, rimani, rimane, rimaniamo, rimanete, rimangono*; imperf.: *rimanevo, rimanevi, ecc.*; pass. rem.: *rimasi, rimanesti, rimase, rimanemmo, rimaneste, rimasero*; fut.: *rimarrò, rimarrai, ecc.* Congiuntivo pres.: *rimanga, rimanga, rimanga, rimaniamo, rimaniate, rimangano*; imperf.: *rimanessi, ecc.* Condizionale pres.: *rimarrei, rimarresti, ecc.* Imperativo pres.: *rimani, rimanga, rimaniamo, rimanete, rimangano.* Participio pres.: *rimanente*; pass.: *rimasto.* Gerundio pres.: *rimanendo.*
Rispóndere	Indicativo pass. rem.: *rispósi, rispondesti, rispóse, rispondemmo, rispondeste, rispósero.* Participio pass.: *risposto.*
Ródere	Indicativo pass. rem.: *rósi, rodesti, róse, rodemmo, rodeste, rósero.* Participio pass.: *róso.*
Rómpere	Indicativo pass. rem.: *ruppi, rompesti, ruppe, rompemmo, rompeste, ruppero.* Participio pass.: *ròtto.*
Sapére	Indicativo pres.: *so, sai, sa, sappiamo, sapete, sanno*; imperf.: *sapevo, sapevi, ecc.*; pass. rem.: *séppi, sapesti, séppe, sapemmo, sapeste, séppero*; fut.: *saprò, saprai, ecc.* Congiuntivo pres.: *sappia, sappia, sappia, sappiamo, sappiate, sappiano*; imperf.: *sapessi, ecc.* Condizionale pres.: *saprei, sapresti, ecc.* Imperativo pres.: *sappi, sappia, sappiamo, sappiate, sappiano.* Participio pres.: *sapiente*; pass.: *saputo.* Gerundio pres.: *sapendo.*
Scégliere	Indicativo pres.: *scélgo, scégli, scéglie, scegliamo, scegliete, scélgono*; imperf.: *sceglievo, sceglievi, ecc.*; pass. rem.: *scélsi, scegliesti, scélse, scegliemmo, sceglieste, scélsero*; fut.: *sceglierò, sceglierai, ecc.* Congiuntivo pres.: *scélga, scélga, scélga, scegliamo, scegliate, scélgano*; imperf.: *scegliessi, ecc.* Condizionale pres.: *sceglierei, sceglieresti, ecc.* Imperativo pres.: *scégli, scélga, scegliamo, scegliete, scélgano.* Participio pres.: *scegliente*; pass.: *scélto.* Gerundio pres.: *scegliendo.* *segue* →

Verbi irregolari della seconda coniugazione ***(seguito)***

VERBO	FORME
Scéndere	Indicativo pass. rem.: *scési, scendesti, scése, scendemmo, scendeste, scésero.* Participio pass.: *scéso.*
Scìndere	Indicativo pass. rem.: *scissi, scindesti, scisse, scindemmo, scindeste, scissero.* Participio pass.: *scisso.*
Sciògliere	Indicativo pres.: *sciòlgo, sciògli, sciòglie, sciogliamo, sciogliete, sciòlgono*; imperf.: *scioglievo, scioglievi, ecc.*; pass. rem.: *sciòlsi, sciogliesti, sciòlse, sciogliemmo, scioglieste, sciòlsero*; fut.: *scioglierò, scioglierai, ecc.* Congiuntivo pres.: *sciòlga, sciòlga, sciòlga, sciogliamo, sciogliate, sciòlgano*; imperf.: *sciogliessi, ecc.* Condizionale pres.: *scioglierei, scioglieresti, ecc.* Imperativo pres.: *sciògli, sciòlga, sciogliamo, sciogliete, sciòlgano.* Participio pres.: *sciogliente*; pass.: *sciòlto.* Gerundio pres.: *sciogliendo.*
Scrìvere	Indicativo pass. rem.: *scrissi, scrivesti, scrisse, scrivemmo, scriveste, scrissero.* Participio pass.: *scritto.*
Scuòtere	Indicativo pass. rem.: *scòssi, scotesti, scòsse, scotemmo, scoteste, scòssero.* Participio pass.: *scòsso.*
Sedére (sedérsi)	Indicativo pres.: *sièdo (seggo), sièdi, siède, sediamo, sedete, sièdono (sèggono).* Congiuntivo pres.: *sièda (sègga), sièda (sègga), sièda (sègga), sediamo, sediate, sièdano (sèggano).* Imperativo pres.: *sièdi, sièda (sègga), sediamo, sedete, sièdano (sèggano).*
Sórgere	Indicativo pass. rem.: *sórsi, sorgesti, sórse, sorgemmo, sorgeste, sórsero.* Participio pass.: *sorto.*
Spàndere	Indicativo pass. rem.: *spansi, spandesti, spanse, spandemmo, spandeste, spansero.* Participio pass.: *spanso.*
Spìngere	Indicativo pass. rem.: *spinsi, spingesti, spinse, spingemmo, spingeste, spinsero.* Participio pass.: *spinto.*
Strìngere	Indicativo pass. rem.: *strinsi, stringesti, strinse, stringemmo, stringeste, strinsero.* Participio pass.: *strétto.*

segue →

Verbi irregolari della seconda coniugazione *(seguito)*

VERBO	FORME
Strùggere	Indicativo pass. rem.: *strussi, struggesti, strusse, struggemmo, struggeste, strussero.* Participio pass.: *strutto.*
Svèllere	Indicativo pass. rem.: *svèlsi, svellesti, svèlse, svellemmo, svelleste, svèlsero.* Participio pass.: *svèlto.*
Tacére	Indicativo pres.: *taccio, taci, tace, taciamo, tacete, tacciono*; pass. rem.: *tacqui, tacesti, tacque, tacemmo, taceste, tacquero.* Congiuntivo pres.: *taccia, taccia, taccia, taciamo, taciate, tacciano.* Imperativo pres.: *taci, taccia, tacciamo, tacete, tacciano.*
Tèndere	Indicativo pass. rem.: *tési, tendesti, tése, tendemmo, tendeste, tésero.* Participio pass.: *téso.*
Tenére	Indicativo pres.: *tèngo, tièni, tiène, teniamo, tenete, tèngono*; imperf.: *tenevo, tenevi, ecc.*; pass. rem.: *ténni, tenesti, ténne, tenemmo, teneste, ténnero*; fut.: *terrò, terrai, ecc.* Congiuntivo pres.: *tènga, tènga, tènga, teniamo, teniate, tèngano*; imperf.: *tenessi, ecc.* Condizionale pres.: *terrei, terresti, ecc.* Imperativo pres.: *tièni, tènga, teniamo, tenete, tèngano.* Participio pres.: *tenente*; pass.: *tenuto.*
Tèrgere	Indicativo pass. rem.: *tèrsi, tergesti, tèrse, tergemmo, tergeste, tèrsero.* Participio pass.: *tèrso.*
Tingere	Indicativo pass. rem.: *tinsi, tingesti, tinse, tingemmo, tingeste, tinsero.* Participio pass.: *tinto.*
Tògliere	Indicativo pres.: *tòlgo, tògli, tòglie, togliamo, togliete, tòlgono*; imperf.: *toglievo, toglievi, ecc.*; pass. rem.: *tòlsi, togliesti, tòlse, togliemmo, toglieste, tòlsero*; fut.: *toglierò, toglierai, ecc.* Congiuntivo pres.: *tòlga, tòlga, tòlga, togliamo, togliate, tòlgano*; imperf.: *togliessi, ecc.* Condizionale pres.: *toglierei, toglieresti, ecc.* Imperativo pres.: *tògli, tòlga, togliamo, togliete, tòlgano.* Participio pres.: *togliente*; pass.: *tòlto.* Gerundio pres.: *togliendo.*

segue →

Verbi irregolari della seconda coniugazione ***(seguito)***

VERBO	FORME
Tràrre (dal latino *trahĕre*)	Indicativo pres.: *traggo, trai, trae, traiamo, traete, traggono*; imperf.: *traevo, traevi, ecc.*; pass. rem.: *trassi, traesti, trasse, traemmo, traeste, trassero*; fut.: *trarrò, trarrai, ecc.* Congiuntivo pres.: *tragga, tragga, tragga, traiamo, traiate, traggano*; imperf.: *traessi, ecc.* Condizionale pres.: *trarrei, trarresti, ecc.* Imperativo pres.: *trai, tragga, traiamo, traete, traggano.* Participio pres.: *traente*; pass.: *tratto.* Gerundio pres.: *traendo.*
Ùngere	Indicativo pass. rem.: *unsi, ungesti, unse, ungemmo, ungeste, unsero.* Participio pass.: *unto.*
Valére	Indicativo pres.: *valgo, vali, vale, valiamo, valete, valgono*; imperf.: *valevo, valevi, ecc.*; pass. rem.: *valsi, valesti, valse, valemmo, valeste, valsero*; fut.: *varrò, varrai, varrà, varremo, varrete, varranno.* Congiuntivo pres.: *valga, valga, valga, valiamo, valiate, valgano*; imperf.: *valessi, ecc.* Condizionale pres.: *varrei, varresti, varrebbe, varremmo, varreste, varrebbero.* Imperativo pres.: *vali, valga, valiamo, valete, valgano.* Participio pres.: *valente*; pass.: *valso.* Gerundio pres.: *valendo.*
Vedére	Indicativo pres.: *védo, védi, ecc.*; imperf.: *vedevo, vedevi, ecc.*; pass. rem.: *vidi, vedesti, vide, vedemmo, vedeste, videro*; fut.: *vedrò, vedrai, ecc.* Condizionale pres.: *vedrei, vedresti, ecc.* Imperativo pres.: *védi, véda, vediamo, vedete, védano.* Participio pres.: *vedente*; pass.: *visto (veduto).* Gerundio pres.: *vedendo.*
Vincere	Indicativo pass. rem.: *vinsi, vincesti, vinse, vincemmo, vinceste, vinsero.* Participio pass.: *vinto.*
Vìvere	Indicativo pass. rem.: *vissi, vivesti, visse, vivemmo, viveste, vissero*; fut.: *vivrò, vivrai, ecc.* Condizionale pres.: *vivrei, vivresti, ecc.* Participio pass.: *vissuto.*
Volere	Indicativo pres.: *vòglio, vuòi, vuòle, vogliamo, volete, vògliono*; imperf.: *volevo, volevi, ecc.*; pass. rem.: *vòlli,*

segue →

Verbi irregolari della seconda coniugazione *(seguito)*

VERBO	FORME
	volesti, vòlle, volemmo, voleste, vòllero; fut.: *vorrò, vorrai, vorrà, vorremo, vorrete, vorranno*. Congiuntivo pres.: *vòglia, vòglia, vòglia, vogliamo, vogliate, vògliano*; imperf.: *volessi, ecc*. Condizionale pres.: *vorrei, vorresti, vorrebbe, vorremmo, vorreste, vorrebbero*. Imperativo pres.: *vògli, vòglia, vògliamo, vogliate, vògliano*. Participio pres.: *volente*; pass.: *voluto*. Gerundio pres.: *volendo*.
Vòlgere	Indicativo pass. rem.: *vòlsi, volgesti, vòlse, volgemmo, volgeste, vòlsero*. Participio pass.: *vòlto*.

Verbi irregolari della terza coniugazione

VERBO	FORME
Apparire	Indicativo pres.: *appaio, appari, appare, appariamo, apparite, appaiono*; imperf.: *apparivo, apparivi, ecc.*; pass. rem.: *apparvi, apparisti, apparve, apparimmo, appariste, apparvero*; fut.: *apparirò, apparirai, ecc*. Congiuntivo pres.: *appaia, appaia, appaia, appariamo, appariate, appaiano*; imperf.: *apparissi, ecc*. Condizionale pres.: *apparirei, appariresti, ecc*. Imperativo pres.: *appari, appaia, appariamo, apparite, appaiano*. Participio pres.: *apparente*; pass.: *apparso*. Gerundio pres.: *apparendo*.
Aprire	Indicativo pass. rem.: *apèrsi (aprii), apristi, apèrse (aprì), aprimmo, apriste, apèrsero (aprirono)*. Participio pass.: *apèrto*.
Dire (dal latino *dicĕre*)	Indicativo pres.: *dico, dici, dice, diciamo dite, dicono*; imperf.: *dicevo, dicevi, ecc.*; pass. rem.: *dissi, dicesti, disse, dicemmo, diceste, dissero*; fut.: *dirò, dirai, ecc*. Congiuntivo pres.: *dica, dica, dica, diciamo, diciate, dicano*; imperf.: *dicessi, ecc*. Condizionale pres.: *direi, diresti, ecc*. Imperativo pres.: *di'* (o *dì*), *dica, diciamo, dite, dicano*. Participio pres.: *dicente*; pass.: *detto*. Gerundio pres.: *dicendo*. *segue →*

Verbi irregolari della terza coniugazione *(seguito)*

VERBO	FORME
Morire	Indicativo pres.: *muòio, muòri, muòre, moriamo, morite, muòiono*; imperf.: *morivo, morivi, ecc.*; pass. rem.: *morii, moristi, ecc.*; fut.: *morrò, morrai (morirò, morirai), ecc.* Congiuntivo pres.: *muòia, muòia, muòia, moriamo, moriate, muòiano*; imperf.: *morissi, ecc.* Condizionale pres.: *morrei, morresti (morirei, moriresti), ecc.* Imperativo pres.: *muòri, muòia, moriamo, morite, muòiano.* Participio pres.: *morente*; pass.: *mòrto.* Gerundio pres.: *morendo.*
Offrire	Indicativo pass. rem.: *offersi (offrii), offristi, offèrse (offrì), offrimmo, offriste, offèrsero (offrirono).* Participio pres.: *offerente*; pass.: *offèrto.*
Salire	Indicativo pres.: *salgo, sali, sale, saliamo, salite, salgono.* Congiuntivo pres.: *salga, salga, salga, saliamo, saliate, salgano.* Imperativo pres.: *sali, salga, saliamo, salite, salgano.*
Udire	Indicativo pres.: *òdo, òdi, òde, udiamo, udite, òdono*; imperf.: *udivo, udivi, ecc.*; pass. rem.: *udii, udisti, ecc.*; fut.: *udirò, udirai (udrò, udrai), ecc.* Congiuntivo pres.: *òda, òda, òda, udiamo, udiate, òdano*; imperf.: *udissi, ecc.* Condizionale pres.: *udirei, udiresti (udrei, udresti), ecc.* Imperativo pres.: *òdi, òda, udiamo, udite, òdano.* Participio pres.: *udente o udiente* (rari); pass.: *udito.* Gerundio pres.: *udendo.*
Uscire	Indicativo pres.: *èsco, èsci, èsce, usciamo, uscite, èscono.* Congiuntivo pres.: *èsca, èsca, èsca, usciamo, usciate, èscano.* Imperativo pres.: *èsci, èsca, usciamo, uscite, èscano.*
Venire	Indicativo pres.: *vèngo, vièni, viène, veniamo, venite, vengono*; imperf.: *venivo, venivi, ecc.*; pass. rem.: *vénni, venisti, vénne, venimmo, veniste, vénnero*; fut.: *verrò, verrai, ecc.* Congiuntivo pres.: *vènga, vènga, vènga, veniamo, veniate, vengano*; imperf.: *venissi, ecc.* Condizionale pres.: *verrei, verresti, ecc.* Imperativo pres.: *vièni, vènga, veniamo, venite, vèngano.* Participio pres.: *veniente*; pass.: *venuto.* Gerundio pres.: *venendo.*

6

L'avverbio o modificante

L'avverbio[1] o modificante[2] è la parte invariabile del discorso che si aggiunge a un altro elemento del discorso per modificarne, qualificandolo o determinandolo, il significato:

Paolo passeggia *tranquillamente*.

Nella frase "Paolo passeggia *tranquillamente*", l'avverbio *tranquillamente* precisa il significato del verbo specificando il modo in cui Paolo compie l'azione di passeggiare. Nella frase "Laura è corsa *fuori*", *fuori* è un avverbio e aggiunge al verbo una determinazione di luogo che precisa dove Laura è corsa.

[1] Il termine "avverbio" deriva dal latino dotto *adverbium* (composto di *ad*, 'presso', e di *verbum*, 'parola'), '(parola che sta) accanto a una (altra) parola'.

[2] La linguistica moderna, attenta come sempre a definire le parti del discorso in rapporto alla funzione, chiama gli avverbi *modificanti*. L'avverbio, infatti, con il suo valore semantico contribuisce a precisare o ad ampliare il significato dell'elemento grammaticale – soprattutto il verbo – cui si riferisce.
Sempre in base alla funzione, alcuni avverbi della grammatica tradizionale sono chiamati anche *pronominali* in quanto fanno le veci di un particolare elemento grammaticale: così, nella frase "Sono stato a cercarlo anche a casa sua, ma non era neppure *là*", *là* è un pronominale perché fa le veci di *a casa sua*. Fuori da queste due categorie si collocano, infine, forme come *sì* e *no*, che la grammatica tradizionale considera avverbi, ma che con gli elementi degli altri due gruppi hanno in comune solo il fatto di essere invariabili: esse, in effetti, sono *parole olofrastiche*, cioè parole che equivalgono a un'intera frase, in quanto si usano nelle risposte per sostituire la frase della domanda.
L'avverbio è chiamato da alcuni linguisti *segno attributivo del verbo* perché rispetto al verbo ha la stessa funzione attributiva che l'aggettivo ha rispetto al nome. Come l'aggettivo accompagna e modifica il nome attribuendogli una qualità, una quantità e simili, così l'avverbio accompagna e modifica il verbo attribuendogli una qualità, una

Funzioni

L'avverbio ha la funzione specifica di **modificare** il significato della parola cui si riferisce. Il suo impiego più comune, come si è visto, è quello che lo lega al verbo, di cui è il **modificante** per eccellenza:

Paolo ha cenato { *velocemente* / *tardi* / *bene* / *qui* / *fuori* }

Oltre al verbo, però, l'avverbio si lega anche ad altri elementi del discorso di cui pure modifica il significato:
- un *aggettivo*: "Laura è *poco* studiosa";
- un *altro avverbio*: "Non venire *troppo* presto";
- un *complemento indiretto*: "Quell'uomo pensa *esclusivamente* a se stesso";
- un'*intera proposizione*: "*Non* sono io il responsabile dell'incidente".

Dal punto di vista sintattico, l'avverbio ha sempre il valore e il significato di un **complemento circostanziale** (di modo, di tempo, di luogo ecc.). Perciò esso è quasi sempre sostituibile con il corrispondente complemento:

Laura ride *dolcemente* → *con dolcezza*;
Vieni *qui* → *in questo luogo*.

Quanto alla sua posizione l'avverbio si colloca, per definizione, *ad verbum*, cioè *vicino alla parola* cui si riferisce. In particolare, quando è riferito a un verbo, l'avverbio, di norma, si pone immediatamente dopo di esso: "Quel podista corre *velocemente*"; "Siamo *qui*"; "Siamo arrivati *ieri*"; "Quel bambino mangia *poco*".

quantità ecc. Questa affinità tra aggettivo e avverbio appare chiara dai due enunciati seguenti: "Paolo ha una vita *avventurosa*"; "Paolo vive *avventurosamente*". Del resto, lo scambio tra aggettivi e avverbi è molto frequente. Non solo, infatti, alcuni aggettivi (*chiaro*, *alto*, *veloce*, *lontano* ecc.), come abbiamo visto, sono usati con valore avverbiale ("parlare *chiaro*", "volare *alto*", "abitare *lontano*"), ma specialmente nel linguaggio familiare e in quello della pubblicità si usa talora l'avverbio come attributo di un nome ("Appartiene a una famiglia *bene* → a una famiglia *della buona società*") o l'aggettivo attribuito a un verbo ("Vestire *giovane* → vestire *giovanilmente*").

L'avverbio si pone prima del verbo quando si vuole attribuire particolare rilievo all'avverbio stesso: è una costruzione enfatica ("*Qui* siamo"; "*Ieri* siamo arrivati") e si usa soprattutto nella lingua letteraria ("*Molto* faticò per raggiungere il suo scopo"). L'avverbio di negazione *non* e le particelle avverbiali di luogo *ci*, *vi*, *ne*, invece, si collocano sempre prima del verbo cui si riferiscono: "La giornata *non* è calda"; "*Ci* vado adesso"; "*Vi* è una gran folla".

Quando il verbo è in forma composta, numerosi avverbi possono anche collocarsi fra l'ausiliare e il participio: "Quel regalo è stato *poco* gradito"; "Non avete *ben* riflettuto"; "Il treno è *certamente* partito".

Quando è unito a un aggettivo o a un altro avverbio, l'avverbio precede sempre l'aggettivo: "Carlo è *molto* simpatico". Quando un avverbio determinativo modifica un avverbio qualificativo, il determinativo precede il qualificativo. "Tu guidi *troppo* imprudentemente". Anche l'avverbio di negazione *non* precede sempre l'aggettivo o l'avverbio cui si accompagna: "Questo lavoro è stato eseguito *non* male"; "*Non* ampio, questo appartamento è adatto a una persona che vive sola".

Se, infine, l'avverbio modifica un nome retto da una preposizione, l'avverbio può essere posto sia tra la preposizione e il nome, sia dopo il nome: "Il treno partirà tra *circa* due ore" oppure "Il treno partirà tra due ore *circa*".

Classificazione

Gli avverbi, in base al loro significato, cioè in base al tipo di modificazione o di determinazione che esprimono, si suddividono in:

- **avverbi qualificativi**: *bene*, *male*, *onestamente*;
- **avverbi determinativi**:
  - di luogo: *qui*, *là*, *lassù*;
  - di tempo: *ora*, *ieri*, *sempre*, *mai;*
  - di qualità: *poco*, *molto*, *abbastanza*, *tanto*;
  - di valutazione: *davvero*, *sì*, *non*, *neppure*, *forse*;
  - interrogativi: *quando?*, *perché?*;
  - esclamativi: *come!*, *dove!*, *quanto!*.

In base alla forma invece gli avverbi si distinguono in primitivi, composti o derivati:

– gli **avverbi primitivi** (o *semplici*) sono quelli che non derivano da altre parole e hanno perciò una forma propria, come ad esempio: *bene*, *male*, *qui*, *là*, *lì*, *sempre*, *mai*, *oggi*, *già*, *sì*, *no*, *non*, *forse*, *poco*, *meno*, *come?*, *quando?*;

– gli **avverbi composti** sono quelli che risultano dalla fusione di due o più parole diverse che in origine costituivano delle locuzioni avverbiali, come ad esempio: *almeno (al meno)*, *inoltre (in oltre)*, *talora (tale ora)*, *soprattutto* *(sopra tutto), lassù (là su), quassù (qua su), adagio (ad agio), talvolta (tale volta), dappertutto (da per tutto)*;

– gli **avverbi derivati** sono quelli che hanno origine da un'altra parola con l'aggiunta di un particolare suffisso, come ad esempio *onestamente*, che deriva dall'aggettivo qualificativo alla forma femminile singolare *onesta* + il suffisso *-mente*; o come *balzelloni*, che deriva dalla radice del nome *balzell-o* + il suffisso *-oni*; o come *ciondoloni*, che deriva dalla radice del verbo *ciondol-are* + il suffisso *-oni*. Forme di avverbi derivati sono anche quelli che derivano da una parola attraverso una semplice modificazione funzionale della parola stessa, come tutti gli aggettivi usati con funzione avverbiale: "parlare *forte*".

1. Gli avverbi qualificativi

Gli avverbi qualificativi, o **avverbi di modo**, indicano il modo in cui si compie una determinata azione espressa da un verbo oppure aggiungono una precisazione qualificativa a un aggettivo o a un altro avverbio. Equivalgono a un complemento di modo e rispondono alla domanda: *come?*, *in che modo?*:

Camminiamo *lentamente*.

A questa categoria appartengono:

• la maggior parte degli avverbi in **-mente**: *onestamente*, *velocemente*, *malignamente* ecc.:

Credo *fermamente* nelle sue parole.

Questi avverbi sono forme derivate che prendono origine dalla forma femminile singolare degli aggettivi qualificativi e dei participi presenti e passati usati come aggettivi con l'aggiunta del suffisso *-mente*:[3] amaro → *amara-*

[3] L'avverbio in *-mente*, sconosciuto al latino, deriva dal costrutto latino del complemento di modo: *serenamente* deriva dal latino *serena mente*, 'con intenzione serena', dove *mente* è l'ablativo singolare del nome femminile *mens*, *mentis*, 'intenzione, sentimento, mente', e *serena* è l'aggettivo *serenus*, *serena*, *serenum* concordato con il nome. Con il trascorrere del tempo, aggettivo e nome si sono fusi insieme e il parlante non sentì più il valore originario del costrutto: così in *serena mente*, il secondo elemento perse sia la sua qualità di nome sia il suo significato e si è grammaticalizzato, si è cioè ridotto a un semplice suffisso usato per formare gli avverbi di modo: *rapida mente* → "rapidamente", *laeta mente* → "lietamente", *mala mente* ('con intenzione cattiva') → "malamente" e così via. L'origine latina degli avverbi in *-mente* chiarisce, tra l'altro, perché si formano dal femminile dell'aggettivo: "lietamente" perché *lieta* concorda con *mente*, che è femminile.

mente; dolce → *dolcemente*; previdente → *previdentemente*; voluto → *volutamente*. Se l'aggettivo esce in *-le* e *-re* o in *-lo* e *-ro*, la *-e* o la *-o* finale cadono: agile → *agilmente*; abile → *abilmente*; casuale → *casualmente*; volgare → *volgarmente*; regolare → *regolarmente*; benevolo → *benevolmente*; leggero → *leggermente*; invece subdolo → *subdolamente* e amaro → *amaramente*. In alcuni altri aggettivi, infine, si modifica in modo vario la vocale finale dell'aggettivo o, anche, la terminazione stessa del suffisso: violento → *violentemente*; altro → *altrimenti*; pari → *parimenti* o *parimente*.

La costruzione degli avverbi con il suffisso in *-mente* è possibile con tutti gli aggettivi qualificativi, tranne gli aggettivi indicanti colore (*bianco*, *verde*, *rosso* ecc.) e pochi aggettivi come *vecchio*, *buono*, *fresco* ecc. Di conseguenza, gli avverbi in *-mente*, diversamente da tutti gli altri tipi di avverbi che costituiscono una classe chiusa, sono numerosissimi e in continua espansione, come gli aggettivi qualificativi da cui derivano.

Talvolta, nella lingua parlata come in quella scritta, l'impiego di avverbi di modo in *-mente* dà luogo a rime pesanti e cacofoniche: "Probabil*mente* Laura è partita troppo veloce*mente* e, poi, frenando brusca*mente*, ha sbandato pericolosa*mente*, ma fortunata*mente* ha saputo tenere abil*mente* sotto controllo l'automobile". Per evitare simili inconvenienti, basta sostituire l'avverbio in *-mente* con una locuzione avverbiale o con un aggettivo di significato analogo.

• gli avverbi in **-oni**: *balzelloni*, *penzoloni* ecc.:

Il bambino dormiva *bocconi*.

Questi avverbi, che indicano per lo più una particolare posizione del corpo, derivano dall'aggiunta del suffisso *-oni* alla radice di un nome (ginocchio → *ginocchioni*; bocca → *bocconi*) o di un verbo (tastare → *tastoni*; cavalcare → *cavalcioni*; saltellare → *saltelloni*). Alcuni di essi si usano anche unitamente alla preposizione *a* e diventano così *locuzioni avverbiali*: "Procedevo *a tastoni* nel buio".

• gli avverbi costituiti dalla forma maschile singolare di taluni **aggettivi qualificativi** usati, appunto, in funzione di avverbio: *piano*, *forte*, *caro*, *giusto*, *chiaro*, *alto* ecc.:

Paolo aveva visto *giusto*.

Alla base del passaggio all'uso avverbiale di aggettivi come *piano*, *forte*, *giusto*, *storto*, *chiaro* sta una semplice modificazione funzionale che non produce alcun mutamento di forma. Gli aggettivi che hanno funzione avverbiale non sono molto numerosi, ma sono tra i più usati, per la loro brevità e per la loro chiarezza. Di recente, poi, il linguaggio della pubblicità ha sfruttato la possibilità, comune a molte lingue oltre all'italiano, di usare l'aggettivo in funzione di avverbio e ha coniato forme come "Vota *radicale*", "Vestite *gio-*

vane" e simili. Queste nuove forme di aggettivi usati come avverbi si vanno ad aggiungere alle numerose forme di avverbi, non solo di modo, di uso frequente la cui derivazione da aggettivi non è più sentita, come *presto*, *certo*, *vero*, *molto* ecc.

• alcuni altri avverbi, per lo più di **origine latina**, come ad esempio: *bene*, *male*, *così*, *come*, *cioè*, *invano*:

Questo esercizio è stato svolto *bene*.

Così è avverbio di modo, quando risponde alla domanda "come?": "Lui è fatto *così*"; "Secondo me è meglio fare *così*". Quando invece modifica un aggettivo o un altro avverbio ed ha il significato di "molto, tanto", è un avverbio di quantità: "Sei *così* bello!"; "Ci sta *così* bene, qui!".

• gli avverbi *adagio*, *volentieri*, *insieme*, *assieme*, e quelli risultanti da composizione come *purtroppo*, *davvero*, *anzitutto*, *dopotutto*, *soprattutto* ecc.: "A Sergio piace *soprattutto* dormire".

2. Gli avverbi determinativi

Gli avverbi determinativi modificano il significato della parola cui si riferiscono determinandolo, cioè precisando una particolare circostanza o situazione che può essere di tempo, di luogo, di qualità, di quantità e simili.

2.1. Gli avverbi di tempo

Gli avverbi di tempo esprimono una determinazione di tempo, indicando il momento, la circostanza o il periodo in cui avviene un'azione o si verifica un fatto. Equivalgono a un complemento di tempo e rispondono alla domanda *quando?*:

Adesso non posso uscire: ci vedremo *domani*.

I più comuni sono: *ora*, *allora*, *adesso*, *ormai*, *oramai*, *subito*, *prima*, *poi*, *dopo*, *poscia*, *quindi* (nel significato temporale di "poi, in seguito"), *sempre*, *spesso*, *sovente*, *talora*, *talvolta*, *ancora*, *tuttora*, *finora*, *già*, *mai*, *presto*, *tardi*, *ieri*, *oggi*, *domani*, *dopodomani*, *stamani* ecc.

L'avverbio **mai** generalmente ha significato negativo (= in nessun momento, in nessun caso) e serve a rafforzare la congiunzione negativa *non* o un pronome negativo: "Non sei *mai* stanco"; "Nessuno ha *mai* saputo chiarire questo mistero". Quando è collocato prima del verbo, *mai* ha un valore enfatico e rifiuta la congiunzione negativa *non* ("*Mai* sei stato sincero"), ma può essere accompagnato dal pronome negativo *nessuno* ("Nessuno *mai* saprà la verità"). Usato da solo, *mai* ha valore di negazione assoluta, specialmente nelle risposte, ed è olofrastico, vale cioè un'intera frase: «"Verrai qualche volta a trovarmi?" "*Mai!*"». Nelle proposizioni interrogative e condizionali, *mai* conserva invece il suo originario valore positivo e ha il significato di "qualche volta", "per caso": "Siete *mai* stati (= siete stati qualche volta) a teatro?"; "Se *mai* ti capitasse (= se per caso ti capitasse) di passare da Roma, telefonami". Infine, nelle proposizioni esclamative e interrogative, *mai* è spesso usato come rafforzativo: "Che dici *mai*!"; "Come *mai* non ti sei ancora alzato?".

L'avverbio **già** ha di solito la funzione di sottolineare il compimento di un'azione: "Se n'è *già* andato". Spesso significa "ormai": "Le vacanze sono *già* finite". Talvolta viene usato in luogo di *sì*, per esprimere una constatazione, per lo più in tono contrariato: «"Allora non sei potuto partire?" "*Già*"». Qualche volta, infine, significa "oltre tutto": "Non me la sento di discutere: *già* ho mal di testa".

L'avverbio **ancora**, oltre che significare "anche adesso" (nel presente: "Sei *ancora* qui?") e "anche allora" (nel passato: "Alle otto dormiva *ancora*"), significa "di nuovo": "Ci rivedremo *ancora*?". Può essere usato anche come avverbio di quantità: "Devi studiare *ancora* di più".

Gli avverbi **testé** e **dianzi**, che indicano un'azione avvenuta recentemente, appartengono al livello letterario della lingua. Di solito sono sostituiti dalla locuzione avverbiale **poco fa**: "L'ho visto *dianzi* → L'ho visto *poco fa*". Quando è impiegato in una frase con i verbi al passato, *poco fa* deve essere sostituito con **poco prima**: "Dice che l'ha visto *poco fa*", ma: "Disse di averlo visto *poco prima*".

Gli avverbi **ora** e **allora**, quando collegano fra loro due proposizioni, fungono da congiunzioni.

Gli avverbi **prima** e **dopo** possono funzionare anche da preposizioni e congiunzioni. In particolare: a) sono **avverbi di tempo** quando determinano un verbo, per indicare una circostanza di tempo: "*Prima* sostieni un'opinione, *dopo* ne sostieni un'altra del tutto opposta"; b) sono **preposizioni** quando precedono un nome, un pronome oppure un'altra preposizione e hanno la "funzione" di mettere in rapporto due elementi della frase, introducendo l'espansione-complemento di un nome: "Studierò *dopo* il telegiornale"; "*Dopo* il temporale, l'aria è diventata più fresca". Quando precedono un'altra preposizione assumono il valore di *locuzioni preposizionali*: "Debbo finire questo lavoro *prima* di sera"; c) sono **congiunzioni** quando (per lo più assieme alla congiunzione *che* o alla preposizione *di*) introducono una proposizione subordinata temporale: "Potrai uscire *dopo* aver finito i compiti"; "Potrai uscire *dopo che* avrai finito i compiti".

Avverbi di tempo sono anche alcuni avverbi in *-mente*: *precedentemente*, *recentemente*, *successivamente* ecc.

2.2. Gli avverbi di luogo

Gli avverbi di luogo esprimono una determinazione di luogo indicando il luogo dove avviene un'azione, si verifica un fatto o si trova qualcuno o qualcosa. Corrispondono, nella frase, ai complementi di luogo e rispondono alla domanda *dove?*:

Noi viviamo *laggiù*.

I più comuni sono:

• *qui*, *qua*, *quaggiù*, *quassù*, che indicano, analogamente all'aggettivo dimostrativo *questo*, un luogo vicino a chi parla o scrive: "*Quassù* nevica spesso"; "Venite *qua*!".

L'avverbio di luogo **qui** si usa di preferenza con i verbi di quiete: "Sono *qui*"; "Mi piace vivere *qui*". L'avverbio **qua**, invece, si usa con i verbi di moto: "Vieni *qua*", "I nostri amici arriveranno *qua* lunedì prossimo".

• *là*, *colà*, *laggiù*, *lassù*, *lì*, *ivi*, *quivi*, che indicano, analogamente all'aggettivo dimostrativo *quello*, un luogo lontano sia da chi parla o scrive sia da chi ascolta o legge: "*Laggiù* c'è un laghetto".

Lì, **laggiù**, **lassù** si usano, però, anche per indicare un luogo vicino a chi ascolta o legge, al posto degli avverbi *costì*, *costà*, *costassù*, *costaggiù*, che, analogamente all'aggettivo dimostrativo *codesto*, sono ormai caduti in disuso tranne che nella parlata regionale toscana: "Qui piove: e *lì* da voi?".

L'avverbio **lì** è solitamente un avverbio di luogo, ma assume valore temporale nell'espressione *essere lì* (o *lì lì*) *per*... (= essere sul punto di...) e nella locuzione *lì per lì* (= sul momento): "*Ero lì lì per* partire quando mi ha telefonato Giovanni"; "*Lì per lì* non ho saputo cosa dire".

Gli avverbi di luogo **qui**, **costì**, **lì** e **qua**, **costà**, **là** sono spesso usati per rafforzare i corrispondenti aggettivi (e pronomi) dimostrativi *questo*, *codesto*, *quello*: "Guarda *questo* disegno *qui*"; "Passami *codesto* libro *costì* (raro: più spesso '*lì*')"; "Comprerò *quella* casa *là*".

• *vicino*, *presso*, *lontano*, *accanto*, *dappertutto*, *fuori*, *dentro*, *addentro*, *dietro*, *indietro*, *davanti*, *dinanzi*, *avanti*, *intorno*, *attorno*, *sotto*, *sopra*, *su*, *giù*, *via*, *altrove* ecc.: "Vai *fuori*!"; "C'è polvere *dappertutto*".

Le parole **vicino, lontano, fuori, dentro, dietro, davanti, sotto, sopra, su, contro, oltre** ecc. sono avverbi quando modificano un verbo – o un aggettivo o un altro avverbio – per indicare dove avviene un fatto o un'azione oppure dove si trova un essere animato o un oggetto: "La mia stanza è qui *sopra*"; "Piero abita *lontano*"; "Il cane è rimasto *fuori*: aprigli!". Invece, quando sono preposte a un nome o a un pronome e hanno la funzione di collegarli ad altri elementi della frase, sono preposizioni: "L'orto è *dietro* la casa"; "La mia stanza è *sopra* il soggiorno"; "La cantina è *sotto* il garage"; "Il dottor Rossi è *fuori* ufficio". Quando precedono un'altra preposizione, infine, formano una locuzione preposizionale, vale a dire un gruppo di parole che, tutte assieme, assumono la funzione di preposizione: "Stai *dietro* a me"; "Piero abita *lontano* da noi"; "Siediti *vicino* a lui".

Vicino e **lontano** possono anche essere aggettivi qualificativi o, meglio, sono originariamente degli aggettivi qualificativi che possono essere usati in funzione avverbiale o come preposizioni. Riconoscerli nel loro ruolo e valore originario di aggettivi non è difficile perché sono sempre riferiti a un nome, con cui concordano in genere e in numero, sia in funzione attributiva sia in funzione predicativa: "Nei paesi *vicini* oggi è festa"; "La primavera è ormai *vicina*"; "Ieri ho conosciuto alcuni miei *lontani* parenti"; "La nostra pensione è *lontana* ancora qualche chilometro".

• *dovunque*, *ovunque* (= in tutti i luoghi in cui, in qualsiasi luogo in cui), *dove*, *ove* (= nel luogo in cui), *donde*, *onde* (= dal luogo in cui), che si usano esclusivamente per mettere in relazione due proposizioni e sono detti perciò **avverbi di luogo relativi** o, se si preferisce, **congiunzioni**: "Ti seguirò *ovunque* andrai"; "Mi piace la casa *dove* abiti"; "Vado *dove* mi pare"; "Questa è la città *donde* siamo partiti". Quando sono usati nelle domande dirette *dove*, *ove*, *donde*, *onde* sono **avverbi interrogativi.**

Dovunque e **ovunque** sono avverbi di luogo relativi e quindi non dovrebbero essere usati in senso assoluto, come avverbi di luogo dimostrativi. Pertanto, costrutti come "La trovo *dovunque*" e "Mi segue *ovunque*" non sarebbero corretti e dovrebbero essere sostituiti con "La trovo *dappertutto*" e "Mi segue *dappertutto*". Ma ormai tali costrutti sembrano essere stati legittimati dall'uso e, di fatto, molte grammatiche non li condannano.

• *ci*, *vi*, *ne*, le particelle che, come si è visto, si sono poi specializzate in funzione pronominale. *Ci* equivale a "qui, in questo luogo, in quel luogo" e può esprimere sia uno stato in luogo ("Nel cassetto *ci* sono dei pennarelli") sia un moto a luogo ("Se va al cinema, *ci* vengo anch'io") sia un moto attraverso luogo ("Milano è sempre più caotica? Non *ci* passo da anni"). *Vi* ha lo stesso significato di *ci*, ma è sentito come letterario ed è sempre meno usato perché suona piuttosto affettato: "Non sono mai stato in America ma *vi* andrò presto". *Ne* equivale a "da lì, da quel luogo, da qui, da questo luogo" ed esprime perciò un moto da luogo: "Me *ne* vado (= vado via da qui)".

Come avverbi di luogo **ci** e **vi** accompagnano spesso:

– il verbo *essere* quando è usato con il significato di "esistere, trovarsi": "In sala *c'*erano pochissime persone"; "*C'*era una volta un re...";
– il verbo *volere* quando è usato con il significato di "occorrere": "*Ci* vuole un martello";
– il verbo *entrare* quando è usato con il significato di "riguardare, avere a che fare": "Non accusare me: io non *c'*entro".

Quando precedono la particella *ne* in funzione di pronome, *ci* e *vi* si modificano in *ce* e *ve*: "Quanti pennarelli *ci* sono nel cassetto? *Ce* ne sono due"; "Un tempo l'Europa era ricchissima di foreste; ora non *ce* ne sono quasi più".

Talvolta *ci* viene usato con valore oscillante tra l'avverbio di tempo e quello di luogo: "Mi *ci* vorrebbe più tempo"; "Molto *ci* corre". Talvolta, infine, ha una funzione puramente pleonastica: "Non *ci* vedo bene".

2.3. Gli avverbi di quantità

Gli avverbi di quantità indicano in modo indefinito, vale a dire non precisato numericamente, una quantità o una misura, sia essa riferita all'azione indicata da un verbo o alla qualità designata da un aggettivo o da un avverbio:

> Luca studia *molto*. Tu sei *poco* gentile. Questa auto corre *assai* velocemente. Elena lavora *quasi quanto* te.

Gli avverbi di quantità rispondono alla domanda *quanto?* e sono:

• in maggior parte aggettivi indefiniti alla forma maschile singolare (*poco*, *alquanto*, *parecchio*, *tanto*, *quanto*, *altrettanto*, *molto*, *più*, *meno*, *troppo*) o pronomi indefiniti negativi (*nulla*, *niente*) che, con una semplice modificazione funzionale, assumono valore di avverbi:

> Oggi ho mangiato *troppo*. Non mi importa *niente* di te. Non è *per niente* vero.

Gli avverbi **tanto** e **quanto** sono usati spesso come correlativi: "Mi sono impegnato *tanto quanto* era necessario per superare gli esami"; "Maria è *tanto* simpatica *quanto* sua sorella".

Gli avverbi **più** e **meno** costituiscono il comparativo di maggioranza rispettivamente degli avverbi *molto* e *poco*.

Poco, **parecchio**, **molto**, **alquanto**, **altrettanto**, **troppo** e simili possono funzionare sia da aggettivi e pronomi indefiniti sia da avverbi o, meglio, sono aggettivi indefiniti che, con una modificazione funzionale abbastanza usuale nelle lingue, hanno anche valore di avverbi. In particolare:

– sono **aggettivi indefiniti**, e pertanto si accordano in genere e numero con esso, quando accompagnano un nome: "Ho comprato *molte* caramelle e *altrettanti* canditi";

– sono **pronomi indefiniti**, e variabili in genere e numero, quando fanno le veci di un nome ("Qui siamo *troppi*") o quando hanno valore neutro ("Ho *troppo* da fare");

– sono **avverbi di quantità**, e rimangono perciò invariati, quando accompagnano un verbo, un aggettivo, oppure un altro avverbio: "Queste ragazze studiano *molto*"; "Anna è *molto* bella"; "Voi parlate *troppo* rapidamente".

Anche **niente** è un pronome indefinito che, con una modificazione funzionale, assume valore di avverbio di quantità. In particolare:

– è un **pronome indefinito** quando fa le veci di un nome ed equivale per significato a "nulla", "nessuna cosa": "Non c'è *niente* in frigorifero";

– è un **avverbio di quantità** quando, accompagnandosi a un verbo, a un aggettivo o a un altro avverbio, equivale per significato a "assolutamente nulla", "per nulla", "niente affatto" o "molto poco": "Non mi importa *niente* di quel che è successo"; "Non è *niente* affatto gentile quel che hai detto"; "Oggi il lavoro non va *niente* bene"; "Quello non ci mette *niente* a piantarci qui";

– è un **sostantivo maschile**, quando il pronome indefinito viene sostantivato: "Quella faccenda è finita in *niente*".

• forme avverbiali originali: *abbastanza*, *assai*, *piuttosto*, *almeno*, *appena*, *quasi*, *affatto*:

Il bambino non ha dormito *abbastanza*.

L'avverbio **affatto** significa "del tutto, interamente, in tutto e per tutto" e ha dunque valore positivo: "Quel ragazzo è *affatto* (= del tutto) incapace di esprimersi in inglese". Oggi, però, l'avverbio *affatto* è usato come rafforzativo delle negazioni *non* o *niente* e quindi ha valore negativo con il significato di "per niente": "*Non* sono *affatto* sicuro (= non sono per niente sicuro) di superare gli esami"; "*Niente affatto* stanco (= per nulla stanco), l'atleta fece ancora un giro di corsa". Da questo uso nelle frasi negative deriva il senso negativo che *affatto* ha nell'opinione comune e che porta molti a dire *affatto* credendo di dire *niente affatto*, *per nulla*, con un equivoco tanto usuale quanto grave. Di fatto, se a una persona che chiede: "Vorrei chiederle un favore:

disturbo?" si risponde "*Affatto*, dica pure", il significato della risposta è "*Sì, mi disturba moltissimo*".

L'avverbio **assai** significa "abbastanza, sufficientemente" e quindi vale un po' meno di *molto*, di cui è per lo più considerato equivalente. Anche **parecchio** vale meno di *molto*.

• alcune forme in *-mente*: *grandemente*, *minimamente*, *talmente*:

Non mi piace *minimamente*.

Sono avverbi di quantità anche *inoltre*, *pure*, *perfino*, *ancora*, *addirittura* che hanno la funzione di indicare un'aggiunta o di sottolineare enfaticamente un fatto, un'azione, una qualità ecc. e che perciò alcuni linguisti catalogano a parte come **avverbi aggiuntivi**:

Ti comunico *inoltre* che verrò a Milano di persona. Bisognerà *pure* che facciamo qualcosa. Importa *pure* a me. Resta *ancora* un po'. L'ingegner Rossi, adesso, è *addirittura* presidente della società. È d'accordo *perfino* lui.

2.4. Gli avverbi di valutazione

Gli avverbi di valutazione modificano l'elemento cui si riferiscono mediante una valutazione o un giudizio che può confermarne il significato, metterlo in dubbio o negarlo:

Certamente Paolo verrà. Quei ragazzi *non* sono molto simpatici e *neppure* educati. Andrea è *forse* il più leale dei miei amici. Alla festa del quartiere interverranno *altresì* le autorità comunali.

Si distinguono in:

• **avverbi di affermazione**: *certo*, *certamente*, *esattamente*, *sicuro*, *sicuramente*, *appunto*, *proprio*, *davvero*, *indubbiamente*, *sì* ecc.: "Quel romanzo riesce *proprio* a suscitare l'interesse del lettore"; "Verrò *sicuramente* anch'io"; "Elena nuota *davvero* bene".

• **avverbi di negazione**: *non*, *neppure*, *nemmeno*, *neanche*, *mica*, *no* ecc.: "Quei ragazzi *non* sono simpatici e *neppure* educati"; "*Nemmeno* oggi si è fatto vivo".

Non è l'avverbio negativo per eccellenza. Sempre preposto al verbo, individua e connota la **frase negativa**: "*Non* voglio vederlo"; "Paolo *non* verrà". Spesso *non* viene rafforzato da un elemento posposto al verbo: "*Non* ti credo *mica*"; "*Non* lo voglio *affatto* vedere"; "*Non* l'ho *neppure* visto". *Non*, oltre che negare un'intera frase, può accompagnare e negare anche un solo elemento della frase, generalmente un pronome, un aggettivo o un avverbio: "*Non* molti ti hanno creduto"; "Mi sembra una cosa *non* bella"; "L'ho trovato *non* bene". Questa forma di negazione dà vita alla figura retorica della litòte. Quando è in relazione con un'altra negazione, *non* la rafforza: "*Non* ho visto *nessuno*". Nel linguaggio giornalistico è abbastanza frequente anche l'uso di *non* seguito da un nome, uso in cui *non* perde la sua funzione di avverbio per assimilarsi a un prefisso negativo: "Gandhi è il profeta della *non* violenza" (da scrivere senza trattino). Nelle contrapposizioni, quando non si ripete il verbo nel secondo termine, *non* viene sostituito da *no*: "Vieni con noi o *no*?". Se si ripete il verbo, invece, rimane *non:* "Vieni con noi o *non* vieni?". La sostituzione di *non* con *meno* ("Vorremmo sapere se sarete presenti o *meno* all'inaugurazione") è tipica del linguaggio burocratico e convenzionale. *Non*, infine, può essere usato *in modo pleonastico*, in espressioni come: "Quante sciocchezze *non* hai fatto ieri!" e soprattutto nelle proposizioni temporali introdotte da *finché*: "Ti abbiamo aspettato, finché *non* hanno chiuso la stazione".

Mica è una forma tipica del linguaggio di livello familiare-colloquiale delle parlate settentrionali. Propriamente è un nome (= briciola) e non ha alcun valore negativo. Usato per rafforzare la negazione *non* ha assunto funzione di avverbio e valore negativo: "*Non* sono *mica* stato io". Forte di questo suo valore negativo acquisito, *mica*, nel parlato, viene spesso usato come avverbio negativo senza *non*, specialmente davanti al verbo ("*Mica* è brutto, questo film") o, in frasi prive di verbo, davanti a un aggettivo ("*Mica* brutta la ragazza") o a un avverbio ("*Mica* male").

Anche **punto** è propriamente un nome (= un punto, una cosa da niente) privo di valore negativo, ma anch'esso è stato usato per rafforzare la negazione *non* ed è diventato un avverbio negativo: "Non ha *punto* voglia di vederlo". Essendo anche aggettivo, *punto* può concordare regolarmente con la parola cui si riferisce: "Non ho *punta* voglia di vederlo". Senza negazione, *punto* si usa solo nelle risposte e, per la sua ambiguità di significato, solo nel parlato: "Mi vuole bene? *Punto*".

Gli avverbi di negazione **nemmeno**, **neanche**, **neppure**, tutti composti con la congiunzione *né*, sono usati per rafforzare *non*: "*Non* mi ascolta *neppure*"; "*Non* voglio *neppure* vederlo". Però possono anche sostituirlo e, in questo caso, sono collocati davanti al verbo: "*Neppure* mi ascolta"; "*Neanche* voglio vederlo". Essi possono determinare negativamente anche un nome o un pronome, sia come rafforzativi di *non* sia da soli: "Non verrà *neanche* Paolo"; "*Neanche* Paolo verrà".

Sì e **no**, per quanto vengano tradizionalmente registrati tra gli avverbi di affermazione e di negazione – *sì* dal latino *sic*, 'così', può essere considerato anche un avverbio di modo – non hanno la funzione di determinare un'altra parola, come è tipico degli avverbi, ma servono per sostituire nelle risposte un'intera frase: «"Hai telefonato alla nonna?" "Sì (= ho telefonato alla nonna)"»; «"Sei stato in biblioteca?" "No (= non sono stato in biblioteca)"». Per questa loro caratteristica, *sì* e *no* si chiamano *parole olofrastiche*, cioè "parole che equivalgono a un'intera frase". Talvolta, però, *sì* è usato come vero avverbio per modificare un verbo, un aggettivo e simili, come nella frase "Paolo è *sì* intelligente, ma molto discontinuo". *No*, invece, si usa sempre da solo, nelle risposte o nelle frasi che esprimono un'alternativa o una contrapposizione: "Vuoi salire o *no*?". Per accompagnare un verbo, un aggettivo, un avverbio, un nome o un pronome, si deve usare *non*, che è il vero avverbio di negazione: "Noi, *non* voi, siamo stati scelti per la recita"; "Il compito che ci aspetta è arduo, ma *non* impossibile"; "*Non* voglio partire".

Tanto *sì*, che si deve scrivere sempre con l'accento per distinguerlo dalla particella pronominale *si*, quanto *no* possono essere rafforzati o sostituiti in vari modi. L'affermazione può essere rafforzata con il raddoppiamento ("*sì, sì*, ho capito"), con l'aiuto di altri avverbi affermativi (*sì certo, sì certamente, certo che sì*) o con formule come *sissignore*, *signorsì* e può essere sostituita da avverbi o locuzioni di valore corrispondente: *sicuro*, *sicuramente*, *precisamente*, *certo*, *certamente*, *precisamente*, *perfetto*, *senz'altro*, *senza dubbio* e simili. Da evitare, per l'abuso che se ne fa, *esatto*. Vezzoso, ma banale, *okay*. Da parte sua *no* può essere anch'esso rafforzato con il raddoppiamento (*no no*, *no e poi no*), con l'aiuto di avverbi affermativi come *davvero* e *certo* (*no davvero*, *no certo*, *certo che no*) o da formule come *nossignore*. *No* può essere sostituito, entro certi limiti (vedi sopra), da *affatto* e *punto*. Forme rafforzative di affermazione e di negazione sono anche le costruzioni di *sì* e *no* con la congiunzione *che*: "*sì che* ho capito"; "*No che* non vengo".

Accoppiate nella locuzione *sì e no*, le due particelle indicano approssimazione, come *quasi*: "Quel giorno ci saranno state *sì e no* dieci persone".

Sì e *no* possono essere sostantivati, come tutte le parole: "un bel *sì*"; "un secco *no*"; "dire di *sì*"; "rispondere di *no*"; "La mia proposta è stata approvata con 18 *sì* e 2 *no*".

• **avverbi di dubbio**: *forse*, *probabilmente*, *eventualmente*, *magari*, *possibilmente*, *quasi*, *circa* ecc.: "Andrea è *forse* il più simpatico dei miei amici"; "*Probabilmente* partirò domani".

L'avverbio di dubbio per eccellenza è **forse**, che si colloca a metà strada esatta tra l'affermazione e la negazione: "*Forse* verrò". Talvolta è usato per indicare approssimazione, nel senso di *circa*: "Tra qui e casa mia ci sarà *forse* un chilometro".

Circa indica approssimazione generica: "Ci saranno state *circa* centomila persone". Invece, **quasi** indica approssimazione per difetto: "Paolo ha *quasi* diciotto anni". Raddoppiato, esprime, più che incertezza, propensione: "*Quasi quasi* vengo con te".

Probabilmente, eventualmente sono, per certi aspetti, anche avverbi di modo: del resto, la classificazione degli avverbi, come delle altre parti del discorso, è frutto di una convenzione che privilegia i tratti salienti di una parola ma, per forza di cose, ne trascura altri.

Magari (che propriamente è il vocativo all'aggettivo greco *makários*, 'beato' e quindi significa letteralmente "o beato!"), oltre che **avverbio di dubbio** con il significato di "forse" ("Magari non si farà neanche vedere ma bisogna aspettarlo") è anche una **interiezione** usata per esprimere un desiderio interno o una grande speranza: «"Ti piacerebbe venire con noi al mare?" "*Magari*!"». Inoltre, può fungere anche da **congiunzione**, sia per introdurre una proposizione desiderativa, con il significato di "volesse il cielo che" ("*Magari* potesse venire anche Laura!") sia per introdurre una proposizione subordinata concessiva con il significato di "anche a costo di" ("Verrò anch'io, dovessi *magari* partire all'alba").

2.5. Gli avverbi interrogativi ed esclamativi

Gli **avverbi interrogativi** servono per chiedere qualcosa e di solito introducono una domanda, sotto forma di interrogativa diretta:

> *Come* giudichi questo lavoro? *Dove* sei? *Quando* hai conosciuto Andrea? *Da quando* sei qui? *Quanto* hai pagato questo libro? *Perché* non sei partito?

Poiché una domanda può riguardare il modo, il luogo, il tempo, la quantità o la causa di un fatto o di un'azione, essi possono essere interrogativi:

- **di modo**: *come?*
- **di luogo**: *dove?*, *ove?*, *donde?*, *onde?*
- **di tempo**: *quando?*, *da quando?*, *per quando?*
- **di quantità**: *quanto?*
- **di causa**: *perché?*

Essi, quindi, quando introducono una subordinata interrogativa, cioè una interrogativa indiretta, sono **avverbi interrogativi relativi**: "Dimmi *dove* (= in quale luogo) andrai in vacanza"; "Spiegami *perché* (= per quale ragione) sei così triste"; "Voglio sapere *quando* (= in quale giorno, in quale periodo) verrai a trovarmi". Quando, invece, mettono in relazione due proposizioni introducendo una subordinata temporale, modale, causale o finale, *come*, *quando*, *perché* funzionano come **congiunzioni subordinanti**: "*Come* vedi, sto per uscire"; "*Quando* torna papà, salutamelo"; "Chiamo mio fratello, *perché* mi aiuti"; "Questo romanzo non mi piace *perché* è noioso".

Gli avverbi *dove*, *ove*, *donde* e *onde* possono avere anche funzione di **avverbi relativi** nel significato di "il luogo in cui" e "il luogo da cui": "Vado *dove* voglio"; "Questa è la città *donde* siamo partiti".

Gli avverbi *ove*, *donde* e *onde* sono forme di uso letterario e si trovano solo in testi di elevato livello linguistico. Perciò, di solito, invece di *ove* si usa il corrispondente avverbio interrogativo *dove* e al posto di *donde* e *onde* si usano locuzioni come *da dove* e *da quale luogo*: "*Dove* (*ove*) potremo incontrarci?"; "*Da dove* (*donde*) provengono queste notizie?"; "*Da quale luogo* (*onde*) giunge questa folla?".

Gli avverbi interrogativi funzionano anche da **esclamativi**, per esprimere stupore, ammirazione o meraviglia:

> *Come* sei credulone! *Quanto* mi piaci! *Dove* andremo a finire di questo passo!

2.6. Avverbi "fuori serie"

La classificazione degli avverbi, come spesso succede in grammatica, è frutto di una scelta che non può tenere conto di tutte le sfumature di significato che un avverbio può avere. Così, a parte i casi in cui dizionari e grammatiche non riescono a mettersi d'accordo addirittura circa l'appartenenza di un termine alla classe degli avverbi, delle congiunzioni o delle preposizioni, ci sono avverbi che appartengono a più categorie di avverbi e avverbi che non rientrano in nessuna delle categorie citate. Ad esempio, la parola **come** può essere avverbio interrogativo ("*Come* stai?") e avverbio relativo ("Dimmi *come* stai") e poi anche congiunzione ("*Come* sai, partirò domani") e preposizione ("Sono bravo *come* te"). La parola **così** può essere sia avverbio di modo ("Voglio vivere *così*") sia avverbio di quantità, nel significato di *molto*, *tanto* ("Tutto è *così* bello qui!"). **Ancora** può essere sia avverbio di quantità ("Con questa pettinatura sei *ancora* più bella") e avverbio di tempo ("Anna è *ancora* [= 'anche adesso'] al mare") sia avverbio aggiuntivo ("Voglio vedere *ancora* [= 'nuovamente'] quel film"). **Appena** può essere sia avverbio di tempo ("Era *appena* [= 'da poco tempo'] arrivato, quando dovette ripartire") sia avverbio di quantità ("La farina era *appena* sufficiente per una torta").

E termini come *insomma*, *dunque*, *ecco*, *cioè*, tra quali avverbi potranno essere classificati? Per **insomma** bisogna coniare la categoria degli avverbi conclusivi o riassuntivi, che potrebbe essere una sottocategoria degli avverbi affermativi: "*Insomma*, abbiamo finito per accettare e siamo partiti con lui". Anche **dunque**, che funziona pure da congiunzione, è da considerare un avverbio conclusivo o riassuntivo: i grammatici più severi, però, non permettono che con questo avverbio si cominci un discorso e quindi considerano scorrette forme come "*Dunque*, i Romani sconfissero Annibale a Zama...". **Ecco** non sembra riconducibile a nessuna categoria di avverbi: serve per indicare, annunciare, presentare qualcosa o per richiamare l'attenzione su qualcuno, specialmente in frasi esclamative o in frasi nominali e si premette sia a nomi ("*Ecco* il conto") sia a verbi ("*Ecco* fatto") sia a pronomi personali atoni ("*Eccomi*!") sia ad altri avverbi ("*Ecco* qua!") sia a congiunzioni ("*Ecco* che arriva Laura!"). Può avere valore conclusivo ("*Ecco* perché non ti sei più fatto vedere") e può essere usato come rafforzativo di congiunzione ("Non lo vedevo da anni, quand'*ecco* me lo trovo davanti"). **Cioè** (composto di *ciò* ed *è*) è un avverbio che si potrebbe definire dichiarativo o esplicativo, in quanto fornisce una equivalenza o una precisazione: "Sono le diciotto, *cioè* (= vale a dire) le sei del pomeriggio". In forma interrogativa, si usa per chiedere spiegazioni: «"Hai sbagliato." "*Cioè*?"». Talvolta ha funzione correttiva, con il significato di "o meglio": "Parlo io, *cioè* no, parla tu".

Di difficile collocazione infine è anche l'avverbio **eccetera** (dal latino *et cetera*, 'e tutte le rimanenti cose') che, di solito abbreviato in *etc.* oppure *ecc.*, viene usato al termine di un elenco o di una citazione per indicare che se ne omettono alcune parti: "Ricordati di portare i fogli, il righello, la matita, i pastelli *ecc.*".

3. I gradi dell'avverbio

Come gli aggettivi, numerosi avverbi possono esprimere diversi gradi di intensità del loro significato e quindi, oltre al grado positivo, possono avere il **grado comparativo** e **superlativo**:

• grado positivo		Arriverò *presto*.
• grado comparativo	di maggioranza	Arriverò *più presto* di ieri.
	di uguaglianza	Arriverò *presto come* l'altro ieri.
	di minoranza	Arriverò *meno presto* di lui.
• grado superlativo	assoluto	Arriverò *prestissimo*.
	relativo	Arriverò *il più presto possibile*.

In particolare, possono avere il comparativo e il superlativo:

• tutti gli avverbi di modo ad eccezione di quelli uscenti in *-oni* e di pochi altri quali *così*, *altrimenti*: "Parla *più piano*!"; "Parla *pianissimo*!"; "Parla *il più piano* possibile"; "Devi lavorare *meno distrattamente*";

- gli avverbi di luogo *lontano* e *vicino*: "Da Luisa andrò io che abito *più vicino*"; "La nonna abita *vicinissimo*";

- gli avverbi di tempo *presto*, *tardi*, *spesso*: "Domani devo alzarmi *prestissimo* o, per lo meno, *più presto* del solito". L'avverbio di tempo *subito* ammette solo il superlativo: "Questo lavoro fa fatto *subitissimo*";

- gli avverbi di quantità *poco* e *molto* che presentano le forme irregolari di comparativo *meno* e *più*: "Ho speso *più* del dovuto"; "Ho speso *meno* del previsto"; "Quando è morto il suo criceto il bambino ha pianto *moltissimo*";

- l'avverbio di dubbio *probabilmente*: "Ti scriverò o, *più probabilmente*, ti telefonerò".

La costruzione del comparativo e del superlativo relativo dell'avverbio segue norme analoghe a quelle già indicate a proposito dell'aggettivo qualificativo. In particolare, il comparativo si forma premettendo **più** (maggioranza) o **meno** (minoranza) all'avverbio e, nel caso del comparativo di uguaglianza, posponendo **come** all'avverbio. Il superlativo assoluto, invece, si forma aggiungendo all'avverbio, privato della vocale finale, il suffisso **-issimo** (*prestissimo*) o, se si tratta di un avverbio in *-mente*, aggiungendo il suffisso *-mente* alla forma femminile del superlativo dell'aggettivo (*rapidissimamente*). Il superlativo assoluto si può anche costruire premettendo all'avverbio di grado positivo gli avverbi di quantità *molto* e *assai*: *molto rapidamente*. Il superlativo relativo, infine, è una forma perifrastica del tipo "il più presto possibile", "il più rapidamente possibile".

Quando in funzione di avverbio di grado positivo è usata la forma maschile singolare di un aggettivo, come grado superlativo assoluto dell'avverbio si usa il superlativo assoluto dell'aggettivo stesso: "Ho parlato *chiaro* → Ho parlato *chiarissimo*". Talvolta, nello stesso caso, si può ottenere il superlativo assoluto anche ripetendo l'avverbio di grado positivo: "Nevica *fitto fitto*"; "Il corteo avanza *piano piano*".

Gli avverbi derivanti da aggettivi qualificativi e indefiniti che hanno forme particolari di comparativo e di superlativo presentano anch'essi forme particolari di comparativo e di superlativo:

AGGETTIVO GRADO POSITIVO	AVVERBIO GRADO POSITIVO	AVVERBIO GRADO COMPARATIVO DI MAGGIORANZA	AVVERBIO GRADO SUPERLATIVO ASSOLUTO
buono	**bene**	**meglio**	**ottimamente** **benissimo** **molto bene, assai bene**
cattivo	**male**	**peggio**	**pessimamente** **malissimo** **molto male, assai male**
molto	**molto**	**più**	**moltissimo** **assai**
poco	**poco**	**meno**	**pochissimo** **minimamente** **molto poco, assai poco**
grande	**grandemente**	**maggiormente**	**massimamente** **sommamente**

L'avverbio di quantità *minimamente* (superlativo assoluto di *poco*) è utilizzato raramente nel suo significato letterale di "pochissimo, in maniera del tutto trascurabile": "La temperatura è salita, ma solo *minimamente* (= pochissimo)". Per lo più, invece, è usato come rafforzativo di una negazione con il significato di "per niente": "Non lo stimo *minimamente* (= per niente)".

4. L'alterazione degli avverbi

Alcuni avverbi possono essere alterati aggiungendo alla radice dell'avverbio le desinenze tipiche del diminutivo (*-ino*, *-etto*, *-ettino*), del vezzeggiativo (*-uccio*), dell'accrescitivo (*-one*) e del peggiorativo (*-accio*):

bene → *benino*, *benone*;
male → *malino*, *maluccio*, *malaccio*;
adagio → *adagino*;
tardi → *tardino*, *tardetto*, *tarduccio*;
poco → *pochino*, *pochetto*, *pocuccio*, *pochettino*.

5. Le locuzioni avverbiali

Le locuzioni avverbiali sono gruppi di parole che vengono usati come frasi fatte e che svolgono la funzione di avverbio:

I due ragazzi corsero *a perdifiato.*

Nella frase "I due ragazzi corsero *a perdifiato*", l'espressione *a perdifiato* è una locuzione avverbiale, in quanto precisa il modo in cui i due ragazzi compiono l'azione di correre, svolgendo una funzione del tutto analoga all'avverbio.

Le locuzioni avverbiali, come gli avverbi, possono essere:

• **locuzioni avverbiali di modo**: *alla svelta, a precipizio, di corsa, in fretta e furia, a rotta di collo, alla meglio, alla meno peggio, a caso* (anche nella forma alterata peggiorativa *a casaccio*), *così così, in un batter d'occhio, di buon grado, a più non posso* ecc.;

• **locuzioni avverbiali di luogo**: *di qui, di là, di sopra, di sotto, in su, in giù, di fuori, per di qua, per di là, da queste parti, nei dintorni, nei pressi, nei paraggi, da lontano, da vicino* ecc.;

• **locuzioni avverbiali di tempo**: *una volta, un tempo, per sempre, per l'addietro, or ora, d'ora in avanti, fra poco, in futuro, di buon'ora, di quando in quando* ecc.;

• **locuzioni avverbiali di quantità**: *a bizzeffe, press'a poco, all'incirca, né più né meno, fin troppo, di più, di meno, un poco* (anche nella forma alterata diminutiva/vezzeggiativa *un pochino, un pochetto, un pochettino*) ecc.;

• **locuzioni avverbiali di affermazione, di negazione e di dubbio**: *di certo, senza dubbio, di sicuro, per l'appunto* ecc.; *neanche per idea, neanche per sogno* ecc.; *quasi quasi* ecc.;

• **locuzioni avverbiali interrogative**: *da dove?*.

7

La preposizione o funzionale subordinante

La **preposizione**[1] è quella parte invariabile del discorso che si premette a un elemento della frase (nome, pronome, verbo all'infinito, avverbio) per metterlo in relazione con un altro elemento della frase:

La bicicletta *di* Paolo è rotta. Laura vuole partire *con* te. Mi sono alzato *per* studiare.

Nella frase "La bicicletta *di* Paolo è rotta", la preposizione *di* posta davanti a "Paolo" collega tale nome al nome "la bicicletta" e stabilisce una *relazione di possesso* tra "Paolo" e "la bicicletta". Nel secondo esempio, invece, la preposizione *con* posta davanti al pronome "te" stabilisce una *relazione di compagnia* tra "Laura" e "te". Infine, nell'esempio "Mi sono alzato *per* studiare", la preposizione *per* posta davanti al verbo all'infinito "studiare" collega la forma verbale "Mi sono alzato" con "studiare" e stabilisce tra di esse una *relazione di fine* o scopo.

Funzioni

Le preposizioni hanno una funzione importantissima nell'economia del discorso: quella di **collegare** e **mettere in relazione tra loro gli elementi della frase**.

Per la funzione di collegamento che svolgono, le preposizioni sono

[1] Il termine "preposizione" deriva dal latino *praepositione(m)*, 'posizione davanti', che a sua volta deriva dal verbo *praeponere*, 'porre davanti'. La preposizione, infatti, si pone sempre davanti a un'altra parola senza la quale non avrebbe alcun significato e con cui forma un unico gruppo detto *gruppo preposizionale*.

chiamate **funzionali**[2] e, più precisamente, **funzionali subordinanti.** Infatti esse, sia quando sono preposte a un nome o a un pronome ("La bicicletta *di* Paolo si è rotta"; "Laura vuole parlare *con* te") sia quando sono preposte a un verbo all'infinito ("Mi sono alzato *per* studiare"), da una parte espandono e completano il significato della parola da cui dipendono, dall'altra mettono la parola cui sono premesse nella condizione di essere **subordinata**, cioè sottoposta, all'altra.

Così, nell'espressione "il motorino di Paolo", la preposizione *di* completa il nome "motorino", introducendo il nome di colui a cui esso appartiene, e, nello stesso tempo, stabilisce un rapporto di subordinazione tra "Paolo" e "motorino": il gruppo di parole "di Paolo", costituito da una preposizione + un nome e detto perciò **sintagma** (o **gruppo**) **preposizionale**, non potrebbe sussistere senza il gruppo "il motorino", da cui, appunto, dipende.

Sul piano sintattico, dunque, per la funzione che svolgono, costituiscono un elemento fondamentale nell'economia della frase: solo il soggetto, il complemento oggetto e il predicato sono introdotti direttamente nella frase, senza l'ausilio di preposizioni: tutte le altre determinazioni, cioè tutti i complementi che costituiscono un discorso sono **sintagmi preposizionali**, cioè sono introdotti mediante preposizioni.

Classificazione

In italiano, come nelle altre lingue, le preposizioni costituiscono una classe chiusa di parole. Infatti, mentre altre parti del discorso, come nomi, aggettivi, verbi e avverbi aumentano continuamente di numero, le preposizioni sono rimaste immutate nel numero e nella forma. So-

[2] I linguisti moderni considerano poco qualificante il termine preposizione, perché, osservano, anche l'articolo viene "posto prima" di un'altra parola, ma non è certo una preposizione. Perciò, tenendo conto più del ruolo che svolgono nella frase che della loro posizione, essi preferiscono chiamare le preposizioni, come anche le congiunzioni, *segni funzionali* o *funzionali*, un nome che mette bene in evidenza come il valore di questi segni stia tutto nella funzione che svolgono nella costruzione della frase e che è quella di indicare il tipo di collegamento che unisce i vari elementi di una proposizione o più proposizioni. In quanto, poi, il collegamento che stabiliscono è di tipo subordinante, le preposizioni sono dette meglio *funzionali subordinanti* o anche *funzionali relatori*, in quanto stabiliscono tra le parole relazioni di varia natura: di tempo, di luogo, di possesso, di fine, di causa.

no, comunque, abbastanza numerose, come numerosi sono i rapporti che possono intercorrere tra i diversi elementi di una frase, e di solito si dividono, in base alla **forma**, in tre gruppi:

• **preposizioni proprie** { **semplici**: *di*, *a*, *da*, *in*, *con*, *su*, *per*, *tra* (*fra*) / **articolate**: *del*, *degli*, *dei*, *delle*, *al*, *allo* ecc.

• **preposizioni improprie**: *davanti*, *dietro*, *dopo*, *fuori*, *senza*, *lungo* ecc.

• **locuzioni prepositive**: *lontano da*, *fuori di*, *vicino a*, *insieme con* ecc.

1. Le preposizioni proprie

Le **preposizioni proprie** sono così chiamate perché possono svolgere solo la funzione di preposizione. Esse sono nove: **di**, **a**, **da**, **in**, **con**, **su**, **per**, **tra** o **fra**.

> Un gruppo *di* donne *con* i bambini *in* braccio o *per* mano andavano *a* cercare l'acqua camminando *su* uno stretto sentiero *tra* gli alberi.

Le preposizioni proprie sono tutte **semplici**, cioè costituite da una sola parola, e invariabili. Tra esse, però, le preposizioni *di*, *a*, *da*, *in*, *su* (in qualche caso *con*, raramente *per*, mai *tra* e *fra*) si combinano con le diverse forme dell'articolo determinativo a costituire le cosiddette **preposizioni articolate**, cioè preposizioni con l'articolo, e diventano variabili: *del* (di + il), *dello* (di + lo), *della* (di + la), *dei* (di + i), *degli* (di + gli), *delle* (di + le); *al*, *allo*, *alla*, *ai*, *agli*, *alle* ecc.:

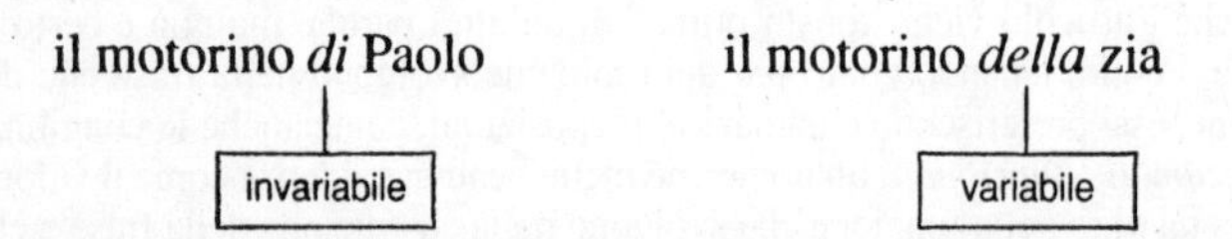

Quanto al significato, le preposizioni proprie sono **generiche** e **polivalenti**. Ciascuna di esse, infatti, pur avendo un suo significato fondamentale, può assumere significati diversi a seconda del tipo di relazione che stabilisce tra le parole, come risulta dai paragrafi seguenti.

1.1. La preposizione *di*

La preposizione **di**[3] è una delle preposizioni di uso più frequente e vario. In linea di massima indica solo un rapporto fra due elementi della frase, rapporto che, quanto al significato, varia a seconda del significato degli elementi della frase che lo costituiscono e che, comunque, è riconducibile per lo più a un'idea di **appartenenza** o di **identità**. Per la sua genericità, la preposizione *di* serve a stabilire collegamenti del tipo più diverso, e introduce un gran numero di complementi indiretti.

In particolare, regge i seguenti complementi indiretti:

specificazione: "Dovrò comprare il libro *di geografia*"; "Ho raccolto fiori *di campo*"; "Abbiamo ammirato gli affreschi *di Giotto*". Ma la preposizione *di*, anche quando è usata nella sua funzione più caratteristica, quella di specificazione, può stabilire rapporti del tipo più diverso fra i vari elementi della frase, tanto da produrre talvolta ambiguità di significato. Un'espressione come: "un libro *di Antonio Bianchi*" si può intendere sia come "un libro appartenente ad Antonio Bianchi" (specificazione possessiva),[4] sia "un libro scritto da Antonio Bianchi". Analogamente, l'espressione "l'amore *dei genitori*" si può intendere sia come "l'amore che i genitori provano nei confronti dei figli" (specificazione soggettiva: l'espressione risolta in frase suonerebbe: "i genitori amano i figli") sia "l'amore che i figli portano ai genitori" (specificazione oggettiva: l'espressione risolta in frase suonerebbe: "i figli amano i genitori"). Nei casi di significato ambiguo come quelli riportati, solo il contesto può indicare quale senso si debba attribuire alla frase.

[3] Davanti a vocale la preposizione *di* subisce spesso l'elisione: "un acino *d*'uva"; "*d*'inverno"; "un anello *d*'oro".

[4] La specificazione possessiva deve essere sempre espressa dalla preposizione *di*. In alcune parlate regionali si usa, invece, indicare la specificazione possessiva, specialmente quando riguarda rapporti di parentela, con la preposizione *a*. Si tratta di un uso scorretto e si dirà perciò: "Quel bambino è figlio *di mia sorella*" e non "Quel bambino è figlio *a mia sorella*"; "Antonio è parente *di Maria*" e non "Antonio è parente *a Maria*". Analogamente si userà l'espressione "un tale *di nome* Giovanni" e non "un tale *a nome* Giovanni".

denominativo: “Nella città *di Milano* si svolgono importanti manifestazioni”; “Nel mese *di luglio* partiremo per le vacanze”.

partitivo: “Uno *di noi* sarà eletto capoclasse”; “La stagione teatrale quest’anno non presenta nulla *di bello*”. Rientra in questo gruppo anche il partitivo retto da un superlativo relativo: “Il più bravo *della squadra* è stato premiato”.

paragone: “Paolo è più educato *di te*”; “La rosa è meno profumata *del giglio*”. Anche per il complemento di paragone la preposizione *di* è specifica.

materia: “Ho comprato un paniere intessuto *di vimini*”.

argomento: “Paolo discute spesso *di calcio* con gli amici”. Cfr. anche nei titoli di opere letterarie: “*Dei delitti e delle pene*”.

causa: “Non ho assistito allo spettacolo perché morivo *di sonno*”.

fine: “Ogni locale pubblico deve essere dotato di una uscita *di sicurezza*”.

mezzo: “Preparerò una torta farcita *di cioccolato*”.

modo o maniera: “I miei figli studiano *di malavoglia*”.

qualità: “Mia madre è una donna *di bassa statura*”.

abbondanza: “Quell’uomo ha rubato una borsa piena *di soldi*”.

privazione: “Quel ragazzo è privo *di complessi*”.

età: “Mio nonno è un vecchio *di novant’anni*”.

stima: “Quel quadro è un’opera *di grande valore*”.

prezzo: “I nostri amici hanno acquistato una villa *di quattrocento milioni*”.

colpa: “Quell’uomo è ritenuto colpevole *di omicidio*”.

pena: “Antonio è stato multato *di quindicimila lire*”.

quantità e misura: “Ho bisogno di scarpe *del numero quaranta*”.

limitazione: “Soffro spesso *di denti*”.

origine e provenienza: “La mia famiglia è originaria *di Roma*”; “Il mio compagno è nativo *della Sicilia*”. La preposizione

	di, in questi casi, indica anche la paternità: "Giovanni Bianchi *di Antonio*".
tempo determinato:	"*di giorno*"; "*di notte*"; "*di primavera*". Si vedano anche le espressioni "*di giorno in giorno*"; "*di anno in anno*"; "*di punto in bianco*".
distributivo:	"*di cinque in cinque*".
moto da luogo:	"Andiamo *di città in città*"; "Va *di male in peggio*"; "Salta *di palo in frasca*"; "*Di povero* che era, è diventato ricchissimo".

Le forme articolate della preposizione *di* (*del*, *dello*, *della*, *dei*, *degli*, *delle*) sono usate anche come **articoli partitivi**, con il significato di *un po' di...*, *alcuni*, *alcune*: "Mi occorre *della* farina (= un po' di farina)"; "Esco con *delle amiche* (= alcune amiche)".

Quando forma un articolo partitivo, la preposizione *di* perde il valore di preposizione assumendo quello di articolo e può, dunque, introdurre anche i complementi diretti, vale a dire il soggetto e il complemento oggetto: "*Dei bambini* giocano in strada"; "In lontananza vedo *delle case*".

Seguita da un verbo all'infinito, la preposizione *di* introduce le seguenti proposizioni subordinate:[5]

soggettiva:	"Mi pare *di sognare*".
oggettiva:	"Penso *di partire*"; "Credo *di non aver capito*".
finale:	"Vi ordino *di tacere*".
consecutiva:	"Lo spettacolo merita *di essere visto*".
causale:	"Mi spiace *di non averti dato ascolto*".

La preposizione *di* serve anche a formare:

locuzioni prepositive: *prima di*, *per mezzo di* ecc.;

locuzioni avverbiali: *di su*, *di giù*, *di fronte*, *di nascosto* ecc.;

locuzioni congiuntive: *di modo che* ecc.

[5] Quando regge un verbo all'infinito, introducendo una subordinata, la preposizione *di* assume il valore di una congiunzione. La stessa considerazione vale per le altre preposizioni che possono introdurre una subordinata (*a*, *per*, *da*, *in*). Nella realtà della lingua, dunque, il confine tra la classe delle preposizioni e quella delle congiunzioni non è sempre ben definito. Appunto per questo motivo, invece di ricorrere alla suddivisione tradizionale, si possono unificare preposizioni e congiunzioni in un'unica categoria comune, quella dei funzionali.

La preposizione *di* si usa, infine, come **prefisso** nella formazione dei verbi derivati o composti. In questo caso, spesso presenta la forma originaria latina *de*. Nei derivati e nei composti, la preposizione *di/de* indica:

derivazione: *derivare, decedere, detrarre*;

distacco: *divergere, divincolare*;

negazione: *decrescere, decolorare, deformare, destabilizzare*.

1.2. La preposizione *a*

La preposizione **a**[6] è di uso molto frequente. Indica la direzione di un movimento, sia reale sia figurato, o il punto di arrivo del movimento, ma presenta anche numerosi altri significati. Preposizione specifica per il complemento di termine, la preposizione *a* ha assunto una funzione analoga alla preposizione *di* come fattore generico che pone in rapporto due elementi di una proposizione o due proposizioni.

In particolare, introduce i seguenti complementi indiretti:

termine:	"Affido *a te* quell'incarico"; "Porta la pipa *al nonno*".
stato in luogo:	"La mia famiglia vive *a Milano*"; "Mio fratello lavora *allo sportello* di una banca".
moto a luogo:	"Mi recherò *all'estero* per lavoro".
distanza:	"La pensione sorge *a cento metri* dal mare".
tempo determinato:	"Partirò *all'alba*".
modo o maniera:	"Imparate *a memoria* la poesia".
mezzo:	"I bambini giocano *a palla* nel cortile".
causa:	"*A quelle parole* arrossì".
età:	"Paolo ha disegnato quel paesaggio *a dodici anni*".
qualità:	"È un'automobile *a quattro posti*".

[6] Per ragioni di eufonia, per ottenere cioè un suono più gradevole, la preposizione *a* si modifica in *ad* (o, meglio, recupera la forma originaria *ad* tipica del latino) davanti a parole inizianti con la vocale *a*: "Questo treno va *ad Ancona*"; "Porto questo libro *ad Anna*". L'uso moderno, però, tende a usare sempre più spesso *a* anche davanti alla vocale *a*, tranne nei casi di evidente cacofonia. Ma talora casi di cacofonia si creano proprio se si vuole a tutti i costi usare la forma eufonica *ad* davanti alla vocale *a*: "Gli Italiani furono sconfitti *ad Adua*".

limitazione: "È un uomo coraggioso *a parole*"; "*A mio parere*".
fine: "La domenica vado *a pesca*".
vantaggio: "I grassi fanno male *al fegato*".
pena: "È stato condannato *all'ergastolo*".
misura: "Correvamo *a cento all'ora*".
prezzo: "Vendo tutto *a diecimila lire* il pezzo".
distributivo: "Marciare *a due a due*"; "Entrare *a uno a uno*".

Seguita da un verbo all'infinito, la preposizione *a* introduce le seguenti proposizioni subordinate:

finale: "Verrò di persona *a salutarti*".
causale: "Hai fatto bene *a scrivermi*".
temporale: "*A sentirlo dire così*, non ci ho visto più".
condizionale: "*A credere a lui*, tutto andava a gonfie vele".

La preposizione *a* serve anche a formare:

locuzioni prepositive: *davanti a*, *sotto a*, *intorno a*, *in mezzo a* ecc.;

locuzioni avverbiali: *a stento*, *a caso*, *a naso* ecc.;

locuzioni avverbiali iterative: *a poco a poco*, *a mano a mano* ecc.

La preposizione *a*, infine, si usa molto spesso come **prefisso** nella formazione di molti verbi, specialmente derivati da nomi: *atterrare*, *affondare*, *avverare*, *accompagnare*. Come si vede, la preposizione *a* in composizione raddoppia la consonante seguente.

Osservazioni

– In alcune particolari espressioni si è imposto, soprattutto per influenza della lingua francese, l'uso della preposizione *a*, semplice o articolata, al posto di *con*, *in*, *su* ecc. Riportiamo alcune di tali costruzioni, indicando in parentesi la forma che, pur essendo quella "corretta" sul piano grammaticale, è ormai caduta in disuso: *pasta al sugo* (con il sugo); *uova al burro* (con il burro); *cioccolato al latte* (con il latte); *sardine all'olio* (con l'olio); *carne alla griglia* (sulla griglia); *disegno a matita* (con la matita); *lavoro all'uncinetto*, *ai ferri* (con l'uncinetto, con i ferri); *scrivere a penna* (con la penna); *pollo allo spiedo* (sullo spiedo); *lasagne al forno* (nel forno).
– Quando è unita a un numerale distributivo e in alcune particolari locuzioni avverbiali, la preposizione *a* deve essere ripetuta prima di entrambi gli elementi da cui è composta l'espressione. Si dirà perciò: *a due a due*; *a poco a poco*; *a mano a mano*. Va rilevato, però, che nell'uso pratico della lingua si

impongono sempre più le espressioni abbreviate: *due a due*, *poco a poco*, *mano a mano*. In luogo di *a mano a mano* o *mano a mano*, si può usare anche *man mano*.

– I complementi retti dalle preposizioni sono sempre *complementi indiretti*. Il soggetto e il complemento oggetto, invece, non possono essere introdotti da una preposizione. Tale indicazione è utile per praticare correttamente l'analisi logica, cioè per individuare la funzione logica delle diverse parti che compongono una frase.

– In alcune parlate regionali si fa precedere talvolta il complemento oggetto dalla preposizione *a*. Spesso vivace ed espressiva, tale forma viene usata, talvolta, anche da noti scrittori: "... *a noi* ci mandano a letto..."; "... *a noi* ci chiamano per nome..." (S. Agnelli, *Vestivamo alla marinara*, Mondadori, Milano, 1971). Si tratta, comunque, di una costruzione scorretta, accettabile solo eccezionalmente. Si dirà perciò "Il professore accusa sempre *me*", e non "Il professore accusa sempre *a me*". Il soggetto e il complemento oggetto, come si è visto, possono essere preceduti esclusivamente dalla preposizione *di*, articolata, in funzione di partitivo. In tal caso, però, *di* perde il valore di preposizione per assumere quello di articolo: "*Dei lupi* sono scesi a valle"; "Ho perso *del denaro*".

1.3. La preposizione *da*

La preposizione **da**[7] indica un concetto di provenienza, di distacco e allontanamento, sia reale sia figurato. È la preposizione specifica del complemento d'agente, che indica la persona da cui si genera l'azione subìta dal soggetto, ma può anche esprimere molti altri significati.

In particolare, regge i seguenti complementi indiretti:

agente:	"Paolo è stato lodato *da tutti*".
causa efficiente:	"Il bosco è squassato *dal vento*".
causa:	"Rabbrividisco *dal freddo*".
moto da luogo:	"Il treno proveniente *da Roma* è in ritardo"; "Lo zio è tornato *da* Londra ieri sera".
moto a luogo:	"Vieni *da me* nel pomeriggio".

[7] La preposizione *da*, al contrario della preposizione *di*, non si elide mai davanti a parola iniziante per vocale, tranne che in alcune locuzioni avverbiali, come *d'ora in poi*, *d'altronde*, *d'ora in avanti*. Nelle locuzioni avverbiali, quando è seguita da una parola iniziante per consonante, può fondersi con la parola, che raddoppia la consonante iniziale: *da basso* → *dabbasso*; *da vero* → *davvero*; *da capo* → *daccapo*; *da che* → *dacché* ecc.

moto per luogo: "Evita di passare *dal centro*".

stato in luogo: "Abita *dai suoi*".

separazione: "Le Alpi separano l'Italia *da vari Stati europei*".

allontanamento: "Si è staccato *dai suoi familiari*".

distanza: "I miei parenti abitano *a venti km* da Napoli".

origine e provenienza: "Il Po nasce *dal Monviso*"; "Molte parole derivano *dal latino*".

tempo: "Non fa più niente *da sei mesi*"; "Ti aspettavamo *da ieri*".

qualità: "Una bambina *dagli occhi azzurri*".

limitazione: "Cieco *da un occhio*".

mezzo: "Lo riconosco *dai vestiti*".

fine: "Mi piacciono le automobili *da corsa*".

stima e prezzo: "Ho acquistato un appartamento *da un miliardo*".

modo: "Oggi ho mangiato *da re*".

La preposizione *da*, inoltre, si usa per introdurre un **predicativo**: "Paolo vive *da gran signore*"; "Le farò *da padre*". Spesso indica l'**età**: "*da bambino*". Talora ha il significato di "**degno di**": "Non è *da te* dire queste cose".

Seguita da un verbo all'infinito, la preposizione *da* introduce le proposizioni:

consecutiva: "Sono contenta *da impazzire*".

finale: "Preparami qualcosa *da mangiare*".

La preposizione *da* forma:

locuzioni prepositive: *da parte di*, *fino da* ecc.

locuzioni avverbiali: *da lontano*, *da vicino*, *d'ora in avanti*.

Osservazioni

– In alcune particolari espressioni si è imposto l'uso della preposizione *da* al posto delle preposizioni *per* e *di*. Ad esempio, ormai si dice solitamente macchina *da scrivere*, *da cucire* invece di macchina *per scrivere*, *per cucire*, festa *da ballo* e biglietto *da visita* invece di festa *di ballo* e biglietto *di visita*.

– Attenzione alla differenza di significato tra le seguenti espressioni:
una tazza *di tè* (= colma di tè); una tazza *da tè* (= destinata a contenere tè); un bicchiere *di vino* (= colmo di vino); un bicchiere *da vino* (= fatto per contenere vino); un campo *di grano* (= coltivato a grano); un campo *da grano* (=

adatto alla coltivazione del grano); una pianta *della serra* (= una pianta fra quelle che ci sono in una serra); una pianta *da serra* (= che deve essere coltivata in serra).

1.4. La preposizione *in*

La preposizione **in** indica, fondamentalmente, un'idea di posizione, reale o figurata, nello spazio e nel tempo, ma può assumere vari altri significati. In particolare, regge i seguenti complementi indiretti:

stato in luogo: "La banda suonerà *in piazza*"; "Abita *in Italia* da anni".

moto a luogo: "L'anno prossimo andremo *in Sardegna*".

moto per luogo: "Passeggiava *in giardino*"; "Il bambino correva *nel parco*".

tempo determinato: "Tornerò *in primavera*"; "Paolo è nato *nel 1975*". Si vedano anche le espressioni in cui la preposizione *in* indica il periodo entro cui si compie qualcosa: "Il lavoro sarà finito *in una settimana*".

modo: "Vivere *nell'angoscia*"; "Se sei *in dubbio*, non fare niente". Rientrano nell'espansione-complemento di modo anche le espressioni che indicano un modo di vestire ("correre *in tuta*"; "stare tutto il giorno *in vestaglia*"; "sposarsi *in bianco*") e le espressioni che indicano un modo di cucinare una vivanda ("riso *in bianco*"; "lepre *in salmì*").

mezzo: "Viaggiamo spesso *in treno*".

limitazione: "È molto bravo *in italiano*"; "*Nel suo lavoro* non è secondo a nessuno"; "Mi sono specializzato *in psicologia*". Rientrano in questa categoria le espressioni indicanti professione o attività commerciale: "dottore *in legge*"; "commerciante *in vini*".

materia: "Rivestimento *in sughero*"; "letto *in ferro battuto*". Ma ormai in questi casi si preferisce usare la preposizione *di*: "statue *di bronzo*"; "vestire *di grigio*"; "bracciale *d'oro*" hanno ormai sostituito "statue *in bronzo*"; "vestire *in grigio*"; "bracciale *in oro*".

fine: "È sempre pronto a correre *in aiuto* di qualcuno"; "Paolo ha ricevuto *in premio* un gettone d'oro".

quantità: "Verremo *in dieci*"; "Saranno stati *in tre o quattro*".

La preposizione *in* si usa anche in alcune espressioni di difficile collocazione sintattica. Ad esempio, preposta al cognome del marito, per indicare lo stato civile di una donna sposata: "Laura Bianchi *in Veronesi*". Si usa in espressioni a metà strada tra lo stato in luogo figurato e la causa: "tormentarsi *nel dubbio*"; "soffrire *nel ricordo* di qualcosa". Si usa, infine, in espressioni che indicano mutamenti e che potrebbero rientrare nel moto a luogo figurato: "cambiare i propri soldi *in valuta straniera*"; "trasformarsi *in un delinquente*".

Seguite da un verbo all'infinito, le forme articolate della preposizione *in* (*nel, nell', nello*) introducono una preposizione subordinata che per lo più corrisponde a un gerundio: "*Nel dirlo* (= dicendolo), pianse"; "Ho strappato la gonna *nello scendere* (= scendendo) dall'auto".

La preposizione *in* forma:

locuzioni prepositive: *in base a, in ragione di, in mezzo a, in virtù di* ecc.:

locuzioni avverbiali: *in su, in giù, in alto, in basso, in realtà, in effetti* ecc.; *di ora in ora, di tanto in tanto, di volta in volta* ecc.;

locuzioni congiuntive: *in modo che, nel caso che, in quanto* ecc.

La preposizione *in* è molto usata come **prefisso** nella formazione delle parole composte. Per lo più, come prefisso, ha:

– valore **locativo-direzionale** (specialmente nella formazione dei verbi): *mettere → immettere; chiodo → inchiodare; fila → infilare; cassa → incassare*. In composizione, a volte, la *in* raddoppia la *n* finale davanti a vocale (*alzare → innalzare*); altre volte, invece, non raddoppia (*abisso → inabissare*). Davanti alle consonanti *b, p, m*, la *in-* si assimila in *im-* (*mettere → immettere; bocca → imboccare*);

– valore di **negazione** (specialmente con i nomi e gli aggettivi): *pazienza → impazienza; sufficienza → insufficienza; abile → inabile; capace → incapace; fedele → infedele; possibile → impossibile.*

1.5. La preposizione *con*

La preposizione **con** indica, fondamentalmente, un'idea di unione o partecipazione oppure un rapporto di carattere strumentale. Preposizione specifica dell'espansione-complemento di compagnia e di unione, assume anche altri significati.

In particolare, regge i seguenti complementi indiretti:

compagnia: "Vado in vacanza *con mio fratello*".

unione: "Ricordati di venire *con la penna e la matita*".

mezzo: "Siamo arrivati *con il treno*"; "Lo colpì *con un pugno*".
modo: "Si esprime *con sicurezza*"; "Studia *con entusiasmo*".
causa: "*Con questa nebbia* è pericoloso mettersi in viaggio".
qualità: "È una ragazza *con gli occhi azzurri*".
limitazione: "*Con il lavoro* vado piuttosto bene".
tempo: "*Con l'estate* arriveranno anche le belle giornate"; "Siamo partiti *con la pioggia* ma siamo arrivati in montagna *con il sole*".

Difficilmente etichettabile è il valore della preposizione *con* in espressioni oscillanti tra il complemento di **compagnia** e il complemento di **limitazione**, come: "combattere *con un nemico invisibile*"; "sposarsi *con un amico d'infanzia*"; "essere in rapporti d'affari *con una ditta canadese*"; "fissare un appuntamento *con il dentista*". Nel registro colloquiale-familiare, la preposizione *con* ha spesso **valore avversativo** o **concessivo** ed equivale a "nonostante": "*Con quel bel sole* dovremo restare a casa"; "*Con tutta la sua superbia*, ha dovuto accettare".

Seguita da un verbo all'infinito, la preposizione *con* equivale a un gerundio: "*Col troppo mangiare* (= mangiando troppo) si ingrassa".

Usata come **prefisso** nella composizione delle parole, la preposizione *con* indica **unione e collaborazione**, sia con i nomi (*socio* → *consocio*) sia con i verbi (*venire* → *convenire*). Quando è seguita da *m*, *b*, *p*, *con-* diventa **com-** (*muovere* → *commuovere*). Davanti a vocale diventa **co-** (*operare* → *cooperare*; *abitare* → *coabitare*).

1.6. La preposizione *su*

La preposizione **su** indica, fondamentalmente, un'idea di collocazione spaziale e, anche, di approssimazione e di contiguità.[8]

In particolare, regge i seguenti complementi indiretti:

stato in luogo: "Ho visto un bel ristorante *sul lago*".

[8] La preposizione *su*, unica fra le preposizioni proprie, non è veramente "propria" perché può essere usata anche come avverbio di luogo. Distinguere le sue due funzioni non è difficile. *Su* è una preposizione quando regge un nome: "Il merlo si è posato *su un ramo*". Invece è avverbio quando è usata da sola: "Il pescatore ha tirato *su* un luccio". Alcuni grammatici suggeriscono di distinguere graficamente *sù* (con l'accento) avverbio da *su* preposizione, ma si tratta di una distinzione inutile.

moto a luogo: “Saliremo insieme *sulla cima* del monte”. In taluni casi, la preposizione *su* significa “verso”: “La nostra stanza dà *sul mare*”. In altri casi, significa “contro”: “Le truppe nemiche marciarono *sulla città*”.

argomento: “Ho letto un libro *su Giacomo Leopardi*”.

modo: “Accetta solo lavori *su ordinazione*”.

tempo determinato: “Siamo partiti *sul far del giorno*”.

Come nel complemento di tempo determinato, la preposizione *su* indica approssimazione anche nei seguenti complementi:

tempo continuato: “Starò via *sui dieci giorni*”.

età: “Suo zio è morto *sui cinquanta*”.

quantità: “Paolo peserà *sui sessanta chili*”.

misura: “Roma dista da qui *sui venti-trenta km*”.

prezzo: “L’abbonamento costa *sulle quindicimila lire*”.

La preposizione *su* può anche avere valore **distributivo**: “Sono stati promossi ottantasei alunni *su cento*”.

La preposizione *su*, infine, si usa in varie **locuzioni avverbiali**: *su due piedi*, *sull’istante*, *sul serio* ecc.

Osservazioni

Quando, all’interno di una frase, il titolo di un libro, di un quotidiano o di un’opera teatrale è retto da una preposizione, sarebbe preferibile non accorpare preposizione e articolo e presentare così il titolo nella sua versione esatta: “Ho letto un saggio *su I Promessi Sposi*”; “Questi dati sono tratti *da* ‘la Repubblica’ ”. Nel caso in cui il titolo è preceduto dalla preposizione *di*, la preposizione si modifica in *de*: “Tutti conoscono la trama *de I Promessi Sposi*”. Nell’uso pratico, però, si tende, soprattutto nel parlato, ad operare l’accorpamento fra preposizione e articolo: “Ho letto un saggio *sui Promessi Sposi*”; “Questi dati sono tratti *dalla* ‘Repubblica’ ”; “Tutti conoscono la trama *dei Promessi Sposi*”.

1.7. La preposizione *per*

La preposizione **per** indica, fondamentalmente, un’idea di passaggio e di tramite e, anche, di scopo e di motivazione.

In particolare, regge i seguenti complementi indiretti:

moto per luogo: “Il Giro passerà *per Napoli*”; “Uscire *per la porta*”.

La preposizione *per* indica anche movimento in luogo circoscritto: "Ho passeggiato a lungo *per la città*".

moto a luogo: "Il treno *per Roma* è in ritardo di due ore".

stato in luogo: "Non sedetevi *per terra* perché è sporco".

tempo continuato: "Ho studiato *per tre ore*"; "Restò zitto *per un attimo*"; "Ha dormito *per tutto il pomeriggio*". Ormai, però, in queste espressioni la preposizione tende a cadere e si preferisce dire: "Ho studiato *tre ore*"; "Ha dormito *tutto il pomeriggio*". Valore temporale la preposizione *per* ha anche in espressioni come "L'appuntamento dal dentista è *per domani*". In espressioni come "Fammi sapere qualcosa *per stasera*", invece, la preposizione *per* ha un significato oscillante tra il tempo determinato e il fine.

termine: "C'è un telegramma *per te*".

predicativo: "Abbiamo *per insegnante* lo stesso dell'anno scorso".

fine: "Lottare *per la libertà*"; "Macchina *per la stampa*".

vantaggio: "È stato un bene *per tutti* che Paolo non ci fosse".

mezzo: "Fammi sapere qualcosa *per lettera*".

causa: "Sono stanco morto *per la fatica*"; "Suda *per il caldo*".

modo: "Diceva così *per scherzo*"; "Laura espose i fatti *per sommi capi*".

distributivo: "Entrate *uno per volta*"; "Disponetevi in fila *per tre*".

prezzo: "Ho dovuto venderlo *per poche lire*".

misura: "La strada è interrotta *per tre km*".

limitazione: "*Per me* è sbagliato"; "È stimata *per la sua intelligenza*".

colpa: "Ha subìto un processo *per furto*".

La preposizione *per*, inoltre, indica la **proporzione** e la **percentuale** nelle espressioni: "Ha ottenuto un interesse *del sette per cento*"; indica **sostituzione** e **cambio**: "Paolo ha abbandonato il nuoto *per il tennis*"; "L'hanno preso *per un ladro* e gli hanno sparato"; indica **successione nel tempo**: "Vivere *giorno per giorno*"; introduce un **giuramento** o una **imprecazione**: "L'ha giurato *per tutti i suoi morti*"; "*Per Giove!*"; "*Per la miseria!*". Si usa anche per indicare l'**operazione della moltiplicazione** in matematica: "*Due per due* è uguale a quattro".

Seguita da un verbo all'infinito, la preposizione *per* introduce le seguenti proposizioni:

finale: "Ti scrivo *per farti sapere* la data del mio arrivo".

consecutiva: "Non è abbastanza intelligente *per capire* che dà fastidio".

causale: "È stato punito *per aver mancato al suo dovere*".

Nelle espressioni *essere per*, *stare per* seguite da un verbo all'infinito, la preposizione *per* indica l'imminenza di un'azione o l'intenzione di compierla: "*Sta per piovere*"; "*Stavo per partire* ma ho cambiato idea".

La preposizione *per* forma:

locuzioni avverbiali: *per poco*, *per caso*, *per sempre*, *per ora* ecc.;

locuzioni congiuntive: *per la qual cosa*, *per quanto*, *per il fatto che* ecc.

Usata come **prefisso** nella composizione delle parole – per lo più verbi –, la preposizione *per* rinforza o ribadisce il concetto contenuto nella forma semplice, spesso aggiungendole l'idea di un fine: *mettere* → *permettere*; *seguire* → *perseguire*; *donare* → *perdonare*; *mutare* → *permutare*. Nella terminologia scientifica, *per* ha conservato il valore di prefisso di superlativo che aveva in latino. Così, in chimica indica, tra i vari composti ossigenati di un elemento, quelli a valenza maggiore: *acido perclorico*, *perclorato*. Cfr. anche *ossido* → *perossido*; *fosfato* → *perfosfato*.

1.8. Le preposizioni *tra* e *fra*

Le preposizioni **tra** e **fra**[9] indicano una posizione intermedia, nello spazio o nel tempo, tra due elementi. Esprimono quindi separazione nello spazio e nel tempo, ma anche relazione tra persone o cose.

In particolare, reggono i seguenti complementi indiretti:

stato in luogo: "Una casetta *tra il verde*"; "Sei sempre *fra i piedi*".

moto a luogo: "Tornerà *fra noi* per le vacanze".

[9] Le preposizioni *tra* e *fra* hanno lo stesso significato. Sono varianti della stessa preposizione e la scelta dell'una o dell'altra forma è determinata solo da ragioni di eufonia. Così, per evitare l'incontro degli stessi gruppi di consonanti, si preferisce dire "*tra* fratelli" invece di "fra *fratelli*" e "*fra* Treviso e Venezia" invece di "tra *Treviso e Venezia*". Attualmente, l'uso dei parlanti tende a preferire sempre più la forma *fra*.

moto per luogo: "Il sole filtra *tra i rami*".

quantità: "*Fra due km* siamo arrivati".

tempo: "Sarò a casa *tra una settimana*"; "Sarà da te *tra le sei e le sette*".

relazione: "Sono molto uniti *fra loro*"; "La guerra *tra i popoli*".

compagnia: "Sta sempre *tra le sue amiche*".

causa: "*Tra tanti impegni* non trovo un momento per me".

partitivo: "*Fra tutti* è il migliore"; "Alcuni *tra i presenti* uscirono".

In talune espressioni *tra* e *fra* indicano **approssimazione**: "Avrà *tra i cinquanta e i settant'anni*". Si vedano anche le espressioni con valore oscillante tra il **modale** e il **distributivo**: "Mi dibatto *fra troppi dubbi*"; "Sono incerto *tra il sì e il no*".

Le preposizioni *tra* e *fra* formano alcune **locuzioni avverbiali**: *tra breve*, *fra non molto*, *tra l'altro* ecc.

Usate come prefissi nella formazione delle parole composte, le preposizioni *tra* e *fra* aggiungono alla parola semplice l'idea di movimento o di passaggio da un punto all'altro (*mandare* → *tramandare*; *scrivere* → *trascrivere*) oppure di attraversamento (*forare* → *traforare*). In taluni casi la preposizione *tra* ha un valore attenuativo (*tramortire*).

Le preposizioni proprie *su*, *tra* e *fra*, quando sono premesse a un pronome personale, possono ricorrere alla mediazione di un'altra preposizione ("*su di* me", "*tra di* loro") o possono reggere direttamente il pronome ("*su* me"; "*tra* loro"). La prima forma, che dà luogo a una sorta di preposizione composta o, secondo altri, a una vera e propria locuzione prepositiva, è più corretta, ma la seconda è quella più usata.

2. Le preposizioni improprie

Le preposizioni improprie sono parti del discorso che, per un processo di ricategorizzazione, vengono usate anche come preposizioni: anzi, se si guarda alla frequenza d'uso funzionano soprattutto come preposizioni. In particolare:

• sono **avverbi**, ma possono anche avere funzione di preposizione: *davanti*, *avanti*, *dietro*, *innanzi*, *dentro*, *oltre*, *presso*, *fuori*, *sopra*, *sotto*, *su*, *accanto*, *attorno*, *intorno*, *circa*, *prima*, *dopo* ecc.:

Vai *fuori*!	(avverbio)
Starò *fuori* città per qualche giorno	(preposizione)
Tu stai *dietro*	(avverbio)
L'orto è *dietro* la casa	(preposizione)

• sono **aggettivi**, ma possono avere funzione di preposizione: *lungo*, *salvo*, *secondo* ecc.:

Un *lungo* sentiero porta al fiume	(aggettivo)
Un sentiero corre *lungo* il fiume	(preposizione)
Questo è il *secondo* premio	(aggettivo)
Secondo me bisogna fare così	(preposizione)

• sono participi presenti o passati, quindi **forme verbali**, ma possono avere funzione di preposizione: *durante*, *mediante*, *rasente*, *stante*, *nonostante*, *escluso*, *eccetto*, *verso*, *dato* ecc.:

Ti manterrò vita natural *durante*	(verbo)
Durante le vacanze ci siamo divertiti	(preposizione)

In questa categoria rientra anche la preposizione *tranne*, che in origine era l'imperativo presente del verbo *trarre* seguito dalla particella pronominale *ne*: *traine* (da *trai* + *ne*, come "togline").

• sono sia **aggettivi** sia **avverbi** e possono avere funzione di preposizione: *vicino*, *lontano* ecc.:

La nonna abita *vicino*	(avverbio)
L'orto della nonna è *vicino*	(aggettivo)
La nonna abita *vicino* a noi	(preposizione)

Una preposizione impropria, infine, è, o per lo meno era in origine, un nome: si tratta di *senza* che deriva, attraverso successive modificazioni dell'espressione latina *absentiā*, 'in assenza di': "*Senza di* te non posso vivere".

Osservazioni

– Alcune preposizioni improprie, come ad esempio *prima*, *assieme*, *lontano*, *vicino*, non si usano mai da sole ma sempre unitamente a un'altra preposizione, con cui formano, come vedremo qui sotto, una **locuzione prepositiva**.

– Diversamente dalle preposizioni proprie, che a causa della loro diffusione sono generiche e polivalenti, le preposizioni improprie sono caratterizzate da una diffusione meno ampia ma sono molto specifiche, esprimono cioè un significato sempre ben preciso.

La specificità delle preposizioni improprie, però, non è assoluta. Molte di esse, infatti, pur non essendo polivalenti, possono reggere più complementi indiretti. Ad esempio, le preposizioni *prima* e *dopo* reggono tanto un complemento di tempo ("Tornerò *prima dell'estate*"; "Paolo si è fatto vivo *dopo due giorni*") quanto un complemento di luogo ("*Prima del passaggio a livello* c'è una curva a gomito"; "*Dopo il ponte* si apre una curva a gomito").

– Alcune preposizioni improprie reggono direttamente il nome, preceduto o meno dall'articolo, cui sono preposte: *durante l'inverno*, *rasente il muro*, *lungo la spiaggia*, *secondo la legge*, *secondo giustizia*, *dopo la partenza*, *contro il nemico*, *senza il cappello*, *senza tetto*, *oltre la porta* (il costrutto *oltre alla porta* ha un altro significato: "*Oltre alla porta* l'esplosione ha distrutto anche le finestre"), *verso il cielo*, *eccetto le bevande*, *mediante* (*un*) *massaggio*, *fuorché gli animali*, *dopo il temporale*, *salvo complicazioni* e simili. Altre preposizioni improprie, invece, hanno bisogno, per reggere il nome, dell'aiuto di una preposizione propria. Così, per esempio, *fino*, *vicino*, *accanto* richiedono la preposizione **a**: *fino alla volta successiva*, *vicino al mare*, *accanto al muro*; *fuori* e *prima* richiedono **di**: *fuori di casa* (meno bene *fuori da casa*, ma cfr. anche *fuori casa* e *fuori strada*), *prima dell'estate*; *insieme* richiede **con**: *insieme con gli amici*; *lontano*, *lungi*, *distante* richiedono **da**: *lontano dagli occhi*. Le preposizioni improprie *sotto*, *sopra*, *dietro*, *presso* ammettono tanto la costruzione senza la preposizione propria (*sotto le coperte*) quanto quella con la preposizione (*sotto alle coperte*), ma se anziché un nome reggono un pronome personale, hanno bisogno della mediazione della preposizione propria: *sotto di me*, *sopra di lui*, *dietro di lei*. Le preposizioni improprie *dopo*, *dentro* e *contro*, che reggono direttamente un nome, vogliono la preposizione propria quando reggono un pronome: *dopo di me*, *contro di loro*. Le preposizioni improprie *eccetto*, *fuorché*, *tranne*, *salvo*, *secondo*, invece, reggono direttamente anche il pronome personale: *eccetto me*, *fuorché lui*, *tranne noi*. La preposizione impropria *senza*, che di solito si costruisce senza la preposizione propria (*senza un soldo*, *senza soldi*), quando regge un pronome personale, può tanto avere (*senza di te*) quanto non avere (*senza te*) la preposizione **di**: la prima forma è più corretta, ma la seconda è ormai entrata nell'uso.

La situazione, in sostanza, è molto fluida, influenzata come è dai dialetti e, più in generale, dal parlato, che tendono a rendere più chiari i nessi prepositivi precisandoli con l'inserimento di preposizioni non sempre necessarie o, al contrario, semplificandoli al massimo, con l'abolizione di preposizioni sentite come inutili. L'elenco che segue, perciò, si limita a individuare delle linee di tendenza. Ma – attenzione! – quando una costruzione non è registrata significa che è proprio errata.

contro	natura il palo di noi (*con i pronomi*)
davanti	alla scuola la scuola (*poco frequente*)
dentro	il pacco al pacco (*poco frequente*) di noi (*con i pronomi*)
dietro	la porta alla piazza di te (*con i pronomi*)
dopo	cena la partita di me (*con i pronomi*)
fuori	di casa dai piedi stagione di sé
lungo	il fiume

oltre	il confine confine a voi voi di ciò (*poco frequente*) ciò
presso	la scuola alla scuola (*poco frequente*) di noi (*con i pronomi*)
secondo	i casi me (*con i pronomi*)
senza	un soldo soldi di me (*con i pronomi*)
sopra	il tetto alle scale tutto di me (*con i pronomi*)
vicino	a casa a Roma a me

Secondo taluni grammatici l'accoppiata preposizione impropria + preposizione propria costituisce una **preposizione composta**. Secondo altri grammatici, invece, tale accoppiata costituisce una **locuzione prepositiva**, cioè un gruppo di parole che costituiscono un tutto unico e hanno una sola funzione (nel caso specifico, funzione di preposizione), come quelle che analizzeremo nel paragrafo seguente.

3. Le locuzioni prepositive

Le locuzioni prepositive sono espressioni formate da due o più parole che costituiscono un tutto unico e che sono usate con valore di preposizioni. Tali locuzioni prepositive sono di solito formate da:

• **locuzioni avverbiali + preposizioni**: *nel mezzo di*, *per mezzo di*, *in mezzo a*, *a fianco di*, *al cospetto di*, *a favore di*, *in base a*, *a dispetto di*, *a causa di*, *a forza di*, *di fronte a*, *a proposito di*, *in quanto a*, *invece di*, *in compagnia di*, *ai sensi di*, *al di là di*, *al di qua di*, *al di fuori di* ecc.:

In mezzo a tutta quella gente non ti ho visto.

• **preposizioni + verbi** o **avverbi**: *a prescindere da*, *differentemente da*, *conformemente a* ecc.:

Ti parlo così *a prescindere dalle* mie opinioni personali.

Locuzioni prepositive, secondo taluni grammatici, sono anche le combinazioni preposizioni improprie + preposizioni proprie del tipo *davanti a*, *prima di*, che altri, invece, considerano preposizioni composte. Infine, esistono anche locuzioni prepositive costituite dalla combinazione di due preposizioni proprie: *di su*, *su per*, *di tra*. Ma simili locuzioni appartengono a un registro alto della lingua e sono sentite come piuttosto antiquate: "Lo vidi scappare *di tra* la gente"; "Il ragazzo salì *su per* le scale di corsa". In poesia, nel primo Ottocento, era frequente anche il cumulo di tre preposizioni proprie: "*D'in su* la vetta della torre antica" (G. Leopardi, *Il passero solitario*, v. 1).

Osservazioni

La maggior parte delle locuzioni prepositive sono **locuzioni avverbiali cui è stata aggiunta una preposizione propria** (*di*, *a*, *da*). Proprio la presenza della preposizione, che introduce un nome o un pronome e forma con essi un complemento indiretto, permette di distinguere le locuzioni prepositive da quelle avverbiali che, invece, non introducono alcunché:

Paolo abita nella casa *di fronte* (= locuzione avverbiale).
Paolo abita *di fronte a* Laura (= locuzione prepositiva).

L'uso delle preposizioni e delle locuzioni prepositive dà luogo a molti **dubbi** e, purtroppo, anche a molte imprecisioni e a molti **errori**. In verità, oggi, l'uso ha reso legittimi, o per lo meno tollerabili, forme e costrutti che la grammatica un tempo condannava e spesso ancora condanna, ma in molti casi non c'è uso che tenga e gli errori rimangono errori. Ecco un elenco di consigli – "consigli piuttosto fervidi" per dirla con Luciano Satta – per evitare strafalcioni troppo gravi.

COSTRUTTI SCONSIGLIATI	COSTRUTTI CONSIGLIATI
biglietto *di* visita	*da* visita
festa *da* ballo	*di* ballo
duello *alla* pistola	*con la* pistola
bistecca *ai* ferri	*sui* ferri
commerciante *in* pellame	*di* pellame
portale *in* bronzo	*di* bronzo
vestito *in* seta	*di* seta
giubbetto *in* pelle	*di* pelle
figlio *a* Giovanni	*di* Giovanni
una donna *a* nome Maria	*di* nome Maria
moneta *da* cento lire	*di* cento lire
lontano *da* casa	*di* casa
porchetta *allo* spiedo	*sullo* spiedo
torta *al* cioccolato	*di* cioccolato
vestire *alla* moda	*secondo la* moda
andare *al* trotto	*di* trotto
a gratis	*gratis*
a nome di	*in* nome di
insieme a qualcuno	insieme *con* qualcuno[10]
a mezzo posta	*per (mezzo della)* posta
in presenza del sindaco	*alla presenza del* sindaco

[10] La grammatica vuole *insieme con*, perché *insieme* introduce una relazione di compagnia e la preposizione che regge il complemento di compagnia è *con* e non *a*, che esprime piuttosto direzione. Anche l'etimologia è d'accordo con la grammatica, in quanto *insieme* deriva dal latino *in simul* (→ *insemel* → insieme) e in latino *simul* si costruiva normalmente con *cum*. Ma fin dai tempi dell'origine dell'italiano, accanto a *insieme con* si è diffuso *insieme a* e, di fatto, non mancano esempi presso scrittori antichi e moderni tanto dell'una quanto dell'altra forma. Negli ultimi tempi, poi, la forma *insieme a*, nonostante la grammatica e l'etimologia le siano contrarie, ha preso sempre più piede a discapito della più esatta forma *insieme con*. Ancora una volta, l'uso impone e legittima le sue scelte espressive. Oggi, dunque, le due forme si equivalgono e ognuno può usare quella che più gli piace. Solo con i pronomi personali, la forma *insieme con* sembra resistere all'invadenza della forma *insieme a*: *insieme con te*, *insieme con noi* sono più usati di *insieme a te*, *insieme a noi*.

COSTRUTTI SCONSIGLIATI	COSTRUTTI CONSIGLIATI
inviare *tramite* un amico	*per il tramite di*
poco a poco	*a poco a poco*
due a due	*a due a due*
scrivere *alla* lavagna	*sulla* lavagna
persistere *a* negare	*nel* negare
disabituarsi *a* parlare	*da* parlare
salire *sul* trono	*al* trono
salire *sul* treno	*in* treno
non giungere *in* tempo	*a* tempo
vivere *al di là* del fiume	*di là del* fiume
procurarsi *da* vivere	*di che* vivere
composto *da*	composto *di*
trattenersi *da* qualcuno	*presso* qualcuno
promosso *a* capoclasse	promosso capoclasse
mescolare il caffè *al* latte	*con il* latte
avere *a* che fare	avere che fare
indugiare *nel* rispondere	*a* rispondere
interessarsi *a* qualcosa	*di* qualcosa
abboccare *all'* amo	*l'* amo
derogare *dalle* norme	*alle* norme
assolvere *a* un compito	assolvere *un* compito

8

La congiunzione o funzionale coordinante e subordinante

La congiunzione[1] è la parte invariabile del discorso che serve a collegare tra loro due elementi di una proposizione o due proposizioni.

Nella frase "Passami l'olio *e* l'aceto" e nella frase "Non posso venire *perché* sono stanco", le parole *e* e *perché* che collegano rispettivamente i nomi "olio" e "aceto" e le proposizioni "non posso venire" e "sono stanco" sono **congiunzioni**.

Funzioni

La funzione delle congiunzioni è quella di collegare e raccordare i vari elementi della frase stabilendo tra di essi rapporti ben precisi.[2] Tale funzione di collegamento può essere di due tipi:

• **coordinante**, quando la congiunzione congiunge e collega due elemento di uguale natura e con uguale funzione logica: ad esempio, due nomi con funzione di soggetto ("Paolo *e* Laura sono partiti"), due no-

[1] Il termine "congiunzione" deriva dal latino *coniungere*, che, composto da *cum*, 'insieme', e *iungere*, 'unire', significa "unire insieme".

[2] Le congiunzioni, come le preposizioni cui per molti aspetti assomigliano, sono "parole vuote" che da sole non possono formare una frase. Esse, infatti, non hanno un significato proprio ma il loro significato coincide con la funzione di collegamento che svolgono nella frase. Per questo motivo la linguistica moderna chiama le congiunzioni, come le preposizioni, *segni funzionali* o *funzionali*, una denominazione che mette in evidenza come il loro valore stia tutto nella funzione che svolgono. In particolare, perché il collegamento che stabiliscono può essere di tipo coordinante o subordinante, le congiunzioni sono più precisamente chiamate *funzionali coordinanti* e *subordinanti*.

mi con funzione di oggetto ("Ho visto Paolo *e* Laura"), due nomi con funzione di complemento ("Sono andata a Roma *e* a Palermo con Paolo *e* Laura"), due aggettivi ("Paolo è bello *ma* antipatico"), due pronomi ("Tu *e* io stiamo bene insieme"), due verbi con lo stesso soggetto ("Paolo ride *e* scherza con tutti") o due proposizioni ("L'ho chiamato *e* lui ha fatto finta di niente");

• **subordinante**, quando la congiunzione congiunge due proposizioni stabilendo tra l'una e l'altra un rapporto di dipendenza: così nella frase "Non posso venire *perché* sono stanco" la congiunzione *perché* collega due proposizioni stabilendo un rapporto di subordinazione per cui una ("sono stanco") dipende sintatticamente dall'altra ("non vengo").

Classificazione

Rispetto alla **forma** le congiunzioni[3] si distinguono in:

• **congiunzioni semplici**, se sono formate da una sola parola: *e*, *o*, *né*, *ma*, *anche*, *se*, *quando* ecc.;

• **congiunzioni composte**, se sono formate da parole composte, cioè derivanti dalla fusione di due o più parole: *oppure* (= o pure), *poiché* (= poi che), *purché* (= pur che), *affinché* (= al fin che), *sebbene* (= se bene), *neanche* (= né anche), *nondimeno* (= non di meno) ecc.

• **locuzioni congiuntive**, se sono costituite da due o più parole: *dal momento che* (preposizione articolata + nome + congiunzione), *ogni volta che* (aggettivo indefinito + nome + congiunzione), *anche se* (congiunzione + congiunzione), *a patto che* (preposizione + nome + congiunzione) ecc.

Invece, rispetto alla **funzione** che svolgono nella frase, cioè in base al tipo di collegamento che stabiliscono tra i vari elementi della frase, le congiunzioni, come si è visto, si distinguono in:

[3] Le congiunzioni costituiscono una classe di parole ormai chiusa. Sono in gran parte di derivazione latina: *e* deriva da *et*; *o* da *aut*; *né* da *nec*; *ma* da *magis*, 'piuttosto'; *però* da *per hoc*, 'per questo'; *anzi* da *antea*, 'anteriormente'; *come* da *quomodo*, 'in che modo'; *che* da *quia*, 'perché'. Altre, invece, si sono formate in italiano, nei primi secoli: *poiché* da *poi che*, 'dopo che' e, di conseguenza, "per il fatto che"; *perciò* da *per ciò*; *benché* da *bene che*. Limitate di numero, esse non sono destinate ad aumentare nel tempo. Anzi, qualche congiunzione è caduta in disuso, come *conciossiaché* (o *conciossiacosaché*) che, nei secoli passati, introduceva una proposizione causale con il valore di "poiché", oppure una proposizione concessiva con il valore di "benché".

- **congiunzioni coordinanti;**
- **congiunzioni subordinanti.**

1. Le congiunzioni coordinanti

Le congiunzioni coordinanti collegano due elementi con uguale funzione logica all'interno di una proposizione oppure due proposizioni del medesimo tipo all'interno di un periodo.

In base al tipo di rapporto che stabiliscono tra gli elementi della frase che collegano, le congiunzioni coordinanti si suddividono in:

- **copulative**: uniscono due elementi – due parole o due frasi – semplicemente accostandoli l'uno all'altro. Possono essere:

– **positive** o **affermative**: *e*: "Nel cassetto ci sono matite *e* pennarelli"; "Giovanni ha potato le rose *e* ha innaffiato il prato";
– **negative**: *né*, *e non*: "Non voglio *né* posso vederlo".

La congiunzione **e** si modifica in **ed** (o, meglio, conserva la finale consonantica *t* trasformata in *d* della sua forma latina originaria *et*) per ragioni eufoniche, cioè per evitare lo iato, davanti a una parola che inizia con la vocale *e*: "Paolo indossa un abito raffinato *ed* elegante". Davanti a parole inizianti con un'altra vocale, invece, la forma *ed* non è più usata.

La congiunzione **e**, in quanto congiunzione copulativa, ha come funzione fondamentale quella di unire due elementi della frase. Ma la *e* può assolvere questa funzione in due modi molto diversi. Può, infatti, congiungere due elementi esprimendo:

– una semplice aggiunta (**funzione aggiuntiva**): "Paolo ha mangiato *e* bevuto un po' troppo";
– una spiegazione di quanto si è già detto (**funzione esplicativa**): "Laura dorme troppo poco *e* a scuola non rende molto".

In funzione aggiuntiva la *e* ha, per così dire, valore neutro, perché si limita ad aggiungere una informazione all'altra, mettendole sullo stesso piano. In funzione esplicativa, invece, la *e* non si limita a presentare un'informazione ponendola semplicemente accanto a un'altra, ma la lega all'altra sottolineando, in modo più o meno impercettibile, in che rapporto le due informazioni stanno l'una rispetto all'altra e, quindi, svelando l'opinione di chi parla o scrive. Così, nella frase dell'esempio, il vero significato della frase è "Laura dorme troppo poco, *perciò* a scuola non rende molto". La *e*, dunque, non si limita ad aggiungere un fatto all'altro, ma *spiega* anche che tra i due fatti c'è un rapporto di causa-effetto. I valori che la congiunzione *e* usata in funzione esplicativa può avere sono numerosi e variano a seconda del contesto e, nella lingua parlata, anche a seconda del tono della voce. In particolare, la **e** esplicativa può avere:

– valore **avversativo** (= ma, invece): "Paolo ha detto che sarebbe venuto *e* non si è visto";
– valore **antitetico** (= eppure): "Sapeva di non stare bene *ed* è uscito lo stesso";
– valore **causale** (= perciò): "Gianni ha mangiato troppo *ed* è stato male".

La *e*, inoltre, può avere:

– valore **enfatico-esortativo** (= ebbene): "*E* smettila!"; "Vuoi proprio partire? *E* parti!";
– valore **rafforzativo**: "Bell'*e* fatto"; "Bell'*e* andato"; "Venite pure tutti *e* due";
– valore **correlativo**: "Voglio questo *e* quello". La congiunzione *e* è correlativa anche con *fra* e *tra*: "Vive tra Roma *e* Milano".

Talvolta la congiunzione **e** è usata con valore **enfatico-rafforzativo all'inizio di un periodo**: "*E* lui che cosa ha detto?". Frequente nella lingua parlata, questo costrutto è usato talora in poesia: l'autore, aprendo il componimento con la congiunzione *e*, vuole presentare le sue parole come la conclusione di una lunga riflessione interiore, cioè come qualcosa che emerge dal suo intimo collegandosi a pensieri ed emozioni che lascia sottintesi: "*E* s'aprono i fiori notturni/nell'ora che penso ai miei cari" (G. Pascoli, *Il gelsomino notturno*, vv. 1-2). In poesia, specialmente nei componimenti dei secoli passati, la congiunzione *e*, come l'*et* latino da cui deriva, ha talvolta il significato di *anche*: "*E* tu onore di pianti, Ettore avrai" (U. Foscolo, *Dei sepolcri*, v. 292).

Nelle enumerazioni la congiunzione **e** si mette solo davanti all'ultimo elemento della serie: "Ho incontrato Paolo, Laura *e* Maria". La ripetizione della congiunzione *e* davanti a tutti gli elementi della serie è un vero e proprio espediente stilistico (si chiama **polisindeto**, cioè 'legato molto insieme') e ha funzioni espressive in quanto sottolinea enfaticamente gli elementi del discorso: "*E* pioggia *e* neve *e* vento *e* freddo: è un inverno terribile". Anche l'eliminazione della congiunzione *e* davanti a tutti gli elementi di una serie è un espediente stilistico: si chiama **asindeto** (cioè 'privo di legamenti') ed è usato per porre sullo stesso piano gli elementi della serie, in modo secco e preciso: "Paolo, Laura, Maria: ecco un bel terzetto".

• **aggiuntive**: uniscono due elementi aggiungendo un nuovo concetto a ciò che si è detto in precedenza: *anche*, *inoltre*, *pure nonché* ecc.: "*Anche* oggi piove"; "C'ero *anch'*io"; "Erano presenti il sindaco, il vicesindaco *nonché* due assessori". Si veda anche la nota 4 a p. 389.

• **disgiuntive**: uniscono due parole o due proposizioni mettendole in alternativa o escludendone una: *o*, *oppure*, *ovvero*, *altrimenti* ecc.: "Ti manderò un telegramma *o* un espresso"; "Uscite *o* restate in casa?".

In frasi come "Partirò domani *o* dopodomani" e "Mi iscriverò al liceo classico *o* al liceo scientifico" è chiaro che la congiunzione **o** ha effettivamente una **funzione disgiuntiva** in quanto una soluzione esclude l'altra. Non sempre, però, la congiunzione *o* introduce una vera e propria alternativa. Consideriamo ad esempio la frase: "Nelle prossime ventiquattr'ore si prevedono piogge *o* nevicate sulla pianura Padana". È evidente che ci potranno essere piogge *e* nevicate, non solo le une o le altre. Analogamente, se in una inserzione si ricerca "Un giovane diplomato perito chimico *o* con esperienza di lavoro nel settore conciario", è ovvio che avrà maggiori possibilità di essere assunto un candidato che abbia entrambi i requisiti, diploma ed esperienza di lavoro. La congiunzione *o* può dunque essere sia una vera e propria congiunzione **disgiuntiva** sia una congiunzione **disgiuntivo-copulativa**. In quest'ultimo caso, soprattutto nel linguaggio commerciale e burocratico, si usa sempre più frequentemente la formula *e/o*: "Un giovane diplomato perito chimico *e/o* con esperienza di lavoro nel settore conciario"; "Si prevedono piogge *e/o* nevicate sulla pianura Padana". La formula *e/o* tende a diffondersi anche al di fuori dell'uso commerciale, ma è ritenuta poco elegante.

La congiunzione disgiuntiva *o*, poi, ha talvolta funzione di congiunzione **esplicativa**, con il significato di "cioè", "ossia" e simili: "La glottologia *o* linguistica studia in modo scientifico la struttura e la storia delle lingue".

In altri casi, infine, la congiunzione *o* può avere valore **aggiuntivo**, con il significato di "detto anche": "Il nome, *o* sostantivo, è una parte variabile del discorso".

• **avversative**: congiungono due parole o due proposizioni che si contrappongono: *ma*, *tuttavia*, *però*, *nondimeno*, *eppure*, *anzi* ecc.: "Abito in una casa vecchia *ma* comoda"; "Ha dei modi bruschi *eppure* è simpatico".

La congiunzione **ma** è una congiunzione avversativa e, come tale, ha la funzione di congiungere due concetti o due fatti mettendoli in contrapposizione. La contrapposizione può essere di due tipi, a seconda che il *ma* abbia funzione **esclusiva** o funzione **modificante**:

– quando il *ma* ha funzione **esclusiva**, delle due cose messe in contrapposizione l'una esclude completamente l'altra: "Non voglio la maglietta rossa, *ma* quella blu";

– quando il *ma* ha funzione **modificante**, le due cose messe in rapporto non si escludono a vicenda, ma la seconda precisa qualcosa che modifica la prima: "Laura è bruttina, *ma* molto simpatica" (il fatto che Laura sia molto simpatica non esclude che Laura sia bruttina; la precisazione si limita a modificare in qualcosa il fatto che è bruttina).

La congiunzione *ma* è sempre preceduta dalla virgola (più raramente dal punto e virgola) quando congiunge due proposizioni: "Sono piuttosto stanco, *ma* devo uscire". Invece, se congiunge due parole della stessa proposizione, di solito non richiede la virgola: "Paolo è bello *ma* antipatico".

Talvolta la congiunzione *ma* è usata insieme con le altre congiunzioni avversative in locuzioni del tipo *ma tuttavia*, *ma invece*, *ma nondimeno*, *ma però*. Tali locuzioni sono chiaramente **pleonastiche** e quindi sono considerate scorrette dai grammatici più rigorosi, ma rientrano nella tendenza della lingua parlata a rafforzare il discorso attraverso la ripetizione e hanno finito per imporsi, soprattutto nel livello medio-basso della lingua. Particolarmente condannato dai grammatici è il nesso *ma però* che, accoppiando due avversative di valore pressoché uguale, appare un'inutile ripetizione. Altri grammatici ritengono il *ma però* legittimo come locuzione rafforzativa che «dà un tono particolare al discorso» (A. Gabrielli) e citano a sostegno della loro opinione esempi di scrittori famosi, da Dante, *Inferno*, XXII, v. 143: "*Ma però* di levarsi era neente (= ma non c'era possibilità di tirarsi fuori)" ad A. Manzoni, *I Promessi Sposi*, cap. I: "Io taccio subito; *ma* è *però* certo che..."; cap. XVII: "Non era un conto che richiedesse una grande aritmetica; *ma però* c'era abbondantemente da fare una mangiatina".

Anzi è di solito una congiunzione coordinante avversativa: "Mario non è antipatico, *anzi* è una persona gradevole". In alcuni casi *anzi* assume, invece, valore rafforzativo: "È una cosa importante, *anzi* importantissima".

Pure, come avversativo, è una congiunzione quando congiunge due proposizioni all'interno di una frase: "Paolo è giovane, *pure* è molto sveglio". Invece è considerato un avverbio aggiuntivo (vedi p. 351) quando modifica una parola: "*Pure* noi siamo venuti via subito".

• **conclusive**: uniscono due parole o due proposizioni di cui la seconda è la logica conclusione della prima: *dunque*, *quindi*, *pertanto*, *perciò*, *allora* ecc.:[4] "Luisa ha una pelle chiarissima, *perciò* molto delicata".

[4] Molte delle forme citate in queste pagine oscillano tra il valore di congiunzione e quello di avverbio e i linguisti sono in disaccordo circa la loro esatta classificazione. Ciò succede ad esempio per le aggiuntive *anche*, *inoltre*, *pure*, *altresì*, *per altro*, *nonché* per le quali in linea di massima si può dire che queste parole sono congiunzioni quando in esse prevale la funzione di collegare una proposizione all'altra ("Giovanni non studia mai: *pure* va sempre bene") e invece sono avverbi quando in esse prevale la funzione di determinare una parola ("Noi *pure* [= anche noi] siamo venuti via presto"). Lo stesso discorso vale per le conclusive *dunque*, *perciò* e *quindi*. Ma in altri casi la distinzione non è sempre facile. Così, *altrimenti* può essere chiaramente usato sia come congiunzione coordinante

Queste forme, che hanno anche valore di avverbi, spesso sono precedute dalla congiunzione *e* che ne accentua il valore di funzionali coordinanti, attenuando il valore di nessi relativi che le caratterizza: "Sono stanco *e quindi* andrò subito a dormire"; "Ha sbagliato, *e dunque* è giusto che paghi".

• **esplicative** o **dichiarative**: introducono una parola o una frase che spiega o precisa quel che si è detto in precedenza: *cioè*, *ossia*, *infatti*, *vale a dire* ecc.: "Il contratto vale per un lustro, *cioè* per cinque anni".
La congiunzione coordinante esplicativa **infatti** non ha valore subordinante. Perciò frasi come "Non posso uscire, infatti non sto bene" **sono scorrette**. La forma corretta è: "Non posso uscire. Infatti non sto bene". Oppure, se si vuole costruire un periodo subordinato, si può dire: "Non posso uscire, perché non sto bene".

• **correlative**: uniscono due parole o frasi mettendole in reciproca corrispondenza. Le congiunzioni correlative sono costituite da congiunzioni copulative o disgiuntive usate in coppia, oppure da particolari espressioni formate da congiunzioni e avverbi: *e... e*; *sia... sia*; *sia che... sia che*; *o... o*; *né... né*; *non solo... ma anche* ecc.: "Gli ho mandato *non solo* gli auguri *ma anche* un regalo"; "Dovrai fare così *o* per amore *o* per forza"; "Non abbiamo potuto *né* giocare a tennis *né* fare passeggiate".

disgiuntiva, con il significato di "oppure, se no" ("Smettila di prendermi in giro, *altrimenti* mi arrabbio veramente"), sia come avverbio di modo con il significato di "in un altro modo, in modo differente" ("Non ho potuto fare *altrimenti*"). Anche *allora* può essere usato sia come congiunzione coordinante esclusiva con il significato di "dunque, quindi" ("C'è la luce accesa: *allora* non sono ancora partiti") sia come avverbio di tempo con il significato di "a quell'epoca, in quel momento" ("Era arrivato *allora*"). Con *ora*, invece, la distinzione non è sempre chiara e anche nei dizionari non si trovano esempi convincenti di classificazione: *ora* dovrebbe essere congiunzione quando ha valore avversativo, cioè significa "ma, invece" ("Tu pensi che mento: *ora* ti dimostrerò che sbagli"), o quando ha valore conclusivo, cioè significa "dunque", specialmente quando si vuole imprimere un nuovo sviluppo a un racconto: "*Ora* avvenne che i due partirono ciascuno per un lungo viaggio"; invece, *ora* sarebbe, come di fatto è, un avverbio di tempo quando significa "in questo momento, adesso" e modifica un unico elemento della frase ("*Ora* non posso uscire"). Talvolta, alcuni dizionari non registrano neppure la diversa funzione di singole forme: è il caso di *dunque* che la maggior parte dei linguisti considera sia congiunzione sia avverbio e che i dizionari Garzanti (1993), Gabrielli (1994), e Zingarelli (1996) danno solo come congiunzione (utilizzabile anche in funzione di sostantivo avverbiale: "Veniamo *al dunque*"). Soltanto il Devoto-Oli (1988) precisa che la forma nelle «proposizioni interrogative ha più valore di avverbio che di congiunzione, data l'equivalenza con "insomma" ("Cosa succede, *dunque*?" "*Dunque* ti decidi?") e con "finalmente, alla fine" ("Confessi, *dunque*?")».

Sia, oltre che con se stesso (*sia... sia*), può essere in correlazione con *o*: "*Sia* vero *o* falso, per me non cambia nulla". I grammatici, invece, sconsigliano la correlazione *sia... che* ("Ho comprato *sia* la pasta *che* il riso") in quanto rompe la simmetria della correlazione. L'uso, però, tende a legittimarla.

Osservazioni

– Tutte le congiunzioni si pongono davanti all'ultimo elemento che congiungono con quello o con quelli precedenti. Solo alcune congiunzioni coordinanti copulative (*inoltre*, *altresì*), avversative (*però*, *al contrario*, *anzi*, *invece*, *tuttavia* ecc.), esplicative (*infatti*, *invero*, *di fatto*, *in effetti*, *ad esempio* ecc.) e conclusive (*dunque*, *pertanto*, *perciò*, *allora* ecc.) possono essere usate, sotto forma di incisi collocati tra due virgole, in punti della frase più o meno lontani dal termine che congiungono a quello o a quelli precedenti. Così si può dire tanto: "Non sono tranquillo. *Infatti*, Paolo è uscito e non è ancora rientrato" quanto: "Non sono tranquillo. Paolo, *infatti*, è uscito e non è ancora rientrato".
– Due congiunzioni della stessa categoria **non possono essere usate insieme**, perché costituiscono un'inutile ripetizione. Perciò non si può dire *così tanto* perché le due congiunzioni si equivalgono e, ben lungi dal rinforzarsi, sono ridondanti: una frase come "Paolo è *così tanto* bravo che tutti lo ammirano", pertanto, è errata e deve essere corretta in "Paolo è *così* bravo che tutti lo ammirano" oppure "Paolo è *tanto* bravo che tutti lo ammirano". Inutilmente ridondanti sono anche accoppiamenti come *mentre invece*, *ma invece* e, secondo alcuni grammatici, *ma però* (si veda, su questo accoppiamento, a p. 389).

2. Le congiunzioni subordinanti

Le **congiunzioni subordinanti** e le **locuzioni congiuntive subordinanti** collegano due proposizioni stabilendo tra l'una e l'altra un rapporto di subordinazione. La proposizione introdotta dalla congiunzione subordinante è infatti sempre dipendente dalla proposizione cui viene collegata, non potrebbe cioè sussistere senza di essa.

Ad esempio, nella frase "Chiamai Paolo *perché* mi aiutasse", è evidente che la proposizione "perché mi aiutasse" non è autonoma né per significato né per struttura sintattica, ma deve invece necessariamente saldarsi, come **proposizione dipendente** o **subordinata** o **secondaria**, alla proposizione "Chiamai Paolo", che per questo si chiama **proposizione reggente** o **principale**.

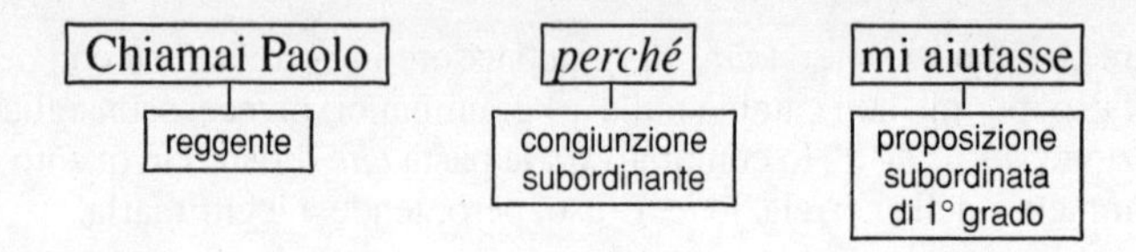

La congiunzione subordinante può anche collegare una proposizione subordinata a un'altra proposizione subordinata che assume in tal caso il valore di reggente:

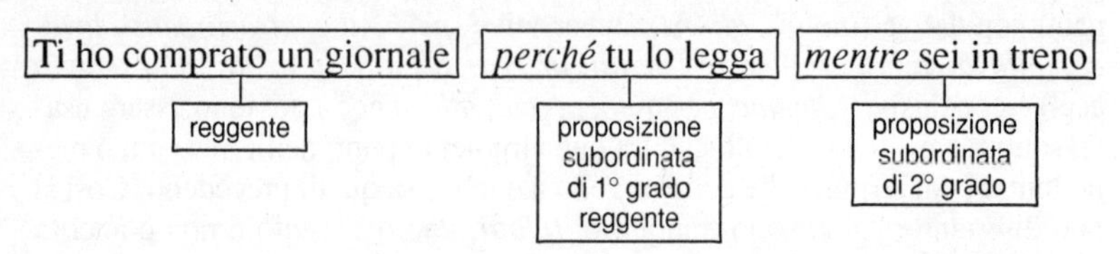

Le congiunzioni subordinanti e le locuzioni congiuntive subordinanti, proprio per la loro particolare funzione subordinante, sono oggetto di studio della sintassi. Qui ci limitiamo a catalogarne alcune, precisando che, in base al loro significato o, meglio, in base al tipo di collegamento che stabiliscono tra le proposizioni, esse si suddividono in:

• **finali**: *perché*, *affinché*, *acciocché*, *ché* ecc.: "Chiamai Paolo *perché* mi aiutasse";

• **causali**: *perché*, *poiché*, *giacché*, *siccome*, *che*, *dato che*, *dal momento che*, *in quanto* ecc.: "*Siccome* insisti, accetterò";

• **consecutive**: (*tanto*)... *che*, (*così*)... *che*, (*a tal punto*)... *che*, (*tale*)... *che*, (*in modo tale*)... *che* ecc.: "È così ingenuo *che* chiunque potrebbe ingannarlo";

• **temporali**: *quando*, *mentre*, *finché*, *come*, *appena*, *ogni volta che*, *prima che*, *dopo che*, *fino a che* ecc.: "Ti scriverò *appena* sarò arrivato";

• **dichiarative**: *che*, *come*: "I giornali annunciano *che* ci sarà un rincaro dei cereali";

• **concessive**: *sebbene*, *nonostante*, *benché*, *quantunque*, *anche se*, *neanche se* ecc.: "*Sebbene* abbia la patente da poco, guida con sicurezza";

• **condizionali**: *se*, *purché*, *qualora*, *quando*, *a condizione che*, *a patto che*: "*Se* fosse possibile, verrei con te";

• **modali**: *come*, *quasi*, *come se* ecc.: "Bisogna fare *come* dicono le istruzioni";

• **avversative**: *mentre*, *quando*, *laddove* ecc.: "Sei ancora qui, *mentre* dovresti essere già a letto";

• **comparative**: (*così*)... *come*, (*piuttosto*)... *che*, (*più*)... *che*, (*meglio*)... *che*, (*meno*)... *che*, (*altrimenti*)... *che* ecc.: "Non è così simpatico *come* credevo";

• **dubitative** e **interrogative**: *se*, *come*, *perché*, *quando*, *quanto* ecc.: "Dimmi *perché* ti comporti così";

• **eccettuative**: *fuorché*, *salvo che*, *tranne che*, *eccetto che* ecc.: "Non ha fatto niente *fuorché* brontolare";

• **limitative**: *che*, *per quanto*, *in quanto a* ecc.: "*Che* io sappia, sono già partiti";

• **esclusive**: *senza*, *senza che*: "È partito *senza* dire niente".

Tra le congiunzioni subordinanti, alcune possono avere un unico valore, possono cioè introdurre un solo tipo di proposizione subordinata: ad esempio, *finché* può introdurre solo una proposizione temporale, *affinché* può introdurre solo una finale, *sebbene* può introdurre solo una concessiva e così via. Altre congiunzioni subordinanti, invece, a causa del loro valore generico o anche a causa della labilità dei confini che separano i contenuti espressivi delle varie proposizioni, possono assumere diversi valori e introdurre quindi diversi tipi di proposizioni subordinate. In particolare:

– Che

La congiunzione subordinante *che*[5] può avere funzione:
finale: "Li pregai *che* parlassero";
causale: "Entra in casa *che* piove";
consecutiva: "Parla così male *che* non riesco a capirlo";
temporale: "È partito *che* nevicava";
dichiarativa: "È ovvio *che* ci saranno molte difficoltà";
comparativa: "È meglio uscire presto *che* rischiare di perdere il tram";
eccettuativa: "Non pensa a nient'altro *che* a divertirsi";
limitativa: "*Che* io sappia sono già partiti".

[5] Sull'uso di *che* come aggettivo e pronome si veda la nota 6 a p. 221. Si tenga presente che il *che* aggettivo e pronome deriva dal latino *quid*, mentre il *che* congiunzione deriva dal latino *quia*.

La congiunzione *che* è presente, inoltre, in numerosissime locuzioni congiuntive subordinanti: "La casa si è allagata *senza che* ce ne accorgessimo"; "Accetterò, *a patto che* tu sia d'accordo"; "*Dato che* sei qui, aiutami un po'"; "Urlava *quasi che* fosse impazzito".

– Perché
La congiunzione subordinante *perché* può avere funzione:

finale: "Te lo dico *perché* tu possa porvi rimedio";
causale: "Non può correre *perché* si è slogato una caviglia";
consecutiva: "È troppo pigro *perché* possa farcela".

– Quando
La congiunzione subordinante *quando* può avere funzione:

temporale: "Non mi piace guidare *quando* c'è la nebbia";
condizionale: "*Quando* fosse necessario chiederemmo la tua consulenza";
avversativa: "Passi il tempo al mare, *quando* dovresti studiare";
causale: "È stupido mentire, *quando* sai bene che ti abbiamo visto tutti".

– Mentre
La congiunzione subordinante *mentre* può avere funzione:

temporale: "L'ho incontrato *mentre* andava in palestra";
avversativa: "Ha mandato solo un piccolo acconto, *mentre* ci aspettavamo il saldo della fattura".

– Se
La congiunzione subordinante *se* può avere funzione:

condizionale: "Sarebbe meglio *se* tu fossi più prudente in moto";
concessiva: "Non te lo direi, neanche *se* mi obbligassi con la forza";
causale: "*Se* dice così, vuol dire che è vero";
dubitativa: "Sono incerto *se* tornare oggi o domani".

– Come
La congiunzione subordinante *come* può avere funzione:

dichiarativa: "Non intende raccontare *come* ha fatto a fuggire";
modale: "Bisogna procedere *come* è indicato nelle istruzioni";
temporale: "*Come* arrivi, telefona";
comparativa: "L'esame è stato difficile proprio *come* prevedevo".

3. Coordinazione e subordinazione senza congiunzioni

In taluni casi il rapporto di coordinazione e di subordinazione può essere espresso anche senza ricorrere alle congiunzioni:

Uscì di casa tardi. Per le strade non c'era più nessuno.
Uscì di casa tardi *e* per le strade non c'era più nessuno.

Ho sonno: stamattina mi sono alzato molto presto.
Ho sonno *perché* stamattina mi sono alzato molto presto.

Come si vede, l'uso attento della punteggiatura – specialmente il **punto** e i **due punti** – sostituisce adeguatamente sia la congiunzione coordinante **e** sia la congiunzione subordinante **perché**. In questo caso il legame tra le due proposizioni avviene per **asindeto**.

9

L'interiezione o esclamazione

L'interiezione o esclamazione[1] è una parola invariabile che serve a esprimere sensazioni improvvise di gioia, di sollievo, di meraviglia, di impazienza, di ira, di dolore, di orrore, di noia, di paura o di incoraggiamento.

Nella frase "Oh, che bello!" e nella frase "Uffa, non ce la faccio più" le parole *oh* e *uffa* che sottolineano l'una un sentimento di ammirazione, l'altra uno stato d'animo di noia sono **interiezioni.**

Le interiezioni non sono molto numerose. Nella lingua parlata esse sono caratterizzate da una estrema varietà di toni espressivi: basta, infatti, modificare anche di poco il timbro della voce perché la stessa interiezione assuma significati diversi, di sdegno piuttosto che di stupore, di rimprovero piuttosto che di ironia. Di solito, tutte le interiezioni sono pronunciate isolate dal resto del discorso da una breve pausa e con un particolare tono enfatico. Spesso sono anche accompagnate da gesti che ne sottolineano visivamente il significato. Nella lingua scritta, ovviamente, è impossibile rendere la varietà di senso che caratterizza ogni interiezione. Perciò, di solito, ci si limita a rendere la vivacità, l'immediatezza e l'enfasi che è tipica di queste parole con il punto esclamativo: *oh!*, *ehi!*, *ahimè!*. Spesso il punto esclamativo si pone al termine della frase e, allora, dopo l'interiezione si trova una

[1] Il termine "interiezione" deriva dal latino *interiectione(m)*, 'interposizione, inserzione', e, quindi, "parola intercalata nel discorso" (da *inter*, 'in mezzo', e *iàcere*, 'gettare', "gettare nel mezzo, frapporre"). Infatti, le interiezioni "si inseriscono" nel discorso senza instaurare particolari legami sintattici con gli altri elementi.

virgola: “Oh, se fosse vero!”. Quando il punto esclamativo si trova immediatamente dopo l’interiezione, dopo di esso non è necessaria l’iniziale maiuscola: “Uffa! che domenica noiosa”. Talvolta, per esprimere insieme stupore e incredulità, al punto esclamativo si unisce il punto interrogativo: “Cosa!? È già ora di partire!?”; “Eh!? Proprio io sono stato scelto!?”.

Funzioni

L’interiezione, per il suo carattere fortemente emotivo, ha una grande intensità espressiva, ma dal punto di vista sintattico non ha nessuna particolare funzione. Essa, infatti, è un breve inciso che dà al discorso una precisa intonazione ma sta a sé: non si salda con il resto del discorso in cui è calata e non instaura alcuna relazione sintattica con gli altri elementi della frase; essa stessa, anzi, più che una vera e propria “parte del discorso” com’è tradizionalmente considerata, equivale a una frase intera e isolata, capace di esprimere da sola, in forma rudimentale ma estremamente rapida ed efficace, un messaggio in sé compiuto.[2]

Classificazione

Le interiezioni, a seconda della loro forma, si dividono in: **interiezioni proprie** e **interiezioni improprie**. A esse vanno poi aggiunte le **locuzioni interiettive** o **esclamative**.

1. Le interiezioni proprie

Le interiezioni proprie, cioè quelle che hanno solo la funzione di interiezioni, sono formate da semplici suoni, più simili a un grido istintivo

[2] Alcuni studiosi del linguaggio umano sono del parere che le interiezioni siano la forma più antica di linguaggio verbale in quanto deriverebbero direttamente dai suoni che gli uomini primitivi emettevano per esprimere le sensazioni più elementari. Nella loro forma originaria, infatti, le interiezioni consistono in una semplice emissione di voce che, variamente modulata, può comunicare, come abbiamo visto, le emozioni e i sentimenti più diversi, dalla paura alla gioia, dallo stupore all’ira, dall’ironia alla minaccia, dal dolore all’impazienza. Secondo alcuni studiosi, poi, l’intero linguaggio verbale dell’uomo sarebbe venuto via via formandosi dalla differenziazione e dalla specializzazione delle diverse voci interiettive, variamente elaborate e organizzate.

che a vere parole. Le più diffuse sono costituite dalle vocali contraddistinte da una *h*, che ha solo valore grafico: *ah*, *eh*, *ih*, *oh*, *uh*. Altre sono costituite da monosillabi vocalici o consonantici, contraddistinti anch'essi da una *h*: *ahi*, *ehi*, *ohi*, *ahó*, *ohé*, *bah*, *beh*, *ehm*, *mah* ecc. Altre interiezioni, infine, tendono a lessicalizzarsi, cioè a diventare parole fornite di un proprio significato, come quelle composte con pronomi personali: *ahimè*, *ahinoi*, *ohimè* ecc.; o quelle costituite da forme bisillabiche: *ohibò*, *puah*, *uffa*, *ehilà*, *olà* ecc.

Quanto al significato, alcune interiezioni proprie hanno un valore ben preciso. Ad esempio: *ahi* e *ahimè* esprimono dolore; *mah* e *boh*, dubbio; *ehi*, richiamo, ammonimento; *puh* e *puah*, disgusto; *uff* e *uffa*, noia, impazienza. Altre interiezioni proprie, invece, sono più generiche e assumono significati anche molto differenti a seconda del contesto in cui sono inserite o del tono di voce con cui sono pronunciate nel parlato. Ad esempio: *oh* e *ah* possono esprimere meraviglia, gioia, ma anche desiderio, rimpianto, dolore, rimprovero: "*Ah*, che bella giornata!"; "*Oh*, povero me!"; "*Ah*, se potessi andare in montagna!"; "*Ah!* chiacchierate invece di studiare!"; *eh* può esprimere ammonimento, minaccia, incredulità, rassegnazione e può anche rappresentare una forma (poco educata, per la verità) di risposta: "Attento, *eh*, a quel che dici!"; "*Eh*, trovi simpatico Luca!?"; "*Eh!* cosa vuoi farci, questa volta è andata male"; «"Giovanni!!!" "*Eh!?*"»; *ehm* può esprimere indecisione, reticenza, minaccia: "*Ehm*, voglio dire, potremmo fare così"; «"Non si lasci scappar parola... altrimenti... *ehm!*" aveva detto uno di que' bravi» (A. Manzoni, *I Promessi Sposi*); *ih* può esprimere ribrezzo, ira, stizza, derisione: "*Ih*, uno scarafaggio nell'insalata!"; "*Ih*, quante pretese!"; *ohibò* può esprimere meraviglia e anche rimprovero: "*Ohibò*, sei qui anche tu!?"; "*Ohibò!* quanti errori di ortografia!".

Fra le interiezioni proprie si può collocare anche l'esclamazione *wow* (pron. *uau*), sempre più diffusa tra i giovani. Propriamente, *wow* è una parola inglese che può essere usata sia come interiezione, con il significato di "oh! ohibò!", sia, negli USA, come sostantivo, con il significato di "cosa straordinaria, grande successo". In Italia, invece, viene usata come un semplice suono volto a esprimere gioia, entusiasmo, ammirazione: "*Wow*, abbiamo vinto 5 a 1!"; "*Wow*, che bella ragazza!".

2. Le interiezioni improprie

Le interiezioni improprie sono parole (nomi, aggettivi, forme verbali, avverbi) che normalmente od occasionalmente vengono usate in funzione di interiezioni. Come le interiezioni proprie, si usano come intercalari, senza alcun rapporto con il resto della frase o anche, da sole, per esprimere stupore, sdegno o stizza, per salutare, per esortare e simili: *accidenti!*, *accipicchia!*, *perdinci!*, *caspita!*, *bene!*, *bravo!*, *ottimo!*, *coraggio!*, *certo!*, *diavolo!*, *avanti!*, *via!*, *ecco!*, *evvia!*, *suvvia!*, *orsù!*, *forza!*, *peccato!*, *guai!*, *ciao!*, *salve!* ecc.

Ottimo! Il problema è risolto! *Pronto!?* Chi parla? *Via*, non vorrai offenderti per uno scherzo! *Su*, fatti coraggio!

Sono interiezioni improprie, derivanti per lo più da nomi comuni o da nomi propri, o locuzioni interiettive anche le **parolacce** o le **imprecazioni** che nei registri gergali della lingua sono usate per esprimere sentimenti di collera o di ira o, talvolta, come semplici intercalari nel discorso. Per lo più tali parolacce e imprecazioni sono di significato osceno e fanno riferimento a organi sessuali. Talora, invece, chiamano in causa personaggi o aspetti della vita religiosa, da Dio ai santi: in questi casi, siffatte interiezioni si chiamano più propriamente **bestemmie** e fino a poco tempo fa erano condannate dalla legge. Curiosamente, per evitare di bestemmiare, forse a causa di scrupoli religiosi o forse per non ferire la sensibilità della gente, sono stati inventati vari espedienti: o si chiamano in causa divinità antiche ("Per Ercole!", "Per Giove!", "Per Bacco!") o si alterano le parole legate alla religione storpiandole in suoni quasi identici ma non compromettenti: "Porco Diaz!" (dove il generale A. Diaz c'entra poco o niente), "Osteria!" e simili. Nella stessa categoria di queste espressioni che sono chiamate **bestemmie alterate** entrano anche le imprecazioni che mascherano e sostituiscono parole oscene, come "Cavoli!".

3. Le locuzioni interiettive

Le locuzioni interiettive o esclamative sono gruppi di parole o addirittura brevi frasi usate in funzione esclamativa: *santo cielo!*, *per amor di Dio!*, *Dio mio!*, *va' al diavolo!*, *porco cane!*, *al fuoco!*, *al ladro!*, *poveri noi!*, *miseri noi!* ecc.:

Per amor di Dio, dagli quello che vuole e facciamola finita!

4. Le voci onomatopeiche

Alle *interiezioni* si possono avvicinare le cosiddette voci onomatopeiche od **onomatopee** (propriamente "formazione di nomi", dal greco *ónoma*, 'nome', e *poiéo*, 'faccio'), cioè le espressioni che, attraverso le vocali e le consonanti, imitano e riproducono suoni, rumori o grida di animali. Così *din-don* indica il suono della campana, *drin* il suono di un campanello elettrico, *tic-tac* il ritmo dell'orologio, *miao* il miagolio del gatto, *chicchirichì* il canto del gallo, *cip-cip* il verso del passero, *eccì* lo starnuto, *paf* un tonfo ecc.:

> *Tic, tac, tic, tac...* nella casa silenziosa si sentiva solo il ticchettio di una sveglia. *Bim, bum, bam!* che fracasso!

Le onomatopee possono essere sostantivate dall'articolo:

> "Nei campi c'è un breve *gre-gre* di ranelle" (G. Pascoli).

Ogni epoca ha le sue voci onomatopeiche. Espressione istintiva e immediata delle emozioni e delle sensazioni dei parlanti, le onomatopee riflettono da vicino le esperienze di coloro che le creano e le usano. Così, un mondo prevalentemente agricolo e contadino come quello primitivo ha elaborato voci onomatopeiche legate ai rumori della natura o ai gridi e ai versi degli animali. Invece, più tardi, l'avvento della società industriale, della meccanica e della tecnica con i loro suoni e i loro rumori ha prodotto nuove onomatopee. E oggi? Oggi trionfano, soprattutto nel parlato dei giovani, particolari voci onomatopeiche riprese dai fumetti, come ad esempio *sigh* per esprimere dispiacere, *splash* per indicare un tonfo, specialmente nell'acqua, *clap clap* per indicare plauso, approvazione, *munch* e *crunch* per riprodurre il rumore di una vigorosa masticazione e così via. Tali parole, apparentemente senza senso e perciò veri e propri suoni onomatopeici, corrispondono in realtà a verbi onomatopeici della lingua anglo-americana. Riportiamo qui, con il relativo significato, qualcuna delle particolari espressioni che ricorrono nei fumetti, sia nel parlato dei personaggi sia per indicare i rumori delle azioni rappresentate:

bang da *to bang*, 'sparare'
boom da *to boom*, 'esplodere'
clap da *to clap*, 'applaudire'
crash da *to crash*, 'fracassare'
gulp da *to gulp*, 'inghiottire'
ring da *to ring*, 'squillare'
sigh da *to sigh*, 'sospirare'
slam da *to slam*, 'sbattere'
snap da *to snap*, 'schioccare (le dita)'
sniff da *to sniff*, 'fiutare'
sob da *to sob*, 'singhiozzare'
splash da *to splash*, 'cadere, spruzzare'
yawn da *to yawn*, 'sbadigliare'.

Sintassi della frase semplice o proposizione

La **sintassi** (dal greco *sýntaxis*, 'unione, ordinamento') studia il modo in cui le parole si combinano fra loro a formare le proposizioni e i periodi attraverso l'analisi delle funzioni che tali elementi svolgono e delle relazioni che intercorrono tra essi.

La **sintassi della frase semplice** o **proposizione**, in particolare, studia come le parole si combinano tra loro nella proposizione e, quindi, analizza i rapporti che intercorrono tra i vari elementi della proposizione (soggetto, predicato, complementi, attributi, apposizioni e predicativi).

1

La frase semplice o proposizione

La **morfologia** classifica e descrive le parole della lingua in base alle loro caratteristiche di forma e di significato: l'articolo, il nome (comune, proprio, concreto, astratto, maschile, femminile ecc.), l'aggettivo e così via. La **sintassi** studia come le parole si combinano fra loro quando si uniscono per produrre testi, orali e scritti: in particolare, analizza quale funzione esse svolgono nella frase. Naturalmente, per analizzare le funzioni delle parole bisogna studiare queste parole nella realtà dei testi o, meglio, in quelle sottounità da cui ogni testo è costituito e che si chiamano **enunciati** o **frasi**, come più spesso le chiameremo.

Lo studio delle forme e lo studio delle funzioni, ovviamente, non sono due cose separate e distinte. La *morfologia*, infatti, permette di identificare le parole, cioè le parti del discorso, ma sarebbe una disciplina inutile, puramente nomenclatoria e classificatoria, se la sintassi non illustrasse la funzione di tali parole. Allo stesso modo, la *sintassi* non potrebbe svolgere il suo compito di analisi della funzione delle parole, se la morfologia non le fornisse informazioni precise sulla forma che tali parole hanno e, anche, sulla loro maggiore o minore disponibilità ad essere utilizzate per le varie funzioni. Per questo, molti linguisti tendono a parlare, anziché di morfologia e di sintassi, di **morfosintassi**, e per questo, come vedremo, i due tipi di analisi delle parole, quello della forma (*analisi grammaticale*) e quello della funzione logica (*analisi logica*), sono tra loro strettamente collegati e, anzi, si completano l'uno con l'altro.

1. La frase

La **frase** è un **insieme unitario di parole** che, **organizzato intorno a un verbo e compreso tra due segni forti di punteggiatura, esprime un messaggio di senso compiuto.**

Può costituire da sola un testo:

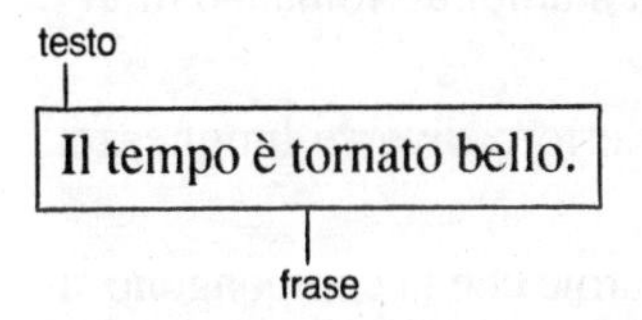

Oppure può unirsi ad altre frasi e costituire un testo più lungo:

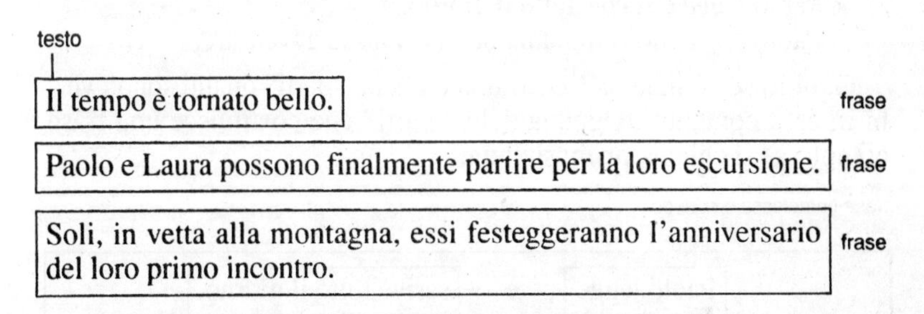

In entrambi i casi, come si vede, le varie frasi sono facilmente identificabili perché ognuna di esse, indipendentemente dalla sua lunghezza e dal suo contenuto, è un insieme unitario di parole:

– organizzato intorno a un verbo di modo finito, secondo le regole della lingua italiana;
– compreso tra due segni forti di punteggiatura (oppure tra l'inizio del testo e un segno di punteggiatura);
– dotato di un senso compiuto.

2. La frase semplice e la frase complessa

Dal punto di vista della loro struttura, le frasi si distinguono in due tipi:

• la **frase semplice** o **proposizione**,[1] in cui le parole che compongono la frase si organizzano intorno a un solo predicato, cioè intorno a una sola forma verbale. Così, sono frasi semplici tanto

Paolo *legge*.

quanto

Ogni giorno, dall'inizio delle vacanze, mio fratello Paolo *legge*, con passione e non solo per motivi di studio, un romanzo di avventure o una raccolta di novelle.

perché entrambe, indipendentemente dalle loro diverse lunghezze, contengono un solo predicato verbale;

• la **frase complessa** o **periodo**, in cui le parole che la compongono si organizzano intorno a più predicati, cioè intorno a più forme verbali, ed è quindi costituita da più frasi semplici o proposizioni:

Paolo *legge* e *scrive* tutto il giorno.
Paolo *legge* molti romanzi perché *ama* le avventure.

Ogni frase complessa è costituita da tante "parti" quanti sono i verbi in essa contenuti. Ognuna delle "parti" che costituisce una frase complessa si chiama **proposizione**:

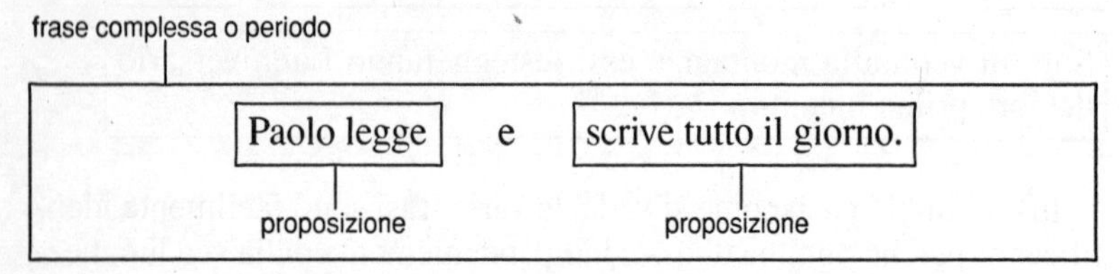

3. La forma base della frase semplice: la frase minima

La frase semplice o proposizione presenta una forma base costituita

[1] Il termine "proposizione" deriva dal latino *propositione(m)* (dal verbo *proponere*, 'porre davanti') e significa "il porre innanzi, il proporre". La proposizione, infatti, è l'unità espressiva più breve usata per "proporre", cioè per porre all'attenzione di chi legge o ascolta, un messaggio di senso compiuto.

da due elementi: un **soggetto**, cioè un nome (o un pronome) di cui si "predica" qualcuno, e un **predicato**, cioè un verbo di modo finito che "predica" qualcosa del soggetto:

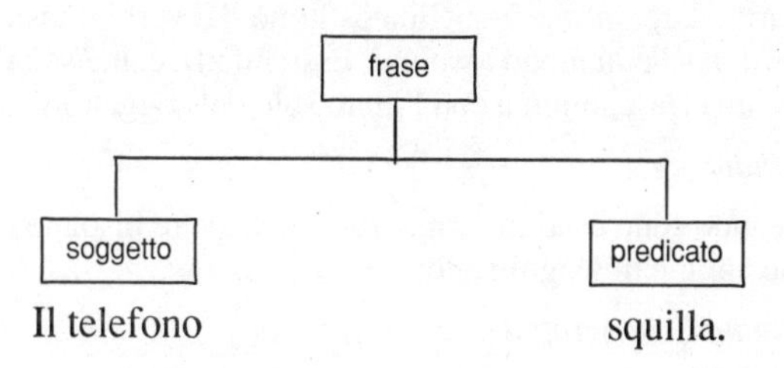

Il telefono squilla.

La forma base della frase semplice, costituita da soggetto e predicato, si chiama **frase minima** o, anche, **frase nucleare**: essa infatti è l'unità minima di comunicazione, cioè il più piccolo insieme di parole dotate di senso compiuto, e, d'altra parte, il soggetto e il predicato, i due elementi la cui presenza è indispensabile perché essa abbia senso, sono il "nucleo" intorno al quale si possono aggregare altri elementi della frase.

La frase minima costituita soltanto da soggetto, sotto forma di nome o pronome, e predicato esiste soltanto quando il verbo in questione è un verbo intransitivo ("Il telefono *squilla*") o un verbo transitivo usato in forma assoluta ("Paolo *studia*") o è formato da una voce del verbo *essere* in funzione di copula seguita da un nome o da un aggettivo in funzione di nome del predicato ("Il cielo *è azzurro*"). Solo con questi tipi di verbo, infatti, il predicato ha un senso compiuto grazie al semplice soggetto cui si riferisce, senza bisogno di ulteriori precisazioni.

In tutti gli altri casi, la frase minima ha senso compiuto, e quindi esiste come tale, solo quando il suo verbo trova senso compiuto, oltre che nel soggetto, in un ulteriore elemento che, appunto, ne completa il significato. Ci sono infatti verbi – tutti transitivi – che non hanno senso compiuto senza l'indicazione dell'oggetto dell'azione espressa dal verbo (come i verbi *salutare*, *visitare*, *rimproverare*, *incontrare* ecc.) o senza l'indicazione, oltre che dell'oggetto dell'azione, anche del destinatario dell'azione (come i verbi *dare*, *mandare*, *regolare* ecc.). Così "Laura rimprovera" non è una frase minima, anzi non è neppure una frase nonostante sia costituita da un soggetto e da un verbo, perché non ha senso compiuto: perché lo abbia, bisogna che il verbo sia seguito da un'indicazione che completi il suo significato indicando *chi* Laura rimprovera: "Laura *rimprovera il fratellino*". Lo stesso discorso vale per una frase come "Paolo ha regalato un libro al nonno". In questo caso, come si vede, la frase per avere un senso compiuto ha bisogno che il verbo sia completato sia con l'indicazione dell'oggetto regalato ("un libro") sia del destinatario del regalo ("al nonno").

Un caso particolare, infine, è quello costituito dai verbi transitivi che possono essere usati anche in modo assoluto. Essi, infatti, come si è visto, possono formare sia una frase minima con l'aiuto solo del soggetto:

Paolo *studia*

sia, invece, quando sono usati in forma transitiva, avere bisogno di una precisazione che ne completi il significato:

Paolo *studia la geografia*.

4. L'espansione della frase minima

La **frase minima**, cioè la struttura di base della frase, costituita soltanto da soggetto e predicato, **può espandere la sua forma** arricchendosi di altri elementi che forniscono ulteriori precisazioni e informazioni relative al soggetto o al predicato o a entrambi. Così la frase minima:

Il gatto dorme.

può progressivamente espandersi:

• con l'aggiunta di una indicazione che completa il significato del verbo specificando *dove* il gatto dorme:

Il gatto dorme *sul cuscino*.

• con l'aggiunta di una indicazione che completa il significato del soggetto specificando *di chi* è il gatto in questione:

Il gatto *della nonna* dorme sul cuscino.

• con l'aggiunta di una indicazione che completa il significato dell'intera frase specificando *quando* il gatto della nonna dorme sul cuscino:

Durante la notte, il gatto della nonna dorme sul cuscino.

e così via.

Le parole o, meglio, i gruppi di parole (*sul cuscino*, *della nonna*, *du-*

rante la notte) che progressivamente hanno arricchito la frase minima "Il gatto dorme" aggiungendovi indicazioni, non sempre indispensabili ma certo utili per ampliare il significato del messaggio, si chiamano **complementi** (perché *completano* il significato di uno degli elementi essenziali della frase o dell'intera frase) o **espansioni** (perché *espandono* tale significato) o **determinanti** (perché lo *determinano*).

Oltre che mediante l'aggiunta di **complementi**, la frase minima può arricchire il proprio significato con **altri elementi** anch'essi non necessari alla sua esistenza come frase di senso compiuto, ma pur sempre utili per la completezza del messaggio di cui essa è portatrice. Questi elementi sono:

• l'**attributo**, costituito da un aggettivo che si unisce a un nome per indicarne una qualità o per determinarlo meglio:

> Durante la notte, il gatto *soriano* della *nostra* nonna *materna* dorme sul cuscino *rosso*.

• l'**apposizione**, costituita da un nome che, riferito a un altro nome, lo precisa o lo determina:

> Durante la notte, Fufi, *il gatto* soriano della nostra nonna materna, dorme sul cuscino rosso.

• il **predicativo**, un aggettivo o un nome che completano il senso del predicato riferendosi al soggetto o all'oggetto della frase:

> Durante la notte, Fufi, il gatto soriano della nostra nonna materna, dorme *tranquillo* sul cuscino rosso.

Nelle pagine seguenti analizzeremo a fondo i due elementi fondamentali della frase (soggetto e predicato) e tutti gli elementi più o meno indispensabili che la espandono (complementi, attributo e apposizione). Prima, però, dobbiamo esaminare come questi elementi sono "fatti".

5. La struttura interna della frase: i sintagmi

I vari elementi che costituiscono una frase (soggetto, predicato, complementi ecc.) talvolta sono costituiti da una sola parola, ma il più delle volte sono costituiti da un **insieme di parole**. Ciascuno di questi insiemi di parole forma, all'interno della frase, una "unità sintattica" che viene chiamata **sintagma** (dal greco *sýntagma*, 'composizione'). In particolare, a seconda della parola che maggiormente li caratterizza e che costituisce il nucleo del gruppo, si distinguono tre tipi di sintagmi:

• il **sintagma** o **gruppo nominale** (abbreviato GN), che è costituito da un nome (*Paolo*, *Roma*) solo o accompagnato da un articolo (*il cane*, *un libro*), da un aggettivo (*mio padre*, *quest'uomo*) o da un aggettivo e un articolo (*una bella ragazza*), oppure da un pronome (*egli*, *noi*, *nessuno*, *qualcuno*), da un aggettivo sostantivato (*il cantante*), da un avverbio sostantivato (*il bene*) o da un infinito sostantivato (*il leggere*);

• il **sintagma** o **gruppo verbale** (abbreviato GV), che è costituito da un verbo, il quale può essere formato da una sola voce verbale, semplice o composta, nel caso del predicato verbale (*amo*, *ho amato*, *sono amato*, *è amato*, *è partito*), o da una voce del verbo *essere* seguita da un aggettivo o da un nome, nel caso del predicato nominale (*sono felice*, *è stato felice*);

• il **sintagma** o **gruppo preposizionale** (abbreviato GP), che è costituito da una preposizione e da un sintagma nominale (*di carta*, *per la strada*, *con molti amici*, *per il poeta Virgilio*).

Così, la frase minima "I ragazzi corrono" si compone dei seguenti sintagmi:

La struttura della frase può essere meglio rappresentata con il cosiddetto **albero**, che ne evidenzia graficamente le componenti:

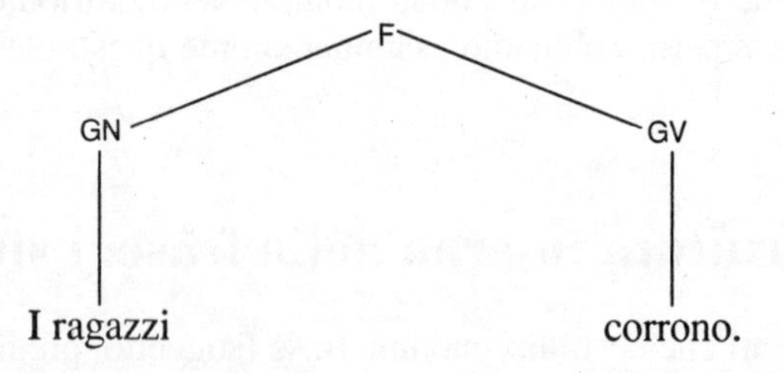

o, con più precisione, indicando anche i componenti morfologici dei singoli sintagmi:

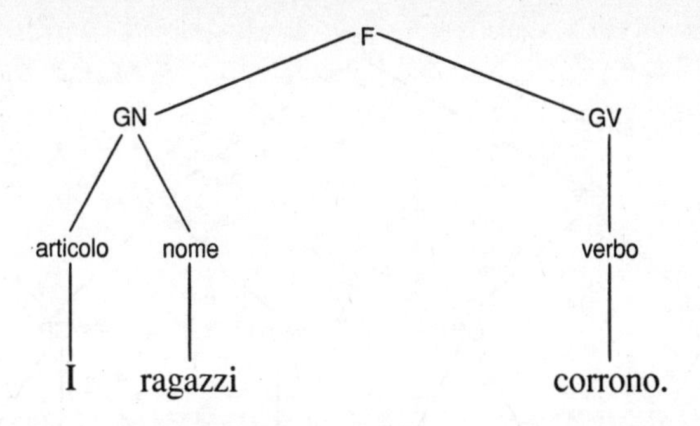

Il *gruppo nominale* che contiene il soggetto della frase e il *gruppo verbale* che contiene il predicato, cioè i due elementi indispensabili e necessari della frase, sono i **costituenti** della frase. Attorno ad essi, come sappiamo, si possono collocare uno o più *gruppi preposizionali*, che arricchiscono, determinandolo o precisandolo, il significato della frase. Così, la nostra frase minima con l'aggiunta di due gruppi preposizionali può espandersi nella frase:

I ragazzi *di Torino* corrono *per la strada*.

Questa frase si compone dei seguenti sintagmi:

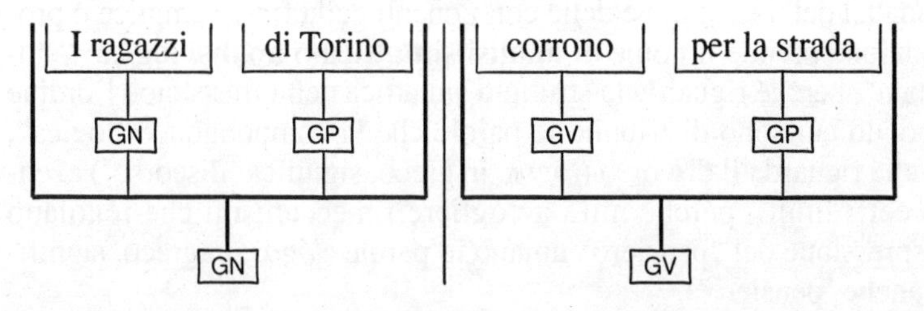

e la sua struttura può essere rappresentata con l'albero riportato nella pagina successiva.

Come appare dagli esempi, i tre tipi di sintagmi si combinano variamente tra loro a formare frasi e in esse svolgono funzioni sintattiche ben precise. Così, il gruppo nominale può fare da soggetto, da complemento diretto, da predicativo ed entra come componente essenziale in ogni complemento indiretto; il gruppo verbale fa da predicato; il gruppo preposizionale svolge la funzione di qualsiasi complemento indiretto. Per questo motivo, il concetto di sintagma è molto utile quando si deve analizzare la frase dal punto di vista sintattico, perché permette di individuare gli elementi o gli insiemi di elementi che nella frase svolgono la medesima funzione.

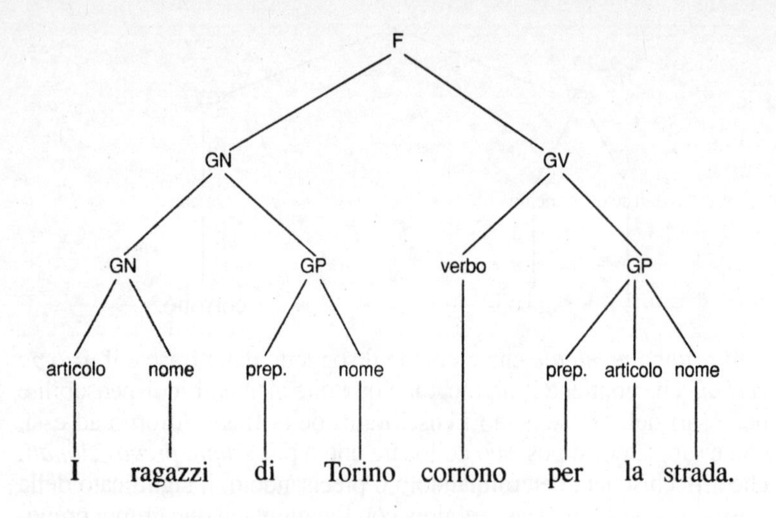

6. L'analisi della frase semplice o analisi logica

L'analisi della struttura e delle componenti della frase semplice o proposizione prende il nome di **analisi sintattica** o **analisi logica**: "sintattica", perché riguarda la struttura sintattica della frase, cioè l'ordine secondo cui sono distribuite le parole che la compongono; "logica", perché riguarda il discorso (*lógos*, in greco, significa 'discorso') e, entro certi limiti, perché mira a cogliere i meccanismi che regolano l'espressione del "pensiero" umano in parole (*lógos*, in greco, significa anche 'pensiero').

6.1. Come si fa l'analisi logica: il metodo "logico"

Fare l'analisi logica della frase semplice o proposizione significa **scomporre la frase nei suoi elementi costitutivi** – sia quelli essenziali (soggetto e predicato) sia quelli accessori (complementi, attributi, apposizioni, predicativi) – e **individuare la loro funzione sintattica** per stabilire i **rapporti** che esistono tra essi.

Per operare in modo corretto, bisogna fare tre cose:

• **ordinare**, se non sono già in ordine, gli elementi della proposizione **secondo la costruzione diretta**: prima il soggetto con gli eventuali aggettivi e nomi ad esso riferiti (GN); poi il predicato, cioè il verbo con gli eventuali aggettivi e nomi ad esso riferiti (GV); poi i vari complementi, ciascuno con gli elementi ad esso riferiti (GP). Così la proposizione: "Una bella poesia d'amore ha scritto mio fratello" deve essere riordinata in questo modo: "Mio fratello ha scritto una bella poesia d'amore".

• **scomporre la frase così ottenuta nei suoi elementi costitutivi**, ricordando che qui le parole non ci interessano per la forma che hanno, cioè in quanto articoli, nomi, aggettivi, verbi e simili, ma per il ruolo che svolgono nella frase, cioè in quanto soggetti, predicati, complementi, attributi, apposizioni, predicativi. Pertanto, non divideremo la frase in ogni singola parola, come si faceva nell'analisi grammaticale:

Mio | fratello | ha scritto | una | bella | poesia | d' | amore

ma la scomporremo in **sintagmi**, cioè in unità sintattiche di elementi che svolgono nella frase la stessa funzione:

Mio fratello | ha scritto | una bella poesia | d'amore

Per la individuazione dei vari sintagmi o gruppi sintattici, oltre a quello che si è detto nel paragrafo precedente, si tengano presenti anche le seguenti indicazioni: 1) l'articolo, la preposizione e la preposizione articolata fanno tutt'uno con il nome cui si riferiscono nell'ambito del gruppo nominale o preposizionale; 2) gli ausiliari dei tempi composti e delle forme passive fanno tutt'uno con il verbo; 3) i verbi servili e il loro verbo e, in generale, i verbi fraseologici di tutti i tipi costruiti con l'infinito (*so leggere*) o il gerundio (*va dicendo, sto dormendo*) costituiscono una unità sintattica; 4) la negazione fa tutt'uno con le parole cui si riferisce; 5) le locuzioni avverbiali costituiscono ciascuna un'unità sintattica.

• **individuare le diverse funzioni** che i vari sintagmi hanno nella frase:

Mio fratello = *soggetto*
ha scritto = *predicato*
una bella poesia = *complemento diretto* (*oggetto*)
d'amore = *complemento indiretto* (*di specificazione*)

e, con più precisione, sciogliendo i vari sintagmi negli elementi sintatticamente interessanti, avremo l'**analisi logica** della nostra proposizione:

Mio = *attributo del soggetto*
fratello = *soggetto*

ha scritto = *predicato*
una poesia = *complemento oggetto*
bella = *attributo del complemento oggetto*
d'amore = *complemento di specificazione*

6.2. Come si fa l'analisi logica: il metodo "ad albero"

Questo modo di fare l'analisi logica di una frase semplice o proposizione è quello tradizionalmente usato: costituisce, infatti, un metodo di analisi semplice e, soprattutto, proprio perché *logico* e, quindi, **astratto**, capace di adattarsi, almeno teoricamente, a ogni tipo di lingua. Accanto ad esso, la linguistica moderna ha elaborato altri metodi di analisi sintattica che, anziché essere condotti *sulla lingua* e sulle funzioni dei singoli elementi, prendono in esame *il comportamento della lingua*. Il metodo moderno più diffuso è quello dell'albero cui già abbiamo fatto cenno. Esso, come abbiamo visto, è costituito dalla scomposizione della frase in **sintagmi**, cioè in gruppi di parole che hanno tra loro precise relazioni perché svolgono la medesima funzione sintattica: il **gruppo nominale** (GN), il **gruppo verbale** (GV) e il **gruppo preposizionale** (GP). Quindi, come già abbiamo visto, la frase del nostro esempio viene scomposta prima nei suoi due componenti immediati e essenziali, il gruppo nominale e il gruppo verbale:

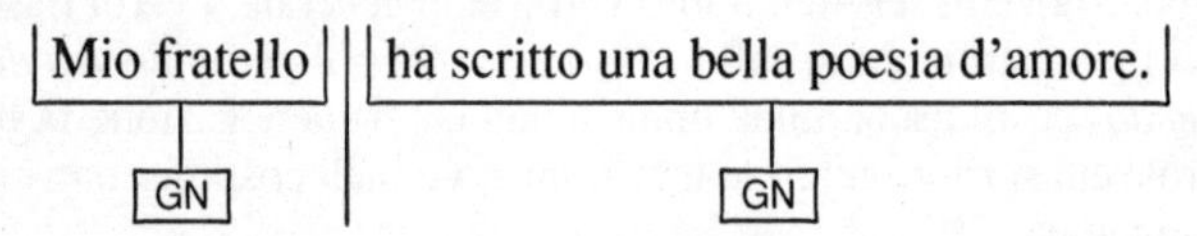

poi viene scomposta individuando gli ulteriori sintagmi che formano delle espansioni dei due sintagmi costitutivi, cioè gli eventuali gruppi preposizionali:

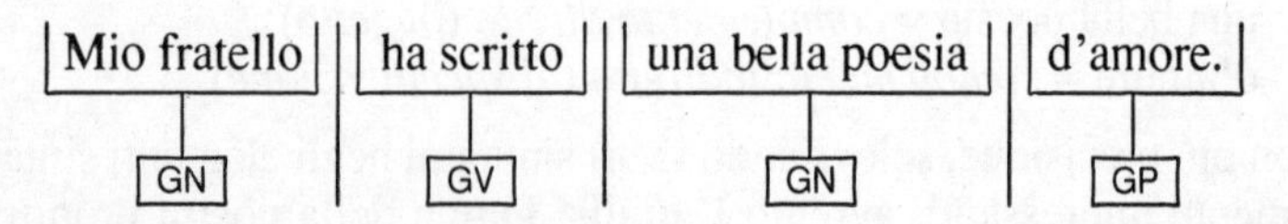

e, infine, viene rappresentata graficamente nel cosiddetto **schema ad albero**, che in parte già conosciamo:

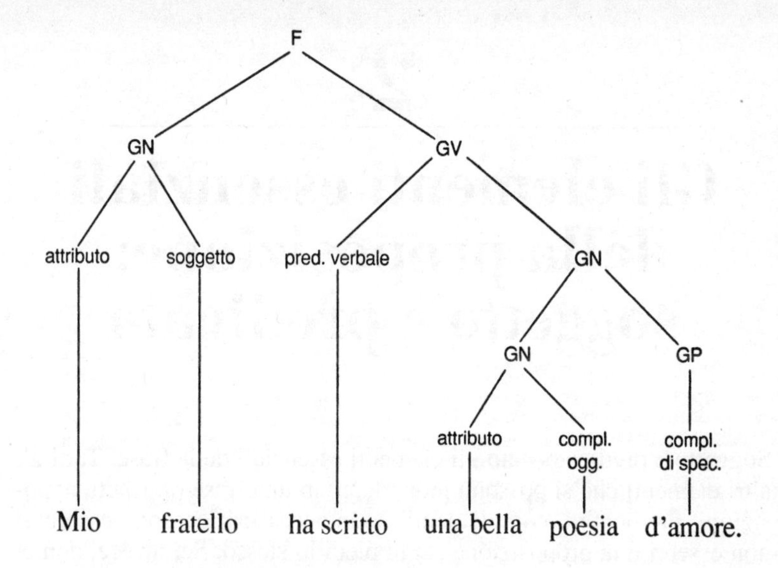

Questo metodo di analisi presenta indubbiamente un suo fascino, specialmente dal punto di vista grafico. Ma, quando la proposizione da analizzare si fa più complessa, diventa piuttosto macchinoso.

6.3. A che cosa serve l'analisi logica

L'analisi logica non è una operazione fine a se stessa, che si compie a scuola per fare esercizio di grammatica. Al contrario, essa costituisce un mezzo di cui, più o meno consapevolmente, ci serviamo nella pratica comunicativa quotidiana:

• per **decodificare** in modo rapido e sicuro gli enunciati, scritti o orali, in cui ci imbattiamo;

• per **codificare** in modo chiaro e comprensibile, proprio perché sintatticamente coerente, gli enunciati scritti e orali con cui comunichiamo con gli altri;

• per **transcodificare** in modo corretto i nostri enunciati, cioè per trasferirli da un codice linguistico (l'italiano) a un altro codice linguistico (una lingua straniera, il latino, i dialetti).

2

Gli elementi essenziali della proposizione: soggetto e predicato

Soggetto e predicato sono gli elementi essenziali della frase. Tutti gli altri elementi che si possono individuare in una frase (attributi, apposizioni, predicativi, complementi) sono accessori: possono esserci o non esserci e la proposizione sta in piedi lo stesso. Se, invece, non ci sono il soggetto o il predicato, non si ha proposizione.

Veramente, come vedremo, esistono anche frasi prive di soggetto o prive di predicato, ma si tratta di casi del tutto particolari, in cui la mancanza dell'uno o dell'altro elemento è facilmente spiegabile. Di fatto, la tendenza della lingua è quella di produrre enunciati forniti di soggetto e di predicato.

Per la loro stessa natura, soggetto e predicato hanno nella frase un rapporto strettissimo: esistono e agiscono l'uno in funzione dell'altro e, quindi, vanno analizzati unitariamente.

1. Il soggetto

Il soggetto[1] è l'elemento di cui il predicato, con il quale esso concorda nel numero, nella persona e, talora, nel genere, dice qualcosa:

> *Paolo* legge. *Paolo* è lodato da Antonio. *Paolo* sta bene. *Paolo* è sincero.

[1] Il termine "soggetto" deriva dal latino *subiectum*, 'ciò che sta sotto, ciò che sta alla base' (dal verbo *subicere*, 'sottoporre'). Esso, infatti, indica la persona o la cosa che è "alla base del discorso" e che "viene sottoposta all'attenzione di chi ascolta o legge" perché è su di essa che si intende dire qualcosa per mezzo del predicato.

In queste quattro frasi, "Paolo" è il **soggetto**. In tutte e quattro, infatti, è:

– **l'elemento con il quale il predicato concorda morfologicamente**, cioè nella persona, nel numero e, talvolta, nel genere: "Paolo", infatti, è una 3ª persona singolare maschile e tutti e quattro i predicati ("legge", "è lodato", "sta", "è tranquillo") sono concordati nella persona e nel numero con "Paolo", e due ("è lodat*o*" e "è sincer*o*") anche nel genere;
– **l'elemento di cui parla il predicato**: l'elemento della frase di cui il verbo "predica" che *legge* (cioè che compie un'azione), che *è lodato da Antonio* (cioè che subisce un'azione), che *sta bene* (cioè che si trova in una certa condizione) e che *è sincero* (cioè che ha una certa qualità).

1.1. Tutte le parti del discorso possono fare da soggetto

Il soggetto è per lo più costituito da un **nome**:

Laura dorme. Il *cielo* è sereno. La *bellezza* sfiorisce presto.

o da un **pronome** che, come si sa, sostituisce il nome a tutti gli effetti:

Egli legge. *Nessuno* dorme. *Qualcuno* rise.

Ma può funzionare da soggetto anche qualsiasi altra parte del discorso che venga usata come nome. Tutte le parole, infatti, possono sostantivarsi, cioè risemantizzarsi in nome, quando sono precedute dall'articolo determinativo o indeterminativo.

Possono dunque fare da soggetto:

– gli **aggettivi**: "*Il bello* piace a tutti";
– i **verbi**: "*(Il) nuotare* fa bene alla salute";
– gli **avverbi**: "*Il meglio* è nemico del bene";
– le **congiunzioni**: "*Il perché* di questo gesto sfugge a tutti";
– gli **articoli**: "*Lo* non si apostrofa davanti a consonante";
– le **preposizioni**: " *'Tra'* corrisponde in tutto e per tutto a 'fra' ";
– le **interiezioni**: "*Un 'oh'* di meraviglia ruppe il silenzio".

Anche **una intera proposizione** può fare da soggetto: "Non importa *che tu venga*"; "Mi sembra *di conoscerti da sempre*". La proposizione che fa da soggetto si chiama **proposizione soggettiva**; ce ne occuperemo trattando della sintassi del periodo.

1.2. Il gruppo del soggetto

Il soggetto può essere costituito da una sola parola, preceduta o meno dall'articolo:

[Paolo] dorme. [Il cane] abbaia. [Egli] legge.

Ma può anche essere costituito da più parole che si collocano intorno alla parola (per lo più un nome) che costituisce il nucleo del soggetto:

[Il primo [figlio] della signora Maria] si è sposato.

L'insieme delle parole che ruotano intorno al soggetto e che contribuiscono a meglio determinarlo si chiama più propriamente **gruppo nominale soggetto** o **gruppo del soggetto**. Come appare dall'esempio, esso è formato da un nucleo – per lo più un nome – che è il soggetto vero e proprio e da una serie di elementi accessori che possono essere attributi, apposizioni o gruppi preposizionali (complementi). Pertanto, nella frase (frase minima) "Il cane abbaia", il soggetto e il gruppo nominale del soggetto coincidono nella parola "(il) cane":

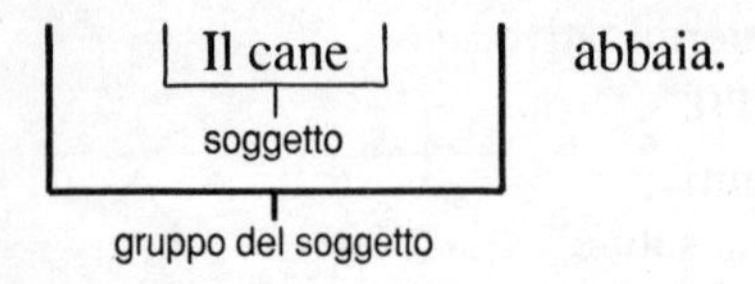

abbaia.

Invece, nella frase "Il primo figlio della signora Maria si è sposato", il gruppo nominale del soggetto è costituito dalle parole "Il primo figlio della signora Maria" (tutte indispensabili per individuare ciò di cui il predicato "si è sposato" dice qualcosa) e il soggetto (l'elemento nucleare del gruppo nominale, quello che regge tutti gli altri elementi del gruppo nominale) è la parola "(il) figlio":

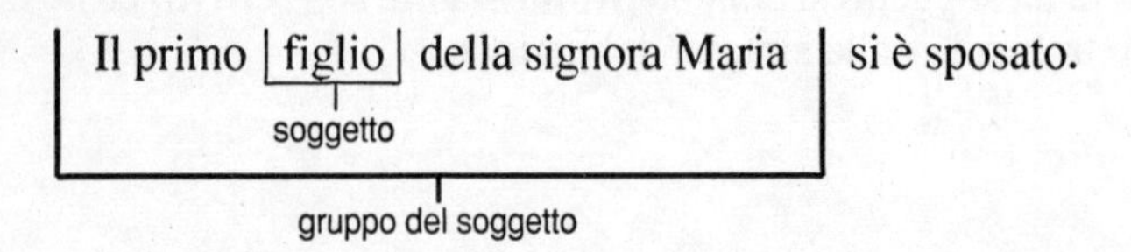

si è sposato.

1.3. Il soggetto partitivo

Nella frase, il soggetto non è mai preceduto da preposizioni. Esso, però, può, in taluni casi, essere introdotto dalla **preposizione *di* articolata** (*del*, *dello*, *della*, *dei*, *degli*, *delle*) in funzione di **articolo partitivo**, per indicare quantità generica (= "un po' di") o numero impreciso ("alcuni", "alcune"):

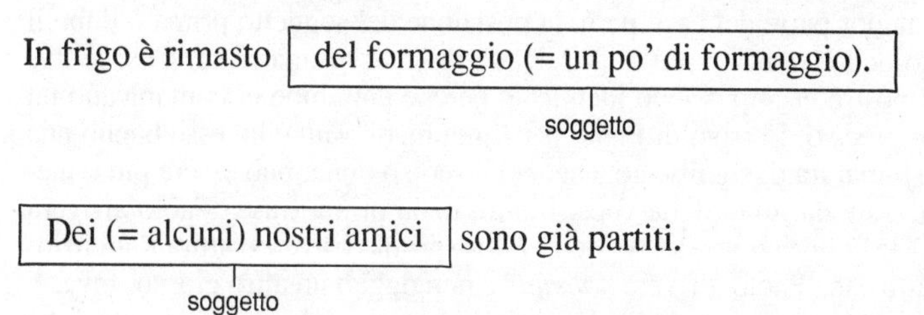

Questo particolare tipo di soggetto introdotto dalla preposizione **di** articolata si chiama **soggetto partitivo.**

Il soggetto partitivo non deve essere confuso con altri elementi della frase introdotti dalla preposizione *di*, semplice o articolata. Di fatto, nella frase "*Delle grida* ruppero il silenzio", *delle grida* vale "alcune grida" ed è il soggetto. Invece nella frase "Il rumore *delle grida* ruppe il silenzio", *delle grida* è un complemento che specifica *rumore* (complemento di specificazione).

1.4. Il posto del soggetto

In italiano il soggetto tende a occupare **il primo posto** nella frase, cioè quello che in genere è ritenuto il posto più importante:

Il ragazzo, quel giorno, girò affannosamente per tutte le strade.

Tuttavia, a scopi espressivi, chi parla o scrive può spostare il soggetto dalla sua posizione iniziale per dare maggior evidenza a un altro elemento della frase, ad esempio una determinazione particolare di luogo o di tempo:

Quel giorno, *il ragazzo* girò affannosamente per tutte le strade.
A Milano, quel giorno *il ragazzo* girò affannosamente per tutte le strade.

Anche la posizione del soggetto rispetto al predicato, a differenza di altre lingue, come il francese e l'inglese, non è fissa in italiano e il soggetto può trovarsi sia prima sia dopo il predicato. Di solito, però, esso **precede il predicato**:

Paolo arriverà domani.

Ma può anche essere collocato **dopo il predicato**:

Domani arriverà Paolo.

Nella maggior parte dei casi, però, la posizione del soggetto prima o dopo il predicato non è indifferente ai fini del significato di una frase. Così le due frasi del nostro esempio sono identiche, perché entrambe ci comunicano un fatto ben preciso: l'arrivo di Paolo per l'indomani. Tuttavia, esse hanno una diversa sfumatura di significato, che, nel discorso orale, può essere più o meno enfatizzata dal tono della voce. Infatti, nella prima frase "Paolo arriverà domani", la collocazione del soggetto *Paolo* prima del verbo attira l'attenzione sul fatto che "Paolo arriverà *domani*" e non oggi o un altro giorno. Invece, nella frase "Domani arriverà Paolo", la collocazione del soggetto *Paolo* dopo il verbo mette in evidenza il soggetto stesso e sottolinea il fatto che "Domani arriverà *Paolo*" e non un'altra persona.

A ogni buon conto, la collocazione del soggetto **prima del predicato** è quella considerata **normale**. Essa, anzi, serve a determinare in modo preciso il soggetto nelle frasi in cui può sorgere qualche ambiguità:

Sergio ama Veronica?

Nella lingua scritta, in assenza di ulteriori determinazioni contestuali, il soggetto di una frase come questa può essere soltanto "Sergio" e ciò per il semplice fatto che il nome *Sergio* è posto prima del predicato. Nella lingua parlata, invece, il tono della voce può marcare come soggetto anche il nome posto dopo il predicato. Così, in una frase come la nostra, il soggetto può essere anche "Veronica"; "Sergio ama Veronica? (= Veronica è innamorata proprio di Sergio?!)".

La collocazione del soggetto **dopo il predicato**, invece, ha per lo più **valenze espressive e stilistiche**, volte a mettere in evidenza particolari parole della frase. Questa collocazione, tuttavia, è comunemente usata:

- nelle frasi esclamative che esprimono preghiera o augurio:

  Sia ringraziato *il cielo*!
  Possa *tu* vivere felice!

- nelle frasi esclamative del tipo:

  Come è bella *la tua casa*!

• nelle frasi che accompagnano i discorsi diretti per precisare chi è che parla:

"Vieni subito qui", disse *l'uomo*.

• nelle frasi del tipo:

Mi è venuto *sonno* (*mal di testa, fame* ecc.).

• nelle espressioni del tipo *c'è chi, ci sono persone che, c'era una volta un principe che* ecc.:

C'è *gente* che pensa sempre al peggio.

1.5. Il soggetto può essere sottinteso

Il soggetto, talvolta, può essere **sottinteso**. Ciò succede:

• quando il soggetto è rappresentato da un pronome personale di prima o seconda persona singolare e plurale (**io**, **tu**, **noi** e **voi**), perché in questi casi esso si deduce facilmente dalla desinenza del verbo:

Non intend-*o* più aiutarti. Dorm-*i* troppo poco.
Non intend-*iamo* più aiutarti. Dorm-*ite* troppo poco.

Il soggetto, invece, viene espresso:
– quando i pronomi in questione sono rafforzati da *anche*, *neanche*, *neppure*, *persino*, *solo*, *soltanto* ecc.: "*Nemmeno tu* eri d'accordo".

– quando si vuole mettere in evidenza il pronome, come ad esempio nella contrapposizione: "*Tu* parti pure, *io* rimango".

• quando il verbo è all'imperativo:

Mangia piano!

• quando il soggetto risulta chiaro da ciò che si è detto o scritto prima:

Quella mattina *Paolo* si alzò presto, perché ormai aveva deciso cosa fare. Si lavò e si vestì, senza fare rumore. Quindi, dopo aver fatto colazione, prese i suoi libri e uscì.

• nelle risposte a una frase già fornita di soggetto:

"Come sta *Paolo*?" "Sta meglio, grazie".

La frase che presenta il soggetto sottinteso si chiama **frase ellittica del soggetto.**

L'ellissi, cioè la mancanza, del soggetto può implicare la mancanza dell'intero gruppo nominale.

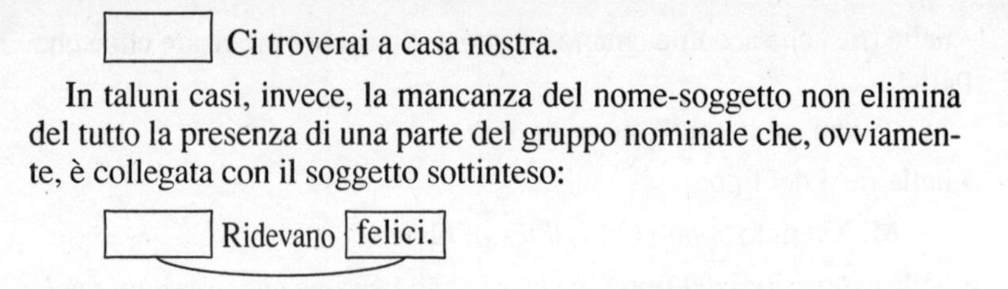

Ci troverai a casa nostra.

In taluni casi, invece, la mancanza del nome-soggetto non elimina del tutto la presenza di una parte del gruppo nominale che, ovviamente, è collegata con il soggetto sottinteso:

Ridevano felici.

1.6. Il soggetto può anche mancare del tutto

Talvolta una frase può essere priva di soggetto non perché esso sia sottinteso, come nei casi analizzati nel paragrafo precedente, ma perché esso manca del tutto. Ciò succede nelle frasi che contengono, come predicato, un **verbo impersonale**, cioè uno di quei verbi che, per loro natura, rifiutano qualsiasi soggetto determinato e forniscono da soli tutte le informazioni necessarie:

Nevica. Pioveva. Comincia a grandinare.

Su questi verbi si veda la *Morfologia* alle pp. 314 e ss. Là si vedrà anche come essi possano funzionare personalmente, e quindi con un soggetto espresso, quando sono usati in senso figurato: "*Piovvero* gli applausi".

Valore impersonale ha anche il predicato alla 3ª persona plurale in frasi come "Ti vogliono al telefono". Infatti, in questo caso, il soggetto più che sottinteso è mancante perché chi parla non sottintende il soggetto, ma lo omette perché non sa o non vuole dire chi sia.

2. Il predicato

Il **predicato**[2] è l'elemento della frase che dice ("predica") qualcosa a proposito del soggetto: informa su chi esso è, come è, che cosa fa, che cosa ha subìto o in che situazione si trova:

Il bambino *dorme*. Il ragazzo *è partito*. Laura *è stata promossa*. Il nonno *è stanco*.

[2] Il termine "predicato" deriva dal latino *praedicatum*, 'ciò che viene predicato, ciò che viene detto' (dal verbo *praedicare*, 'predicare, dire, affermare'). Infatti, il predicato è la parte della frase che "predica", cioè dice, afferma o dichiara qualcosa a proposito del soggetto.

Come già abbiamo osservato parlando del soggetto, predicato e soggetto sono legati da uno stretto rapporto logico e sintattico. Infatti, oltre che costituire i componenti essenziali della frase ed essere l'uno l'argomento principale di cui l'altro dice qualcosa, **predicato e soggetto concordano grammaticalmente** tra loro: il predicato assume cioè una forma che si accorda con quella del soggetto nella persona (1ª, 2ª o 3ª), nel numero (singolare o plurale) e nel genere (maschile o femminile).

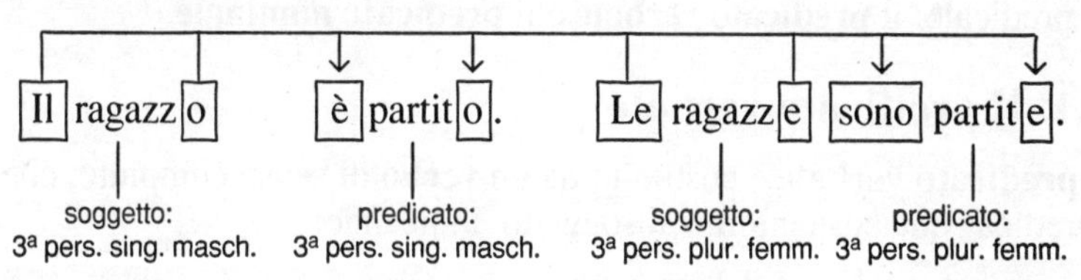

Il predicato, come risulta dagli esempi, è sempre costituito da un **verbo**. Talora il verbo basta da solo a formare il predicato, perché riesce da solo a esprimere ciò che si vuole dire a proposito del soggetto, come nella frase:

Il bambino dorme.

Nella maggior parte dei casi, però, il verbo non è in grado di fornire da solo tutte le informazioni che si vogliono predicare sul soggetto e allora il predicato è costituito da più parole, come nella frase:

Sergio assomiglia a mio fratello.

o nella frase:

Lo zio è più stanco di te.

In queste due frasi, le parole *a mio fratello* e *più stanco di te* sono indispensabili al verbo perché il predicato possa dire qualcosa di compiuto sul conto del soggetto. Di fatto, se le omettiamo, il verbo da solo non costituisce un predicato e le stesse frasi non hanno più alcun senso.

L'insieme delle parole che con il verbo formano il predicato si chiama **gruppo del predicato** o **gruppo del verbo**. All'interno del gruppo del predicato c'è sempre, come sappiamo, un verbo, che è il **predicato** vero e proprio della frase:

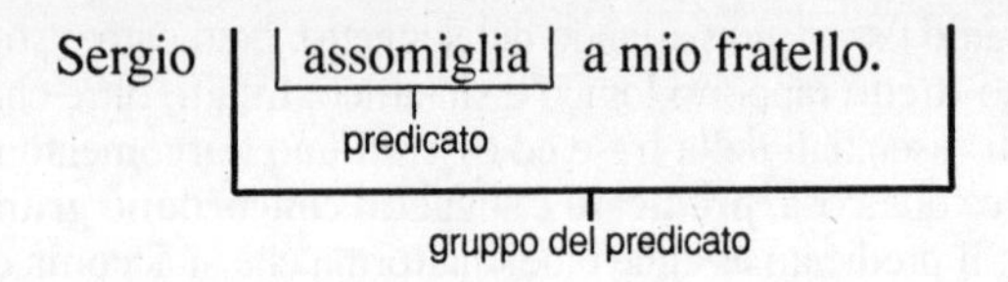

La forma del gruppo del predicato permette di distinguere due tipi di predicato: il **predicato verbale** e il **predicato nominale**.

2.1. Il predicato verbale

Il **predicato verbale** è costituito da un **verbo** di senso compiuto, che "predica" qualcosa intorno al soggetto, indicando:

- un'azione compiuta dal soggetto:

  Paolo *studia*.

- un'azione subìta dal soggetto:

  Paolo *è stato lodato*.

- un'azione compiuta e subìta dal soggetto:

  Elena *si pettina*.

- uno stato del soggetto:

  Paolo *dorme*.

I verbi che formano il predicato verbale sono detti *verbi predicativi* perché, diversamente dai verbi copulativi, sono in grado di "predicare" anche da soli qualcosa intorno al soggetto.

L'espressione "verbi di senso compiuto" con cui si indicano i verbi predicativi va intesa nel senso che tali verbi, diversamente, come vedremo trattando del predicato nominale, dalla copula *essere* e dai verbi copulativi, sono di per sé portatori di un significato e non si riducono a strumenti grammaticali che fanno da semplice collegamento tra il soggetto e la parte nominale cui spetta di dire qualcosa del soggetto. In effetti, il fatto di essere "verbi di significato compiuto" non esclude che i verbi predicativi, ad eccezione di pochi verbi – i verbi **assolutamente intransitivi** come *passare*, *partire*, *arrivare*, *nascere* e *morire*, che hanno un significato chiaramente compiuto e quindi bastano da soli a predicare qualcosa del soggetto (vedi *Morfologia*, pp. 238-239) –, possano avere delle determinazioni che, sotto forma di complementi, li aiutino a esprimere significati più precisi. Così nella frase: "Paolo studia" è possibile determinare meglio il significato del predicato precisando l'**oggetto** dello studio di Paolo:

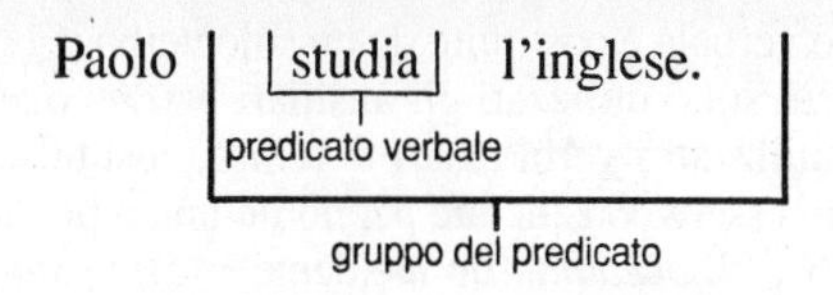

La maggior parte dei verbi, poi, pur essendo verbi predicativi e quindi pur potendo formare anche da soli un predicato verbale, per esprimere un significato veramente compiuto hanno bisogno di una o più determinazioni che, sotto forma di complementi, li aiutano a esprimere in modo completo e preciso ciò che vogliono predicare del soggetto. Ad esempio in una frase come:

La polizia *ha restituito i gioielli ai legittimi proprietari.*

è chiaro che il predicato verbale "ha restituito", pur essendo formato da un verbo predicativo di senso compiuto (*restituire*), non basta a predicare qualcosa del soggetto. Una frase come: "La polizia ha restituito" non ha alcun senso. Perché la frase significhi qualcosa, il predicato verbale deve essere completato almeno con l'indicazione di ciò che la polizia ha restituito (*i gioielli*) e delle persone cui ciò è stato restituito (*ai legittimi proprietari*). L'insieme delle parole "ha restituito i gioielli ai legittimi proprietari" costituisce il gruppo del predicato.

All'interno del gruppo del predicato, poi, è possibile distinguere il vero e proprio predicato verbale, cioè il verbo che fa da centro del gruppo e al quale sono collegati i complementi "i gioielli" e "ai legittimi proprietari":

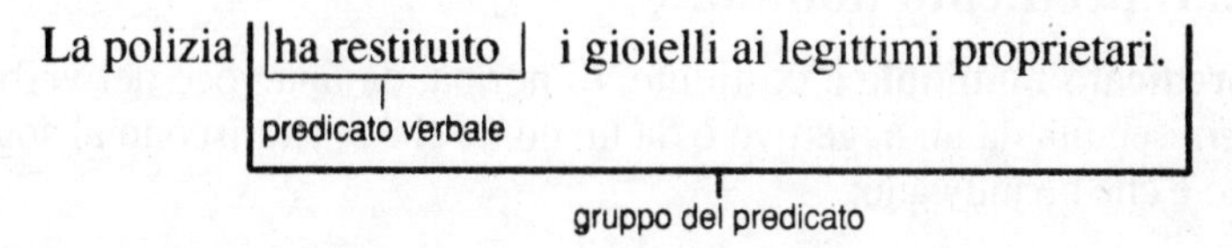

Il predicato verbale può essere costituito da qualsiasi verbo: attivo, passivo o riflessivo, transitivo o intransitivo.

Esso, inoltre, può anche essere costituito dal verbo essere usato come verbo autonomo.[3]

Maria *è* in casa?

[3] Il verbo *essere* è usato come verbo autonomo, e quindi come predicato verbale: a) nel significato di 'trovarsi': "Maria *è* (= si trova) in casa"; b) nel significato di 'esistere': "Oggi *ci sono* (= esistono) farmaci straordinari"; c) nel significato di 'vivere, abitare': "La nonna *è* (= vive) con noi da molti anni"; "*Sono* di Milano (= abito a Milano)"; d) nel significato di 'trovarsi' in senso figurato: "*Siamo* (= ci troviamo) nei pasticci"; e) per indicare appartenenza: "Di chi *è* (= a chi appartiene) questo cappello?"; f) per indicare destinazione: "Questo libro *è* per te (= destinato a te)".

Di norma, il predicato verbale è costituito da un solo verbo. Come è ovvio, le forme composte, in cui sono utilizzati gli ausiliari *essere*, *avere* e le forme passive, in cui sono utilizzati i verbi *essere* e *venire*, costituiscono un'unica voce verbale e devono essere considerate perciò un unico predicato: "*Abbiamo viaggiato* in aereo"; "*È accaduto* un incidente"; "*Sono stati trattati* solo alcuni aspetti della questione"; "La lettera *viene rimandata* al mittente".

Vanno però considerate come un'unità sintattica, e quindi come un unico predicato, anche alcune particolari costruzioni in cui sono presenti due distinte voci verbali. Costituiscono, infatti, un unico predicato:

– i verbi servili (*dovere*, *potere*, *volere*) seguiti da un infinito:

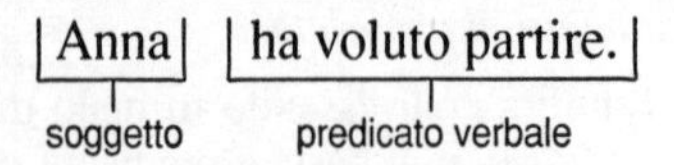

– le varie costruzioni fraseologiche, come ad esempio: *stare per* + infinito; *stare* + gerundio; *cominciare a* + infinito; *smettere di* + infinito; *finire per* + infinito; *continuare a* + infinito; *riuscire a* + infinito:

La partita | sta per iniziare.
soggetto | predicato verbale

2.2. Il predicato nominale

Il **predicato nominale** è costituito, di norma, da una voce del verbo *essere* seguita da un aggettivo o da un nome che si riferiscono al soggetto e che ne indicano:

• una qualità:

La crema *è fresca*.

• uno stato:

La nonna *è malata*.

• una caratteristica che lo individua o lo determina, come l'appartenenza a una determinata categoria:

Lo zio *è ingegnere*.
Le rose *sono fiori*.

La voce del verbo *essere*, che costituisce tutto l'elemento verbale del predicato nominale, è detta **copula**, cioè "legame, collegamento": essa, infatti, serve a collegare il soggetto con l'aggettivo o il nome che vengono riferiti al soggetto stesso[4] e che costituiscono la **parte nominale del predicato** o, più brevemente, il **nome del predicato**:

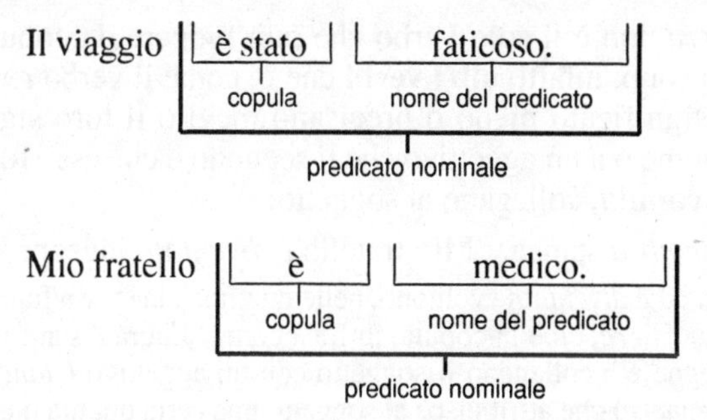

La parte nominale del predicato può essere costituita da un unico aggettivo o nome oppure da più aggettivi o nomi, collegati da una congiunzione o separati da un segno di interpunzione: "Il viaggio è stato *faticoso ma interessante*"; "Tuo fratello è *medico o ingegnere*?"; " 'Mastro don Gesualdo' è *un romanzo, non una novella*"; "Quello stanzone era *buio, gelido e umido*".

Quando la parte nominale del predicato è costituita da un nome, quest'ultimo può essere accompagnato da uno o più aggettivi (qualificativi, possessivi, determinativi ecc.). Anche tali aggettivi sono elementi, per quanto accessori, della parte nominale del predicato e, come vedremo meglio più avanti, sono definiti **attributi** del nome del predicato:

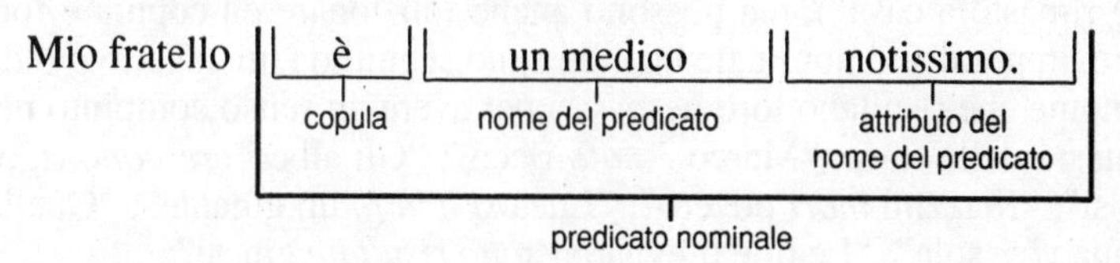

Nell'ambito del predicato nominale, la copula e il nome del predicato **concordano con il soggetto**: la copula concorda in persona e numero, la parte nominale in numero e genere:

Il nonno *è* ricc*o*.
La nonna *è* ricc*a*.
Il nonno e la nonna *sono* ricch*i*.

[4] Pur non avendo un valore e un significato autonomi, la copula provvede a fornire tutte le informazioni che fornisce un verbo: la persona, il numero, il tempo e il modo.

2.2.1. IL PREDICATO CON I VERBI COPULATIVI E IL PREDICATIVO DEL SOGGETTO

Il verbo *essere* non è il solo verbo che può fungere da copula in un predicato. Ci sono, infatti, **altri verbi** che o, come il verbo *essere*, assumono un significato pieno o precisano meglio il loro significato grazie a un nome o a un aggettivo che li seguono e che essi, **fungendo appunto da copula**, collegano al soggetto:

Laura *sembra* stanca. Mio fratello *è diventato* ingegnere.

I verbi *sembra* ed *è diventato* svolgono, nelle due frasi, la stessa funzione che svolge il verbo *essere*, cioè la copula, in frasi come "Laura *è* stanca" e "Mio fratello *è* ingegnere": collegano il soggetto con un aggettivo (*stanca*) o con un nome (*ingegnere*) che attribuisce al soggetto una certa qualità o una caratteristica.

Questi verbi, per la funzione che svolgono, si chiamano **copulativi**. I più usati sono:

• i verbi *sembrare*, *parere*, *apparire*, *divenire*, *diventare*: "Il nonno *sembra* contento"; "Questo film *pare* un capolavoro"; "Paolo *è diventato* zio"; "La situazione *divenne* difficile";

• i verbi *nascere*, *crescere*, *morire*, *rimanere*, *restare*, *risultare*, *farsi*. Questi verbi hanno di per sé un significato compiuto e, quindi, possono formare dei normali predicati verbali ("È nato un bambino"; "Paolo è rimasto a casa"), ma possono anche funzionare da copula e formare un predicato nominale quando sono seguiti da un aggettivo o da un nome che risultano loro necessari per avere un senso compiuto nel contesto della frase: "Marco *è nato* ricco"; "Gli alberi *crescono* rigogliosi"; "Mazzini *morì* povero"; "Luca *si è fatto* un gigante"; "Quella donna *vive* sola"; "Le mie previsioni *sono risultate* giuste";

• i verbi cosiddetti "appellativi" (*chiamare*, *dire*, *soprannominare* ecc.), "elettivi" (*eleggere*, *nominare*, *proclamare*, *dichiarare* ecc.), "estimativi" (*stimare*, *giudicare*, *ritenere* ecc.) e i verbi "effettivi" (*fare*, *rendere*, *creare* ecc.), quando sono usati al passivo. "La bimba *è stata chiamata* Maria"; "Gianni *è soprannominato* volpe"; "L'avvocato Rossi *è stato eletto* deputato"; "Paolo *è considerato* il miglior nuotatore della compagnia"; "Io *sono stato reso* saggio dall'esperienza".[5]

[5] Questi stessi verbi, quando sono usati nella forma attiva, richiedono il **complemento predicativo dell'oggetto** (si veda alle pp. 446-447): "I genitori *hanno chiamato* la bimba *Maria*"; "Tutti *considerano* Paolo *il miglior nuotatore della compagnia*".

La parte nominale che completa il significato di questi verbi e che forma con essi un predicato è detta **complemento predicativo del soggetto**. Essa, infatti, "predica" qualcosa del soggetto:

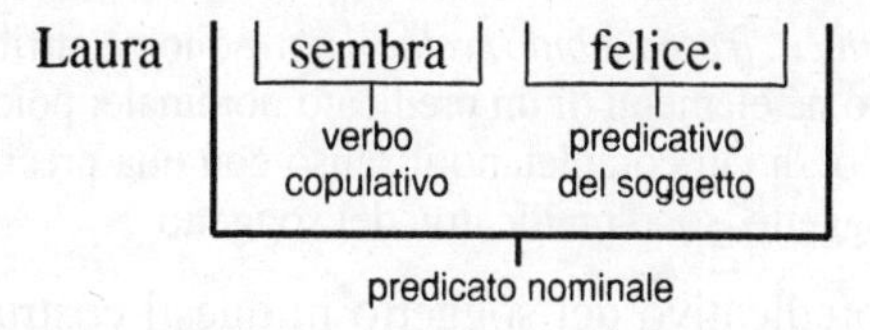

Quanto al nome, i grammatici non sono d'accordo su quale tipo di predicato sia il predicato contenente un verbo copulativo. Alcuni, infatti, considerano il gruppo verbale, formato dal verbo copulativo + la parte nominale, un **predicato nominale** e analizzano il gruppo verbale come tale:

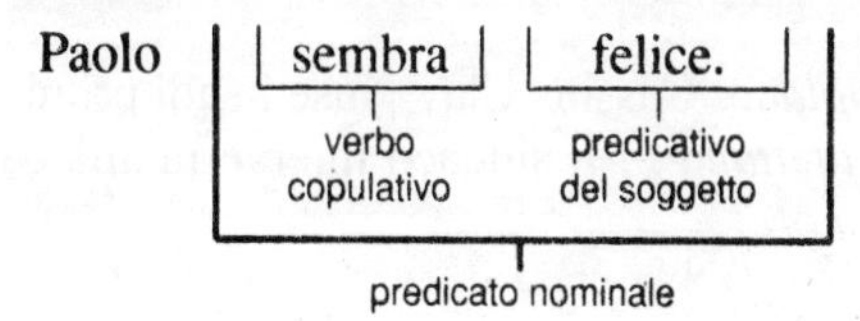

Altri, invece, lo considerano un **predicato verbale** e analizzano il gruppo verbale così:

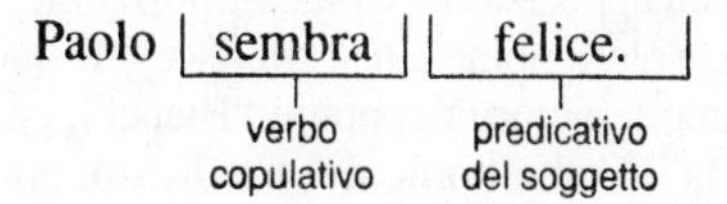

Altri ancora lo considerano un predicato a sé stante, a metà strada tra il predicato nominale e il predicato verbale: parlano di un **predicato con verbo copulativo** e analizzano il gruppo verbale così:

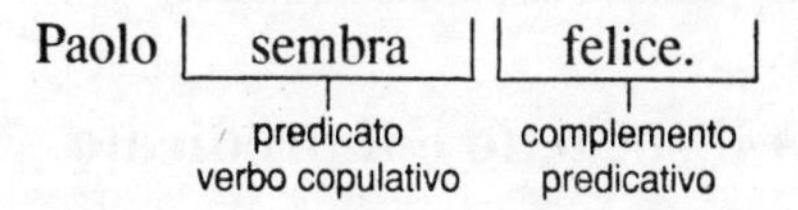

Predicato verbale, a tutti gli effetti, seguito da un vero e proprio **complemento predicativo del soggetto** è invece quello costituito da un verbo di senso compiuto accompagnato da un aggettivo che, in funzione appunto di predicativo del soggetto, precisa la modalità con cui il soggetto compie o subisce l'azione espressa dal verbo stesso:

La mamma tornò a casa *stanca*. La notte scese *fresca* e *buia* nella valle. Gli aerei della pattuglia acrobatica sfrecciano *veloci* nel cielo.

In queste frasi, gli aggettivi *stanca, fresca* e *buia*, *veloci*, non sono né attributi dei nomi con cui concordano né elementi di un predicato nominale: poiché si riferiscono tanto al predicato, di cui completano il senso con una precisazione aggiuntiva, quanto al soggetto, sono predicativi del soggetto.

L'aggettivo che funge da predicativo del soggetto in questi costrutti può essere introdotto dalle preposizioni **da** o **per**:

Paolo entrò in classe *per primo*. Hai agito *da stupido*.

Talvolta, infine, in questi costrutti possono fungere da *predicativo* i nomi, che però sono sempre introdotti dalle preposizioni **da** o **per** o dall'avverbio **come**:

Ho agito *come uno stupido*. Cassius Clay vinse i suoi primi incontri di pugilato *da dilettante*. Il sindaco interverrà alla cerimonia *come ospite d'onore*.

La funzione che il nome ha quando funge da predicativo del soggetto è diversa da quella che ha quando funge da nome del predicato o da apposizione, e quindi non è difficile distinguere quando funziona da predicativo del soggetto da quando funziona da predicato o da apposizione. Come **apposizione**, infatti, il nome accompagna e determina solo il nome cui si riferisce: "Il sindaco Bianchi ha ringraziato ufficialmente le autorità" oppure "Bianchi, come sindaco, ha preso una decisione giusta". Come **nome del predicato**, poi, il nome è sempre collegato al soggetto dalla copula o da un verbo copulativo: "Bianchi è *un* bravo *sindaco*"; "Bianchi è diventato *sindaco*". Come **predicativo del soggetto**, il nome si differenzia dall'apposizione perché determina tanto il verbo quanto il nome e dal predicato nominale perché non è collegato al soggetto da un verbo copulativo: "Bianchi ha parlato *da sindaco*".

2.3. La concordanza tra il soggetto e il predicato

Il predicato si accorda sempre in persona, numero, e nelle voci composte anche in genere, con il soggetto: "La zia *è stata* buona"; "Il bimbo *recitò* una poesia"; "Le pizzette *sono piaciute* a tutti". Più in particolare:

• Quando il soggetto è costituito da più parole di persona, numero e genere diversi collegate dalla congiunzione coordinante **e**, valgono le solite regole:

– la 1ª persona, singolare e plurale, prevale sulle altre e impone l'accordo alla 1ª persona plurale: "Tu e io (noi e voi / io e Paolo / noi e Paolo / io e i miei amici) *siamo* simpatic*i* a tutti";

– la 2ª persona, singolare e plurale, prevale sulla 3ª persona, singolare o plurale, e impone l'accordo alla 2ª persona plurale: "Tu e Paolo (voi e Paolo / tu e i tuoi amici / voi e i vostri amici) *siete* simpatic*i* a tutti";

– il maschile tende a prevalere sul femminile: "Paolo e sua sorella sono simpaticissim*i*"; "Paolo e sua sorella sono nostr*i* amic*i* da molti anni".

• Quando il soggetto è costituito da più parole al singolare collegate dalla congiunzione disgiuntiva **o**, la concordanza, secondo la logica, dovrebbe avvenire al singolare: "O Paolo o Antonio *ha preso* il mio maglione"; il singolare è richiesto dal fatto che uno solo dei due soggetti ha preso il maglione. Ma la presenza di due soggetti suggerisce di per sé l'idea di plurale e chi parla o scrive tende spesso a concordare il verbo al plurale: "O Paolo o Antonio hanno preso il mio maglione".

• Quando i soggetti sono legati dalle congiunzioni correlative negative **né ... né**, il verbo si accorda al plurale: "Né Paolo né Laura *si sono fatti vivi*". Ma non mancano casi di accordo al singolare, specialmente se il soggetto è posposto al predicato: "Non avvenne né una cosa né l'altra" (A. Manzoni).

• Quando i soggetti sono collegati dalla disgiuntiva correlativa **non solo ... ma anche**, il verbo si accorda con il soggetto introdotto da *ma anche*: "Non solo voi ma anche Laura *ha* il diritto di parlare". Ciò vale anche per la disgiuntiva correlativa **non ... ma**: "Non tu, ma io comando qui".

• Quando il soggetto è costituito da un nome collettivo come *folla*, *moltitudine*, *quantità* ecc., determinato da una specificazione al plurale, la concordanza del verbo può essere fatta sia alla 3ª persona singolare ("La maggior parte dei tifosi *uscì* prima della fine della partita") sia alla 3ª persona plurale ("La maggior parte dei tifosi *uscirono* prima della fine della partita"). Nel primo caso, chi parla o scrive bada soprattutto alla logica della sintassi che vuole l'accordo del verbo con il soggetto. Nel secondo caso, chi parla o scrive compie un accordo "a senso", tenendo conto non del numero grammaticale del soggetto ma dell'idea di pluralità espressa dal gruppo del soggetto nel suo complesso.

L'idea di pluralità implicita in un nome collettivo è tale che talvolta si trova il predicato al plurale anche se il collettivo non è seguito da una specificazione al plurale: "Un centinaio *sono* già arrivat*i*". L'accordo al singolare, comunque, è più usato nella lingua di livello medio-alto, mentre l'accordo "a senso", al plurale, è più diffuso nella lingua di registro familiare. All'uso familiare appartiene anche il fenomeno inverso, cioè l'accordo al singolare di un predicato che si riferisce a un soggetto plurale come nella frase: "Oggi *c'è* molt*e* person*e*" (invece di "Oggi *ci sono* molte persone"). Alla lingua dell'uso appartiene anche il caso, analogo ai precedenti, di un errore, usuale negli avvisi economici: "Vendesi (= si vende) appartamenti", invece di "Vendonsi (= si vendono) appartamenti".

• Quando il soggetto è seguito da un complemento di compagnia introdotto da *con* o da *insieme con*, il verbo concorda con il soggetto: "Un uomo con un bambino *entrò* nel negozio".

• Nei tempi composti dei verbi che richiedono l'ausiliare *avere* il participio passato non si accorda con il soggetto ma rimane sempre al maschile: "I cani hanno calpestato l'aiuola". Invece, nei tempi composti dei verbi che richiedono l'ausiliare *essere* e nelle forme passive, il participio passato concorda in genere e in numero con il soggetto: "I miei genitori sono tornat*i* ieri da un lungo viaggio"; "La partita fu seguit*a* da migliaia di spettatori".

• Per quello che riguarda la parte nominale del predicato nominale essa si comporta diversamente a seconda che sia costituita da un aggettivo o da un nome. Se è costituita da un aggettivo, questo si accorda sempre in genere e numero con il soggetto: "I miei fratelli sono altissim*i*"; "Le lasagne oggi sono squisit*e*". Se, invece, è costituita da un nome, questo si accorda con il soggetto nel genere e nel numero se è un nome variabile, che presenta cioè forme diverse per il maschile e per il femminile ("Alberto Sordi è *un attore*", "Ornella Muti è *un'attrice*"); se, invece, è un nome di genere invariabile si accorda con il soggetto solo nel numero ("La pialla è *un attrezzo* del falegname"; "La rosa è *un fiore*"; "Le rose sono *fiori*"). Talvolta, però, soprattutto quando il verbo *essere* corrisponde per significato a "costituire", "rappresentare", il nome del predicato non si accorda con il soggetto neppure nel numero: "I giornali sono *uno strumento* di informazione"; "Quelle notizie furono *una sorpresa* per tutti noi"; "I carboidrati sono *un alimento* indispensabile per il corpo umano".

2.4. Il predicato può essere sottinteso: la frase nominale

Il predicato, come il soggetto, è un elemento essenziale della frase semplice o proposizione e, quindi, non può mancare: la sua presenza, infatti, è necessaria per l'esistenza della frase stessa. A volte, però, il predicato non c'è o, meglio, è inespresso, cioè **sottinteso**. Ciò succede:

• tutte le volte in cui il predicato, specialmente il predicato verbale, è ricavabile dal contesto, come nelle risposte:

«Vuoi una pera o una pesca?» «Una pesca.»

Nella frase "Una pesca." è chiaramente sottinteso il verbo *voglio*.

• in alcune espressioni, volutamente concise, come le espressioni di saluto, certe frasi convenzionali o formali, le massime e i proverbi:

Buongiorno! Grazie! Tanti auguri! Tutto bene. A presto. Due chili di mele, per favore. Biglietti, prego! Silenzio! Bello, questo quadro! Per me, un risotto alla milanese. Molti nemici, molto onore.

Anche in questi casi è facile, riconducendo ogni frase alla particolare situazione in cui può essere stata pronunciata o cui può essere riferita, reintegrare volta per volta i verbi sottintesi: "(*Ti auguro*) un buon giorno!"; "(*Ti rendo*) grazie!"; "(*Va*) tutto bene"; "(*Mi dia*) due chili di mele, per favore" ecc.

• nei titoli di libri o di film:

Niente di nuovo sul fronte occidentale

Cioè: "(*Non c'è, non è successo*) niente di nuovo sul fronte occidentale".

• nei titoli di giornale:

Nuovo aumento del prezzo della benzina. L'Inghilterra alle urne. In venticinquemila per tre posti di netturbino.

Anche in questi casi è facilmente intuibile il verbo sottinteso: "(*Ci sarà* oppure *è stato deciso*) un nuovo aumento della benzina"; "L'Inghilterra (*va* oppure *andrà*) alle urne"; "(*Si sono presentati*) in venticinquemila per tre posti di netturbino".

La frase priva di predicato e, quindi, fatta solo di nomi o di gruppi nominali si chiama **frase nominale**.

2.5. La "frase" senza soggetto e senza predicato

Una frase, come sappiamo, può essere priva di soggetto o priva di predicato o, meglio, può avere il soggetto o il predicato sottintesi: "(*Io*) voglio dormire"; "(*Sarà approvata*) una nuova tassa sulla casa". Ma esistono anche "frasi" in cui mancano sia il soggetto sia il predicato: frasi costituite da una sola parola che rappresenta da sola un'intera frase, in quanto per significato equivale a un'intera frase. È il caso:

– delle interiezioni, che la grammatica tradizionale classifica tra le parti del discorso e che, invece, per significato corrispondono a un'intera frase: *Ahi*, *Uffa*, *Buongiorno*, *Buonasera*, *Grazie*, *Ciao* e simili. Infatti l'interiezione "*Ahi!*" significa in realtà "Mi sono fatto male!" oppure "Mi hai fatto male" oppure "Sento male" e simili;
– delle particelle assertive *sì* e *no*: di fatto, in un dialogo come "Vieni con me?" "Sì", la risposta "*Sì*" equivale a "Io vengo con te";
– delle espressioni esclamative di valutazione fatte mediante avverbi. È il caso delle espressioni "*Bene!*" che significa "Tutto va bene" oppure "Mi sembra che vada bene" e simili;
– del cosiddetto vocativo o complemento di vocazione.

Le parole che, come quelle citate, equivalgono per significato a intere frasi si chiamano **parole olofrastiche**, cioè, appunto, "parole che corrispondono a dichiarazioni tutte intere" (dal greco *hólos*, 'tutto intero', e *phrásis*, 'espressione, frase').

3

Gli altri elementi della proposizione: attributo e apposizione

La **frase minima**, costituita soltanto dal soggetto e dal predicato, può, come abbiamo visto, **espandersi** attraverso altri elementi che, in vario modo e a vario titolo, ne arricchiscono il significato:

Picasso dipinge.
Picasso dipinge *un quadro*.
Picasso dipinge un *grande* quadro.
Il pittore Picasso dipinge un grande quadro.
Il pittore Picasso dipinge un grande quadro *in campagna*.

Gli elementi che possono espandere la frase minima sono fondamentalmente di tre tipi:

- **attributi**: Il pittore Picasso dipinge un grande quadro.
- **apposizioni**: Il pittore Picasso dipinge un grande quadro.
- **complementi**: Il pittore Picasso dipinge un grande quadro in campagna.

Nei paragrafi seguenti analizzeremo l'**attributo** e l'**apposizione**; nel capitolo successivo, chiariremo la funzione di quegli elementi che abbiamo genericamente indicato come **complementi** (o *determinanti* o *espansioni*) e poi li analizzeremo puntualmente.

1. L'attributo

L'attributo[1] è un *aggettivo* che accompagna un nome per precisarlo "attribuendogli" una qualità o una caratteristica:

Le vacanze *invernali* sono finite. *Tre* persone hanno deciso.

L'aggettivo qualificativo "invernali" che accompagna il nome-soggetto "vacanze" con cui è concordato in genere e numero è un attributo perché *attribuisce* al nome "vacanze" una qualità che lo distingue da altre vacanze (ad esempio quelle estive). Attributo è anche l'aggettivo numerale "tre" che, nella seconda frase, accompagna il nome-soggetto "persone" precisando quante sono le "persone" di cui parla il predicato.

L'attributo non ha nella frase una sola autonoma funzione logica ma viene sempre *attribuito*, cioè riferito, a un nome: trattandosi di un aggettivo, non può essere usato altro che in riferimento a un nome (o a un'altra parola usata come nome). Pertanto, a seconda della funzione che il nome cui si accompagna ha nella frase, si ha:

- l'**attributo del soggetto**, quando l'aggettivo accompagna il nome che funge da soggetto: "La *vecchia* quercia resiste al vento";
- l'**attributo del complemento oggetto**, quando l'aggettivo accompagna il nome che funge da complemento oggetto: "Laura beve una bibita *fresca*";
- l'**attributo di un complemento indiretto** di qualsiasi tipo, quando l'aggettivo accompagna un nome che funge da complemento indiretto: "Paolo studia con un *suo* compagno";
- l'**attributo dell'apposizione**, quando l'aggettivo accompagna un nome che funge da apposizione: "Gianni, un *nostro caro* amico, è partito";
- l'**attributo del predicato nominale**, quando l'aggettivo accompagna il nome che costituisce la parte nominale di un predicato nominale: "Mio fratello è un *bravo* tennista".

Per ovvi motivi – l'aggettivo non accompagna mai un verbo! – l'attributo

[1] Il termine "attributo" deriva dal latino *attributu(m)*, 'ciò che è attribuito' (dal verbo *attribuere*, 'attribuire'). L'attributo, infatti, è un elemento della frase (propriamente un aggettivo) che "attribuisce" una qualità o una caratteristica al nome con cui si accompagna.

non si riferisce mai al predicato verbale. Come si è visto, però, può essere riferito alla parte nominale del predicato nominale quando essa è costituita da un nome: "Mio fratello è un *bravo* tennista".

Osservazioni

• **Ogni tipo di aggettivo può fare da attributo.** Ogni tipo di aggettivo può fare da attributo: un aggettivo **qualificativo**: "Un ragazzo *maturo* non lo farebbe mai"; un aggettivo **dimostrativo**: "Io abito in *quella* villa laggiù"; un aggettivo **possessivo**: "Ieri ho visto *tua* sorella"; un aggettivo **indefinito**: "Questa roba vale *pochi* soldi", "*Nessun* critico ha apprezzato quel film"; un aggettivo **numerale**: "Resterò qui *tre* giorni", "Marzo è il *terzo* mese dell'anno"; un aggettivo **interrogativo**: "*Che* abito indosserai?"; un aggettivo **esclamativo**: "*Che* errore hai fatto!".

• **Il posto dell'attributo.** L'attributo può precedere o seguire il nome cui si riferisce. In particolare, quando è costituito da un aggettivo determinativo (dimostrativo, possessivo, indefinito, numerale, interrogativo ed esclamativo) esso di solito precede il nome: "*Questo* libro è opera di *tre* autori". Invece, quando è costituito da un aggettivo qualificativo, esso precede o segue il nome secondo criteri che incidono sul significato dell'aggettivo (vedi la *Morfologia* alle pp. 136-139) ma che non ne investono il ruolo sintattico: per la sintassi, infatti, due frasi come "L'uomo arrivò alla porta con le sue *belle* figlie" e "L'uomo arrivò alla porta con le sue figlie *belle*", che nella realtà della comunicazione hanno due significati molto diversi, sono perfettamente identiche.

• **Più attributi.** Poiché a ogni nome possono essere uniti anche più aggettivi, ogni nome della frase può avere anche **più attributi**: "Ho venduto la *mia vecchia* bicicletta"; "*Quella pesantissima* valigia *marrone* contiene *tutti* i *miei vecchi* quaderni".

• **Gli avverbi come attributi.** Funzione di **attributo** può avere, in determinati casi, anche l'**avverbio**. Infatti, taluni avverbi (e talune locuzioni avverbiali) possono aggiungersi a un nome per modificarne o precisarne il significato e si comportano quindi come **attributi**: "La stanza *accanto* era vuota"; "Paolo ha incontrato Laura nel bar *qui sotto*"; "Il giorno *prima* non c'era nessuno in casa". In questo caso si parla di **attributi avverbiali**. Valore di attributo hanno anche gli avverbi usati in espressioni di registro colloquiale molto diffuse oggi: "La gente *bene* quest'anno ha preferito le Canarie"; "Il governo ha optato per il *non* intervento".

• **L'attributo non è sempre un elemento "accessorio" della frase.** L'**attributo** è, per definizione, un elemento che espande i nomi di una frase, arricchendone o precisandone il significato. Come espansione, però, esso è qualcosa di "accessorio" che può anche essere tralasciato o qualcosa di "necessario" per capire il senso della frase? Dipende dai casi.

In molti casi, l'attributo ha un **valore accessorio**: serve soltanto a qualificare meglio un elemento della frase senza però incidere in modo importante nel significato della frase stessa. Analizziamo, ad esempio, la frase: "Mi sprofonderei in una *morbida* poltrona". Anche se eliminiamo l'attributo *morbida*, la frase conserva tutto il suo significato: in questo caso, dunque, l'attributo non è un elemento necessario.

In altri casi, invece, l'attributo è tutt'altro che un "accessorio": costituisce un **determinante necessario** del nome cui si riferisce e risulta quindi fondamentale per il significato della frase. Prendiamo ad esempio la frase: "Detesto le persone *bugiarde*". Se mancasse l'attributo *bugiardo*, la frase: "Detesto le persone" avrebbe sì un senso, ma completamente diverso da quello della frase con l'attributo.

In altri casi, infine, l'attributo è davvero un "accessorio" a tutti gli effetti: è il caso in cui l'aggettivo è usato solo per "ornare" la parola cui si riferisce, senza aver alcun valore comunicativo (**attributo esornativo**: "Il ben *temprato* e *lavorato* elmo si ruppe").

2. L'apposizione

L'apposizione[2] è un *nome*, solo o accompagnato da un attributo o da complementi, che si unisce a un altro nome per meglio determinarlo:

Il *dottor* Rossi abita a Genova. Il *fiume* Po nasce dal Monviso.

Nella frase "Il dottor Rossi abita a Genova", il nome *dottore* si aggiunge al nome *Rossi* per meglio precisarlo, dando informazioni circa la professione della persona che si chiama Rossi. Allo stesso modo, nella frase "Il fiume Po nasce dal Monviso", il nome *fiume* si aggiunge al nome *Po* per meglio precisarlo, indicando che cos'è l'entità definita con il nome geografico *Po*. Il nome *dottore* è apposizione del nome *Rossi* e il nome *fiume* è apposizione del nome *Po*.

Come l'attributo, l'apposizione si può riferire a qualsiasi elemento della frase che sia costituito da un nome e quindi al soggetto e a tutti i complementi, da quello diretto a quelli indiretti:

Lo [zio] Giuseppe è partito. Tornerà con il [signor] Bianchi.

apposizione del soggetto — apposizione del complemento indiretto (di compagnia)

[2] Il termine "apposizione" deriva dal latino *appositionem*, 'cosa posta vicino' (dal verbo *ad-ponere*, 'porre vicino'). Infatti, l'apposizione è un nome o un'espressione posta vicino a un altro nome per determinarlo.

Quando è costituita da un nome solo, l'apposizione si chiama **apposizione semplice**. Quando, invece, è costituita da un'espressione più ampia in cui il nome che funge da apposizione è determinato da altri elementi, ad esempio da uno o più attributi o da un complemento di specificazione, si chiama **apposizione composta**:

Giovanni, *mio fratello*, ha vinto la gara.
Giovanni, *il fratello di Laura*, ha vinto la gara.
Giovanni, *il fratello minore di Laura*, ha vinto la gara.
Giovanni, *fratello di Laura*, ha vinto la gara.

In questi casi, per fare l'analisi logica, si individua per prima cosa l'intero sintagma appositivo, *mio fratello*, *il fratello di Laura*, *il fratello minore di Laura*, *fratello di Laura* e si specifica di che cosa è apposizione (nei nostri esempi è sempre apposizione del soggetto); poi si scompone il sintagma appositivo nelle sue componenti: *mio fratello* = *mio*, attributo dell'apposizione; *fratello*, apposizione del soggetto; *il fratello minore di Laura* = *il fratello*, apposizione del soggetto; *minore*, attributo dell'apposizione; *di Laura*, complemento di specificazione. Ad esempio, nell'analisi ad albero, l'intera frase "Giovanni, il fratello minore di Laura, ha vinto la gara" si analizza così:

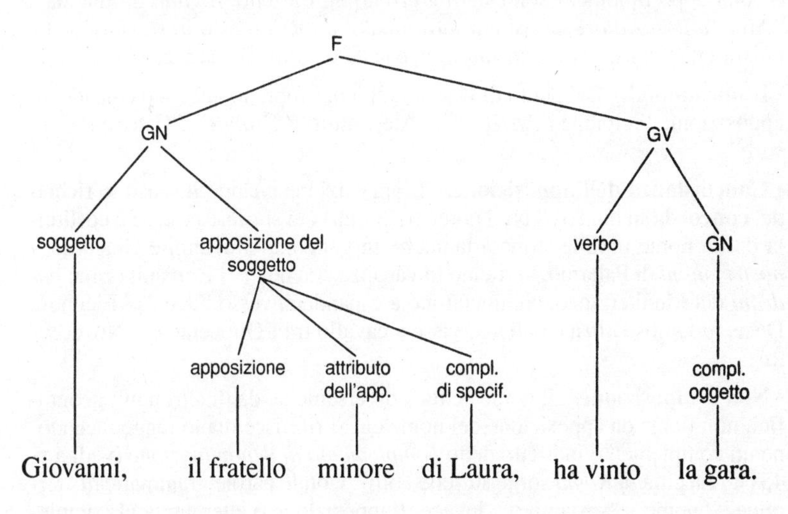

L'apposizione, per lo più, si aggiunge direttamente al nome cui si riferisce, come negli esempi precedenti. Talvolta, però, essa è **introdotta** dalla preposizione *da*, da espressioni del tipo *come*, *quale*, *in qualità di*, *in funzione di*, *in veste di* ecc. o, specialmente nella lingua colloquiale, da espressioni come *quel furbo di, quel bel tipo di, quel farabutto di, quella sagoma di, quel buono a nulla di, quel villano di* ecc.:

Mia madre, *come dirigente d'azienda*, ha molte responsabilità. Gianni, *da bambino*, è vissuto a Napoli. Il giudice ha convocato Antonio *in qualità di testimone. Quella peste di mio fratello* ne combina di tutti i colori. Conosci *quella sagoma di* Carlo?

Osservazioni

• **Il posto dell'apposizione.** L'apposizione può sia **precedere** sia **seguire il nome** cui si riferisce. Di solito, quando è semplice, in particolare quando è costituita da un nome indicante parentela (*zio, fratello, cugino, padre* ecc.) o da un titolo accademico o professionale (*dottore, professore, avvocato, ingegnere* ecc.) o da un titolo nobiliare (*conte, marchese, re, imperatore* ecc.) o da un nome geografico (*fiume, monte, regione* ecc.) o da un termine grammaticale (*parola, verbo, congiunzione, aggettivo* ecc.), l'apposizione precede il nome: "lo *zio* Giuseppe", "l'*ingegner* Bianchi", "il *marchese* Anselmi", "il *fiume* Adige", "la *congiunzione* 'ma' ". Invece, quando è composta, cioè quando è accompagnata da una ulteriore determinazione, l'apposizione tende a porsi dopo il nome: "Sono stato graffiato da Baffetto, *il gatto* di mia zia"; "Antelli, *il giocatore* che si era infortunato, tornerà presto in squadra"; "La nostra villetta, *frutto di tanti sacrifici*, è stata distrutta da un incendio".

• **I soprannomi.** Dal punto di vista sintattico, i soprannomi sono considerati apposizioni: "Scipione *l'Africano*"; "Alessandro *il Grande*"; "Catone *il Censore*".

• **Concordanza dell'apposizione.** L'apposizione quando il senso lo richiede, **concorda** in numero con il nome (o i nomi) cui si riferisce e, se è costituita da un nome mobile, concorda anche in genere: "Giovanni e Giacomo, *i nostri cugini* di Palermo, verranno in vacanza con noi"; "I Romani, ormai *padroni* del Mediterraneo, cominciarono a espandersi verso l'Asia"; "Eleonora Duse, *la* famos*a* *attrice* italian*a*, visse a cavallo tra l'Ottocento e il Novecento".

• **Non è apposizione.** Il nome "città", diversamente dagli altri nomi geografici, non funge da apposizione del nome cui si riferisce ma lo regge facendone un complemento indiretto detto *complemento di denominazione* (vedi a p. 451): "La città *di Roma* sorge su sette colli". Con le parole grammaticali "termine", "nome", "sostantivo", invece, l'apposizione è alternativa al complemento di denominazione, ma oggi si preferisce dire "Il nome Paolo è di origine latina" piuttosto che "Il nome di Paolo è di origine latina".

4

Gli altri elementi della proposizione: i complementi

I complementi sono elementi della frase che hanno la funzione di completare, a vario titolo e in modi diversi, il significato dello schema di base della frase, costituito dal soggetto e dal predicato:

La mamma *legge*.
La mamma *di Paolo* legge *un libro*.

Il termine **complemento** (dal latino *complere*, 'completare') esprime, infatti, in modo chiaro la funzione logica – di completamento – che tali elementi svolgono nella frase.

Complementi "necessari" e complementi "non necessari"

Il "completamento" che i complementi apportano al significato di una frase può essere di due tipi:

• **necessario**, perché determinante ai fini del significato della frase, e quindi obbligatorio;

• **non necessario**, perché volto semplicemente a fornire informazioni aggiuntive alla frase, e quindi facoltativo.

Così, in frasi come "Maria abita in una bella casa" e "I ladri hanno svaligiato la banca", i complementi *in una bella casa* e *la banca* non si limitano a dare un'informazione in più, ma apportano una determinazione necessaria al senso della frase. Senza di essi, infatti, le frasi non avrebbero senso.

Invece, nella frase "Paolo ha trovato un fungo in giardino" e "Durante la notte i ladri hanno svaligiato la banca", le precisazioni *in giardino* e *durante la notte* non sono essenziali per capire il senso della frase: ne arricchiscono solo il significato, attraverso un'informazione volta a stabilire *dove* Paolo ha trovato il fungo e *quando* i ladri hanno svaligiato la banca.

Nel valutare se un complemento è necessario o non necessario bisogna andare molto cauti e, soprattutto, valutare bene il contesto in cui la frase è inserita. Di fatto, in una frase come "Durante la notte i ladri hanno svaligiato la banca" è chiaro che *la banca* è una determinazione necessaria, perché senza di essa la frase non starebbe in piedi e, invece, *durante la notte* è una espressione non necessaria in quanto non essenziale al senso della frase. Ma nella frase "La partita sarà giocata a Palermo, domenica prossima, in notturna", non è facile stabilire quale sia la determinazione e quale sia l'espansione, perché l'elemento necessario al significato della frase varia a seconda che chi parli voglia mettere in evidenza il luogo dove si giocherà la partita ("a Palermo"), il giorno in cui verrà giocata ("domenica prossima") o il momento in cui si svolgerà ("in notturna").

Ci sono anche casi in cui un complemento non può essere valutato in termini di complemento necessario o non necessario, perché la sua presenza o assenza modifica profondamente il senso della frase, come si può rilevare dai seguenti esempi: "Antonio beve" (= è un ubriacone)/"Antonio beve un'aranciata"; "Mario cresce" (= diventa adulto)/"Mario cresce i suoi fratelli"; "Paolo è alto" (= di alta statura)/"Paolo è alto un metro e 40 cm".

I complementi necessari perché la frase abbia senso sono chiamati anche **complementi-determinazione** o **argomenti obbligatori**. Invece, i complementi che costituiscono un arricchimento non necessario ai fini della completezza dell'informazione sono chiamati **complementi-espansione**, perché si limitano a espandere il contenuto della frase.

L'analisi logica non fa alcuna distinzione tra i complementi "necessari" (o *determinanti*) e quelli "non necessari" (o *espansioni*), perché si limita a esaminare la funzione dei vari complementi.

Sul piano del significato, e quindi ai fini della comunicazione di un messaggio, scritto o orale, però, la distinzione tra i due diversi tipi di complemento è molto importante. Chi parla o scrive, infatti, deve sempre:

• fornire, anche attraverso i complementi, tutte le notizie che ritiene utili per la completezza del suo messaggio;

• valutare quali informazioni sono necessarie e quali non necessarie, anche in rapporto a ciò che chi legge o ascolta ha bisogno di sapere o vuole sapere ai fini della completezza del messaggio;

• evitare di dare, anche attraverso i complementi, notizie superflue o addirittura inutili che appesantiscono il messaggio a danno della sua comprensibilità.

Caratteristiche generali dei complementi

I complementi, per loro stessa natura, si trovano sempre **in posizione di dipendenza** rispetto a un altro elemento della frase, cioè all'elemento che completano o determinano. In particolare, possono dipendere tanto da verbi quanto da nomi e da aggettivi e possono completare o determinare qualsiasi elemento della frase: il soggetto ("Il libro *di storia* è sulla sedia"), il predicato ("Paolo legge *un libro*"), l'attributo ("Il libro di storia è sulla sedia vicina *alla porta*"), l'apposizione ("Paolo, l'amico *di Antonio*, legge un libro") o anche un altro complemento ("Paolo legge un libro *di storia*").

Classificazione dei complementi

I complementi, nella loro varietà, si possono classificare in base all'elemento della frase intorno a cui gravitano e in base al modo in cui si collegano all'elemento da cui dipendono. In particolare:

• in base all'**elemento della frase** intorno al quale gravitano, cioè dell'elemento che arricchiscono o determinano, i vari **complementi** si distinguono in:

– **complementi del gruppo del soggetto**, quando completano il significato del soggetto o un elemento appartenente al gruppo del soggetto: "La casa *di Paolo* è stata svaligiata";
– **complementi del gruppo del predicato**, quando completano il significato del predicato o un elemento appartenente al gruppo del predicato: "La casa è stata svaligiata *dai ladri*";
– **complementi circostanziali**, quando completano il significato dell'intera frase, precisando le circostanze di tempo o di luogo in cui avviene o ha valore ciò che si dice nella frase: "*D'estate* le giornate sono più lunghe".

• in base **al modo in cui si collegano** all'elemento da cui dipendono, invece, si distinguono in:

– **complementi diretti**, quando si uniscono direttamente all'elemento da cui dipendono (per lo più un verbo transitivo), senza l'aiuto di una preposizione: "Paolo legge *un libro*";

– **complementi indiretti**, quando sono introdotti nella frase o si uniscono all'elemento da cui dipendono per mezzo di una preposizione, semplice o articolata: "Paolo ha scritto una lettera *alla nonna*"; "Il babbo partirà *per Roma*, *con il treno*";
– **complementi avverbiali**, quando sono costituiti da avverbi o da locuzioni avverbiali che completano il significato del verbo, dell'aggettivo, del nome o dell'avverbio cui si riferiscono precisandolo o modificandolo: "Luca ha salutato gli ospiti *gentilmente*"; "Laura viene a trovarci *spesso*"; "La nonna è arrivata *adesso*"; "Io vivo *qui*"; "Ho letto un libro *molto* bello"; "Ti sei alzato *troppo* presto".

Nella frase "Luca ha salutato gli ospiti gentilmente", l'avverbio *gentilmente* completa il verbo precisando il modo in cui Luca ha salutato gli ospiti. Nella frase "La nonna è arrivata adesso", l'avverbio *adesso* completa il verbo precisando quando la nonna è arrivata. Nella frase "Ho letto un libro molto bello", l'avverbio *molto* completa l'aggettivo *bello* precisando quanto è bello il libro in questione. Pertanto, *gentilmente*, *adesso*, *molto* e, nelle altre frasi degli esempi, *qui*, *troppo* e *spesso*, sono veri e propri complementi avverbiali e corrispondono ciascuno a un particolare complemento indiretto (per lo più di modo, di mezzo, di tempo e di luogo). Essi, infatti, sono sempre sostituibili con dei complementi indiretti: "Luca ha salutato gli ospiti *con gentilezza*" (complemento di modo), "La nonna è arrivata *in questo momento*" (complemento di tempo); "Io vivo *in questo luogo*" (complemento di stato in luogo).

Nel paragrafo seguente, analizzeremo il **complemento oggetto diretto** e nel successivo i **complementi indiretti**. Per quanto riguarda i **complementi avverbiali**, li analizzeremo trattando dei singoli complementi indiretti, cui equivalgono e in cui si risolvono.

1. Il complemento diretto

Il complemento diretto per eccellenza è il **complemento oggetto**.

Dal punto di vista della forma, però, esso non è l'unico complemento *diretto*, perché anche altri complementi si inseriscono direttamente nella frase senza preposizioni che li colleghino al verbo: "Mio zio è rimasto all'estero *molti anni* (= complemento di tempo)"; "Quel pacco pesa *trenta chilogrammi* (= complemento di quantità)"; "Questa villa vale *trecento milioni* (= complemento di prezzo)"; "La spiaggia dista *tre chilometri* (= complemento di distanza)". D'altra parte, il complemento oggetto, quando è costituito da un partitivo, è introdotto dalla preposizione *di*: "Ho invitato *degli amici* (= alcuni amici)".

1.1. Il complemento oggetto

Il complemento oggetto è l'elemento della frase (nome o qualsiasi parola in funzione di nome) che completa il predicato verbale precisando l'oggetto dell'azione espressa dal verbo e unendosi direttamente al verbo, senza l'aiuto di alcuna preposizione:[1]

Il leone afferrò *la preda.*

Nella frase dell'esempio, il nome *la preda* completa il predicato verbale *afferrò* precisando l'oggetto dell'azione espressa dal verbo e, inoltre, si unisce direttamente al verbo, senza l'aiuto di alcuna preposizione: esso è il complemento oggetto o, più precisamente, il complemento oggetto diretto della frase.[2]

Il complemento oggetto è il complemento essenziale e spesso obbligatorio dei **verbi transitivi**. Solo i verbi transitivi, infatti, permettono il passaggio diretto (il "transito") dell'azione compiuta dal soggetto ed espressa dal verbo su un oggetto (persona, animale o cosa):

Paolo mangia → *la mela.*

Il concetto stesso di verbo transitivo, del resto, è strettamente legato a quello di complemento oggetto. Per definizione, infatti, sono transitivi tutti i verbi che possono avere un complemento oggetto e, di converso, il complemento

[1] La definizione del complemento oggetto, come l'elemento della frase che completa il predicato verbale precisando l'azione espressa dal verbo e unendosi direttamente al verbo, è una definizione di carattere grammaticale. Il complemento oggetto si può definire anche sulla base del significato e dire che esso è "l'elemento della frase che subisce l'azione espressa dal verbo". Ma questa definizione, molto diffusa, non è sempre valida. Infatti, in frasi come "Paolo mangia *la mela*" e "Il leone uccise *la gazzella*" i complementi oggetti *la mela* e *la gazzella* "subiscono" senz'altro l'azione. Ma in frasi come "Paolo ha subìto *un incidente*" o "Paolo ha preso *un pugno*" non si può dire che i complementi oggetti *un incidente* e *un pugno* "subiscono" l'azione espressa dai verbi.

[2] Per riconoscere con sicurezza il complemento oggetto di una frase e distinguerlo da tutti gli altri elementi che, come lui, non sono introdotti da alcuna preposizione o occupano il suo posto nella frase, esiste un sistema infallibile: basta provare a volgere la frase dalla forma attiva a quella passiva. Se la frase contiene effettivamente un complemento oggetto, la trasformazione è senz'altro possibile, e quello che nella frase trasformata è diventato il soggetto nella frase attiva era il complemento oggetto: "Paolo ha mangiato *una mela* = *Una mela* è stata mangiata da Paolo"; "(Io) ho comprato *dei nuovi dischi* = *Dei nuovi dischi* sono stati comprati da me". Invece, se la frase è costituita da un verbo intransitivo, o usato come tale, accompagnato da un complemento diverso dal complemento oggetto, la trasformazione dalla frase attiva a quella passiva non sarà possibile.

oggetto è il complemento che precisa direttamente l'azione espressa da un verbo transitivo.

I verbi intransitivi, invece, non possono avere il complemento oggetto, perché sarebbe impossibile indicare l'"oggetto" di un'azione o di un modo di essere che riguarda esclusivamente il soggetto ("Carlo arrossì di vergogna"; "Gianni è partito"). Tuttavia, alcuni verbi intransitivi possono reggere un complemento oggetto quando questo è rappresentato da un nome che ha la stessa radice del verbo o esprime un significato affine a quello del verbo:

Vivere *una vita* tranquilla. Combattere una giusta *battaglia*.
Piangere *lacrime* amare.

Questo particolare complemento oggetto è chiamato **complemento dell'oggetto interno**, in quanto rappresenta il contenuto stesso dell'azione.

Quando un verbo intransitivo e il suo complemento oggetto sono formati da parole che presentano la stessa radice ("*Vivere una vita* tranquilla"; "*Morire una morte* gloriosa"), si parla anche di **complemento oggetto etimologico** o di **figura etimologica**, in quanto verbo e complemento oggetto hanno la stessa etimologia.

1.1.1. QUALSIASI PARTE DEL DISCORSO PUÒ FARE DA COMPLEMENTO OGGETTO

Il complemento oggetto è per lo più costituito da un **nome** (solo o accompagnato da un attributo o da un'apposizione o determinato da un complemento indiretto: "Ho incontrato *Gianni, mio cugino*"; "Laura ha comperato *un libro di viaggi*"). Ma può essere rappresentato anche da qualsiasi altra parte del discorso **in funzione di nome**: un pronome ("*Chi* hai incontrato?"); un verbo ("Paolo ama *leggere*"); una congiunzione ("Raccontami *il perché*") e così via. Complemento oggetto, come vedremo nella sintassi del periodo, può essere anche un'intera proposizione detta *oggettiva*: "Ti annuncio *che sto per partire* (= la mia prossima partenza)".

1.1.2. IL POSTO DEL COMPLEMENTO OGGETTO

Di norma, il complemento oggetto è posto **dopo il verbo**: "Paolo accarezza *il gatto*". In molti casi, è proprio la collocazione delle parole nella frase che stabilisce la funzione delle parole stesse, facendo da vero e proprio indicatore sintattico. Così, in una frase come "Il maestro loda il discepolo", in mancanza di particolari intonazioni della voce che impongano una diversa interpretazione, *il maestro* che precede il verbo è il soggetto e *il discepolo* che segue il verbo è il complemento oggetto. Se, invece, si scambiano le posizioni di *il maestro* e *il discepolo*, il senso della frase cambia completamente: “Il discepolo loda il maestro”.

Questo irrigidimento delle posizioni reciproche dei termini all'interno della frase è un fenomeno tipico, oltre che dell'italiano, di altre lingue moderne, come il francese, lo spagnolo e l'inglese. In latino, invece, come in tutte le lingue fornite di desinenze indicanti i casi e, quindi, la funzione sintattica delle parole, la posizione delle parole è libera. Il latino, perciò, può dire indifferentemente:

magister laudat discipulum
discipulum laudat magister
laudat magister discipulum
laudat discipulum magister
discipulum magister laudat

e sempre chi ascolta o legge capisce, al di là delle sfumature minime di ciascuna frase, che il maestro loda un suo bravo discepolo: infatti *magister* con la sua desinenza in *-er* può essere sempre e soltanto un soggetto e *discipulum* con la sua desinenza in *-um* può essere solo un complemento oggetto.

In italiano, il complemento oggetto **precede il verbo** solo con i verbi riflessivi quando è costituito da un pronome personale atono: “Io *mi* lavo”. Il pronome relativo *che*, poi, nelle proposizioni subordinate che introduce, precede addirittura il soggetto: “Il ragazzo *che* Paolo ha incontrato è mio fratello”.

La sequenza normale *soggetto – verbo – complemento oggetto*, che semplifica il processo comunicativo evitando confusioni e fraintendimenti, viene violata tutte le volte che il parlante vuole mettere in particolare evidenza l'oggetto: il complemento oggetto allora viene posto davanti al verbo e all'inizio della frase, cioè nella posizione più importante. Questa “costruzione inversa” che porta ad anticipare l'oggetto è frequente in poesia. Dante, ad esempio, nell'*Inferno*, III, vv. 34-36, a proposito della pena cui sono condannati gli ignavi, scrive: “... *Questo misero modo* / tengon l'anime di coloro / che visser sanza infamia e sanza lodo”. L. Ariosto, all'inizio dell'*Orlando furioso*, anticipa in un lungo elenco, che costituisce un unico complemento oggetto, il contenuto del suo poema: “*Le donne*, *i cavalier*, *l'arme*, *gli amori*, / *le cortesie*, *l'audaci imprese* io canto...”. A. Manzoni nel *Cinque maggio* (vv. 13-14) inverte la sequenza usuale delle parole per collocare in posizione il pronome che richiama Napoleone: “*Lui* folgorante in solio (= sul trono) / vide il mio genio e tacque”. E G. Leopardi nell'*Infinito* (vv. 4-7) anticipa i complementi oggetti che esprimono le progressive conquiste del suo pensiero di fronte all'ostacolo costituito dalla siepe che gli impedisce di vedere oltre: "... *interminabili / spazi* di là da quella, e *sovrumani / silenzi*, e *profondissima quiete /* io nel pensier mi fingo...". Anche nella lingua di livello familiare, però, capita spesso di sottolineare l'oggetto del discorso ponendolo all'inizio della frase, davanti a tutti gli altri elementi: "*Il pane* lo compro io" (dove, per altro, l'oggetto sintattico della frase è il pronome *lo* che riprende il nome *il pane*, il quale costituisce una sorta di complemento di argomento: "Circa il pane, *lo* compro io").

1.1.3. IL COMPLEMENTO OGGETTO PARTITIVO

Talvolta il complemento oggetto, anziché collegarsi direttamente al verbo transitivo senza alcuna preposizione, è introdotto da quella particolare preposizione **di** (*del*, *dello*, *della*, *dei*, *degli*, *delle*) che prende il nome di **articolo partitivo** e che dà all'oggetto un senso indefinito o lo porta a indicare una quantità generica:

Ho invitato *degli amici* (= alcuni amici).
Paolo ha portato *dell'uva* (= un po' di uva).

Questo particolare tipo di complemento oggetto si chiama **complemento oggetto partitivo**.

Il complemento oggetto partitivo, nonostante la presenza della preposizione *di*, non può essere confuso con il complemento di specificazione né con il complemento partitivo. Infatti, a parte la fondamentale differenza di significato (il complemento oggetto partitivo indica pur sempre l'oggetto su cui va a finire l'azione espressa da un verbo transitivo), il complemento oggetto dipende sempre e soltanto da un verbo ("Mangio del pane"; "Nel bosco ho visto degli animali selvatici"), mentre il complemento di specificazione dipende per lo più da un nome ("Mi piace il profumo del pane"; "Luca ha paura degli animali selvatici") e il complemento partitivo indica il tutto di cui il nome che lo regge indica una parte: "Uno *di noi* deve andarsene".

1.1.4. IL PREDICATIVO DELL'OGGETTO

Il predicativo dell'oggetto o complemento predicativo dell'oggetto è un aggettivo o un nome che serve a completare il significato del verbo dicendo ("predicando") qualcosa del complemento oggetto:

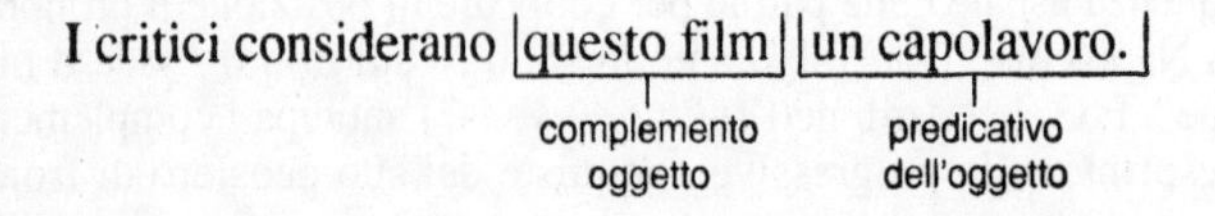

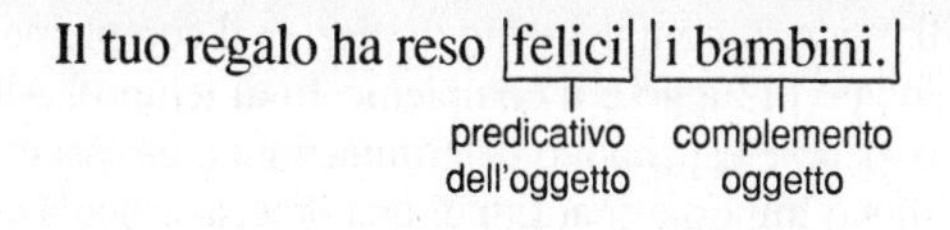

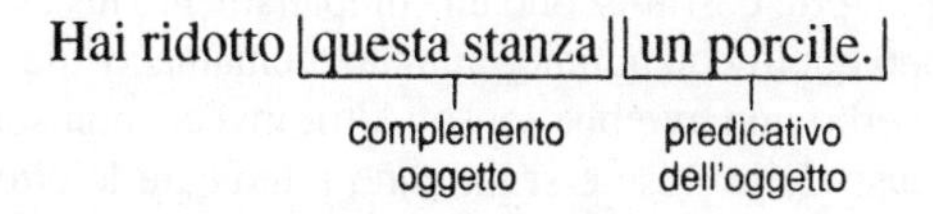

Hanno il predicativo dell'oggetto gli stessi verbi che, in forma passiva, reggono il predicativo del soggetto (vedi pp. 426 e ss.): i verbi **appellativi** (*chiamare*, *soprannominare*, *definire* ecc.); **elettivi** (*eleggere*, *scegliere*, *nominare* ecc.); **estimativi** (*stimare*, *giudicare*, *trovare*, *ritenere* ecc.); **effettivi** (*rendere*, *ridurre*, *fare*, *far diventare* ecc.).

Come il predicativo del soggetto, il predicativo dell'oggetto dipende direttamente dal verbo, ma può anche essere introdotto da preposizioni, avverbi e locuzioni preposizionali come *per*, *da*, *a*, *come*, *in qualità di* ecc.:

Alessandro Magno ebbe *come* (oppure *per*) *maestro* Aristotele. Non prendere *a modello* Luca. La banca lo ha assunto *in qualità di* cassiere. Il comandante ha messo me *di guardia*.

La costruzione del predicativo dell'oggetto si può avere anche con verbi che propriamente non rientrano nelle quattro categorie sopra ricordate:

Lo accolsero *come un amico*. Ti vedo *molto stanco*. Avremo Antonio *come allenatore*. Forse assumeranno Laura *come interprete*. *Per tutta risposta* mi ha dato una sberla.

2. I complementi indiretti

I complementi indiretti sono, in teoria, di numero illimitato, come illimitati sono i tipi di determinazioni, precisazioni e circostanze con cui il nostro pensiero può espandere la struttura di base di una frase.

Alcuni di questi complementi sono molto usati, perché esprimono determinazioni che, pur nella loro semplicità, servono a stabilire relazioni fondamentali tra le persone e le cose dell'esperienza quotidiana (ad esempio, il complemento di specificazione, il complemento di termine, il complemento d'agente, il complemento di modo, il complemento di mezzo, il complemento di compagnia, il complemento di luogo e il complemento di tempo). Altri sono di uso meno frequente, perché esprimono determinazioni e circostanze meno usuali, ma non certo meno importanti ai fini di una precisa articolazione del pensiero. Alcuni di essi, poi, costituiscono un completamento necessario del senso della frase: sono quelli che taluni grammatici chiamano "determinativi" e senza i quali il verbo non avrebbe senso. Altri, invece, non sono strettamente necessari al senso della frase e si limitano a indicare le circostanze in cui avviene quanto il predicato dice del soggetto: sono quelli che taluni grammatici chiamano "espansioni" e che noi chiamiamo "complementi circostanziali". Tutti, infine, come sappiamo, sono costituiti da sintagmi o gruppi preposizionali – a loro volta formati da una preposizione e da un gruppo nominale che può presentare un'ulteriore determinazione del nome che ne forma il nucleo sotto forma di attributo, apposizione o di altro gruppo preposizionale – che trovano posto, come complementi (o determinazioni o espansioni) del soggetto o del verbo, nel gruppo del nome soggetto o nel gruppo del predicato o possono collocarsi all'esterno di essi, come complementi circostanziali.

Qui di seguito analizzeremo puntualmente i vari complementi indiretti, distinguendoli a seconda del significato che hanno, sulla base della funzione logica che svolgono nella frase, cioè sulla base delle determinazioni, precisazioni o circostanze con cui espandono la struttura della frase minima.

Ci soffermeremo soprattutto su quelli più usati e più nettamente caratterizzati, ma esamineremo anche quelli meno frequenti, pur senza cadere negli eccessi classificatori di quanti, attraverso divisioni artificiose, moltiplicano a dismisura i complementi per adeguarli a tutte le funzioni logiche pensabili. Tra i complementi indiretti, tra l'altro, analizzeremo anche quei complementi che sono chiamati **diretti** perché sono introdotti nella frase senza l'aiuto di alcuna preposizione, ma che, dal punto di vista logico, equivalgono ai complementi indiretti, e segnaleremo anche i cosiddetti **complementi avverbiali.**

2.1. Il complemento di specificazione

Il complemento di specificazione spiega il significato generico del nome da cui dipende, specificandone, cioè determinandone o precisandone, il valore. È introdotto dalla preposizione **di**, che è la preposizione specifica del complemento:

L'insegnante *di italiano* è assente.

Il rapporto di specificazione che questo complemento stabilisce tra il nome da cui dipende e il nome che regge può assumere valori diversi:

– può esprimere appartenenza (**specificazione possessiva**): "Siamo venuti con l'automobile *di Piero*"; "Questo libro è *del nonno*" (attenzione, in un caso come questo, il verbo *essere* è un predicato verbale);

– può indicare l'autore di un'opera: "Hai visto l'ultimo film *di Fellini*?";

– può equivalere a un aggettivo (**specificazione qualificativa**) dal quale spesso può essere sostituito in funzione di attributo: "Le feste *di Natale* (= le feste *natalizie*)"; "I programmi *della televisione* (= i programmi *televisivi*);

– in dipendenza di nomi come *amore*, *odio*, *pietà*, *desiderio*, *paura*, *attesa*, *nostalgia*, il complemento di specificazione può avere due valori: un **valore soggettivo** o un **valore oggettivo**. In particolare, il complemento di specificazione ha valore soggettivo quando indica *il soggetto* che compie l'azione o prova il sentimento espresso dal nome da cui dipende: "l'amore dei figli" = *i figli provano amore* (*per i genitori*). Invece, il complemento di specificazione ha valore oggettivo quando indica *l'oggetto* dell'azione o del sentimento espresso dal nome da cui dipende: "l'amore dei figli" = *i figli sono oggetto dell'amore* (*dei genitori*), cioè *i genitori amano i figli*. Allo stesso modo, con il nome *nostalgia*: "La nostalgia di Gianni era sincera e profonda" (*Gianni provava nostalgia* = **specificazione soggettiva**); "La nostalgia di Gianni impediva a Elena di dormire" (*Elena sentiva nostalgia di Gianni* = **specificazione oggettiva**).

Di norma, il complemento di specificazione dipende da **nomi**, ma talvolta dipende anche da **verbi** e da **aggettivi**. Così reggono il complemento di specificazione:

• alcuni verbi intransitivi come *abusare* (di qualcosa o di qualcuno), *disporre*, *ridere* (di qualcosa o di qualcuno), *sapere* (ad esempio: di fumo): "Luigi ha abusato *della nostra pazienza*";

• alcuni verbi pronominali come *accontentarsi* (di qualcosa o di qualcuno), *accorgersi*, *dimenticarsi*, *fidarsi*, *innamorarsi*, *occuparsi*, *ricordarsi*, *vergognarsi*: "Mi sono completamente dimenticato *di te*";

• alcuni verbi transitivi come *avvertire* (qualcuno di qualcosa), *incaricare*, *persuadere*: "Paolo ci ha avvertito *del suo prossimo arrivo*";

Quando, come in questi casi, dipende direttamente da un verbo, il complemento indiretto introdotto dalla preposizione *di* non esprime propriamente una specificazione, ma costituisce una determinazione necessaria per completare il significato del verbo e ha, quindi, la stessa funzione logica di un complemento oggetto. Per questa sua particolare funzione di elemento indispensabile per completare il senso del predicato verbale, il complemento di specificazione retto da un verbo è definito anche **complemento oggetto indiretto.**

• alcuni aggettivi come *avido*, *bramoso*, *degno*, *desideroso*, *goloso*: "Quella è una persona avida *di denaro*".

I verbi e gli aggettivi che si costruiscono con la preposizione *di* sono molto numerosi, ma non tutti sono riconducibili a quelli sopra citati. Nella maggior parte dei casi, infatti, il complemento introdotto dalla preposizione *di* in dipendenza da un verbo o da un aggettivo è un complemento indiretto diverso da quello di specificazione: "Paolo piangeva *di gioia* (= complemento di causa)"; "Ieri sera tutti parlavano *di calcio* (= complemento di argomento)"; "Siamo arrivati *di corsa* (= complemento di modo)".

Talvolta, anziché da un nome retto dalla preposizione **di**, il complemento di specificazione è costituito dalla particella pronominale **ne** che tra i suoi valori più frequenti ha appunto quello di specificazione (= *di lui*, *di lei*, *di loro* ecc.): "Hai voluto un cane: adesso devi aver*ne* cura".

2.2. Il complemento partitivo

Il complemento partitivo indica il tutto di cui il nome che lo regge indica una parte. È introdotto dalla preposizione **di**, oppure dalla preposizione **tra** (**fra**):

> Uno *di noi* deve uscire. Solo pochi *dei presenti* sono in regola con il pagamento. *Tra le ragazzine*, due o tre sono davvero brave.

Il complemento partitivo per lo più dipende:

• da un nome indicante quantità: "La maggior parte *degli insegnanti* ha aderito allo sciopero";
• da un numerale: "Quattordici *dei consiglieri* hanno votato a favore";
• da un aggettivo di grado superlativo relativo: "Paolo è il più alto *fra i suoi compagni*";
• da un pronome interrogativo: "Chi *di voi* ha parlato?";
• da un pronome indefinito: "Alcuni *dei nostri amici* sono già partiti";
• da un avverbio di quantità: "Dammi un po' *del tuo panino*".

Osservazioni

– Frasi come "Mi occorre *del filo*" e "Ho invitato *degli amici*" non contengo-

no un complemento partitivo ma rispettivamente un **soggetto partitivo** (*del filo*) e un **complemento oggetto partitivo** (*degli amici*).
– In una frase come "Ho comprato una grande quantità *di frutta*", l'espansione *di frutta*, anche se dipende da un nome indicante quantità, non è un complemento partitivo, ma un normale **complemento di specificazione.**
– Nella frase "Ho trovato questo appunto *tra i fogli* sparsi per terra", *tra i fogli* non è un complemento partitivo ma un **complemento di luogo.**

2.3. Il complemento di denominazione

Il complemento di denominazione determina con un nome specifico – per lo più un nome proprio – il nome generico che lo precede. È introdotto dalla preposizione **di** e determina per lo più:

• un nome geografico, come *città*, *isola*, *penisola*, *regno*, *repubblica*, *comune*: "La città *di Roma*"; "L'isola *d'Elba*"; "Il regno *d'Olanda*"; "Il comune *di Torino*";

• un nome generico come *nome*, *cognome*, *soprannome*, *pseudonimo*, *epiteto*, *titolo*: "Per il bambino abbiamo scelto il nome *di Andrea*"; "Lo scrittore Secondo Tranquilli è noto con lo pseudonimo *di Ignazio Silone*"; "Il nonno ha ricevuto il titolo *di cavaliere*";

• i nomi *mese* e *giorno*: "Il mese *di febbraio* è molto rigido".

Il sintagma "nome generico + *di* + nome specifico (= *complemento di denominazione*)" equivale per significato al sintagma "nome generico (= apposizione) + nome specifico". In taluni casi i due costrutti sono entrambi legittimi: "il nome di Andrea" e "il nome Andrea". In altri casi, invece, la lingua e l'uso hanno scelto l'uno o l'altro costrutto. Così, mentre con nomi geografici come *città*, *isola*, *penisola*, *regno*, *repubblica*, *comune*, si ha il complemento di denominazione ("la città *di Verona*"), alcuni altri nomi geografici come *fiume*, *torrente*, *monte*, *pianeta*, *stella*, funzionano da apposizione: "il *fiume* Po"; "il *pianeta* Giove"; "la *stella* Sirio"; "il *monte* Cervino". Con il nome *regione*, poi, si ha il complemento di denominazione quando si tratta della regione di un paese straniero: "La regione *della Provenza* si trova nel Sud della Francia"; ma quando accompagna le attuali regioni italiane il nome *regione* funziona come apposizione: "La *Regione* Piemonte ha varato una legge sulla tutela del territorio".

2.4. Il complemento di termine

Il complemento di termine indica la persona o la cosa a cui è diretta o in cui si conclude – ha "termine" – l'azione (il fatto o la circostanza) espressa dal verbo. È introdotto sempre e soltanto dalla preposizione **a**:

Bisogna mettere delle toppe *al maglione.*

La preposizione *a* non compare davanti ai pronomi personali atoni *mi*, *ti*, *gli*, *le*, *si*, *ci*, *vi*, *loro* che hanno di per sé valore di complemento di termine (= a me, a te, ecc.): "*Ti* manderò un telegramma"; "Dirò *loro* tutta la verità". Davanti al pronome relativo *cui*, che pure ha valore di complemento di termine, la preposizione *a* può essere omessa ma può anche essere espressa: "La persona *(a) cui* hai affidato quell'incarico, è molto competente".

Il complemento di termine è usuale come secondo complemento insieme al complemento oggetto diretto, in dipendenza da molti **verbi transitivi** che così completano a tutti gli effetti il loro significato:

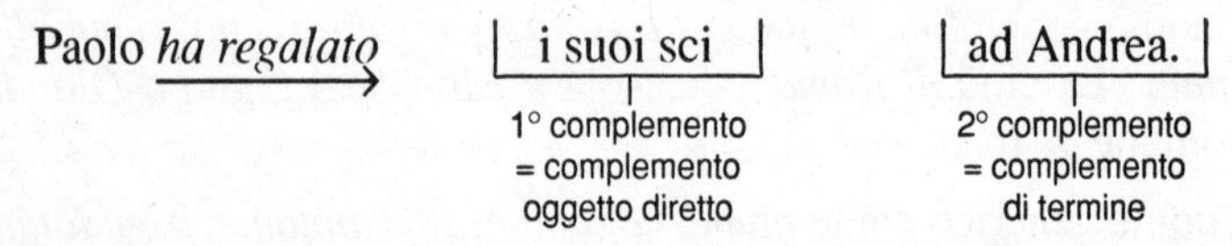

Molto numerosi, poi, sono i **verbi intransitivi** (o transitivi usati intransitivamente[3] o riflessivi) che si costruiscono con un complemento di termine che costituisce l'elemento essenziale per dare un senso compiuto al predicato. Così, il verbo intransitivo *appartenere*, che usato da solo non avrebbe un significato completo ("Questo libro appartiene"), trova il suo completamento necessario nel complemento di termine:

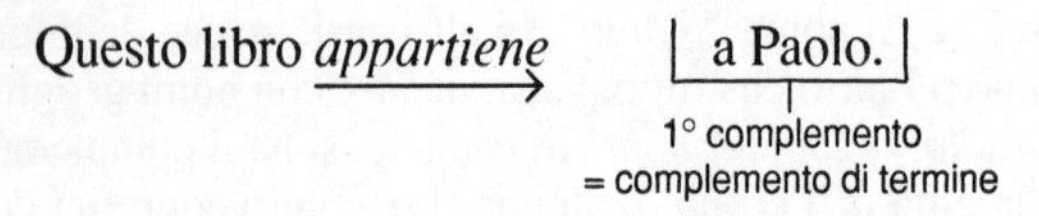

Il particolare complemento di termine che costituisce l'elemento indispensabile al completamento del senso di un verbo intransitivo e che, quindi, svolge la stessa funzione svolta dal complemento oggetto diretto con i verbi transitivi, si chiama anche *complemento oggetto indiretto.* Infatti, i verbi intransitivi che, come *appartenere*, *aderire*, *badare*, *concorrere*, *giovare*, *nuocere*, *obbedire*,

[3] Per i verbi che cambiano significato a seconda che siano usati transitivamente, con il complemento oggetto, o intransitivamente, con il complemento di termine: "Ieri *ho assistito* la nonna ammalata"; "Ieri *ho assistito* a un terribile incidente", si veda alle pp. 240-241.

piacere, *sorridere* ecc., hanno bisogno di un complemento di termine, a mo' di complemento oggetto indiretto, per avere un senso compiuto, sono chiamati da taluni grammatici verbi **transitivi indiretti** (si veda anche la *Morfologia*).

Il complemento di termine, infine, oltre che da un verbo transitivo o intransitivo, può dipendere anche:

• da un aggettivo, di cui integra il significato: *caro*, *fedele*, *grato*, *contrario*, *favorevole*, *avvezzo*, *abituato*, *conforme*, *uguale*, *simile* ecc.: "Siamo grati *a tutti* per l'aiuto";

• da un nome derivato da uno degli aggettivi sopra citati: "La fedeltà *alle istituzioni* è un dovere di tutti i cittadini".

2.5. Il complemento d'agente o di causa efficiente

Il **complemento d'agente** indica l'essere vivente – persona o animale – da cui viene compiuta l'azione espressa da un verbo passivo:

Questo quadro è stato comprato *dal nonno*.

Quando l'agente è inanimato, perché è costituito da una cosa, anziché di complemento d'agente, si parla più propriamente di **complemento di causa efficiente**, ma la distinzione è soltanto logica e non sintattica:

Il tiro dell'attaccante fu respinto *dal palo*.

I complementi d'agente e di causa efficiente sono introdotti dalla preposizione **da** oppure, più raramente (nel linguaggio burocratico), dalle locuzioni preposizionali **da parte di**, **ad opera di**.

Il complemento d'agente e quello di causa efficiente dipendono sempre da un predicato costituito da un verbo di forma passiva (o anche da un participio passato con valore passivo: "L'imputato, accusato *dai suoi complici*, fu condannato") e quindi si trovano solo in frasi di forma passiva. Se, poi, si riformula la frase passiva in forma attiva, il complemento d'agente o di causa efficiente diventa il soggetto della frase così ottenuta:

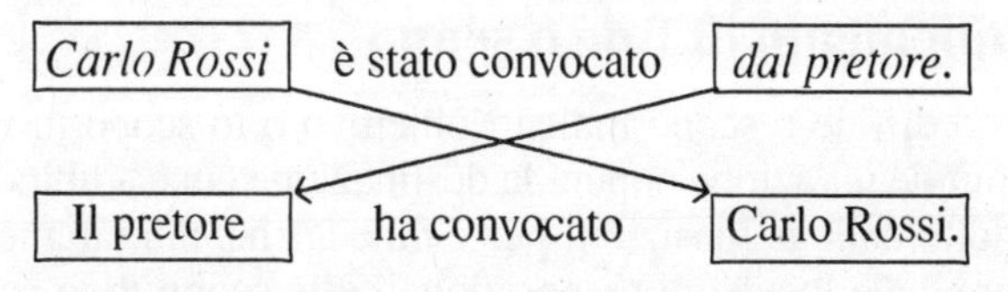

Il complemento d'agente e quello di causa efficiente possono anche essere costituiti dalla particella pronominale **ne** (= *da esso*, *da essa*, *da essi* ecc.): "Ascoltando le sue parole, *ne* fui commosso".

2.6. Il complemento di causa

Il complemento di causa indica il motivo per il quale si fa o si verifica ciò che è espresso dal verbo. È introdotto dalle preposizioni **per** e **di**, **a**, **da**, **con** o dalle locuzioni preposizionali **a causa di**, **a motivo di**, **a cagione di**, **per via di**:

> Paolo è stato lodato *per la sua preparazione*. Il poveretto ha agito così *per disperazione*. Il pappagallino è morto *di freddo*. Laura soffre *di nostalgia*. Luigi è pallido *dalla paura*. *A quelle parole* la donna svenne. *Con questo rumore* non riesco a studiare. Gli aeroporti sono nel caos *a causa dello sciopero* dei controllori di volo. Rossi ha chiesto alcuni giorni di permesso *per motivi* di famiglia.

Oltre che in dipendenza da verbi, il complemento di causa può trovarsi in dipendenza anche da nomi o da aggettivi di cui determina il significato: "Sono felice *per la tua guarigione*"; "L'ha stroncato la felicità *per la recente promozione*".

Osservazioni

La causa per cui avviene quanto è espresso dal verbo può essere:

– **interna**, quando indica un motivo interno alla sfera personale del soggetto: "Paolo soffre *di nostalgia*"; "Laura è sbiancata *per l'emozione*";

– **esterna**, quando indica un motivo esterno al soggetto: "*Alle parole* di Gianni, tutti scoppiarono a ridere";

– **impediente**, quando indica un motivo che, interno o esterno alla sfera del soggetto, impedisce l'azione del soggetto: "Il poveretto *per la paura* non aprì bocca"; "*A causa del maltempo* non partiremo".

2.7. Il complemento di fine o scopo

Il complemento di fine o scopo indica l'obiettivo o lo scopo in vista del quale si compie un'azione oppure la destinazione cui è adibita una cosa. È introdotto dalle preposizioni **per** e **da** e anche, più raramente, **in**, **a**, **di** oppure dalle locuzioni preposizionali **allo scopo di**, **a scopo di**, **in vista di**, **al fine di** e simili:

Lavoriamo *per l'allestimento* della mostra. Bisogna costruire uno sbarramento *a protezione* del centro abitato. Gli amici hanno organizzato una festa *in tuo onore.* Ho ricevuto *in dono* un bel maglione. Le tue parole ci sono state *di grande conforto. In vista delle gare* Luca si è molto impegnato.

Il complemento di fine o scopo può determinare anche nomi e aggettivi: "Questo attrezzo è adatto *per molti usi*"; "L'impegno *per la lotta contro il cancro* riguarda tutti". Come determinazione di un nome, il complemento di fine o scopo è molto frequente, introdotto dalla preposizione **da**, per indicare la funzione o la destinazione di qualcosa: "cane *da guardia*"; "sci *da fondo*"; "occhiali *da sole*"; "completo *da tennis*"; "macchina *da scrivere*"; "carta *da lettera*"; "camera *da letto*"; "nave *da guerra*" e così via.

2.8. Il complemento di mezzo o strumento

Il complemento di mezzo o strumento indica il mezzo (essere vivente) o lo strumento (oggetto) mediante il quale si compie l'azione o avviene il fatto espressi dal predicato. Generalmente è introdotto dalle preposizioni **con** e, più raramente, **per**, **a**, **in**, **di**, **mediante**, **attraverso** oppure dalle locuzioni preposizionali **per mezzo di** (usata soprattutto quando il mezzo è costituito da una persona), **grazie a**, **per opera di** e simili:

I ladri hanno forzato la finestra *con una leva.* Siamo arrivati *in aereo.* Quell'uomo vive *di espedienti.* Ti farò avere l'assegno *per posta.* Ho avuto sue notizie *per mezzo di Antonio.* Voglio essere pagato *in contanti. Grazie a quella cura*, la sua salute è molto migliorata. Il nostro paese ha conquistato la libertà *attraverso dure lotte. Mediante la pazienza* ci riuscirai anche tu. Paolo ha giocato *al pallone* tutto il giorno. Hai chiuso *a chiave* il portone?

Quando è introdotto dalla preposizione **a**, il complemento di mezzo o strumento può determinare anche un nome: "Ho visto una bella barca *a vela*"; "Quando hai adottato l'illuminazione *al neon*?"; "L'invenzione del motore *a scoppio* ha rivoluzionato i trasporti".

Il complemento di mezzo o strumento può anche essere **figurato**: "Mi ha coperto *di insulti*".

2.9. Il complemento di modo o maniera

Il complemento di modo o maniera indica il modo o la maniera in cui si verifica il fatto o si compie l'azione indicati dal predicato. È introdotto, per lo più, dalle preposizioni **con**, **di**, **a**, **per**, **da**, **secondo**, **senza** oppure da locuzioni preposizionali come **alla maniera di**, **al modo di** e simili:

> Paolo studia *con diligenza*. Antonio fa sempre tutto *di testa sua*. L'uomo camminava *a passi lenti*. Studiate *a memoria* questa lirica di Leopardi. Il pubblico assiste alla scena *in silenzio*. La gente avanzava *in fila indiana*.

Il complemento di modo è in genere sostituibile con un **avverbio di modo**: "Paolo studia *diligentemente*"; "L'uomo camminava *lentamente*". Del resto, per l'ordinario, la determinazione di modo, oltre che da un sintagma preposizionale sostituibile per lo più con un avverbio di modo, può anche essere espressa direttamente da un **avverbio di modo** (*bene*, *male*, *coraggiosamente*, *rapidamente* ecc.) oppure da una **locuzione avverbiale di modo** (*alla rinfusa*, *alla carlona*, *alla chetichella*, *a malincuore*, *alla buona*, *a vanvera* ecc.) che formano quello che propriamente si chiama un **complemento avverbiale di modo**: "Mio nonno ama mangiare *bene*"; "Questa notte ho dormito *malissimo*"; "Non riporre gli abiti *alla rinfusa*".

Poiché indica il modo in cui si svolge un'azione, il complemento di modo dipende di norma da un verbo. Talvolta, però, soprattutto con espressioni relative alla cucina o all'abbigliamento, esso può collegarsi direttamente a un nome, anche se in tali casi è sottinteso il participio passato di verbi come *cucinare*, *preparare*, *tagliare*, *cucire* ecc.: "Abbiamo mangiato delle ottime melanzane (cucinate) *alla parmigiana*"; "Nel risotto (preparato) *alla milanese* si mette un po' di zafferano"; "Ho comprato una camicetta con le maniche (tagliate) *alla raglan*".

2.10. Il complemento di compagnia

Il complemento di compagnia indica l'essere animato con cui ci si trova in una certa situazione o con cui si compie o si subisce una determinata azione. È introdotto dalla preposizione **con** o dalle locuzioni preposizionali **insieme con**, **assieme a**, **in compagnia di**:

> Vado al cinema *con Laura*. Verrò *insieme con mio fratello*. Ho passato il pomeriggio *in compagnia di Carlo e Elena*.

Valore di compagnia o, come meglio si dice, **valore sociativo** ha il complemento introdotto da **con** che completa il significato di verbi come *accordarsi*, *congratularsi*, *impegnarsi*, *parlare* (con qualcuno di qualche cosa), *discutere*, *arrabbiarsi*, *litigare* e simili: "Mi congratulo *con te* per la promozione"; "Luigi litiga sempre *con tutti*". Naturalmente hanno la stessa costruzione anche i nomi che derivano da tali verbi: "L'accordo commerciale *con la Francia* è molto interessante"; "Ho avuto una lunga discussione *con mio padre* a proposito delle chiavi di casa".

2.11. Il complemento di unione

Il complemento di unione indica la cosa insieme alla quale si compie l'azione espressa dal verbo o alla quale un'altra cosa è fisicamente collegata o mescolata. È introdotto dalla preposizione **con** o dalle locuzioni preposizionali **insieme con**, **insieme a**, **unitamente a**:

> Paolo è partito *con troppi bagagli*. Vorrei una porzione di arrosto *con patate*. Le istruzioni per l'uso saranno inviate *unitamente all'aspirapolvere*.

Sono complementi di unione anche quelli introdotti dalla preposizione **a** in espressioni come "pasta *alle vongole*", "maccheroni *al ragù*", "risotto *ai funghi*", "tè *al limone*". La preposizione **a**, infatti, in questo caso indica l'unione tra i due ingredienti della pietanza o della bevanda. Diverso è, invece, il caso di espressioni come "spaghetti *alla carbonara*" o "risotto *alla marinara*": in questo caso, infatti, la preposizione **a** indica il modo in cui le pietanze sono cucinate.

2.12. I complementi di luogo

I complementi di luogo esprimono le diverse posizioni nello spazio in cui si può collocare un'azione o un essere vivente o una cosa. Generalmente si distinguono **quattro tipi** di determinazioni di luogo, corrispondenti ad altrettanti complementi di luogo:

- **stato in luogo**: "Noi abitiamo *in città*";
- **moto a luogo**: "Noi andiamo *in città*";
- **moto da luogo**: "Noi veniamo *dalla città*";
- **moto attraverso luogo**: "Noi passeremo *per la città*".

2.12.1. IL COMPLEMENTO DI STATO IN LUOGO

Il complemento di stato in luogo indica il luogo in cui o dentro cui si trova qualcuno o qualcosa, avviene un fatto o si verifica una situazione. È retto, di norma, da verbi che indicano la permanenza in un luogo, come *essere*, *stare*, *restare*, *trovarsi*, *abitare* o azioni che si possono compiere in una condizione di permanenza in un luogo, come *giocare*, *mangiare*, *bere*, *leggere*, *scrivere*, *dormire* o da nomi di significato analogo come *soggiorno*, *permanenza* e simili. È introdotto, per lo più, dalle preposizioni **in** e **a** oppure, con sfumature spaziali varie, da preposizioni come **su**, **tra**, **sopra**, **sotto**, **fuori**, **dentro** o da locuzioni preposizionali come **all'interno di**, **accanto a**, **nei pressi di**:

> Ci alleniamo *in palestra*. Alcuni miei amici abitano *a Parigi*. Lo zio di Veronica vive da anni *in Francia*. Il libro è *sul tavolo*. Laura è *accanto a me*. Il gatto è rimasto chiuso *all'interno dell'armadio*.

La differenza di valore tra **in** e **a** è minima, ma la lingua in alcuni casi ne ha distinto le funzioni. Così, con i nomi geografici è di regola la preposizione **in** davanti ai nomi di Stati, di regioni o di grandi isole ("Mio zio vive *in Francia*"; Possiedo una casa *in Calabria*"; "Abbiamo trascorso le vacanze *in Sardegna*"); ma con i nomi di città e di piccole isole si deve usare la preposizione **a**: "Vivo *a Torino*"; "Sono stato *all'Elba* in vacanza". La preposizione **a**, inoltre, si usa in alcune locuzioni che hanno quasi valore avverbiale: *a casa*, *a scuola*, *a letto*, *alla finestra*, *alla stazione*, *a teatro*, *a tavola*, e simili.

In riferimento a un nome di persona, lo stato in luogo è introdotto dalla preposizione **da** (= presso): "Abiteremo *da mia zia*".

Il complemento di stato in luogo può anche essere espresso, nella forma di complemento avverbiale, da un avverbio di luogo come **qui**, **qua**, **là**, **lì**, **su**, **dove**, **sopra**, **lassù**, **laggiù** o dalle particelle avverbiali **ci** e **vi**: "*Lassù* fa molto caldo"; "*Dove* sei?"; "Sono *qui* e *ci* resterò ancora un po'" (vedi p. 461).

2.12.2. IL COMPLEMENTO DI MOTO A LUOGO

Il complemento di moto a luogo indica il luogo verso il quale si muove qualcuno o qualcosa oppure è diretta un'azione o una circostanza. Dipende da verbi che esprimono movimento come *andare*, *partire*, *recarsi*, *dirigersi*, *entrare*, *giungere*, *tornare*, *salire*, *scendere*, *mandare*, *spedire* oppure da nomi di significato analogo come *partenza*, *arrivo*, *ritorno*, *entrata*, *corsa*, *spedizione*, ed è introdotto per lo più dalle preposizioni **in** e **a**:

Vado *in città*. Sono andato *a Roma*.

Oltre che dalle preposizioni **in** e **a**, che costituiscono le preposizioni fondamentali del complemento e per le quali valgono le stesse osservazioni fatte a proposito dello stato in luogo, il moto a luogo è spesso introdotto, con lievi sfumature di significato, dalle preposizioni **da** (specialmente per il moto verso una persona), **per**, **verso**, **sopra**, **sotto**, **dentro** ecc., dalle locuzioni preposizionali **in direzione di**, **alla volta di** ecc., da un avverbio di luogo come **qui**, **qua**, **là**, **lì**, **su**, **dove**, **sopra**, **lassù**, **laggiù**, e dalle particelle pronominali **ci** e **vi**: "Vado *dal parrucchiere*"; "Il gatto è salito *sopra il tetto*"; "La partenza *per Roma* è stata rimandata"; "I due alpinisti partirono *alla volta del rifugio*"; "Vieni subito *qui*"; "*Dove* vai?"; "Paolo è a Roma, tu quando *ci* vai?"[4].

2.12.3. IL COMPLEMENTO DI MOTO DA LUOGO

Il complemento di moto da luogo indica il luogo da cui arriva il soggetto o da cui prende inizio l'azione. È retto da verbi di movimento come *venire*, *partire*, *arrivare*, *provenire* oppure da nomi di analogo significato come *rientro*, *partenza*, *ritorno*, *arrivo*, ed è introdotto per lo più dalla preposizione **da**:

Il nostro aereo proviene *da Londra*. Il suo rientro *da Parigi* è previsto per lunedì.

Oltre che dalla preposizione **da**, il moto da luogo può essere introdotto dalla preposizione **di** (specialmente in locuzioni quasi avverbiali come "uscire *di casa*, uscire *di prigione*", ma cfr. anche "partire *da casa*, uscire *dalla scuola*"), oppure da locuzioni avverbiali come **da qui**, **da qua**, **da lì**, **da là**, **da dove**, **da laggiù**, **da lassù** oppure dalla particella avverbiale **ne**: "La pista parte *da lassù*"; "*Da dove* arrivi?"; «"Sei andato dal medico?" "*Ne* torno ora."».

2.12.4. IL COMPLEMENTO DI MOTO PER LUOGO

Il complemento di moto per luogo indica il luogo attraverso il quale si

[4] Quando il luogo verso il quale ci si dirige è introdotto dalla preposizione *per* o *verso* o dalle locuzioni preposizionali *alla volta di*, *in direzione di*, anziché di complemento di moto a luogo si dovrebbe parlare di complemento di destinazione.

passa o attraverso il quale viene compiuta un'azione di movimento. È retto per lo più da verbi di movimento come *passare*, *entrare*, *uscire* ed è introdotto dalle preposizioni **per** e **attraverso**:

> I ladri sono entrati *per la cantina*. Passeremo *attraverso il bosco*.

Il moto per luogo può essere introdotto anche dalle preposizioni **in** e **da**, dalla locuzione preposizionale **in mezzo a**, dalle locuzioni avverbiali **da qua**, **da qui**, **da là**, **da lì**, **da dove** o dalle particelle avverbiali **ci** e **vi**: "Sono entrato *dalla porta*"; "Il cane è passato *in mezzo ai cespugli*"; "*Da qui* non si può entrare"; "Non potrò mai uscire *da questa finestrella*; non *ci* passo!".

2.12.5. IL COMPLEMENTO DI MOTO IN LUOGO CIRCOSCRITTO

Quando il movimento espresso da un verbo si svolge in un luogo delimitato, si ha un complemento a metà strada tra il moto e lo stato in luogo che prende il nome di complemento di moto in luogo circoscritto: "Il nonno passeggia *in cortile*"; "Mi sono girato *nel letto* tutta la notte". Secondo alcuni grammatici, invece, non si tratterebbe di un moto in luogo circoscritto, ma di un moto attraverso luogo ("Il nonno passeggia *attraverso il cortile*"; "Mi sono girato *attraverso il letto* tutta la notte"). Del resto non sempre è facile distinguere tra i vari complementi di luogo. Così nella frase "Il treno arriva *sul primo binario*", si ha uno stato in luogo, un moto a luogo o un moto in luogo circoscritto? E nella frase "Correre *sulla pista*" si ha un moto a luogo o un moto attraverso luogo o un moto in luogo circoscritto? E nella frase "L'aereo vola *nel cielo*"?

2.12.6. IL LUOGO FIGURATO

Il luogo indicato dai vari complementi di luogo, anziché un luogo reale e concreto, può anche essere un luogo puramente mentale e astratto, un luogo figurato. Ad esempio:

– stato in luogo figurato: "*Nelle tue parole* c'è molta malignità"; "Sei *in errore*"; "La zia vive sempre *nell'ansia*";

– moto a luogo figurato: "Il valore del dollaro è salito *alle stelle*"; "Ficcati bene *in testa* questo consiglio"; "Cerca di venire *incontro ai miei desideri*";

– moto da luogo figurato: "*Dalla parsimonia* all'avarizia il passo è breve"; "Siamo appena usciti *da una situazione imbarazzante*";

– moto attraverso luogo figurato: "Ma cosa ti passa *per la testa*?"; "Quel ragazzo è passato *attraverso esperienze sconvolgenti*".

2.12.7. I COMPLEMENTI AVVERBIALI DI LUOGO

I vari complementi di luogo, oltre che da un sintagma preposizionale, possono essere costituiti, come si è visto, da un **avverbio** ("Siamo *qui*"; "Vieni *qui*"; "*Dove* vai?"), da una **locuzione avverbiale** ("Sono salito a piedi *da laggiù*"; "*Da dove* arrivi?"; "*Da qui* non si può entrare") o da una delle **particelle avverbiali** *ne*, *ci*, o *vi* ("Sono qui e *ci* resto"; "Se vai a Milano, *ci* porti anche me?"; «"Sei andato dalla zia?" "*Ne* torno ora"»). Questi costrutti avverbiali, che equivalgono a tutti gli effetti ai vari complementi di luogo, sono propriamente definiti **complementi avverbiali di luogo** (di stato in luogo, di moto a luogo, di moto da luogo, di moto attraverso luogo).

2.13. Il complemento di allontanamento o separazione

Il complemento di allontanamento o separazione indica l'essere vivente o l'oggetto inanimato da cui qualcosa o qualcuno si allontana o è lontano, si separa o è separato, si libera o si distingue, in senso proprio o in senso figurato. È retto da verbi indicanti allontanamento, separazione, liberazione, distacco, differenziazione, assoluzione e simili (*abbandonare*, *separare* e *separarsi*, *liberare* e *liberarsi*, *allontanare* e *allontanarsi*, *distinguere*, *dividere*, *assolvere*, *scagionare* ecc.) e da nomi e aggettivi di significato affine, ed è introdotto dalla preposizione **da**:

> Luigi è stato allontanato *dalla scuola*. Il Ticino divide il Piemonte *dalla Lombardia*. Ho separato i vestiti invernali *da quelli estivi*. I miei disegni sono molto diversi *dai tuoi*. Sono libero *da simili pregiudizi*. Le proposte della Confindustria erano molto lontane *dalle richieste sindacali*.

2.14. Il complemento di origine o provenienza

Il complemento di origine o provenienza indica il luogo o la famiglia o la condizione sociale ed economica da cui proviene qualcuno o qualcosa, in senso proprio o in senso figurato. È retto da verbi come *nascere*, *discendere*, *provenire*, *derivare*, *sorgere*, *essere* o da aggettivi di significato affine come *nativo*, *originario*, ed è introdotto dalle preposizioni **da** e **di**:

> La mia famiglia è originaria *della Sicilia*. La lingua italiana deriva *dal latino*. Il mio cane è nato *da un pastore tedesco* e *da una collie*. Tutti i nostri guai sono derivati *da quella menzogna*.

Il complemento di origine o provenienza può anche dipendere direttamente da un nome, cioè dal nome della persona o della cosa di cui indica la provenienza, ma, in tal caso, bisogna considerare sottinteso un aggettivo come *originario*, *nativo* o un participio come *proveniente*, *nato* e simili: "Gianni è nato a Roma ma da una famiglia *di Trieste* (= originaria di Trieste)"; "Leonardo *da Vinci* (= nato a Vinci)"; "Qui si vendono formaggi *della Valtellina* (= provenienti dalla Valtellina)".

2.15. I complementi di tempo

I complementi di tempo indicano le diverse circostanze di tempo in cui può svolgersi l'azione o può verificarsi la condizione espressa dal verbo. Tali circostanze sono molteplici e, quindi, molteplici sono le determinazioni che le indicano. Tra tutte, però, se ne individuano due fondamentali, alle quali le altre sono riconducibili:

- il **complemento di tempo determinato**;
- il **complemento di tempo continuato**.

2.15.1. IL COMPLEMENTO DI TEMPO DETERMINATO

Il complemento di tempo determinato indica il momento o l'epoca in cui si verifica l'azione o la situazione espressa dal verbo. È introdotto dalle preposizioni **in**, **a**, **di** o da locuzioni preposizionali come **al tempo di**, ma spesso si trova anche **senza preposizione**, come complemento diretto circostanziale:

> Prenderò le ferie *in settembre*. *Di notte* molti hanno paura del buio. L'ho incontrato *alle cinque*, per strada. *La mattina* faccio sempre un'abbondante colazione. *L'anno prossimo* andremo al mare. Il mio fratellino è nato *il 2 ottobre 1980*.

La costruzione senza preposizione è obbligatoria con le date indicanti giorno, mese e, eventualmente, anno ("La presa della Bastiglia avvenne *il 14 luglio 1789*"). Negli altri casi in cui può essere usata, risulta preferibile al costrutto con preposizione: "*La sera* (meglio che *alla sera*) mi piace passeggiare in collina".[5]

[5] Si noti la differenza di significato, dovuta alla presenza o meno dell'articolo, tra i due seguenti complementi di tempo determinato: "Questo negozio resta aperto *la domenica* (= tutte le domeniche)"; "Questo negozio resta aperto *domenica* (= la prossima domenica)".

Il tempo determinato può essere espresso anche mediante **avverbi** come *ieri*, *oggi*, *adesso*, *stamani*, *presto*, *tardi* o mediante **locuzioni avverbiali** come *una volta*, *un tempo*, *per l'addietro*, *di buon'ora*, *di quando in quando*: "*Oggi* non abbiamo lezione di matematica"; "*Una volta* tutto era diverso"; "*Stamani* il presidente del Consiglio riceverà una delegazione di lavoratori". In questi casi si parla di **complemento avverbiale di tempo**.

Al complemento di tempo determinato sono riconducibili anche le determinazioni temporali, introdotte da varie preposizioni e locuzioni, che rispondono alle domande:

– **prima di quale momento? prima di chi? prima di che cosa?**: "Svegliami *prima delle sette*"; "Sono arrivati tutti *prima di te*"; "*Prima dell'interrogazione* ho sempre un po' di paura";

– **dopo quale momento? dopo chi? dopo che cosa?**: "*Dopo le quattordici* il centralino telefonico non risponde"; "Verrò a trovarti *dopo le vacanze*";

– **quanto tempo prima? quanto tempo dopo?**: "Paolo era arrivato *un'ora prima*"; "Sono arrivato *due giorni prima del previsto*"; "Mi sono laureato a luglio e *tre mesi dopo* ho trovato lavoro"; "Laura è nata *tre anni dopo Maria*";

– **quanto tempo fa?**: "Ci siamo incontrati *un anno fa*" (propriamente *fa* è la terza persona singolare del presente indicativo del verbo *fare* nel senso di "terminare, compiersi" e la locuzione temporale "un anno fa" nasce da una frase come "fa [= si compie] un anno da quando..."; poi *fa* si è cristallizzato nel senso di "addietro" tanto è vero che viene usato anche con sintagmi al plurale: "*Tre anni fa* siamo andati al mare in Sardegna" [= fa tre anni che...]); "Ho lasciato il mio paese *vent'anni or sono* (= ora sono vent'anni che...)";

– **per quando? entro quando?**: "L'arrosto sarà pronto *per le otto*"; "*Entro giovedì* bisogna pagare l'affitto";

– **fra quanto tempo?**: "*Fra un mese* sarà Natale"; "Partiremo *fra otto giorni*".

2.15.2. Il complemento di tempo continuato

Il complemento di tempo continuato indica la durata dell'azione, cioè quanto dura nel tempo l'azione o la situazione espressa dal predicato. È introdotto dalla preposizione **per** o, con lievi sfumature di significato, dalle preposizioni **in**, **durante** e **oltre**, ma spesso si presenta **senza preposizione**:

> Luca resterà a Roma *(per) dieci giorni*. Ho nuotato *(per) due ore*. *In tutta la giornata* non ha telefonato nessuno. *Durante*

tutta la cerimonia ha continuato a piovere a dirotto. Ti abbiamo aspettato *oltre un'ora* (= per più di un'ora).

Il complemento di tempo continuato, come il complemento di tempo determinato, può anche essere espresso da un **avverbio** come *sempre*, *lungamente* e simili, oppure da una **locuzione avverbiale** come *a lungo*, *da allora*, *fino ad ora*, *per sempre*: "Ti amerò *(per) sempre*"; "L'abbiamo aspettato *a lungo*"; "*Fin da allora* Carlo era un ragazzo simpatico". In questi casi si parla di **complemento avverbiale di tempo**.

Al complemento di tempo continuato sono riconducibili anche le determinazioni temporali, introdotte da varie preposizioni o locuzioni, che rispondono alle domande:
– **in quanto tempo?**: "Ho cucito questa gonna *in tre ore*"; "Gianni ha imparato l'inglese alla perfezione *in pochi mesi*";
– **fino a quando?**: "Ho studiato *fino alle undici*";
– **da quando? fin da quando?**: "*Da due giorni* non penso ad altro"; "La mamma sapeva tutto *fin da un anno*";
– **da quanto tempo?**: "Abito in questa città *da due anni*".

2.16. Il complemento di limitazione

Il complemento di limitazione precisa quali limiti o in relazione a quale ambito ha valore ciò che è detto da un aggettivo, da un sostantivo o da un verbo. Per lo più è introdotto dalla preposizione **di** ma spesso anche dalle preposizioni **da**, **in**, **per**, **a**:

Mio zio è un uomo alto *di statura*. Laura è sempre stata pronta *di parola*. La mattina sono piuttosto lento *di riflessi*. Il gattino è cieco *da un occhio*. Carlo è un genio *in matematica*. *Nel tennis* sei imbattibile. Quell'uomo è bravo *a parole* e basta. Come stai *a soldi*? *Per eleganza* non ha rivali. Queste automobili sono superiori a tutte *per resistenza*. Antonio si distingue *in tutti gli sport*. Ultimamente sono un po' aumentata *di peso*. I nostri avversari sono inferiori *di numero*, ma più bravi *nel gioco* di squadra.

Il complemento di limitazione può essere introdotto anche da locuzioni preposizionali di valore chiaramente limitativo come **rispetto a**, **relativamente a**, **in quanto a**, **limitatamente a**, **in fatto di** e simili: "*In quanto a idee*, Luca è un vulcano"; "Sono d'accordo con te *limita-*

tamente alla sostituzione del centroattacco". Inoltre, sono complementi di limitazione anche costruzioni come **a mio** (*tuo*, *suo* ecc.) **avviso, a parer mio** (*tuo*, *suo* ecc.), **secondo me** (*te*, *lui* ecc.), **a parere di, a giudizio di, secondo l'opinione di** e simili in quanto restringono il valore generale di un'affermazione o di un giudizio riferendoli a una specifica persona o a un determinato gruppo: "*Secondo me* la torta non è ancora cotta"; "*A parere dei critici* questo film è un capolavoro".

2.17. Il complemento di relazione

Vicino per significato al complemento di limitazione, il complemento di relazione restringe il valore di un aggettivo (o di un participio passato usato come aggettivo) e indica per lo più un atteggiamento o una condizione fisica:

"Sparsa *le trecce morbide* / sull'affannoso petto / ... giace Ermengarda".

Nel verso tratto dal coro dell'Atto III dell'*Adelchi* di A. Manzoni, il sintagma "le trecce morbide" che determina l'aggettivo *sparsa*, precisando in relazione a che cosa ha valore il concetto da esso espresso, è un complemento di relazione. In quanto si salda direttamente al termine da cui dipende, senza l'aiuto di alcuna preposizione, è un complemento diretto. Vicino per significato al complemento di limitazione, equivale, nella sostanza, a un complemento di qualità, con il quale è sostituibile: "Con le trecce sparse sul petto affannato...". Cfr. anche: "Gli uomini, nudi *il busto* (= con il busto nudo), remavano in silenzio".

Il complemento di relazione è un costrutto tipicamente poetico, ma è ormai disusato anche in poesia. In italiano, tra l'altro, è un vero e proprio latinismo, in quanto è ricalcato su un analogo costrutto del latino, che a sua volta lo aveva desunto dal greco: per questo esso è noto come complemento di relazione o "accusativo alla greca".

2.18. Il complemento di paragone

Il complemento di paragone indica il secondo termine di un confronto (è definito anche "secondo termine di paragone") tra due esseri animati o due cose o tra due qualità di una stessa persona o cosa. In particolare:

• quando il confronto esprime un rapporto di **maggioranza** o di **minoranza**, il secondo termine di paragone, cioè il vero e proprio complemento di paragone, dipende da un aggettivo o da un avverbio al grado comparativo ed è introdotto dalla preposizione **di** o, meno spesso, dalla congiunzione **che**:

Anna è meno timida *di sua sorella.* Abbiamo lavorato più *del mese scorso.* Padova è più vicina a Milano *che Venezia.*

La congiunzione **che** (rafforzata o meno da un *non* pleonastico) è però obbligatoria quando sono messi a confronto due aggettivi riferiti alla stessa persona o cosa: "Nel nuoto, Antonio è più veloce *che (non) resistente*".

• quando invece il confronto esprime un rapporto di **uguaglianza**, il complemento di paragone è introdotto dalla congiunzione **come** o dall'avverbio **quanto** o anche dalla coppia **tanto quanto**:

Il suo appartamento è grande *come il tuo.* Elena è simpatica *quanto bella.* Paolo è forte *quanto te.* Ho studiato *tanto quanto lui.*

Un confronto può essere istituito anche fra due complementi dello stesso tipo: "Quel libro è stato apprezzato più da me *che da te*"; "Parlava più con sicurezza *che con competenza*". In tal caso, però, il complemento che rappresenta il secondo termine di confronto (*da te*, *con competenza*) non viene considerato un complemento di paragone bensì il complemento che è nell'ambito della frase, come se non si trovasse all'interno di una costruzione comparativa (nei nostri due esempi un complemento d'agente, *da te*, e un complemento di modo, *con competenza*).

2.19. Il complemento di età

Il complemento di età indica l'età di qualcuno o di qualcosa oppure precisa a che età qualcuno ha compiuto una certa azione o si è trovato in una certa situazione. Nel primo caso, dipende da un nome ed è introdotto dalla preposizione **di** o dalle locuzioni **all'età di**, **in età di** e simili:

La nonna di Paolo è una signora *di sessant'anni.* Abbiamo comprato un cucciolo *di pochi mesi.* Piero si è laureato *a ventiquattro anni.* *A diciotto anni* potrai prendere la patente. Il nonno morì *a tarda età.*

Nella costruzione con la preposizione **a** il complemento di età si identifica con il complemento di tempo continuato, ma è opportuno conservargli la sua qualifica specifica.

Per esprimere l'età approssimativa si usa la preposizione **su**: "Ti ha cercato un uomo *sulla cinquantina*".

2.20. Il complemento di argomento

Il complemento di argomento indica l'argomento di cui si parla, si scrive o si tratta. È retto per lo più da verbi come *parlare*, *dire*, *raccontare*, *riferire*, *scrivere*, *discutere*, *trattare* ecc. oppure da nomi di significato corrispondente come *libro*, *articolo*, *trattato*, *discussione*, *convegno*, *ricerca*, *consiglio*, *parere*, *discorso*, ed è introdotto dalle preposizioni **di**, **su**, **circa**, **sopra** oppure da locuzioni preposizionali come **intorno a**, **a proposito di**, **riguardo a**:

> Tutti parlano molto bene *di te*. Mio padre e mio fratello discutono sempre *di calcio*. Ho letto un bell'articolo *sull'energia nucleare*. Raccontami qualcosa *circa i tuoi progetti*. Vorrei qualche informazione *riguardo al piano* di studi della facoltà di medicina.

2.21. Il complemento di qualità

Il complemento di qualità indica una qualità o una caratteristica, fisica, morale o intellettuale, di qualcuno o di qualcosa. Determina per lo più un nome ed è introdotto dalla preposizione **di** e, più raramente, **da**, **a**, **con**:

> Ci rivolgeremo a un avvocato *di grande esperienza*. Era un tipo *di bassa statura*. Ho incontrato una ragazza *dal sorriso incantevole*. Paolo ha comperato una moto *di grossa cilindrata*. Che bella cravatta *a pallini*! Chi è quel giovanotto *con i baffi spioventi*?

Il complemento di qualità può determinare anche il predicato, quando è costituito da verbi come *essere*, *apparire*, *sembrare*: "Questo tipo di jeans non è più *di moda*"; "La stoffa mi sembra *di ottima qualità*".

Talvolta, soprattutto nei testi di registro letterario, il complemento di qualità può essere espresso, sotto forma di inciso riferito a un nome, senza la preposizione, in quella che si chiama una **costruzione assoluta**: "Un ragazzo, *gli occhi sorridenti e maliziosi*, si offrì di farci da guida".

2.22. Il complemento di materia

Il complemento di materia indica il materiale o la sostanza di cui è fatto un determinato oggetto. Determina un nome o, più raramente, un verbo come *fare*, *fabbricare*, *costruire*, ed è retto per lo più dalla preposizione **di**,[6] qualche volta anche da **in**:

> Una ringhiera *di legno.* Un sacchetto *di plastica.* Una coperta *di lana.* Una bambola fatta *di stracci.* Una rilegatura *in pelle.* Un gioiello *in similoro.*

La preposizione **in** si usa quando si vuole dare l'idea della lavorazione compiuta in un determinato materiale ("Un gioiello *in similoro*"), ma si tratta di una costruzione che non tutti i grammatici accettano perché è considerata un francesismo.

Il complemento di materia può essere usato anche in senso metaforico riferito a esseri viventi o a concetti astratti: "Carla è una ragazza *d'oro*"; "Quell'uomo ha una volontà *di ferro*"; "Che testa *di legno*!"; "Hai una gran faccia *di bronzo*".

Spesso il complemento di materia può essere sostituito da un aggettivo di corrispondente significato, il quale, ovviamente, avrà la funzione logica di attributo: "un ornamento *d'oro* → un ornamento *aureo*"; "una statua *di legno* → una statua *lignea*"; "una volontà *di ferro* → una volontà *ferrea*".

2.23. I complementi di quantità

Sotto la denominazione di complementi di quantità si raccolgono vari complementi caratterizzati dal fatto di indicare tutti una determinazione quantitativa: di **peso**, di **misura**, di **estensione**, di **distanza**, di **stima** o di **prezzo**. Di fatto, tutti questi complementi, pur nella diversità dei verbi o delle espressioni che li introducono, rispondono alla domanda **quanto?**. Inoltre, sono tutti accomunati dal fatto di poter esprimere la quantità (il peso, la misura, l'estensione, la distanza e simili) o in modo determinato, mediante un nome per lo più introdotto **senza preposizione**, o in modo indeterminato, mediante un **avverbio di quantità**.

2.23.1 Il complemento di peso o misura

Il complemento di peso o misura indica quanto pesa o misura qualcuno o qualcosa. È retto da verbi come *pesare*, *misurare*, con i quali si

[6] Si osservi la differenza fra i seguenti costrutti:

Una statua | d'oro. | — compl. di materia

Una miniera | d'oro. | — compl. di specificazione

presenta sempre **senza preposizione**, oppure da un nome e, in questo caso, è introdotto dalle preposizioni **di** e **da**:

Questo pacco pesa *cinquanta chili*. Il taglio di stoffa misurava *cinque metri*. Questa stanza ha una superficie *di ottanta metri quadri*. Per il vino nuovo ho bisogno di una bottiglia *da un litro*.

Per indicare il peso e la misura approssimativi si usa la preposizione **su**: "Questo pacco peserà *sui cinquanta chili*". Approssimazione indicano anche gli avverbi *circa* e *quasi* o le locuzioni avverbiali *all'incirca*, *su per giù* e simili. Il peso e la misura, inoltre, possono essere indicati anche in modo indeterminato mediante gli avverbi di quantità *molto*, *poco*, *troppo* e simili: "Questa valigia pesa *troppo*". In questi casi si parla di **complemento avverbiale di quantità**.

2.23.2. IL COMPLEMENTO DI ESTENSIONE

Il complemento di estensione indica quanto qualcosa si estende nello spazio. In dipendenza da verbi come *estendersi*, *elevarsi*, *innalzarsi* e simili, è introdotto dalla preposizione **per**, ma si trova anche **senza preposizione**:

Il fiume Ticino scorre *per parecchi chilometri* in territorio svizzero. Il deserto del Sahara si estende *per 8 milioni di chilometri quadrati*. L'antenna rice-trasmittente si eleva *venticinque metri* dal suolo.

Invece, in dipendenza dagli aggettivi che indicano le quattro dimensioni spaziali (*lungo*, *largo*, *alto*, *profondo*) si presenta sempre **senza preposizione**:

Il monte Bianco è alto *4810 metri*. Questa fossa è profonda *dodici metri*.

Il complemento di estensione, come il complemento di peso o misura, può essere espresso in maniera approssimativa mediante la preposizione **su** o gli avverbi **circa** e **quasi**. Inoltre, anche il complemento di estensione può essere espresso in maniera indeterminata mediante un avverbio di quantità come *molto*, *poco*, *troppo* e simili: "Questo pezzo di filo è *troppo* lungo".

2.23.3. IL COMPLEMENTO DI DISTANZA

Il complemento di distanza indica quanto qualcuno o qualcosa dista rispetto a un determinato punto di riferimento. Quando dipende dal verbo *distare* o dalle espressioni *essere distante*, *essere lontano*, si congiunge direttamente al predicato **senza preposizione**:

Il nostro paese dista *80 chilometri* da Caserta.[7]

La distanza, ovviamente, può essere computata anche mediante il tempo impiegato a percorrerla: "La vetta è distante ancora *due ore* di marcia".

Negli altri casi, è introdotto dalle preposizioni **a** e **tra** (o **fra**):

Paolo abita *a due passi* da me. *Tra una decina di chilometri* troveremo la deviazione per il paese.

2.23.4. IL COMPLEMENTO DI STIMA

Il complemento di stima indica quanto si stima qualcuno sul piano morale o quanto si valuta qualcosa sul piano materiale. Dipende per lo più da verbi come *stimare*, *valutare*, *considerare*, *apprezzare*, *valere* cui si aggiunge **senza preposizione**:

Il nostro appartamento è stato stimato *duecento milioni*. Questo quadro non vale *una lira*.

La stima di ordine morale è per lo più espressa mediante avverbi o locuzioni avverbiali come *molto*, *poco*, *assai*, *di più*, *di meno*, *per niente*: "Lo zio è *molto* stimato dai suoi colleghi"; "Non apprezzo *per niente* quello che hai fatto".

La valutazione approssimativa viene espressa con la preposizione **su**: "Questo quadro è valutato *sul miliardo*".

2.23.5. IL COMPLEMENTO DI PREZZO

Il complemento di prezzo indica il costo di un oggetto o di un animale, oppure il prezzo a cui viene comprato o venduto. Quando dipende dai verbi *costare* e *pagare*, si costruisce **senza preposizione**; con i verbi *vendere*, *comprare*, *affittare* e *acquistare*, invece, è introdotto dalle preposizioni **a** o **per**:

[7] Il complemento di distanza, che indica *quanto* è distante qualcuno o qualcosa, non deve essere confuso con il complemento di separazione o allontanamento che indica invece l'essere vivente, il luogo o la cosa *rispetto ai quali* si indica la distanza o *dai quali* si è distanti:

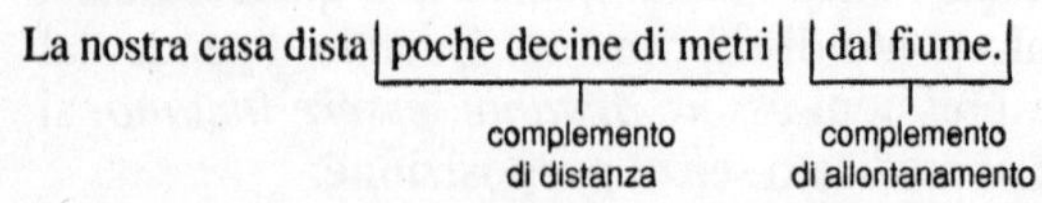

Un gelato costa *duemila lire.* Ho pagato questa tuta *120.000 lire.* Abbiamo comprato due biciclette usate *per 100.000 lire.* In quel negozio liquidano magliette di cotone *a 10.000 lire.*

Oltre che da una precisa cifra di denaro, il complemento di prezzo può essere costituito anche da espressioni come *un patrimonio, un occhio della testa, un nonnulla, a basso costo, a metà prezzo, a prezzo elevatissimo,* oppure da avverbi o locuzioni avverbiali come *poco, molto, troppo, di più, di meno*: "Riscaldare questa grande villa mi costa *un patrimonio*"; "Si vendono libri usati *a metà prezzo*"; "Non ho comprato le pesche perché costavano *troppo*"; "Il tuo registratore l'hai pagato *poco*; il mio, che è praticamente uguale, è costato molto *di più*".[8]

2.24. I complementi di abbondanza e di privazione

Il **complemento di abbondanza** indica ciò di cui sono ricchi o pieni o largamente forniti una persona, un animale o una cosa. Il suo contrario, quanto a significato, è il **complemento di privazione** che, invece, indica ciò di cui una persona, un animale o una cosa sono privi o carenti. Determinano verbi e aggettivi che significano "abbondanza, ricchezza" (*abbondare, traboccare, caricare, fornire, arricchire, nutrire, ornare, colmare* ecc.; *ricco, fornito, dotato, colmo, pieno, carico, zeppo* ecc.) o "privazione, mancanza" (*mancare, scarseggiare, aver bisogno, abbisognare, difettare, privare, spogliare* ecc.; *privo, carente, bisognoso, mancante, spoglio* ecc.). Entrambi sono retti dalla preposizione **di**, e il complemento di privazione anche dalla preposizione **senza** (specialmente in espressioni come *essere senza qualcosa*).

I tuoi armadi traboccano *di vestiti.* Il locale era gremito *di bambini.* Questa crema è piena *di grumi.* Ti riempirò *di botte.* Il rosaio è ricchissimo *di boccioli.* Paolo ha presentato un progetto ricco *di novità.* La minestra manca *di sale.* Devo seguire

[8] Può accadere di confondere il complemento di stima e quello di prezzo, specialmente quando sono costituiti da una precisa cifra di denaro. Per evitare equivoci è necessario considerare soprattutto il predicato della frase: verbi come *valutare* e *stimare* introducono un complemento di stima; verbi ed espressioni come *vendere, essere in vendita, acquistare, comprare, costare* reggono invece il complemento di prezzo:

Questo quadro è valutato [dieci milioni] ma è in vendita [a sette.]
dieci milioni → complemento di stima
a sette → complemento di prezzo

una dieta povera *di grassi*. L'inflazione l'ha privato *di tutto*. Antonio difetta *di iniziativa*.

I complementi di abbondanza e di privazione possono anche essere costituiti dalla particella pronominale **ne** (= di ciò, di questo, di quello, di queste cose). In tal caso, ovviamente, non sono introdotti da alcuna preposizione: "Negli USA c'è molto petrolio: *ne* abbonda soprattutto il Texas"; "La signora desidera del velluto rosa, ma noi attualmente *ne* siamo sprovvisti".

Osservazioni

– Il complemento che determina i nomi corrispondenti per significato ai verbi e agli aggettivi indicanti abbondanza o privazione, come appunto, *abbondanza*, *profusione*, *ricchezza*, *scarsità*, *carenza*, *mancanza*, *bisogno* e simili, non è un complemento di abbondanza o di privazione, ma un normale complemento di specificazione: "Nei magazzini c'era grande abbondanza *di grano*"; "La pellagra è dovuta a carenza *di vitamine*".

– La differenza di significato tra il complemento di abbondanza o privazione e quello di limitazione è minima. Nella frase "Laura è ricca *di virtù*", infatti, la determinazione *di virtù* indica *di che cosa abbonda* Laura, ma nello stesso tempo *limita* il concetto di ricchezza, proprio come nella frase "Laura è bella *di viso*" la determinazione *di viso* limita il concetto di bellezza. Comunque, dal punto di vista sintattico non è possibile confondere i due complementi, perché il verbo o l'aggettivo che reggono il complemento di abbondanza o privazione permettono una precisa identificazione del complemento stesso.

– Il complemento di abbondanza, inoltre, non sempre è distinguibile dal complemento di mezzo. Per lo più, però, come osserva Luciano Satta, si ha un complemento di mezzo quando il complemento è retto da un verbo come *arricchire*, *riempire*, *colmare* e simili, e invece un complemento di abbondanza con gli aggettivi di significato affine come *ricco*, *pieno*, *colmo* e simili. Così la frase "Ho arricchito la stanza *di quadri e di tappeti*" è sentita come se valesse "Ho arricchito la stanza *con* quadri e *con* tappeti", cioè "*per mezzo di* quadri e *di* tappeti". Invece "Questa stanza è ricca *di quadri e di tappeti*" non è assolutamente interpretata come "Questa stanza è ricca *con* quadri e *con* tappeti". Allo stesso modo, nella frase "Gli operai hanno riempito *di sabbia* la buca", abbiamo un complemento di mezzo; invece la frase "La buca è piena *di sabbia*" contiene un complemento di abbondanza.

2.25. Il complemento di colpa

Il complemento di colpa indica il reato o il delitto, cioè appunto *la colpa*, di cui si è accusati o per cui si è condannati. Quando indica la colpa *di cui* si è accusati o ritenuti colpevoli è introdotto dalla preposizione **di**:

L'imputato fu accusato *di omicidio*.

Quando indica la colpa *per cui* si è processati, condannati o puniti è introdotto dalla preposizione **per**:

L'imputato fu condannato *per frode*.

Il complemento di colpa può indicare non solo veri e propri reati, ma anche colpe e responsabilità di tipo morale: "Non accusare me *dei tuoi insuccessi*"; "La zia mi ha tacciato *di ingratitudine*".

Con i verbi che indicano assoluzione da qualche colpa, come *assolvere*, *prosciogliere*, *scagionare* e simili, si ha un complemento di separazione (o liberazione) introdotto dalla preposizione **da**: "L'imputato fu assolto *da ogni addebito*"; "L'accusato fu assolto *dall'imputazione* di omicidio colposo".

Il complemento retto dai nomi e aggettivi di significato affine ai verbi che reggono il complemento di colpa, come *accusa*, *colpa*, *addebito*, *imputazione*, *colpevole*, *reo* e simili, più che un complemento di colpa è da considerare un complemento di specificazione: "L'accusa *di tradimento* è caduta subito"; "Quest'uomo è reo *di alto tradimento*".

2.26. Il complemento di pena

Il complemento di pena indica la pena, il castigo o la multa che si infligge a qualcuno. Quando è retto dal verbo *condannare* o dal nome *condanna* è introdotto dalla preposizione **a**:

L'omicida fu condannato *a trent'anni* (oppure *all'ergastolo* oppure *alla sedia elettrica*). L'imputato ha già scontato una condanna *a due anni* di prigione.

Quando è retto da verbi come *punire* o *castigare* è introdotto dalla preposizione **con**:

Il ragazzo fu punito *con la sospensione* dalle lezioni per quattro giorni.

Quando è retto dal verbo *multare* è introdotto dalla preposizione **di** o **per**:

L'automobilista fu multato *di trentaseimila lire* (oppure *per trentaseimila lire*).

Nel caso del verbo *multare*, quando la pena è di carattere pecuniario, alcuni grammatici parlano preferibilmente di *complemento di quantità*. Complemento di quantità, del resto, è senz'altro quello retto dai nomi di significato corrispondente come *multa*, *ammenda* e simili: "Agli automobilisti indisciplinati sarà inflitta una multa *di centoventimila lire*".

Il complemento di pena può anche indicare una punizione di tipo morale o psicologico: "La tua vigliaccheria ti condanna *al disprezzo* di tutti".

2.27. Il complemento di vantaggio e di svantaggio

Il complemento di vantaggio e di svantaggio indica la persona o la cosa a vantaggio oppure a discapito della quale viene compiuta un'azione o si verifica un certo fatto. È introdotto per lo più dalla preposizione **per** oppure da locuzioni preposizionali come **a vantaggio di**, **a favore di**, **in difesa di**, **a svantaggio di**, **a discapito di** e simili:

> Abbiamo raccolto fondi *per i bambini* del Terzo mondo. Quell'uomo si è sacrificato *per noi*. L'alcol è dannoso *per il fegato*. Chi parlerà *in favore della mia proposta*? Certe norme della CE vanno *a discapito dell'agricoltura italiana*.

Il complemento di vantaggio e di svantaggio può anche essere espresso da un pronome personale atono (*mi*, *ti*, *si*, *gli*, *le* ecc.) e, in tal caso, ovviamente, non è preceduto da alcuna preposizione: "*Si* (= per sé) è comprato un'auto"; "Se nostro figlio vorrà abitare qui, *gli* (= per lui) costruiremo una casa accanto alla nostra".

Talvolta, quando è costituito da un pronome personale in forma atona, il complemento di vantaggio e di svantaggio serve per esprimere, più che un vero e proprio vantaggio o svantaggio, una forma di compartecipazione affettiva all'azione o alla circostanza indicata dal predicato: "*Ti* si è ammalato di nuovo il bambino?"; "Ciao e stam*mi* bene!"; "Cosa *mi* state combinando?"; "Guai a voi se *mi* mettete in disordine la casa!".

Invece, quando il pronome personale atono ha valore riflessivo, il complemento di vantaggio e svantaggio ha una funzione pleonastica e serve a rendere più espressiva la frase: "Paolo *si* è mangiato una pizza grande così"; "*Vi* siete fatti una bella sciata, eh!"; "Adesso *mi* bevo un bel caffè e poi *mi* leggo il giornale".

2.28. Il complemento distributivo

Il complemento distributivo indica un rapporto numerico tra persone, cose e quantità numeriche. È introdotto dalle preposizioni **per**, **a** e **su**, ma talora si presenta anche **senza preposizione** e in particolare esprime:

• l'ordine o la proporzione in cui si trovano o secondo cui vengono distribuite persone o cose: "I soldati marciavano *per due*"; "C'è un posto *per ogni invitato*"; "Prendete tre caramelle *per ciascuno*"; "Sono arrivati *a due a due*"; "Mettine da parte per te uno *ogni dieci*"; "Hai sbagliato tre frasi *su quattro*";

• le operazioni matematiche della moltiplicazione, divisione e percentuale: "Due *per tre*"; "Otto diviso *(per) due*"; "Il prezzo dello zucchero è aumentato del 10 *per cento*";

• l'unità di misura rispetto alla quale si indica il prezzo, la misura o il peso di qualcosa: "Questa stoffa costa dodicimila lire (= complemento di prezzo) *al* (oppure *il*) *metro* (= complemento distributivo)"; "Ho percorso tutta l'autostrada a 150 km (= complemento di misura) *all'* (oppure *l'*) *ora* (= complemento distributivo)"; "In questo albergo spendiamo centomila lire (= complemento di prezzo) *a testa* (= complemento distributivo)";

• l'ordine proporzionale secondo il quale avviene o deve avvenire nel tempo un'azione: "Ricordati di prendere una pastiglia *ogni quattro ore*"; "*Ogni quattro giorni* quel tipo viene a chiederci lavoro".

2.29. Il complemento di esclusione

Il complemento di esclusione indica chi o che cosa resta escluso rispetto all'azione o alla situazione indicata dal predicato. Nel suo valore prettamente esclusivo è introdotto dalla preposizione **senza** ed esprime il contrario dei complementi di compagnia e di mezzo:

> Paolo è partito *senza il fratello*. La nonna legge il giornale *senza occhiali*.

In altri casi, invece, introdotto dalle preposizioni **fuorché**, **tranne**, **eccetto**, **meno**, **salvo** o da locuzioni preposizionali come **all'infuori di**, **ad eccezione di**, **eccetto che**, **a parte** e simili, ha un valore più propriamente eccettuativo, perché eccettua, cioè esclude, una persona o una cosa da ciò che si dice: "Mi piacciono tutti gli sport *tranne il pugilato*"; "*Ad eccezione di Antonio*, tutti hanno trovato eccellente lo spettacolo"; "Sono venuti tutti *eccetto te*"; "Andiamo d'accordo con tutti *eccetto che con te*"; "Lavoro sempre fino alle cinque, *a parte il sabato e la domenica*, ovviamente".

2.30. Il complemento di sostituzione o scambio

Il complemento di sostituzione o scambio indica l'essere animato o la cosa che vengono sostituiti o scambiati con altri. È introdotto dalla preposizione **per** oppure da locuzioni preposizionali come **al posto di**, **invece di**, **in luogo di**, **in cambio di** e simili:

> Ha pagato Paolo *per tutti*. *Per il governo* era presente il Ministro degli Esteri. *Invece della solita pastina* vorrei un buon risotto. Laura ha preso il mio impermeabile *invece del suo*. *In cambio dei vecchi dischi*, lo zio mi ha dato una videocassetta.

Quando si riferisce a persone, il complemento di sostituzione o scambio può essere costituito da espressioni con il possessivo come *al posto mio* (tuo, suo, nostro ecc.), *in vece mia* (tua, sua, nostra ecc.): "*In vece mia* parlerà l'assessore Guardi".

La preposizione **per** con valore sostitutivo è molto frequente nella lingua di registro familiare e nei proverbi: "Ma *per chi* mi avete preso? *Per Babbo Natale*?"; "Gli abbiamo reso pan *per focaccia*"; "Quello capisce sempre Roma *per Toma*"; "Prendere lucciole *per lanterne*".

2.31. Il complemento concessivo

Il complemento concessivo indica la persona, la cosa o il fatto nonostante i quali avviene l'azione o si verifica la situazione indicata dal predicato. È introdotto dalle preposizioni **nonostante**, **malgrado**, **con** oppure da locuzioni preposizionali come **a dispetto di**, **ad onta di** e simili.

> *Malgrado le sue promesse*, continuò a comportarsi proprio come prima. *Nonostante la pioggia*, abbiamo fatto una lunga passeggiata nel bosco. *Con tutti i suoi soldi*, vive da miserabile. Continuerò per la mia strada, *a dispetto delle vostre critiche*.

2.32. Il complemento di rapporto

Il complemento di rapporto, o di relazione, indica l'essere animato o la cosa con cui viene stabilito un determinato rapporto. È introdotto dalla preposizione **con**, in dipendenza da verbi come *accordarsi*, *congratularsi*, *impegnarsi*, *parlare* (con qualcuno), *fidanzarsi*, *discutere*, *arrabbiarsi*, *litigare* e da perifrasi come *avere rapporti*, *stabilire rapporti*, *essere in conflitto* ecc.

> La nostra ditta ha stabilito ottimi rapporti *con la Germania*. L'Italia ha avuto un lungo conflitto diplomatico *con la Francia*. Ho rotto i ponti *con tutti i vecchi amici*. Le comunicazioni *con l'estero* sono interrotte. Mi congratulo *con te* per il successo. Luigi litiga sempre *con tutti*.

Spesso il complemento di rapporto indica non uno bensì due elementi o anche un intero gruppo di elementi tra i quali o all'interno del quale si stabilisce un determinato rapporto. In questo caso il complemento è introdotto dalla preposizione **tra** (o **fra**): "*Tra la pizza e la focaccia* non c'è molta differenza"; "*Fra colleghi* queste cose non dovrebbero succedere"; "*Tra i giocatori* della squadra c'è molto affiatamento"; "Abbiamo discusso la cosa *fra noi*".

2.33. Il "complemento" vocativo

Il "complemento" vocativo o di vocazione[9] indica la persona, l'animale o la cosa personificata cui ci si rivolge in ogni discorso di forma diretta per chiamarli, per invocarli, per dar loro un ordine o semplicemente per richiamare l'attenzione. È costituito da un nome proprio o comune di persona, da un nome comune usato come appellativo di persona, da un nome comune di cosa personificata, da un aggettivo sostantivato o da un pronome allocutivo ed è isolato dal resto della frase da una virgola, se si trova all'inizio della frase, o da due virgole, se si trova nel corpo della frase:

> *Paolo*, vieni qui! Si accomodi, *signorina*. *Tesoro mio*, ti ho comprato un regalo. *Macchinina mia*, non fermarti proprio adesso! *Dio mio*, aiutami! *Professore*, potrei non essere interrogato oggi? "Che fai tu, *luna* in ciel...?" *Voi*, volete smetterla una buona volta? Senta, *lei*, mi può per favore dire l'ora?

[9] Il "complemento" vocativo, in realtà, non è un complemento in senso stretto. Esso, infatti, non "completa" né "espande" la frase: anzi, non fa neppure parte della struttura della frase cui si riferisce e costituisce, invece, una specie di frase nominale autonoma, di forma abbreviata, che si inserisce in un'altra frase e ha la funzione di richiamare l'attenzione del destinatario del messaggio. Non per niente è sempre considerato un inciso rispetto al resto della frase, come dimostrano la virgola o le virgole che sempre lo isolano dal contesto. Si colloca all'inizio o alla fine della frase o nel corpo di essa, subito dopo il predicato.

Talvolta, specialmente in poesia, dove è usato per evocare persone, cose o vicende, e nella lingua di registro letterario, il vocativo è introdotto dall'interiezione **o**:

"*O natura, o natura* / perché non rendi poi / quel che prometti allor?" (G. Leopardi)

2.34. Il "complemento" esclamativo

Il "complemento" esclamativo[10] consiste in un'esclamazione fatta per esprimere stupore, gioia, dolore, minaccia, perplessità e simili. Per lo più è costituito da una semplice interiezione oppure da un'interiezione che introduce un pronome personale o un nome specificato da un aggettivo oppure da un pronome personale specificato da un aggettivo senza interiezione:

Ahimè, come sono infelice! *Ah, me infelice! Oh, triste vita! Te beato!*

Talvolta, può essere costituito da un aggettivo relativo-esclamativo e da un nome:

Che tristezza! Quanta vergogna! Che brutta cosa!

Infine, rientrano nell'esclamativo anche gli insulti, le imprecazioni, le bestemmie, le invettive e le formule deprecative con cui spesso si intercala il discorso:

Stupido! Guarda cosa hai combinato. Dovevi proprio telefonare a me, *porca miseria*!? *Accidenti! Per Giove*, come è tardi!

Talvolta, il "complemento" di esclamazione sembra reggere un verbo all'infinito: "Che rabbia aver perso il treno!"; "Quale sorpresa trovarvi qui!". Costruzioni come queste sono in realtà frasi ellittiche nelle quali le espressioni *che rabbia* e *quale sorpresa* hanno la funzione di un preciso complemento piuttosto che di un esclamativo: "Che rabbia (= complemento oggetto) provo per aver perso il treno"; "Quale sorpresa (= nome del predicato) è per me trovarvi qui".

[10] Il "complemento" esclamativo, come il vocativo, non è propriamente un complemento, ma una vera e propria frase nominale autonoma, di forma abbreviata. Di fatto, spesso costituisce da solo tutto il messaggio e, quando ciò non succede, costituisce sempre, come il vocativo, un inciso, isolato dal resto del discorso dal punto esclamativo o dalla virgola.

Sintassi della frase complessa o periodo

La **sintassi della frase complessa** o **periodo** studia come le proposizioni si combinano tra loro a formare il periodo e analizza i rapporti che intercorrono tra esse nell'ambito del periodo (principale, reggenti, coordinate e subordinate).

1

La sintassi della frase complessa o periodo

Le frasi semplici o proposizioni possono funzionare come enunciati autonomi o possono unirsi tra loro a costituire testi più ampi e più articolati, detti **frasi complesse** o **periodi**.

1. La frase complessa o periodo

La frase complessa o periodo,[1] come d'ora innanzi la chiameremo, è un testo costituito dall'unione di più frasi semplici o proposizioni in un'unica struttura di senso compiuto, chiusa tra due segni di forte interpunzione:

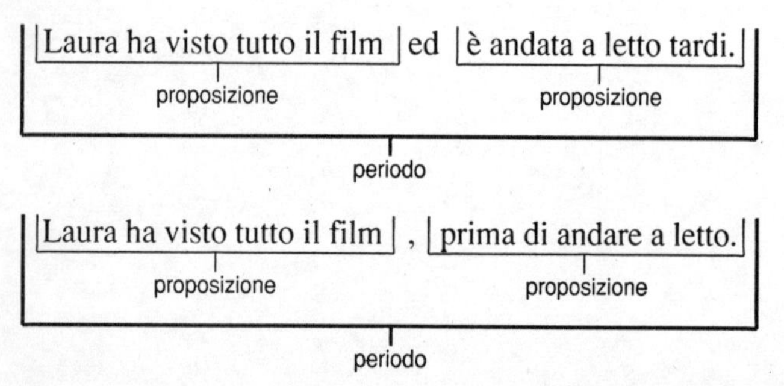

[1] Il termine "periodo" deriva, tramite il latino, dal greco *períodos* (composto da *perí*, 'intorno', e *hodós*, 'strada'), che significa "circuito, giro". Il periodo, infatti, è un "giro di proposizioni", cioè un insieme unitario, compatto e compiuto, di due o più proposizioni collegate tra loro.

In pratica, poiché ogni proposizione, come sappiamo, è costituita da un insieme di parole che si organizzano intorno a un predicato, si può dire che un periodo è costituito da tante proposizioni quanti sono i predicati che contiene. Nel conteggio dei predicati, si deve tenere conto del fatto che, se di norma il predicato è costituito da un solo verbo, in alcuni casi esso è costituito da più voci verbali. Formano infatti un solo predicato, pur essendo costituiti da più verbi:
– i verbi servili seguiti da un infinito: "Disse / che non *poteva uscire*";
– i verbi fraseologici seguiti da un infinito o da un gerundio: "Paolo *stava per partire* / quando è arrivata la tua lettera"; "Antonio *ha fatto vedere* la sua nuova moto a un meccanico / per essere più tranquillo"; "Quando sono tornato / *cominciava a piovere*"; "*Sto cercando* / di capirci qualcosa".

Si tenga anche presente che non formano predicati, e quindi non costituiscono una proposizione del periodo, gli infiniti sostantivati dei verbi: "La nonna diceva sempre / che *il mangiare in fretta fa male* alla salute".

1.1. La struttura del periodo: proposizioni principali, coordinate e subordinate

Le **proposizioni** che costituiscono un **periodo** non sono collegate a caso ma secondo un ordine preciso, in cui ciascuna proposizione ha una sua funzione logica particolare.

In primo luogo, in ogni periodo c'è sempre una **proposizione pienamente autonoma**, che potrebbe sussistere da sola come frase semplice. Questa proposizione, che costituisce l'elemento portante della struttura del periodo e che è fornita di un predicato contenente un verbo di forma finita, è detta **proposizione principale**, perché è la proposizione più importante, senza la quale le altre proposizioni non potrebbero costituire un periodo, o anche **proposizione indipendente**, perché ha come caratteristica quella di non dipendere da nessun'altra:

| Prenderò un taxi | perché è tardissimo.

prop. princ.

| Più tardi vi racconterò la trama del film | che ho visto ieri sera.

prop. princ.

Nei due periodi dell'esempio, è evidente la piena autonomia delle proposizioni "Prenderò un taxi" e "Più tardi vi racconterò la trama del film". Esse, infatti, sono proposizioni compiute, sia dal punto di vista della sintassi sia da quello del significato, e possono sussistere da sole, anche separatamente dal resto del periodo: sono proposizioni principali o indipendenti.[2]

Poi, per formare un periodo bisogna che alla proposizione principale si colleghino **altre proposizioni**. Tale collegamento può avvenire in due modi:

• per **coordinazione** (o **paratassi**), quando alla proposizione principale si collega una proposizione ponendola sul suo stesso livello mediante una congiunzione coordinativa o mediante la semplice giustapposizione. Le proposizioni che si collegano alla principale per coordinazione si chiamano **proposizioni coordinate**:

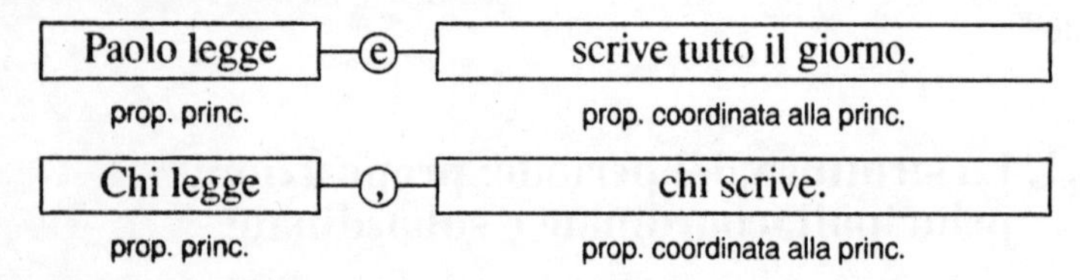

[2] La proposizione principale possiede, a differenza delle proposizioni subordinate, una piena autonomia sintattica e, quindi, potrebbe stare anche a sé e costituire da sola un periodo di senso compiuto. Di fatto, non sempre alla piena autonomia sintattica corrisponde un significato compiuto che le permetta di costituire un periodo autonomo senza l'ausilio di ulteriori determinazioni. Così, in periodi come "Prenderò un taxi perché è tardi" e "Più tardi vi racconterò la trama del film che ho visto ieri sera", le proposizioni principali "*Prenderò un taxi*" e "*Più tardi vi racconterò la trama del film*" hanno una piena autonomia sintattica e una pienezza di significato che permette loro di stare anche da sole. Ma in periodi come "Carlo annunciò che aveva vinto la discesa libera" e "Il pacco era talmente pesante che non riuscivo neanche a sollevarlo", è evidente che le proposizioni principali "*Carlo annunciò*" e "*Il pacco era talmente pesante*" hanno sì una loro autonomia sintattica ma sono del tutto prive di significato compiuto e quindi non potrebbero sussistere come proposizioni indipendenti. Si può quindi concludere che, come nel caso della frase semplice ci sono frasi semplici che hanno un significato compiuto e una perfetta autonomia sintattica senza bisogno di complementi che espandono il soggetto e il predicato ("Paolo legge") e frasi semplici che invece per avere senso compiuto hanno bisogno di espansioni che completano il senso del predicato ("Paolo ha restituito *il libro a Laura*"), così ci sono proposizioni principali che sono pienamente autonome e indipendenti sia quanto alla sintassi sia quanto al significato e, invece, proposizioni principali che, pur essendo autonome e indipendenti, richiedono di essere completate da una subordinata per avere un senso compiuto.

• per **subordinazione** o **ipotassi**, quando si collega alla proposizione principale una proposizione ponendola alle sue dipendenze mediante una congiunzione subordinativa o un altro elemento subordinante. Le proposizioni collegate per subordinazione alla proposizione principale, che in questo caso è detta anche **proposizione reggente**, si chiamano **proposizioni subordinate**:

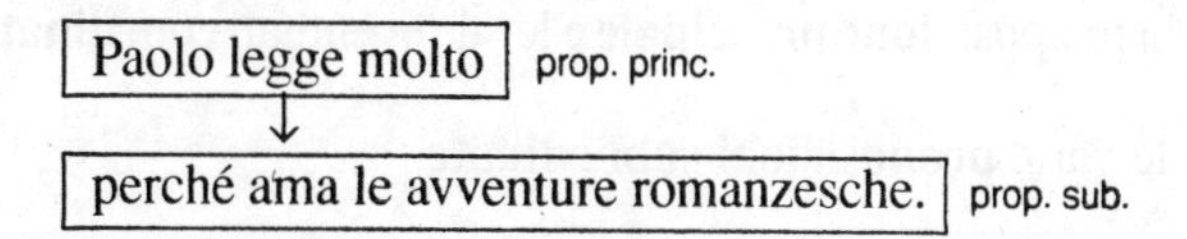

In periodi strutturalmente più complessi, esistono **gradi diversi di subordinazione** e anche **casi diversi di coordinazione.** Così, una proposizione subordinata può trovarsi, oltre che a essere subordinata rispetto a una principale, a fare da reggente di un'altra proposizione subordinata:

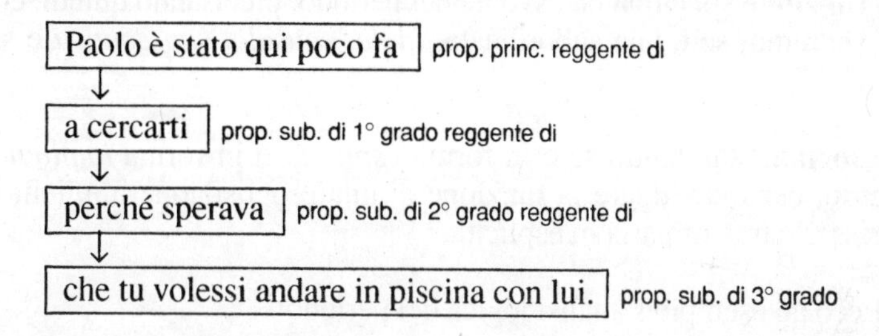

Allo stesso modo una proposizione coordinata può essere coordinata non a una proposizione principale ma a una proposizione subordinata:

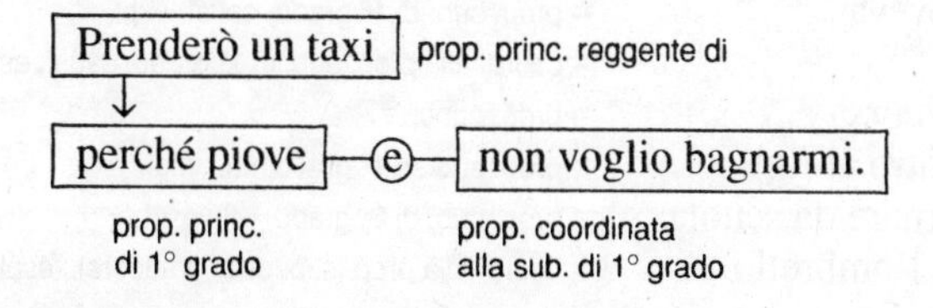

Ma approfondiremo meglio questi aspetti del periodo trattando organicamente della coordinazione e della subordinazione.

2. L'analisi logica del periodo

Fare l'analisi logica del periodo significa individuare le funzioni di tutte le proposizioni che lo compongono ed esaminare le relazioni che ciascuna di esse ha con le altre. In pratica, per compiere l'analisi logica di un periodo, si deve in prima istanza:

• individuare la **proposizione principale** e le sue eventuali **coordinate**;

• individuare le varie **proposizioni subordinate.**

Poi, di ciascuna delle subordinate così individuate, si deve precisare:

• il **grado di subordinazione**, stabilendo se dipende dalla proposizione principale come prima, seconda... subordinata, se dipende da un'altra proposizione subordinata o se è coordinata a un'altra subordinata;

• la **funzione specifica** che svolge nel periodo, precisando quindi, come vedremo, se è una subordinata *finale*, *causale*, *consecutiva* e simili;

• la **forma**, stabilendo se è in forma *esplicita* o in forma *implicita*. Spesso, per individuare la funzione di una proposizione implicita è necessario trasformarla in esplicita.

Ecco ad esempio l'analisi logica del periodo:

> Poiché fuori pioveva e tirava vento, la donna uscì di corsa per andare incontro al figlio che stava per tornare da scuola e che non aveva l'ombrello.

Poiché fuori pioveva	= prop. sub. di 1° grado, caus., espl.
e tirava vento	= coord. alla prop. sub. di 1° grado, caus., espl.
la donna uscì di corsa	= prop. princ.
per andare incontro al figlio	= prop. sub. di 1° grado, fin., impl.
che stava per tornare da scuola	= prop. sub. di 2° grado, rel., espl.
e che non aveva l'ombrello	= coord. alla prop. sub. di 2° grado, rel., espl.

L'analisi logica del periodo può anche essere raffigurata graficamente con uno schema che mette in evidenza la struttura del periodo:

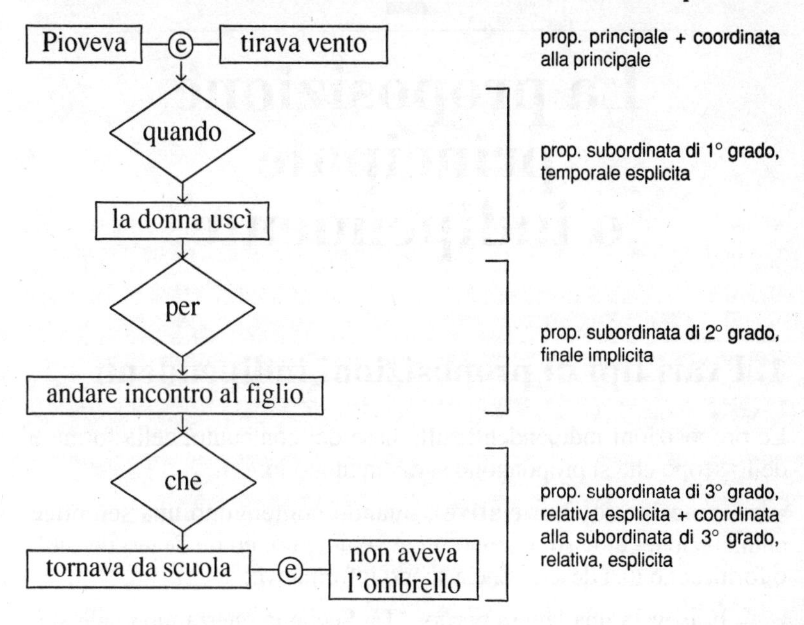

2

La proposizione principale o indipendente

1. I vari tipi di proposizioni indipendenti

Le proposizioni indipendenti sulla base del contenuto, della forma e dello scopo che si propongono si distinguono in:

• **informative** (o **enunciative**), quando contengono una semplice enunciazione, cioè riferiscono un avvenimento, comunicano un fatto o forniscono una descrizione a scopo informativo:

> È arrivata una lettera per te. La Seconda guerra mondiale si è conclusa nel 1945. Antonio è simpaticissimo. Non ho ancora finito il racconto.

Queste proposizioni, che possono essere suddivise in **affermative** e **negative** a seconda che contengano un'affermazione ("Ho comprato il giornale") o una negazione ("Non ho comprato il giornale"), hanno come modo verbale l'indicativo, cioè il modo della realtà. Nelle enunciative di tipo espositivo-narrativo, specialmente in testi di livello letterario, si può trovare anche l'infinito, preceduto dall'avverbio *ecco*: "*Ecco alzarsi* una persona, poi un'altra, poi un'altra ancora".

• **volitive**, quando contengono l'espressione di una "volontà", cioè esprimono ciò che si esige, si ordina o si proibisce. In base alle diverse forme con cui è possibile esprimere una "volontà", le volitive si distinguono poi in **imperative**, **esortative** e **proibitive**, proposizioni tutte che hanno come tempo l'imperativo oppure il congiuntivo presente (detto appunto "congiuntivo esortativo") o l'infinito presente con valore di imperativo negativo:

Vieni subito qui! Stia zitto, lei! Facciano attenzione. Non contate su di me. Non ricominciare con le tue lamentele!

• **desiderative** (o **ottative**), quando esprimono un desiderio, un augurio o un rimpianto. Sono per lo più chiuse dal punto esclamativo / ! / e hanno il verbo al congiuntivo. Possono essere introdotte da interiezioni o da avverbi o da locuzioni, considerate puramente introduttive e quindi non valutabili come proposizioni, come: *voglia il cielo che*, *Dio voglia che*:

Oh, se tu fossi qui! Almeno vincessimo! Magari avessi seguito i tuoi consigli!

• **concessive**, quando contengono l'ammissione dell'esistenza, della verità o della possibilità di un fatto. Hanno il verbo al congiuntivo (più raramente all'indicativo futuro o all'imperativo) seguito da *pure* o preceduto dalle locuzioni *ammettiamo che*, *sia pure che* e simili, che hanno valore puramente introduttivo:

Facciamo pure un po' di vacanza. Ammettiamo che tu dica la verità.

• **interrogative dirette**, quando contengono una domanda espressa in forma diretta: "Paolo è tornato?". Individuate dal tono interrogativo della voce o, nella lingua scritta, dal punto interrogativo / ? / finale, spesso sono aperte da un pronome, aggettivo o avverbio interrogativo. Hanno per lo più il verbo all'indicativo:

Quanti anni hai? Dove vai? Chi mi ha chiamato?

Ma possono anche averlo al condizionale, se chi parla vuole esprimere una possibilità o formulare una richiesta in modo cortese: "Per favore, *potrebbe* indicarmi la strada per il centro?"; al congiuntivo, se chi parla vuole avanzare un dubbio in forma ellittica: "La nonna non ha risposto al telefono. Che *sia uscita*?"; o all'infinito: "Io *partire* con te?"; "Perché *partire* proprio adesso?".

L'interrogativa è **reale** se esprime una domanda di cui effettivamente non si conosce la risposta: "Dove hai posteggiato l'auto?"; "Che ore sono?". L'interrogativa, invece, è **retorica** se la risposta è già implicita nella domanda e quindi la domanda rappresenta solo un espediente espressivo per dare maggiore enfasi a una determinata affermazione: "Non ti ho forse sempre aiutato? (= Ti ho sempre aiutato)"; "Chi mai potrebbe criticarti? (= Nessuno potrebbe criticarti)".

La proposizione interrogativa diretta, inoltre, è **semplice** quando contiene una sola domanda: “Dove vai?”. È invece **disgiuntiva** quando contiene due o più domande poste in alternativa e collegate dalle preposizioni disgiuntive *o*, *oppure*: “Andate al cinema *oppure* in discoteca?”.

• **dubitative**, quando esprimono, sotto forma di interrogazione non rivolta a un preciso interlocutore, un dubbio, un'incertezza o una domanda cui è difficile o addirittura impossibile rispondere. Hanno per lo più il verbo all'infinito presente oppure sono costruite con i verbi servili *dovere* e *potere* all'indicativo o al condizionale, seguiti da un infinito:

> Che fare? (= Non so assolutamente che cosa fare). Chi potrà mai aiutarmi? (= Non so chi potrà mai aiutarmi). A chi potrei rivolgermi? (= Non so a chi potrei rivolgermi).

Le proposizioni indipendenti dubitative sono molto simili alle interrogative retoriche. Anch'esse, infatti, utilizzano la forma interrogativa come espediente puramente espressivo e non per ottenere effettivamente una risposta.

• **esclamative**, quando contengono un'esclamazione, volta a esprimere un sentimento che può essere di meraviglia, di gioia, di dolore, di paura e simili. Caratterizzate nella lingua parlata da una particolare intonazione della voce e nella lingua scritta dal punto esclamativo / ! / finale, le esclamative sono per lo più introdotte da pronomi, aggettivi o avverbi esclamativi o da interiezioni e hanno il verbo all'indicativo, al congiuntivo, al condizionale o all'infinito:

> Paolo è tornato! Come era divertente quel film! Oh, come sono contento! Chi vedo! Che vita sarebbe! Fossi matto! Tu, partire da solo!

Talvolta il verbo viene lasciato sottinteso: “(È un') ottima idea!”; “Che paura (ho provato)!”; “Quante sciocchezze (state dicendo)!”. In questo caso, però, si ha una frase nominale, assimilabile a una interiezione impropria.

2. La proposizione incidentale

La proposizione incidentale[1] è una proposizione che si inserisce nel periodo, senza legami sintattici con le altre proposizioni, per esprime-

[1] Il termine “incidentale” deriva, attraverso il latino medioevale *incidentale(m)*, dal verbo *incĭdere*, che composto da *in*, ‘dentro’, e *cadere*, ‘cadere’, significa “cadere dentro”. Propriamente, quindi, incidentale significa “cosa che cade dentro” e anche “cosa

re un'osservazione o per aggiungere un chiarimento. Essa può avere la forma di una proposizione indipendente o essere introdotta da un elemento subordinante e quindi esprimere un particolare valore da proposizione subordinata (finale, ipotetica, causale ecc.).[2]

Di norma, a sottolineare il suo carattere di inciso, è racchiusa tra due virgole o tra due lineette oppure è collocata tra parentesi:

> Quella curva, *lo capirebbe anche un bambino*, è pericolosa.
>
> Il sindaco – *si mormora in paese* – sta per dimettersi.
>
> "Allora – *aggiunse Paolo* – io parto."
>
> La scuola, *se non ricordo male* (incidentale con valore condizionale), sorge dopo l'incrocio.
>
> Quel film – *a quanto dicono i critici* (incidentale con valore limitativo) – è un capolavoro.
>
> Il prezzo dell'appartamento, *per intenderci* (incidentale con valore finale), non è trattabile.

Propriamente, la proposizione incidentale non appartiene né alla categoria delle proposizioni indipendenti, perché pur costituendo una frase a sé stante non può avere una vera e propria autonomia come enunciato al di fuori del testo in cui è inserita, né alla categoria delle proposizioni subordinate, perché non dipende da nessuna reggente. Essa, come indica il nome stesso, rappresenta *qualcosa di accessorio che è caduto per caso nella frase*, ed è proprio la mancanza di legami con il resto del periodo che le permette di completare il senso del messaggio senza appesantirlo con nessi subordinanti e, anzi, di esprimere quanto dice con vivacità e spesso con ironia.

Di norma, le frasi che contengono una proposizione incidentale indi-

che capita per caso, cosa secondaria". La proposizione incidentale, infatti, è una proposizione "che cade dentro un'altra" e ha nel periodo un valore accessorio. Significato quasi identico, ma origine e valore del tutto diversi, ha il termine "inciso" con cui pure si possono indicare le proposizioni incidentali. Infatti, "inciso" deriva attraverso il latino *incísu(m)* dal verbo *incīdere* che, composto da *in*, 'dentro', e *caedere*, 'tagliare', significa "tagliare dentro, intagliare". Quindi, "inciso" significa propriamente "tagliato dentro, ritagliato". Di fatto, inciso in grammatica si chiama qualsiasi parola o frase che si inserisca in un testo rimanendo indipendente come se fosse *ritagliata* in esso.

[2] Anche un intero periodo può avere funzione di incidentale: "Claudio, da bambino – credo che te ne ricordi anche tu – era sempre ammalato".

pendente possono essere riformulate in modo da realizzare una connessione sintattica con l'incidentale stessa: la proposizione incidentale viene trasformata in principale mentre la proposizione che aveva il ruolo di principale nella costruzione precedente viene trasformata in subordinata (soggettiva, oggettiva o interrogativa indiretta):

Il sindaco – *si mormora in paese* – sta per dimettersi. →	*In paese si mormora* che il sindaco sta per dimettersi.
La nuova superstrada (*così pare*) passerà a nord del paese. →	*Pare* che la nuova superstrada passerà a nord del paese.
Elena, *lo sanno tutti*, è innamorata di Fabio. →	*Tutti sanno* che Elena è innamorata di Fabio.

3
La coordinazione

La coordinazione o *paratassi*[1] lega tra loro nel periodo due o più proposizioni mettendole sullo stesso piano e, quindi, può avvenire solo tra proposizioni che abbiano la stessa funzione sintattica:

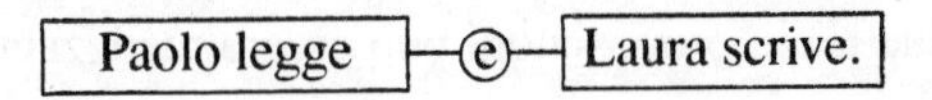

Le proposizioni così collegate si chiamano **proposizioni coordinate**.

La coordinazione costituisce il modo più semplice per costruire un periodo e, quindi, un testo. Infatti, il meccanismo della coordinazione, in qualsiasi forma sia attuato, dà vita a periodi di struttura lineare e, di conseguenza, a testi agili e chiari. Per altro, proprio perché pone le varie proposizioni sul medesimo piano, la coordinazione, soprattutto quella per giustapposizione e quella attuata mediante la congiunzione coordinante *e* (vedi il paragrafo seguente), lascia indeterminato il valore del rapporto tra i contenuti espressi dalle proposizioni che collega. Ciò può costituire un vantaggio, perché presenta l'enunciato in modo neutro, lasciando a chi legge o ascolta il compito di interpretare tali rapporti, ma può costituire anche uno svantaggio, in quanto può ingenerare equivoci o addirittura errori di interpretazione del senso del messaggio.

[1] Il termine "coordinazione" deriva dal latino *coordinatione(m)*, 'ordinamento insieme' (composto da *cum*, 'insieme', e *ordinatione(m)*, 'ordinamento, disposizione'), che traduce il termine greco *parátaxis*, 'ordinamento insieme' (composto da *pará*, 'presso', e *táxis*, 'ordinamento'). Infatti, i due termini si equivalgono pienamente e indicano la costruzione sintattica che consiste nel porre due proposizioni *l'una presso l'altra*, lasciandole autonome.

Molto diffusa nella lingua parlata di tutti i registri, e specialmente in quella di registro colloquiale, la coordinazione, nelle sue varie forme, è molto usata anche nella lingua scritta. La lingua di registro letterario, in particolare, la usa sia nelle opere in prosa sia in quelle in versi, quando vuole riprodurre il parlato quotidiano o quando si propone di conseguire particolari effetti espressivi: essenzialità e incisività del discorso, concisione delle battute e rapidità di passaggi. L'uso troppo frequente e insistito di periodi costruiti per coordinazione, però, finisce per rendere il testo lento, monotono e, quindi, stucchevole. Di converso, la coordinazione è poco usata nei testi di tipo argomentativo, come quelli scientifici o filosofici, perché a causa dell'esiguo numero di rapporti logici che può esprimere risulta inadeguata a rendere la ricchezza di passaggi in cui tali testi si articolano.

1. Le diverse forme di coordinazione

La **coordinazione** fra due o più proposizioni può essere realizzata in tre differenti modi:

• per mezzo di una **congiunzione coordinativa**, come *e*, *o*, *ma*, *tuttavia*, *dunque* e simili:

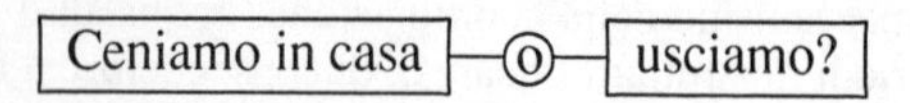

• per **asindeto**[2] o **giustapposizione**, cioè accostando semplicemente le proposizioni l'una all'altra, senza ricorrere a congiunzioni e utilizzando, invece, per collegarle i segni di punteggiatura debole (virgola e due punti) o dei pronomi e degli avverbi posti in correlazione:

Piombò sul posto	,	vide la situazione	,	licenziò tutti.

[2] Il termine "asindeto" deriva, attraverso il latino, dal greco *asýndeton* (da *a*, 'non', e *syndéo*, 'lego insieme') e significa "slegato". Esso, infatti, indica la mancanza di legame tra parole o frasi e asindetico si dice ogni periodo collegato per asindeto, cioè senza congiunzioni coordinative. Il termine "polisindeto" deriva invece dal greco *polysýndeton* (da *polýs*, 'molto', e *syndéo*, 'lego insieme') e significa "molto legato insieme". Esso infatti indica la presenza di molte congiunzioni che legano insieme parole o frasi e polisindetico si dice ogni periodo che è collegato per polisindeto, cioè attraverso l'accumulo di congiunzioni.

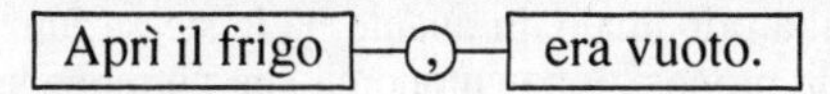

Questa forma di coordinazione è usata soprattutto nei testi letterari, quando chi scrive vuole sottolineare la rapidità con cui si sono succeduti i fatti descritti:

• per **correlazione**, cioè collegando le proposizioni l'una all'altra mediante pronomi o avverbi correlativi (*chi* ... *chi*, *alcuni* ... *altri*, *gli uni* ... *gli altri*, *questo* ... *quello*; *ora*, ... *ora*, *prima* ... *poi* ecc.):

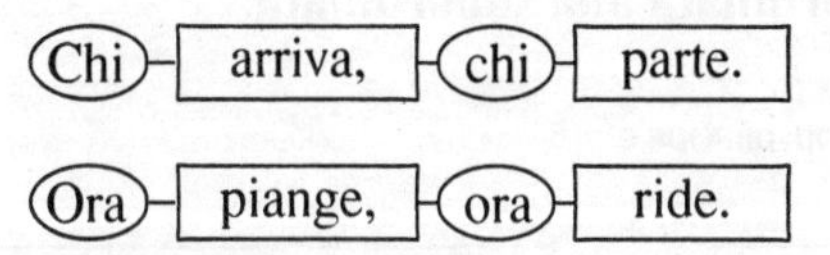

• per **polisindeto**, cioè ripetendo la medesima congiunzione davanti a tutte le proposizioni del periodo:

Anche questa forma di coordinazione, che risulta piuttosto enfatica, è tipica del registro letterario della lingua.

Alcuni linguisti definiscono **coordinazione** solo il legame attuato mediante congiunzioni e considerano l'asindeto o giustapposizione la correlazione dei modi alternativi, cui danno il nome di **paratassi**, di collegare due proposizioni ponendole sullo stesso piano. Ma una simile distinzione non ha senso logico. Meglio, dunque, considerare ambedue le costruzioni come forme di coordinazione e utilizzare il termine "paratassi" come sinonimo di coordinazione.

2. Le proposizioni coordinate

La proposizione coordinata è una proposizione che è legata a un'altra per coordinazione e che svolge nel periodo la medesima funzione sintattica della proposizione a cui si lega.

Una proposizione coordinata può essere legata a una proposizione principale e allora si chiama **proposizione coordinata alla principale**:

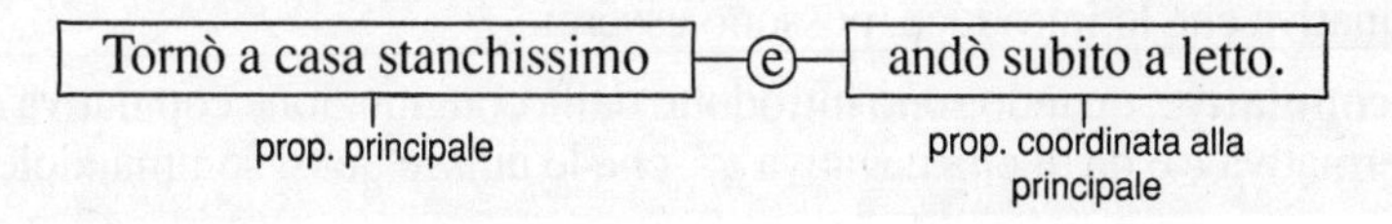

Una proposizione coordinata alla principale, in quanto ha la stessa funzione sintattica della principale, è una proposizione autonoma che potrebbe sussistere anche da sola come proposizione indipendente. Il periodo dell'esempio, di fatto, è costituito da due proposizioni indipendenti, ciascuna delle quali può essere usata anche come frase semplice a sé stante: 1) "Tornò a casa stanchissimo"; 2) "Andò subito a letto".

Una proposizione coordinata può anche essere legata a una proposizione subordinata, ovviamente dello stesso grado e dello stesso tipo, e si chiama **proposizione coordinata alla subordinata**:

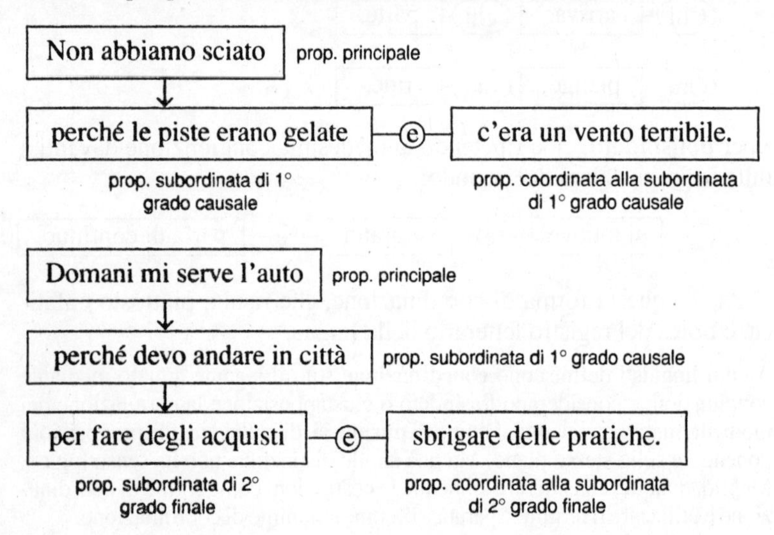

Come si vede, anche una proposizione coordinata alla subordinata si pone sullo stesso piano della subordinata cui si lega ed ha le sue stesse caratteristiche sintattiche. Non ha però una autonomia sintattica, perché è una subordinata e, quindi, non può esistere se non in dipendenza da una proposizione reggente.

3. I diversi tipi di proposizione coordinata

Le proposizioni coordinate, a seconda del tipo di congiunzione coordinativa che le introduce, possono essere:

• **copulative**, quando sono introdotte dalla congiunzione copulativa affermativa *e* o da quella negativa *né*, che le unisce quasi sommandole:

Siamo usciti *e* siamo andati al cinema. Non so dove abiti Sergio *né* dove lavori.

Spesso la congiunzione copulativa *e* è rafforzata dalle congiunzioni additive *pure*, *anche*, *neppure*, *neanche*: "È una bugia *e anche* tu lo sai bene".

• **disgiuntive**, quando sono introdotte da una congiunzione disgiuntiva, che le lega ponendole in alternativa, come *o*, *oppure*, *ovvero*:

Mangeremo una pizza *o* andremo al cinema.

• **avversative**, quando sono introdotte da una congiunzione avversativa, che le lega ponendole in contrapposizione, come *ma*, *però*, *eppure*, *tuttavia*, *nondimeno*:

Ho telefonato a Laura, *ma* non l'ho trovata.

• **esplicative**, quando sono introdotte da una congiunzione esplicativa, che le lega segnalando che la seconda spiega o precisa la prima, come *cioè*, *ossia*, *infatti*:

Paolo ce l'ha con me: *infatti* non mi ha neppure telefonato.

• **conclusive**, quando sono introdotte da una congiunzione conclusiva, che le lega stabilendo tra esse un rapporto di conseguenza, come *dunque*, *perciò*, *pertanto*, *quindi*:

Hai sbagliato, *quindi* è giusto che paghi.

• **correlative**, quando sono introdotte da congiunzioni o locuzioni correlative, che le legano strettamente facendo in modo che l'una richiami direttamente l'altra su un piano copulativo (*e ... e*, *sia ... sia*, *né ... né*), disgiuntivo (*o ... o*, *oppure ... oppure*) oppure comparativo (*quanto più ... tanto più*):

Né ha scritto *né* ha telefonato. Ho scelto questo abito *sia* perché mi piace il colore *sia* perché è molto comodo.

Per i criteri d'uso delle varie congiunzioni che introducono le proposizioni coordinate, si veda nella *Morfologia* il paragrafo ad esse dedicato. A quel paragrafo rimandiamo anche per il diverso valore che le congiunzioni *e*, *ma* e *o* possono assumere e, quindi, trasmettere alle proposizioni che introducono.

4

La subordinazione

La subordinazione o *ipotassi*[1] collega nel periodo due o più proposizioni mettendole l'una in dipendenza gerarchica dall'altra, cioè in modo tale che una di esse, detta **principale** o **indipendente**, funziona da **reggente** e le altre, invece, dette appunto **subordinate** o **dipendenti** o **secondarie**, dipendono da essa:

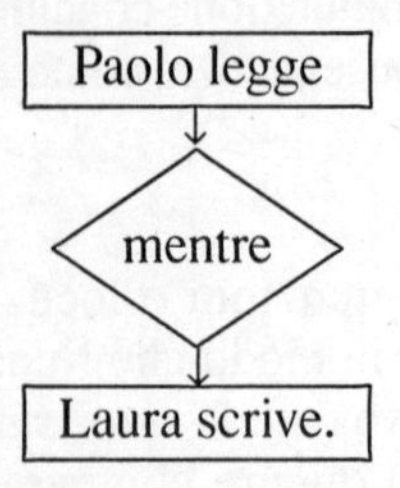

La subordinazione, che instaura un rapporto gerarchico tra le proposizioni del periodo, è per lo più intercambiabile con la coordinazione. Il periodo coordinato "Paolo legge *e* Laura scrive", infatti, può essere espresso anche in forma subordinata "Paolo legge *mentre* Laura scrive". Come si vede, il significato dei due enunciati è identico, ma, mentre la coordinazione lascia indetermina-

[1] I termini "subordinazione" e "ipotassi" si equivalgono: subordinazione deriva dal latino *subordinatione(m)*, 'ordinamento sotto' (composto da *sub*, 'sotto', e *ordinatione(m)*, 'ordinamento') e traduce il greco *hypótaxis*, 'ordinamento sotto' (composto da *hypó*, 'sotto', e *táxis*, 'ordinamento'). Infatti i due termini indicano la costruzione sintattica consistente nel combinare due proposizioni ponendole *una sotto l'altra*, cioè l'una in dipendenza dall'altra.

to il valore del rapporto che si instaura tra le due proposizioni limitandosi ad accostarle, la subordinazione determina in modo preciso tale rapporto specificando in che senso va inteso: nel caso del nostro enunciato, la subordinazione, attuata mediante la congiunzione temporale *mentre*, determina tale rapporto in senso temporale.

Così, si può dire tanto "Paolo fece colazione e uscì subito" quanto "Dopo aver fatto colazione, Paolo uscì subito". Il messaggio è lo stesso, ma i due periodi hanno un diverso valore: non tanto sul piano del significato, che resta pressoché identico, ma sul piano della diversa importanza che si attribuisce ai due fatti espressi nel periodo. Nel primo periodo, infatti, la coordinazione pone il fatto che Paolo *fece colazione* sullo stesso piano del fatto che *uscì subito*. Nel secondo periodo, invece, la subordinazione crea tra i due fatti non solo un preciso rapporto di ordine temporale, ma anche un rapporto gerarchico: pone in primo piano, collocandolo nella proposizione principale, il fatto che Paolo *uscì subito* e colloca in posizione subordinata rispetto ad esso, ponendolo nella proposizione dipendente, il fatto che Paolo *fece* anche *colazione*.

La scelta tra la costruzione di un enunciato in forma coordinata piuttosto che in forma subordinata è libera: varia caso per caso ed è anche una scelta stilistica perché, come sappiamo, una cosa è il ritmo impresso a un testo da una sequenza di periodi coordinati e un'altra è il ritmo impresso al testo da una sequenza di periodi subordinati. Ma, nel valutare quale tipo di costrutto scegliere, è sempre opportuno ricordare che la coordinazione pone le azioni e i fatti espressi nel periodo sul medesimo piano, lasciando indeterminati i rapporti che li legano, mentre la subordinazione specifica in modo netto il tipo di rapporto che intercorre tra le azioni e i fatti e segnala con precisione quello tra essi che, secondo chi parla o scrive, riveste maggiore importanza ai fini dello scopo che il messaggio si propone.

La subordinazione è un modo più complesso della coordinazione di combinare le proposizioni in un periodo, ma ha, rispetto alla coordinazione, il vantaggio di poter esprimere in maniera precisa e articolata concetti difficili o, comunque, complessi. Essa, perciò, è molto usata sia nella lingua parlata sia in quella scritta. Per le difficoltà che presenta a livello di scelta dei tempi e dei modi verbali dei predicati delle proposizioni subordinate, è spesso evitata dalle persone di cultura medio-bassa e nel linguaggio di livello familiare. Per la ricchezza di rapporti logici che può esprimere e per la precisione e la duttilità con cui li esprime, è, invece, molto usata in tutti i testi di carattere argomentativo. Anche l'accumulo di subordinate, per altro, è da evitare, perché appesantisce il testo e lo rende di difficile comprensione.

1. Le proposizioni subordinate

La proposizione subordinata (o *dipendente* o *secondaria*) è una proposizione che espande e arricchisce il significato di una proposizione indipendente, ma non possiede autonomia sintattica. Essa, pertanto, non potrebbe sussistere da sola e per reggersi sintatticamente e per avere senso compiuto deve inserirsi in un periodo, in dipendenza da un'altra proposizione la quale, per la sua funzione, viene definita reggente:

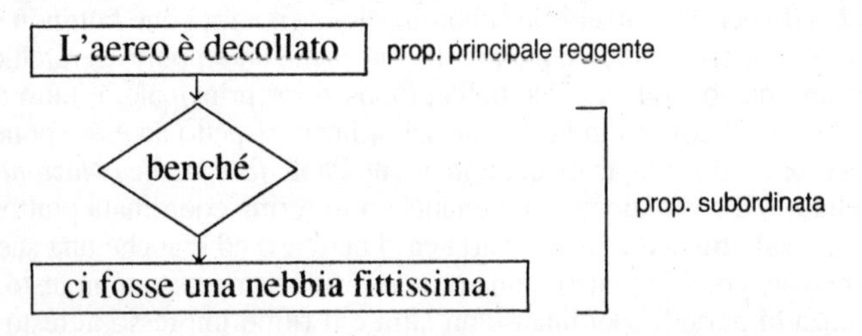

La proposizione "benché ci fosse una nebbia fittissima" è una subordinata: da sola non potrebbe esistere né dal punto di vista del significato né da quello della sintassi e acquista un significato e un ruolo preciso solo se è collocata in dipendenza dalla proposizione "L'aereo è decollato" che, invece, ha un significato compiuto anche da sola e che la regge.

La **proposizione subordinata** retta dalla proposizione principale si chiama **subordinata di 1° grado**.

La subordinata può tanto seguire la principale reggente quanto precederla:

> L'aereo è decollato *benché ci fosse una nebbia fittissima*. *Benché ci fosse una nebbia fittissima*, l'aereo è decollato.

Una subordinata, però, può dipendere anche da un'altra proposizione a sua volta subordinata. In tal caso la proposizione subordinata di 1° grado ha il doppio ruolo di proposizione dipendente e di proposizione reggente e la proposizione che regge si chiama **subordinata di 2° grado**. Da una subordinata di 2° grado può poi dipendere una **subordinata di 3° grado** e così via:

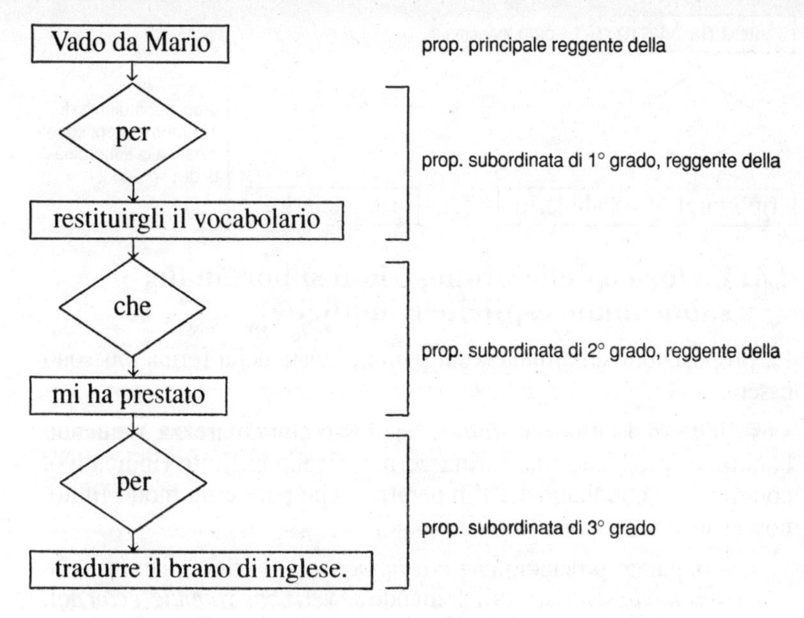

Dalla proposizione principale, per altro, possono dipendere *direttamente* anche più subordinate che, in tal caso, sono tutte di 1° grado e possono avere ciascuna una o più subordinate:

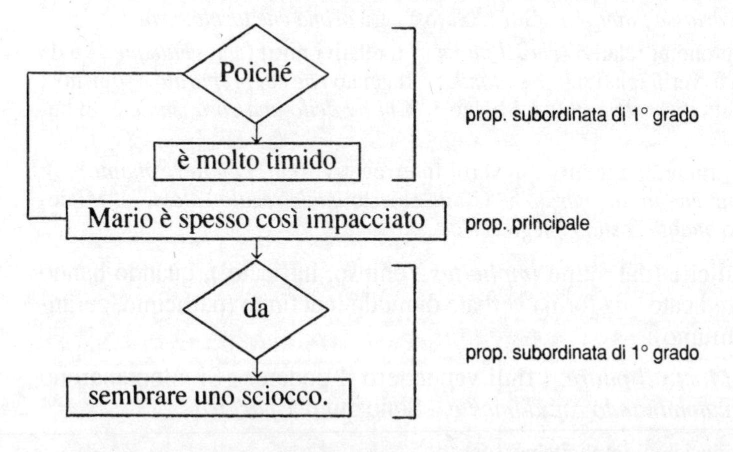

A ogni proposizione subordinata, infine, possono essere collegate **una o più proposizioni coordinate**:

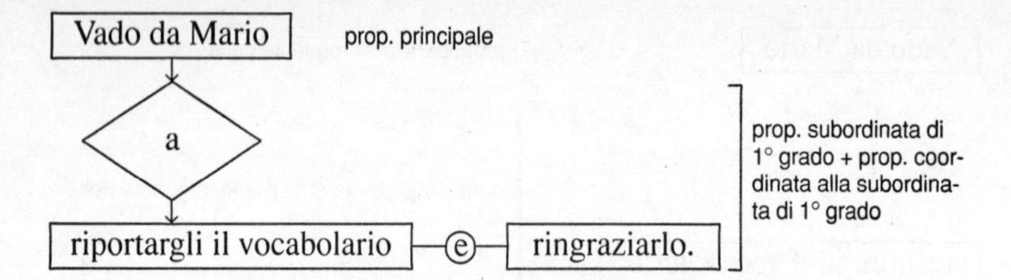

1.1. La forma delle proposizioni subordinate: subordinate esplicite e implicite

Le proposizioni subordinate, dal punto di vista della forma, possono essere:

• **esplicite** (dal latino *explicitus*, 'espresso con chiarezza'), quando hanno per predicato una forma verbale di modo finito (indicativo, congiuntivo, condizionale; l'imperativo, che pure è un modo finito, non viene mai usato nelle subordinate):

> L'imputato proclamò *che era innocente*. Parlava piano *perché nessuno lo sentisse*. Mi domando *se verrebbe volentieri con noi*.

Le proposizioni esplicite possono essere introdotte:

– da una congiunzione o da una locuzione congiuntiva subordinante di vario tipo come *poiché*, *affinché*, *quando*, *sebbene*, *prima che*, *di modo che*: "*Sebbene parlasse piano*, fu udito"; "Sarò a casa *prima che torniate voi*";

– dai pronomi relativi (*che*, *il quale*...) o relativi misti (*chi*, *chiunque*...) e da alcuni avverbi relativi (*dove*, *donde*): "Il gelato *che hai preparato* è squisito"; "La città *dove sono nato* è Milano"; "*Chi ha detto una cosa simile* è un bugiardo";

– dai pronomi, aggettivi, avverbi interrogativi (*chi?*, *quale?*, *quanto?*...): "Dimmi *chi hai incontrato*"; "Gli ho chiesto *quale regalo volesse*"; "Mi domando *quanto costino quegli sci*".

• **implicite** (dal latino *implicitus*, 'chiuso, intricato'), quando hanno per predicato una forma verbale di modo indefinito (participio, gerundio, infinito):

> *Morto il padre*, i figli vendettero il podere. Si allontanarono *camminando rapidamente*. Sono qui *per parlarti*.

Le proposizioni implicite possono:

– essere introdotte da una preposizione come *per*, *a*, *di*, *da*, *dopo*, *senza* e si-

mili, che reggono sempre l'infinito; "Mi pregò *di aiutarlo*"; "Andiamo nel bosco *a cercare i funghi*";
– essere precisate, specialmente quando il predicato è un gerundio, da una congiunzione: "*Pur non avendoti più visto*, non ti abbiamo dimenticato";
– collegarsi direttamente alla reggente: "*Finito il lavoro*, andrò in piscina".

Dal punto di vista del significato le subordinate di forma esplicita e quelle di forma implicita ovviamente si equivalgono, come appare dalle seguenti coppie di periodi:

PERIODO CON SUBORDINATA ESPLICITA	PERIODO CON SUBORDINATA IMPLICITA
Quell'uomo rispose *che non sapeva niente.*	Quell'uomo rispose *di non sapere niente.*
Ho incontrato Laura *mentre tornavo da scuola.*	Ho incontrato Laura *tornando da scuola.*
Mi pregò *affinché facessi presto.*	Mi pregò *di fare presto.*
Preferì non uscire *perché era stanco.*	*Essendo stanco* preferì non uscire.

In genere, però, le subordinate esplicite sono più "chiare" di quelle implicite, sia perché sono introdotte da una congiunzione subordinativa che rende chiaro il rapporto logico di subordinazione sia perché permettono sempre di capire, attraverso la forma finita del verbo, qual è il soggetto della subordinata. Di contro, le proposizioni implicite sono più "facili" da usare di quelle esplicite proprio perché, utilizzando la forma non finita del verbo, non danno luogo a problemi circa l'uso dei modi e dei tempi.

Di norma, inoltre, le proposizioni **implicite**, a parte rare eccezioni, possono sempre essere trasformate in **esplicite**. Invece, le proposizioni **esplicite** possono essere usate in luogo di quelle **implicite** solo se il soggetto della subordinata coincide con quello della reggente oppure se il verbo è al participio o al gerundio e sia espresso il soggetto della subordinata. Così si può dire: "Avendo finito di studiare, il ragazzo poté finalmente uscire" perché, anche se non è espresso, il soggetto della proposizione subordinata è identico a quello della proposizione reggente ("*Poiché aveva finito di studiare*, il ragazzo poté finalmente uscire"). Ma non si può dire: "*Avendo finito di studiare*, la mamma lasciò uscire il ragazzo", perché il soggetto della proposizione subordinata è diverso da quello della reggente e non è espresso. A questa norma si sottrae la subordinata finale che, quando esprime un comando, un invito, un'esortazione, può essere costruita in forma implicita anche se il suo soggetto non coincide con quello della reggente: "Il comandante ordinò ai soldati *di ritirarsi*"; "Ti prego *di restare*".

1.2. La funzione delle proposizioni subordinate: i diversi tipi di subordinate

Le proposizioni subordinate, dal punto di vista delle **funzioni** che svolgono nel periodo si distinguono in:

• **subordinate completive** (o *sostantive* o *complementari dirette*): sono subordinate che completano il predicato della reggente svolgendo nel periodo le medesime funzioni che nella proposizione ha il **soggetto**:

È indispensabile {
la tua presenza.
(soggetto)
che tu sia presente.
(proposizione subordinata soggettiva)

o il **complemento oggetto**:

Aspettiamo tutti {
la tua venuta.
(complemento oggetto)
che tu venga.
(proposizione subordinata oggettiva)

Comprendono le seguenti proposizioni:
– **soggettive**
– **oggettive**
– **interrogative indirette**
– **dichiarative**.

• **subordinate relative** (o *attributive* o *appositive*): sono subordinate che determinano o espandono un nome della reggente cui sono collegate attraverso un pronome o un avverbio relativo, e svolgono nel periodo le stesse funzioni che nella proposizione hanno l'**attributo**:

Sergio è un ragazzo {
pauroso.
(attributo)
che ha paura di tutto.
(proposizione subordinata relativa)

o l'**apposizione**:

L'aereo farà scalo a Colombo, { *la capitale dello Sri Lanka.* (apposizione) / *che è la capitale dello Sri Lanka.* (proposizione subordinata relativa) }

Comprendono le proposizioni subordinate:
– **relative.**
Introdotte da pronomi o avverbi relativi sono anche altre subordinate relative che però, poiché svolgono nel periodo le stesse funzioni svolte dai complementi indiretti, sono dette **relative improprie** o **circostanziali**.

• **subordinate circostanziali** (o *avverbiali* o *complementari indirette*): sono subordinate che aggiungono alla reggente una precisazione circostanziale (riguardo il fine, la causa, il modo, l'occasione ecc. dell'azione), svolgendo nel periodo la medesima funzione che nella proposizione hanno i *complementi indiretti*:

Ho cucinato il pesce { *secondo i tuoi suggerimenti.* (complemento di modo) / *come mi hai suggerito tu.* (proposizione subordinata modale) }

Siamo rientrati presto { *per il freddo.* (complemento di causa) / *perché faceva freddo.* (proposizione subordinata causale) }

{ *Durante il temporale* (complemento di tempo) / *Mentre infuriava il temporale* (proposizione subordinata temporale) } il nostro gattino tremava di freddo.

Comprendono le proposizioni subordinate:
– **finali**
– **consecutive**
– **causali**

– **temporali**
– **comparative**
– **concessive**
– **modali** ecc.

La scelta tra l'uso del complemento (o del soggetto, dell'attributo e dell'apposizione) e l'uso della proposizione subordinata è libera e dipende dai diversi tipi di enunciato. In linea di massima, però, si può dire che l'espansione mediante il complemento è più sintetica ma anche più generica e imprecisa: "Tutti sono contenti *in primavera*". L'espansione mediante la proposizione subordinata, invece, permette di dare più informazioni e, poiché contiene un verbo, consente di collocare l'azione o il fatto nel tempo e di precisare il modo in cui il fatto o l'azione vengono presentati e, se necessario, l'aspetto dell'azione: "Tutti sono contenti *quando viene la primavera* oppure *quando è primavera*".

2. Le subordinate completive

Le proposizioni subordinate completive (o *complementari dirette* o *sostantive*) sono proposizioni dipendenti che *completano* il senso della proposizione reggente svolgendo nel periodo la medesima funzione che nella proposizione ha un sostantivo non preceduto da preposizione, cioè usato in funzione di **soggetto** o di **complemento oggetto.**

2.1. La proposizione soggettiva

La proposizione subordinata soggettiva è una proposizione subordinata che fa da soggetto al predicato della reggente:

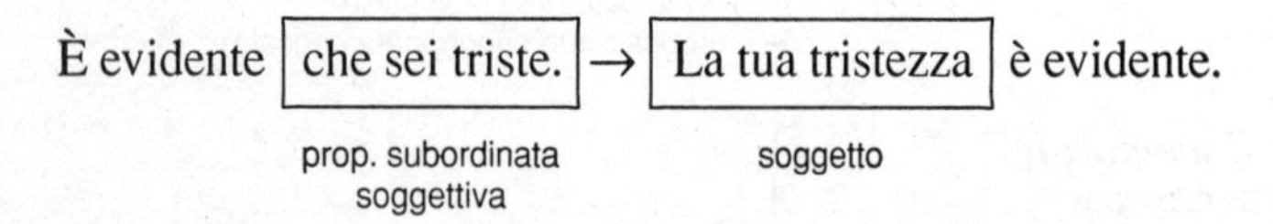

Dipende sempre da verbi o locuzioni verbali impersonali o usati impersonalmente. In particolare, dipende:

• dai verbi impersonali *accade*, *avviene*, *capita*, *bisogna*, *occorre*, *sembra*, *pare*, *dispiace*, *basta*, *importa*, *interessa* ecc.: "Sembra *che tutti siano d'accordo*"; "Bisogna *che partecipiate anche voi*"; "Mi basta *vederti ogni tanto*"; "Bastava *che arrivassi un'ora prima*";

• dai verbi costruiti con il *si* passivante, come *si dice*, *si crede*, *si pensa*, *si teme*, *si spera*: "Si dice *che il sindaco si dimetterà*"; "Si temeva *che fossi già partito*";

• dalle locuzioni verbali impersonali costituite dal verbo *essere* + un nome, come *è ora*, *è tempo*, *è compito*, *è dovere*, *è una vergogna*, *è un piacere*: "È ora *di alzarsi*"; "È un'indecenza *che possano succedere queste cose*"; "È dovere di tutti *provvedere al bene comune*";

• dalle locuzioni verbali impersonali costituite dal verbo *essere* (e anche *parere*, *sembrare*, *riuscire*, *venire*) accompagnato da un aggettivo o da un avverbio in funzione di nome: *è bello*, *è brutto*, *è necessario*, *è tanto*, *è poco*, *è molto*, *è bene*, *è male*, *pare certo*, *sembra sicuro*, *pare opportuno*, *riesce facile*, *riesce difficile*, *viene opportuno* ecc.: "È stato brutto da parte tua *comportarti così*"; "È tanto *che non lo vedo*"; "Sarà opportuno *chiedere un prestito alla banca*"; "Non ci sembra necessario *informarli del nostro progetto*"; "Mi riesce difficile *immaginare una cosa simile*".

La subordinata soggettiva può avere forma **esplicita** o **implicita**. In particolare:

• nella forma **esplicita** la proposizione soggettiva è introdotta dalla congiunzione subordinativa **che** e ha il verbo

– all'**indicativo** quando la reggente esprime certezza: "È chiaro *che il responsabile sei tu*";

– al **congiuntivo** quando il verbo della reggente esprime possibilità, probabilità, dubbio, speranza e simili: "Si dice *che il responsabile sia tu*". Quando la soggettiva ha il verbo al congiuntivo, la congiunzione *che* può anche essere omessa: "Pare abbia speso un patrimonio".

Quando la lingua è di registro familiare e colloquiale, l'indicativo tende a sostituire il congiuntivo anche per esprimere possibilità, dubbio e simili. Questa tendenza, che rientra nella generale avanzata dell'indicativo a danno del congiuntivo, deve essere contrastata, perché fa perdere l'opposizione *certezza/possibilità* che caratterizza l'opposizione *indicativo/congiuntivo* e, quindi, non permette più di distinguere la differenza tra un enunciato come "È chiaro *che sei stato tu*" e un enunciato come "Si dice *che sia stato tu*". Pertanto, costruzioni come "Mi sembra *che Paolo è arrivato*" o "È opportuno *che parti subito*" sono da evitare.

– al **condizionale**, quando il fatto indicato dalla soggettiva dipende da una condizione (espressa o sottintesa): "È chiaro *che verrebbe volentieri* (se potesse)".

La forma esplicita è l'unica che si può usare quando la proposizione soggettiva ha un soggetto proprio ("Sembra *che Laura sia partita*") e quando la proposizione soggettiva dipende dal verbo *essere* seguito dagli avverbi *molto*, *parecchio*, *tanto* ("È molto *che non vedi Mario?*").

• nella forma **implicita** la soggettiva ha il verbo all'**infinito**, con o senza la preposizione **di**: "È ora *di partire*"; "Bisogna *avvertire subito Paolo*".

La preposizione *di* può esserci o non esserci con verbi come *dispiacere*, *rincrescere*, *importare*, *interessare* e simili: "Mi rincresce *(di) averti fatto aspettare*". È sempre assente, invece, con i verbi *bisognare* e *convenire*, con i verbi *apparire*, *sembrare*, *parere*, *risultare* e *riuscire* seguiti da un aggettivo e con il verbo *essere* seguito da un nome, da un aggettivo o da un avverbio: "Mi riesce difficile *immaginare una cosa simile*"; "Secondo me conviene *lasciar perdere*"; "È meglio *far finta di niente*".

2.2. La proposizione oggettiva

La proposizione subordinata oggettiva è una proposizione subordinata che fa da complemento oggetto al predicato della reggente:

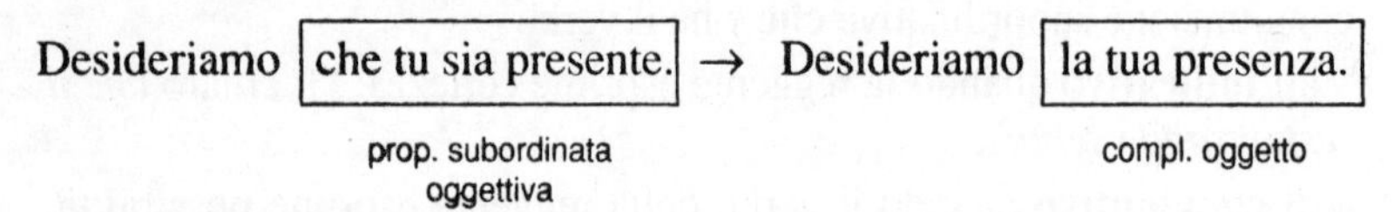

Diversamente dalla soggettiva, la proposizione oggettiva dipende sempre da reggenti con il predicato costituito da un verbo usato in forma personale, cioè formato da un soggetto espresso o sottinteso. In particolare, può essere retta da:

• verbi di tipo enunciativo-dichiarativo, come *dire*, *affermare*, *proclamare*, *comunicare*, *informare*, *rivelare*, *raccontare*, *riferire*, *promettere*, *scrivere*, *telegrafare*, *telefonare*, *rispondere*, *negare* ecc.: "Gli zii hanno scritto *che verranno qui a Natale*"; "Ti prometto *che rientrerò presto*"; "Rispose *che non sapeva nulla*";

• verbi che indicano percezione o ricordo, come *vedere*, *sentire*, *udire*, *percepire*, *accorgersi*, *degnarsi*, *rifiutarsi*, *capire*, *dimenticare* ecc.: "Ho sentito *che stavano litigando*"; "Ricorda *che devi finire subito quel lavoro*";

• verbi o locuzioni costituite dal verbo *essere* + un aggettivo, indicanti opinione, giudizio, sospetto, dubbio o ipotesi, come *credere*, *pensare*, *ritenere*, *giudicare*, *supporre*, *ipotizzare*, *convincere*, *essere conscio*, *essere consapevole*, *essere convinto*, *rendersi conto* ecc.: "Credo *che lo spettacolo finirà fra poco*"; "Perché ritieni *che abbia ragione Mario*?"; "Si convinse *di essere un incapace*";

• verbi o locuzioni costituite dal verbo *essere* + un aggettivo, indicanti concessione, speranza, desiderio, ordine, divieto, timore, come *desiderare*, *sperare*, *comandare*, *vietare*, *impedire*, *proibire*, *permettere*, *concedere*, *promettere*, *temere*, *essere desideroso*, *essere timoroso* ecc.: "Temo *che non otterremo alcun risarcimento*"; "Gli impediremo *di fare altri danni*".[2]

La subordinata oggettiva può avere forma **esplicita** o **implicita**. In particolare:

• nella forma **esplicita** è introdotta dalla congiunzione subordinativa **che** e ha il verbo:
– all'**indicativo**, se la reggente annuncia un fatto come reale o certo: "Paolo dice *che gli hai mentito*";

Talvolta, soprattutto in testi di registro letterario o comunque elevato, l'oggettiva con alcuni verbi che enunciano un fatto come reale o certo può essere introdotta dalla congiunzione **come**, che di solito vuole il **congiuntivo**: "Tu sai bene *come la ricchezza non dia la felicità*"; "Antonio mi ha raccontato *come sia in disaccordo con i suoi familiari*".

– al **congiuntivo**, se la reggente presenta il fatto come un'opinione o un'ipotesi: "Paolo crede *che tu gli abbia mentito*";

Nella lingua di registro familiare e colloquiale, l'indicativo tende a sostituire il congiuntivo in dipendenza da verbi che enunciano un fatto come possibile o dubbio. Costrutti come "Penso *che hai fatto bene*", "Paolo crede *che è stato*

[2] Secondo alcuni grammatici i verbi e i nomi che esprimono ordine, divieto o proibizione come *ordinare*, *proibire*, *comandare*, *impedire*, *vietare* ecc. reggono non una subordinata oggettiva ma la subordinata finale: "Vi ordino *di tacere*". Invece i verbi e le locuzioni che indicano sentimenti dell'animo come *rallegrarsi*, *dispiacersi*, *meravigliarsi*, *stupirsi*, *dolersi*, *indignarsi*, *essere lieto*, *essere dispiaciuto*, *essere meravigliato*, *provar dolore*, *aver piacere* ecc. reggono una subordinata che ha la stessa costruzione dell'oggettiva ma che, di fatto, esprime una causa e va dunque considerata una subordinata causale (vedi alle pp. 518-520): "Mi meraviglio *che ci sia poco traffico*"; "Si doleva *che i suoi figli vivessero lontano*"; "Sono dispiaciuto *che le mie parole ti abbiano offeso*".

Antonio", che pure vanno ormai diffondendosi anche nella lingua scritta, sono **da evitare** e da sostituire con "Penso *che tu abbia fatto bene*"; "Paolo crede *che sia stato Antonio*".

– al **condizionale**, se la reggente presenta il fatto come possibile: "Paolo pensa *che saresti capace di mentirgli*".

• nella forma **implicita** è introdotta dalla preposizione **di** e ha il verbo all'**infinito**: "Spero *di rientrare per le sette*"; "Ricordati *di passare dal meccanico*".

Come appare dagli esempi, la costruzione implicita dell'oggettiva, di norma, è possibile solo se il soggetto della reggente è lo stesso di quello dell'oggettiva. Essa tuttavia è possibile, anche se i soggetti non coincidono:

– con i verbi come *ordinare*, *comandare*, *richiedere*, *proibire*, *vietare*, *impedire*, *concedere* ecc.: "Il generale ordinò ai soldati *di attaccare battaglia*"; "Vi prego *di tacere*"; "Il medico ha proibito al nonno *di alzarsi*";

– con i verbi indicanti percezione, come *sentire*, *udire*, *vedere* ecc. In questo caso, però, l'infinito non è preceduto dal funzionale **di**: "Sento *il cane abbaiare*"; "Vide *i bambini arrivare di corsa*".

Con questi verbi, inoltre, l'oggettiva implicita può essere trasformata sia in un'oggettiva esplicita, come di norma per le subordinate implicite, sia in una dipendente relativa:

Sento { abbaiare il cane.
che il cane abbaia.
il cane che abbaia. }

Alcuni verbi indicanti volontà, desiderio o preferenza, come *volere*, *desiderare*, *preferire* ecc., funzionano in modo del tutto diverso a seconda che reggano una costruzione con un differente soggetto oppure una costruzione il cui soggetto coincide con quello del verbo. Nel primo caso, il verbo di volontà è considerato un predicato a sé stante e regge, come di norma, un'oggettiva esplicita: "Desidero *che nessuno mi disturbi*"; "Il vecchio signore volle *che il suo patrimonio fosse destinato a opere di beneficenza*". Nel secondo caso, cioè quando si ha identità di soggetto, il verbo di volontà viene considerato un **verbo servile** e regge perciò un infinito con il quale costituisce un unico predicato: "Non *desidero vedere* nessuno"; "L'ispettore *volle esaminare* di persona tutti i documenti"; "*Preferiremmo restare* qui".

2.3. La proposizione dichiarativa

La proposizione subordinata dichiarativa (o *esplicativa*) ha la funzione di chiarire o di spiegare in che senso si debba intendere un elemento della reggente, completando così il significato del periodo. L'elemento della reggente spiegato dalla dichiarativa può essere:

• un **pronome dimostrativo** (*questo*, *quello*, *ciò*):

> Su questo siamo tutti d'accordo, *che la situazione si è fatta insostenibile*! Questo mi rattrista, *che tu sia così bugiardo.*

• un **nome** derivante da un verbo indicante opinione, convinzione, speranza ecc., come *la speranza*, *la certezza*, *il sospetto*, *il timore*, *il pensiero*, *l'impressione*, *il fatto* ecc.:

> Mi sostiene la speranza *che un giorno ti rivedrò.* Ho l'impressione *che tu menta.* Ora hai la certezza *che quell'uomo ti ha imbrogliato.* Non contare troppo sul fatto *che*, secondo te, *tutti ti stimano.*

La proposizione subordinata dichiarativa, sia quando spiega un pronome sia quando spiega un nome, è spesso separata dalla reggente dai due punti: "Su questo siamo tutti d'accordo: *che la situazione si è fatta insostenibile*"; "Ho una speranza nella vita: *rivederti*".

La proposizione dichiarativa può avere sia forma **esplicita** sia forma **implicita**:

• nella forma **esplicita** è introdotta dalla congiunzione subordinativa **che** e ha il verbo

– all'**indicativo**, se la reggente presenta il fatto come certo e reale: "Di questo siamo certi, *che siete persone oneste*";

– al **congiuntivo**, se la reggente presenta il fatto come dubbio o incerto: "Il pensiero *che Paolo sia lontano* mi rattrista";

– al **condizionale**, se la reggente presenta il fatto come possibile: "Questo so di sicuro, *che tu non mi avresti mai lasciato solo*".

• nella forma **implicita** la dichiarativa, che è usata solo se il suo soggetto coincide con quello della reggente, è introdotta dalla preposizione **di** e ha il verbo all'**infinito**: "Abbiamo paura *di venire fraintesi*"; "Questo sperava Claudio, *di essere simpatico ai suoi amici*".

La proposizione dichiarativa presenta una costruzione molto simile a quella della soggettiva e dell'oggettiva. Però, mentre queste ultime costituiscono rispettivamente il soggetto e il complemento oggetto della reggente, e sono quindi indispensabili per completare la reggente dal punto di vista sintattico, nel caso della dichiarativa la reggente è già in sé sintatticamente completa: ha così già un suo soggetto, espresso o sottinteso, e un suo complemento oggetto. Inoltre le soggettive e le oggettive dipendono dal predicato della reggente, cioè da un verbo o da una locuzione costituita da un verbo + un aggettivo o dal verbo *essere* + un nome; invece la dichiarativa dipende da un nome o da un pronome della reggente e non dal suo predicato:

Questo mi addolora, *che tu sia bugiardo* (= prop. sub. dichiarativa)
Mi addolora *che tu sia bugiardo* (= prop. sub. soggettiva)

Ti do il permesso *di usare la mia auto* (= prop. sub. dichiarativa)
Ti permetto *di usare la mia auto* (= prop. sub. oggettiva)

2.4. La proposizione interrogativa indiretta

La proposizione subordinata interrogativa indiretta esprime una domanda, un interrogativo o un dubbio in forma indiretta, cioè ponendo la domanda, l'interrogativo o il dubbio in dipendenza da un'altra proposizione:

Paolo mi ha chiesto *chi ha raccontato tutto al preside.* Nessuno sapeva *come mai Gianni non fosse ancora arrivato.*

Le interrogative indirette appartengono alle subordinate completive (o complementari dirette), perché svolgono nel periodo la funzione di un sostantivo che completa la reggente. In particolare, svolgono la funzione di soggetto o di oggetto della reggente: "Non si sa *che età abbia* (= la sua età: → soggetto)"; "Voglio sapere *che età ha* (= la sua età: → oggetto)".

Le interrogative indirette dipendono di norma da verbi, nomi e locuzioni esprimenti domanda, desiderio di sapere, ricerca, incertezza o dubbio. In particolare possono dipendere:

• da verbi come *chiedere, domandare, indagare, interrogare, ricercare, informarsi, cercare* ecc. o da nomi di significato corrispondente come *domanda, indagine, interrogazione* ecc.: "Mi chiedo *come dovrò comportarmi con lui*"; "Il giudice ha avviato un'indagine *su chi era il vero responsabile della ditta*";

• da verbi o locuzioni di significato dichiarativo come *dire, sapere, indovinare, pensare, spiegare, far sapere* ecc., spesso utilizzati all'imperativo: "Dimmi *dove stai andando*"; "Fammi sapere *chi ci sarà alla festa*"; "Non riesco a capire *come abbia fatto*;[3]

• da verbi o locuzioni che esprimono dubbio e da nomi o aggettivi di significato corrispondente, come *dubitare*, *ignorare*, *non sapere*, *non capire*, *essere incerto*, *non essere sicuro* ecc.; *dubbio*, *incertezza* ecc.; *dubbioso*, *incerto* ecc.: "Tutti ignorano *dove Laura sia andata in vacanza*"; "Sono incerto *se partire o no*"; "Non so *di chi stiate parlando*".

Le proposizioni subordinate dipendenti da verbi, nomi o aggettivi esprimenti dubbio, soprattutto se sono introdotte dalla congiunzione *se*, sono chiamate, più esattamente, *proposizioni dubitative*: "Non so *se potremo venire anche noi*"; "Sono incerto *se andare al mare o in montagna*".[4]

Al pari delle dirette, le interrogative indirette sono introdotte:

• da un pronome o un aggettivo interrogativo, come **chi?**, **quale?**, **quanto?**: "Dimmi *con chi esci*"; "Non so *con quali amici uscirò*"; "Puoi dirmi *che ore sono?*";

• da un avverbio o una locuzione avverbiale interrogativi, come **dove?**, **da dove?**, **quanto?**, **come?**, **perché?**: "Gli agenti della stradale mi chiesero *da dove venissi e dove andassi*"; "Vorrei sapere *quanto costa il biglietto per Roma*"; "Dimmi *perché sei così triste*"; "Fammi

[3] Talvolta, specialmente in dipendenza da verbi dichiarativi, quando le subordinate sono introdotte da un *che*, è facile confondere le interrogative indirette con le oggettive. Per evitare errori si ricordi che la proposizione subordinata oggettiva, come la soggettiva e la dichiarativa, contiene una affermazione e il *che* da cui è introdotta è una congiunzione subordinante: "Tutti dicono *che i soldi non danno la felicità*"; "Chiedo *che il mio intervento venga messo a verbale*". Invece, la proposizione subordinata interrogativa indiretta formula una domanda o un dubbio e il *che* da cui talvolta è introdotta è un pronome o un aggettivo interrogativo: "Dimmi *che ore sono*"; "Ti chiedo *che (cosa) pensi di me*". Si tenga sempre presente, inoltre, che una proposizione interrogativa indiretta è sempre sostituibile con una interrogativa diretta indipendente: "Dimmi *che ore sono*" → "*Che ore sono?*"; "Ti chiedo *che cosa pensi di me*" → "*Che cosa pensi di me?*".

[4] La congiunzione *se*, oltre che una proposizione interrogativa indiretta, o meglio dubitativa, può introdurre una proposizione ipotetica. Distinguere i due tipi di subordinate, però, non è difficile. L'interrogativa indiretta o dubitativa introdotta da *se* dipende da un verbo dichiarativo, esprime sempre una domanda o un'incertezza ed è sempre trasformabile in una proposizione interrogativa diretta: "Non so *se fidarmi di lui*"; "Dimmi *se verrai*". Invece, la proposizione ipotetica, pur essendo anch'essa introdotta da *se*, esprime una condizione da cui dipende il realizzarsi di ciò che è detto nella reggente e non dipende mai da un verbo: "*Se parti*, vengo anch'io"; "*Se Antonio fosse più sincero*, le cose andrebbero meglio".

sapere *come hai fatto*"; "Nessuno sapeva *quando i lavori sarebbero finiti*";

• dalla congiunzione dubitativa **se**: "Non so *se potrò venire*".

Le interrogative indirette possono essere **esplicite** o **implicite**:

• le interrogative indirette **esplicite** hanno il verbo all'**indicativo**, al **congiuntivo** (soprattutto quando si vuole sottolineare la componente dubitativa) o al **condizionale** (soprattutto quando sono introdotte dalla congiunzione *se*): "Dimmi *dov'è*"; "Non so *dove sia*"; "Non so *se accetterebbe*";

• le interrogative indirette **implicite**, che dipendono per lo più dai verbi o dalle locuzioni di significato dubitativo, hanno il verbo all'**infinito presente**: "Non so *come fare*"; "Nessuno sa *dove andare*"; "Sono incerto *quale scegliere*".

Anche le interrogative indirette, come le interrogative dirette, possono essere:

• **semplici**, quando esprimono una sola domanda: "Non so *cosa sia successo*"; "Ditemi *quale quotidiano volete*";

• **doppie**, quando pongono due o più domande: "Non capisco *di che cosa parlino e perché stiano ridendo*";

• **disgiuntive**, quando esprimono due possibilità poste in alternativa e perciò collegate fra loro dalle congiunzioni *o*, *oppure*: "Dimmi *se vai anche tu oppure ti fermi ancora*"; "Non sapeva *se ridere o piangere*".

Come è evidente, nelle interrogative indirette doppie e disgiuntive si hanno una subordinata interrogativa indiretta e una o più coordinate ad essa.

3. Le subordinate relative

Le proposizioni subordinate relative sono proposizioni dipendenti che completano il senso del periodo determinando o espandendo un nome della reggente cui sono collegate mediante un pronome o un avverbio relativo. Quando svolgono nel periodo la stessa funzione che nella proposizione hanno l'attributo e l'apposizione, sono dette anche **attributive** o **appositive** e sono considerate **relative proprie**. Quando invece svolgono nel periodo la funzione che nella proposizione hanno i complementi indiretti sono considerate **relative improprie** di valore circostanziale.

3.1. La proposizione relativa propria

La proposizione subordinata relativa propria precisa un nome della reggente cui è collegata mediante un pronome o un avverbio relativi:

Ho letto il libro *che mi hai regalato.*

A seconda dell'informazione che comunicano, le proposizioni **relative**, come gli attributi e le apposizioni di cui svolgono la funzione, possono costituire una **determinazione necessaria** o una semplice **espansione accessoria** della reggente. Pertanto, esse si distinguono in:

- **determinative** (o *limitative*), se apportano alla reggente una "determinazione", cioè un'informazione necessaria a precisare il significato dell'antecedente e perciò a completare il senso del periodo nel suo complesso e, nel contempo, "limitano", cioè restringono, il significato dell'antecedente: "La città italiana *che preferisco* è Venezia";
- **accessorie** (o *esplicative*), se comunicano un'informazione semplicemente aggiuntiva e, quindi, non indispensabile per dare compiutezza all'antecedente o al periodo nel suo complesso: "Venezia, *che sorge tra il mare e la terraferma*, è la città italiana che preferisco".

Mentre la **relativa determinativa** precisa un fatto necessario al senso della frase e quindi assolutamente ineliminabile, la **relativa accessoria** o attributiva costituisce un elemento aggiunto, quasi una precisazione parentetica che sarebbe possibile togliere senza alterare in modo significativo il senso della frase. Per questo, mentre la relativa determinativa si salda direttamente al nome cui si riferisce, la relativa accessoria o attributiva, di norma, viene separata dal nome mediante una virgola, oppure, se si trova inserita nella reggente come nell'ultimo esempio, viene rinchiusa tra due virgole, a segnalarne il valore puramente parentetico. Spesso, nella realtà dei testi, è proprio l'assenza o la presenza della virgola (nella lingua parlata l'assenza o la presenza di una breve pausa) a segnalare il valore determinativo oppure attributivo della subordinata relativa. Così, nella frase: "I clienti *che hanno già versato un acconto* riceveranno la merce domani" la relativa è una relativa determinativa perché apporta una precisazione necessaria che completa il senso della frase e limita in modo significativo il senso del nome cui si riferisce: "*non tutti* i clienti riceveranno la merce, ma *solo quelli che hanno già versato un acconto*". Invece nella frase: "I clienti, *che hanno già versato un acconto*, riceveranno la merce domani" la relativa è chiaramente parentetica e, quindi, accessoria: aggiunge al nome cui si riferisce e alla reggente un'informazione accessoria, comunicando che "i clienti hanno già versato un acconto".

Le proposizioni relative proprie sono introdotte:

– da un pronome relativo, come **che**, **cui**, **il quale**, o misto, come **chi**, **chiunque**: "Voglio conoscere il ragazzo *con cui esci*"; "*Chi ha detto una cosa simile* è un incompetente";
– da un avverbio relativo di luogo, come **dove**, **da dove**, o relativo indefinito di luogo, come **ovunque**, **dovunque**: "La città *dove vivo* è Bologna"; "Paolo si trova bene *ovunque vada*".

Il pronome e l'avverbio relativi che reggono la subordinata relativa devono essere collocati subito dopo l'elemento della reggente – per lo più un nome o un pronome – cui si riferiscono (il cosiddetto **antecedente**). La subordinata relativa, pertanto, segue la reggente oppure la interrompe inserendosi in essa: "Vorrei la gonna *che è nel cassetto*"; "La gonna *che è nel cassetto* è mia". Solo le relative introdotte dai pronomi o dagli avverbi "misti" (relativi-indefiniti) possono essere poste all'inizio del periodo, davanti alla reggente: "*Chi ha scritto questo libro* meriterebbe il Nobel per la pace".

Nel caso di due o più proposizioni relative coordinate fra loro, il pronome relativo **che** può essere omesso nella seconda, ed eventualmente nelle altre, a patto che abbia la medesima funzione logica in tutte le proposizioni: "Le piante *che* (= complemento oggetto) ho comprato con te e *che* (= complemento oggetto) curo con tanta attenzione stanno purtroppo morendo"; "Per l'abito mi farò consigliare da Laura *che* (= soggetto) ha buon gusto e *che* (= soggetto) è sempre elegante"; "Le piante *che* (= soggetto) mi sono state affidate da tua sorella e *che* (= complemento oggetto) curo con tanta attenzione stanno purtroppo morendo". Con i pronomi relativi **cui** e **quale**, invece, la ripetizione è sempre preferibile e, comunque, necessaria quando i pronomi hanno differenti funzioni logiche: "Comprerò la videocassetta del film *di cui* (complemento di argomento) hanno parlato i giornali e *di cui* (complemento di argomento) abbiamo discusso anche noi"; "Spero proprio di non incontrare più quel ragazzo *con cui* (complemento di relazione) ho litigato e *da cui* (complemento d'agente) sono stato insultato".

Le relative proprie possono avere sia forma **esplicita** sia forma **implicita**. In particolare:

• nella forma **esplicita** hanno il verbo:

– all'**indicativo**, quando esprimono un fatto presentandolo come certo e reale: "Ho conosciuto una persona *che parla perfettamente il russo*";
– al **congiuntivo** o al **condizionale**, quando indicano un fatto come

incerto, possibile, desiderato, temuto, ipotizzato e simili: "Ho bisogno di una persona *che parli perfettamente il russo*"; "Mi è stata presentata una persona *che potrebbe aiutarci*".

Le proposizioni relative con il verbo al congiuntivo e al condizionale, però, assumono spesso significati specifici che le fanno diventare **relative improprie** (si veda il paragrafo seguente). Reggono invece per lo più il congiuntivo il pronome relativo indefinito *chiunque* e gli avverbi relativi-indefiniti *ovunque* e *dovunque*: "*Chiunque abbia detto ciò* si sbaglia".

• nella forma **implicita** hanno il verbo:

– al **participio**, presente o passato, che di fatto può sempre essere risolto in forma di relativa esplicita: "Antonio, pur avendo studiato ingegneria, ora fa un lavoro *rispondente alle sue aspirazioni* (= che risponde alle sue aspirazioni)"; "Non mi è ancora arrivato il pacco *spedito da Milano sette giorni fa* (= che è stato spedito da Milano sette giorni fa)";

– all'**infinito**, introdotto da un **pronome relativo** in funzione di complemento indiretto: "Cerco una bella stoffa *con cui foderare il divano*"; "Avete trovato una baby sitter *(a) cui affidare i bambini*?";

– all'**infinito**, preceduto dalla preposizione **da** o senza alcuna preposizione. Anche in questo caso la relativa implicita è risolvibile in una relativa esplicita: "Questo è l'abito *da portare in tintoria* (= che deve essere portato in tintoria)"; "Ho sentito il gatto *miagolare* (= che miagolava)".

Proposizioni oggettive, invece, sono le proposizioni costituite dall'infinito dipendente direttamente da un verbo di percezione come *udire*, *sentire*, *vedere*, *scorgere*: "Odo cantare gli uccelli". Se però si dice "Odo gli uccelli cantare", la subordinata *cantare* è da considerare una proposizione relativa in quanto, pur con una lieve sfumatura di significato, equivale a "Odo gli uccelli che cantano".

3.2. La proposizione relativa impropria o circostanziale

La proposizione subordinata relativa impropria (o *circostanziale* o *complementare*) è una subordinata relativa che, pur essendo introdotta anch'essa dal pronome relativo (o "misto", relativo-indefinito), non svolge nel periodo una funzione attributiva o appositiva, ma completa il senso della reggente precisando particolari circostanze dell'azione e, quindi, compie la stessa funzione delle subordinate complementari, cui finisce per equivalere assumendo volta a volta valore causale, temporale, finale, consecutivo e simili.

Infatti, le relative improprie possono essere:

- **relative-temporali**: “Li ho incontrati *che uscivano dal cinema* (= mentre uscivano dal cinema)”;
- **relative-causali**: “Invidio Elena *che è già in vacanza* (= poiché è già in vacanza)”;
- **relative-finali**: “Chiamerò un idraulico *che ripari il rubinetto* (= affinché ripari il rubinetto);
- **relative-consecutive**: “Vorrei una stilografica *che non mi macchiasse le dita* (= tale che non mi macchiasse le dita)”;
- **relative-concessive**: “Laura, *che ha studiato inglese per tre anni* (= pur avendo studiato inglese per tre anni), non è riuscita a tradurre quella poesia”;
- **relative-condizionali**: “Una persona *che seguisse i tuoi consigli* (= se seguisse i tuoi consigli) si metterebbe nei guai”.

Trattando delle **proposizioni subordinate circostanziali** (o complementari indirette) indicheremo tutte le volte in cui esse possono essere espresse mediante subordinate relative improprie. Per il momento ci limitiamo a segnalare che esse hanno per lo più il verbo all'indicativo, tranne la relativa-finale, la relativa-consecutiva e la relativa-condizionale che l'hanno al congiuntivo. Per altro, è opportuno anche precisare che non sempre è facile segnalare esattamente il valore delle relative improprie. Spesso, per esempio, il valore finale e quello consecutivo coincidono: “Dagli una pastiglia *che gli calmi il dolore* (= affinché gli calmi, o, anche, tale che gli calmi il dolore)”.

4. Le subordinate circostanziali

Le proposizioni subordinate circostanziali (o *complementari indirette* o *avverbiali*) sono proposizioni dipendenti che arricchiscono la proposizione da cui dipendono con delle precisazioni circostanziali (relative al fine, alla causa, all'occasione e simili, di ciò che è detto nella proposizione stessa). Esse, dunque, svolgono nel periodo la medesima funzione che nella proposizione svolgono i **complementi indiretti** e i **complementi avverbiali**. A seconda della funzione logica che assolvono sono chiamate, in perfetto parallelismo con i complementi indiretti cui corrispondono, proposizioni **finali**, **causali**, **temporali** ecc.

4.1. La proposizione finale

La proposizione subordinata finale indica il fine o lo scopo cui è diretta l'azione espressa nella proposizione reggente:

Faremo di tutto *perché tu sia felice*.

Di norma, la proposizione finale dipende dal predicato di una reggente, cioè illustra il fine o lo scopo di un'azione espressa in una proposizione. Talvolta, però, la finale si trova in dipendenza anche da un nome o da un aggettivo: "La campagna *per diffondere la vaccinazione contro il morbillo* ha dato buoni risultati"; "Certi diserbanti, necessari *per liberare i campi dalla gramigna*, si sono rivelati molto dannosi all'ambiente".

Le proposizioni finali possono avere forma **esplicita** o **implicita**. Nella forma **esplicita** sono introdotte dalle congiunzioni (o funzionali) subordinanti **perché**, **affinché**, **che**, **onde**, **acciocché**, o da locuzioni congiuntive come **in modo che**[5], e hanno il verbo al **congiuntivo presente** o **imperfetto**: "Ritirerò gli oggetti più pregiati *affinché i bambini non li rompano*"; "La donna ritirò gli oggetti più pregiati *affinché i bambini non li rompessero*".

Il motivo per cui il verbo della finale esplicita è il congiuntivo è facilmente intuibile: poiché non è certo che si possa realizzare lo scopo espresso dalla finale, essa non può che utilizzare il congiuntivo, il modo verbale dell'incertezza, della possibilità e del desiderio. Quanto al tempo, esso è sempre in rapporto di contemporaneità con il tempo della reggente. Così, se nella reggente c'è un presente o un futuro, nella finale si usa il congiuntivo presente: "Paolo farà di tutto *perché tu vada con lui a Roma*". Se il verbo nella reggente è al passato remoto, all'imperfetto o al trapassato prossimo, nella finale si usa il congiuntivo imperfetto: "Paolo fece di tutto *perché tu andassi con lui a Ro-*

[5] Le congiunzioni più usate per introdurre la finale esplicita sono *perché* e *affinché*: la prima serve anche a introdurre la causale ma si distingue da essa perché, quando introduce la finale, regge solo il congiuntivo; la seconda, invece, è tipica della finale, ma è sentita come piuttosto pesante. La congiunzione *che* si usa, con valore finale, soprattutto in dipendenza dai verbi come *ordinare*, *avvertire*, *pregare*, *concedere*, *chiedere*: "Ordinò loro *che partissero al più presto*". Ormai disusate, o comunque di registro decisamente letterario, sono le congiunzioni *onde* e *acciocché*. Tra le locuzioni congiuntive, la più usata è indubbiamente *in modo che*. Stucchevole, e quindi sconsigliabile, risulta invece *a che*.

ma". Se il verbo della reggente è il passato prossimo, si può trovare tanto il congiuntivo presente (quando il passato prossimo è sentito come un tempo indicante un evento vicino: "Ho preparato dei panini *perché li mangino durante la gita*") quanto il congiuntivo imperfetto (quando il passato prossimo è sentito a tutti gli effetti come un passato remoto: "Ho preparato dei panini *perché non spendessero soldi al ristorante*").

Nel parlato, e anche nei testi scritti di livello non particolarmente elevato, la finale esplicita è di uso piuttosto raro ed è sostituita tutte le volte che è possibile dalla **finale implicita** che è introdotta dalle preposizioni **per**, **a**, **di**, dalla congiunzione **onde**, dalle locuzioni congiuntive **con lo scopo di**, **al fine di**, **in modo che**, **in modo di**, **nell'intento di** e simili e ha sempre il verbo all'**infinito**: "Sono venuto qui *per vederti*"; "Bisogna impegnarsi molto *per farcela*"; "Luca è salito *a lavarsi*"; "Anna segue una dieta *allo scopo di dimagrire*"; "Pensateci bene, *onde non pentirvi in futuro*". Valore finale ha anche la locuzione congiuntiva **pur di** seguita dall'infinito: "Farei qualsiasi cosa *pur di avere quel posto* (= al solo scopo di avere quel posto)".

La costruzione in forma implicita della finale è possibile quando il soggetto della finale è lo stesso della reggente o è indeterminato. Si può anche usare la finale implicita tutte le volte che il soggetto della finale, pur essendo diverso da quello della principale, è deducibile da un complemento oggetto o da un complemento di termine contenuto nella reggente: "Il poliziotto esortò gli automobilisti *a sgomberare le strade*"; "Vi prego *di restare*"; "Paolo diede a Gianni una lettera *da imbucare*". Altrimenti, per ottenere l'identità di soggetto tra la finale e la reggente, si può utilizzare nella finale la costruzione fraseologica con il verbo causativo *fare*: "Telefonerò a Carlo *per farmi restituire il disco*"; "Mando Gianni a lezione di nuoto *per fargli superare la paura dell'acqua*".

L'idea di fine o di scopo, oltre che con la subordinata finale, può essere espressa con una **subordinata relativa** con il verbo al congiuntivo (*relativa impropria*: si veda alle pp. 515-516): "Il governo inviò sul posto degli ispettori *che controllassero la situazione*".

4.2. La proposizione causale

La proposizione subordinata causale indica la causa o la ragione per cui si compie l'azione o si verifica la situazione espressa nella reggente:

> Non esco *perché sono stanco.* Antonio è stato male *per aver mangiato troppo.*

Di norma la proposizione causale dipende dal predicato di una reggente. Talvolta, però, si trova anche in dipendenza da nomi o aggettivi a indicare per lo più un sentimento dell'animo: "L'ha ucciso il dispiacere *di non essere riuscito nell'impresa*"; "L'uomo, felice *per aver ottenuto ciò che voleva*, ripartì subito".

La proposizione causale può avere forma **esplicita** o **implicita**. La causale **esplicita** è introdotta dalle congiunzioni e dalle locuzioni **perché**,[6] **poiché**, **giacché**, **che** (usata invece di *perché* nel linguaggio familiare: "Dormi, *che è tardi*"), **siccome**, **per il fatto che**, **dato che**, **dal momento che**.[7] Ha il verbo:

[6] La congiunzione *perché* introduce tre diverse subordinate: 1) la causale: "Chiamo Francesco *perché scrive a macchina*"; 2) la finale: "Chiamo Francesco *perché scriva a macchina*"; 3) l'interrogativa indiretta: "Non so *perché Francesco scriva a macchina*". Per distinguere le tre congiunzioni bisogna ricordare che la congiunzione *perché* che introduce la causale è sostituibile con *per il fatto che*, *per la ragione che* e ha (quasi) sempre il verbo all'indicativo; la congiunzione *perché* che introduce la finale è sostituibile con *affinché* e ha sempre il congiuntivo; la congiunzione *perché* che introduce l'interrogativa indiretta è sostituibile con *per quale motivo*, dipende da categorie di verbi ben precisi e può essere la congiunzione interrogativa che apre una interrogativa diretta ("Perché Francesco scrive a macchina?").

[7] La congiunzione più usata per introdurre la causale esplicita è senza dubbio *perché*; essa spiega la causa di ciò che si dice nella reggente: "Non mangio *perché non ho fame*". Frequenti sono anche le congiunzioni *poiché* e *giacché* usate solo per introdurre le causali e quindi facilmente riconoscibili. Esse non solo spiegano ciò che si dice nella reggente, ma, in linea con la loro origine che è temporale (*poi* + *che*; *già* + *che*), costituiscono l'antefatto di quello che si dice nella reggente: "*Poiché non ti ho visto arrivare*, sono partito da solo". Questa differenza di significato è sottolineata anche dal fatto che la causale introdotta da *perché* di solito segue la reggente, mentre la causale introdotta da *poiché* e *giacché* la precede.
Tra le altre congiunzioni causali, *siccome* è molto usata nella lingua di livello familiare, invece di *poiché* e *giacché*. La congiunzione *che* si usa per lo più in dipendenza da verbi o espressioni indicanti sentimenti dell'animo ("Mi dispiace *che tu non sia venuto*"; "Sono contento *che tu stia bene*"), ma è frequente anche nella lingua di livello familiare, in espressioni come: "Vai a dormire *che è tardi*". Invece le congiunzioni *ché* e *come* appartengono a un registro letterario e sono ormai poco usate: "*Come non sapevo più niente di lei*, decisi di partire"; "Rifletti, *ché sei in torto*". Del tutto disusate, invece, sono le forme *attesoché*, *imperciocché*, *perciocché*, *conciossiaché*, *conciossiacosaché* (quest'ultimo costruito con il congiuntivo), usuali nell'italiano dei secoli scorsi e, quindi, frequenti nei testi letterari fino a tutto l'Ottocento.
Infine, le locuzioni congiuntive causali come *per il fatto che*, *per la ragione che*, *dato che* e simili sono tutte piuttosto "pesanti". Alcune, come *visto che*, *considerato che* e *in quanto* appartengono quasi esclusivamente al linguaggio burocratico e commerciale ed è preferibile evitarle.

– all'**indicativo**, quando indica una causa reale: "Torno a casa *perché è tardi*"; "*Siccome pioveva*, la donna non uscì";

– al **congiuntivo**, quando indica una causa fittizia, cioè una causa solo ipotizzata ma non vera: "Antonio batteva i denti *non perché avesse freddo* (= causa ipotizzata), ma *perché era terrorizzato* (= causa reale) *dalla situazione*";

– al **condizionale**, quando la causa addotta ha un valore soggettivo, eventuale o potenziale: "Non parlare *perché potresti pentirti*"; "Taci, *che vorrei studiare*".

La causale **implicita** può essere costruita:

– con il **gerundio**, presente o passato a seconda che la causa indicata sia contemporanea oppure anteriore rispetto a quanto espresso nella reggente. Tale costruzione è possibile solo se il soggetto della causale è espresso oppure coincide con quello della reggente: "*Essendo la batteria scarica*, l'auto non partì"; "*Avendo speso tutto*, l'uomo dovette chiedere un prestito";

– con il **participio passato**, ma anche in questo caso solo se il soggetto della causale è espresso oppure coincide con quello della reggente: "*Morti giovani i suoi genitori*, Carlo fu allevato da una zia"; "*Sconfitto dai comuni della Lega Lombarda*, l'imperatore dovette lasciare l'Italia";

– con l'**infinito**, preceduto da **per**, **di**, **a**, ma solo se il soggetto della causale coincide con quello della reggente: "Il bracconiere dovette pagare una grossa multa *per aver ucciso un capriolo*"; "*Per aver tagliato l'erba del giardino*, ho ricevuto 20.000 lire da mio padre". Ma si dice: "Ti ringrazio *di avermi aiutato*" perché anche se non coincide con quello della reggente il soggetto della subordinata è facilmente deducibile da essa.

4.3. La proposizione consecutiva

La proposizione subordinata consecutiva indica la conseguenza o l'effetto di quanto è detto nella reggente:

Il film era così divertente *che tutti in sala ridevano*.

Può avere forma **esplicita** o **implicita**. Nella forma **esplicita** è introdotta dalla congiunzione **che**, anticipata nella reggente dagli avverbi *così*, *tanto*, *talmente* ecc. o dagli aggettivi *tale*, *siffatto*, *simile* ecc.

oppure dalle congiunzioni composte **cosicché, sicché, talché**, o dalle locuzioni congiuntive **in modo tale che, al punto che** ecc., e ha il verbo:

– all'**indicativo**, se la conseguenza è reale: "Laura è così bella *che le sta bene qualsiasi pettinatura*"; "Si offese talmente *che non ci parlò per anni*"; "Ero tanto stanco *che non riuscivo a dormire*";

– al **congiuntivo**, quando la consecutiva esprime una possibilità o un'eventualità: "Ho fatto *in modo che tu possa riavere subito i tuoi soldi*";

– al **condizionale**, quando il verificarsi della conseguenza è subordinato a una condizione: "È così generoso *che aiuterebbe tutti*, se potesse"; "C'è un silenzio tale *che si sentirebbe volare una mosca* (sott. 'se ce ne fosse una')".

Nella forma **implicita** la consecutiva è introdotta dalla preposizione **da**, anch'essa anticipata nella reggente dagli avverbi *così*, *tanto* ecc. o dagli aggettivi *tale*, *siffatto* ecc., e ha il verbo all'**infinito**. La costruzione implicita della consecutiva è possibile solo se il suo soggetto coincide con quello della reggente: "Antonio è così ingenuo *da credere a qualsiasi sciocchezza*"; "Si stancò tanto *da ammalarsi*".

Quando l'elemento "anticipatore" della reggente è costituito da avverbi come *troppo*, *troppo poco*, *abbastanza*, *sufficientemente*, la subordinata consecutiva è introdotta da *perché* con il verbo al **congiuntivo** nella costruzione esplicita e da *per* con il verbo all'**infinito** nella costruzione implicita: "Il brano era troppo difficile *perché lo traducessimo bene*"; "Siamo troppo stanchi *per uscire ancora*"; "Andrea è abbastanza maturo *per prendere da solo le sue decisioni*".

L'idea di conseguenza o di effetto, oltre che con la subordinata consecutiva, può essere espressa anche con una **subordinata relativa** con il verbo al congiuntivo (*relativa impropria*: si veda alle pp. 515-516): "Passami un paio di forbici *che taglino*".

Sono, infine, considerate proposizioni **consecutive** anche:

• le costruzioni **di + infinito** che dipendono dagli aggettivi *degno*, *indegno*: "Il gesto di quell'uomo è degno *di essere ricordato da tutti*". Costruiti in forma esplicita con *che + congiuntivo*, questi aggettivi danno luogo a una relativa consecutiva (*relativa impropria*) o, secondo altri, a una vera relativa: "Questo pittore è degno *che figuri nelle più grandi raccolte d'arte contemporanea*";

• la costruzione **a + infinito** in dipendenza dagli aggettivi sostantivati *il solo*, *l'unico*, *il primo* e *l'ultimo*: "Voi siete sempre gli ultimi *ad arrivare*"; "Antonio è il solo *a non sapere niente*". Costruiti in forma esplicita con *che + congiuntivo*, questi aggettivi sostantivati danno luogo più che a una relativa consecutiva (*relativa impropria*) a una vera e propria relativa: "Antonio è il solo *che non sappia niente*";

• la costruzione **a + infinito** in dipendenza dagli aggettivi *atto*, *inetto*, *adatto*, *inadatto*: "Questo gancio non è atto *a reggere un simile peso*"; "Quell'uomo è inetto *a svolgere incarichi di responsabilità*".

4.4. La proposizione temporale

La proposizione subordinata temporale indica quando si verifica, si è verificato o si verificherà quanto è detto nella reggente:

> *Quando ti vedo*, sono contento. *Dopo aver mangiato*, l'uomo uscì. Non riprendere il lavoro *prima di esserti ristabilito bene*.

Il rapporto di tempo che la subordinata temporale instaura con la reggente può essere di **contemporaneità**, **posteriorità** o **anteriorità**, a seconda che l'azione espressa dalla subordinata temporale sia contemporanea, posteriore o anteriore a quella indicata nella reggente. Analizzeremo dunque le proposizioni temporali, esplicite e implicite, in tre categorie.

Contemporaneità fra subordinata e reggente

Se l'azione espressa dalla subordinata è contemporanea a quella espressa dalla reggente, la **temporale**, nella forma **esplicita**, è introdotta dalle congiunzioni **quando**, **mentre**, **allorché**, **allorquando** o da locuzioni come **al tempo in cui**, **nel momento che** e simili e ha il verbo all'**indicativo**: "*Quando non ci sei*, mi sento triste"; "*Mentre dormivamo* ha piovuto a dirotto"; "Tutto questo succedeva *al tempo in cui abitavamo ancora in campagna*".

Nella forma **implicita**, che è possibile solo se il soggetto della temporale coincide con quello della reggente, la subordinata temporale della contemporaneità ha il verbo al **gerundio presente** o, più raramente, all'**infinito** preceduto dalla preposizione **in**, sempre articolata: "Elena leggeva *ascoltando dei dischi*"; "*Tornando dall'ufficio*, passerò in banca"; "*Nel salutarli*, mi commossi".

Hanno valore di subordinate temporali della contemporaneità anche alcune particolari costruzioni con l'infinito preceduto dalle congiunzioni *a* e *su*, sempre articolate. Va detto però che l'infinito assume in tal caso un valore quasi nominale, per cui tali costruzioni sono assimilabili, di fatto, a complementi di tempo: "*Al calar del sole*, la temperatura calò bruscamente"; "*All'arrivare della primavera*, il giardino cambia improvvisamente aspetto"; "Partimmo *sul far del giorno*".

Posteriorità della reggente rispetto alla subordinata

Se l'azione espressa dalla reggente si verifica dopo quella indicata dalla subordinata temporale, la **temporale**, nella costruzione **esplicita**, è introdotta dalla locuzione **dopo che** (più rare *dopoché* e *una volta che*) e ha il verbo all'**indicativo**: "*Dopo che fu partito*, tutti lo rimpiansero".

Per esprimere un'azione futura la cui realizzazione è indicata come possibile o probabile, invece dell'indicativo si usa a volte il **congiuntivo**: "Tornerò solo *dopo che Antonio abbia lasciato questa casa*". Anche in questo caso, però, sia nella lingua parlata sia in quella scritta, si preferisce usare l'indicativo lasciando perdere l'opposizione *realtà/possibilità* che caratterizza i due modi: "Tornerò solo *dopo che Antonio avrà lasciato questa casa*".

Per esprimere l'immediatezza o la rapidità con cui l'azione della reggente tiene dietro a quella della subordinata temporale, si usano le congiunzioni **quando**, **come** (= quando) e **appena** (preceduta o meno dalla congiunzione pleonastica **non**) con l'**indicativo**: "*Quando lo scorse*, impallidì"; "*Come cominciò a piovere*, l'acqua tracimò da tutte le parti"; "*(Non) appena saremo arrivati*, ti telefoneremo".

Nella costruzione **implicita**, la subordinata temporale della posteriorità ha il verbo all'**infinito passato** retto da **dopo** (o dal letterario e antiquato *dopo di*) oppure al **participio passato**, solo o introdotto da locuzioni come **una volta**, **(non) appena** e simili: "*Dopo aver lavato l'automobile*, poterò le rose"; "*(Una volta) arrivato a casa*, Gianni accese il televisore"; "*Finito il lavoro*, gli operai smontarono l'impalcatura".

Come appare anche dagli esempi, la costruzione con l'infinito è possibile solo se c'è identità di soggetto tra la temporale e la reggente. La costruzione con il participio è possibile se è rispettata la condizione dell'identità del soggetto oppure se è espresso il soggetto della temporale, cioè del participio (nel periodo "Finito il lavoro, gli operai smontarono l'impalcatura", *finito il lavoro* equivale a *dopo che il lavoro fu finito*). Una forma implicita di subordinata temporale della posteriorità è anche quella costituita dal **participio passa-**

to di un verbo seguito dalla congiunzione **che** e da una voce ausiliare **essere** o **avere**: "*Finito che ebbe di scrivere la lettera*, l'uomo si coricò"; "*Salita che fu sull'albero*, la ragazza scrutò l'orizzonte".

Anteriorità della reggente rispetto alla subordinata

Se l'azione indicata dalla reggente avviene prima di quella espressa dalla subordinata temporale, la **temporale**, nella costruzione **esplicita**, ha il verbo al **congiuntivo** ed è introdotta dalla locuzione congiuntiva **prima che**: "*Poco prima che tornassi tu*, ha telefonato Laura". Nella costruzione **implicita**, la subordinata temporale ha il verbo all'**infinito** introdotto dalla locuzione preposizionale **prima di**. Anche nella temporale della anteriorità, la costruzione implicita è possibile solo se c'è identità di soggetto fra reggente e subordinata: "Rifletti, *prima di parlare*"; "Non uscirò *prima di aver finito questo lavoro*".

Altre subordinate temporali

Oltre a quelle che indicano una circostanza contemporanea, posteriore o anteriore rispetto a quanto si dice nella reggente, esistono altri tipi di subordinate temporali che esprimono particolari rapporti cronologici con la reggente. In particolare:

- le proposizioni introdotte da **dacché**, **da che**, **da quando** e con il verbo all'**indicativo** indicano a partire da quale momento ha inizio la circostanza espressa dalla reggente: "*Da quando ha cambiato lavoro*, Luca è soddisfatto"; "*Dacché è iniziato il freddo*, la caldaia si è rotta tre volte";

- le proposizioni introdotte da **finché**, **fino a che**, **fino a quando**, **fin quando**, **fintanto che**, spesso rafforzate da un *non* pleonastico, indicano fino a quale momento continuerà a sussistere la circostanza espressa nella reggente. Di norma, hanno il predicato all'**indicativo** o al **congiuntivo**, a seconda che la circostanza sia presentata come certa e reale o come possibile: "*Fino a quando non mi avranno consegnato l'auto nuova*, userò quella di mio fratello"; "Non usciremo *fino a che non abbia smesso di nevicare*".

In particolari contesti, le stesse congiunzioni e locuzioni congiuntive indicano non *fino a quando*, ma *per quanto tempo* continuerà a sussistere la circostanza espressa dalla reggente; in questo caso, esse non sono mai precedute dal *non* pleonastico: "Starò qui *finché vorrai*".

Queste subordinate temporali possono essere usate anche in forma **implicita**, con **fino a** e il verbo all'**infinito**: "Bevvero *fino a star male*".

• le proposizioni introdotte da **a mano a mano che**, **man mano che** con il verbo all'**indicativo** indicano una circostanza che si realizza gradualmente nel tempo in rapporto con il realizzarsi della circostanza espressa dalla reggente: "*A mano a mano che avanzavamo*, il sentiero si faceva più ripido";

• le proposizioni introdotte dalle locuzioni **ogni volta che**, **tutte le volte che**, **ogniqualvolta** con il verbo all'**indicativo** indicano una circostanza che si ripete ogni volta che si verifica la situazione espressa nella reggente: "Gianni si dispera *ogni volta che l'Inter perde*".

4.5. La proposizione modale

La proposizione subordinata modale indica il modo in cui si svolgono l'azione o il fatto espressi nella reggente:

> Comportati *come ti sembra più opportuno*. Venne verso di noi *urlando minacciosamente*.

La subordinata modale può essere **esplicita** o **implicita**. Nella forma **esplicita** è introdotta:

– dalle congiunzioni e dalle locuzioni **come**, **nel modo che**, **nel modo in cui**, con il verbo all'**indicativo** quando la modale esprime una circostanza certa e reale ("Ho cucinato il pesce *come mi avevi suggerito tu*", "Tutto si è svolto *nel modo che avevamo previsto*") e al **condizionale**, quando la modale esprime un'opinione soggettiva o una circostanza di dubbio o di possibilità ("Mi consigliò proprio *come avrebbe fatto mio padre*");[8]

– dalle congiunzioni e locuzioni **come se**, **comunque**, **quasi che** e simili, con il verbo al **congiuntivo** perché esprimono un'ipotesi: "Spende *come se fosse la persona più ricca del mondo*"; "*Comunque vadano le cose*, non devi preoccuparti"; "Si alzò improvvisamente dalla poltrona *quasi fosse stato punto da uno spillo*".

[8] Le proposizioni modali esplicite introdotte da *come* possono essere considerate proposizioni comparative di uguaglianza prive di correlazione nella proposizione reggente: "Tutto si è svolto *(così) come avevamo previsto*".

Nella costruzione **implicita**, che è possibile solo se c'è identità di soggetto con la reggente, la proposizione modale ha il verbo al **gerundio presente** o all'**infinito** preceduto da **con** o da **a**: "Li rimproverò *parlando dolcemente*"; "Il vecchio signore si diresse verso la pineta *camminando a passi lenti*"; "*Con lo stare sempre zitto*, si è reso antipatico a tutti"; "*A correre così*, ti verrà un infarto".

A differenza di quanto accade con le altre subordinate (ad eccezione, come vedremo, della proposizione strumentale), la modale con il gerundio non può essere trasformata in forma esplicita.

4.6. La proposizione strumentale

La proposizione subordinata strumentale indica l'azione o la circostanza mediante le quali si realizza quanto è espresso nella reggente:

> *Sbagliando* s'impara. Mario è diventato forte e robusto *facendo molto sport. A forza di insistere*, l'abbiamo convinto.

La subordinata strumentale ha sempre e soltanto forma **implicita**, con il verbo al **gerundio** oppure all'**infinito**, preceduto dall'articolo e retto dalla preposizione **con** o introdotto da una locuzione come **a furia di, a forza di**.

Non presentando un verbo di modo finito, la subordinata strumentale implicita viene considerata priva di un vero e proprio predicato ed è solitamente assimilata al complemento di mezzo o strumento cui corrisponde per significato:

Ci commosse { *piangendo.* / *con i suoi pianti.* }

Ha guadagnato una bella sommetta { *vendendo i suoi disegni.* / *con la vendita dei suoi disegni.* }

Quando è costruita con il gerundio, la proposizione **modale** esprime talvolta un valore affine a quello della **strumentale**. Un criterio utile per distinguere la modale dalla strumentale è quello di ricordare che la modale risponde alla domanda *in che modo?* e la strumentale alla domanda *con che mezzo?*: "Ce lo disse *piangendo* (*in che modo?*)" / "Si ristabilì *mangiando e bevendo* (*con quale mezzo?*)".

Spesso, però, risulta difficile o addirittura impossibile distinguere nettamente tra il significato modale e il significato strumentale del gerundio, come si verifica ad esempio nelle frasi seguenti: "Laura ci ha rovinato il viaggio *brontolando continuamente su tutto*"; "Ci spaccò i timpani *suonando la tromba*".

4.7. La proposizione concessiva

La proposizione subordinata concessiva indica il fatto o la circostanza nonostante i quali si verifica quanto è espresso nella reggente ed è così chiamata perché ammette – "concede" – l'esistenza di qualcosa che potrebbe costituire un ostacolo ma che, di fatto, non impedisce che avvenga quanto è detto nella reggente:

Benché sia aprile, fa ancora molto freddo. *Pur avendo pagato in contanti*, non abbiamo ottenuto nessuno sconto.

La proposizione concessiva può avere forma **esplicita** o **implicita**. Nella forma **esplicita**, la concessiva è introdotta:

– dalle congiunzioni e dalle locuzioni **benché, sebbene, quantunque, nonostante (che)**,[9] **malgrado (che), per quanto**,[10] con il verbo al **congiuntivo**: "*Benché sia tardi*, non ho sonno"; "*Nonostante sia senza soldi*, non vuole lavorare"; "*Per quanto sia basso di statura*, Luca è un ottimo giocatore di pallacanestro";

– dalle locuzioni **anche se, neanche se, nemmeno se**, con il verbo all'**indicativo**: "*Anche se sono gemelle*, Elena e Roberta non si assomigliano per nulla".

Anche la concessiva, come altre subordinate, può avere il verbo al **condizionale**, quando esprime la concessione in forma di ipotesi o sotto forma di un'opinione personale: "Compra pure la moto, *sebbene a mio parere ti converrebbe aspettare l'estate*". Spesso, quando nella concessiva si ha un predi-

[9] Alcuni grammatici suggeriscono di non usare la congiunzione *nonostante* per introdurre una proposizione concessiva, ma la corrispondente locuzione congiuntiva *nonostante che*. *Nonostante*, infatti, significa letteralmente *non essendo di ostacolo il fatto* e quindi non può, a rigore, fare a meno della congiunzione *che*, se deve reggere un verbo. Bisognerebbe dunque dire: "Paolo è partito, *nonostante che fosse tardi*". Ma, ormai, è più usata, e anche sentita come più normale e corretta, la forma senza *che*: "Paolo è partito, *nonostante fosse tardi*".

[10] Il *per quanto* che introduce la proposizione limitativa può essere confuso con il *per quanto* che introduce la concessiva. Per distinguerli, basta ricordare che il *per quanto* limitativo ha quasi sempre il verbo all'indicativo, mentre il *per quanto* concessivo ha il verbo per lo più al congiuntivo ed è sostituibile con *sebbene*: "*Per quanto* (= limitatamente a quanto) *so*, lo sciopero è stato rinviato". "*Per quanto* (= sebbene) *si sia dato da fare*, non ha raggiunto la sufficienza".

cato nominale, la concessiva esplicita si presenta **senza verbo** perché la copula viene sottintesa: "*Per quanto (sia) ricco*, vive poveramente"; "*Sebbene (fosse) molto diligente*, non ottenne mai risultati brillanti".

La concessiva **implicita**, che deve avere sempre lo stesso soggetto della reggente, ha il verbo al **gerundio**, preceduto da **pur(e)**, o anche al **participio passato**, da solo oppure preceduto da **pur(e)**, **sebbene**, **benché**, **quantunque** e simili: "*Pur essendo romano*, Gianni tifa per la Juve"; "*Pur essendo stato ferito*, il cervo riuscì a fuggire"; "*Benché profondamente offeso da quelle parole*, rimase tuttavia calmissimo"; "*Benché sconsigliato da tutti*, non volle rinunciare al suo progetto".

Abbastanza frequente è la concessiva implicita introdotta da **anche**: "*Anche lavorando tutta notte*, non ce la faremo". Valore concessivo ha anche la costruzione implicita costituita dalla locuzione **a costo di + infinito**: "*A costo di offenderti*, voglio dire quel che penso"; "Mi farò un bel viaggio, *a costo di ridurmi senza una lira*!".

Osservazioni

Altre forme di concessive. Proposizioni concessive sono anche le subordinate costituite da:

- **per** + aggettivo + **che** + verbo **essere** al congiuntivo: "*Per antipatico che sia*, dobbiamo sopportarlo"; "*Per diligente che fosse*, non otteneva mai risultati brillanti";

- **per** + infinito presente + **che** + verbo **fare** al congiuntivo: "*Per gridare che facesse*, nessuno accorreva in suo aiuto"; "Non mi convincerai, *per insistere che tu faccia*".

Valore concessivo hanno anche le proposizioni introdotte da pronomi e aggettivi indefiniti come **chiunque**, **qualunque**, **checché** con il verbo al congiuntivo: "*Qualunque cosa tu dica*, non ti credo più"; "*Chiunque mi cerchi*, non sono in casa". Secondo alcuni grammatici è una concessiva anche la proposizione introdotta dalla congiunzione *comunque*, ma secondo altri si tratterebbe di una modale: "*Comunque vadano le cose*, dobbiamo vederci".

Valore concessivo, infine, hanno anche le proposizioni introdotte dalle locuzioni **concesso che**, **ammesso che**, **posto che**, con il verbo sempre al congiuntivo: "*Ammesso che tua madre ti dia il permesso*, verresti al mare con noi?". Secondo alcuni grammatici, però, tali proposizioni sarebbero non concessive ma condizionali.

La proposizione concessiva ipotetica. Quando il fatto o la circostanza nonostante i quali si verifica quanto è espresso nella reggente sono presentati in forma ipotetica, cioè come non reali, probabili o assolutamente impossibili, si ha una proposizione **concessiva ipotetica**: "*Anche se volessi*, ormai non potrei più aiutarti". Introdotte dalla locuzione congiuntiva **anche se**, le proposizioni concessive ipotetiche hanno gli stessi modi e tempi del periodo ipotetico (vedi il paragrafo seguente): "Devi mangiare, *anche se non hai fame*"; "*Anche se fossi andato con lui*, non avresti potuto fare niente".

4.8. La proposizione condizionale e il periodo ipotetico

La proposizione subordinata condizionale (o *ipotetica* o *suppositiva*) esprime una condizione da cui dipende l'avverarsi di quanto è espresso nella reggente:

> *Se nevicasse tutta la notte*, domani potremmo sciare (= il fatto di sciare potrà realizzarsi solo nell'ipotesi che nevichi tutta la notte).

La proposizione condizionale può avere forma **esplicita** o **implicita**. Nella forma **esplicita**, la condizionale è introdotta:

– per lo più dalla congiunzione **se** con il verbo all'**indicativo** o al **congiuntivo**, a seconda che esprima un'ipotesi certa e reale: "*Se esci*, vengo con te" o un'ipotesi solo possibile o addirittura irreale: "*Se continuasse a piovere*, il fiume straripererebbe"; "*Se tu fossi rimasto*, questo non sarebbe successo";

– dalle congiunzioni o dalle locuzioni **qualora**, **purché**, **nel caso che**, **nell'ipotesi che**, **a patto che**, **nell'eventualità in cui**, con il verbo sempre al **congiuntivo**: "*Qualora si verificassero degli imprevisti*, te lo faremo sapere"; "*Nel caso che il treno fosse in ritardo*, perderemmo la coincidenza"; "Ti presto il motorino *a patto che me lo riporti tra un'ora esatta*".

Nella forma **implicita**, che richiede l'identità del soggetto tra subordinata e reggente o l'esplicitazione del soggetto stesso, la condizionale ha il verbo:

– al **gerundio presente**: "*Continuando con questo ritmo* (= se continuiamo con questo ritmo), finiremo il lavoro entro una settimana"; "*Avendo un po' di tempo libero* (= se avessi un po' di tempo libero), mi dedicherei alla fotografia";

– al **participio passato**, da solo o preceduto dalla congiunzione **se**: "*Se ben truccata* (= se fosse ben truccata), Maria sembrerebbe carina"; "Ogni lavoro riesce meglio, *eseguito con calma* (= se viene eseguito con calma)";

– all'**infinito presente**, preceduto dalla preposizione **a**: "*A comportarti così* (= se ti comporti così), ti renderai odioso"; "*A mangiare troppo* (= se si mangia troppo), si sta male".

4.8.1. Il periodo ipotetico

La proposizione subordinata condizionale insieme alla sua reggente forma un'unità logica detta **periodo ipotetico**, cioè un periodo fondato su un'ipotesi da cui può o potrebbe derivare una conseguenza:

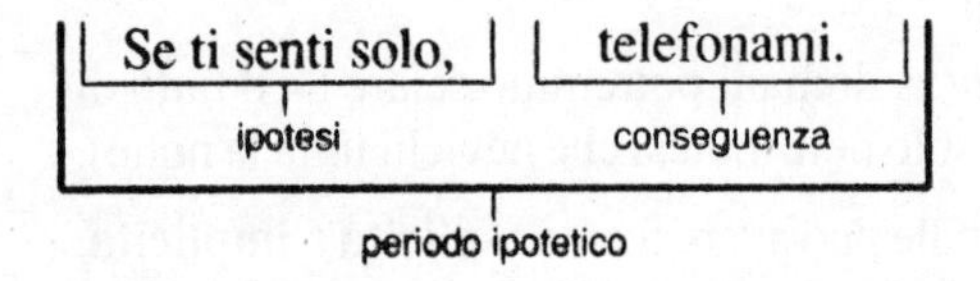

Nel periodo ipotetico, la proposizione subordinata condizionale, che contiene l'ipotesi, si chiama **pròtasi** (dal greco *prótasis*, 'premessa') perché esprime la premessa, cioè la condizione da cui dipende quanto si dice nella reggente. La proposizione reggente si chiama invece **apòdosi** (dal greco *apódosis*, 'conseguenza'), perché esprime la conseguenza che deriva o deriverebbe dal realizzarsi della condizione indicata nella proposizione subordinata:

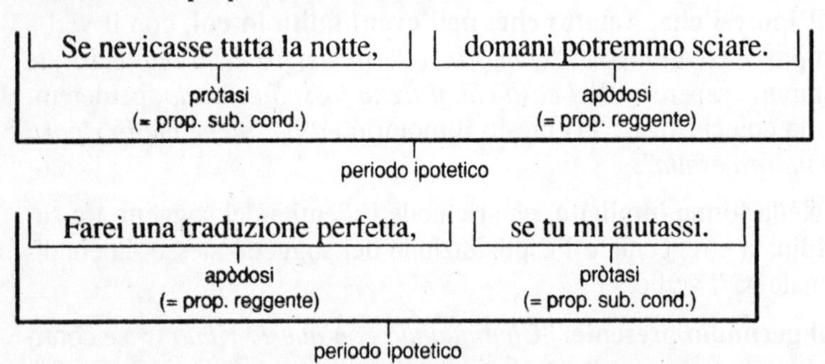

Il **periodo ipotetico**, a seconda del grado di probabilità dei fatti indicati nella pròtasi, può essere di tre tipi:

• **periodo ipotetico della realtà**: è quello in cui l'ipotesi contenuta nella proposizione condizionale (pròtasi) è presentata come un fatto reale e sicuro. Ha il verbo all'**indicativo** tanto nella **pròtasi** quanto nell'**apòdosi**, perché l'indicativo è il tempo della realtà:

Se *vuoi*, ti *accompagno* (= realtà nel presente).
Non sarai promosso se non ti *impegnerai* (= realtà nel futuro).
Se *non sei partito*, *è stata* solo colpa tua (= realtà nel passato).

Nell'**apòdosi** talora il verbo è all'**imperativo**:

Se *piove*, *mettiti* l'impermeabile.

• **periodo ipotetico della possibilità**: è quello in cui l'ipotesi contenuta nella proposizione condizionale (pròtasi) è presentata come soltanto possibile, perché riguarda un fatto che non è accaduto, ma potrebbe accadere. Ha il verbo al **congiuntivo imperfetto** nella **pròtasi** e al **condizionale presente** o all'**imperativo** nell'**apòdosi**.

Se lo *incontrassi*, glielo *chiederei*. Se gli *parlassi* tu, forse *accetterebbe*. Se ti *chiamasse*, *va'* subito.

Se la pròtasi, anziché da *se*, è introdotta da congiunzioni o locuzioni congiuntive come **qualora**, **nel caso che**, **nell'ipotesi che**, il periodo ipotetico della possibilità ha il congiuntivo presente nella pròtasi e l'indicativo futuro o l'imperativo nell'apòdosi: "Qualora *restituisca* il denaro, non *sarà denunciato*"; "Nel caso che *si faccia* vivo, *diglielo* subito".

Nel linguaggio di registro colloquiale si usa sempre più spesso l'**indicativo**, invece del **congiuntivo**, anche per la pròtasi del periodo ipotetico della possibilità: "*Se si verifica qualche imprevisto*, ti telefono" oppure anche "*Se si verificherà* qualche imprevisto ti telefono".

Tale tendenza, che si colloca nel quadro della generalizzata decadenza del congiuntivo nella lingua italiana, comporta non solo un appiattimento espressivo ma anche un'ambiguità comunicativa, rendendo impossibile distinguere ciò che è reale da ciò che, invece, è solo ipotizzato. Si noti infatti la differenza tra i seguenti enunciati: a) "Se *si verifica* qualche imprevisto, ti telefono"; b) "Se *si verificasse* qualche imprevisto, ti telefono"; c) "Se *si verificasse* qualche imprevisto, ti *telefonerei*".

La tendenza della lingua, comunque, è proprio quella di ridurre al minimo, anche nel periodo ipotetico, l'uso del congiuntivo e del condizionale, che oltre tutto presentano spesso forme irregolari o difficili, a vantaggio dell'indicativo. Un grande scrittore italiano del Novecento, Alberto Moravia, in proposito ha fatto osservare che dire "Se *vado* in Africa, ti *porto* un regalo" esprime in modo facile e chiaro lo stesso concetto di "Se *andassi* in Africa, ti *porterei* un regalo", che invece suona piuttosto complicato ed è indubbiamente più difficile da costruire sintatticamente.

• **periodo ipotetico dell'irrealtà**: è quello in cui l'ipotesi espressa nella pròtasi è non vera o impossibile, perché riguarda un fatto che non si può realizzare o che avrebbe potuto accadere ma non è mai accaduto. In questo caso, il verbo è al **congiuntivo imperfetto** nella **pròtasi** e al **condizionale presente** nell'**apòdosi** se l'ipotesi irrealizzabile si riferisce al presente:

Se *fossi* in te, non mi *comporterei* così.

Quando l'azione è riferita al presente solo il contesto permette di distinguere il periodo ipotetico della possibilità da quello della irrealtà (o impossibilità) e di stabilire se l'ipotesi è prospettata come possibile o come assolutamente impossibile.

Se invece l'ipotesi irrealizzabile si riferisce al passato, il verbo è al **congiuntivo trapassato** nella **pròtasi** e al **condizionale passato** nell'**apòdosi**:

Se fossi stato informato dell'accaduto, *sarei partito* immediatamente.

Quando però il fatto o la circostanza espressi nella pròtasi avvengono o proseguono nel presente, nell'apòdosi si usa il **condizionale presente**: "Se tu fossi stato sincero, ora non faresti questa brutta figura"; "Se avesse seguito le indicazioni del medico, starebbe molto meglio".

Nel periodo ipotetico dell'impossibilità, l'**indicativo imperfetto** tende a sostituire sempre più spesso il **congiuntivo trapassato** della pròtasi e, nella lingua parlata, anche il condizionale passato dell'apòdosi. Ormai, quindi, sono abbastanza normali enunciati come: "Se *arrivavi* (= fossi arrivato) un attimo prima, avresti incontrato Laura" o come "Se *arrivavi* (= fossi arrivato) un attimo prima, *incontravi* (= avresti incontrato) Laura". Anche in questo caso, i "puristi" richiamano l'attenzione sulla necessità di rispettare i modi verbali suggeriti dalla grammatica, per evitare un pericoloso appiattimento espressivo che cancellerebbe tutte le sfumature legate all'articolazione del nostro sistema verbale in tempi della realtà e della possibilità.

Osservazioni

– Le norme ora indicate si riferiscono, evidentemente, al periodo ipotetico in cui la pròtasi è costituita da una condizionale esplicita. La pròtasi, però, può essere costituita anche da una condizionale **implicita** in tutti e tre i tipi di periodo ipotetico:

a) periodo ipotetico della **realtà**: "A fare così, diventi insopportabile"; "Facendo così, diventi insopportabile"; "Eseguito con calma, il lavoro riesce bene";

b) periodo ipotetico della **possibilità**: "Verificandosi qualche imprevisto, vi telefonerò"; "Eseguito con calma, il lavoro riuscirebbe bene";

c) periodo ipotetico dell'**impossibilità**: "Eseguito con calma, il lavoro sarebbe riuscito meglio"; "A insistere ancora, lo avremmo fatto arrabbiare".

Anche nel periodo ipotetico dell'impossibilità riferito al passato si usa il gerundio presente e non il gerundio passato, che assumerebbe un valore di tipo causale: "Potendo (= se avessi potuto), ti avrei aiutato"; "Usando un po' di buon senso (= se tu avessi usato un po' di buon senso), non avresti combinato tutti quei guai".

– Nel periodo ipotetico, l'apòdosi costituisce la reggente della pròtasi, cioè della subordinata condizionale. Va ricordato, però, che quando il periodo ipotetico è inserito all'interno di un periodo sintatticamente complesso, l'apòdosi può essere a sua volta una proposizione subordinata:

Penso	che il viaggio sarebbe meno faticoso	se prendessimo le cuccette.
principale	sub. di 1° grado ogg. con funz. di apòdosi del periodo ipotetico	sub. di 2° grado condiz. con funz. di pròtasi del periodo ipotetico

– Talvolta la pròtasi al congiuntivo imperfetto, della possibilità o dell'impossibilità, o al congiuntivo trapassato, si trova usata da sola, senza apòdosi, la quale, per altro, è facilmente intuibile. Ciò succede quando si vuole dare particolare risalto alla pròtasi, specialmente in frasi esclamative o interrogative, per esprimere desiderio o rimpianto: "E se prendessimo l'aereo?"; "Se ti avessi dato ascolto!"; "Fosse vero!". In alcuni casi, la pròtasi, con o senza apòdosi, non è neppure introdotta da *se* né da altre locuzioni congiuntive: "Avessi i soldi, quanti regali ti farei!".

– Per esprimere l'alternativa tra due circostanze presentate entrambe come possibili si usano due proposizioni subordinate rette dalle congiunzioni disgiuntive correlative *sia che... sia che*, *che... o* con il verbo al congiuntivo (**proposizioni condizionali disgiuntive**): "*Sia che Paolo venga o che preferisca stare a casa*, domani andremo al mare". Il secondo termine dell'alternativa può anche essere privo di verbo: "*Che Paolo venga o no*, domani andremo al mare".

4.9. La proposizione eccettuativa

La proposizione subordinata eccettuativa indica una particolare circostanza a parte la quale – tolta la quale – è vero o avviene quanto è espresso nella reggente:

Il contratto sarà firmato domani, *salvo che si verifichino degli imprevisti. Tranne che dar fuoco alla casa*, quei due bambini hanno combinato di tutto.

La proposizione eccettuativa può avere forma **esplicita** o **implicita**. Nella forma **esplicita** è introdotta dalle congiunzioni e dalle locuzioni **fuorché** o **tranne che**, **eccetto che**, **salvo (che)**, **se non (che)**, **a meno che (non)**, con il verbo all'**indicativo** per indicare un fatto reale ("Mario e Andrea si assomigliano molto, *salvo che Andrea è più alto*") e, più spesso, al **congiuntivo**: "Domani giocherò a tennis tutto il giorno, *a meno che non piova*".

Nella forma **implicita**, che è possibile solo quando il soggetto dell'eccettuativa coincide con quello della reggente, ha il verbo all'**infinito** introdotto dalle stesse congiunzioni o locuzioni: "Non possiamo far nulla *tranne che aspettare*"; "Avrebbe fatto qualsiasi cosa *fuorché lavorare*"; "Non ho potuto fare niente, *se non (che) consigliarlo* di venire da te".

4.10. La proposizione esclusiva

La proposizione subordinata esclusiva indica un fatto, un'azione o una circostanza che si escludono rispetto a ciò che si dice nella reggente:

Non succede niente, *senza che quell'uomo lo sappia*.

La proposizione esclusiva può avere forma **esplicita** o **implicita**. Nella forma **esplicita** è introdotta dalla locuzione congiuntiva **senza che** o dalla congiunzione **che** seguita da un **non** e ha il verbo al **congiuntivo**: "Ha preparato tutto, *senza che nessuno si accorgesse*"; "Non passa giorno, *che non si faccia vivo con una telefonata*". Nella forma **implicita** è introdotta dalla congiunzione **senza** e ha il verbo all'**infinito**: "Laura è partita, *senza salutare nessuno*".[11]

4.11. La proposizione aggiuntiva

La proposizione subordinata aggiuntiva aggiunge una circostanza accessoria a quanto è detto nella reggente:

[11] Secondo alcuni grammatici le subordinate introdotte da *senza che* e il *congiuntivo* e da *senza* e l'*infinito* sarebbero proposizioni modali e non proposizioni esclusive. Di fatto, la proposizione esclusiva può essere considerata una variante della modale.

Oltre a essere simpatico, quel tuo amico è anche intelligente. *Oltre che occuparsi personalmente di ogni cosa*, il poveretto dovrebbe pagare tutto di tasca sua.

La proposizione aggiuntiva di norma è usata in forma **implicita**, introdotta dalle locuzioni congiuntive **oltre a** e **oltre che**, con il verbo all'**infinito**. Nella forma **esplicita**, introdotta dalla locuzione congiuntiva **oltre che**, con il verbo all'**indicativo** è ormai disusata ("*Oltre che non ci sei mai*, fai anche il prepotente").

4.12. La proposizione limitativa

La proposizione subordinata limitativa serve a limitare il significato di quanto è espresso nella reggente, specificando che esso non è da intendere in senso assoluto bensì relativamente a un determinato ambito o punto di vista:

Per quanto ne so io, Laura è ancora al mare. *In quanto a dire sciocchezze*, non lo batte nessuno.

La proposizione limitativa può avere forma **esplicita** o **implicita**. Nella forma **esplicita** è introdotta:

– da locuzioni congiuntive come **per quello che**, **per quanto**, **secondo quello che**, **secondo quanto**, **limitatamente a ciò che**, **in base a quello che** e ha il verbo all'**indicativo**: "*Per quanto è stato possibile*, abbiamo rimediato ai suoi errori"; "*Secondo quanto afferma lui*, non ci sono difficoltà"; "*Per quel che ne so io*, domani i negozi sono chiusi";
– dalla congiunzione **che**, con il verbo al **congiuntivo**: "*Che io sappia*, un fenomeno simile non si è mai verificato".

Nella forma **implicita** è introdotta da **a**, **da**, **per** oppure da **(in) quanto a**, **relativamente a** e ha il verbo all'**infinito**: "*Quanto a lavare l'auto*, ci penso io"; "Il programma è facile *da installare*, ma difficile *da usare*"; "*Per andare*, va ancora"; "*A dire fandonie*, è un campione".

4.13. La proposizione comparativa

La proposizione subordinata comparativa contiene un confronto con ciò che si dice nella reggente oppure stabilisce con essa un rapporto di analogia o di diversità:

Sei arrivato più tardi *di quanto temevo*. L'esame è stato meno facile *di quanto avessi previsto.* Paolo è davvero simpatico *come pensavo.*

Nella forma **esplicita** essa può essere di tre tipi:

• di **maggioranza**, introdotta da **più ... che, più ... di quello che, più ... di quanto, meglio che, meglio di quanto**;

• di **uguaglianza**, introdotta da **così ... come**[12], **tanto ... quanto, tanto ... come**;

• di **minoranza**, introdotta da **meno ... di come (di quanto, di quello che), meno ... che, peggio di come (di quanto, di quello che), peggio che** e ha il verbo all'**indicativo**, se il confronto è tenuto sul piano della certezza ("Il tempo è peggiore *di quello che speravo*"; "Sergio non è simpatico *come sembra*"), al **congiuntivo**, se il confronto è su un piano di eventualità o probabilità ("Le vacanze sono state meno divertenti *di quanto avessimo sperato*"), infine al **condizionale**, se il confronto è tenuto su un piano puramente soggettivo: "Carlo spende più *di quanto dovrebbe*". Nella lingua di registro familiare e colloquiale, l'indicativo tende sempre più a sostituirsi al congiuntivo e, talora, anche al condizionale.

A volte, nella comparativa di maggioranza o di minoranza, viene usato l'avverbio *non* che ha però in tal caso un valore solo stilistico, in quanto non esprime realmente una negazione. L'avverbio *non* può essere infatti tolto senza che risulti modificato il significato della frase: "Le cose vanno *meglio*

[12] La proposizione subordinata introdotta dalla congiunzione *come* esprime talvolta un valore chiaramente comparativo, come ad esempio nella frase: "Anna è davvero simpatica *come pensavo* (= Anna è tanto simpatica quanto pensavo)". In molti altri casi, invece, la proposizione introdotta da *come* esprime un valore che è comparativo e modale al tempo stesso, tanto da rendere problematica una definizione precisa. Quando il valore della subordinata appare ambiguo, un criterio di distinzione può essere quello di considerare comparativa la subordinata in cui alla congiunzione *come* si correla l'avverbio *così* nella reggente. In tal caso, infatti, viene messo in evidenza soprattutto il rapporto di uguaglianza fra due situazioni: "Le cose andarono *così come avevi previsto*". Se invece *come* non ha un correlativo nella reggente, la subordinata esprime di solito un valore eminentemente modale, in quanto indica le caratteristiche di modo con cui si verifica un fatto senza accentuare particolarmente il confronto con quanto è espresso nella reggente: "La legge venne effettivamente modificata *come avevano anticipato i giornali*". Sta di fatto, comunque, che, come già abbiamo avuto modo di rilevare più volte, nella realtà dell'uso la lingua presenta sfumature di significato che non sempre è possibile classificare e definire in modo univoco.

di quanto (non) pensassi"; "Quel giorno fui *più* felice *di quanto (non) lo fossi mai stato*".

Nella forma **implicita**, che si usa soltanto nel paragone di maggioranza, la comparativa è introdotta da **piuttosto che**, **più che** e ha il verbo all'**infinito**: "Preferisco andarmene *piuttosto che stare qui con te*"; "Morirebbe *piuttosto che cedere*"; "Sognava *più che vivere*".

4.14. La proposizione comparativa ipotetica

Molto simile alla comparativa è la proposizione subordinata comparativa ipotetica, cioè la comparativa che stabilisce un paragone con la reggente sotto forma di ipotesi o di condizione:

Lo zio ti vuole bene, *come se fossi suo figlio.*

Introdotte dalle locuzioni **come se**, **come**, **quasi**, **quasi che**, **non altrimenti che se**, hanno sempre il verbo al modo **congiuntivo imperfetto** o **trapassato** e possono essere considerate come composte da una proposizione comparativa e da un periodo ipotetico con l'apòdosi sottintesa: "Antonio parla *come* [parlerebbe] *se comandasse lui*".

4.15. La proposizione avversativa

La proposizione subordinata avversativa indica un fatto o una circostanza che si contrappongono a quanto si dice nella reggente:

A Torino nevica, *mentre in Liguria c'è il sole. Invece di consultarci*, ha fatto tutto di testa sua.

La proposizione avversativa può avere forma **esplicita** o **implicita**. Nella forma **esplicita** è introdotta dalle congiunzioni **mentre**[13] (spes-

[13] La congiunzione *mentre* può introdurre sia una subordinata temporale della contemporaneità sia una subordinata avversativa. Nel primo caso indica semplicemente la contemporaneità di due azioni; nel secondo caso, invece, sottolinea che l'azione espressa dalla subordinata non solo è più o meno contemporanea a quella della reggente ma, soprattutto, si contrappone ad essa: "È venuta qui la zia, *mentre tu eri fuori* (= proposizione temporale)"; "È venuta qui la zia, *mentre la credevamo ancora in montagna* (= proposizione avversativa)"; "Io studiavo *mentre Gianni leggeva i fumetti* (la proposizione, presa in sé, è ambigua: può avere sia valore temporale sia valore avversativo)"; "Io studiavo *mentre quel pigrone di Antonio leggeva i fumetti* (la proposizione ha evidente valore avversativo)".

so rafforzata dall'avverbio *invece*: *mentre invece*), **quando**[14] e **laddove** e ha il verbo all'**indicativo** o, se la circostanza è presentata in forma soggettiva, al **condizionale**: "Claudio è arrivato oggi *mentre lo aspettavamo per la settimana prossima*"; "Continuava a parlare, *laddove avrebbe fatto meglio a tacere*"; "È sempre a spasso, *quando invece dovrebbe studiare*". Nella forma **implicita**, che richiede l'identità di soggetto con la reggente, è introdotta da locuzioni come **invece di**, **anziché**, **in luogo di**, **al posto di** ecc. e ha il verbo all'**infinito**: "*Anziché ridere*, ascoltami"; "*Invece di aiutare*, ci fa perdere tempo".

Una proposizione può esprimere valore avversativo anche collegandosi alla reggente per coordinazione, cioè mediante le congiunzioni coordinate avversative *ma*, *però*, *tuttavia*: "Lavora moltissimo, *ma non è mai stanco*"; "Si temevano degli incidenti, *invece la manifestazione avvenne in modo del tutto pacifico*".

5. L'uso dei modi e dei tempi verbali nelle subordinate

Le proposizioni subordinate usano tutti i modi (tranne l'imperativo) e tutti i tempi del sistema verbale italiano, ma mentre per i modi l'uso coincide con quello delle proposizioni indipendenti, per i tempi l'uso è regolato da norme che, pur senza essere rigide e vincolanti come ad esempio in latino, hanno un loro valore non soltanto prescrittivo.

5.1. I modi

Nelle proposizioni subordinate, i modi verbali servono a esprimere il diverso "modo" con cui viene presentato il fatto o la situazione di cui si parla, proprio come nelle proposizioni indipendenti. Così, come sappiamo:

[14] Anche la congiunzione *quando* può introdurre vari tipi di subordinate, oltre all'avversativa, ma la distinzione tra i vari tipi non è difficile: "Si vanta dei suoi meriti *quando invece è stato soprattutto molto fortunato* (= proposizione avversativa)"; "Riuscirebbe a cavarsela da solo, *quando non avesse il nostro appoggio*? (*quando* = se: proposizione ipotetica)"; "*Quando piove*, mi sento triste (= proposizione temporale)"; "*Quand'è così*, firmerò anch'io (*quando* = poiché: proposizione causale)"; "Fammi sapere *quando verrai* (= proposizione interrogativa indiretta)".

• il modo **indicativo** è il modo della certezza e della realtà ed esprime una situazione o un evento certi o comunque presentati come tali dall'emittente del messaggio: "È evidente *che hai ragione tu*"; "Antonio è stato multato *perché aveva posteggiato in sosta vietata*"; "*Se le cose stanno così*, non parlo più";

• il modo **congiuntivo** è il modo dell'incertezza, della possibilità, dell'eventualità, del dubbio e dell'irrealtà ed esprime perciò una situazione, un evento o un concetto considerati o presentati non come certi bensì come possibili, eventuali, temuti, desiderati, ipotizzati o impossibili: "Temo *che il micio non stia bene*"; "Fece di tutto *perché noi fossimo contenti*"; "Non so *chi abbia telefonato*"; "*Se fossimo al Polo Nord*, non ci lamenteremmo del caldo";

• il modo **condizionale**, infine, indica una situazione o un evento la cui realizzazione è condizionata dal verificarsi di un altro evento che può essere espresso oppure lasciato sottinteso: "Ti assicuro *che verrei volentieri con te*, se potessi"; "Ha parlato *come avrebbe parlato* suo padre"; "Era gentilissimo con i clienti, anche *se li avrebbe morsicati* volentieri".

Spesso un medesimo tipo di proposizione subordinata può essere costruito con differenti modi verbali a seconda che indichi un fatto come certo oppure come dubbio, probabile, ipotizzato oppure come condizionato da un altro fatto: "Sono sicuro *che è innocente*"; "Credo *che sia innocente*"; "Credo *che accetterebbe*".

In altri casi invece, la scelta di un modo verbale piuttosto di un altro dipende da considerazioni di ordine stilistico. Di norma, l'uso del congiuntivo nelle subordinate contraddistingue i livelli linguistici più elevati, mentre l'uso dell'indicativo è tipico della lingua di livello familiare e colloquiale. L'indicativo, inoltre, come sappiamo, sta estendendosi sempre più a discapito del congiuntivo, con gravi conseguenze per le proprietà dell'espressione e con un progressivo impoverimento della lingua che spesso vede andare perduta l'opposizione *certezza/possibilità* caratteristica della coppia *indicativo/congiuntivo*:

La situazione è più grave { *di quanto pensavo.* / *di quanto pensassi.* }

Sono contento { *che sei tornato.* / *che tu sia tornato.* }

In altri casi, infine, un certo modo verbale, a parità di valore delle subordinate, è imposto dalla congiunzione scelta per introdurre la subordinata:

Luca era sereno { *anche se aveva molti problemi.* / *benché avesse molti problemi.* }

5.2. I tempi

Il tempo di una proposizione principale dipende esclusivamente dalla collocazione cronologica del fatto e della situazione di cui si parla: è, come si dice, un **tempo assoluto**, che ci informa sulla cronologia assoluta del fatto o della situazione:

Elena ora *legge* i fumetti.
Elena l'anno scorso *leggeva* i fumetti.
Elena domani *leggerà* i fumetti.

Nella proposizione subordinata, invece, il tempo verbale è un **tempo relativo**, cioè esprime il tempo in cui avviene, è avvenuto o avverrà ciò che si dice nella subordinata, in relazione al tempo in cui avviene, è avvenuto o avverrà ciò che si dice nella reggente. Esso, pertanto, varia con il variare di quello della reggente e con il variare del rapporto cronologico fra il fatto indicato nella reggente e quello espresso nella subordinata. In particolare:

• quando il verbo della reggente è al **tempo presente**, nella subordinata si avrà:

– l'indicativo presente, il congiuntivo presente o il condizionale presente per esprimere un fatto contemporaneo a quello della reggente:

So *che sei sincero.*
Credo *che tu sia sincero.*
Credo *che accetterebbe le nostre proposte.*

– l'indicativo passato prossimo o imperfetto, il congiuntivo passato o imperfetto, il condizionale passato per esprimere un fatto anteriore (cioè accaduto prima) rispetto a quello indicato nella reggente:

So *che sei stato sincero.*
Credo *che tu sia stato sincero.*
Credo *che avrebbe accettato le nostre proposte.*

L'indicativo imperfetto e il congiuntivo imperfetto servono per evidenziare il perdurare nel tempo dell'azione indicata dalla proposizione subordinata: "So *che eri in buona fede*"; "Penso *che abitasse a Roma, in quegli anni*".

– l'indicativo futuro, il congiuntivo presente, il condizionale passato (questi ultimi, di norma, in perifrasi verbali o accompagnati da opportune espressioni come *d'ora in poi, in seguito* ecc.) per esprimere un fatto posteriore, cioè che avverrà dopo quello indicato nella reggente:

So *che sarai sincero.*
Spero *che tu sia sincero, d'ora in poi.*
Credo *che in seguito tutto sarebbe andato meglio.*

• quando il verbo della reggente è al **tempo futuro**, nella subordinata si avrà:

– l'indicativo presente oppure il congiuntivo presente per esprimere un fatto contemporaneo a quello indicato nella reggente:

Allora saprò *che sei sincero.*
Farò in modo *che tu sia contento.*

– l'indicativo passato prossimo oppure il congiuntivo passato per esprimere un fatto anteriore a quello indicato nella reggente:

Allora saprò *che sei stato sincero.*
Allora penserò *che tu sia stato sincero.*

• quando il verbo della reggente è a un **tempo del passato**, nella subordinata si avrà:

– l'indicativo imperfetto oppure il congiuntivo imperfetto per esprimere un fatto contemporaneo a quello indicato nella reggente:

Ho capito *che sbagliavo.*
Pensai *che fosse sincero.*

– l'indicativo trapassato prossimo oppure il congiuntivo trapassato per esprimere un fatto anteriore, cioè accaduto prima, rispetto a quello indicato nella reggente:

Ho capito *che avevo sbagliato.*
Pensai *che fosse stato sincero.*

Se però il verbo della reggente è al passato remoto e la subordinata è una temporale introdotta da una locuzione come *dopo che*, *non appena*, il verbo della subordinata è di norma al trapassato remoto: "Partii *non appena ebbi ottenuto il passaporto*"; "*Dopo che ebbe dilapidato il suo patrimonio* chiese aiuto ai parenti".

– il condizionale passato per esprimere un fatto posteriore, cioè che avverrà dopo quello indicato nella reggente:

Sapevo *che saresti stato sincero.*
Compresi *quanto avrebbe sofferto.*
Sperai *che sarebbe stato sincero.*

Con i verbi indicanti desiderio o volontà e coniugati al condizionale, la concordanza dei tempi presenta alcuni aspetti particolari.

Se nella reggente si ha il **condizionale presente**, nella subordinata si usa:

– il congiuntivo imperfetto per esprimere un'azione contemporanea o futura rispetto a quella indicata nella reggente: "Preferirei che *fossi* qui tu invece di Carlo";

– il congiuntivo trapassato per esprimere un'azione anteriore rispetto a quella della reggente: "Vorrei che tu non *avessi detto* nulla".

Se nella reggente si ha il **condizionale passato**, nella subordinata si usa:

– il congiuntivo imperfetto per esprimere un'azione contemporanea o futura rispetto a quella della reggente: "Avrei preferito che tu *fossi* con noi";

– il congiuntivo trapassato per esprimere un'azione anteriore a quella della reggente: "Avrei voluto che non *foste* mai *andati* via".

5.3. I tempi dei modi indefiniti

Le norme indicate nei paragrafi precedenti valgono per le subordinate esplicite. Per quanto riguarda invece le **subordinate implicite**, si usa:

• il **gerundio presente**, il **participio presente**, l'**infinito presente** per indicare un'azione, un fatto, una circostanza che si verificano contemporaneamente o successivamente a quanto è indicato nella reggente, qualunque sia il tempo verbale di quest'ultima:

Scrisse un libro *riguardante* le strade nell'Impero romano. *Ignorando* l'esistenza di un altro continente, Colombo pensava di *arrivare* in Oriente attraverso l'Oceano Atlantico.

• il **gerundio passato**, il **participio passato**, l'**infinito passato** per indicare un'azione, un fatto, una circostanza che si sono verificati prima di quanto è indicato nella reggente, qualunque sia il tempo verbale di quest'ultima:

Cotto il pollo (= non appena fu cotto il pollo), andammo a tavola. Dov'è il disco *portato* (= che è stato portato) da Gianni? *Avendo perso* le chiavi, non so come rientrare in casa. Subirà un processo per *aver emesso* assegni a vuoto.

5

Il discorso diretto e indiretto

Per riferire in un testo, parlato o scritto, le parole pronunciate da qualcuno, si possono usare due tecniche espressive: il **discorso diretto** e il **discorso indiretto**. La narrativa moderna, poi, ha adottato un'altra tecnica: quella del **discorso indiretto libero**.

1. Il discorso diretto

Il discorso diretto riporta direttamente le parole di chi parla, così come sono state pronunciate:

> L'uomo allora disse: «*Sono stanco e preferisco andare a letto subito*».

Dal punto di vista sintattico, quindi, il discorso diretto costituisce un testo in sé concluso e autonomo, articolato in uno o più periodi, costituito da proposizioni indipendenti (enunciative, interrogative, imperative, esclamative e simili) accompagnate o meno da coordinate e/o subordinate.

Dal punto di vista espositivo, il discorso diretto costituisce il modo più semplice e nello stesso tempo più oggettivo di riferire, in un testo, le parole altrui. Con la tecnica del discorso diretto, infatti, chi racconta degli avvenimenti introduce in primo piano la voce della persona che parla: egli assume il ruolo di un semplice testimone che si limita a citare esattamente le parole della persona in questione, lasciando a lei la responsabilità di ciò che dice.

Per questo, perché sia chiaro che le parole riportate sono proprio quelle pronunciate da chi parla, esse sono sempre introdotte da due punti / : / e chiuse tra virgolette alte / “ ” / o basse / « » /:

L’uomo allora chiese: «Scusi, dov’è piazza San Carlo?».

Talvolta, invece delle virgolette, l’inizio del discorso diretto è segnalato, dopo i due punti, da una lineetta / – /:

L’uomo allora chiese: – Scusi, dov’è piazza San Carlo?

Il verbo dichiarativo (*dire*, *esclamare*, *domandare*, *ribattere*, *rispondere* ecc.) o volitivo (*ordinare*, *vietare* ecc.) che ha la funzione di “introdurre” il discorso diretto ha, nel testo, posizione variabile a seconda delle esigenze espressive di chi racconta:

Paolo allora chiese: «*Scusi, dov’è piazza San Carlo?*».
Paolo allora chiese: – *Scusi, dov’è piazza San Carlo?*
«*Scusi, dov’è piazza San Carlo?*» chiese allora Paolo.
– *Scusi, dov’è piazza San Carlo?* – chiese allora Paolo.
«*Scusi,*» domandò allora Paolo «*dov’è piazza San Carlo?*»
«*Scusi*, – domandò allora Paolo – *dov’è piazza San Carlo?*»

Di tutti questi modi di trascrivere il discorso diretto accompagnato da un verbo, i più corretti sono il primo, il terzo e il quinto, rispettivamente per i casi in cui il discorso diretto segue il verbo dichiarativo, lo precede o si fa interrompere da esso.

Nelle battute di dialogo, il discorso diretto è scandito, battuta per battuta, dall’a capo:

– Chi esce con me stasera?
– Io!

2. Il discorso indiretto

Il discorso indiretto riporta le parole altrui facendole riferire da un narratore, il quale non cita le parole ma le riformula in una proposizione subordinata retta da un verbo **dichiarativo** come *dire*, *domandare*, *rispondere*, *ribattere* o da un verbo **volitivo** come *ordinare*, *intimare*, *ingiungere*, *prescrivere*, *comandare* ecc.:

L’uomo allora disse *che era stanco e che preferiva andare a letto subito*.

Nel discorso indiretto, dunque, chi riferisce un discorso inserisce le parole altrui all'interno della propria narrazione: non interrompe la sua esposizione per fare parlare direttamente l'interessato e spesso sintetizza opportunamente le cose che sono state dette.

Dal punto di vista sintattico, il **discorso indiretto** appartiene alla categoria delle **proposizioni subordinate**. Non rappresenta una categoria a sé stante di subordinata ma può essere un'oggettiva o una dichiarativa, un'interrogativa indiretta, una finale o una causale e può a sua volta reggere altre subordinate:

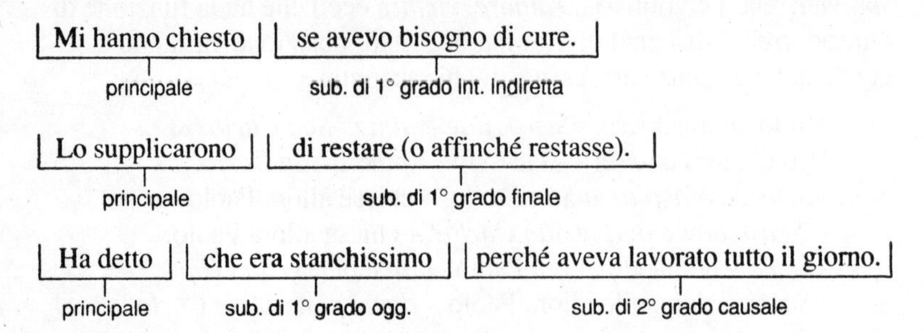

Come si vede, il discorso indiretto dipende, come quello diretto, da un verbo dichiarativo come *dire*, *domandare*, *rispondere*, *ribattere*, *ordinare* e simili, ma, diversamente da quello diretto, non viene evidenziato da particolari segni di interpunzione.

2.1. Il passaggio dal discorso diretto al discorso indiretto

Il passaggio dal discorso diretto al discorso indiretto è sempre possibile e avviene secondo meccanismi sintattici tanto precisi quanto facili giacché vengono utilizzati comunemente dai parlanti senza troppi inconvenienti.

I mutamenti che intervengono in tale passaggio sono dovuti essenzialmente al passaggio del periodo dalla condizione di struttura autonoma indipendente a quella di struttura subordinata e al cambiamento della prospettiva determinata dal cambiamento del soggetto, e riguardano i modi, i tempi e le persone dei verbi, i pronomi personali, gli aggettivi e i pronomi possessivi e dimostrativi e gli avverbi di luogo e di tempo.

2.1.1. I MODI E I TEMPI VERBALI

Se il verbo che introduce il discorso diretto è al presente, al futuro o al passato prossimo con valore di presente, il passaggio al discorso indiretto non comporta mutamento nei tempi dei verbi:

DISCORSO DIRETTO		DISCORSO INDIRETTO
Antonio dice: «Non è vero».	→	Antonio dice che non è vero.
Antonio ha detto: «Non è vero».	→	Antonio ha detto che non è vero.
Antonio dirà: «Non è vero».	→	Antonio dirà che non è vero.

Se il verbo che introduce il discorso diretto è un tempo del passato, la trasformazione in discorso indiretto rende necessario modificare i tempi del verbo (e in un caso anche del modo). In particolare:

se nel discorso diretto c'è un indicativo presente:		nel discorso indiretto si avrà un indicativo imperfetto:
Paolo disse: «*Sono stanco*».	→	Paolo disse *che era stanco.*
se nel discorso diretto c'è un indicativo passato prossimo, passato remoto o trapassato prossimo:		nel discorso indiretto si avrà un indicativo trapassato prossimo:
Paolo disse: «*Ho sbagliato*».	→	Paolo disse *che aveva sbagliato.*
se nel discorso diretto c'è un indicativo futuro:		nel discorso indiretto si avrà un condizionale passato:
Paolo disse: «*Mi impegnerò con tutte le mie forze*».	→	Paolo disse *che si sarebbe impegnato con tutte le sue forze.*

In tutti questi casi, cioè in tutti i casi in cui il discorso diretto si trasforma in una subordinata oggettiva, se c'è identità di soggetto tra reggente e subordinata e se il valore semantico del verbo della reggente lo permette, si può ricorrere anche alla costruzione **implicita**, che richiede la preposizione *di* seguita dall'*infinito*, al presente per indicare un fatto contemporaneo a quanto si dice nella reggente, e al passato per indicare un fatto anteriore:

Paolo dice: «*Sono stanco*».	→	Paolo dice *di essere stanco.*

Paolo disse: «*Ho sbagliato*».	→	Paolo disse *di avere sbagliato*.

Se il discorso diretto è costituito da un comando espresso con il modo imperativo, nel discorso indiretto si avrà un congiuntivo presente o imperfetto, a seconda che il verbo della reggente sia al presente o al passato:

L'insegnante grida ai ragazzi: «*Tacete!*».	→	L'insegnante grida ai ragazzi *che tacciano*.
L'insegnante ci ordinò: «*Tacete*».	→	L'insegnante ci ordinò *che tacessimo*.

In questi casi, però, è molto più frequente la costruzione implicita con l'infinito presente preceduto dalle preposizioni *di* o *a*, costruzione che richiede che sia espressa la persona cui è rivolto il comando: "L'insegnante grida ai ragazzi *di tacere*"; "L'insegnante ci gridò *di tacere*".

Se il discorso diretto è costituito da una domanda, il passaggio al discorso indiretto comporta spesso, almeno nei testi di livello non familiare-colloquiale, oltre al cambiamento dei tempi, anche la sostituzione dell'indicativo con il congiuntivo:

Forse chiederai: «*Chi è costui?*».	→	Forse chiederai *chi sia costui*.
Anna mi chiede: «*Dov'è Antonio?*».	→	Anna mi chiede *dove sia Antonio*.
Anna mi chiese: «*Dov'è Antonio?*».	→	Anna mi chiese *dove fosse Antonio*.
Anna mi chiede: «*Dov'è andata Paola ieri sera?*».	→	Anna mi chiede *dove sia andata Paola ieri sera*.
Un passante mi chiese: «*Dov'è via Mazzini?*».	→	Un passante mi chiese *dove fosse via Mazzini*.
Luca mi ha chiesto: «*Carlo mentiva?*».	→	Luca mi ha chiesto *se Carlo avesse mentito*.

2.1.2. LE PERSONE VERBALI, GLI AGGETTIVI E I PRONOMI POSSESSIVI

Nel passaggio dal discorso diretto al discorso indiretto, mutano anche le persone dei verbi, gli aggettivi e i pronomi personali. In particolare i verbi di 1ª e 2ª persona singolare e plurale diventano di 3ª persona, singolare o plurale, se il verbo della reggente è di 3ª persona:

Paolo ha ammesso: «*Sono stanco*».	→	Paolo ha ammesso *che era stanco.*
Gianni e Luisa annunciarono: «*Partiremo domani*».	→	Gianni e Luisa annunciarono *che sarebbero partiti l'indomani.*

Se, invece, il verbo della reggente non è alla 3ª persona, la persona del verbo del discorso indiretto resta uguale a quella del discorso diretto:

Io allora ho detto: «*Parto subito*».	→	Io allora ho detto *che partivo subito.*

Paralleli al mutamento della persona del verbo sono i mutamenti dei pronomi personali e degli eventuali aggettivi e pronomi possessivi:

Luca dice: «*Il mio motorino è rotto*».	→	Luca dice *che il suo motorino è rotto.*
Luca disse: «*Mi è capitata una bella fortuna*».	→	Luca disse *che gli era capitata una bella fortuna.*

Il mutamento dei pronomi personali e degli aggettivi e pronomi possessivi è necessario anche se il discorso indiretto presenta la forma implicita:

Lea dice sempre: «*Sono molto affezionata al mio cane*».	→	Lea dice sempre *di essere molto affezionata al suo cane.*

2.1.3. GLI AGGETTIVI DIMOSTRATIVI E GLI AVVERBI DI TEMPO E DI LUOGO

Nel passaggio dal discorso diretto al discorso indiretto, gli aggettivi dimostrativi e gli avverbi di luogo e di tempo che servono a indicare ciò che è vicino al soggetto, nello spazio e nel tempo, devono essere sostituiti con i corrispondenti aggettivi, avverbi e locuzioni avverbiali che indicano lontananza:

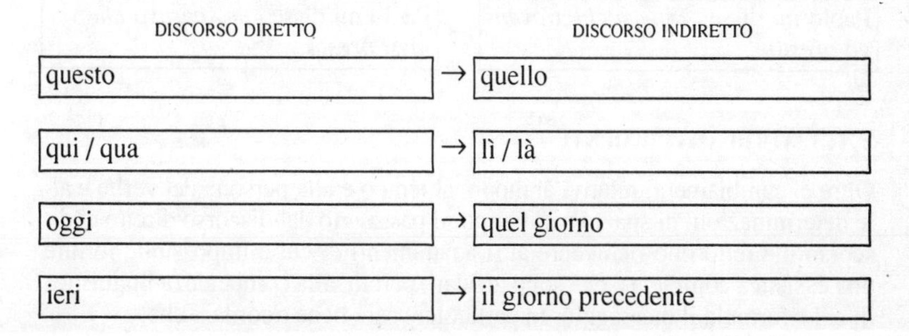

DISCORSO DIRETTO		DISCORSO INDIRETTO
questo	→	quello
qui / qua	→	lì / là
oggi	→	quel giorno
ieri	→	il giorno precedente

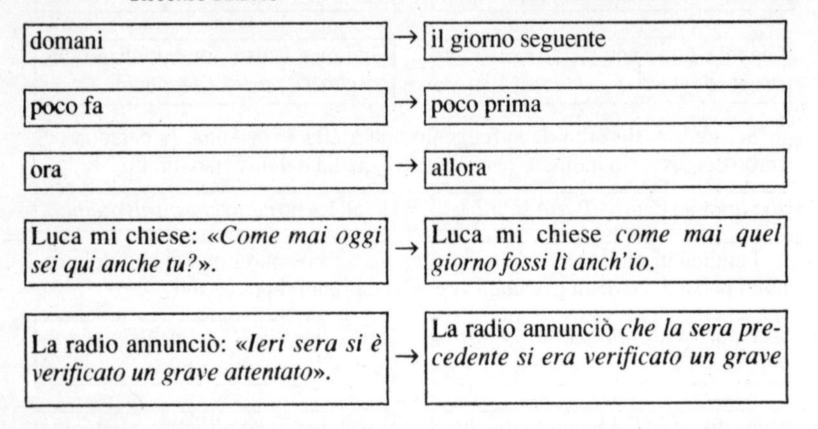

DISCORSO DIRETTO		DISCORSO INDIRETTO
domani	→	il giorno seguente
poco fa	→	poco prima
ora	→	allora
Luca mi chiese: «*Come mai oggi sei qui anche tu?*».	→	Luca mi chiese *come mai quel giorno fossi lì anch'io.*
La radio annunciò: «*Ieri sera si è verificato un grave attentato*».	→	La radio annunciò *che la sera precedente si era verificato un grave*

Il cambiamento, però, non si verifica se il discorso indiretto è introdotto da un tempo al presente:

Laura dice: «*Questo gelato non mi piace*».	→	Laura dice *che questo gelato non le piace.*

2.1.4. LE PROPOSIZIONI SUBORDINATE

Nel passaggio dal discorso diretto al discorso indiretto, le proposizioni già subordinate nel discorso diretto rimangono invariate se sono implicite:

Paolo mi disse: «*Spero di vederti presto*».	→	Paolo mi disse *che sperava di vedermi presto.*

Se invece nel discorso diretto sono esplicite, nel discorso indiretto conservano il loro modo ma mutano il tempo:

Paolo mi disse: «*Spero che tu venga presto*».	→	Paolo mi disse *che sperava che venissi presto.*

2.1.5. ALTRI ADATTAMENTI

Oltre ai cambiamenti relativi al modo, al tempo e alla persona del verbo e alle determinazioni di spazio e di tempo, il passaggio dal discorso diretto al discorso indiretto può richiedere altri adattamenti di cui è impossibile fornire una casistica completa e che sono affidati, perciò, alla competenza linguistica di chi riformula il messaggio. In particolare sarà bene ricordare che:

– alcune espressioni sono tipiche del parlato e devono perciò essere rese in altro modo nel discorso indiretto:

Mario esclamò: «Ma guarda chi si vede!». → Mario disse che era molto stupito di incontrarlo.

– talune espressioni, specialmente di tipo esclamativo o esortativo, non possono essere trasformate in discorso indiretto senza rivoluzionare completamente la struttura e anche il senso dell'enunciato o, per lo meno, senza fargli perdere tutta la sua immediatezza:

«Forza Inter!» → Il pubblico gridava incitando i giocatori dell'Inter a mettercela tutta.
«Eccomi qua!» → L'uomo arrivò all'improvviso e si presentò ai parenti facendoli trasalire.

– talvolta è necessario modificare o inserire il verbo della reggente:

... e Mario di rimando: «Siete voi i bugiardi!». → Mario ribatté che erano loro i bugiardi.

3. Il discorso indiretto libero

Per riferire in un testo le parole pronunciate da qualcuno, oltre al discorso diretto e al discorso indiretto, esiste un terzo modo: il cosiddetto **discorso indiretto libero**. Esso consiste nel riferire le parole di chi parla in modo diretto e oggettivo, ma senza adoperare verbi dichiarativi che le introducano e congiunzioni subordinanti:

"*L'uomo si sentiva tranquillo e non lo tacque: aveva o non aveva fatto tutto quello che poteva fare? Ora il suo compito era finito e poteva tornarsene tranquillamente a casa. Qualcuno di noi voleva seguirlo? Per lui non c'erano problemi. Prendessimo, dunque, le nostre cose e, salutati gli amici, ci mettessimo in cammino*".

Questo procedimento espressivo che fonde insieme talune caratteristiche del discorso diretto e del discorso indiretto **permette di evitare la pesantezza delle subordinazioni** che sono tipiche del discorso indiretto, perché pone in primo piano le parole di chi parla senza interrompere con le battute del discorso diretto la continuità narrativo-descrittiva del testo. Usato per la sua immediatezza e la sua oggettività dal romanziere verista Giovanni Verga e, con intendimenti diversi, da Italo Svevo e da Luigi Pirandello, il discorso indiretto libero è una caratteristica peculiare della narrativa moderna.

La forma e il significato delle parole: lessico e semantica

La lingua italiana, come tutte le lingue, è fatta di **parole**, cioè di segni linguistici che, come tutti i segni, hanno una **forma**, cioè un **significante**, e un **significato**.

Della **forma** delle parole si occupa la **lessicologia** (dal greco *légein*, 'dire, parlare', e *lógos*, 'studio, trattazione').

Del **significato** delle parole, invece, si occupa la **semantica** (dal greco *semáinein*, 'significare').

1

Le parole e la loro forma

La **forma** (o **significante**) delle **parole** è la parte materiale e concreta, quella che è percepibile attraverso i sensi e che ha la funzione di significare, cioè di esprimere qualcosa. Essa non è separabile dal significato, cioè da ciò che la parola esprime. Analizzare la **forma delle parole** è importante e utile per capire come esse sono fatte, come si formano e come, tutte insieme, vanno a costituire il **lessico** della nostra lingua. Nel capitolo seguente, poi, analizziamo l'altra *parte* delle parole, quella concettuale: il **significato**.

1. La struttura delle parole: radice e desinenza

Le **parole** sono le **unità di base della lingua**, cioè i più piccoli elementi linguistici dotati di significato autonomo:

ragazzo gatta albero

Tutte le parole, come sappiamo, possono essere scomposte in **sillabe** e in **fonemi**:

ragazzo → *ra-gaz-zo* → *r-a-g-a-z-z-o*
gatta → *gat-ta* → *g-a-t-t-a*
albero → *al-be-ro* → *a-l-b-e-r-o*

I "pezzi" così ottenuti sono del tutto privi di significato: sono semplici fonemi, cioè semplici suoni o, nella lingua scritta, semplici grafemi, cioè semplici lettere. Però, la maggior parte delle parole – quelle cosiddette **variabili**[1] –, oltre che in sillabe e in fonemi, può essere **divisa in parti** che, pur non potendo essere usate separatamente, hanno ciascuna un proprio significato e sono quindi in grado di trasmettere determinate informazioni. Le parti di cui le parole sono formate e che costituiscono altrettante **sotto-unità linguistiche dotate di significato** si chiamano **morfemi** (dal greco *morphé*, 'forma') e a seconda della funzione che svolgono nella frase si distinguono in:

• **morfemi lessicali** o **radici**, quelli che esprimono il valore semantico delle parole, cioè il loro significato;

• **morfemi morfologici** o **desinenze**, quelli che indicano le caratteristiche morfologiche o grammaticali delle parole, cioè il numero e il genere nei nomi e negli aggettivi e il modo, il tempo, la persona e il numero nei verbi:

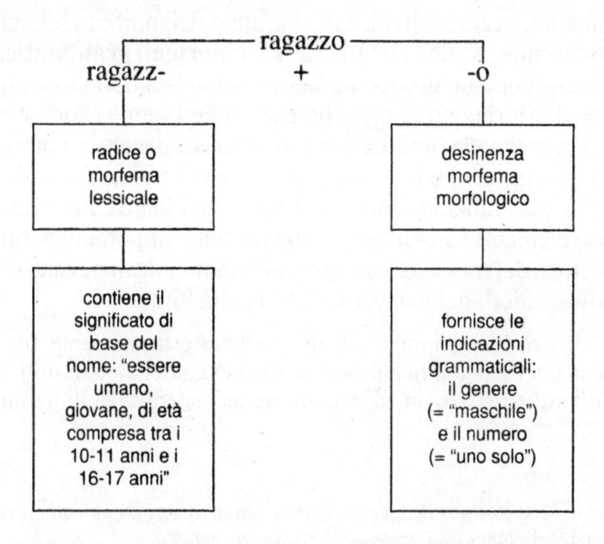

La **radice**, in quanto portatrice del significato di base delle parole,

[1] Dal punto di vista della forma le **parole** sono tradizionalmente distinte in **variabili** e **invariabili**. Le parole **variabili** sono quelle che presentano, oltre alla radice (o morfema lessicale) una desinenza (o morfema morfologico) variabile, per indicare le caratteristiche morfologiche (singolare, plurale, maschile ecc.): è il caso di parole come i nomi (*ragazzo*, *ragazza*, *ragazzi*, *ragazze*; *paese*, *paesi*), gli articoli (*lo*, *la*, *le*), gli ag-

rimane fissa. La **desinenza**, in quanto portatrice delle informazioni di carattere grammaticale, varia per indicare, volta per volta, il genere e il numero della parola:

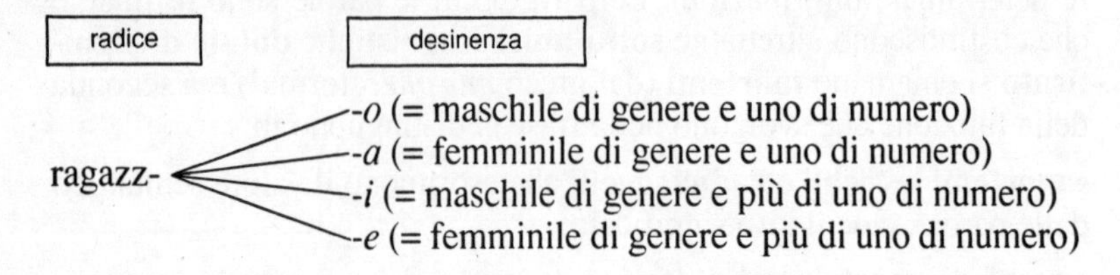

I morfemi lessicali sono in numero praticamente infinito. Sono infatti tanti quante sono in una lingua le parole-base, cioè quelle non derivate da altre parole. Inoltre, poiché continuamente nascono nuove parole mentre altre cadono in disuso, il gruppo dei morfemi lessicali è in continuo divenire, come la lingua stessa. I **morfemi grammaticali**, invece, costituiscono un gruppo numericamente ben definito e piuttosto stabile. Nella storia della lingua italiana, infatti, non si sono registrati molti mutamenti nelle desinenze che indicano il genere e il numero dei nomi e degli aggettivi o il modo, il tempo e le persone dei verbi: anzi, per la loro stessa funzione che è quella di individuare e indicare in modo preciso elementi variabili morfologicamente importanti ai fini della comprensione del messaggio, i morfemi grammaticali devono essere il più possibile ridotti nel numero e stabili nella forma.

Tra l'altro, i morfemi grammaticali risultano estremamente funzionali all'economia del sistema linguistico, in quanto consentono di utilizzare un numero ridotto e fisso, e quindi facilmente memorizzabile, di terminazioni

gettivi (*bello*, *bella*, *belli*, *belle*; *questo*, *questa*, *questi*, *queste*), i pronomi (*esso*, *essa*, *essi*, *esse*) e i verbi (*amo*, *ami*, *ama*, *amiamo*, *amate*, *amano*).
Le parole **invariabili**, invece, sono quelle che, essendo prive di desinenza, non mutano mai la loro forma: è il caso degli avverbi (*bene*, *oggi*, *qui*), delle preposizioni (*con*, *sopra*, *sotto*), delle congiunzioni (*e*, *o*, *perché*, *affinché*) e delle interiezioni (*oh*, *ehi*), che di fatto appartengono tutte alle cosiddette parti invariabili del discorso.
Anche tra i nomi, gli aggettivi e i pronomi che, invece, costituiscono le cosiddette parti variabili del discorso, ci sono parole invariabili, perché prive di desinenza: è il caso di nomi come *libertà*, *bar*, *gru*, *città*, di aggettivi come *blu*, *marrone* e di pronomi come *ogni*, *chiunque*, *niente*. Le parole invariabili, naturalmente, non possono essere divise in radice e desinenza.

per indicare le variabili (genere, numero, modo, tempo, persona) di un numero infinito di nomi, aggettivi e verbi. Così, il morfema grammaticale **-i** permette di formare il plurale di moltissimi nomi e aggettivi per lo più maschili:

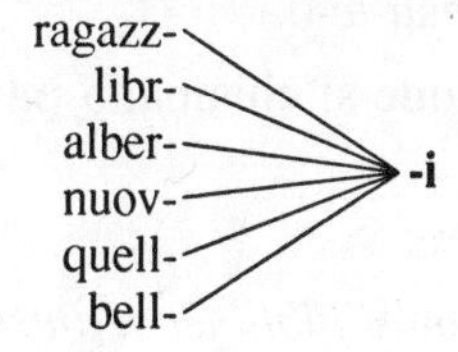

Di converso, proprio per questa caratteristica dei morfemi grammaticali, uno stesso morfema lessicale può essere utilizzato per indicare singolare e plurale, maschile (singolare e plurale) e femminile (singolare e plurale):

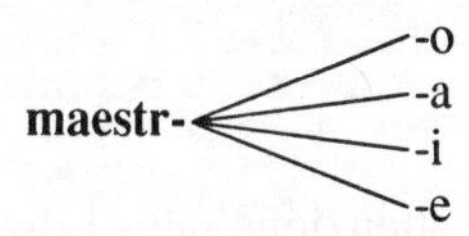

e, nel caso dei verbi, tempi, modi e persone differenti:

mand- — -assero (3ª pers. plur. cong. imperfetto)
— -o (1ª pers. sing. indic. presente)
— -ando (gerundio presente)

Le parole formate solo dalla radice e dalla desinenza si chiamano **parole primitive**, perché non derivano da nessun'altra parola della lingua di cui fanno parte:

ragazz-o, *fior-e*, *dorm-ire*

2. La formazione delle parole

Le parole **primitive** – formate solo da radice e desinenza – costituiscono il nucleo originario della nostra lingua e sono il punto di partenza per la **formazione di nuove parole.**

La formazione di nuove parole avviene in due modi: per **derivazione** e per **composizione.**

Le parole formate **mediante derivazione** si chiamano **parole derivate**. Esse si ottengono mediante l'aggiunta alla radice della parola base di un **morfema modificante** o **affisso** che può essere:

- un **suffisso**, se è posto dopo la radice: forn-*ai*-o;
- un **prefisso**, se è posto davanti alla radice: *pre*-not-are;
- un **suffisso** e un **prefisso** insieme: *trans*-ocean-*ic*-o.

Le parole formate **mediante composizione** si chiamano **parole composte**. Esse possono essere:

- **parole composte** vere e proprie: *portalettere*;
- **parole composte** con **prefissoidi** o **suffissoidi**: *biblioteca*, *antropologico*;
- **conglomerati**: *dormiveglia*;
- **"parole-frase"**: *guerra lampo*;
- **"parole-macedonia"**: *fantascienza*;
- **unità lessicali**: *ferro da stiro*.

Nei paragrafi seguenti, analizzeremo con attenzione questi diversi modi di formare le parole. La derivazione e la composizione, però, pur essendo indubbiamente quelli più usuali e proficui, non sono gli unici processi linguistici che continuamente arricchiscono di nuovi elementi il lessico della nostra lingua. Accanto ad essi, infatti, agiscono altri processi, come il **prestito** e il **calco** dalle lingue straniere, il **passaggio di parole dai dialetti e dai gerghi** alla lingua, la creazione di parole attraverso la **promozione di sigle a nomi** e l'**onomatopea**.

3. La formazione delle parole per derivazione

La derivazione mediante l'aggiunta di *affissi* (**suffissi** e **prefissi**) è il procedimento più diffuso e più produttivo per la formazione delle parole, perché consente di costruire con poca fatica parole nuove. Infatti, con questa particolare tecnica di "montaggio", da parole già note se ne possono formare innumerevoli altre che ne costituiscono la "famiglia" e che vanno ad ampliare il patrimonio lessicale della lingua.

3.1. La derivazione mediante suffissi

La derivazione mediante suffissi[2] (o *suffissazione*) consiste nell'aggiunta di particolari morfemi modificanti – detti appunto **suffissi** – dopo la radice di una parola:

libr-o → libr- *eri-* -a = *libreria*
radice suffisso desinenza

bell-o → bell- *-ezz-* -a = *bellezza*
radice suffisso desinenza

Come risulta dagli esempi, la derivazione mediante suffissi **dà origine a una parola nuova che ha un significato diverso** dalla parola-base, anche se continua ad appartenere alla stessa famiglia, cioè a muoversi nello stesso ambito di significato:

libro → libreria = *luogo dove sono custoditi i libri.*

La derivazione mediante suffissi riguarda **nomi**, **aggettivi** e **verbi** e produce sia parole che appartengono alla stessa categoria grammaticale della parola di partenza sia parole che appartengono a una categoria diversa. Infatti:

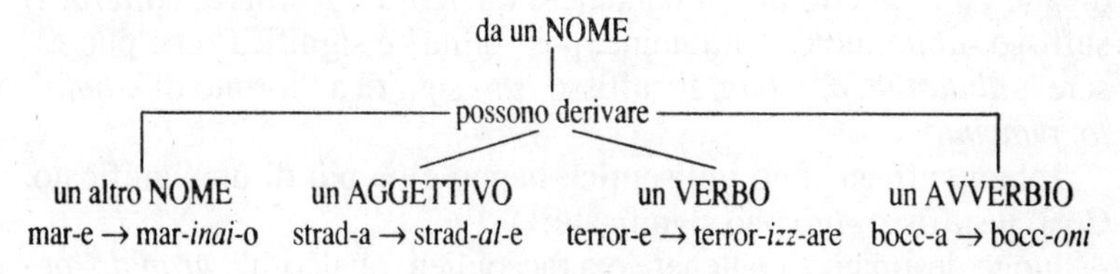

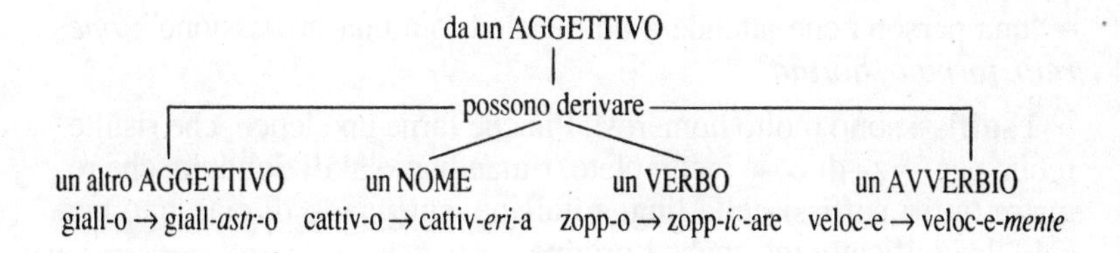

[2] Il termine "suffisso" deriva dal latino *suffixu(m)*, 'cosa appena sotto' (da *figere*, 'appendere', e *sub*, 'sotto'). Il suffisso, infatti, è una particella che si aggiunge alla fine del morfema lessicale o radice di una parola.

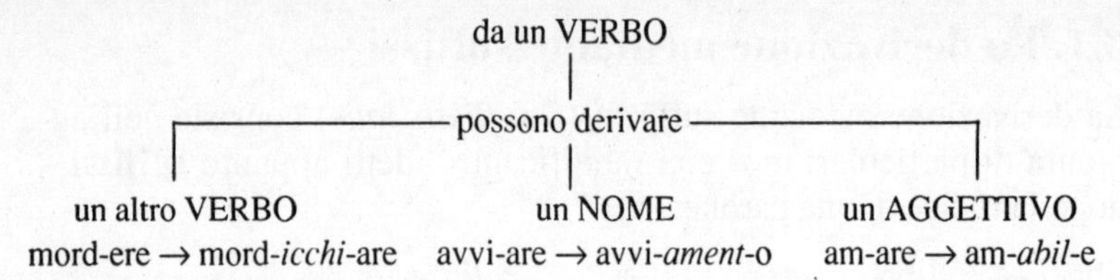

Le parole derivanti per suffissazioni da un nome si chiamano *denominali*, quelle derivanti da un aggettivo *deaggettivali* e quelle derivanti da un verbo si chiamano *deverbali*.

I suffissi, invece, si distinguono in:

- suffissi *nominali*, se producono nome: *-aio*, *-ismo*, *-ista*, *-ore* ecc.
- suffissi *aggettivali*, se producono aggettivo: *-abile*, *-esco*, *-ico*, *-oso* ecc.
- suffissi *verbali*, se producono verbo: *-izz-are*, *-aggi-are* ecc.
- suffissi *avverbiali*, se producono avverbio: *-mente*, *-oni* ecc.

I suffissi, pur non avendo di per sé un valore autonomo, sono portatori ciascuno di un **particolare significato**. Così, il suffisso *-aglia* esprime l'idea di "insieme di" (per lo più in senso spregiativo): *anticaglia*, *gentaglia*. Il suffisso *-iera*, invece, forma nomi derivati che indicano "un oggetto atto a contenere qualcosa": *fruttiera*, *saliera*. Il suffisso *-abile* indica "attitudine, possibilità" e significa "che può essere": *abitabile*, *amabile*. Il suffisso *-uto* significa "fornito di": *baffuto*, *panciuto*.

Taluni suffissi sono **polisemici**, hanno cioè più di un significato. Così, il suffisso *-aio* può significare:
– "luogo destinato a contenere o a raccogliere qualcosa": *granaio*, *acquaio*, *pollaio*;
– "una persona che attende a un mestiere o a una professione": *operaio*, *fornaio*, *fioraio*.

I suffissi sono molto numerosi. Più che farne un elenco, che risulterebbe per forza di cose incompleto, rimandiamo al **dizionario**, che registra tutti i suffissi della lingua italiana, spiegando di ciascuno non solo il significato, ma anche l'origine.

Alle pp. 581 e ss. diamo l'elenco dei principali suffissi attivi – cioè tutt'ora usati per formare nuove parole per derivazione – nella lingua italiana. Di ciascuno indichiamo, oltre a uno o più esempi di parole da loro derivate, il particolare significato.

Osservazioni

Origine dei suffissi. La maggior parte dei suffissi derivativi italiani continuano, con le inevitabili modificazioni, i suffissi del **latino**; alcuni derivano dal **greco** (*-ismo*, *-istico* e simili); qualcuno dal **francese** (*-iere*, *-igia*) e qualcuno dalle **lingue germaniche** (*-ingo*).

Parole che modificano la forma davanti al suffisso. Talvolta il passaggio dalla parola-base a quella derivata per suffissazione comporta delle **modificazioni del morfema lessicale.** In molti casi ciò succede perché il derivato si forma su un tema particolare della parola-base: *accendere* → *accensione*; *opprimere* → *oppressore*; *permettere* → *permissivo*. In altri casi, invece, la differenza è dovuta al gioco del **dittongo mobile** (*cuocere* → *cottura*; *lieto* → *letizia*) o all'**alternanza tra il suono palatale e il suono velare di** *c* e *g* (sferi*co* → sferi*cità*; astrolo*go* → astrolo*gia*); talora, la necessità di conservare il suono palatale o il suono velare porta all'inserimento di una *i* o di una *h* tra morfema lessicale e suffisso: dol*ce* → dol*ciume*; imbian*care* → imbian*chino*. Spesso, la **differenza di forma** tra una parola-base, per lo più un nome, e il suo derivato, per lo più un aggettivo, è dovuta al fatto che il derivato è costruito non partendo dalla parola-base italiana ma, per via dotta, dalla corrispondente **voce latina**: è il caso di *scolastico* che è costruito sul latino *schola* e non sull'italiano *scuola*; di *magistrale*, costruito sul latino *magister* e non su *maestro*; di *floreale*, costruito su *florem* e non su *fiore*. Talora la differenza tra nome-base e aggettivo derivato è totale e solo la conoscenza del latino o del greco può permettere di stabilire le ragioni vere del rapporto di significato che lega le due parole: è il caso degli aggettivi *equino*, *equestre* e *ippico* che sono tutti e tre riconducibili al 'cavallo' come significato, ma sono derivati per suffissazione dal latino *equus*, 'cavallo' e dal greco *híppos*, 'cavallo'; l'italiano *cavallo*, per altro, ha prodotto da parte sua i derivati *cavallino* e *cavalleresco* e i vari aggettivi si sono specializzati ciascuno in un'accezione particolare: "statua *equestre*"; "razza *equina*"; "concorso *ippico*"; "muso *cavallino*"; "comportamento *cavalleresco*". Si veda anche il caso dell'aggettivo *orale* che deriva dal latino *orem*, 'bocca', e dell'aggettivo *urbano* che deriva dal latino *urbem*, 'città'.

Parole con più suffissi. A una parola-base si possono aggiungere **più suffissi**, o meglio, a una parola già derivata per suffissazione da una parola-base si può aggiungere un altro suffisso, e poi un altro ancora e così via. Ad esempio da *carta* si ha *cart-ello*; da *cartello* si ha *cart-ell-one*; da *cartellone* si ha *cart-ell-on-ista*; da *cartellonista*, *cart-ell-on-ist-ica*.

Derivazione senza suffisso o a "suffisso zero". Alcuni nomi derivano da verbi senza l'ausilio di alcun suffisso (**deverbali a "suffisso zero"**), attraverso la semplice sostituzione della desinenza dell'infinito con la desinenza *-o* (*-a*, per il femminile): *domandare* → *domanda*; *arrestare* → *arresto*; *guidare*

→ *guida*; *guadagnare* → *guadagno*; *derogare* → *deroga*; *trafficare* → *traffico*; *realizzare* → *realizzo*. In taluni casi la derivazione a "suffisso zero" ha soppiantato la derivazione con il suffisso *-azione* o *-amento* o ha dato vita a nomi che hanno un significato diverso rispetto a tali derivati: così, da *deliberare*, *delibera* ha sostituito *deliberazione* e, da *modificare*, *modifica* sta sostituendo *modificazione*; invece, da *gratificare*, *gratifica* si è affiancato, con un significato diverso, a *gratificazione* e, da *avviare*, *avvio* coesiste, con un significato diverso, con *avviamento*. Naturalmente, non è sempre facile distinguere quando si ha a che fare con un nome derivato con "suffisso zero" da un verbo, come negli esempi qui citati, e quando invece è il verbo a derivare dal nome, come nel caso di *popolare* che deriva da *popolo*. Derivati a **"suffisso zero"** possono essere considerati anche i nomi che derivano da aggettivi o participi sostantivati mediante l'articolo (*il bello*, *l'amante*, *il fabbricante*, *la finale* e simili) e i nomi che derivano da avverbi sempre per sostantivazione mediante l'articolo (*il bene*, *il male*, *l'oggi*, *il domani* ecc.).

I suffissi dei nomi degli abitanti di città. I suffissi con cui si formano i nomi degli abitanti di città sono molto vari: *-ini*, *-ani*, *-esi*, *-àschi* ecc. Ma nella derivazione dai nomi di città non c'è soltanto un problema di suffissi: spesso, anzi, il problema più grave è costituito dal fatto che, nella formazione dei nomi degli abitanti, muta perfino il nome della città! Come si chiamano infatti gli abitanti di Ivrea? E quelli di Chieti? Quelli di Ivrea si chiamano "eporediesi" e quelli di Chieti "teatini". La differenza tra il nome della città e quello dei suoi abitanti, come si vede, appare enorme, ma la cosa ha una sua ragion d'essere che va rintracciata nella storia della lingua. Infatti, anticamente, Ivrea e Chieti si chiamavano rispettivamente, in latino, *Eporedia* e *Teate* e i loro abitanti si chiamavano, sempre in latino, regolarmente *Eporedienses* e *Teatini*. Poi, però, i nomi delle due città, evolvendo sulla bocca dei parlanti che li usavano, si sono lentamente trasformati fino a diventare gli attuali Ivrea e Chieti. I nomi degli abitanti, invece, sono giunti a noi per via dotta – sono cioè il frutto di un recupero linguistico – e si sono conservati vicino al latino, mantenendo, con mutamenti minimi, la forma originaria: "eporediesi" e "teatini".

Ecco l'elenco dei nomi di abitanti che maggiormente differiscono dai nomi della relativa città:

CITTÀ	ABITANTI	CITTÀ	ABITANTI
Abano	*apontini*	Asti	*astigiani*
Aosta	*aostani*	Benevento	*beneventani*
Arezzo	*aretini*	Bergamo	*bergamaschi*
Assisi	*assisiati*	Bolzano	*bolzanini*

CITTÀ	ABITANTI	CITTA	ABITANTI
Bra	*braidensi*	Pantelleria	*panteschi*
Brindisi	*brindisini*	Parma	*parmensi*
Caltanissetta	*nisseni*		(o *parmigiani*)
Catania	*catanesi*	Pavia	*pavesi*
Chieti	*teatini*	Perugia	*perugini*
Chioggia	*chioggiotti*	Piacenza	*piacentini*
Città di Castello	*tifernati*	Poggibonsi	*bonizesi*
Como	*comaschi*	Potenza	*potentini*
Cosenza	*cosentini*	Ragusa	*ragusani*
Crema	*cremaschi*	Ravenna	*ravennati*
Cuneo	*cuneesi*		(o *ravegnani*)
Domodossola	*domesi*	Reggio Calabria	*reggini*
Firenze	*fiorentini*	Reggio Emilia	*reggiani*
Forlì	*forlivesi*	Rho	*rhodensi*
Grosseto	*grossetani*	Rieti	*reatini*
Gubbio	*eugubini*	Rovigo	*rodigini*
Iesi	*iesini*		(o *rovigotti*)
Imperia	*imperiesi*	Salerno	*salernitani*
Ischia	*ischitani*	Schio	*schediensi*
Ivrea	*eporediesi*		(o *sclediensi*)
La Spezia	*spezzini*	Susa	*segusini*
Lecce	*leccesi*	Taranto	*tarentini*
Lecco	*lecchesi*	Tivoli	*tiburtini*
Macerata	*maceratesi*	Todi	*tudertini*
Massa	*massetani*		(o *todini*)
Modena	*modenesi*	Treviso	*trevigiani*
Mondovì	*monregalesi*	Verona	*veronesi*
Oderzo	*opitergini*	Viareggio	*viareggini*
Padova	*padovani*	Vicenza	*vicentini*
	(o *patavini*)		

Naturalmente, se non si conosce il nome esatto degli abitanti di una città e non si ha a disposizione un vocabolario o un'enciclopedia, niente impedisce di dire o di scrivere *gli abitanti di Chieti*, *gli abitanti di Tivoli* e così via.

3.1.1. UN TIPO PARTICOLARE DI DERIVAZIONE MEDIANTE SUFFISSI: L'ALTERAZIONE

L'aggiunta di un suffisso a una parola produce, di norma, la formazione di un derivato, cioè di una parola che, pur rimanendo in qualche modo collegata sul piano semantico alla parola-base, ha un significato differente rispetto ad essa e, spesso, appartiene addirittura a una categoria grammaticale diversa. Invece, esistono alcuni **suffissi** che:

• non modificano sostanzialmente il significato della parola-base, ma si limitano ad **"alterarlo"** portandolo a esprimere differenti sfumature di tipo affettivo-valutativo:

libr-o	libr-*iccin*-o = un piccolo libro
	libr-*ett*-o = un libro piccolo e grazioso
	libr-*on*-e = un libro grande e pesante
	libr-*acci*-o = un libro brutto o immorale

• formano parole che continuano ad appartenere alla categoria grammaticale della parola-base perché la trasformazione della parola-base si può avere solo all'interno della stessa categoria di parole secondo gli schemi:

N (*libro*) → N (*libretto*)
A (*furbo*) → A (*furbacchione*)
V (*fischiare*) → V (*fischiettare*)
AVV (*bene*) → AVV (*benino*)

I suffissi di questo tipo si chiamano **suffissi alterativi** e le parole formate con essi si chiamano **parole alterate**. A seconda della **sfumatura di significato** che esprimono, poi, i suffissi alterativi e, di conseguenza, le parole che essi formano sono di quattro tipi:

• **diminutivi**: quelli che comportano l'idea di piccolezza: gatt-*in*-o;

• **vezzeggiativi**: quelli che attribuiscono al significato della parola-base un tono affettuoso: gatt-*ucc*-io;

• **accrescitivi**: quelli che comportano l'idea della grandezza: gatt-*on*-e;

• **peggiorativi** o **dispregiativi**: quelli che imprimono alla parola un senso decisamente negativo o spregiativo: gatt-*acc*-io.

Osservazioni

Parole con più suffissi alterativi. Una parola può essere alterata anche utilizzando più suffissi alterativi: giovan-*ott*-*on*-e.

L'alterazione può modificare il genere. Talvolta, l'alterazione modifica il genere della parola-base: *la tigre* → *il tigrotto*.

Gli alterati diventati indipendenti. Molti nomi alterati hanno assunto, con l'uso, un **significato proprio**, staccandosi completamente dal nome originario e il parlante non li ricorda più come parole alterate, ma come parole a pieno titolo:

canna → *cannone*; *fumo* → *fumetto*; *rosso* → *rossetto*.

I falsi alterati. Alcuni nomi, infine, presentano terminazioni simili a quelle dei nomi alterati, ma non lo sono affatto: le loro sillabe finali, infatti, non sono suffissi alterativi, ma fanno parte della radice della parola. Così il *bottone* e il *bottino* non hanno niente a che fare con la *botte*; il *postino* non è un "piccolo posto" e il *lampone* non è un "grande lampo". Questi nomi sono detti **falsi alterati**.

Il meccanismo dell'alterazione è molto fecondo e utile: non produce parole veramente nuove, perché quelle alterate non differiscono sostanzialmente per significato da quelle da cui derivano, ma contribuisce ad arricchire la lingua in quanto consente di esprimere attraverso una sola parola non solo ciò che la parola indica, ma anche la vastissima gamma di sentimenti, emozioni e opinioni che tale parola può convogliare. Però, proprio per la forte carica affettiva insita nelle parole alterate, è opportuno fare un uso piuttosto parco di forme alterate: ad esempio, l'uso continuo di diminutivi o vezzeggiativi (*musetto*, *ditino*, *nasino*, *bacino*, *bacetto*, *caramellina*, *tesorino*, *tesoruccio* e simili) rende un discorso stucchevole e insopportabile.

L'alterazione riguarda soprattutto i nomi e gli aggettivi, ma può interessare anche gli avverbi e persino i verbi. Diamo qui di seguito l'elenco dei vari suffissi alterativi distinguendoli sia a seconda che alterino un nome, un aggettivo, un verbo[3] o un avverbio sia a seconda della categoria cui appartengono: **diminutivi**, **vezzeggiativi**, **accrescitivi**, **peggiorativi** o **dispregiativi**.[4]

[3] L'alterazione del verbo mediante suffissi porta alla formazione di nuovi verbi che indicano un'attenuazione o un aumento dell'intensità dell'azione espressa dal verbo-base o a mettere in evidenza un particolare aspetto dell'azione come la ripetizione, la saltuarietà o la intermittenza.

[4] Per altre informazioni sui nomi, sugli aggettivi e sugli avverbi alterati, si veda la *Morfologia*.

SUFFISSI ALTERATIVI NOMINALI

CATEGORIA	SUFFISSO	ESEMPI	
diminutivi	***-ino/a***	tavolo	tavol***ino***
	-etto/a	libro	libr***etto***
	-ello/a	grano	gran***ello***
	-icello/a	monte	mont***icello***
	-icciolo/a	porto	port***icciolo***
vezzeggiativi	***-uccio/a***	bocca	bocc***uccia***
	-otto/a	bambino	bambin***otto***
	-acchiotto/a	orso	ors***acchiotto***
	-olo/a	figlio	figli***olo***
	-uzzo/a	labbro	labbr***uzzo***
peggiorativi	***-accio/a***	libro	libr***accio***
	-astro/a	medico	medic***astro***
	-ucolo/a	poeta	poet***ucolo***
	-azzo/a	amore	amor***azzo***
	-onzolo/a	medico	medic***onzolo***
	-uncolo/a	uomo	om***uncolo***
	-uzzo/a	via	vi***uzza***
	-iciattolo/a	fiume	fium***iciattolo***
accrescitivi	***-one/a***	libro	libr***one***
	-accione/a	uomo	om***accione***
	-acchione/a	frate	frat***acchione***

SUFFISSI ALTERATIVI AGGETTIVALI

CATEGORIA	SUFFISSO	ESEMPI	
diminutivi	***-ino*** ***-etto*** ***-ello*** ***-olino*** ***-icello*** ***-erello***	bello furbo povero magro grande vecchio	bell***ino*** furb***etto*** pover***ello*** magr***olino*** grand***icello*** vecchi***erello***
vezzeggiativi	***-uccio*** ***-otto*** ***-acchiotto***	caro pieno furbo	car***uccio*** pien***otto*** furb***acchiotto***
accrescitivi	***-one*** ***-accione*** ***-acchione***	ricco buono matto	ricc***one*** bon***accione*** matt***acchione***
peggiorativi	***-accio*** ***-astro***	vecchio giovine	vecchi***accio*** giovin***astro***
attenuativi	***-astro*** ***-iccio*** ***-occio*** ***-ognolo***	verde giallo bello amaro	verd***astro*** giall***iccio*** bell***occio*** amar***ognolo***

SUFFISSI ALTERATIVI VERBALI

CATEGORIA	SUFFISSO	ESEMPI	
diminutivi e accrescitivi (indicano alterazione, ripetizione o saltuarietà dell'azione espressa dalla radice del verbo-base)	***-acchiare*** ***-icchiare*** ***-ucchiare*** ***-erellare*** ***-ellare*** ***-ottare*** ***-uzzare***	ridere dormire mangiare giocare saltare parlare tagliare	rid***acchiare*** dorm***icchiare*** mangi***ucchiare*** gioch***erellare*** salt***ellare*** parl***ottare*** tagli***uzzare***

SUFFISSI ALTERATIVI AVVERBIALI

CATEGORIA	SUFFISSO	ESEMPI	
diminutivi	***-ino*** ***-etto*** ***-uccio***	bene poco male	ben***ino*** poch***etto*** mal***uccio***
accrescitivi	***-one***	bene	ben***one***

3.2. La derivazione mediante prefissi

La derivazione mediante prefissi[5] (o *prefissazione*) consiste nel premettere a una parola un particolare morfema modificante, detto appunto **prefisso:**

prefisso

fare { *ri-* fare / *dis-* fare / *stra-* fare

Diversamente dalla suffissazione, per lo più la **prefissazione non comporta il passaggio della parola derivata da una categoria grammaticale a un'altra.** In genere, infatti, dopo l'aggiunta del prefisso, un nome rimane nome, un aggettivo rimane aggettivo e un verbo rimane verbo:

onore (N) → *dis*onore (N);
sociale (A) → *anti*sociale (A);
fare (V) → *dis*fare (V).

Solo alcuni prefissi, come *anti-*, determinano il passaggio di categoria grammaticale delle parole prefissate rispetto alla parola-base:

incendio (*nome*) → antincendio (*aggettivo invariabile*)

[5] Il termine "prefisso" altro non è che il participio passato del verbo "prefiggere" che deriva dal latino *praefigere*, 'conficcare davanti' (da *prae*, 'davanti', e *figere*, 'attaccare, fissare'). Il prefisso, infatti, è un elemento linguistico che si pone davanti al morfema lessicale o radice di una parola per formare una nuova parola. Un significato pressoché simile il termine "prefisso" ha anche nel linguaggio delle telecomunicazioni: nella teleselezione, infatti, il prefisso è il gruppo di cifre che si deve comporre prima del numero di telefono quando si chiama un abbonato appartenente a una rete diversa.

Inoltre la prefissazione produce parole nuove che hanno **un significato diverso da quello della parola-base**, ma strettamente legato ad esso da una precisa relazione grammaticale. Ad esempio:

• i prefissi **a-** (*an-*), **in-** (*il-*, *im-*, *ir-*), **dis-** e **s- rovesciano il significato** della parola-base perché hanno valore **negativo**: *a*-morale, *an*-alfabeta, *in*-capace, *il*-legale, *im*-paziente, *ir*-responsabile, *dis*-attento, *dis*-onore, *s*-fiducia;

• i prefissi **ultra-**, **iper-**, **sur-** e **stra- amplificano il significato** della parola-base perché hanno valore **intensivo**: *ultra*-sottile, *iper*-sensibile, *sur*-gelato, *stra*-cotto;

• i prefissi **ipo-** e **sub- attenuano il significato** della parola-base perché significano "sotto" o indicano una **quantità inferiore** al normale: *ipo*-calorico, *ipo*-tensione, *sub*-sonico, *sub*-ordinato, *sub*-acqueo.

Alcuni prefissi, poi, pur avendo una forma identica, hanno origini e, quindi, **significati diversi**. Ad esempio:

• il prefisso **in-** indica *negazione* (quando deriva dal prefisso latino *in-*), come nelle parole *in*-abile, *in*-capace, *in*-esatto ecc. o *introduzione* (quando deriva dalla preposizione latina *in-*), come nelle parole *in*-fondere, *im*-mettere, *im*-portare ecc.;

• il prefisso **a-** indica *negazione* o *mancanza* (quando deriva dal prefisso greco *a-*, detto "alfa privativo"), come nelle parole *a*-fono, *a*-cefalo, *an*-alfabeta, oppure *avvicinamento* e *aggiunta* (quando deriva dalla preposizione latina *ad*), come nelle parole *ag*-giogare, *ac*-correre, *at*-tribuire;

• il prefisso **anti-** significa "contro, contrario" (quando deriva dal greco *antí*, 'contro'), come nelle parole *anti*-aereo, *anti*-economico ecc. oppure "prima di, davanti a" (quando deriva dal latino *ante*, 'davanti'), come nelle parole *anti*-camera, *ante*-porre, *ante*-guerra;

• il prefisso **bis-** significa "due volte" (quando deriva dal numerale latino *bis*, 'due volte'), come nelle parole *bis*-nonno, *bi*-settimanale, *bis*-cotto oppure ha significato *peggiorativo* (quando deriva dal prefisso latino *bis-*), come nelle parole *bis*-trattare, *bis*-lungo.

Alle pp. 587 e ss. diamo l'elenco dei vari prefissi che, ricordiamo, possono essere applicati sia a nomi sia ad aggettivi sia a verbi, dando luogo a **prefissati nominali**, **prefissati aggettivali** e **prefissati verba-**

li. Per ciascun prefisso indichiamo l'origine e il significato e forniamo uno o più esempi di parole da esso derivate.

Osservazioni

Origine dei prefissi. La maggior parte dei prefissi sono di origine **latina** o **greca**. Solo i prefissi *mis-* (*misconoscere*) e *sur-* (*surreale*) derivano dal francese. Inoltre, la maggior parte dei prefissi, pur essendo portatori, come si è visto, di un particolare significato, sono semplici elementi formativi: non hanno significato autonomo e, quindi, non possono esistere da soli. Alcuni prefissi, però, sono costituiti da parole che esistono anche come parole a sé, in quanto preposizioni (*in*, *con*, *per*, *fra*, *tra*) o avverbi (*contro*, *oltre*, *sopra* ecc.).

Alcuni prefissi modificano la loro forma. Alcuni prefissi modificano la loro forma davanti ai fonemi iniziali della parola-base o determinano una modifica del fonema iniziale per motivi eufonici, per fenomeni di assimilazione e simili: *a(d)* + *giungere* → *aggiungere*; *a(b)* + *portare* → *asportare*; *contra* + *dire* → *contraddire*; *in* + *porre* → *imporre*; *fra* + *porre* → *frapporre* ecc.

Il tipo *super* e il tipo *extra*. Nel linguaggio della pubblicità e nel linguaggio di livello familiare, alcuni **prefissi** vengono sempre più spesso usati da soli con un significato autonomo e in funzione di aggettivi o di nomi. Così, da parole come *superuomo* si è staccato il prefisso **super** che viene usato come aggettivo con il significato di "bellissimo, eccezionale": "Questo disco è *super*". Allo stesso modo da parole come *extravergine* si è staccato il prefisso **extra** che viene usato come aggettivo con il significato di "molto fine, pregiato": "È un caffè di qualità *extra*".

Il tipo *non violento*. Valore di prefisso negativo ha assunto in epoca recente l'avverbio **non** che si è rivelato molto produttivo con nomi e aggettivi. Il derivato che esso forma, talvolta, è un vero prefissato, scritto tutto di seguito: *nonsenso*. In altri casi, invece, i due elementi sono scritti staccati: *non vedente*, *non belligeranza*, *non intervento*, *non violento*. Si veda anche l'anglismo *non stop*.

Nomi prefissati o nomi composti? Poiché molti prefissi derivano da preposizioni o avverbi, non è agevole, talvolta, distinguere fra un **nome prefissato** e un **nome composto**. Ad esempio, parole come *sottopassaggio*, *controffensiva* e *interregno* vanno classificate come parole prefissate, considerando *sotto*, *contro* e *inter* dei prefissi oppure vanno classificate come parole composte, considerando *sotto*, *contro* e *inter* delle preposizioni? Per non sbagliare è bene attenersi ai criteri seguenti:

a) vanno considerate **parole composte** quelle che risultano dall'unione di un nome (o di un aggettivo o di un verbo) con preposizioni o avverbi effettivamente usati come tali nella lingua italiana. Così, *sottopassaggio* è una parola composta perché **sotto** nella lingua italiana ha un suo valore autonomo come preposizione. Si può infatti dire: "Il gatto si è nascosto *sotto* la scrivania". Allo stesso modo *controffensiva* è una parola composta perché **contro** nella lingua italiana ha un suo valore autonomo come preposizione e come avverbio. Si può infatti dire: "Io voterò *contro*";

b) vanno, invece, considerate **parole derivate per prefissazione** quelle cui è stato premesso un morfema che, nella lingua italiana, non viene mai usato da solo. Perciò parole cui sono state premesse preposizioni o avverbi ripresi dal latino, dal greco antico o da altre lingue straniere sono da considerare parole derivate per prefissazione. Così, *interregno*, è una parola derivata per prefissazione perché **inter-** in italiano non ha valore autonomo e quindi non ha alcun significato.

Costituiscono una eccezione le parole formate con le preposizioni proprie (*di*, *a*, *da*, *in*, *con*, *su*, *per*, *tra* e *fra*), che vengono sempre considerate derivate per prefissazione: ***con**terraneo*, ***in**urbato*, ***ac**correre* ecc.

3.3. La derivazione mediante suffissi e prefissi contemporaneamente: le parole parasintetiche

La derivazione mediante suffissi e prefissi contemporaneamente consiste nel porre un elemento modificante sia prima (prefisso) sia dopo (suffisso) la radice di una parola:

brutt-o →	*in-*	-brutt(i)-	*-ment-*	-o	= *imbruttimento*
	prefisso	radice	suffisso	desinenza	
pudor-e →	*s-*	-pudor-	*-at-*	-o	= *spudorato*
	prefisso	radice	suffisso	desinenza	
barc-a →	*im-*	-barc-	*-are*		= *imbarcare*
	prefisso	radice	suffisso		

I derivati mediante l'affissione contemporanea di un suffisso e di un prefisso sono detti **parasintetici** (dal greco *pará*, 'presso', e *sýnthetos*, 'messo insieme, composto'). Essi sono nomi, aggettivi e, soprattutto, verbi. I verbi parasintetici anzi costituiscono un settore del lessico in forte espansione: appartengono alla 1ª e alla 3ª coniugazione e derivano da nomi e aggettivi: *ad-dolc-ire*, *di-rott-are*, *de-caffein-are*, *de-stabilizz-are*, *im-burr-are*, *in-sapor-ire*, *il-languid-ire*, *s-macchi-are*, *s-barc-are*, *s-pennell-are*, *tras-bord-are* ecc.

I verbi parasintetici si distinguono dagli altri verbi derivati per suffissazione o per prefissazione proprio perché nascono direttamente da un nome o da un aggettivo con l'aggiunta simultanea di un suffisso e di un prefisso.

Così, mentre il verbo *rischiaffeggiare* è un normale verbo formato per suffissazione dal nome *schiaffo* cui, in un secondo tempo, è stato aggiunto anche il prefisso *ri-*, il verbo *inscatolare* è un verbo parasintetico: infatti non esiste un suffisso *scatolare* cui in un secondo tempo sia stato aggiunto anche il prefisso *in-*, ma esiste la parola-base *scatola* cui sono stati aggiunti contemporaneamente il suffisso *-are* e il prefisso *in-*.

4. La formazione delle parole per composizione

La composizione è un procedimento che consiste nell'unire due o più parole a formarne una nuova che si chiama *parola composta*:

capo + squadra = *caposquadra*;
lava + piatti = *lavapiatti*;
sempre + verde = *sempreverde*.

Tipica soprattutto delle lingue anglosassoni, la creazione di parole per composizione è molto diffusa anche in italiano. Essa, infatti, costituisce un mezzo di arricchimento del lessico molto economico, perché permette di formare parole nuove utilizzando quelle già esistenti. Di fatto, ciascuna delle parole che entrano in composizione è una parola della lingua ed ha un suo significato particolare, ma il risultato della loro unione porta alla fusione anche dei loro significati, di modo che esse, nelle parole composte, vengono percepite come parte di un tutto unico. La parola composta, così, è una parola che ha un significato proprio, che spesso non si riduce neppure alla semplice somma dei significati delle parole che la compongono. La creazione di parole per composizione, infine, presenta un altro aspetto di economicità, perché produce una notevole semplificazione delle strutture morfologiche della lingua: grazie alla composizione, infatti, invece di dire "capo della squadra" possiamo dire *caposquadra*; invece di dire "schiuma per fare il bagno", possiamo dire *bagnoschiuma* ecc.

A seconda del **diverso tipo di rapporto** che si stabilisce tra le parole che entrano in composizione, le parole composte si distinguono in **parole composte** propriamente dette, **parole composte con prefissoidi**

e suffissoidi, conglomerati, "parole-frase", "parole-macedonia", unità lessicali.

4.1. Le parole composte

Le parole composte propriamente dette sono parole che nascono dall'unione di due o più parole della lingua italiana che hanno una loro esistenza autonoma ma che si uniscono formando una nuova parola dotata di un proprio significato:

cassaforte; soprannome; arcobaleno.

Per quanto riguarda la **formazione**, queste parole nascono dall'unione di parole della lingua italiana appartenenti a tutte le categorie grammaticali:

• **nome + nome**:
– con il primo nome che fa da complemento, per lo più di specificazione, del secondo: "delle terre moto" → *terremoto*;
– con il secondo elemento che fa da complemento, per lo più di specificazione, del primo: "capo della squadra" → *caposquadra*;
– con il secondo elemento che fa da apposizione al primo: "pesce cane" → *pescecane*:

• **nome + aggettivo**: cassa + forte → *cassaforte*;

• **aggettivo + nome**: bianco + spino → *biancospino*;

• **verbo + nome**: aspira + polvere → *aspirapolvere*;

• **verbo + avverbio**: posa + piano → *posapiano*;

• **preposizione + nome**: sopra + nome → *soprannome*;

• **avverbio + nome**: dopo + scuola → *doposcuola*;

• **avverbio + verbo**: bene + stare → *benestare*;

• **aggettivo + aggettivo**: sordo + muto → *sordomuto*;

• **avverbio + aggettivo**: sempre + verde → *sempreverde*;

• **nome + verbo**: capo + volgere → *capovolgere*;

• **avverbio + verbo**: bene + dire → *benedire*.

Quanto alla **forma**, le parole composte delle prime otto categorie sono nomi: per essi, rinviamo alle pp. 121 e ss. della *Morfologia*, dove sono puntualmente analizzati e dove sono segnalati i diversi modi in cui formano il plurale. I composti delle ultime quattro categorie, invece, sono aggettivi o verbi. I verbi non presentano alcuna particolarità. Per gli aggettivi, si veda alle pp. 124 e ss. della *Morfologia*.

Quanto al **significato**, è opportuno tenere presente che ogni parola composta non è soltanto la somma dei significati delle parole ma una parola dotata di un significato proprio che spesso equivale a quello di un'intera frase condensata. In particolare, le parole composte che contengono una forma verbale (**composti a base verbale**) si risolvono in una frase contenente un predicato verbale:

aspirapolvere = "apparecchio che aspira la polvere";
girasole = "pianta che si gira sempre verso il sole";
toccasana = "rimedio così rapido ed efficace che sana appena tocca il malato".

Invece, le parole composte che non contengono un verbo ma solo nomi, aggettivi o avverbi (**composti con base nominale**) tendono a risolversi, nella maggior parte dei casi, in frasi contenenti un predicato nominale:

cassaforte = "la cassa è forte";
pescecane = "pesce che è aggressivo come un cane";
sempreverde = "la pianta è sempre verde".

4.2. Le parole composte mediante prefissoidi e suffissoidi

Parole **composte** sono anche le parole formate utilizzando, in funzione di prefissi e di suffissi, **elementi linguistici che derivano da parole greche o latine e che sono dotati di un loro preciso significato**:

psico- (='mente') + *-logia* (= 'studio') = psicologia
biblio- (='libro') + *filia* (= 'amore') = bibliofilia

Gli elementi come *psico-*, *biblio-*, *-logia* e *-filia* che compongono le parole *psicologia* e *bibliofilia* e che svolgono la stessa funzione di prefissi e suffissi anche se, diversamente da essi, hanno un loro significato sono detti **prefissoidi** e **suffissoidi** o anche, rispettivamente, "primo elemento di una parola composta" e "secondo elemento di una parola composta".

La formazione di parole mediante prefissoidi e suffissoidi è chiaramente una formazione di tipo dotto. Di fatto, essa è propria dei linguaggi specialistici delle scienze e delle tecniche, ma molte delle parole così formate sono poi entrate anche nella lingua comune. Dal punto di vista lessicale, questo tipo di formazione può avvenire in due modi:

• attraverso la combinazione di un **prefissoide** e un **suffissoide omogenei**, cioè derivati da parole della stessa lingua. È il caso di parole come *biblioteca*, in cui il primo elemento determina il secondo:

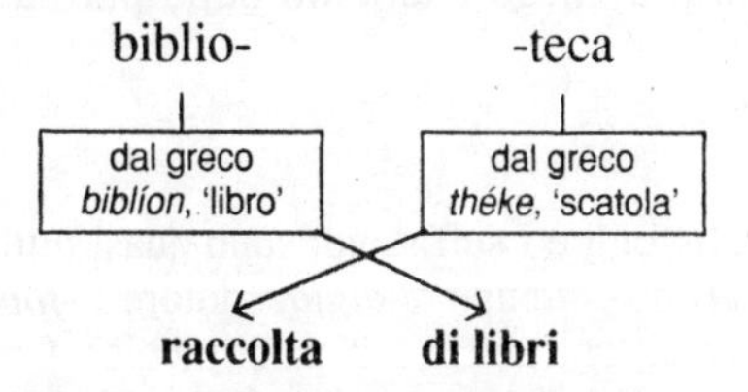

È il caso di parole come *filantropo*, in cui il secondo elemento determina il primo:

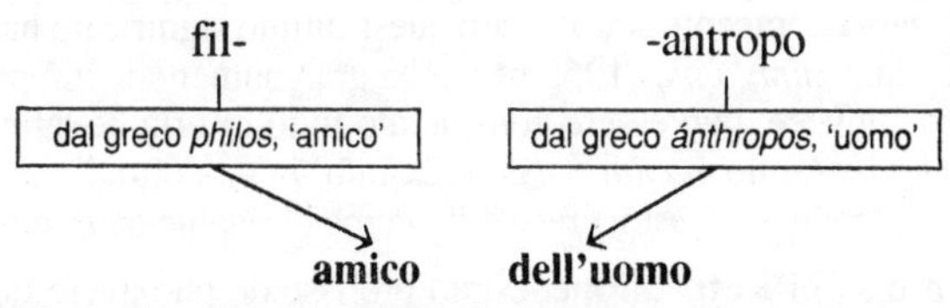

Ed è, infine, il caso di parole come *crittografia*, in cui uno dei due elementi fa da attributo all'altro:

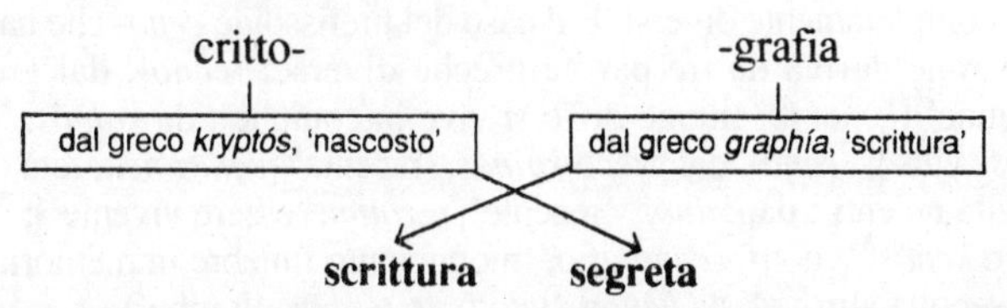

• attraverso la combinazione di un **prefissoide** o di un **suffissoide** con un **elemento appartenente a una lingua diversa** da quella del prefissoide o del suffissoide. È il caso di una parola come *televisione*, composta di una parola greca e di una parola latina o addirittura italiana:

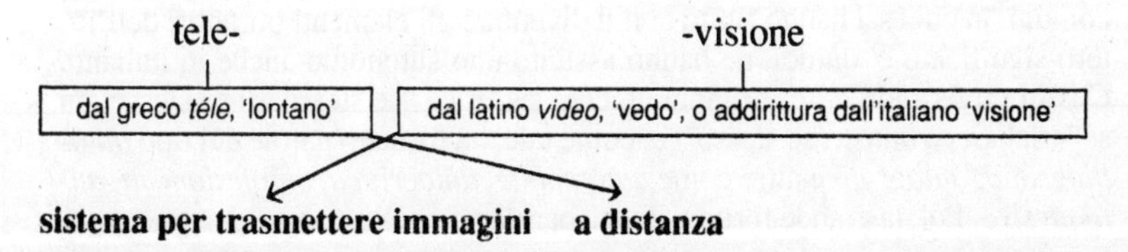

Alle pp. 591 e ss. diamo l'elenco dei più importanti prefissoidi e suffissoidi usati in italiano. Di ciascuno indichiamo, oltre a uno o più esempi di parole formate con esso, l'origine e il significato. Quando qualche prefissoide ha perduto il suo significato originale e ha dato vita, staccandosi da una parola in cui era usato nel significato originario, a un nuovo prefissoide, indichiamo il nuovo prefissoide sotto quello originario precisando che è un accorciamento della parola da cui è stato prodotto.

Osservazioni

I prefissoidi mini- e maxi-. I prefissoidi e i suffissoidi sono quasi tutti di origine **greca** (*antropo-*, 'uomo'; *crono-*, 'tempo'; *-algia*, 'dolore'; *-fobia*, 'paura') e **latina** (*equi-*, 'uguale'; *-colo*, 'che abita', cfr. palafitticolo). Fra le poche eccezioni si segnala il prefissoide *mini-* che, per altro, ha anch'esso remote origini latine. Esso, infatti, è la forma abbreviata dell'inglese *miniature*, 'miniatura', ma è sempre stato sentito dai parlanti come abbreviazione di *minimo*, dal latino *minimus*, 'piccolissimo' e con quest'ultimo significato ha dato luogo, a partire dalla *minigonna* (1965-66), a un gran numero di composti. Il prefissoide *maxi-*, invece, può essere considerato tutto di origine latina: è stato, infatti, coniato sul latino *maximus*, 'grandissimo' in rapporto di opposizione con *mini-*, che, come si è visto, era sentito come derivante da *minimus*.

Prefissoide con più significati. Il medesimo prefissoide può avere due o anche tre significati molto diversi. Ciò dipende dal fatto che, pur avendo in italiano forma identica, tali prefissoidi derivano da parole greche di forme e di significati completamente diversi. È il caso del prefissoide *ceno-* che ha tre significati perché deriva da tre parole greche diverse: [1]*ceno-*, dal greco *koinós*, 'comune' (*cenobio*, 'luogo dove si vive in comune': da *koinós*, 'comune', e *bíos* 'vita'); [2]*ceno-*, dal greco *kainós*, 'recente' (*cenozoica*, 'età delle forme di vita recenti': da *kainós*, 'recente', e *zóion*, 'essere vivente'); [3]*ceno-*, dal greco *kenós*, 'vuoto' (*cenotafio*, 'monumento funebre in memoria di una persona sepolta altrove': da *kenós*, 'vuoto', e *táphos*, 'tomba').

Risemantizzazione di prefissoidi e suffissoidi. Talvolta i prefissoidi e i suffissoidi perdono il loro significato originario e ne assumono uno diverso, dedotto da quello di una parola di cui costituiscono l'elemento iniziale o finale. Ciò è successo soprattutto con i prefissoidi e i suffissoidi usati in parole molto comuni, in cui essi hanno finito con il diventare gli elementi portatori dell'intero significato e, quindi, ne hanno assunto uno autonomo anche in italiano. Così il prefissoide *auto-* originariamente significa "se stesso, di se stesso, da sé" (dal greco *autós*, 'se stesso') e, come tale, ha formato parole del tipo *autobiografia*, *autografo* e altre come *automobile*, *autocritica*, *autolesionista*, *autoadesivo*. Poi, la grande fortuna di una parola composta con *auto-* come *auto-*

mobile (= 'che si muove *da sé*)' ha portato al distacco del prefissoide *auto-* da *automobile* e al suo uso come prefissoide non più con il significato di "di se stesso, da sé", ma con quello nuovo di "relativo all'automobile": sono nate così parole come *autoambulanza*, *autoblinda*, *autocisterna*, *autopattuglia*, *autoradio*, *autostop*, *autotrasporto* e simili. Allo stesso modo, il prefissoide *foto-*, che originariamente significa "luce" (*fotografia*, *fotofobia*, *fotosintesi*), ha dato luogo staccandosi dalla parola *fotografia* al prefissoide *foto-* che non significa più "luce", ma è una semplice abbreviazione di *fotografia* che significa "relativo alla fotografia" e come tale ha formato nuove parole: *fotoamatore*, *fotoromanzo* e simili.

Non tutti sono prefissoidi. Alcune parole sembrano formate con un prefissoide, ma in realtà sono parole, primitive o derivate, le cui sillabe iniziali sono parte integrante del morfema lessicale o radice della parola. Così, parole come *democrazia* e *demagogia* sono senz'altro formate con il prefissoide *demo-*, 'popolo', ma parole come *demonio*, *demoniaco*, *demandare*, *demanio*, *demodulatore*, *demoralizzare*, *demordere* non hanno proprio niente a che fare con il prefissoide *demo-*. Per non sbagliare, se si hanno dei dubbi, basta controllare sul dizionario che, oltre al significato esatto della parola, reca anche la sua etimologia, cioè indica con precisione da dove la parola deriva.

4.3. I conglomerati

I conglomerati sono gruppi di parole verbali o rette da una forma verbale, che, a causa dell'uso continuo, si sono saldate in unità a costituire dei nomi:

fuggifuggi; saliscendi; tiramisù; viavai.

Alcuni conglomerati possono essere scritti sia separando le varie parole che li compongono sia congiungendole l'una all'altra: un *non so che* / un *nonsoche*; il *non ti scordar di me* / il *nontiscordardime*; un *tira e molla* / un *tiramolla*.

In altri casi, invece, i conglomerati si presentano solo in grafia staccata: "Il testimone si è trincerato dietro una lunga serie di '*non ricordo*'"; "Il '*cessate il fuoco*' dell'ONU è stato rispettato da entrambi i belligeranti".

4.4. Le "parole-frase"

Le "parole-frase" sono espressioni che nascono dalla giustapposizione di nomi comuni che coesistono l'uno accanto all'altro senza fondersi a dar vita, come nei nomi composti, a un unico nome:

guerra lampo; uomo rana; buoni sconto; cane poliziotto; busta paga; parola chiave; vagone ristorante; treno merci; romanzo fiume; carro bestiame; ragazzo prodigio; donna cannone; nave traghetto; gonna pantalone; governo fantasma.

Frutto di una forma di composizione tipica di lingue come l'inglese, il tedesco e il francese, le "**parole-frase**" sono così chiamate in quanto riassumono in sé un'intera frase:

cane poliziotto = "un cane addestrato per aiutare i reparti di polizia nella ricerca di malfattori";
uomo rana = "un uomo che grazie a un apposito respiratore può nuotare a lungo sott'acqua";
guerra lampo = "una guerra condotta con grande determinazione per conseguire un risultato fulmineo";
parola chiave = "una parola particolarmente importante, che ha funzioni risolutive";
treno merci = "un treno adibito al trasporto di merci".

Per la loro immediatezza e la loro efficacia, queste espressioni si usano soprattutto nei titoli giornalistici, negli slogan pubblicitari e, in generale, in tutti i testi in cui è necessaria una estrema sinteticità.

Quanto alla grafia, i due nomi vengono scritti staccati l'uno dall'altro, collegati o meno da una lineetta: *guerra lampo* oppure *guerra-lampo*. Se sono usati al plurale, modificano di norma solo il primo elemento: *uomo rana / uomini rana*; *cane poliziotto / cani poliziotto*; *buono sconto / buoni sconto*.

4.5. Le "parole-macedonia"

Le "**parole-macedonia**" sono parole che nascono dalla fusione in una sola di "pezzi di parole" differenti:

auto(mobilistico) + ferro(viario) + tramviario = *autoferrotramviario*;
fanta(sia) + scienza = *fantascienza*;
cant(ante) + autore = *cantautore*.

Le "parole macedonia" sono così denominate appunto perché nascono come la macedonia, che è fatta di pezzi di frutti differenti mischiati insieme. Taluni linguisti, invece, le chiamano "**parole tamponate**" perché sembrano essere il risultato di un "tamponamento" che ha "ammaccato" o ridotto le parti iniziali e/o finali di ciascuna delle parole che le compongono.

Questo particolare modo di formare le parole è molto diffuso soprattutto nel linguaggio della pubblicità che lo sfrutta con successo per la sinteticità e l'efficacia del messaggio che permette di elaborare. Basta pensare a un nome macedonia come "il pulilucido", formato da *puli(to)* e *lucido* o a un verbo come "digestimola", formato da *(sti)mola la digesti(one)*. Le "parole-macedonia" del linguaggio pubblicitario durano poco tempo e difficilmente entrano a far parte del patrimonio linguistico dell'italiano, ma costituiscono un interessante esempio della duttilità della lingua e della sua capacità di dar vita a parole nuove. Maggior fortuna hanno, invece, le "parole macedonia" che nascono al di fuori dell'effervescente mondo della pubblicità e che, dopo un periodo di "rodaggio" linguistico, entrano a pieno titolo a far parte dell'italiano: oltre a *fantascienza* e a *cantautore*, si pensi a: *netturbino*, formato da *nett(ezza) urb(ana)* con il taglio di *-ezza* e di *-ana* e l'aggiunta del suffisso *-ino*; *informatica*, formato da *informa(zione automa)tica* o da *infor(mazione auto)matica* e, tra le parole di origine straniera, *bit*, formato da *bi(nary digi)t*.

4.6. Le unità lessicali

Le unità lessicali sono un insieme di parole usate per indicare una cosa sola:

macchina da scrivere; cucina a gas; camera da letto.

Esse non sono vere e proprie parole composte, perché gli elementi che le formano rimangono nettamente separati gli uni dagli altri, ma costituiscono dei blocchi semantici (cioè di significato) compatti: solo insieme tali elementi possono esprimere il significato che rimanda all'oggetto cui si riferiscono.

Le unità lessicali rappresentano, in un certo senso, la fase della lingua in cui la formazione di parole nuove avveniva sulla base dei modelli sintattici tradizionali, cioè attraverso l'uso di funzionali subordinanti, come la preposizione, atti a collegare le parole che entravano in combinazione: *sala da pranzo*, *cucina a gas*. In una fase successiva, invece, tali formazioni sono state sostituite, sull'esempio di modelli linguistici inglesi, tedeschi e francesi, da quelle che hanno portato alle "parole-frasi" in cui i nessi subordinanti sono stati eliminati: *treno (per le) merci* → treno merci.

5. Le famiglie di parole

La derivazione mediante prefissi e suffissi, l'alterazione mediante suffissi e la composizione mediante giustapposizione di due o più parole sono tutti meccanismi di cui la lingua si serve per coniare parole nuove sfruttando gli elementi lessicali di cui è fornita.

Questa straordinaria capacità della lingua di costruire, partendo da un unico morfema lessicale o radice, parole sempre nuove ma tutte collegate fra loro sia sul piano del significante sia sul piano del significato è un esempio della eccezionale **praticità** ed **economicità** della lingua. Se, poi, alla lunga serie di queste parole derivate da quell'unico capostipite si aggiungono anche tutte quelle cui la parola capostipite può dare luogo unendosi con altre a creare parole composte, la serie si allunga ulteriormente.

L'insieme delle parole generate dal medesimo morfema lessicale mediante i processi di derivazione e di composizione si chiama **famiglia semantica** o **famiglia di parole**. Al centro di tale famiglia si colloca la parola che risulta costituita dal morfema lessicale accompagnato soltanto dal morfema grammaticale o desinenza. Poi, intorno ad essa, che si chiama "parola primitiva", si collocano tutte le parole che da essa potranno derivare con il tempo. Così, appartengono alla stessa famiglia semantica parole come *cas*a, ac*cas*arsi, rin*cas*are, *cas*alinga, *cas*upola, *cas*etta, *cas*eggiato...; *uomo*, *uma*no, *uma*nità, *uma*nista, *uma*nizzare, *uma*noide, *uma*nesimo, dis*uma*no, dis*uma*nità, pre*uma*no... e simili.

Il quadro seguente rappresenta graficamente la **famiglia semantica** della radice (o morfema lessicale) *cart-*, che ha al centro la parola primitiva "carta" e tutt'intorno le parole che ne derivano:

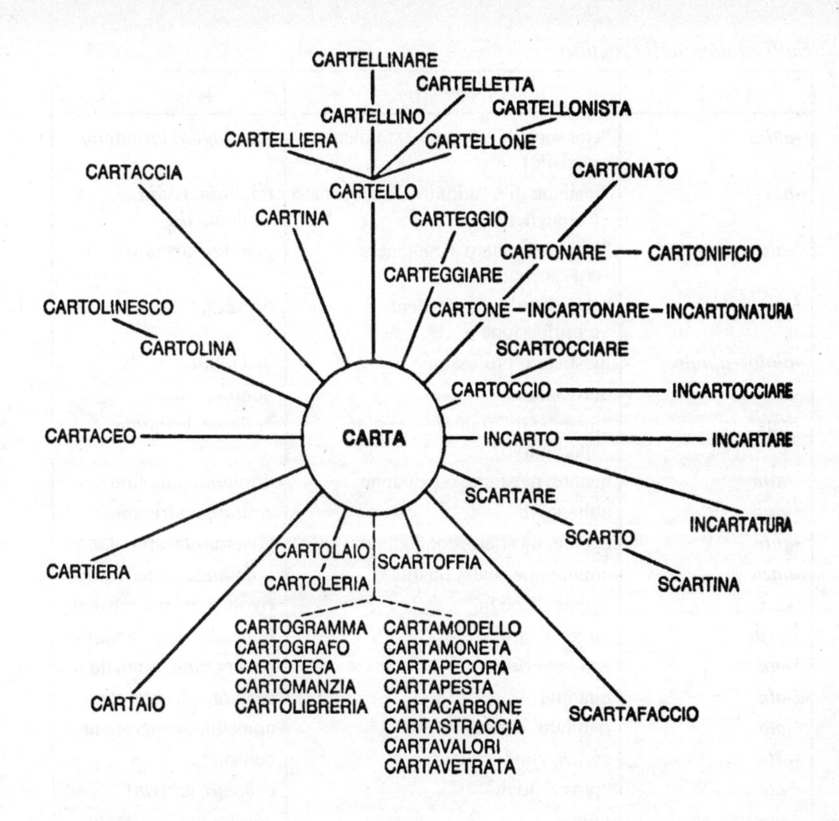

I SUFFISSI, * - Suffissi nominali

SUFFISSO	SIGNIFICATO	ESEMPI
-aggine	condizione, qualità negativa	fanciull***àggine***, sbadat***àggine***
-aggio	azione, attività	salvat***àggio***, vagabond***àggio***
-aglia	"insieme di" (per lo più con valore spregiativo)	anti***càglia***, gent***àglia***

segue →

(*) I suffissi indicati nelle tabelle seguenti comprendono in sé anche la desinenza delle parole: così in *-ore* (investigat-*ore*, il suffisso propriamente è *-or* mentre *-e* è la desinenza).

Suffissi nominali (seguito)

SUFFISSO	SIGNIFICATO	ESEMPI
-aglio	"che serve a" (oggetto, strumento, utensile)	scand***àglio***, ferm***àglio***
-aia	"insieme di", "adibito a", "destinato a contenere"	migli***àia***, ris***àia***, colomb***àia***
[1]***-aio***	"luogo destinato a contenere o a raccogliere"	gran***àio***, acqu***àio***
[2]***-aio***	"che attende a", mestiere o professione	oper***àio***, forn***àio***
-aiolo, ***-aiuolo***	mestiere o professione	barc***àiolo***
-ale	derivazione	port***ale***, vi***ale***
-ame	"insieme di" (talora con valore spregiativo)	poll***ame***, legn***ame***
[1]***-ano***	agente, mestiere, condizione	ortol***ano***, popol***ano***
[2]***-ano***	abitante di	emili***ano***, afric***ano***
-ante	agente, mestiere, condizione	govern***ante***, ambul***ante***
-anza	condizione, stato, qualità	ignor***anza***, cittadin***anza***
[1]***-ario***	agente, "che fa"	rivoluzion***àrio***, fals***àrio***
[2]***-ario***	oggetto, strumento	lampad***àrio***, calend***àrio***
[1]***-ata***	azione, effetto	passeggi***ata***, pugnal***ata***
[2]***-ata***	quantità	arm***ata***, cucchiai***ata***
[3]***-ata***	risultato, derivazione	aranci***ata***, peperon***ata***
[1]***-ato***	carica, condizione	consol***ato***
[2]***-ato***	"provvisto di"	caud***ato***, garb***ato***
[3]***-ato***	luogo	pension***ato***, portic***ato***
-ente	agente, condizione	mitt***ente***, consul***ente***
-enza	condizione, stato, qualità	irru***enza***, prud***enza***
[1]***-erìa***	luogo, bottega	stir***erìa***, salum***erìa***
[2]***-erìa***	insieme di	argent***erìa***
[3]***-erìa***	azione, attività	pirat***erìa***, scorr***erìa***
[4]***-erìa***	qualità, azione (per lo più in senso spregiativo)	civett***erìa***, porch***erìa***
-esca	"insieme di"	soldat***esca***
-ese	forma speciale di linguaggio	sinistr***ese***, politich***ese***
[1]***-ésimo***	dottrina, movimento religioso o politico, azione	cristian***ésimo***, urban***ésimo***, batt***ésimo***
		segue →

Suffissi nominali (seguito)

SUFFISSO	SIGNIFICATO	ESEMPI
[2]***-èsimo***	numero d'ordine	cent***èsimo***, mill***èsimo***
-eta	insieme di	pin***éta***
-eto	insieme di	frutt***éto***, piopp***éto***
-ezza	qualità (forma nomi astratti derivanti da aggettivi)	brutt***ézza***, gentil***ézza***
-fice	agente	arté***fice***, carné***fice***
-ficio	luogo dove si produce o fabbrica	calzaturi***ficio***, pasti***ficio***
-ia	qualità (forma nomi astratti derivanti da aggettivi)	audac***ia***
[1]***-ìa***	qualità, condizione	foll***ìa***, gelos***ìa***
[2]***-ìa***	luogo	farmac***ìa***, ricevitor***ìa***
-ièra	oggetto atto a contenere qualcosa	frutt***ièra***, sal***ièra***
[1]***-ière***	attività, professione	camer***ière***, inferm***ière***
[2]***-ière***	oggetto atto a contenere	pan***ière***
-ìgia	qualità per lo più negativa	alter***ìgia***, ingord***ìgia***
-ile	luogo atto a contenere	porc***ile***, fien***ile***
[1]***-ina***	luogo	cuc***ina***, vetr***ina***
[2]***-ina***	numerale collettivo	vent***ina***, trent***ina***
[3]***-ina***	nomi femminili tratti da nomi maschili	gall***ina***, zar***ina***
[1]***-ino***	oggetto o apparecchiatura	accend***ino***, frull***ino***
[2]***-ino***	agente	ciabatt***ino***, post***ino***
-ìo	azione ripetuta o continua	calpest***ìo***, brontol***ìo***
-iòne	azione	confess***ione***, concess***ione***
[1]***-ismo***	dottrina politica, movimento religioso o artistico	comun***ismo***, futur***ismo***
[2]***-ismo***	atteggiamento individuale o collettivo	disfatt***ismo***, ottim***ismo***
[3]***-ismo***	qualità o difetto fisici o morali	nervos***ismo***, ego***ismo***
[4]***-ismo***	attività sportiva	cicl***ismo***, cultur***ismo***
[5]***-ismo***	aspetto particolare di persona o oggetto	meccan***ismo***
-ista	agente, professione	farmac***ista***, automobil***ista***
-ità	qualità	qual***ità***, seren***ità***

segue →

Suffissi nominali (seguito)

SUFFISSO	SIGNIFICATO	ESEMPI
-ite	stato di infiammazione di organo o tessuto	appendic***ite***, brònch***ite***
-ito	verso di animali	barr***ito***, nitr***ito***
-itudine	qualità, stato	grat***itùdine***, ab***itùdine***
-izia	qualità, stato	avar***izia***, pudic***izia***
-mento	azione ("che serve a")	muta***mento***, senti***mento***
-orio	luogo	dormit***òrio***, sanat***òrio***
-olaio	agente	calz***olaio***, par***olaio***
-ore	agentc, professione, qualità, stato	profess***ore***, tint***ore***, um***ore***, terr***ore***
-sore, ***-tore***, ***-trice***	agente ("che fa, che serve a")	inci***sore***, ara***tore***, ispet***trice***, frulla***tore***, distribu***tore***
-uglio	insieme di (per lo più in senso spregiativo)	ces***puglio***, rimas***uglio***
-ume	insieme di (per lo più in senso spregiativo)	lurid***ume***, putrid***ume***
[1]***-ura***	insieme di	dentat***ura***
[2]***-ura***	azione, professione	lett***ura***, pitt***ura***, magistrat***ura***, agricolt***ura***
-uta	azione	bev***uta***
-zione	azione	ammoni***zione***, sparti***zione***

Suffissi aggettivali

SUFFISSO	SIGNIFICATO	ESEMPI
-abile	"che può essere"; attitudine, possibilità	abit***abile***, am***abile***
-aceo	"simile a", "che tende al"	cart***aceo***, viol***aceo***
[1]***-ale***, ***-iale***, ***-uale***	stato, condizione	invern***ale***, lic***eale***
[2]***-ale***, ***-iale***, ***-uale***	"relativo a"	strad***ale***, avverb***iale***
[3]***-ale***, ***-iale***, ***-uale***	"che produce"	mort***ale***, vit***ale***
-aneo, ***-ineo***	"relativo a"	cut***aneo***, femm***ineo***
[1]***-ano***	"nativo di"	napolet***ano***, afric***ano***
[2]***-ano***	"relativo a"	parrocchi***ano***, dannunzi***ano***
		segue →

Suffissi aggettivali (seguito)

SUFFISSO	SIGNIFICATO	ESEMPI
-ante	"che produce"	abbagli***ante***, bruci***ante***
-ardo	qualità negativa	bugi***ardo***, cod***ardo***
-are	"relativo a"; qualità; forma	milit***are***, polmon***are***, esempl***are***, triangol***are***
-ario	"relativo a"; qualità	annu***ario***, ferrovi***ario***, necess***ario***, ordin***ario***
-astro	"che tende al" (con un senso spregiativo)	ross***astro***, verd***astro***
-ato	condizione, stato ("che è", "che possiede")	caud***ato***, sal***ato***
-esco	"che è tipico di"	pazz***esco***, dant***esco***
-ese	"che è originario di"	cin***ese***, veron***ese***
-evole, ***-evolo***	"che dà", "che è incline a"	profitt***evole***, biasim***evole***, mal***evolo***
-ibile	"che può essere"	fatt***ibile***, bev***ibile***
-ico	"che appartiene a", "che riguarda"	bell***ico***, igien***ico***
-ièro	"che riguarda"	alberghi***èro***, verit***ièro***
-igiano	cittadinanza, condizione, categoria	parm***igiano***, cort***igiano***, art***igiano***
-igno	"simile a", "che tende a"	aspr***igno***, mal***igno***
-ile	"tipico di"; condizione	signor***ile***, giovan***ile***
-ingo	"relativo a"; condizione; stato	casal***ingo***, guard***ingo***
-ino	"originario di", "relativo a", "che tende a"	trent***ino***, vicent***ino***, mar***ino***, argent***ino***
-istico	"proprio di", "relativo a"	calc***istico***, giornal***istico***
-ivo	"proprio di", "relativo a", "capace di", "atto a"	sport***ivo***, oggett***ivo***, deters***ivo***, difens***ivo***
-izio	"proprio di", "relativo a"	impiegat***izio***, cardinal***izio***
-olente	"che sa di"	puzz***olente***
[1]***-oso***	"pieno di", "che ha"	amor***oso***, sospett***oso***
[2]***-oso***	"pieno di", "che fa"	schif***oso***
-sorio, ***-torio***	"che produce", "che provoca"	infiamma***torio***, meri***torio***
-ubile	"che può essere"	sol***ubile***
-ulento	"dotato di"	vir***ulento***, succ***ulento***
-uto	"fornito di"	baff***uto***, panci***uto***

Suffissi verbali

SUFFISSO	SIGNIFICATO	ESEMPI
-acchiare	ripetizione, attenuazione, peggioramento	viv***acchiare***, rid***acchiare***
-azzare	ripetizione, attenuazione, peggioramento	svol***azzare***, sghign***azzare***
-ecchiare	ripetizione, alterazione	sonn***ecchiare***
-eggiare	ripetizione, manifestazione	bianch***eggiare***, occhi***eggiare***
-ellare	ripetizione	scampan***ellare***, gir***ellare***
-ellinare	ripetizione	cent***ellinare***
-erellare	ripetizione, riduzione	salt***erellare***
-ettare	ripetizione, attenuazione	picchi***ettare***
-icare	ripetizione, manifestazione, azione	nev***icare***
-ificare	produzione ("fare qualcosa", "rendere")	nid***ificare***, beat***ificare***
-igginare	ripetizione, manifestazione	piov***igginare***
-izzare	produzione ("fare qualcosa", "rendere")	fertil***izzare***, nazional***izzare***
-occhiare	ripetizione, attenuazione	sgran***occhiare***
-onzolare	ripetizione, attenuazione	gir***onzolare***
-ottare	ripetizione, attenuazione	parl***ottare***, borb***ottare***
-ucchiare	ripetizione, attenuazione	sbaci***ucchiare***, mangi***ucchiare***

Suffissi avverbiali

SUFFISSO	SIGNIFICATO	ESEMPI
-mente	modo, maniera	facil***mente***, onesta***mente***
-oni	modo, maniera	ginocchi***oni***, tast***oni***

I PREFISSI

PREFISSO	ORIGINE	SIGNIFICATO	ESEMPI
a-, ***ad-***, ***ac-***	dal latino *ad*, 'a'	avvicinamento, aggiunta, scopo, effetto, derivazione	***ag***giungere, ***ac***correre, ***at***tribuire, ***ad***attare, ***al***lungare, ***ab***bellire
a-, ***an-***	dal greco *a-* (alfa privativo)	mancanza, privazione, negazione	***à***fono, ***a***cèfalo, ***an***alfabeta, ***an***archia
ab-, ***as-***	dal latino *ab*, 'da'	separazione, difformità	***ab***norme, ***as***portare
ante-, ***ahti***	dal latino *ante*, 'prima, davanti'	prima, davanti	***ante***guerra, ***ante***porre, ***anti***camera
anti-	dal greco *antí*, 'contro'	contro, contrario	***anti***aereo, ***anti***ruggine, ***anti***atomico
circo-, ***circon-***, ***circum-***	dal latino *circum*, 'intorno'	"intorno"	***circo***scritto, ***circon***venire, ***circum***navigare
cis-	dal latino *cis*, 'di qua da'	"di qua da"	***cis***padano, ***cis***alpino
con-, ***com-***, ***col-***, ***cor-***, ***co-***	dal latino *cum*, 'insieme'	unione, compagnia ("insieme, con")	***con***socio, ***com***primario, ***cor***religionario, ***co***abitazione
contr-, ***contra-***, ***contro-***	dal latino *contra*, 'contro'	opposizione, reazione, direzione contraria, sostituzione, verifica	***contr***attacco, ***contrad***dire, ***contro***vento, ***contr***ordine, ***contro***figura, ***contro***prova
de-, ***di-***	dal latino *de*, 'da, di'	allontanamento, abbassamento, negazione, intensificazione	***de***viare, ***de***gradazione, ***de***durre, ***di***scendere, ***di***sperare, ***di***vorare
dia-	dal greco *diá*, 'attraverso'	attraversamento, separazione, allontanamento ("di qua e di là")	***dia***cronico, ***dia***lisi, ***dia***spora

segue →

Prefissi (seguito)

PREFISSO	ORIGINE	SIGNIFICATO	ESEMPI
dis-	dal latino *dis-* (prefisso indicante negazione o separazione)	separazione, dispersione, negazione	***dis***giungere, ***dis***educare, ***dis***amore, ***dis***interesse
dis	dal greco *dys-* (prefisso indicante alterazione o malformazione)	alterazione, anomalia, male	***dis***funzione, ***dis***lalia, ***dis***trofia
e-, ***es-***	dal latino *ex*, 'da'	provenienza, allontanamento ("fuori da"), privazione ("privo di")	***e***migrare, ***es***pellere, ***es***portare, ***es***autorare, ***es***angue
epi-	dal greco *epí*, 'sopra'	sovrapposizione ("su, sopra"), aggiunta, ripetizione ("di nuovo")	***epi***centro, ***epì***grafe, ***epi***fonèma
extra-, ***estro-***, ***stra-***	dal latino *extra*, 'fuori'	"fuori"; dà anche valore superlativo all'aggettivo	***extra***terrestre, ***estro***mettere, ***stra***ricco
eu-	dal greco *eu*, 'bene'	"bene", "buono"	***eu***femismo, ***eu***tanasìa
fra-, ***infra-***	dal latino *infra*, 'sotto'	"posto al di sotto", "posto in mezzo tra due cose"	***infra***struttura, ***infra***settimanale, ***frap***porre
im-, ***in-***, ***ill-***, ***ir-***, ***i-***	dal latino *in*, 'in'	"dentro", "verso", "sopra"; indica anche negazione ("non")	***im***mettere, ***im***porre, ***in***ammissibile, ***in***capace, ***il***liberale, ***ir***ripetibile, ***i***gnoto
inter-	dal latino *inter*, 'tra'	posizione intermedia ("fra, in mezzo a")	***inter***mezzo, ***inter***porre, ***inter***classe, ***inter***agire

segue →

Prefissi (seguito)

PREFISSO	ORIGINE	SIGNIFICATO	ESEMPI
intra-	dal latino *intra*, 'dentro'	"dentro", "situato all'interno di"	***intra***vedere, ***intra***muscolare, ***intra***cellulare
intro-	dal latino *inter*, 'tra'	movimento verso l'interno ("dentro")	***intro***duzione, ***intro***verso
iper-	dal greco *hypér*, 'sopra'	"sopra"; quantità superiore al normale ("oltre")	***iper***urànio, ***iper***attivo, ***iper***tensione
ipo-	dal greco *hypó*, 'sotto'	"sotto"; quantità inferiore al normale	***ipo***tensione, ***ipo***calorico
meta-	dal greco *metá*, 'al di là'	mutamento, trasformazione, posizione intermedia, successione; "che sta al di là di"; "oltre"	***meta***morfosi, ***meta***bolismo, ***meta***tarso, ***meta***lingua, ***meta***storia
mis-	dal francese *mes-*, suffisso con valore peggiorativo; ma cfr. anche il latino *minus*, 'meno'	negazione ("non"); "contrario a"; ha anche valore peggiorativo	***mis***conoscere, ***mis***credente, ***mis***fatto
oltre-, ***oltra-***, ***ultra-***	dal latino *ultra*, 'al di là'	"al di là", "oltre"	***oltre***passare, ***oltre***misura, ***oltra***lpe, ***ultra***violetto, ***ultra***centenario
per-	dal latino *per*, 'attraverso'	"attraverso"; ha per lo più valore intensivo-rafforzativo	***per***meare, ***per***fetto, ***per***òssido
peri-	dal greco *perí*, 'intorno'	"intorno a", "intorno", "vicino a"	***peri***gèo, ***peri***scòpio, ***peri***èlio
			segue →

Prefissi (seguito)

PREFISSO	ORIGINE	SIGNIFICATO	ESEMPI
post-, ***pos-***	dal latino *post*, 'dopo'	"poi", "dopo", "dietro"	***post***conciliare, ***pos***porre, ***post***datare
pre-	dal latino *prae*, 'davanti'	"prima", "davanti", superiorità, eccellenza	***pre***conoscenza, ***pre***definire, ***pre***porre, ***pre***fazione, ***pre***alpino, ***pre***dominare
pro-	dal latino *pro*, 'davanti', 'invece di'	"davanti", "che sta fuori di", "che fa le veci di"	***pro***porre, ***pro***genitore, ***pro***iettore, ***pro***spettare
re-, ***ri-***	dal latino *re-* (movimento all'indietro, azione ripetuta)	"di nuovo", "indietro"	***re***inventare, ***re***integrare, ***ri***allineare, ***re***spingere
s-	dal latino *ex*, 'da'	moto da luogo, privazione, negazione, valore rafforzativo intensivo	***s***fiducia, ***s***leale, ***s***fornare, ***s***confinare, ***s***beffeggiare, ***s***parlare
sopra-, ***sovra-***, ***sovr-***	dal latino *supra*, 'sopra'	"sopra", "oltre"; indica anche superiorità di grado	***sopra***cciglio, ***sopra***bito, ***sovra***pporre, ***sopra***nnaturale, ***sovra***stare, ***sovr***intendente, ***sovra***ppieno
sott-, ***sotto-***	dal latino *sub*, 'sotto' attraverso *subtus*	"sotto"	***sott***entrare, ***sotto***marino, ***sotto***valutare
sub-	dal latino *sub*, 'sotto'	"che sta sotto", "che è simile a", "prossimo"	***sub***acqueo, ***sub***ordinato, ***sub***normale

segue →

Prefissi (seguito)

PREFISSO	ORIGINE	SIGNIFICATO	ESEMPI
super-	dal latino *super*, 'sopra'	che sta "sopra", che sta "oltre": indica sovrappieno, eccesso, superiorità; dà valore superlativo a aggettivi e sostantivi	***super*uomo**, ***super*sonico**, ***super*affollato**
sur-	dal francese *sur* e questo dal latino *super*, 'sopra'	"sopra", "oltre"	***sur*renale**, ***sur*gelare**, ***sur*reale**
tra-	dal latino *trans*, 'attorno'	movimento da un punto all'altro; attraversamento	***tra*boccare**, ***tra*forare**
trans-*, *tras-	dal latino *trans*, 'al di là'	"al di là", "attraverso"	***trans*alpino**, ***tras*fusione**

I PREFISSOIDI E I SUFFISSOIDI - Prefissoidi

PREFISSOIDE	ORIGINE	SIGNIFICATO	ESEMPI
[1]***aero-***	dal greco *aér*, 'aria'	aria	***aero*fagia**
[2]***aero-***	accorciamento di "aeronautica", composto dal greco *aér*, 'aria'	relativo all'aeronautica	***aero*modellista**
ambi-	dal latino *ambo*, 'entrambi'	"di due", "due"	***ambi*valente**, ***ambi*destro**
antropo-	dal greco *ánthropos*, 'uomo'	"uomo"	***antropo*logìa**, ***antropo*zòico**
archeo-	dal greco *archáios*, 'antico'	"antico", "primitivo"	***archeo*logìa**
arci-*, *archi-*, *arc-	dal greco *árchein*, 'comandare, cominciare'	"che sta al di sopra di", "molto grande"; "che sta a capo di"; accrescitivo di aggettivi	***archi*diocesi**, ***arci*prete**, ***arci*diavolo**, ***arc*angelo**, ***arci*noto**

segue →

Prefissoidi (seguito)

PREFISSOIDE	ORIGINE	SIGNIFICATO	ESEMPI
astro-	dal latino *astrum*, 'corpo celeste'	"astro"	***astro***nave, ***astro***fisico
[1]***auto-***	dal greco *autós*, 'se stesso'	"di se stesso", "da sé"	***auto***didatta, ***auto***adesivo, ***auto***critica, ***auto***mobile
[2]***auto-***	accorciamento di "automobile"	"relativo all'automobile"	***auto***ambulanza, ***auto***carro, ***auto***civetta
baro-	dal greco *báros*, 'peso', 'pressione'	"pressione", "gravità"	***barò***metro, ***barò***grafo
biblio-	dal greco *biblíon*, 'libro'	"libro"	***biblio***teca, ***biblio***grafia
bio-	dal greco *bíos*, 'vita'	"vita"	***bio***grafia, ***bio***logia
bis-, bi-	dal latino *bis*, 'due volte'	"due volte", "composto di due", "doppio", "che ha due"	***bi***settimanale, ***bi***pede, ***bis***nonno, ***bis***cotto
cardio-	dal greco *kardía*, 'cuore'	"cuore"	***cardio***logo, ***cardio***scopia
[1]***ceno-***	dal greco *koinós*, 'comune'	"in comune"	***cenò***bio
[2]***ceno-***	dal greco *kainós*, 'nuovo, recente'	"recente, nuovo"	***ceno***zòico
[3]***ceno-***	dal greco *kenós*, 'vuoto'	"vuoto"	***ceno***tàfio
cinèsi	dal greco *kínesis*, 'movimento'	"movimento"	***cinesi***terapia
cine-	accorciamento di "cinematografo"	"relativo al cinematografo"	***cine***tèca, ***cine***amatore, ***cine***club
cosmo-	dal greco *kósmos*, 'universo'	"mondo", "universo"	***cosmo***nauta, ***cosmo***polita
crio-	dal greco *krýos*, 'freddo'	"freddo", "ghiaccio"	***crio***logìa

segue →

Prefissoidi (seguito)

PREFISSOIDE	ORIGINE	SIGNIFICATO	ESEMPI
cripto-, ***critto-***	dal greco *kryptós*, 'nascosto'	"nascosto", "segreto"	***criptò***nimo, ***cripto***comunista, ***critto***grafia
criso-, ***cris-***	dal greco *chrysós*, 'oro'	"oro", "d'oro"	***criso***elefantino
crono-	dal greco *chrónos*, 'tempo'	"tempo"	***crono***grafo, ***crono***metro, ***crono***logìa
dattilo-	dal greco *dáktylos*, 'dito'	"dito"	***dattilo***grafo, ***dattilo***scritto
[1]***demo-***	dal greco *démos*, 'popolo'	"popolo"	***demo***crazia, ***demo***scopìa
[2]***demo-***	accorciamento di "democrazia"	"democratico"	***demo***cristiano, ***demo***proletario
dermo-	dal greco *dérma*, 'pelle'	"pelle"	***dermo***patìa, ***dermò***ide
dinamo-	dal greco *dýnamis*, 'forza'	"forza"	***dinamò***metro
[1]***eco-***	dal greco *óikos*, 'casa'	"casa", "ambiente naturale"	***eco***logìa
[2]***eco-***	dal greco *echó*, 'suono, eco'	"suono, eco"	***eco***grafia, ***eco***lalìa
eli-	accorciamento di "elicottero"	"relativo all'elicottero"	***eli***pòrto
elio-	dal greco *hélios*, 'sole'	"sole"	***elio***terapìa
emat(o)-, ***emo-***	dal greco *háima*, 'sangue'	"sangue"	***emat***òlogo, ***emat***ùria, ***emo***globìna
emi-	dal greco *hémi-*, 'mezzo'	"mezzo"	***emi***sfèro
equi-	dal latino *aequus*, 'uguale'	"uguale"	***equi***distanza
[1]***fil(o)-***	dal greco *phílos*, 'amico'	"che dimostra amicizia, affinità"	***filo***sofo, ***filo***francese, ***fil***àntropo

segue →

Prefissoidi (seguito)

PREFISSOIDE	ORIGINE	SIGNIFICATO	ESEMPI
[2]***filo-***	dal greco *phýlon*, 'stirpe'	"discendenza"	***filo***gènesi
[3]***filo-***	dall'italiano "filo"	"trasporto o comunicazione mediante filo"	***filo***diffusione, ***filo***bus
fito-	dal greco *phytón*, 'pianta'	"pianta"	***fito***logìa
fono-	dal greco *phoné*, 'suono'	"suono", "voce"	***fonò***grafo, ***fono***logìa, ***fono***gramma
[1]***foto-***	dal greco *phós*, *photós*, 'luce'	"luce"	***foto***grafia, ***foto***sintesi
[2]***foto-***	accorciamento di "fotografia"	"relativo alla fotografia"	***foto***romanzo, ***foto***amatore
gaster(o)-, ***gastr(o)-***	dal greco *gastér*, 'stomaco'	"stomaco, ventre"	***gastro***intestinale, ***gastro***nomia, ***gaster***opodo
[1]***geo-***	dal greco *gé*, 'terra'	"terra", "globo terrestre"	***geo***grafia, ***geo***centrismo, ***geo***statica
[2]***geo-***	accorciamento di "geografia"	"considerato dal punto di vista della geografia"	***geo***politica
gineco-	dal greco *gyné*, *gynaikós*, 'donna'	"relativo alla donna"	***gineco***logia, ***ginec***èo
ideo-	dall'italiano "idea"	"che si riferisce all'idea"	***ideo***logìa, ***ideo***gramma
idr(o)-	dal greco *hýdor*, 'acqua'	"acqua"	***idrò***filo, ***idro***scàfo, ***idro***massaggio
ipno-	dal greco *hýpnos*, 'sonno'	"sonno"	***ipno***tismo
ippo-	dal greco *híppos*, 'cavallo'	"cavallo"	***ippò***dromo
iso-	dal greco *ísos*, 'uguale'	"uguale", "affine"	***isò***crono, ***isò***scele, ***iso***tèrma

segue →

Prefissoidi (seguito)

PREFISSOIDE	ORIGINE	SIGNIFICATO	ESEMPI
lito-	dal greco *líthos*, 'pietra'	"pietra"	***lito**grafia*, ***lito**sfèra*
macro-	dal greco *makrós*, 'grande'	"grande", "lungo"	***macro**cosmo*, ***macro**molecola*, ***macro**struttura*
maxi-	dal latino *maxi(mum)*, 'grandissimo' modellato su *mini-*	"di dimensioni molto grandi"	***maxi**cappotti*
mega-, megalo-	dal greco *mégas*, 'grande'	"grande", "grosso"	***megà**fono*, ***megalo**manìa*
[1]***metro-***	dal greco *métron*, 'misura'	"misura"	***metrò**nomo*
[2]***metro-***	dal greco *métra*, 'utero'	"relativo all'utero"	***metro**tomìa*, ***metr**algìa*
[3]***metro-***	accorciamento di "metropoli"	"relativo alla metropoli, alla città"	***metro**notte*
micro-	dal greco *mikrós*, 'piccolo'	"piccolo"	***micro**scopio*, ***micro**solco*, ***micro**economia*, ***micro**organismo*
mini-	dall'inglese *mini(ature)*, 'miniatura'	"di dimensioni ridotte"	***mini**gonna*, ***mini**golf*
mono-	dal greco *mónos*, 'solo'	"uno solo"	***mono**cellulare*, ***mono**blocco*
multi-	dal latino *multus*, 'molto'	"di molti"	***multi**forme*, ***multi**colore*, ***multi**lingue*
necro-	dal greco *nekrós*, 'morto'	"defunto", "relativo alla morte"	***necrò**filo*, ***necro**logìa*
nefr(o)-	dal greco *nephrós*, 'rene'	"rene"	***nefr**ìte*, ***nefrò**logo*

segue →

Prefissoidi (seguito)

PREFISSOIDE	ORIGINE	SIGNIFICATO	ESEMPI
neo-	dal greco *néos*, 'nuovo'	"nuovo", "recente"	***neo***lìtico, ***neo***nazista, ***neo***logismo
neuro-, ***nevro-***	dal greco *néuron*, 'nervo'	"nervo", "nervoso"	***neurò***logo, ***nevro***si, ***neuro***psichiatria
omeo-	dal greco *hómoios*, 'simile'	"simile"	***omeo***patia
omo-	dal greco *homós*, 'simile'	"simile"	***omo***nimo, ***omo***fono, ***omo***cromìa
onni-	dal latino *omnis*, 'tutto'	"tutto", "ogni cosa", "dappertutto"	***onni***potente, ***onnì***voro, ***onni***presente
ornito-	dal greco *órnis*, *órnithos*, 'uccello'	"uccello"	***ornitò***logo
oro-	dal greco *óros*, 'monte'	"monte"	***oro***grafia, ***oro***gènesi
orto-	dal greco *orthós*, 'diritto'	"diritto"	***orto***grafia, ***orto***pedìa
paleo-	dal greco *palaiós*, 'antico'	"antico"	***paleo***litico, ***paleo***cristiano
para-	dal greco *pará*, 'presso'	vicinanza ("che sta presso a"), affinità ("quasi simile a"), alterazione	***para***medico, ***para***comunista, ***para***tifo
pato-	dal greco *páthos*, 'sofferenza'	"dolore", "sofferenza"	***patò***geno, ***pato***logìa
piro-	dal greco *pŷr*, *pŷros*, 'fuoco'	"fuoco", "febbre"	***piro***tecnico, ***piro***grafia, ***piro***scafo, ***pirò***mane
[1]***pneumo-***, ***pneumato-***	dal greco *pnéuma*, *pnéumatos*, 'soffio', 'aria'	"che riguarda l'aria o il respiro"	***pneumo***torace, ***pneumato***logìa

segue →

Prefissoidi (seguito)

PREFISSOIDE	ORIGINE	SIGNIFICATO	ESEMPI
[2]***pneumo-***	dal greco *pnéumon*, 'polmone'	"polmone"	***pneumo***patìa, ***pneumo***logìa
poli-	dal greco *polýs*, 'molto'	"di molte cose"	***poli***centrico, ***poli***mòrfo, ***poli***teìsmo
pseudo-	dal greco *pseudós*, 'falso'	"falso"	***pseudò***nimo, ***pseudo***letterato
psic(o)-	dal greco *psyché*, 'anima'	"relativo all'inconscio dell'uomo"	***psico***patìa, ***psico***logìa, ***psic***analisi
[1]***radio***	dal latino *rádium*, 'raggio'	"relativo alle radiazioni, alla radioattività o alle onde elettro-magnetiche"	***radio***attivo, ***radio***biologìa, ***radio***telefono
[2]***radio***	dall'italiano "radio" abbrev. di "radiofonia"	"relativo alla radio"	***radio***abbonato, ***radio***ascoltatore
sismo-	dal greco *seismós*, 'scossa di terremoto'	"relativo al terremoto"	***sismò***grafo
stereo-	dal greco *stereós*, 'fermo, stabile, solido'	"solido", "spaziale", "tri-dimensionale"	***stereo***scopìa, ***stereo***fonico
tachi-	dal greco *tachýs*, 'veloce'	"rapido", "veloce"	***tachi***cardìa, ***tachi***metro
tecno	dal greco *tékhne*, 'arte'	"capacità tecnica", "relativo alla tecnica"	***tecno***logìa
[1]***tele-***	dal greco *téle*, 'lontano'	"da lontano", "a distanza"	***telè***fono, ***tele***patìa, ***tele***visore
[2]***tele-***	accorciamento di "televisione"	"relativo alla televisione"	***tele***film, ***tele***utente, ***tele***camera
teo-	dal greco *théos*, 'dio'	"dio"	***teo***crazìa, ***teo***logìa

segue →

Prefissoidi (seguito)

PREFISSOIDE	ORIGINE	SIGNIFICATO	ESEMPI
termo-	dal greco *thermón*, 'calore'	"relativo al calore"	***termo**metro*, ***termo**isolante*
tipo-	dal greco *týpos*, 'tipo'	"stampo", "modello", "esempio"	***tipo**grafia*, ***tipo**logìa*
topo-	dal greco *tópos*, 'luogo'	"luogo"	***topo**logìa*, ***topò**nimo*
zoo-	dal greco *zóion*, 'essere vivente'	"animale"	***zoò**filo*, ***zoo**logìa*

Suffissoidi

SUFFISSOIDE	ORIGINE	SIGNIFICATO	ESEMPI
-algìa	dal greco *álgos*, 'dolore'	"dolore a"	nevr***algìa***, odont***algìa***
-àntropo	dal greco *ánthropos*, 'uomo'	"uomo"	mis***àntropo***, fil***àntropo***
-arca	dal greco *árchein*, 'essere a capo'	"capo", "fondatore"	mon***arca***, eresi***arca***
-archìa	dal greco *árchein*, 'essere a capo'	"dominio", "governo"	olig***archìa***
-cardìa, -cardio	dal greco *kardía*, 'cuore'	"cuore"	peri***càrdio***, tachi***cardìa***
-cèfalo	dal greco *kephalé*, 'testa'	"testa"	micro***cèfalo***
-cìclo	dal greco *kýklos*, 'cerchio'	"cerchio", "ruota"	emi***cìclo***, mono***cìclo***
-cìda	dal latino *cáedere*, 'tagliare'	"uccisore"	parri***cìda***
-cìdio	dal latino *cáedere*, 'tagliare'	"uccisione"	omi***cìdio***
-cinèsi	dal greco *kínesis*, 'movimento'	"movimento"	psico***cinèsi***

segue →

Suffissoidi (seguito)

SUFFISSOIDE	ORIGINE	SIGNIFICATO	ESEMPI
[1]***-colo***	dal latino *cólere*, 'coltivare, abitare'	"relativo alla coltura di"	ceralì***colo***
[2]***-colo***	dal latino *cólere*, 'coltivare, abitare'	"che abita"	palafittì***colo***
-coltóre, -cultóre	dal latino *cólere*, 'coltivare, abitare'	"che coltiva", "che alleva"	agri***coltóre***, api***cultóre***
-coltùra, -cultùra	dal latino *cólere*, 'coltivare, abitare'	coltivazione, allevamento	frutti***coltùra***, api***coltùra***
-crate	dal greco *krátos*, 'forza, comando'	"che comanda", "che dirige"	plutò***crate***
-crazia	dal greco *krátos*, 'forza, comando'	"dominio", "potere"	demo***crazìa***
-fagìa	dal greco *phagéin*, 'mangiare'	"il mangiare"	antropo***fagìa***
-fago	dal greco *phagéin*, 'mangiare'	"che mangia"	antropò***fago***
-fico	dal latino *fácere*, 'fare'	"che fa", "che rende"	salvì***fico***
-filìa	dal greco *philía*, 'amore'	"amore per"	estero***filìa***
-filo	dal greco *phílos*, 'amico'	"che ama"	idrò***filo***
-fito	dal greco *phytón*, 'pianta'	"pianta", che riguarda il mondo vegetale	sapro***fito***
-fobìa	dal greco *phóbos*, 'timore'	"paura, ripugnanza"	claustro***fobìa***
-fobo	dal greco *phóbos*, 'timore'	"che ha paura, ripugnanza"	xenò***fobo***
-fonìa	dal greco *phoné*, 'suono'	"suono, voce"	eu***fonìa***
-fono	dal greco *phoné*, 'suono'	"suono, voce"	citò***fono***

segue →

Suffissoidi (seguito)

SUFFISSOIDE	ORIGINE	SIGNIFICATO	ESEMPI
-fórme	dal latino *forma*, 'forma'	"che ha forma di"	fili***fórme***
[1]***-fugo***	dal latino *fugáre*, 'mettere in fuga'	"che mette in fuga"	vermì***fugo***
[2]***-fugo***	dal latino *fúgere*, 'fuggire'	"che fugge da"	centrì***fugo***
-geno	dalla radice greca *gen-*, 'generare'	"che genera, che produce"	lacrimò***geno***
-glòtto, ***-glòtta***	dal greco *glôtta*, 'lingua'	"che parla"	poli***glòtta***
-grado	dal latino *gradi*, 'camminare'	"che cammina"	retrò***grado***
-grafìa	dal greco *gráphein*, 'scrivere'	"scrittura", "descrizione", "studio"	orto***grafìa***, geo***grafìa***, mono***grafìa***
-grafo	dal greco *gráphein*, 'scrivere'	"che scrive", "che è scritto"	bio***grafo***, auto***grafo***
-gràmma	dal greco *gráphein*, 'scrivere'	"scrittura', "grafico"	tele***gramma***, elettrocardio-***gramma***
-iàtra	dal greco *iatrós*, 'medico'	"che cura"	odonto***iàtra***
-iatrìa	dal greco *iatréia*, 'cura'	"cura"	psich***iatrìa***
-logìa	dal greco *lógos*, 'discorso, studio'	"discorso", "espressione", "studio", "scienza"	ana***logìa***, bio***logìa***
-logo	dal greco *lógos*, 'discorso, studio'	"studioso di"	archeò***logo***
-mane	dal greco *manía*, 'pazzia'	"maniaco di"	grafò***mane***
-manìa	dal greco *manía*, 'pazzia'	"mania per"	clepto***manìa***

segue →

Suffissoidi (seguito)

SUFFISSOIDE	ORIGINE	SIGNIFICATO	ESEMPI
-metrìa, ***-metro***	dal greco *métron*, 'misura'	"misura", "multiplo del metro"	geo***metrìa***, termo***metro***, chilo***metro***
-mòrfo	dal greco *morphé*, 'forma'	"che ha forma di"	antropo***mòrfo***
-nàuta	dal latino *náuta*, 'marinaio'	"navigante, pilota"	astro***nàuta***
-nomìa	dal greco *nómos*, 'regola, norma'	"governo", "amministrazione"	auto***nomìa***, eco***nomìa***
-nomo	dal greco *nómos*, 'regola, norma'	"che amministra, che regola"	agrò***nomo***
-óide	dal greco *éidos*, 'forma'	"che ha le sembianze di, che assomiglia a" (spesso in senso spregiativo)	alcal***óide***
-ónimo	dal greco *ónyma*, variante di *ónuma*, 'nome'	"nome"	anò***nimo***, topò***nimo***
-paro	dal latino *párere*, 'partorire'	"che genera, che produce"	ovì***paro***
-patìa	dal greco *páthos*, 'sofferenza'	"disturbo, sofferenza a"	cardio***patìa***
-pàusa	dal greco *páusis*, 'cessazione'	"cessazione"	meno***pàusa***
-pedìa	dal greco *paidéia*, 'educazione'	"educazione"	enciclo***pedìa***
-penìa	dal greco *penía*, 'mancanza'	"mancanza di"	leuco***penìa***
-pode, ***-pede***	dal greco *póus*, *podós*, 'piede'	"piede"	mirià***podi***
-scopìa	dal greco *skopéin*, 'guardare'	"visione, osservazione"	endo***scopìa***

segue →

Suffissoidi (seguito)

SUFFISSOIDE	ORIGINE	SIGNIFICATO	ESEMPI
-scòpio	dal greco *skopéin*, 'guardare'	"che vede che serve per vedere"	tele***scòpio***
-tèca	dal greco *théke*, 'scatola'	"raccolta, custodia, collezione"	biblio***tèca***
-tipìa	dal greco *týpos*, 'tipo'	"stampa"	cromo***tipìa***
-tomìa	dal greco *témnein*, 'tagliare'	"taglio, incisione"	tonsillec***tomìa***
-urgìa	dal greco *érgon*, 'opera, lavoro'	"lavoro, lavorazione"	metall***urgìa***
-ùria	dal greco *óuron*, 'urina'	"disturbo patologico dell'urina"	emat***ùria***
-ùro	dal greco *urá*, 'coda'	"coda"	pag***ùro***
-valènte	dal latino *valére*, 'valere'	"che vale"	tri***valènte***
-véndolo	dal verbo "*vendere*"	"che vende"	frutti***véndolo***
-voro	dal latino *vorare*, 'divorare'	"che mangia"	erbì***voro***
-zoo	dal greco *zóion*, 'essere vivente'	"animale", "che riguarda il mondo animale"	proto***zòo***

2

Le parole e il loro significato

Le parole, in quanto segni linguistici, non hanno solo un significante, cioè una forma: hanno anche un **significato**, cioè un contenuto, e quindi "vogliono dire qualcosa" o, meglio, trasmettono delle informazioni.

1. Che cos'è il significato

Il **significato**, in quei segni linguistici che sono le parole, è l'altra faccia del significante, cioè della forma, delle parole: è il contenuto della forma o, meglio, il concetto veicolato dalla successione di suoni (fonemi) e di lettere (grafemi) che compongono la parola.

Come sappiamo, la parola, attraverso il significato, cioè attraverso la serie di informazioni che offre, individua sempre un **referente**, cioè una cosa cui si riferisce: qualcosa che esiste (un gatto), che è esistito (un dinosauro o Dante) o che è pensato come esistente (un cavallo volante o Aladino). Le parole, però, come sappiamo, non hanno nulla a che fare con la cosa cui si riferiscono: nella parola *gatto* il rapporto tra il significante g-a-t-t-o e il significato "gatto" e il rapporto tra la parola *gatto* e l'animale così chiamato sono convenzionali e arbitrari. Il significato di una parola, infatti, è soltanto un'unità concettuale costruita dall'uomo per le sue esigenze comunicative.

Perciò, **studiare il significato delle parole** non vuole dire interrogarsi sul perché una certa cosa è stata chiamata in un modo piuttosto che in un altro, bensì vuol dire **analizzare il significato delle parole nell'ambito dei rapporti che esse intrattengono tra loro nel siste-**

ma della lingua: sia nell'ambito del **lessico**, cioè del vasto insieme di segni di cui le parole fanno parte, sia nella realtà dei vari **testi**, parlati e scritti, in cui vengono quotidianamente usate. Il **significato** di una parola, di una frase o di un testo, infatti, **coincide con il loro uso concreto a scopo comunicativo**.

La disciplina che studia il lessico di una lingua, cioè l'insieme delle parole che costituiscono una lingua, dal punto di vista del significato, si chiama **semantica** (dal greco *semâinein*, 'significare') ed è una branca fondamentale della linguistica.

2. La struttura del significato: i tratti semantici

Come il significante (la "forma") di una parola è costituito da più elementi (il morfema lessicale o radice, il morfema grammaticale o desinenza, gli eventuali morfemi modificanti o affissi), anche il **significato è il frutto della sintesi mentale di più elementi minimi**.

Il significato, infatti, non si presenta come un blocco unico e compatto, ma come la **combinazione di vari elementi**, più o meno semplici a seconda della maggiore o minore complessità del significato della parola, che si chiamano **tratti semantici** o **componenti semantici** e che sono delle vere e proprie "unità portatrici di significato".

Così, la parola *donna*, che nel significato possiamo definire "essere vivente della specie umana, di sesso femminile e di età adulta", è la somma di quattro elementi concettuali molto generali che costituiscono i seguenti tratti semantici: *essere vivente*, *umano*, *femmina*, *adulto*.

La presenza (+) o l'assenza (–) di questi tratti semantici ci permettono poi di definire altre parole, come *uomo*, *ragazzo*, *ragazza*.

	ESSERE VIVENTE	UMANO	FEMMINA	ADULTO
donna	+	+	+	+
uomo	+	+	–	+
ragazzo	+	+	–	–
ragazza	+	+	+	–

Dalla tabella appare chiaramente che le quattro parole in questione hanno alcuni elementi in comune e altri, invece, che le distinguono l'una dall'altra. Ciò spiega perché i parlanti le riconoscono come unite da un significato comune (si tratta in tutti e quattro i casi di esseri viventi del genere umano), ma poi ne colgano anche le differenze.

Analizziamo ora, per fare un altro esempio, una serie di parole che hanno anch'esse una parte di significato comune che le rende concettualmente omogenee, ma che si differenziano poi l'una dall'altra per vari aspetti: *mare*, *lago*, *stagno*, *fiume*, *ruscello*. Le parole indicano tutte una massa d'acqua, ma il parlante le distingue facilmente tra loro sulla base della presenza o assenza di precisi elementi caratterizzanti: il fatto che la loro acqua sia o no salata, il fatto che scorra o no, che sia abbondante o no, che sia estesa o no, che sia profonda o no:

	MASSA D'ACQUA	SALATA	SCORRE	ABBONDANTE	ESTESA	PROFONDA
mare	+	+	–	+	+	+
lago	+	–	–	+	+	+
stagno	+	–	–	–	–	–
fiume	+	–	+	+	+	+
ruscello	+	–	+	–	–	–

La scomposizione del significato delle parole nei suoi elementi costitutivi (questa operazione si chiama **analisi componenziale**) è applicabile a tutte le parti del lessico. Condotta su una vasta campionatura di parole, essa permette di individuare l'esistenza di alcuni **tratti molto generali che esprimono idee o concetti molto semplici** e che sono alla base di un nucleo di parole essenziali, presenti in tutte le lingue del mondo:

concreto / astratto	numerabile / non numerabile
animato / inanimato	liquido / solido
umano / non umano	dotato di / privo di
maschio / femmina	comune / proprio.

Questi tratti semantici di tipo generale sono detti **universali linguistici**.

3. I diversi tipi di significato

I **significati** che le parole trasmettono sono numerosissimi per quantità e per tipologia: tanto numerosi quante sono le "cose" che possono indicare. Del resto, tentare una **classificazione** dei significati delle parole o una classificazione delle parole per significati è un'impresa inutile, prima ancora che impossibile. Meglio, perciò, cercare di capire quali sono le **relazioni** che le parole intrattengono **nel lessico** dal punto di vista del **significato** che perdere tempo in simili operazioni. Tuttavia, prima di accingerci ad analizzare i **rapporti semantici** che legano le parole, è opportuno segnalare due possibili criteri di individuazione di categorie di parole sul piano del significato, due criteri generalissimi che distinguono:

• **le parole** sul piano del significato in **parole piene** e **parole vuote**;

• **i significati** di ciascuna parola in **significato denotativo** e **significato connotativo**.

3.1. Parole piene e parole vuote

Dal punto di vista del **significato**, le parole del lessico si distinguono in:

• parole che **hanno un significato autonomo** (*significato lessicale*) e che sono perciò dette **parole piene**. Esse hanno tutte un preciso referente nella realtà degli oggetti concreti, in quella dei concetti astratti o in quella della pura fantasia, in quanto sono

– parole che indicano esseri viventi come: *cane*, *cavallo*, *uomo*, *zia*, *abete*, *giglio*;

– parole che indicano cose reali come: *sedia*, *nave*, *tavolo*, *quaderno*, *vino*;

– parole che indicano idee o concetti astratti come: *giustizia*, *bellezza*, *pace*;

– parole che indicano cose o personaggi fantastici come: *gnomo*, *fata*;

– parole che indicano azioni come: *correre*, *saltare*, *nitrire*;

– parole che indicano stati come: *quiete*, *riposo*;

– parole che indicano qualità, forma o colore come: *buono*, *cattivo*, *lungo*, *rosso*;

– parole che indicano stati d'animo come: *affetto*, *amore*;

– parole che indicano modi di fare un'azione come: *bene*, *male*.

• parole che di per sé **non hanno un significato**, ma che ne acquistano uno (*significato grammaticale*) quando sono usate insieme ad altre parole nell'ambito di un testo e che sono dette **parole vuote**. È, nel nostro campione, il caso di:

– parole come gli articoli *il* e *la*, che acquistano significato quando introducono un nome: *il* gatto, *una* casa;

– parole come i pronomi *egli* e *noi*, che acquistano un significato quando indicano delle persone precise di una comunicazione;

– parole come le preposizioni *per*, *con* e *a*, che acquistano un significato quando collegano due parole piene tra loro. Così la preposizione *con* da sola non significa niente, ma premessa a un'altra parola indica che questa è collegata a quelle precedenti da un rapporto di compagnia: "Ho visto Paolo *con Laura*"; oppure di mezzo: "Il ladro ha forzato la porta *con una leva*";

– parole come le congiunzioni *e*, *ma*, *o*, che acquistano un significato quando collegano altre parole. Così la congiunzione *e* da sola non ha alcun significato, ma posta tra due parole indica che il significato della prima parola va legato a quello della seconda: "Ho mangiato *pane e marmellata*".

3.2. Significato denotativo e significato connotativo

Ogni parola ha un suo **significato di base**, **preciso** e **oggettivo**: fissato in modo univoco dal codice della lingua e condiviso da tutti i parlanti, questo significato identifica e definisce l'oggetto per quello che è, e viene chiamato **significato denotativo**, in quanto "denota", cioè indica chiaramente, qualcosa:

	SIGNIFICATO DENOTATIVO	ESEMPIO DI USO IN SENSO DENOTATIVO
cuore	"organo muscolare che funge da centro propulsore della circolazione sanguigna"	Il poveretto aveva una malformazione congenita al *cuore*. I trapianti di *cuore* hanno salvato la vita a molte persone.

	SIGNIFICATO DENOTATIVO	ESEMPIO DI USO IN SENSO DENOTATIVO
giungla	"luogo caratterizzato da un fitto intrico di alberi, liane ed erbe alte, caratteristico delle regioni monsoniche"	L'isola è ricoperta da una fitta *giungla*. La *giungla* ha cancellato ogni traccia del passato.

La maggior parte delle parole, però, oltre che per indicare qualcosa in modo oggettivo e neutro, può essere usata anche per esprimere le sensazioni, le emozioni e le opinioni di chi parla, allo scopo di suscitare particolari sensazioni ed emozioni nell'ascoltatore. Il significato di base della parola si arricchisce allora di tutta una **serie di elementi supplementari** che portano la parola ad avere un significato che va **al di là di quello puramente informativo**. L'insieme dei significati che ampliano il significato denotativo di una parola arricchendola di implicazioni soggettive, allusive, emotive, evocative e simili, costituisce il **significato connotativo** della parola stessa:

	SIGNIFICATO CONNOTATIVO	ESEMPIO DI USO IN SENSO CONNOTATIVO
cuore	– "sede dei sentimenti, delle emozioni e dei desideri" – "coraggio" – "tenacia, impegno"	Laura, ieri sera, mi ha aperto il suo *cuore*. L'uomo si fece *cuore* e bussò. Non è un campione, ma gioca con il *cuore*.
giungla	– "luogo infido, in cui è necessario stare in guardia e lottare per salvarsi da insidie e pericoli" – "luogo dove regnano la confusione e il disordine"	Le grandi metropoli sono una *giungla*. Questa non è una stanza ma una *giungla*.

L'utilizzo di una parola in senso connotativo implica un "trasferimento" di significato che porta la parola ad assumere un valore diverso da quello che le è proprio, anche se in qualche modo legato ad esso.

Il significato di una parola può essere spostato dal piano denotativo a quello connotativo per ottenere:

• un significato che ha un **rapporto di somiglianza** con il significato di base. Così, per indicare una persona ignorante, si usa la parola *asino*, perché, a torto o a ragione, questo quadrupede è considerato meno intelligente del cavallo. Oppure per indicare la base di una collina, si dice *i piedi della collina*, puntando sulla somiglianza che esiste tra la base su cui poggia la collina e i piedi su cui poggia il corpo umano. Questo particolare tipo di "trasferimento" di significato è detto **metafora** (parola che in greco significa appunto "trasferimento, trasporto", da *metá*, 'oltre', e *phéro*, 'porto').

• un significato che ha un **rapporto di vicinanza** con il significato di base della parola. Così, si dice: "Mi sono guadagnato tutto questo con il mio sudore", usando la parola *sudore* nel significato di "lavoro", cioè l'effetto ("il sudore") per la causa ("il lavoro"). Così si può dire: "Si è bevuto due bicchieri" per dire che qualcuno ha bevuto "il contenuto di due bicchieri", usando questa volta il contenente ("il bicchiere") per il contenuto ("il vino"). Questo tipo di "trasferimento" di significato è detto **metonìmia** (parola che in greco significa "scambio di nome", da *metá*, 'oltre', e *ónyma*, 'nome').

• un significato che ha un **rapporto di identità personale**. Ciò succede tutte le volte che per indicare una persona o una cosa usiamo, come se fosse un nome comune, un nome proprio che simboleggia in massimo grado una certa qualità o condizione. Così diciamo "un giuda" per indicare un traditore quale appunto fu Giuda; "un mecenate", per indicare un protettore degli artisti, quale fu il romano Mecenate; "un adone", per indicare un giovane particolarmente bello, quale fu Adone, il mitico personaggio amato dalla dea Venere; "un rambo", per indicare una persona audace e violenta, come il personaggio cinematografico di Rambo. Questo tipo di trasferimento di significato è detto **antonomàsia** (parola che in greco significa "sostituzione di nome", da *antí*, 'in luogo di', e *ónyma*, 'nome').

La **denotazione** è tipica soprattutto della comunicazione quotidiana e ordinaria: essa, infatti, per la sua oggettività, serve per descrivere, informare e argomentare. La **connotazione**, invece, è tipica della lingua poetica, perché crea immagini intense e suggestive. È, però, spesso utilizzata anche nella lingua di tutti i giorni, perché dà vivacità, freschezza e immediatezza al discorso. Tutti noi, infatti, carichiamo le parole di significati "aggiunti", che rendono la lingua più nostra e tutti noi, senza rendercene conto, usiamo spessissimo anche il linguaggio figurato: utilizziamo metafore come "*nel cuore* della notte", "*un pizzico* di fortuna", "un cielo *imbronciato*", "*le gambe* del tavolo", "un uomo *di polso*"; metonìmie come "Non ho molto *orecchio*", "Mio zio è un'ottima *forchetta*", "Chi ha vinto *l'oro* nei cento metri?" e antonomàsie come "Un buon *cicerone* ci ha accompagnato durante tutta la visita", "Antonio è un gran *casanova*".

4. La lingua è una rete di significati

Il grandissimo numero di parole che compongono il **lessico** della lingua e l'estrema varietà dei loro significati costituiscono un indubbio vantaggio ai fini della comunicazione. È proprio grazie ad esse che possiamo trasmettere e comprendere in modo preciso ogni sorta di messaggio. Ma come facciamo ad orientarci in questo mare di parole e di significati?

Le parole della nostra lingua, in effetti, sono numerosissime. Un buon dizionario ne registra circa 100.000, per un totale di oltre 300.000 **accezioni**, cioè significati, ma se dovesse registrare anche le parole che non sono più usate (gli arcaismi, le parole della lingua letteraria) o quelle dei linguaggi specialistici (ad esempio, le parole della chimica), arriverebbe oltre le 400.000 e le 500.000 accezioni. È vero che un ragazzo di quindici-diciassette anni di tutte queste parole ne conosce all'incirca 2000-3000 e ne usa in tutto non più di un migliaio. Ed è vero anche che un adulto di buona cultura normalmente non utilizza più di 2000-3000 parole delle 10.000-20.000 che conosce. Anche così il **lessico** di una lingua è ricchissimo di parole e ancor più di significati, giacché moltissime parole hanno più significati.

Tuttavia, nonostante sia così vasto e ricco, il lessico di una lingua non è un groviglio inestricabile o un guazzabuglio di parole, ma costituisce in sé e per sé, nella mente di ogni parlante, un **sistema ordinato e compatto** in cui tutti gli elementi che lo compongono sono variamente **collegati tra loro, in un fitto intreccio di relazioni** reciproche. Ad esempio:

- *coltello* è in relazione con *forchetta* (sono entrambi posate);
- *paraurti* è in relazione con *automobile* (l'uno è una parte dell'altra);
- *avaro* è in relazione con *taccagno* (indicano entrambi lo stesso tipo umano);
- *bianco* è in relazione con *nero* (sono l'uno il contrario dell'altro);

e così via.

Il lessico, insomma, **è tutto un reticolo di relazioni**. Ogni parola ne richiama un'altra e ciascuna di queste parole, a sua volta, ne richiama altre ancora, in una serie di rapporti sempre diversi e sempre aperti a nuove espansioni.

5. I campi semantici

Le parole collegate tra loro per il particolare significato che esprimono costituiscono un **campo semantico**, cioè "un campo di significato". Così, ad esempio, costituiscono un campo semantico parole come *flauto*, *chitarra*, *tromba*, *oboe*, *fisarmonica*, *mandolino*, *tamburo*, *clarino*, *saxofono*, *contrabbasso* e *violino*. Esse, infatti, sono tutte diverse l'una dall'altra, per forma e significato, ma hanno una caratteristica in comune: sono collegate l'una all'altra dal particolare tipo di significato che esprimono e che le porta a costituire un insieme organico di parole relative a un'area comune di significato: quella degli strumenti musicali.

CAMPO SEMANTICO DEGLI STRUMENTI MUSICALI

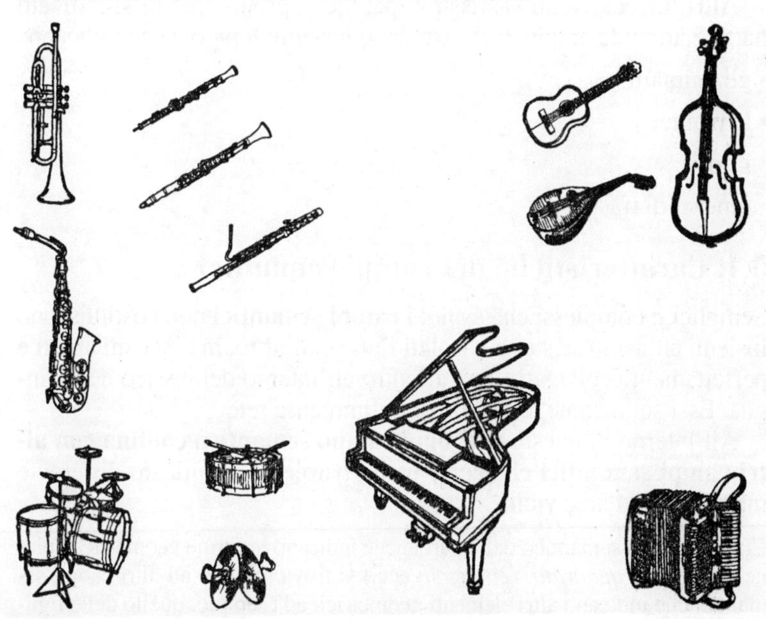

I campi semantici sono numerosi e vari. Alcuni sono semplici, nel senso che contengono un numero relativamente basso di parole, e circoscritti, nel senso che coprono un'area di significato abbastanza ristretta. È il caso, ad esempio, degli insiemi di parole che indicano:

• le parti del discorso: *articolo*, *nome*, *aggettivo*, *pronome*, *verbo*, *preposizione*, *congiunzione* e *interiezione*;

• le parentele: *padre*, *madre*, *figlio*, *nonno*, *zio*, *cugino*, *nipote*, *cognato*, *nuora*, *suocero* ecc.;

• le figure geometriche piane: *triangolo*, *quadrato*, *rettangolo*, *trapezio*, *pentagono*, *esagono*, *cerchio* ecc.;

• i colori: *bianco*, *rosso*, *verde*, *giallo*, *azzurro*, *blu*, *nero* ecc.;

• i venti: *grecale*, *libeccio*, *maestrale*, *scirocco*, *tramontana* ecc.;

• le pietre preziose: *rubino*, *smeraldo*, *acquamarina*, *zaffiro*, *onice*, *ametista*, *diamante*, *topazio*, *opale*, *agata*, *lapislazzulo*, *turchese* ecc.

• gli strumenti musicali a fiato: *flauto*, *oboe*, *clarinetto*, *saxofono*, *armonica*, *tromba* ecc.

Altri, invece, sono vastissimi, perché coprono aree di significato particolarmente ampie. È il caso degli insiemi di parole che indicano:

• gli animali;

• le piante;

• i fiori;

• i mezzi di trasporto.

5.1. Caratteristiche dei campi semantici

Semplici o complessi che siano, i **campi semantici** non costituiscono insiemi chiusi in se stessi e isolati l'uno dall'altro, ma insiemi aperti e perfettamente collegati l'uno all'altro all'interno del lessico della lingua. Essi sono come le maglie di un'immensa rete.

All'interno di questa rete, **ogni campo semantico confina con altri campi semantici** che contengono parole di significato differente ma relative ad aree vicine.

Così, il campo semantico delle parole che indicano le forme geometriche piane (*triangolo*, *quadrato*, *rettangolo* ecc.) si trova accanto ad altri campi semantici che indicano altri elementi geometrici: ad esempio, quello delle figu-

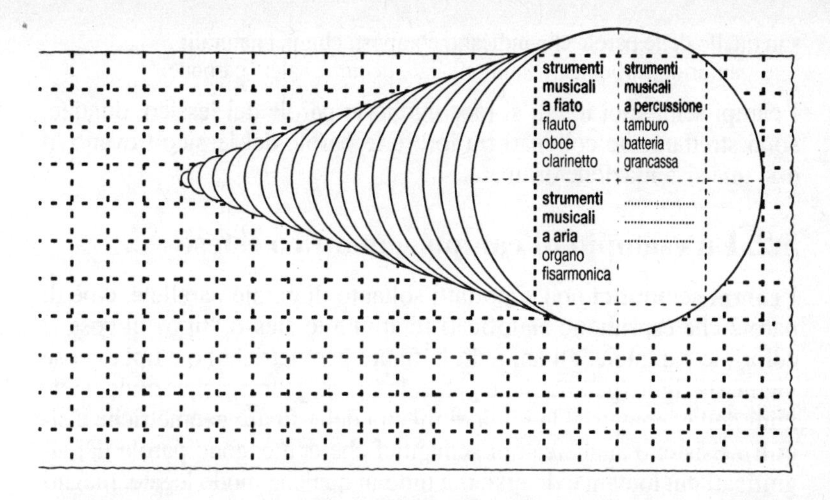

re geometriche solide (*cubo*, *parallelepipedo*, *piramide*, *sfera* ecc.) oppure quello dei termini geometrici (*linea*, *punto*, *retta*, *altezza*, *ipotenusa*, *diametro*, *raggio*, *bisettrice*, *perpendicolare* ecc.) oppure quello delle unità di misura delle figure geometriche (*metro*, *metro quadrato*, *metro cubo*, *centimetro*, *decametro* ecc.). Così il campo semantico che indica gli strumenti musicali a fiato (*flauto*, *oboe*, *clarinetto*, *saxofono*, *armonica*, *tromba* ecc.) si trova accanto a quello che indica gli strumenti musicali a percussione (*tamburo*, *batteria*, *grancassa* ecc.), a quello che indica gli strumenti musicali ad aria (*organo*, *armonium*, *fisarmonica* ecc.) e così via.

A rendere ancora più stretti i rapporti tra campo semantico e campo semantico e, quindi, tra le varie parole che costituiscono il lessico della lingua, contribuisce un'altra caratteristica del significato delle parole: il fatto che **una parola può appartenere a più campi semantici**.

Così, ad esempio, una parola di uso quotidiano come *acqua* è presente in vari campi semantici:

- in quello delle parole che indicano gli elementi naturali per eccellenza:

  terra; aria; *acqua*; fuoco;

- in quello delle parole che indicano liquidi:

  benzina; sangue; latte; *acqua*; brodo;

- in quello delle parole che indicano bevande:

  acqua; vino; birra; aranciata;

• in quello delle parole che indicano composti chimici naturali:
anidride carbonica; ammoniaca; *acqua*; sale; carbone.

I campi semantici in cui si raccolgono le parole del lessico, dunque, sono strettamente collegati tra loro e le parole del lessico trovano in essi una sistemazione ordinata.

5.2. Un esempio di campo semantico esteso

I campi semantici non sono fatti soltanto di parole parallele, cioè di parole che esprimono significati relativi allo stesso "tipo" di cose (i colori, le parentele, gli animali, le figure geometriche) o a tipi di cose vicine (le figure geometriche piane, le figure geometriche solide, i termini della geometria, le unità di misura delle figure geometriche e simili). Esistono anche campi semantici che contengono parole dai significati più lontani e diversi, ma tutte in qualche modo legate, magari per "fili" sottilissimi, tra di loro: in pratica, tutte le parole che possono "venire in mente" a una persona quando sente una certa parola o vede la cosa che si indica con quella parola o pensa a essa.

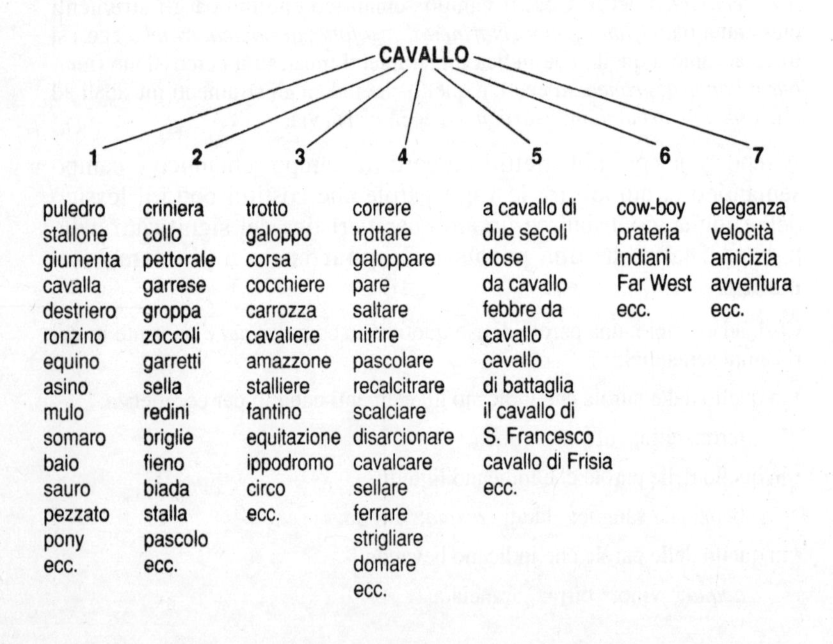

Consideriamo ad esempio la parola *cavallo* e proviamo a registrare tutte le parole che il termine *cavallo* ci richiama alla mente perché in qualche modo collegate con esso.

Come si vede, le parole che si raccolgono intorno alla **parola-guida** *cavallo* e che costituiscono il suo *campo semantico* sono molto numerose e sono tutte legate ad essa, e tra di esse, da più o meno sottili rapporti di significato.

Questi rapporti, come appare dai vari gruppi, sono di vario tipo. Nelle parole del gruppo **1** il rapporto è strettissimo, perché i nomi e gli aggettivi in esso contenuti riguardano da vicino il cavallo e, anzi, sono spesso usati per indicarlo. Molto vicine al significato della parola-guida sono anche le parole del gruppo **2**, che indicano le varie parti del corpo del cavallo, e le parole del gruppo **4** che indicano azioni compiute dal cavallo o ad esso relative. Con le parole del gruppo **3** restiamo sempre nell'ambito di significato della parola-guida, ma cominciamo ad allontanarci un po' da essa. Le parole del gruppo **6**, poi, risultano ancora più lontane dal significato della parola-guida, ma nessuno vorrà negare che il cavallo richiami i cow-boy, gli indiani, le praterie e il Far West. Le parole del gruppo **7** sono decisamente lontane dalla parola di partenza, ma indicano idee, emozioni e proiezioni mentali strettamente legate al cavallo. Il gruppo **5**, infine, contiene locuzioni o espressioni, per lo più figurate, in qualche modo legate al cavallo.

L'elenco delle parole legate alla parola *cavallo* potrebbe essere anche più ampio perché una caratteristica dei campi semantici è quella di essere **aperti a ogni sviluppo** e di conseguenza di essere più o meno estesi a seconda delle conoscenze lessicali dei singoli, della loro cultura e, anche, delle loro fantasie.

Alcuni linguisti, infatti, considerano come facenti parte del campo semantico di una parola-guida anche le parole che vengono richiamate da tale parola perché hanno una somiglianza di forma con essa. Così, in relazione a *cavallo*, rientrerebbero in questo gruppo parole che cominciano con *cav-* o *cava-*, come *cavagno*, *cavadenti*, *cavetto*, *cavolo*, *cavolaia*, *cavoletto*, *cavolata* ecc. o parole che finiscono in *-allo* o in *-arro* come *intervallo*, *pappagallo*, *corallo*, *tabarro* ecc. o parole come *cavillo*, *cavillare*, *cavilloso*. L'inserimento di simili parole nel campo semantico di una parola-guida può sembrare, a prima vista, assurdo, perché il concetto stesso di campo semantico implica l'esistenza di un rapporto semantico, cioè di significato, tra le varie parole che vi fanno parte. Ma l'inclusione nel campo semantico di una parola anche di parole ad essa legate solo per la forma ha una sua ragione d'essere. In primo luogo, infatti, non bisogna dimenticare che tali parole sono comunque legate alla parola in questione, tanto è vero che spesso esse scattano nella mente al solo sentire la parola-guida: non si può quindi trascurare il fatto che la parola *cavallo* fa venire in mente anche la parola *cavillo*. In secondo luogo, bisogna tener conto che la somiglianza della forma può sempre suscitare accostamenti inediti di significato e, quindi, può dar vita a concetti curiosi. Proprio di accostamenti imprevedibili e strani che producono concetti curiosi, assurdi o surreali hanno, per esempio, bisogno coloro che inventano giochi di parole, modi di dire, proverbi, battute più o meno spiritose e, soprattutto, slogan pubblicitari. In terzo luogo, infine, non bisogna dimenticare che il linguaggio poetico fonda buona parte delle sue caratteristiche espressive proprio sugli effetti musicali prodotti dall'accostamento di parole che presentano forme simili. Dalle onomatopee alle rime, dalle assonanze alle consonanze, infatti, il linguaggio poetico sfrutta sempre la somiglianza della forma delle parole, sia a scopo musicale sia a scopo espressivo e, quindi, per uno scopo in qualche modo legato al significato e non solo alla forma.

La particolare struttura del lessico, che vede le parole collegate tra loro attraverso varie relazioni di significato e in ampi campi semantici non è soltanto una caratteristica "teorica" della lingua, ma è un elemento di grande importanza ai fini dell'uso pratico. Infatti, quando parliamo o scriviamo, **è proprio la rete di relazioni che collegano i significati delle parole che ci permette di costruire frasi e periodi in modo rapido e agevole**: facendoci seguire i "fili" che uniscono i vari significati, essa ci consente di passare da una parola a un'altra a essa collegata sul piano del significato e, di passaggio in passaggio, attraverso le sue maglie, di elaborare testi di forma organica e di senso compiuto.

I campi semantici non vanno confusi con un altro insieme organico di parole di cui abbiamo già avuto occasione di parlare, le **famiglie semantiche** o **famiglie di parole**. Le famiglie semantiche, infatti, contengono parole derivanti da una stessa parola: sono cioè costituite da parole che, avendo in comune lo stesso morfema lessicale o radice, hanno in comune un significato di base (*fiore*, *fior*-ire, *fior*-i-sta, ri-*fior*-ire, *fior*-itura ecc.) e quindi risultano imparentate sia nel significato sia nel significante. Un campo semantico, invece, contiene parole legate tra loro per identità o vicinanza di significato (*cavallo*, *destriero*, *zoccoli*, *galoppo*, *sella*, *cow-boy* ecc.). Ciò non toglie, ovviamente, che la famiglia semantica di una parola sia un sottoinsieme dell'insieme che costituisce il campo semantico di tale parola.

6. Altri tipi di rapporto di significato tra le parole

I rapporti di significato che legano tra loro le parole all'interno di un campo semantico sono di tipo estremamente vario. Alcuni, come abbiamo visto, sono fondati sull'identità della forma (cavallo → *cavallino*, *cavaliere*, *cavalcare* ecc.). Altri sono fondati su collegamenti di carattere culturale (cavallo → *cow-boy*, *prateria*, *indiani*, *Far West* ecc.). Altri, ancora, su associazioni di carattere concettuale (cavallo → *eleganza*, *velocità*, *amicizia*, *avventura* ecc.). Ma tra le parole di un campo semantico esistono anche **relazioni più puntuali** che investono altri aspetti del significato di una parola e che contribuiscono a fare del lessico un sistema ordinato, collegato da "fili" logici precisi e utili per dare organicità alla lingua e per facilitare il suo uso concreto. Questi particolari **tipi di rapporto semantico** sono in tutto **cinque**:

• rapporto di **sinonimìa**: collega parole che hanno (quasi) lo stesso significato;

• rapporto di **antonimìa**: collega parole che hanno significato opposto;

• rapporto di **inclusione**: collega parole il cui significato è incluso in quello più ampio e più generico di altre parole;

• rapporto di **polisemìa**: riguarda parole che possono avere più significati;

• rapporto di **omonimìa**: collega parole che hanno la stessa forma, e spesso la stessa pronuncia, ma significati diversi.

6.1. Parole che hanno (quasi) lo stesso significato: i sinònimi

Il rapporto più semplice che le parole possono intrattenere tra loro è quello di **somiglianza**: È il caso di parole come:

pantaloni / calzoni;
inghiottire / ingerire;
calo / abbassamento.

Le parole di ciascuna coppia, infatti, hanno più o meno lo stesso significato e, quindi, possono essere impiegate indifferentemente l'una al posto dell'altra:

Paolo si è rotto *i pantaloni / i calzoni*.
Il mio fratellino ha *inghiottito / ingerito* tre bottoni.
Il malato ha avuto *un calo / un abbassamento* della pressione arteriosa.

Le parole legate da un rapporto di somiglianza di significato sono dette **sinònimi** (cioè "parole dallo stesso nome", dal greco *syn*, 'insieme' e quindi 'identico', e *ónyma*, variante di *ónoma*, 'nome').

La perfetta identità di significato tra due o più parole, però, **non esiste**. La lingua, infatti, non può permettersi di avere nel suo lessico inutili doppioni: quando presenta due parole per indicare la stessa cosa vuol dire che tra di esse c'è una sfumatura di significato che le rende entrambe necessarie. Così *ampio* e *vasto* funzionano spesso come sinònimi, sostituendosi a vicenda:

Lo spazio a disposizione è molto *ampio / vasto*.
È scoppiato un incendio di *vaste / ampie* proporzioni.

I due aggettivi, però, non sono sinònimi perfetti: hanno in comune una precisa area di significato – quella di "grande" –, ma *ampio* ha anche il significato di "largo" che *vasto* non ha e quindi non può essere sostituito ad esso in una frase come: "Vorrei una blusa *ampia* e comoda".

Allo stesso modo, parole come *infelice*, *triste*, *mesto*, *malinconico*, *scontento*, *avvilito*, *abbattuto* e *depresso* sono molto vicine tra loro per significato e possono essere considerate dei sinònimi. Se però le esaminiamo con un po' di attenzione, scopriamo che tutte hanno un nucleo di significato in comune – che ruota intorno all'idea di "infelicità" –, ma ognuna presenta una sfumatura di significato che la rende diversa dalle altre.

Osservazioni

Sinònimi appartenenti a registri diversi della lingua. Spesso due o più parole hanno lo stesso significato e, quindi, sono sinònimi, ma appartengono a registri diversi della lingua. Così, *insegnante* e *docente* sono indubbiamente sinònimi, perché indicano la stessa cosa, ma il primo appartiene al registro familiare della lingua ("Oggi ho incontrato il tuo *insegnante* di matematica"), mentre il secondo appartiene a un livello più elevato ("Il Collegio dei *docenti* si riunirà domani per approvare l'orario definitivo delle lezioni"). Talvolta i sinònimi possono appartenere anche a più di due livelli diversi, come *paura/spaghetto/téma*: queste tre parole sono sinònimi, ma *spaghetto* può essere usato in luogo di *paura* soltanto nel linguaggio familiare o in un contesto scherzoso, mentre *téma* sarebbe addirittura incomprensibile al di fuori di un testo di registro letterario.

Sinònimi eufemistici. In taluni casi l'esistenza di sinònimi di diverso livello linguistico è dovuta a motivi eufemistici, cioè al bisogno di esprimere qualcosa in modo meno diretto e meno crudo di quanto non faccia una parola di uso normale: infatti, l'**eufemìa** ("cosa detta bene", dal greco *èu*, 'bene', e *phemì*, 'dire, parlare') è una figura retorica che permette di attenuare l'asprezza di un'espressione usando appunto una parola invece di un'altra. Così, invece di *morire* si usano, a seconda delle situazioni, **sinònimi eufemistici**, come *mancare*, *venir meno*, *spirare*, *passare a miglior vita* e simili. Sinònimi eufemistici sono anche quelli che si usano per evitare la brutalità di parole indicanti gravi difetti fisici (*non vedente/cieco*) o per nobilitare mestieri ritenuti umili (*netturbino/spazzino/operatore ecologico*).

Sinònimi appartenenti a momenti diversi della storia della lingua. Talora, invece, i sinònimi sono costituiti da parole che si differenziano perché appartengono a momenti diversi della storia della lingua. Così, *donzella*, *giovinetta* e *ragazza* sono indubbiamente sinònimi, ma donzella e giovinetta appartengono a una fase diversa della lingua e oggi sono usati al posto di *ragazza* solo con intenti scherzosi: "Dove sono andate le *donzelle* della II B?"; "Oh, che bella *giovinetta*!"

Sinònimi regionalistici. Molti sinònimi, infine, sono dovuti alla diffusione a livello nazionale di regionalismi o di dialettismi che si sono ormai affiancati a pieno titolo a parole della lingua. È il caso di sinònimi come *fidanzato/moroso*; *strofinaccio/canovaccio/straccio/cencio*; *acquaio/lavandino/lavello*; *fontaniere/stagnino/stagnaio/stagnaro/lattoniere*; *trombaio/idraulico* ecc. In questa categoria rientrano anche i sinònimi che vedono coesistere parole straniere e parole italiane, ora per banale esibizionismo (*relax/riposo*; *week-end/fine settimana*; *chèque/assegno*), ora per reali esigenze di precisione e di chiarezza (*shock/emozione*; *computer/calcolatore*).

I tratti semantici delle parole legate dal rapporto di somiglianza. Il **rapporto di somiglianza** che caratterizza i sinònimi risulta evidente dalla scomposizione del significato delle parole nei suoi **tratti semantici**, cioè nei suoi elementi costitutivi. Essa, infatti, consente di individuare agevolmente i tratti semantici su cui si fonda la somiglianza di significato e anche quelli che non permettono la loro totale identità:

	ANIMATO	UMANO	MASCHIO	ADULTO	GENITORE	LETTERARIO	FAMILIARE	REGIONALE
padre	+	+	+	+	+	+	–	–
papà	+	+	+	+	+	–	+	–
babbo	+	+	+	+	+	–	–	+

I sinònimi costituiscono una grande risorsa della lingua, perché la rendono varia e le permettono di esprimere con grande precisione tutte le possibili sfumature della realtà. Infatti, nell'ambito di un gruppo di sinònimi le singole parole hanno un loro preciso significato e, ogni volta, bisogna valutare bene il diverso valore di ciascuna di esse. Usare l'uno o l'altro sinònimo non è la stessa cosa: bisogna tener conto, prima di scegliere, del registro linguistico che si vuole adoperare, del contesto in cui si inserisce il vocabolo, del destinatario o dei destinatari del messaggio e, anche, del tipo di effetto che ci si propone di conseguire.[1]

6.2. Parole che hanno significato opposto: gli antònimi o contrari

Un altro tipo di rapporto di significato molto usuale tra le parole è quello fondato sull'**opposizione**. Due parole, infatti, possono avere un significato opposto l'una all'altra:

presente / assente; partire / restare; alto / basso; bello / brutto.

La prima parola di ciascuna coppia esprime un significato che è l'opposto della seconda. Infatti, se in una frase sostituiamo una delle due parole con l'altra, otteniamo una frase di significato opposto:

[1] La conoscenza del maggior numero possibile di sinònimi di una parola e delle loro diverse sfumature di significato è un fattore indispensabile per esprimersi con esattezza, proprietà ed efficacia o anche, più semplicemente, per evitare di ripetere sempre le stesse parole. Il modo migliore per impadronirsi di un buon numero di sinònimi e di impratichirsi nel loro uso è naturalmente quello di prestare particolare attenzione all'uso che gli scrittori e i poeti fanno delle parole nei loro testi. Ma, in caso di necessità, specialmente quando si lavora alla stesura di un testo (lo svolgimento di un tema, una relazione, una lettera ecc.) si può sempre consultare il dizionario. Il dizionario, infatti, registra sotto ogni parola un buon numero di sinònimi e attraverso la definizione delle varie parole permette di cogliere agevolmente le eventuali diversità di significato. Inoltre, attraverso l'indicazione dell'ambito d'uso della parola o del suo particolare registro linguistico o della sua origine, permette addirittura di individuare il vocabolo più adatto a seconda delle diverse situazioni espressive. Per una ricerca più approfondita, invece, si può far ricorso ai veri e propri dizionari dei sinònimi, cioè a dizionari dove, sotto i vari lemmi, sono registrati i sinònimi e spesso anche i contrari delle parole più importanti. Si vedano ad esempio i seguenti dizionari: A. Gabrielli, *Dizionario dei sinonimi e dei contrari*, Cide, Roma; D. Cinti, *Dizionario dei sinonimi e dei contrari*, De Agostini, Novara; B.M. Quartu, *Dizionario dei sinonimi e dei contrari*, Rizzoli, Milano.

Paolo oggi è *presente*. / Paolo oggi è *assente*.
Ho deciso di *partire*. / Ho deciso di *restare*.
Vorrei una pianta di *alto* fusto. / Vorrei una pianta di *basso* fusto.
Antonio è *bello*. / Antonio è *brutto*.

Le parole che esprimono significati opposti si chiamano **antònimi** ("di nome contrario", dal greco *antì*, 'contro', e *ónyma*, "nome") o **contrari**. Più propriamente, a seconda del tipo di opposizione che li contraddistingue, gli antònimi si possono distinguere in:

• **antònimi disgiunti** o **complementari** (o anche **contrari** propriamente detti), costituiti da parole che si oppongono l'una all'altra in maniera tale che il significato dell'una implica la negazione del significato dell'altra, e di conseguenza non possono sussistere nello stesso tempo. Ad esempio, sono antònimi disgiunti parole come *pari* e *dispari*, giacché un numero non può essere nello stesso tempo pari e dispari; *vivo* e *morto*, giacché se uno è morto non può essere vivo e se è vivo non può essere morto; *maschio* e *femmina*; *celibe* e *sposato* ecc.

• **antònimi incompatibili** o **totali**, costituiti da parole che, implicando un rovesciamento di significato, si oppongono in modo tale che non possono essere vere nello stesso tempo, ma possono essere entrambe false. Ad esempio, sono antònimi incompatibili *alto* e *basso* perché un uomo non può essere contemporaneamente alto e basso, ma può benissimo non essere né alto né basso e, d'altra parte, dire "non è alto" non significa dire che "è basso". Antònimi incompatibili sono anche *amare* e *odiare*, perché non si può amare e odiare allo stesso tempo, ma "non amare" non significa necessariamente "odiare" e "non odiare" non significa necessariamente "amare".

Gli antònimi incompatibili sono **graduabili**: essi ammettono, infatti, confronti fra di loro (si può dire *più alto*, *più basso*, *meno alto*) e gradazioni intermedie di significato (*altissimo* → **alto** → *medio* → **basso** → *bassissimo*). Gli antònimi disgiunti, invece, non sono graduabili e quindi non ammettono comparazioni e gradazioni, almeno nel loro significato proprio: un numero, infatti, non può essere *più pari* o *più dispari*.

• **antònimi reciproci** o **inversi**, costituiti da parole che si oppongono perché rappresentano ciascuna i termini di una relazione necessaria. Ad esempio, sono inversi parole come *comprare* e *vendere*, in quanto esiste l'una (il comprare) solo perché c'è l'altra (il fatto che qualcuno vende) e viceversa.

Osservazioni

Non tutte le parole hanno un antònimo. Diversamente da quello che si può pensare, non tutte le parole hanno un antònimo. Non ammettono, ad esempio, un contrario i nomi e gli aggettivi indicanti colore e forma: *rosso* non ha un colore opposto (solo in taluni codici visivi il "rosso" ha come contrario il "verde", ma ciò non succede nel codice linguistico), ma solo colori diversi (*verde*, *azzurro* ecc.) e, allo stesso modo, *rettangolare* non ha una forma opposta, anche se, come è ovvio, esistono forme diverse (*rotondo*, *quadrato* ecc.). Non ammettono un contrario neanche le parole che indicano nazionalità, provenienza regionale o credenza religiosa, come *italiano*, *francese*, *siciliano*, *musulmano* ecc. Naturalmente, tutte queste parole possono essere negate con l'avverbio **non**, ma le forme come *non rosso*, *non quadrato*, *non italiano*, *non cristiano* e simili non sono antònimi di *rosso*, *quadrato*, *italiano* e *cristiano*. Così, con *non rosso* ci limitiamo a negare, cioè a escludere il colore rosso, a vantaggio di tutti gli altri colori: "Vorrei una stoffa *non rossa*", quindi, significa che vorrei una stoffa verde, blu, azzurra ecc. Con *non bello*, poi, non intendiamo negare *bello* per dire che una cosa è *brutta*: *non bello* è soltanto un'attenuazione di *bello* oppure un modo elegante e ironico per fare capire che in realtà vogliamo dire proprio *brutto*.

Le forme degli antònimi. Molti antònimi sono costituiti da due parole diverse: *vivo/morto*; *ricco/povero*; *giovane/vecchio*; *dolce/amaro*. Nella maggior parte dei casi, però, gli antònimi si formano per derivazione da una parola cui viene aggiunto un prefisso come *a-*, *an-*, *de-*, *dis-*, *in-*, *ne-*, *s-*: tipico/*a*tipico; alcolico/*an*alcolico; onestà/*dis*onestà; certo/*in*certo; lecito/*il*lecito; vestire/*s*vestire ecc.

Una parola con più significati ha più antònimi. Una parola che presenta più significati ha **un contrario per ognuno di tali significati**. Così l'aggettivo *acuto* ha quattro tipi di **antònimi**, secondo i suoi quattro significati:

acuto {
nel senso di "acuminato, appuntito" ha come contrario *arrotondato*;
nel senso di "angolo acuto" ha come contrario *ottuso*;
nel senso di "lancinante, intenso" ha come contrario *lieve*;
nel senso di "perspicace, astuto, sveglio" ha come contrario *tardo*.

I tratti semantici delle parole legate dal rapporto di antinomìa. Il **rapporto di opposizione** che caratterizza gli antònimi risulta evidente dalla scomposizione del significato delle parole nei suoi **tratti semantici**, cioè nei suoi elementi costitutivi. Essa, infatti, mette chiaramente in luce come nell'uguaglianza di una serie di tratti comuni, spicca l'eccezione di un tratto semantico qualificante quale è, in una delle due parole, il contrario di quello dell'altra.

	ESSERE VIVENTE	UMANO	MASCHIO	CONIUGATO
celibe	+	+	+	–
sposato	+	+	+	+

6.3. Parole che hanno un significato più ampio di quello di altre parole: gli iperònimi e gli ipònimi

Sempre sul piano del significato, un altro tipo di rapporto che collega tra loro le parole è il rapporto di **inclusione**. Ci sono infatti parole il cui significato "include" il significato di altre parole:

animale / cane; mobile / armadio; pianta / larice; automobile / cofano; metallo / oro.

In ciascuna di queste coppie, la prima parola ha un significato più ampio e più generale della seconda, che invece ha un significato più ristretto e più specifico. Così, la parola *animale* è un termine generico, mentre la parola *cane* indica un tipo particolare di animale: il significato della parola *animale* include in sé il significato della parola *cane* perché il cane, di fatto, è un animale. Allo stesso modo, noteremo che *mobile* include in sé *armadio*, perché l'armadio è un mobile; *pianta* include in sé *larice*, perché il larice è una varietà delle tante piante esistenti; *automobile*, poi, include in sé *cofano*, perché il cofano è una parte dell'automobile; *metallo* include in sé *oro*, perché l'oro è un metallo, e così via.

Nell'ambito delle parole collegate dal rapporto di inclusione, le parole che hanno un significato più ampio e più generale di altre si chiamano **parole generali** o **iperònimi** ("nomi che stanno sopra", dal greco *hypér*, 'sopra', e *ónyma*, 'nome'); le parole che, invece, hanno un significato più ristretto e più particolare di altre, si chiamano **parole particolari** o **ipònimi** ("nomi che stanno sotto", dal greco *hypó*, 'sotto', e *ónyma*, 'nome').

Due parole legate da un rapporto di inclusione sono molto simili per significato, ma non sono sinònimi. I sinònimi, infatti, vogliono dire "quasi" la stessa cosa, come *gatto* e *micio*, *madido* e *bagnato*, *delegare* e *incaricare*. Invece, gli iperònimi e gli ipònimi indicano gli uni la categoria generale cui gli altri appartengono: è il caso, appunto, di parole come *fiore* e *orchidea*, *metallo* e *oro*, *cane* e *bassotto*, *dare* e *regalare*.

Il rapporto di inclusione può collegare più parole: un *iperònimo*, cioè una parola di significato generale, infatti, può includere una parola di significato più ristretto, la quale a sua volta può includere una parola di significato ancora più ristretto e specifico e così via:

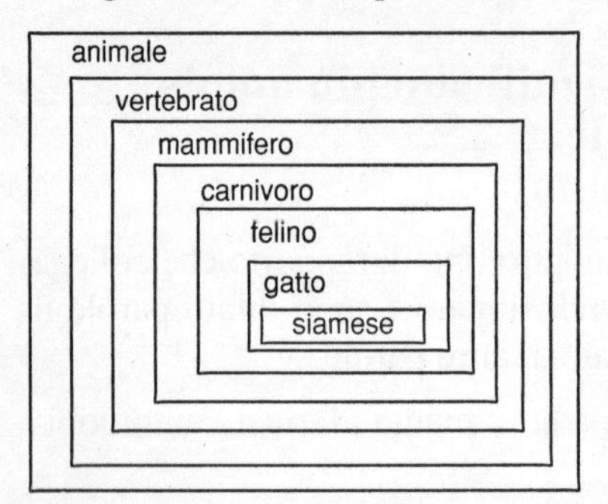

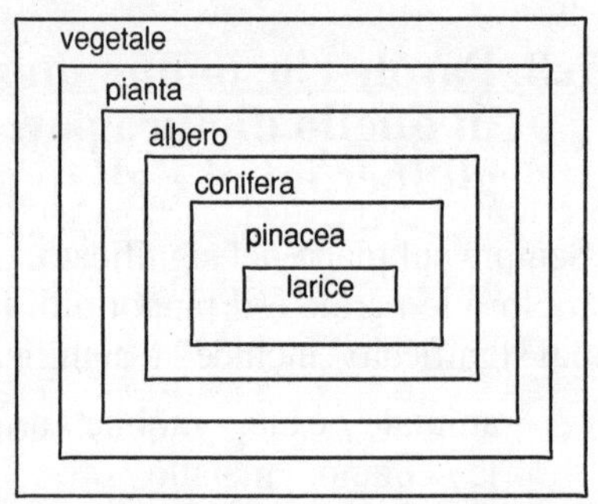

Una parola di significato generale, poi, può includere **più ipònimi**, cioè più parole di significato ristretto, le quali a loro volta possono includere altri ipònimi:

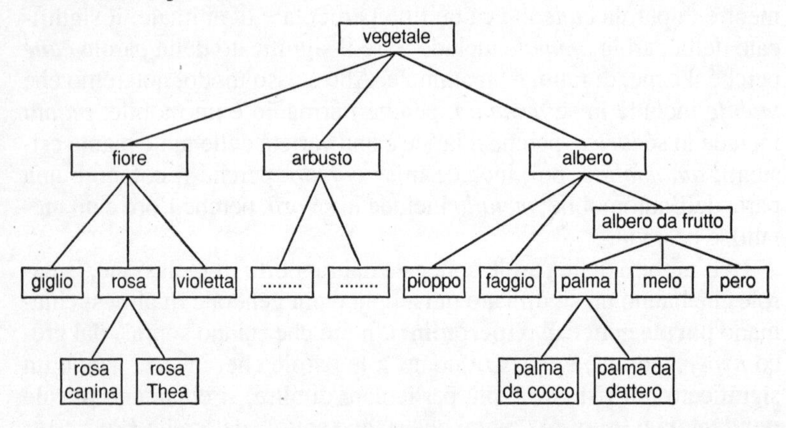

Nell'uso pratico della lingua è molto importante saper sfruttare i rapporti di inclusione. Infatti, la possibilità di passare da una parola di carattere generale a una di carattere più ristretto permette a chi parla o scrive di precisare meglio il proprio pensiero, perché il termine di significato più ristretto è sempre più specifico:

L'*aereo* che ci ha portati in vacanza era un *bimotore*.

Invece, la possibilità di passare da una parola di significato specifico a una di significato più generale consente a chi parla o scrive di spiegarsi meglio, perché un termine di significato generale è più comprensibile di uno di significato specifico:

Il *mastino* è un *cane* da guardia.

Quando si parla o si scrive, inoltre, la possibilità di passare da una parola di significato specifico a una di significato più generale permette di evitare inutili ripetizioni:

Finalmente scorsi il *gatto* che, secondo mia sorella, avrei dovuto prendere e portare a casa. L'*animale* se ne stava seduto sulle zampe posteriori...

Il rapporto di inclusione viene spesso sfruttato nei dizionari per definire il significato delle parole. Di fatto, poiché comporta il passaggio dal generale, e quindi dal noto, al particolare non sempre noto, il rapporto di inclusione si presta benissimo per illustrare il significato di una parola. Così, il più delle volte, la definizione di una parola è costituita da una perifrasi che inizia con un iperònimo, cioè con una parola indicante una cosa che appartiene alla stessa categoria della parola da definire ma di significato più ampio (*giacca* → "indumento..."; *secchio* → "recipiente..."; *tenaglia* → "arnese...") e che si sviluppa attraverso una serie di indicazioni sempre più specifiche intese a individuare in modo preciso la cosa in questione: giacca → "indumento con maniche che riveste il tronco del corpo"; *secchio* → "recipiente cilindrico di legno, metallo o materiale plastico con un manico ricurvo e mobile, per trasportare liquidi o solidi". Allo stesso modo, per definire *cane* il dizionario ricorre a una serie di iperònimi: "*Mammifero* domestico dei *carnivori*, *onnivoro...*" (per definire *mastino*, invece, al dizionario basta usare l'iperònimo *cane*: "*Cane* da guardia..."); per definire *albero* ricorre all'iperònimo *pianta*: "*Pianta*, con fusto legnoso ed eretto"; per definire *conifera* si serve dell'iperònimo *albero*: "*Albero* sempreverde ad alto fusto..." e, infine, per definire *larice*, si serve dell'iperònimo *conifera*: "*Conifera* che cresce sui monti...".

6.4. Parole che presentano la medesima forma (cioè il medesimo significante), ma diverso significato: gli omònimi

Rilevanza semantica ha anche il fenomeno dell'**omonimìa**, cioè delle parole che presentano **la stessa forma**, ma che hanno **significati di-**

versi e che, per questo, sono chiamate **omònimi** ("dal nome uguale", dal greco *homós*, 'uguale, simile', e *ónyma*, 'nome'):

la lira { unità monetaria
strumento musicale

il tasso { mammifero mustelide
arbusto delle conifere
percentuale di interesse

In realtà, negli omònimi, l'identità di forma è soltanto apparente. Originariamente, infatti, gli omònimi avevano forme diverse, ma poi i mutamenti fonetici e grafici cui sono andati incontro nel tempo li hanno portati ad assumere la stessa forma. Così, la parola "lira" che significa "unità monetaria" deriva dal latino *libra(m)*, 'libbra, cosa del peso di una libbra'; invece la lira, "strumento musicale", deriva dal greco *lýra*, 'lira'. Allo stesso modo la parola "tasso", quando indica il mammifero mustelide deriva dal tardo latino *taxone(m)*, di origine germanica; quando indica l'arbusto delle conifere deriva dal latino *taxu(m)*; quando, infine, indica la misura percentuale di interesse deriva dal francese *ta(u)x*, da *ta(u)xer*, 'tassare'.

Gli omònimi possono essere di due tipi:

• omònimi costituiti da parole che appartengono alla medesima categoria grammaticale:

la lira { unità monetaria = nome
strumento musicale = nome

il miglio { unità di misura = nome
graminacea = nome

Il dizionario registra queste parole l'una dietro l'altra come voci autonome e le distingue con un numero a esponente:

lira[1] *f* **1** unità monetaria di Italia, Turchia, Egitto, e altri Paesi. **2** *est* denaro [ETIMOL dal latino *libra(m)*: libbra, cosa del peso di una libbra]

lira[2] *f* MUS strumento musicale a corde dell'antica Grecia [ETIMOL attraverso il latino, dal greco *lýra*]

• omònimi costituiti da parole che appartengono a categorie grammaticali diverse:

fine { sottile, delicato = aggettivo
il fine, lo scopo = nome

amo { (l') amo = nome
(io) amo = verbo

ora { (l') ora = nome
ora = avverbio ("adesso")

Il dizionario li registra l'uno dietro l'altro, distinguendoli sia con un numero a esponente sia con l'indicazione della diversa classe grammaticale cui appartengono:

óra[1] *f* **1** unità di misura del tempo pari alla ventiquattresima parte del giorno: *ti aspetto da un'~*; (...)

óra[2] *avv* **1** in questo momento; adesso: *ho deciso solo ~* (...)

Gli omònimi di queste due categorie sono **omònimi totali**: essi, infatti, oltre ad essere **omògrafi** ("dalla scrittura identica": dal greco *homós*, 'uguale, simile', e *grápho*, 'scrivo'), in quanto presentano la medesima forma grafica, sono anche **omòfoni** ("dal medesimo suono": dal greco *homós*, 'uguale, simile', e *phoné*, 'suono'), in quanto sono pronunciati allo stesso modo. Questa totalità di somiglianza può ingenerare confusione, specialmente in frasi brevi e isolate, ma nella realtà della comunicazione il rischio di fraintendimento è minimo, perché il contesto in cui la parola è inserita consente di capire in quale dei suoi significati è usata.

Così nella frase "Come va *il tasso*?" riesce difficile stabilire di primo acchito che cosa sia il *tasso* di cui si chiedono notizie: "l'interesse fruttato da un dato capitale", "l'albero delle Conifere dalle foglie di colore verde scuro e dalle bacche rosse" o "il mammifero dei Mustelidi dal tronco massiccio e dal muso appuntito"? Già il contesto in cui la frase viene pronunciata potrebbe, però, dare indicazioni utili per capire qualcosa di più: ad esempio, se la domanda viene formulata a un operatore bancario, è molto probabile che *il tasso* in questione sia il "tasso di interesse fruttato da un capitale"; se invece la domanda è formulata a un giardiniere, il *tasso* sarà con tutta probabilità "l'albero delle Conifere dalle foglie appuntite di colore verde scuro" (a meno che il giardiniere in questione non sia anche esperto di investimenti finanziari...). L'ampliamento del contesto della frase potrebbe risolvere ogni ambiguità come nei casi seguenti: "Come va il *tasso* dei Buoni del Tesoro che mi hai consigliato?", "Come va il *tasso* che hai piantato la primavera scorsa?", "Come va il *tasso* che avete trovato ferito nel bosco?".

Sono considerati **omònimi** anche le parole che presentano la **stessa forma grafica** (cioè si scrivono nello stesso modo), ma sono **pronunciate in modo diverso**:

- perché hanno un diverso accento tonico:

  àncora / ancòra; fòrmica / formìca; téndine / tendìne; sùbito / subìto

Il dizionario li registra l'uno dietro l'altro diversificandoli nel lemma, oltre che con un numero a esponente, con l'indicazione del diverso accento:

àncora[1] *f* NAUT pesante arnese di ferro, con due o più bracci a punta, per ormeggiare una nave al fondale: *gettare/levare l'~*; *~ di salvezza fig* estrema possibilità

ancòra[2] *avv* **1** comunica continuità di uno stato o di un'azione nel tempo: *è ~ al cinema*; *c'è ~ molto da fare*. **2** fino ad ora, fino adesso, finora, fin qui: *non ha ~ cenato*; (...)

- perché hanno un diverso accento fonico, cioè un accento che distingue le vocali **e** ed **o** in aperte o chiuse:

  (l')*accétta*/(egli) *accètta*; (la) *pésca*/(la) *pèsca*; *vénti*/(i) *vènti*; (la) *légge*/(egli) *lègge*; (la) *bótte*/(le) *bòtte*; (il) *vólto*/*vòlto*.

Il dizionario li registra in lemmi distinti segnando su ciascuno di essi il diverso accento fonico, cioè l'accento acuto (´) per il suono chiuso e l'accento grave (`) per il suono aperto:

vòlto[1] *part pass di* VOLGERE // *agg* **1** rivolto: *casa ~ a Nord*. **2** inteso: *il discorso è ~ a chiarire la situazione*

vólto[2] *m* **1** viso, faccia: *un bel ~*; *ha cambiato ~*. **2** *fig* carattere, natura: *questo è il suo vero ~*

In realtà, queste parole, **che sono omògrafe ma non omòfone**, non sono propriamente degli omònimi (vedi *Fonologia*). Esse, inoltre non danno luogo a fraintendimenti riguardo al significato, perché il contesto in cui sono inserite permette di capire che cosa vogliono dire anche se non sono indicati gli accenti che le differenziano:

La nave ha già levato l'*ancora*. / L'ingegnere non è *ancora* arrivato. Come è andata *la pesca* oggi? / Vuoi una *pesca* o un'albicocca?

6.5. Parole che hanno più significati: la polisemìa

Un altro aspetto interessante delle parole sul piano del significato è costituito dalla **polisemìa**, cioè dal fatto che **una stessa parola** – un solo significante – **può avere più di un significato**. Si vedano, ad esempio, le seguenti parole:

penna
- formazione cornea della pelle, caratteristica degli animali
- strumento per scrivere
- tipo di pasta alimentare in forma romboidale

gru
- grande uccello migratore
- macchina per sollevare e trasportare carichi
- carrello mobile per riprese cinematografiche

espresso
- caffè (espresso)
- treno (espresso)
- francobollo (espresso)
- lettera (espresso)

Le parole che hanno più significati sono dette **polisemiche** ("dai molti significati", dal greco *polys*, 'molto', e *seméion*, 'significato').

La polisemìa è un fenomeno che riguarda quasi tutte le parole: fanno eccezione solo alcune parole di significato molto preciso e i termini del linguaggio scientifico o tecnologico che, per loro natura, devono avere un significato univoco, definito e costante.

La polisemìa, inoltre, è un espediente di cui la lingua si serve **per arricchire il proprio patrimonio lessicale** in modo economico. Infatti, per indicare cose o concetti nuovi, la lingua, anziché coniare significanti nuovi, utilizza significanti già esistenti che, pur continuando a conservare il significato originario, assumono anche **significati nuovi**. Naturalmente, nello sfruttare la potenziale polisemìa delle parole che si fonda sulla arbitrarietà del segno linguistico, la lingua non opera a caso e i processi che hanno portato alla compresenza di più significati nello stesso significante sono tutti spiegabili in termini logico-linguistici. Nella maggior parte dei casi, infatti, i **nuovi significati** aggiunti a una parola **sono in stretto rapporto di identità con il significato originario** della parola: anche se indicano cose completamente diverse, i nuovi significati e quello originario sono collegati tra loro in modo tale che il parlante, al di là dei diversi usi, coglie l'esistenza di un **nucleo semantico comune.**

Così, nel caso della parola *espresso*, il parlante può capire che la parola indica qualcosa di "celere" e di "rapido" e può quindi decodificarne facilmente il significato in rapporto al contesto: "*treno* espresso"; "*caffè* espresso"; "*francobollo* espresso"; "*lettera* espresso".

In altri casi, invece, il nuovo o i nuovi significati **sono la conseguenza di particolari associazioni mentali** di tipo analogico: il parlante, infatti, tende ad associare significati nuovi, per lo più di tipo figurato, al significato di base della parola.

È il caso della parola *leone* che può essere usata in **senso figurato** o **metaforico** per indicare una persona molto coraggiosa: "Aldo è un leone". Oppure è il caso di un verbo come *fiorire*, che, oltre che per indicare lo sbocciare dei fiori, può essere usato, sempre in senso metaforico, nel significato di "ottenere grandi risultati": "Nel rinascimento *fiorirono* le arti". Ed è anche il caso dei nomi propri che, per antonomàsia, possono essere usati in luogo di un nome comune con un significato nuovo anche se connesso con quello originale. Così nella frase "Quel signore è un grande *mecenate*", il nome *mecenate* indica una persona che protegge e aiuta gli artisti, proprio come Mecenate, l'amico dell'imperatore Augusto che protesse i poeti Virgilio e Orazio.

Spesso, infine, i diversi signficati di una stessa parola sono dovuti al **diverso ambito d'uso**, cioè al particolare campo, scientifico, tecnologico, artistico o professionale, in cui sono utilizzati.

Ad esempio, la parola *divisione* significa una cosa diversa, pur nell'identità della forma e dell'origine storica, a seconda che sia usata in campo matematico ("Per domani risolvete le seguenti *divisioni*"), in campo militare ("Due nostre *divisioni* sono pronte a partire per il fronte"), in campo amministrativo ("Suo padre è capo di una delle tre *divisioni* centrali del Ministero") o in senso sportivo ("La squadra della nostra città milita in seconda *divisione*").

Il fatto che una parola possa avere più significati comporta l'**ambiguità della parola stessa** e, quindi, non poche difficoltà di individuazione e decifrazione del significato esatto. Ad esempio, una frase come:

L'*operazione* è riuscita perfettamente.

può risultare incomprensibile o ambigua, perché la parola *operazione* ha più significati. Come significato base ha quello di "azione che si compie per ottenere uno scopo", ma poi, secondo gli ambiti d'uso, può indicare:

• un intervento chirurgico (nel linguaggio medico);

• una serie di azioni militari o poliziesche (nel linguaggio militare);

• un procedimento di calcolo (nel linguaggio matematico);

• l'insieme delle procedure necessarie per acquistare o vendere un bene (nel linguaggio economico).

Tuttavia, nella realtà della comunicazione, il **contesto**, cioè la situazione in cui la parola viene usata, o le stesse parole che la circondano, ci permettono di capire con quale significato essa è usata:

L'*operazione* è riuscita perfettamente: il paziente potrà lasciare l'ospedale entro pochi giorni.

L'*operazione* è riuscita perfettamente: i banditi sono stati arrestati.

L'*operazione* è riuscita perfettamente: il risultato del problema è 428.

L'*operazione* è riuscita perfettamente: ha, però, comportato un notevole investimento di capitali.

In caso di dubbio, basta consultare il dizionario. Esso, infatti, sotto ogni "voce" registra le varie **accezioni** di una parola, cioè i vari significati che una parola può avere, da quello più comune a quelli meno comuni, da quello più generale a quelli più specialistici. Inoltre, indica l'ambito d'uso di ogni significato, precisa cioè il particolare campo o la particolare disciplina in cui sono più spesso usati e li illustra uno per uno con opportuni esempi, volti a far capire meglio che cosa vogliono dire.

3

Il lessico della lingua italiana

Il lessico di una lingua, cioè l'insieme delle parole che compongono una lingua, è una realtà mobile e varia all'interno della quale avvengono continui cambiamenti: parole nuove che nascono, parole che muoiono, parole che scompaiono per poi ricomparire con nuovi significati, parole che entrano a far parte della lingua da altre lingue, parole che vengono coniate sulla base di elementi preesistenti e così via.

Nei due capitoli precedenti abbiamo visto come si formano le parole e quali sono i rapporti di significato che intercorrono tra di esse. Ora, per concludere la descrizione della lingua italiana vogliamo descrivere il lessico della lingua italiana nel suo insieme, così come esso si è venuto costituendo attraverso i secoli per essere quello che è attualmente e come continuamente si arricchisce di nuove parole.

1. Il fondo ereditario latino

Una gran parte del lessico italiano attuale deriva **dal latino**. L'italiano, infatti, continua il latino non solo dal punto di vista delle strutture morfologiche e sintattiche, ma anche dal punto di vista lessicale.

La storia del passaggio dal latino all'italiano illustra chiaramente quali parole siano passate dal latino e come questo passaggio sia avvenuto, cioè con quali cambiamenti nella forma e nel significato. In generale, si può dire che le parole latine sono entrate in italiano in due modi:

– alcune, la maggior parte, sono entrate nell'italiano, tra il V e il X-

XII secolo, per **tradizione ininterrotta** o **popolare**, cioè attraverso la lenta evoluzione della lingua latina parlata, e quindi si sono variamente modificate nella forma e spesso anche nel significato:

latino parlato		italiano
oculum	→	occhio
dominam (= 'padrona')	→	donna (= 'persona di sesso femminile')
causam (= 'causa')	→	cosa (= 'oggetto')

– altre sono entrate in italiano, nei secoli successivi, per **tradizione interrotta** o **dotta**, cioè attraverso il recupero da parte di dotti, specialmente uomini di scienza o letterati, e quindi, essendo rimaste estranee all'uso vivo, non hanno subìto particolari mutamenti della forma o del significato al di fuori di quelli relativi alle desinenze:

latino		italiano
equester	→	equestre
causa	→	causa

L'insieme delle parole del lessico italiano provenienti, direttamente o indirettamente, dal latino costituisce il **fondo ereditario** della lingua italiana, cioè il patrimonio fondamentale e imprescindibile del lessico della nostra lingua: un patrimonio che ha offerto e continuamente offre parole sia alla lingua parlata sia alla lingua letteraria sia ai linguaggi specialistici, soprattutto a quelli medico-scientifici, e che costantemente si rinnova, sia perdendo, almeno a livello di uso, parole "vecchie", sia arricchendosi, per quanto ormai sempre più raramente, di parole "nuove" ripescate dal lessico latino.

Poi, attraverso il tempo, questo patrimonio di base ha visto entrare in italiano migliaia e migliaia di altre parole, provenienti da "fonti" diverse.

2. I prestiti da altre lingue

Una fonte di parole che, nel tempo, ha notevolmente arricchito, con incroci e sovrapposizioni varie, il patrimonio lessicale italiano è costituita dai contributi provenienti da altre lingue, cioè **dalle lingue dei popoli con cui gli italiani sono venuti in contatto**, direttamente o indirettamente nei secoli, per vicende storiche, economiche, sociali, politiche e culturali.

Queste parole, che coprono una buona parte del patrimonio di parole di origine non latina e che hanno arricchito il lessico italiano di termini non meno importanti ed essenziali di quelli ereditati dal latino, sono dette **prestiti**[1] e più precisamente:

• **prestiti integrati**, quando le parole straniere sono state adattate foneticamente, cioè hanno una grafia e una pronuncia italiane, e morfologicamente, possono cioè mutare per genere (maschile o femminile) o per numero (singolare o plurale), in modo da risultare parole italiane a tutti gli effetti:

giardino (dal franco-provenzale *jardin*)
bianco (dal germanico *blank*)
zucchero (dall'arabo *súkkar*)
bistecca (dall'inglese *beefsteak*)
cifra (dall'arabo *sifr*, 'vuoto')
gioia (dal francese *joie*)

• **prestiti non integrati**, quando, essendo entrate in italiano in epoca recente, le parole straniere hanno conservato la loro forma (la grafia e, in certi casi, la pronuncia) originaria e, quindi, sono invariabili (al plurale hanno la stessa forma del singolare):

dessert (dal francese *dessert*)
sport (dall'inglese *sport*)
film (dall'inglese *film*)
robot (dal cecoslovacco *robot*)
golpe (dallo spagnolo *golpe*)
würstel (dal tedesco *würstel*)
western (dall'angloamericano *western*)
karatè (dal giapponese *karate*).

Il processo di integrazione dei prestiti nelle strutture fonetiche e morfologiche dell'italiano è pressoché costante fino all'Ottocento: anzi, prima di quell'epoca i prestiti non integrati sono molto rari e si riducono a poche parole provenienti dall'arabo come *zenit* e *nadir* o ai nomi dei punti cardinali (*nord*, *est*, *sud*, *ovest*). Invece, a partire dall'Ottocento e poi soprattutto nel Novecento, il processo di integrazione rallenta progressivamente e la maggior parte delle parole straniere vengono adottate nella loro forma originaria.[2]

[1] Come processo di acquisizione di un elemento (per lo più una parola) da un'altra lingua, il prestito è un fenomeno di tipo sociolinguistico molto importante e molto frequente: esso è strettamente connesso con gli eventi storici, economici, sociali, politici e culturali che portano i popoli a incontrarsi o a scontrarsi e, come osserva il linguista francese Jean Dubois, è «necessariamente legato al prestigio di cui gode una lingua o il popolo che la parla oppure alla scarsa considerazione nella quale una lingua è tenuta».

[2] A proposito del prestito, alcuni linguisti considerano le parole entrate nell'italiano fi-

Certi **prestiti** esistono sia nella forma **non integrata** sia nella **forma integrata**: *bleu/blu*; *gilet/gilé*; ecc. I prestiti non integrati che fanno parte da molto tempo dell'italiano possono subire tanto la derivazione (*barista*, *filmare*) quanto l'alterazione (*baretto*, *filmaccio* ecc.).

Diversa dal prestito è la **citazione** di una parola straniera: essa si ha quando, in un contesto di parole tutte italiane, si inserisce, per lo più tra virgolette o stampandola in corsivo, una parola appartenente a una lingua straniera: "Gli osservatori politici del mondo occidentale analizzano con molto interesse i progressi della *perestrojka* avviata nell'Unione Sovietica da Gorbaciov".

Diverso dal prestito è anche il **calco** linguistico: esso si ha quando, per denominare un oggetto o un concetto nuovi, la lingua utilizza una propria parola facendole assumere il significato di una parola straniera di forma e/o di significato simile oppure forma una parola utilizzando del materiale lessicale italiano per tradurre una parola, semplice o composta, straniera. Nel primo caso si ha un **calco semantico**, come nella parola italiana "realizzare" che, accanto al suo significato originario di 'rendere reale, costruire', ha assunto, per calco dall'inglese *to realize*, anche il significato di 'comprendere bene': "Finalmente Paolo ha realizzato la situazione" (esempio tratto da Jean Dubois). Nel secondo caso, invece, si ha un **calco propriamente detto**, come nella parola italiana "ferrovia", che traduce la parola tedesca *Eisenbahn*, composta da *Eisen*, 'ferro' e *Bahn*, 'via'. Un tipo particolare di **calco**, a metà strada tra il calco propriamente detto e il calco semantico, è quello che vede una parola assumere un significato particolare che traduce il significato di una parola straniera: è il caso della parola "vertice" che accanto al suo significato originale assume anche quello di 'incontro ad alto livello', proprio dell'inglese *summit*.

Niente a che fare con il prestito, e neppure con la citazione e con il calco, hanno, infine, le parole straniere che taluni parlanti (e scriventi) usano inserire, senza un vero motivo, nel loro discorso (o nelle loro pagine) per puro esibizionismo o per ignoranza della propria lingua. Oggi, i linguisti sono molto più tolleranti di un tempo, e non bollano più come **barbarismi** tali parole: ma resta il fatto che è perfettamente inutile usare una parola straniera quando il lessico della propria lingua offre una parola altrettanto precisa ed espressiva.

Qui di seguito registriamo alcuni esempi di prestiti, distinguendoli a seconda della lingua da cui provengono.[3]

no a tutto il XII-XIV secolo come "elementi" linguistici che si sono aggiunti, in successive stratificazioni, al fondo ereditario latino della lingua e riservano il nome di prestito alle parole entrate in italiano nelle epoche successive. La distinzione, però, è piuttosto artificiale e oltretutto inutile.

[3] Della categoria dei prestiti linguistici, a ben vedere, fanno parte anche le parole entrate nell'italiano dal latino per tradizione dotta, cioè le parole ripescate dal latino

2.1. Le parole di origine germanica

I popoli germanici che hanno invaso e occupato in ondate successive la penisola, hanno portato in Italia molte parole che, attraverso l'uso popolare, sono entrate a far parte della lingua italiana. I primi germanismi risalgono al III-IV secolo dopo Cristo, ma è tra il V e il IX secolo che essi aumentano notevolmente di numero, ad opera in particolare dei Longobardi, la popolazione che per due secoli riuscì a imporre a gran parte della penisola la sua organizzazione politica. Le parole di origine germanica introdotte in quei secoli da Goti, Longobardi e Franchi sono parole di vario tipo, in gran parte relative al mondo della guerra, alle relazioni sociali, all'anatomia, ai colori e, in generale, ad attività pratiche: *agguato*, *banda*, *bara*, *baruffa*, *elmo*, *grinta*, *guardia*, *guerra*, *sgherro*, *sguattero*, *spia*, *trappola*, *tregua*, *zuffa*, *feudo*, *barone*, *anca*, *guancia*, *milza*, *schiena*, *stinco*, *zanna*, *guercio*, *albergo*, *stamberga*, *scaffale*, *stalla*, *gruccia*, *panca*, *spranga*, *fiasco*, *abbandonare*, *guadagnare*, *russare*, *arraffare*, *graffiare*, *guardare*, *scherzare*, *spaccare*, *strappare*, *bianco*, *bruno*, *grigio*, *ricco*, *grano*. Alcune di queste hanno sostituito parole latine di uguale significato (*guerra* ha sostituito *bellum* che è stato poi recuperato come prestito dotto nei derivati *bellico*, *bellicoso* e simili); altre invece si sono affermate come parole nuove, per indicare concetti o oggetti nuovi. Numerosi sono i nomi propri di persona di origine germanica: *Alberto*, *Aldo*, *Bruno*, *Carlo*, *Enrico*, *Federico*, *Franco*, *Guido*, *Luigi*, *Roberto* ecc.

2.2. Le parole di origine greco-bizantina

La lingua greca, che già aveva improntato di sé il latino volgare e di conseguenza l'italiano, tra il II e il IV secolo dopo Cristo, con parole relative alla religione cristiana e ai suoi riti (*battesimo*, *basilica*, *profeta*, *vangelo*, *diacono*, *vescovo* ecc.), ha continuato ad arricchire il lessico italiano tra il VI e il IX secolo attraverso i contatti che il mondo occidentale aveva con l'Impero d'Oriente il quale, proprio nel VI se-

scritto quando ormai l'italiano esisteva già come lingua. Di solito, però, per prestiti si intendono le parole entrate nell'italiano dalle lingue di altri popoli con cui gli italiani sono venuti in contatto, direttamente o indirettamente, nei secoli, attraverso le tante vicende storiche, economiche, sociali, politiche e culturali che caratterizzano la vita degli uomini.

colo, era riuscito a strappare ai Longobardi il controllo delle coste dell'Italia centro-meridionale e delle isole. Tra le parole entrate in quell'epoca nella lingua italiana dal **greco-bizantino**, anche se molte di esse si confondono con i numerosissimi grecismi già assimilati dal latino, ci sono termini riguardanti le attività marinare e il commercio, come *argano*, *gondola*, *scala*, *pilota*, *molo*, *bambagia*; nomi di vegetali come *anguria*, *basilico*, *indivia*; nomi relativi alle attività amministrative come *duca*, *catasto*, *pòlizza* e nomi molto comuni come *zio*, *papa* e simili.

2.3. Le parole di origine araba

L'influenza linguistica e culturale degli Arabi nell'ambito mediterraneo ed europeo è stata molto intensa tra il VII e il XII secolo. In Italia, essa si è esercitata sia durante l'occupazione araba della Sicilia tra il IX e l'XI secolo sia, e soprattutto, attraverso i contatti che le repubbliche marinare e gli intellettuali italiani hanno avuto, a titolo diverso, con il mondo arabo. Così, gli Arabi hanno lasciato nel lessico italiano parole relative al mondo della navigazione e del commercio, come *arsenale*, *ammiraglio*, *scirocco*, *libeccio*, *dogana*, *magazzino*, *tara*, *tariffa*, *zecca*, *gabella*, e parole che indicano frutti o prodotti da loro fatti conoscere in Occidente, come *albicocca*, *arancia*, *limone*, *carciofo*, *melanzana*, *spinaci*, *zucchero*, *ribes*, *zagara*, *cotone* ecc. Arabismi sono anche molte parole riguardanti le scienze esatte, come la matematica (*algebra*, *cifra*, *zero*), l'astronomia (*zenit*, *nadir*, *almanacco*) e la chimica (il nome stesso *chimica*, *alambicco*, *amalgama*, *borace*, *soda*), giacché gli Arabi hanno coltivato varie scienze e hanno divulgato in Europa molte scoperte e invenzioni del mondo orientale. Di origine araba, infine, sono anche parole molto diffuse in italiano come *ragazzo* e *azzurro*, mentre altre parole arabe, persiane e turche, pure molto usate, come *divano*, *serraglio*, *sofà*, *turbante*, *caffè*, *chiosco*, *alcol* sono prestiti di epoche successive.

2.4. Le parole di origine provenzale e francese

A partire dall'VIII secolo, con l'avvento al potere di Carlo Magno, la Francia acquista notevole importanza in Europa anche per il crescente prestigio della sua cultura. Proprio per il tramite della letteratura, oltre che attraverso i molteplici contatti militari, la lingua francese, sia il francese antico parlato in gran parte di quelle che erano state le Gallie romane sia il provenzale, la lingua del Sud della Francia e della nascente lirica d'amore europea, influenza non poco il lessico dell'italiano. I **gallicismi**, cioè i prestiti dal francese antico e dal provenzale, in epoca medioevale riguardano i raffinati rapporti sociali e interpersonali delle corti francesi e provenzali: *cavaliere*, *messere*, *dama*, *malanno*, *donzella*, *lignaggio*, *gioia*, *sollazzo*, *speranza*, *rimembranza*, *amanza*, *orgoglio*, *coraggio*; i viaggi: *viaggio*, *paesaggio*, *pedaggio*, *forestiero*; la guerra e la vita militare: *gonfalone*, *stendardo*, *scudiero*, *destriero*, *foraggio*, *torneo*, *giostra*, *marciare*, *ostaggio*, *freccia*, *bandiera*, *caserma*; l'abbigliamento: *corsetto*, *maglia*, *gioiello*, *fermaglio*, e anche parole poi diventate di uso molto comune, come *giardino*, *mangiare*, *giallo*, *mancia*, *pensiero*, *preghiera*, *foggia*.

2.5. Le parole di origine spagnola

I primi influssi delle lingue iberiche – catalano, spagnolo e portoghese – sul lessico italiano risalgono ai secoli XIII-XV, quando gli Aragonesi regnavano sulla Sicilia e su Napoli. Ma la maggior parte delle parole di origine iberica accolte nel lessico italiano sono spagnole e sono entrate nella nostra lingua tra la seconda metà del Cinquecento e il Seicento, quando la dominazione spagnola, che si estendeva su buona parte della Lombardia, sul Regno di Napoli e sulle isole, ha permeato di sé tanti aspetti del costume e della cultura italiana. Alcune di quelle parole riguardano la vita mondana, le usanze e i comportamenti cortigiani: *etichetta*, *complimento*, *sussiego*, *sfarzo*, *puntiglio*, *flemma*, *disinvoltura*, *creanza*, *baciamano*. Altre riguardano la vita militare e il mondo marinaro: *guerriglia*, *recluta*, *parata*, *zaino*, *baia*, *cala*, *flotta*, *tolda*, *chiglia*, *nostromo*, *risacca*. Altre ancora riguardano i traffici e i commerci: *aziende*, *dispaccio*. Spagnolismi sono anche parole come *vigliacco*, *lazzarone*, *fanfarone*, *lindo*, *bisogno*, *appartamento*, *grandioso*. Tramite lo spagnolo, infine, sono entrate in Europa e in Italia parole provenienti da lingue americane: *patata*, *cioccolato*, *cacao*, *tabacco* ecc.

2.6. Le parole di origine francese

A partire dalla seconda metà del Settecento, la Francia comincia a esercitare un ruolo di primo piano nella cultura europea: è il "secolo dei lumi", la Francia esporta le sue dottrine e l'intera Europa, compresa la Russia, usa come lingua della cultura il francese. In Italia, dove con la fine del dominio spagnolo i contatti con la Francia si sono fatti molto intensi anche sul piano economico e politico, l'afflusso di parole francesi è tale che, fino a tutto l'Ottocento e oltre, i "puristi", cioè i difensori della "purezza" della lingua, temono per l'esistenza stessa dell'italiano. Naturalmente, la paventata francesizzazione della penisola non avvenne, ma l'italiano progressivamente ha fatto sue moltissime parole francesi relative alla politica (*patriota*, *patriottismo*, *dispotismo*, *democrazia*, *costituente*, *comitato*, *burocrazia*), all'economia (*concorrenza*, *esportare*, *importare*, *risorsa*, *corrente*, *controllare*, *organizzare*), alla vita militare (*bivacco*, *blocco*, *tappa*, *picchetto*, *baionetta*, *mitraglia*, *ruolo*), alla moda (*moda*, *parrucca*, *ghette*, *bretelle*, *flanella*, *paltò*), al cibo e alla cucina (*cotoletta*, *filetto*, *tartine*, *ragù*, *bignè*, *dessert*, *casseruola*, *ristorante*) e a tutta una serie di parole di uso molto comune di cui è quasi impossibile per i parlanti riconoscere l'origine francese (*abbordare*, *agire*, *allarmare*, *appello*, *ascensore*, *bloccare*, *banale*, *crampo*, *cretino*, *debutto*, *furgone*, *marciapiede*, *manovra*, *pattinare*, *timbro* ecc.). Spesso, i prestiti dal francese sono latinismi, che hanno assunto in francese un significato particolare come *libertino*, *immunità*, *legiferare* ecc. In alcuni casi, poi, il prestito non viene adattato alla fonetica e alla morfologia italiana, come per lo più è sempre successo finora, ma conserva la sua struttura fonetica e morfologica originaria (**prestito non integrato**: *dessert*, *champagne*, *canapè*) o subisce adattamenti minimi (*cupè*, *rondò*, *bignè*, *blu*, *bidè*).

2.7. Le parole di origine inglese

L'influenza culturale e, quindi, linguistica della Francia è continuata fino all'inizio del Novecento e ancora oggi è attiva, in campi tipicamente "francesi", come quello della moda o quello relativo alla cura del corpo. Ma nel Novecento, e in misura sempre crescente a partire dall'indomani della fine della Seconda guerra mondiale, il ruolo di modello culturale e non solo culturale è passato al mondo anglosassone, prima all'Inghilterra e poi soprattutto agli Stati Uniti. Così, sulla scia del crescente prestigio scientifico, tecnologico e culturale e in conseguenza dei particolari schieramenti politico-ideologico-militari in cui il mondo è diviso, l'Italia è stata invasa non solo da prodotti, mode, forme di spettacolo e di comportamento americani ma anche dalle parole con cui tutte queste cose sono indicate. I prestiti inglesi in italiano esistevano anche nel Settecento e nell'Ottocento, anche se per lo più mediati dal francese, ma con il Novecento essi sono aumentati a dismisura, al punto che attualmente l'inglese o, meglio, l'angloamericano costituisce la lingua che influenza maggiormente l'italiano. Di fatto, parole inglesi e angloamericane sono ormai presenti in tutti i campi e sono usate quotidianamente. Alcune, specialmente quelle entrate in italiano tra il Settecento e l'Ottocento, sono state adattate fonologicamente e morfologicamente all'italiano (**prestiti integrati**: *radicale*, *sessione*, *inflazione*, *relazione*, *emergenza*, *intervista* ecc.) o semplicemente tradotte (**calchi**: *grattacielo*, dall'inglese *sky-scraper*). La maggior parte di esse, invece, hanno conservato la forma originaria (**prestiti non integrati**). Tra queste parole, alcune sono senz'altro pronunciate all'italiana e quindi sono parole italiane a tutti gli effetti, come *bar*, *sport*, *golf*, *tram* ecc. Altre invece, quanto alla pronuncia, oscillano tra la corretta pronuncia straniera, una pronuncia popolare adattata e, talora, un calco italiano: è il caso della parola *camping*, che viene pronunciata tanto *kempin(g)* all'inglese quanto *camping* all'italiana oppure viene tradotta, un po' approssimativamente, in *campeggio*.

A dimostrazione dell'importanza dell'influsso che l'inglese e l'angloamericano hanno sull'italiano, presentiamo un elenco puramente esemplificativo di prestiti non integrati presenti nella nostra lingua. Nell'elenco, che comprende parole entrate in italiano in un arco di tempo compreso tra l'inizio dell'Ottocento e i giorni nostri, non distinguiamo tra parole inglesi e parole angloamericane: *baby*, *baby-sitter*, *bar*, *basket*, *beauty-case*, *best-seller*, *black-out*, *bluff*, *blister*, *boom*, *boss*, *boy*, *budget*, *camping*, *check-up*, *club*, *cocktail*, *computer* (e tutti i termini ad esso collegati), *dancing*, *derby*, *dribbling*, *festival*, *flash*, *flirt*, *goal*, *go-kart*, *golf*, *hardware*, *handicap*, *hippy*, *hobby*, *hostess*, *identikit*, *jazz*, *jeans*, *jeep*, *jet*, *juke-box*, *killer*, *leader*, *leasing*, *manager*, *match*, *motel*, *okay*, *partner*, *plaid*, *playboy*, *punk*, *quiz*, *raid*, *rally*, *record*, *reporter*, *rock*, *sandwich*, *sexy*, *shock*, *show*, *sketch*, *slogan*, *smog*, *snob*, *sponsor*, *sport*, *spray*, *sprint*, *stop*, *suspence*, *teen-ager*, *terminal*, *test*, *timer*, *toast*, *trust*, *walkie-talkie*, *week-end*, *western*, *windsurf*, *yacht*, *zoom*.

2.8. Parole provenienti da altre lingue

Oltre a quelle citate, la cui influenza è stata particolarmente massiccia e significativa, anche altre lingue negli ultimi secoli hanno lasciato tracce nel lessico italiano sotto forma di prestiti, come risulta dal seguente elenco:

• prestiti dal **tedesco**: *alabarda*, *borgomastro*, *brindisi*, *cobalto*, *feldspato*, *valzer*, *strudel*, *würstel*, *leitmotiv*;

• prestiti dall'**olandese**: *iceberg*, *stoccafisso*, *apartheid*, *pompelmo*;

• prestiti dal **russo**: *zar*, *boiari*, *rubli*, *dacia*, *balalaica*, *taiga*, *tundra*, *vodka*, *bolscevico*, *sputnik*;

• prestiti dal **cecoslovacco**: *polca*, *robot*;

• prestiti dal **polacco**: *sciabola*, *mazurka*;

• prestiti dall'**ebraico**: *messia*, *alleluia*, *osanna*, *cabala*, *kibbutz*;

• prestiti dal **giapponese**: *caco*, *chimono*, *geisha*, *samurai*, *judo*, *karatè*, *ikebana*.

3. I termini di origine dialettale, semidialettale e regionale

Un buon numero di parole del lessico italiano provengono, attraverso l'italiano regionale, dai **dialetti**. I dialetti, infatti, costituiscono un serbatoio lessicale cui l'italiano regionale attinge di continuo. Il più delle volte le parole dialettali rimangono in ambito locale e sono usate soltanto nell'italiano regionale o retrocedono addirittura negli spazi più ristretti del dialetto. Ma, talvolta, dall'italiano regionale esse passano nell'italiano comune e vi si installano stabilmente. Ciò per lo più avviene in conseguenza della diffusione sull'intero territorio nazionale di oggetti, nozioni e comportamenti di origine locale, e, quindi, dei termini con cui vengono indicati. E questo, a sua volta, dipende da fattori altrettanto precisi e verificabili:

• le **migrazioni interne** che, insieme alle persone, vedono trasferirsi usanze, oggetti, comportamenti, specialità gastronomiche e simili;

• l'**azione dei mezzi di comunicazione di massa** che, attraverso la diffusione di un linguaggio commerciale e pubblicitario comune, non solo ha contribuito a uniformare la lingua, ma anche a lanciare rapidamente su scala nazionale termini di origine dialettale;

• i **profondi mutamenti intervenuti nel mondo del lavoro** che hanno unificato diffusamente, spesso per ragioni sindacali e giuridiche, la terminologia regionale relativa a mestieri e professioni.

Gli esempi che si possono addurre per illustrare questi aspetti del lessico dell'italiano sono numerosi. Basti pensare, per quello che riguarda la diffusione a livello nazionale di parole di origine dialettale in conseguenza della diffusione su scala nazionale delle nozioni corrispondenti, ai nomi di taluni cibi e di talune specialità gastronomiche, come *grissini*, *gianduiotti* (di origine piemontese), *risotto*, *gorgonzola* (di origine lombarda), *tortellini*, *cotechino* (di origine emiliana), *scamorza*, *ricotta* (di origine napoletana) e *cassata* (di origine siciliana). Significativi sono anche i termini diffusi attraverso i mezzi di comunicazione di massa, specialmente per mezzo dei messaggi pubblicitari, come *panettone* (di origine lombarda) e, in un campo diverso, *lavello* che, originario delle aree più industrializzate del Nord, si è affermato nella lingua comune accanto ai termini regionali *lavandino*, *lavabo*, *acquaio*.

4. I termini provenienti dai linguaggi settoriali

I linguaggi settoriali, cioè le varietà particolari della lingua usate dagli specialisti di una determinata disciplina o attività, come quelli della medicina, della scienza, della tecnica, della pubblicità, della politica, della burocrazia e dello sport, immettono continuamente e costantemente la loro terminologia nel circolo vivo della lingua comune.

Le cause di questo fenomeno sono molteplici, ma possono essere ridotte essenzialmente a due:

- la divulgazione di molte parole – anche se non sempre delle nozioni e dei concetti corrispondenti – operata dai mezzi di comunicazione di massa e dalla scolarizzazione sempre più diffusa;
- la tendenza di molte persone a nobilitarsi socialmente attraverso l'uso di una terminologia specifica più o meno esatta.

Tipico esempio di questo fenomeno è il caso della volgarizzazione della psicanalisi che ha portato non solo alla banalizzazione di concetti e nozioni, ma anche all'ingresso nell'italiano comune di un grande numero di termini psicanalitici, per lo più usati in senso generico o improprio, come *nevrosi*, *nevrastenico*, *represso*, *frustrato*, *complessato*, *estroverso*, *introverso*, *ossessione* e simili. Innumerevoli, poi, sono i termini confluiti nel lessico della lingua comune dai linguaggi settoriali della medicina, della matematica, della geometria, della burocrazia e via dicendo.

Spesso, poi, termini ed espressioni derivati dai vari linguaggi settoriali entrano e si diffondono nella lingua comune in senso figurato: in questi casi, il linguaggio tecnico può diventare una fonte di creatività verbale o essere un puro fattore di prestigio impiegato a scopo esibizionistico e destinato a trasformarsi in gergo per iniziati. Si pensi, in proposito, a espressioni come *area di parcheggio*, *colpo di timone*, *cambiamento di rotta*, *organizzazione capillare*, *paralisi dei trasporti*, *emorragia di consensi*, *essere su di giri*, *partire in quarta* ecc.

5. I termini di origine gergale

I **gerghi**, cioè le parole convenzionali e allusive usate all'interno di gruppi ristretti per motivi di segretezza o di solidarietà, hanno un'influenza limitata nell'italiano comune. I termini gergali, infatti, quando escono dall'ambito del gruppo in cui sono usati, tendono a essere utilizzati solo a livello scherzoso-familiare e per lo più vengono presto dimenticati e superati da termini nuovi. Taluni di essi, però, vengono diffusi a livello nazionale dal cinema, dalle canzoni o dalle cronache giornalistiche e allora finiscono per entrare a far parte stabilmente del lessico dell'italiano comune.

Sono, ad esempio, di origine gergale: *pivello* ('giovane alle prime armi'), *palo* ('il complice che sta di guardia durante una rapina'), *spaghetto* e *strizza* ('paura'), *grana* ('denaro' oppure 'seccatura'), *dritta* ('l'informazione giusta'), *frana*, *imbranato* ('buono a nulla'), *scalcinato* ('mal ridotto'), *battere la fiacca* ('comportarsi svogliatamente'), *fare le scarpe a qualcuno* ('agire di nascosto ai danni di qualcuno') ecc.

6. Le neoformazioni

Le parole derivate dal latino e quelle provenienti, a vario titolo, da altre lingue o dai diversi linguaggi settoriali e gergali non esauriscono il patrimonio lessicale dell'italiano. Ad esso, infatti, bisogna aggiungere le neoformazioni, cioè tutte le parole che la lingua continuamente ha creato e crea sfruttando le parole del fondo ereditario latino e le parole derivate da altre lingue, attraverso i vari meccanismi di formazione delle parole: la derivazione (prefissazione, suffissazione, alterazione) e la composizione in tutte le sue forme. Si veda in proposito il capitolo espressamente dedicato a *Le parole e la loro forma*.

7. Altre fonti di parole

Per completare il quadro delle componenti fondamentali del lessico dell'italiano bisogna segnalare:

• le **parole di origine onomatopeica**, cioè le parole costruite trascrivendo in modo più o meno preciso suoni e rumori (*coccodè*, *chicchirichì*, *din-don*, *patatràc*);

• le **parole create dal nulla**, come i marchi registrati e i nomi commerciali (*aspirina*, *ferodo*, *nylon*, *fernet* ecc.);

• la creazione di parole attraverso la promozione a nome di **sigle** (l'*Aids*, i *bot*, gli *Usa*, l'*Ussl* ecc.).

Ma accanto a tutti questi fondi di "sostentamento" e di arricchimento del lessico, la lingua ha un altro mezzo per incrementare il proprio patrimonio espressivo: il **cambiamento di significato delle parole già esistenti**. Con questo mezzo che sfrutta il vastissimo "potenziale semantico" delle parole, la lingua rivela una volta di più la sua economicità e la sua duttilità. Non solo, infatti, sa sfruttare la stessa parola (lo stesso "significante") attribuendole significati diversi a seconda dell'ambito d'uso (si vedano i diversi significati che ha la parola *divisione* se è usata in campo matematico, medico, militare, burocratico o sportivo) o a seconda del contesto, ma può usare la stessa parola in un significato proprio e in un significato traslato o metaforico o figurato (come nel caso di *gru*, che può indicare tanto un uccello quanto, in senso figurato, un attrezzo edile che ha la forma di una gru), può usare una parola che indica un luogo per indicare le persone che vi risiedono o vi operano (per metonìmia, la parola *panchina*, oltre che indicare la panca su cui siedono l'allenatore e i dirigenti di una squadra di calcio, può indicare l'allenatore e i dirigenti stessi), può usare un nome proprio per indicare non la persona che aveva quel nome, ma qualsiasi persona che fa il suo stesso mestiere o che si comporta come lei (per antonomàsia, il nome *Casanova* può essere usato per indicare qualsiasi "grande seduttore").

4

L'italiano oggi

La **lingua italiana**, come tutte le lingue, è un'istituzione sociale che chi parla o scrive continuamente manipola per adattarla alle proprie esigenze. Perciò essa, pur avendo una fisionomia lessicale, semantica e morfosintattica che ne fa qualcosa di unitario e che la caratterizza rispetto ad altre lingue, è **una realtà in costante evoluzione**: è mutata e continuamente muta a seconda delle epoche, dei territori, delle situazioni e delle intenzioni in cui e secondo cui viene usata.

Di fatto, la lingua italiana comprende in sé più lingue o, meglio, si articola in una grande **varietà di linguaggi**: varietà geografiche, sociali, professionali, situazionali e funzionali. In particolare, prescindendo dalle sue varietà **diacroniche**, cioè dalle diverse caratteristiche che ne hanno accompagnato l'evoluzione storica a partire dalle sue origini, essa, oggi come oggi, da un punto di vista **sincronico**, cioè in questo momento particolare della sua esistenza, assume in concreto aspetti differenti, sul piano lessicale, fonetico, morfosintattico e semantico, secondo:

• la **provenienza geografica** dei parlanti: persone provenienti da regioni diverse parlano con intonazioni diverse e utilizzano un lessico e delle strutture morfosintattiche che risentono delle varie zone di origine: un lombardo, ad esempio, parla in maniera diversa da un siciliano;

• la **classe sociale** cui appartengono i parlanti: persone appartenenti a classi sociali diverse non hanno la stessa possibilità di arricchire la propria lingua e neppure le stesse occasioni di usarla in modo adeguato. Degli aspetti della lingua in relazione ai suoi usi nella società si occupa la branca della linguistica che si chiama **sociolinguistica**;

• **i vari settori di attività** in cui i parlanti operano: in conseguenza della grande specializzazione che caratterizza l'organizzazione del lavoro e, più in generale, le varie discipline, ogni persona nell'ambito della sua attività professionale o lavorativa e, tendenzialmente, anche al di fuori di essa, usa termini e modi di dire particolari, tipici di quel lavoro o di quella attività: un fisico atomico, un giornalista, un politico, un esperto di sistemi elettronici e un medico parlano ciascuno in modo diverso, perché utilizzano i **linguaggi specifici** del loro settore di attività;

• il **mezzo** con cui avviene la comunicazione: la lingua ha caratteristiche, forme e strutture diverse a seconda del modo in cui avviene la comunicazione, cioè a seconda che si usi la **lingua orale**, la **lingua scritta** o la **lingua trasmessa** (telefono, computer, radio, televisione ecc.);

• le **diverse funzioni** che la lingua è chiamata a svolgere: la lingua ha caratteristiche, forme e strutture diverse a seconda che sia usata per descrivere qualcosa oggettivamente, per comunicare un'emozione o per ottenere un certo comportamento;

• i vari **contesti comunicativi** in cui la lingua è usata: una persona generalmente parla dello stesso argomento in modo diverso – utilizzando una gamma molto vasta di **livelli** (formale, medio, informale) e di **registri linguistici** (aulico-solenne, colto, medio, colloquiale-familiare, intimo-confidenziale e, anche, gergale) – a seconda che si trovi in famiglia, a scuola, in discoteca e a seconda che abbia come interlocutore uno sconosciuto, un amico, un familiare, un superiore e così via;

• gli **usi dei singoli parlanti**: ogni parlante usa una lingua che è sempre in qualche modo frutto di una scelta personale ed è quindi improntata della sua personalità e delle sue competenze. Delle relazioni tra il soggetto parlante, la lingua che usa e il mondo reale in cui avviene la comunicazione si occupa la branca della linguistica che si chiama **psicolinguistica**.

Ma in tanta varietà di lingue e linguaggi, **com'è oggi la lingua italiana?** Qual è, almeno indicativamente, il cardine linguistico intorno a cui ruotano le diverse varietà linguistiche?

1. L'italiano oggi: il quadro generale

L'italiano di oggi non è più, per forza di cose, quello che avrebbero voluto che fosse gli intellettuali che, nell'Ottocento e fino a oltre la metà del Novecento, difendevano la **purezza** e l'**unitarietà** della lingua, una lingua:

• eminentemente **scritta**, perché parlata soltanto da una minoranza colta, mentre la maggioranza usava i dialetti o un italiano marcatamente regionale;

• **ligia al rispetto di certe regole di pronuncia** tipicamente fiorentine come la distinzione tra *e* ed *o* aperte o chiuse;

• **vincolata a norme grammaticali** precise che si imparavano a scuola o attraverso "buone letture", cioè attraverso la lettura di testi di alta tradizione letteraria;

• arroccata nella **difesa del proprio patrimonio lessicale** e, quindi, restia ad aprirsi a prestiti linguistici modernizzatori, da qualunque fonte provenissero.

Al di fuori delle "regole" grammaticali, come al di fuori del rispetto di certe forme lessicali o di pronuncia, c'era soltanto l'"errore" che, a scuola, gli insegnanti dovevano correggere e che marcava come ignorante chi lo commetteva.

Oggi, l'italiano, per effetto di una serie di fenomeni sociali e culturali troppo noti perché se ne debba parlare, **è una lingua dinamica, fortemente modellata sulla lingua dell'uso quotidiano e in continua e costante evoluzione**:

– dal punto di vista della **pronuncia**, come abbiamo visto trattando della fonetica è, al di là delle varietà regionali, una pronuncia tendenzialmente lombardo-tosco-romanesca, che sta perdendo certe caratteristiche tipiche della retta pronuncia fiorentina;

– dal punto di vista della **grammatica**, come abbiamo visto trattando della morfologia e della sintassi, è un po' meno vincolata alle norme di un tempo. Secondo alcuni linguisti, che potremmo definire conservatori, è pericolosamente orientata verso la perdita delle forme e dei costrutti "più difficili" a vantaggio di quelli più facili, con un livellamento che ne impoverisce le potenzialità espressive: sintomi di queste vere e proprie "malattie" della lingua sarebbero, ad esempio, la progressiva scomparsa del congiuntivo, sempre più spesso soppiantato dall'indicativo, e la crescente confusione nell'uso dei pronomi personali. Secondo altri linguisti, invece, l'italiano sta semplicemente vivendo le sue normali vicende evolutive: pur tra la scomparsa di qualche forma e con la rinuncia, inevitabile, a certe sfumature espressive,

l'italiano sta progressivamente adattandosi alle sempre nuove esigenze dei parlanti, che aspirano ad avere una lingua più facile, cioè più semplice e duttile;
– dal punto di vista del **lessico**, infine, la lingua italiana ha conosciuto, negli ultimi anni, una notevole accelerazione del processo di ampliamento o, meglio, di "ringiovanimento" del proprio patrimonio di parole. Anzi, come si è visto alle pp. 632 e ss., quello del lessico è il settore della lingua che si è mosso con maggiore rapidità e con più vistosi risultati concreti, con buona pace dei più agguerriti puristi.

2. L'italiano oggi: le tre varietà linguistiche attuali

Se dalla descrizione teorica della lingua si passa alla verifica concreta della lingua italiana usata oggi in Italia, si può dire che nell'italiano attuale esistono strutture abbastanza costanti che permettono di individuare **tre varietà di italiano**:

- l'italiano **nazionale standard** o **comune**;
- l'italiano **regionale**;
- l'italiano **popolare**.

Queste varietà di italiano sono **varietà linguistiche**, cioè si fondano su aspetti relativi alle diverse strutture lessicali e morfosintattiche, in quanto sono legate alla distribuzione geografica e alle classi sociali di appartenenza dei parlanti. Non hanno quindi nulla a che fare con le **varietà funzionali** della lingua, che sono legate, invece, ai diversi scopi per cui si usa la lingua, e neppure con le **varietà formali**, che sono legate al diverso grado di formalità che una lingua può assumere. Anzi, ciascuna delle varietà linguistiche citate può essere usata in tutte le funzioni possibili e in tutti i livelli e registri necessari.

Da questo panorama dell'italiano attuale escludiamo i **dialetti**, non perché non facciano parte delle varietà di linguaggi del nostro paese, ma perché non sono riconducibili, per la loro stessa natura di lingue autonome e tutte diverse l'una dall'altra, all'italiano inteso come lingua nazionale. Infatti, i dialetti sono lingue che hanno ormai perduto la loro battaglia a livello nazionale e, nonostante i tentativi di rianimarli e di ridare loro importanza, sono ormai relegati nell'ambito ristretto della comunicazione familiare e privata. Giusto o ingiusto che sia, ciò costituisce una realtà e come tale va segnalata. Ad ogni buon conto, si tengano ben presenti, per una equa valutazione del fenomeno dialettale, i seguenti due punti:

- i dialetti sono vere e proprie lingue, ciascuna con le proprie caratteristiche, e hanno tutti la stessa dignità della lingua nazionale, ma sono usati in ambiti più ristretti e, quindi, hanno minore importanza;
- proprio la grande diffusione che i dialetti hanno conosciuto per secoli in Italia e la loro persistenza sono la causa prima delle principali differenziazioni interne dell'italiano attuale. Il fenomeno, generalmente presente in ogni lingua, è particolarmente evidente nel nostro paese, dove la frantumazione della lingua è una realtà secolare e, di contro, l'unificazione linguistica è un fatto relativamente recente.

2.1. L'italiano comune

L'**italiano comune**, o *lingua nazionale standard* o *lingua media*, è la lingua italiana quale si è venuta costituendo attraverso l'uso quotidiano, per essere quello che è: uno strumento espressivo che, superando le varietà regionali e anche le varietà sociali e funzionali della lingua parlata in Italia, risulta **comune a tutti gli italiani** e, quindi, rende possibile la comunicazione tra tutti gli abitanti del paese, adeguandosi alle diverse esigenze della vita sociale nei suoi vari aspetti. Questa **lingua comune** non coincide propriamente con la lingua parlata in alcun luogo specifico come lingua locale, ma è la lingua che tutti riconoscono come lingua nazionale perché è usata e capita in tutto il territorio nazionale. È la lingua in cui ognuno aspira a esprimersi sia quando parla sia quando scrive; è la lingua usata nei giornali e nei settimanali; è la lingua che si insegna a scuola e in base alla quale si segnalano e si cercano di correggere le deviazioni più gravi e immotivate; è, infine, la lingua dei grandi mezzi di comunicazione di massa, come la radio, la televisione, il cinema, che la diffondono presso tutti gli strati della popolazione livellando, nel bene e nel male, le competenze espressive.

La sua base lessicale e morfosintattica è costituita dal fiorentino parlato, ma poi questa base originaria è stata variamente modificata nella pronuncia e arricchita nel lessico dall'apporto continuo e costante dei parlanti di tutte le regioni, fino a risultare una lingua media, pressoché priva di inflessioni regionali nella pronuncia e di costrutti dialettali nella sintassi.

Per i compiti che è chiamato a svolgere, l'**italiano comune** è una lingua agile, semplice e chiara. Presenta, infatti, un **lessico** vario, anche se quantitativamente non ricco, e comunque adeguato ai bisogni dei parlanti perché costituito di parole di uso comune. Si avvale di una **morfologia** che, rifuggendo tanto dal "purismo" quanto dall'approssimazione espressiva, tende a modellarsi sulla grammatica e, dal punto di vista **sintattico**, preferisce le frasi brevi e le costruzioni coordinate. Ma soprattutto è una lingua moderna e aperta: sensibile ai mutamenti della società e della moda e alle innovazioni nel campo scientifico e tecnologico, è sempre pronta ad accogliere gli stimoli innovatori che le vengono dalla realtà circostante sia accettando parole nuove sia modificando ulteriormente le sue strutture morfosintattiche per renderle ancora più snelle.

La lingua dell'italiano comune è, sostanzialmente, quella descritta e analizzata nelle pagine di questo volume: ad esse, pertanto, rinviamo.

2.2. L'italiano regionale

L'**italiano regionale** o, meglio, gli **italiani regionali** sono varietà della lingua italiana caratterizzate dalla presenza, su una base largamente modellata sulla lingua comune, di elementi regionali, dovuti all'influenza degli usi dialettali delle diverse regioni. Di fatto, il processo di livellamento dei dialetti a favore della lingua nazionale non è avvenuto, e non avviene, senza che la lingua nazionale – l'italiano di matrice fiorentina – assorba particolarità e caratteristiche proprie dei dialetti.

Questi "italiani coloriti dialettalmente" (M.L. Altieri Biagi), che si collocano in posizione intermedia tra i due estremi linguistici della lingua comune e dei dialetti, costituiscono, a ben vedere, la **vera lingua parlata in Italia**. Infatti, la maggior parte degli enunciati prodotti oggi in Italia, per non dire la quasi totalità di essi, vengono pronunciati in una varietà regionale.

L'esistenza di questi italiani regionali, del resto, è quotidianamente testimoniata dall'esperienza di ogni italiano. Ognuno di noi, infatti, sentendo parlare una persona "in italiano", è in grado di stabilire con facilità da quale regione e, spesso, da quale città essa proviene. Se ciò può succedere, significa che, nonostante la diffusione a livello nazionale di una lingua comune, le differenze determinate dal sostrato dialettale sono ancora ben attive.

Le varietà di italiano regionale sono numerose, ma si possono ridurre sostanzialmente a **cinque**, coincidenti con le grandi aree dialettali in cui è divisa l'Italia. Possiamo quindi distinguere:

- un italiano regionale **settentrionale**;
- un italiano regionale **toscano**;
- un italiano regionale **centrale**;
- un italiano regionale **meridionale**;
- un italiano regionale **meridionale estremo**.

A parte bisogna poi considerare l'italiano regionale **sardo**, che ha caratteristiche tutte sue.

Le **differenze** tra i vari italiani regionali non sono piccole e riguardano soprattutto la fonetica, cioè il modo di pronunciare le parole. Numerose sono anche le differenze lessicali, perché ogni regione ha attinto dai suoi dialetti parole diverse. Nella morfologia e nella sintassi, le diversità sono, invece, minori, perché in questi campi l'omologazione con il modello della lingua nazionale è stata più rapida e intensa. Ma vediamo quali sono le differenze più significative tra questi italiani regionali.

2.2.1. La fonologia

Per quanto riguarda la fonologia, cioè la pronuncia delle parole, la maggior parte degli italiani regionali non distingue le forme aperte delle vocali *e* ed *o* dalle forme chiuse: per un settentrionale, la forma *vénti*, con la *e* chiusa, indica tanto il numero *vénti* quanto il sostantivo *i vènti*. Allo stesso modo l'italiano regionale settentrionale, specialmente nell'area veneta e ligure, elimina, nella pronuncia, le doppie: *mama* (= mamma), *bela* (= bella). Tipica dell'italiano settentrionale, inoltre, è la pronuncia sonora anziché sorda della *z* iniziale (*zio*, come *manzo*) e la pronuncia sempre sonora della *s* intervocalica (*casa*, come *slitta*), diversamente dal toscano dove può essere tanto sonora (*mese*) quanto sorda (*casa*, *rosa*) e diversamente dagli altri italiani regionali dove è generalmente sorda (*casa*).

L'italiano regionale toscano, invece, è caratterizzato, oltre che dalla distinzione costante tra il suono aperto e quello chiuso delle vocali *e* ed *o* (*vénti / i vènti*), dalla pronuncia aspirata della *c* velare dura intervocalica (*la hasa* = la casa), dalla lieve aspirazione anche della *p* e della *t* intervocaliche (*il capho* = il capo; *la motho* = la moto), dalla tendenza a pronunciare *sci* la *c* palatale dolce (*la bisci* = la bici) e dall'assimilazione dei gruppi consonantici *tm* e *cn* in *mm* e *nn* (*l'arimmetica* = l'aritmetica; *il tennico* = il tecnico).

Le varietà dell'italiano parlato nelle regioni centrali e meridionali hanno caratteristiche in parte simili tra loro. Così, sia al Centro sia al Sud, la *s* dopo la nasale *n* e le liquide *l* e *r* viene pronunciata *z* (*penzare* = pensare), la labiale *b* e la palatale *g* raddoppiano all'inizio di parola e in posizione intervocalica (*bbene*, *nobbile*, *cuggino*, *ggioco*) e il nesso consonantico *nd* viene assimilato in *nn* (*monno* = mondo); in taluni casi il raddoppiamento avviene anche con altre consonanti iniziali quando sono precedute da vocali (*la ccasa*) e nell'area regionale siciliana *r*, *d* e *g* raddoppiano sempre all'inizio di parola (*la rrosa*, *la ddata*, *la ggonna*). Altre caratteristiche degli italiani regionali centro-meridionali sono, invece, proprie di zone più circoscritte. Così, tipica dell'area romana è la riduzione del gruppo *gl* seguito da *i* a un suono intermedio tra *e* e *j*: *fijo* (= figlio), *mejo* (= meglio). Nell'area campana *c*, *q*, *p*, *t* dopo le nasali *m* e *n* tendono ad essere pronunciate *g*, *b*, *d*: *congorso* (= concorso), *conguista* (= conquista), *comblesso* (= complesso), *indorno* (= intorno). Tipico di gran parte delle parlate pugliesi è il passaggio di *a* ad *e* (*mere* = mare), mentre in Sicilia sono usuali la pronuncia come *cc* palatale dei gruppi *tr* e *ttr* (*il cceno* = il treno; *quaccio* = quattro) e la pronuncia aperta delle vocali *e* ed *o* toniche (*il mèse*, *il sègno*, *la vòce*, *lòro*).

L'italiano regionale sardo scandisce fortemente le sillabe e tende a pronunciare nello stesso modo le consonanti doppie e quelle singole: così "dopo" suona all'incirca come *do*(*p*)-*po* e "tutto" come *tu*(*t*)-*to*.

2.2.2. LA MORFOSINTASSI

A livello morfosintattico la differenza più significativa è indubbiamente costituita dalla tendenza dell'italiano regionale settentrionale a usare il passato prossimo invece del passato remoto per indicare azioni o eventi anche lontani nel tempo e, comunque, del tutto compiuti nel passato ("Cinque anni fa *sono andato* in Spagna con i miei genitori"), mentre le varietà regionali centro-meridionali usano preferibilmente il passato remoto anche per indicare azioni o eventi molto vicini ("Ieri *andasti* a scuola?").

Altre differenze, pur costituendo ormai varietà di italiano regionale, sono forme chiaramente dialettali e quindi da evitare, come l'abitudine, tipica dell'italiano parlato nel Nord, di far precedere i nomi propri di persona dall'articolo (*il Giovanni*, *la Maria*); l'uso, tipico sempre del Nord, dei pronomi *me* e *te* come pronomi soggetto ("Fai *te* come preferisci"); la costruzione, sempre settentrionale, *son dietro a* + infinito invece di *stare* + gerundio ("*Son dietro a mangiare*" = Sto mangiando), cui corrisponde nell'italiano regionale centrale e meridionale la costruzione, pure perifrastica, dell'infinito preceduto dalla preposizione *a* invece del gerundio ("*Stai ancora a mangiare?*" = Stai ancora mangiando?); la costruzione del complemento oggetto animato con la preposizione *a*, tipica dell'italiano parlato nel Sud e nelle isole ("*Chiama a tuo fratello*"; "*Cercano a te*"; "*Senti a mamma*").

Tipici, infine, dell'italiano regionale meridionale, specialmente in Sicilia e in Calabria, sono la tendenza a collocare il verbo alla fine della frase ("*Bene dormisti?*") e l'uso transitivo dei verbi *salire* e *scendere* ("*Scendimi* il pacco").

2.2.3. IL LESSICO

Sul piano lessicale, tipici regionalismi dell'area settentrionale sono le forme *tirar su* e *tirar giù* nel significato di "sollevare", "abbassare", *avanzare* nel significato di "risparmiare", *fare i mestieri* nel significato di "riordinare la casa". Nell'area centro-meridionale invece, i parlanti usano *stare* per "essere" ("Ancora a letto *stai*"), *tenere* per "avere, possedere" ("*Tengo* due figli"; "Quanto denaro *tieni*?"), *menare* per "picchiare", *cacciare* per "tirar fuori".

Sempre a livello lessicale, i diversi italiani regionali presentano una grande varietà di sinonimi per indicare la stessa cosa o gli stessi concetti: questa varietà è dovuta al fatto che nel nostro paese il processo di unificazione linguistica è stato molto lento. Così, oggi, in Italia, per indicare i lacci delle scarpe si usano, a seconda delle regioni, le parole *stringhe*, *lacci*, *legacci*, *lacciuoli*, *legaccioli*, *aghetti*, *fettucce*, mentre l'operaio che aggiusta gli impianti idraulici viene, volta per volta, chiamato *stagnino*, *stagnaio*, *stagnaro*, *lattoniere*, *fontaniere*, *trombaio*, *idraulico*. Si vedano anche le varianti regionali *formaggio* (Nord) / *cacio* (Centro e Sud); *testa* (Nord) / *capo* (Centro); *mestolo*, *mestola* (Nord) / *ramaiolo* (Centro); *adesso* (Nord) / *ora* (Toscano e Siculo) / *mo* (Centro e Sud); *dimenticare* (Nord e Toscano) / *scordare* (Centro e Sud).

Particolarmente significativo, sempre a livello **lessicale**, è poi il continuo passaggio di forme dall'italiano regionale all'italiano comune. Numerose, infatti, sono le parole che fino a qualche tempo fa appartenevano a varianti regionali dell'italiano e, poi, per effetto delle migrazioni interne e anche della diffusione dei mezzi di comunicazione di massa, hanno cominciato a essere usate in tutto il paese e sono entrate a pieno titolo nel lessico della lingua italiana. Ad esempio, dal **piemontese** sono venute parole come *arrangiarsi*, *grissino*, *gianduiotto*, *fontina*, *cicchetto* (= ramanzina), *riga* (scriminatura), *pelare* (= sbucciare); dal **lombardo** *balera* (= sala da ballo), *barbone* (= mendicante), *bollito* (= lesso), *fiacca* (= stanchezza), *panettone*, *paparino* (affettuoso per *papà*), *risotto*, *sberla*, *secchia* (= sgobbone); dal **veneto** *campiello*, *calle*, *gondola*, *ciao*; dal **genovese** *abbaino*, *acciuga*; dall'**emiliano-romagnolo** *cotechino*, *cappelletti* (= tortellini); dal **toscano** *pizzicagnolo* (= salumiere), *scazzottare* (= prendere a cazzotti); dal **romano** *bullo*, *bustarella*, *dritto* (= furbo), *iella*, *lagna* (= lamentela, noia), *locandina* (= manifesto pubblicitario), *macello* (= strage, disastro), *menare* (= picchiare), *pappagallo* (= corteggiatore troppo invadente), *pataccaro* (= imbroglione), *rimediare* (= ottenere), *scippo*, *tardone*; dal **napoletano** *pizza*, *mozzarella*, *camorra*, *omertà*, *scugnizzo*, *scocciatore*, *spocchia* (= superbia); dal **siciliano** *cassata*, *cannolo*, *mafia*, *intrallazzo*.

Le parole di origine dialettale che, attraverso i secoli e in numero sempre più elevato nel corso del Novecento, hanno contribuito e contribuiscono ad arricchire il lessico italiano costituiscono i cosiddetti **prestiti interni** che non sono meno vitali e produttivi dei prestiti da lingue straniere.

2.3. L'italiano popolare

L'**italiano popolare** è una varietà di italiano, intermedia tra i diversi italiani regionali e l'estremo linguistico costituito dai dialetti, che si è andata lentamente formando dopo l'unificazione linguistica, in sostituzione dei dialetti, presso le classi sociali più umili. In pratica, esso è l'italiano parlato, e anche scritto, da coloro che nella vita quotidiana sono soliti usare un dialetto e conoscono l'italiano comune in modo molto approssimativo.

L'**italiano popolare**, dunque, è la lingua parlata da quanti, avendo il dialetto per madrelingua, non hanno potuto acquisire attraverso la scuola e attraverso l'uso una reale padronanza della lingua comune, neanche nelle sue varietà regionali. Per costoro l'italiano comune, anziché una lingua posseduta, è una lingua cui cercare di adeguarsi tutte le volte che, per le ragioni più diverse – in fabbrica, nelle sedi sindacali o di partito, durante il servizio militare, nei rapporti con esponenti di livello sociale più elevato, come il medico, l'avvocato o l'insegnante dei figli – si trovano nella necessità di usare "l'italiano" per farsi meglio comprendere o per evitare di fare una brutta figura.

Varietà linguistica **di tipo sociale, l'italiano popolare** è una lingua povera e poco rispettosa della grammatica. Ad essa, infatti, sono ascrivibili i più comuni "errori" di morfologia, di sintassi, di punteggiatura e di proprietà lessicale in cui può cadere, quando parla e quando scrive, chi ha poca confidenza con la lingua italiana.

Caratteri tipici dell'italiano popolare, infatti, sono:

- l'uso errato dei pronomi personali e possessivi: "*A me mi* piace"; "Io *ci* ho detto"; "I nostri cugini ci prestano i *suoi* sci";
- l'uso errato dei pronomi relativi: "Questo è il ragazzo *che* ti ho parlato";
- l'uso errato delle forme sintetiche di comparativo: "Vorrei qualcosa di *più migliore* di questo";
- l'uso errato dei verbi, sia quanto alle forme sia quanto ai modi e ai tempi: "*Vadi* pure avanti lei"; "L'anno venturo *andiamo* anche noi al mare"; "Se si *curerebbe*, potrebbe ancora guarire";

• l'organizzazione delle frasi e dei periodi mediante ripetizioni insistenti, cioè mediante l'utilizzo di parole o di gruppi di parole identiche, a causa di un'estrema povertà lessicale: "Mi *alzo* alle sette. *Poi*, dopo essermi *alzato*, mi lavo la faccia. *Poi mangio* e dopo *mangiato* sveglio il mio fratellino. *Poi ci* preparo la colazione anche a lui e *poi* mentre il mio fratellino *mangia*, io metto via *tutto*. *Poi*, fatto *tutto*, usciamo";

• l'oscillazione continua tra le forme del parlato e l'uso di formule fisse di origine diversa: "Anche per la questione finanziaria essendo che non girando non guadagnando la trippa non si riempie perché fondi di riserva non ve ne sono". Nella frase, citata da M. Cortellazzo, sono allineate, senza che il parlante si renda conto della diversità, espressioni di tipo dotto (*questione finanziaria*, *fondi di riserva*), modi del parlato (*essendo che*) ed espressioni popolaresche (*la trippa non si riempie*);

• un uso della punteggiatura sempre oscillante tra l'abuso e l'assenza completa.

La retorica

La **retorica** (dal greco *retoriké téchne*, 'arte di colui che parla', da *rétor*, 'il retore, colui che parla', a sua volta derivante da *éirein*, 'parlare') è l'"arte del dire" e, come tale, insegna a "parlare e a scrivere bene", cioè insegna a manipolare la lingua attraverso particolari espedienti espressivi, detti **figure**, allo scopo di rendere più efficace, perché più chiaro, più ricco, più elegante e più suggestivo, il discorso.

1

La retorica e il linguaggio figurato

La retorica è l'"arte del parlare e dello scrivere bene". Nel mondo antico, essa era codificata in norme rigide e precise e veniva insegnata nelle scuole a tutti coloro che erano chiamati a parlare in pubblico (i retori) o volevano imparare a esprimersi in modo elegante e persuasivo. A partire dall'Ottocento, però, con il sorgere di una concezione più aperta e spontanea dell'attività del parlare e dello scrivere, la retorica cominciò a essere criticata come un insieme di aride regole volte a bloccare la libertà espressiva o a stravolgere e a mascherare la verità: il nostro secolo ha aggravato la condanna, tanto che il termine "retorico" ha assunto il significato dispregiativo di "vuoto, prolisso, ampolloso" ed è usato per indicare tutto ciò che appare formalmente elegante, ma alla prova dei fatti risulta privo di contenuto effettivo e di autentici valori intellettuali, morali o sentimentali.

Tuttavia nella seconda metà del Novecento, la retorica, condannata come arte del parlare e dello scrivere bene, è stata rivalutata come disciplina che individua, analizza e codifica i diversi espedienti con cui chi parla o scrive può manipolare la lingua, allo scopo di esprimere in modo più efficace il proprio pensiero, i propri sentimenti e le proprie aspirazioni. Tale manipolazione coincide con un uso inconsueto della lingua, di tipo non denotativo ma connotativo, che va sotto il nome di "uso figurato" e si materializza nelle cosiddette **figure retoriche**.

1. Le figure retoriche

Si chiamano figure retoriche quei particolari procedimenti espressivi che, utilizzando la lingua secondo schemi inconsueti, tendono ad arricchirne l'efficacia. Considerate un tempo come caratteristiche essenziali ed esclusive del linguaggio letterario e soprattutto poetico, le figure retoriche sono in realtà un espediente espressivo operante in ogni tipo di atto linguistico o di testo. Esse, infatti, rientrano nella più ampia categoria degli usi connotativi e non semplicemente denotativi delle parole della lingua e, come tali, sono sì tipiche del linguaggio poetico, dove raggiungono il massimo del loro rendimento, ma sono utilizzate, anche nel linguaggio comune, ogni volta che si vuole sfruttare a scopi espressivi il potenziale semantico della lingua. Pertanto, imparare a individuare le varie figure retoriche e a riconoscere i meccanismi che presiedono al loro utilizzo costituisce il giusto coronamento dello studio della grammatica, cioè delle norme che regolano la corretta pronuncia, la corretta grafia delle parole e il corretto uso delle forme e dei costrutti in cui le parole si articolano. Conoscere le figure retoriche, inoltre, significa imparare a cogliere gli aspetti più significativi dei testi in cui sono usate e imparare a utilizzarle in modo opportuno.

I trattatisti antichi hanno classificato le figure retoriche in modo minuzioso e spesso pedante, e anche i trattatisti moderni hanno escogitato classificazioni e raggruppamenti non meno complessi. In particolare, i diversi modi espressivi del linguaggio figurato si distinguono in:

- **figure di parole** o **traslati** (dal latino *transfero*, 'trasferisco') o **tropi** (dal greco *trópos*, che a sua volta deriva dal verbo *trépo*, 'trasporto, volgo') o **figure semantiche**, che riguardano cambiamenti di significato di singole parole: la metàfora, la metonìmia, la sinèddoche, l'antonomàsia, l'ipèrbole e la litòte;
- **figure di pensiero** o **figure logiche**, che riguardano un'intera frase nella sua struttura logica: l'apòstrofe, l'allegorìa, la perìfrasi, la preterizione, la reticenza, la prosopopèa, l'epifonèma ecc.;
- **figure di ordine**, che riguardano l'ordine delle parole nell'ambito della frase: l'anàfora, il chiàsmo, l'ipèrbato, lo zeugma ecc.;
- **figure di ritmo**, che riguardano gli aspetti fonico-ritmici delle parole: l'allitterazione, l'onomatopèa ecc.

Questa divisione, però, ha un valore puramente pratico, perché, in realtà, a seconda dei contesti, la medesima figura può funzionare tanto da figura di pensiero quanto da figura di parola. Nelle pagine seguenti, pertanto, presenteremo e analizzeremo le più importanti figure in ordine alfabetico, cioè in un ordine che, se non altro, rende più agevole la consultazione.

• **Accumulazione** (dal latino *adcumulare*, 'ammassare'). Consiste nel disporre una dietro l'altra, in forma ordinata e progressiva o in modo disordinato e caotico, parole indicanti oggetti, immagini, sentimenti, allo scopo di definire o descrivere ambienti, situazioni, stati d'animo o personaggi con larghi tratti quasi pittorici:

Arene gemmee come
tritume di gemme, ceppaie
d'alghe, chiari coralli
fuchi di porpora, negre
ulve... (G. d'Annunzio)

• **Adýnaton** (dal greco *adýnaton*, 'cosa impossibile'). Consiste nel dimostrare che un determinato fatto non potrà mai verificarsi perché subordinato all'avverarsi di un altro fatto ritenuto impossibile:

Prima divelte, in mar precipitando,
spente nell'imo strideran le stelle,
che la vostra memoria e il vostro
amor trascorra o scemi. (G. Leopardi)

• **Afèresi** (dal greco *apháirein*, 'togliere via'). È la caduta di una vocale o di una sillaba all'inizio della parola: rena per "arena", verno per "inverno".

• **Allegorìa** (dal greco *allegoréin*, 'parlar diversamente'). È un'immagine o un discorso che nasconde un significato diverso dal suo significato letterale, un significato recondito che è in stretto rapporto con quello letterale ma che va colto e interpretato. Questo procedimento retorico permette di trasformare nozioni astratte o concetti morali in immagini spesso suggestivamente pittoriche. Così, una nave che solca un mare in tempesta, squassata dai venti e dai marosi, rappresenta allegoricamente la condizione umana o, a seconda dei casi, un organismo politico. Allegorico è ad esempio l'intero viaggio oltremondano descritto da Dante nella *Divina Commedia*.

• **Allitterazione** (dal latino *ad* e *littera*, 'lettera accanto a lettera'). È la ripetizione della stessa vocale, consonante o sillaba, all'inizio o all'interno di due o più parole contigue e legate dal senso. In poesia e negli annunci pubblicitari viene usata per far risaltare determinati effetti musicali o per mettere in evidenza certe parole:

Chiama gli abitator de l'ombre eterne
il rauco suon de la tartarea tromba. (T. Tasso)

• **Allusione** (dal latino *adludere*, 'alludere, scherzare'). Consiste nel dire una cosa con l'intenzione di farne intendere un'altra che con la prima ha un rapporto di somiglianza. La cosa cui si allude deve essere ben nota: talvolta è legata a un evento storico famoso (così si può dire "è una vittoria di Pirro", per indicare una conquista pagata a caro prezzo, come la vittoria ottenuta da Pirro, re dell'Epiro, che sconfisse i Romani ma perdette quasi tutti i suoi uomini) o a un personaggio letterario (così si può dire "è un Don Abbondio", per indicare una persona vile e paurosa).

• **Anacolùto** (dal greco *anakóluthos*, 'che non ha seguito'). Violazione volontaria di una norma sintattica, usata per lo più per riprodurre i modi della lingua parlata o per caratterizzare un personaggio:

Quelli che muoiono, bisogna pregare Dio per loro. (A. Manzoni)

• **Anadiplòsi** (dal greco *anadíplosis*, 'raddoppiamento'). Consiste nella ripetizione – all'inizio di un verso o di una frase – di una parola o di un gruppo di parole che chiudono il verso o la frase precedente e serve a richiamare l'attenzione su queste parole:

Questa voce sentiva
gemere in una capra solitaria.
In una capra dal viso semita
sentiva querelarsi ogni altro male. (U. Saba)

• **Anàfora** (dal greco *anaphérein*, 'ripetere'). Consiste nella ripetizione di una parola o di un gruppo di parole all'inizio di più versi o di più frasi consecutive, allo scopo di sottolineare in modo enfatico un determinato concetto. Così, nei seguenti versi danteschi, la ripetizione di "Per me si va" scandisce in modo ossessivo l'incombente destino dei dannati:

Per me si va nella città dolente,
per me si va nell'etterno dolore,
per me si va tra la perduta gente. (Dante)

• **Analogìa** (dal greco *analogía*, 'corrispondenza, rapporto'). Consiste nello stabilire rapporti inauditi tra immagini diverse e prive all'apparenza di qualsiasi legame logico. Tipico della poesia moderna, questo procedimento produce immagini inedite di grande effetto espressivo, al limite della incomprensione per la loro sinteticità e pregnanza. Così, nei seguenti versi le analogìe si mescolano in modo tale che risulta inutile cercare di spiegarle logicamente, in quanto vivono proprio della loro indistinzione e ambiguità:

La sera fumosa d'estate
dall'alta invetriata mesce chiarori nell'ombra
e mi lascia nel cuore un suggello ardente. (D. Campana)

• **Anàstrofe** (dal greco *anastréphein*, 'rovesciare'). Consiste nell'invertire il normale ordine sintattico di due parole, per ragioni ritmiche o per conferire particolare risalto al termine cui tocca il primo posto nel nuovo ordine sintattico:

Bene non seppi, fuori del prodigio
che schiude la divina Provvidenza. (E. Montale)

• **Annominazione** (dal latino *ad* e *nominatio*, 'denominazione'). Detta anche bisticcio o figura etimologica, consiste nell'accostamento di parole che hanno la stessa radice:

Esta selva selvaggia e aspra e forte (Dante)

o nella ripresa della stessa parola in forma variata:

Amor, ch'a nullo amato amar perdona. (Dante)

• **Antìfrasi** (dal greco *antíphrasis*, 'espressione contraria'). Consiste nell'affermare l'opposto di quello che si intende dire. Ha un chiaro scopo ironico e polemico:

È proprio un bel gesto! (= una mascalzonata).

• **Antìtesi** (dal greco *antíthesis*, 'contrapposizione'). Consiste nell'accostamento di termini o concetti di senso opposto, accostamento che spesso è reso più incisivo dalla struttura simmetrica della frase, come nella celebre terzina dantesca:

Non fronda verde, ma di color fosco;
non rami schietti, ma nodosi e 'nvolti:
non pomi v'eran, ma stecchi con tosco. (Dante)

• **Antonomàsia** (dal greco *antonomasía*, 'parola che sta al posto di un'altra'). Consiste nell'utilizzare un nome comune invece di un nome proprio ("il segretario fiorentino" = Niccolò Machiavelli; "l'Apostolo" = san Paolo; "il sommo poeta" = Dante o, viceversa, il nome proprio in luogo di un nome comune "un giuda" = falso e bugiardo come Giuda; "una Venere" = una donna bella e seducente).

• **Apòstrofe** (dal greco *apostréphein*, 'rivolgersi verso'). Consiste nel rivolgere il discorso, per lo più improvvisamente, a una persona (viva o morta, presente o assente) o a una cosa o un luogo personificati, chiamandoli direttamente in causa:

O patria mia, vedo le mura e gli archi. (G. Leopardi)

• **Asìndeto** (dal greco *asýndeton*, 'slegato', da *a*-, 'non', e *syndeo*, 'lego insieme'). Giustapposizione di parole o frasi senza l'ausilio di alcuna particella congiuntiva o disgiuntiva. Un simile procedimento è particolarmente efficace per conferire all'insieme una forte carica espressiva:

... non canto non grido
non suono pe'l vasto silenzio va. (G. d'Annunzio)

• **Chiasmo** (dal nome della lettera dell'alfabeto greco χ, che si pronuncia *chi* e visualizza graficamente questa figura). Consiste nella disposizione incrociata di due parole o di due gruppi di parole di una frase. Ha la funzione di mettere in evidenza gruppi di parole attirando l'attenzione su di esse:

Odi greggi belar, muggire armenti.
a *b* *b* *a* (G. Leopardi)

• **Circonlocuzione**: si veda *Perìfrasi*.

• **Climax** (dal greco *klímax*, 'scala'). Detto anche **gradazione**, consiste nel disporre le parole in modo tale che, per il significato o per la lunghezza o per il ritmo, producano un effetto di progressiva intensificazione (*gradazione ascendente*) o di progressiva attenuazione (*anticlimax* o *gradazione discendente*):

La terra ansante, livida, in tumulto;
il cielo ingombro, tacito, disfatto. (G. Pascoli)

• **Diàfora** (dal greco *diáphoros*, 'che porta attraverso, diverso'). Consiste nel ripetere una parola usata in precedenza con un nuovo significato o con una sfumatura di significato diversa. Così, nella frase "Il cuore ha le sue ragioni che la ragione non conosce" (B. Pascal), la parola *ragione* è usata dapprima nel significato di "motivo" e poi in quello di "facoltà di pensare e giudicare".

• **Enàllage** (dal greco *enallássein*, 'cambiare in senso inverso'). Consiste nell'adoperare una forma grammaticale al posto di un'altra di cui assume il valore. Così, un aggettivo può essere usato al posto di un avverbio: "Paolo camminava spedito".

• **Endìadi** (dal greco *hen diá dýoin*, 'una cosa per mezzo di due'). Consiste nell'esprimere un concetto mediante due termini complementari (due sostantivi o due aggettivi), coordinati tra loro. Così, "Vedo splendere la luce e il sole" sta per "Vedo splendere la luce del sole".

• **Epanalèssi** (dal greco *epanálepsis*, 'ripresa'). Consiste nella ripetizione, dopo un certo intervallo, di una o più parole, per sottolineare un particolare concetto:

> Ma passavam la selva, tuttavia,
> la selva, dico, di spiriti spessi. (Dante)

• **Epanortòsi** (dal greco *epanórthosis*, 'correzione'). Consiste nel ritornare su una determinata affermazione, per attenuarla, per incrementarla o per ritrattarla:

> È proprio un brav'uomo, che dico?, è un santo!

• **Epifonèma** (dal greco *epiphónema*, 'voce aggiunta'). Frase sentenziosa utilizzata per concludere con una certa enfasi il discorso:

> Sì vedrem chiaro poi come sovente
> per le cose dubbiose altri s'avanza
> et come spesso indarno si sospira. (F. Petrarca)

• **Eufemismo** (dal greco *eu*, 'bene', e *phemí*, 'parlo': 'parlo in modo piacevole', 'dico parole di buon augurio'). Consiste nell'adoperare una parola o un'espressione di significato neutro o generico invece di una parola o di un'espressione ritenute troppo crude e irriguardose:

> È passato a miglior vita (= morì).

• **Gradazione**: si veda *Climax*.

• **Ipàllage** (dal greco *hypallássein*, 'scambiare, porre sotto a un'altra cosa'). Consiste nell'attribuire a una parola qualcosa (qualificazione, determinazione o specificazione) che si riferisce a un'altra parola della stessa frase. Così, nei versi:

... un ribatte
le porche con sua marra pazïente (G. Pascoli)

l'aggettivo *paziente* è riferito all'arnese *marra*, ma logicamente va riferito a *un*, cioè al contadino che usa la marra e che è paziente.

• **Ipèrbato** (dal greco *hypérbaton*, 'trasposto, passato oltre'). Consiste nello spezzare l'ordine normale delle parole di una frase, separando elementi che di solito sono uniti tra loro (ad esempio, un nome dal suo aggettivo o un complemento dal nome che lo regge). Così, nel verso:

Mille di fiori al ciel mandano incensi (U. Foscolo)

è spezzato e invertito l'ordine normale tra il complemento di specificazione *di fiori* e il nome *incensi* (= profumi) che lo regge.

• **Ipèrbole** (dal greco *hypér*, 'al di là', e *bállo*, 'getto', 'atto di gettare oltre, atto di esagerare'). Consiste nell'esprimere un concetto o un'idea con termini esagerati, tanto esagerati che, presi alla lettera, risulterebbero inverosimili o assurdi. Molto frequente nel linguaggio comune ("Ti ho aspettato un secolo"; "Mi si spezza il cuore"; "Facciamo quattro passi"; "Te l'ho detto un milione di volte"), l'iperbole viene usata per moltiplicare l'effetto di un discorso, con risultati, di volta in volta, comici, ironici o sarcastici o semplicemente enfatici:

La mia anima
visse come diecimila. (G. d'Annunzio)

• **Ipotipòsi** (dal greco *hypotýposis*, 'abbozzo', composto di *hypó*, 'sotto', e *typoún*, 'foggiare, plasmare'). Rappresentazione particolarmente vivace di un avvenimento reale o fantastico, di un oggetto o di un personaggio. Così, Salvatore Quasimodo, nella lirica *Uomo del mio tempo*, ricorre a una ipotipòsi per rappresentare il suo personaggio:

Sei ancora quello della pietra e della fionda,
uomo del mio tempo. Eri nella carlinga,
con le ali maligne, le meridiane di morte,
– t'ho visto – dentro il carro di fuoco, alle forche,
alle ruote di tortura. T'ho visto: eri tu. (S. Quasimodo)

• **Ironia** (dal greco *éiron*, 'colui che interroga fingendo di non sapere'). Consiste nell'affermare il contrario di ciò che si pensa e si vuole fare intendere. Come atto linguistico, richiede al lettore o all'ascoltatore la capacità di cogliere la sostanziale ambiguità dell'enunciato. Frequente nel linguaggio comune, dove dà colore ed efficacia al discorso ("Che sapientone!", detto di un ignorante), l'ironia è usata con abilità da Alessandro Manzoni, nei *Promessi Sposi*. Si vedano le parole con cui Renzo rinfaccia ad Agnese di averlo mandato a consultare l'Azzeccagarbugli:

> «Bel favore che m'avete fatto! M'avete mandato da
> un galantuomo, da uno che aiuta veramente i poverelli!»
> (A. Manzoni)

Affine all'ironia è l'**umorismo**, che consiste nel mescolare, nell'esposizione di un fatto, il serio con il faceto. Si veda, ad esempio, il seguente passo manzoniano:

> Il borgo [di Lecco] aveva il vantaggio di possedere una stabile guarnigione di soldati spagnoli, che insegnavano la modestia alle fanciulle e alle donne del paese..., e sul finir dell'estate non mancavano mai di spingersi nelle vigne, per diradar l'uva e alleggerire ai contadini la fatica della vendemmia. (A. Manzoni)

Quando l'ironia non è mossa dal sorriso, ma dallo sdegno o dal rancore, si ha il **sarcasmo**. Così, nei versi seguenti, Dante, ripensando ai tanti fiorentini che, nell'Inferno, ha trovato tra i ladri, esclama:

> Godi, Fiorenza, poi che se' sì grande,
> che per mare e per terra batti l'ali,
> e per lo 'nferno tuo nome si spande! (Dante)

• **Litòte** (dal greco *litós*, 'semplice'). Consiste nell'esprimere un concetto in forma attenuata, per lo più negando il concetto opposto. Così, nei *Promessi Sposi*, Alessandro Manzoni, anziché dire che Don Abbondio era un vile, dice che "non era nato con un cuore di leone".

• **Metàfora** (dal greco *metaphérein*, 'trasportare, trasferire'). Consiste nello spostamento di significato di una parola dal campo di idee in cui viene normalmente usata a un altro, di modo che una parola viene sostituita da un'altra che con la prima intrattiene un rapporto di somiglianza. Generalmente, la metafora viene considerata una "similitudine abbreviata", perché realizza in forma immediata e sintetica il rapporto di somiglianza che di solito viene presentato in forma analitica mediante una similitudine o una comparazione: così, la metafora "Ulisse è una volpe" altro non è che una condensazione della similitudine "Ulisse è furbo come una volpe", o, nei versi:

> Lo bel pianeta che d'amar conforta
> faceva tutto rider l'Oriente (Dante)

la metafora "faceva tutto rider l'Oriente" significa "illuminava con la sua luce il cielo verso Oriente che splendeva come un volto illuminato da un sorriso". Concepita come un processo tendente a dare vivacità alla lingua, la metafora oscilla tra gli opposti inconvenienti della banalità e dell'oscurità. Da una parte, infatti, certe immagini originariamente metaforiche ormai si sono stilizzate al punto da diventare stereotipi privi di efficacia o, come anche si dice, "metafore spente" (si pensi a metafore come "sparare a zero"; "la punta dell'iceberg" e simili) o sono addirittura entrate nel linguaggio comune come espressioni correnti e insostituibili ("le gambe del tavolo"; "il cane del fucile") di cui il parlante non riconosce neppure più l'origine metaforica. Dall'altra, invece, alcune metafore sono talmente involute o incongrue da risultare incomprensibili. In mezzo a questi estremi negativi, comunque, si collocano le metafore che, con la loro originalità e vivacità, non solo provocano sorpresa nel lettore o nell'ascoltatore concentrandone l'attenzione e sollecitandone l'intelligenza, ma procurano al testo più di un significato.

• **Metonìmia** (dal greco *metonymía*, 'scambio di nome'). Consiste nell'utilizzare una parola in senso figurato, in sostituzione di un termine proprio, con il quale intrattiene un rapporto di contiguità. Così, si può nominare:

– l'effetto per la causa: "talor lasciando /.../ le sudate carte (= i libri e i quaderni che mi facevano sudare per la fatica)" (G. Leopardi);

– la causa per l'effetto: "ma negli orecchi mi percosse un duolo (= un grido prodotto da una sensazione di dolore)" (Dante);

– la materia per l'oggetto fatto con essa: "legno" per "carrozza" o per "nave";

– il contenente per il contenuto: "bere un bicchiere (= la quantità di vino contenuta in un bicchiere)"; "mangiare solo il primo piatto (= la pietanza che si serve per prima)";

– l'autore di un'opera invece dell'opera: "leggere Dante (= la *Divina Commedia* di Dante)"; "comprare un Modigliani (= un quadro di Modigliani)";

– il mezzo o lo strumento invece della persona che lo usa o della cosa da esso prodotta: "essere una buona forchetta (= un buongustaio)"; "essere il primo violino dell'orchestra (= il primo suonatore di violino)";

– il luogo invece delle persone che vi si trovano: "La panchina (= l'alle-

natore) della Nazionale ha preso le sue decisioni"; "La Casa Bianca (= il Presidente degli Stati Uniti) non ha rilasciato alcuna dichiarazione";
– il concreto per l'astratto: "avere fegato (= coraggio)";
– il segno per la cosa significata: "l'aquila romana (= i soldati romani) conquistò il mondo";
– il protettore per la cosa protetta: "Bacco (= il vino), tabacco e Venere (= l'amore) riducono l'uomo in cenere".

• **Onomatopèa** (dal greco *onomatopoiía*, 'creazione di un nome', composto di *ónoma*, 'nome', e *poiéo*, 'faccio, creo'). È una parola, o una frase, che riproduce a scopi espressivi, attraverso i fonemi della lingua, il suono o il rumore di una cosa o il verso di un animale: "din-don"; "zzz"; "... un breve gre grè di ranelle" (G. Pascoli).

• **Ossìmoro** (dal greco *oxýmoron*, 'acuto sotto un'apparenza di stupidità', composto di *oxýs*, 'acuto', e *morós*, 'stupido'). Consiste nell'accostare, nella medesima locuzione, due parole di significato opposto che si contraddicono a vicenda: "grido silenzioso"; "amara dolcezza". Si veda anche il seguente esempio, tratto dalla lirica *Il lampo*:

> Bianca bianca nel tacito tumulto
> una casa apparì sparì d'un tratto. (G. Pascoli)

• **Parallelismo** (dal greco *parállelos*, 'parallelo, l'uno accanto all'altro'). Consiste nell'allineare, sempre secondo lo stesso ordine, gli elementi di due o più enunciati successivi, in modo da determinare strutture identiche e simmetriche tra loro:

> Vigile a ogni soffio
> intenta a ogni baleno,
> sempre in ascolto
> sempre in attesa
> pronta a ghermire
> pronta a donare... (G. d'Annunzio)

• **Paronomàsia** (dal greco *paronomasía*, 'denominazione simile'). Consiste nell'accostare parole che risultano somiglianti dal punto di vista fonico, allo scopo di produrre particolari effetti espressivi (comici o ironici) o di dare particolare rilievo alle parole coinvolte:

> I' fui per ritornar più volte vòlto. (Dante)

• **Perìfrasi** (dal greco *períphrasis*, 'discorso intorno') o **circonlocuzione** (dal latino *circumlocutionem*, 'discorso intorno'). Consiste nell'indicare una persona o una cosa con un giro di parole, anziché con il suo nome abituale. Un simile procedimento può rispondere a diverse esigenze e finalità: può essere usata per evitare una inutile ripetizione, per sostituire un termine eccessivamente crudo (si veda **Eufemismo**) o anche soltanto per conferire un particolare colore poetico alla frase, come ad esempio nel verso leopardiano "incontro là dove si perde il giorno" per dire "verso occidente, verso il tramonto". Famose sono anche le perifrasi con cui, nel carme *Dei Sepolcri*, Ugo Foscolo indica i grandi italiani sepolti in Santa Croce.

• **Personificazione**: si veda *Prosopopèa*.

• **Polisìndeto** (dal greco *polysýndeton*, 'molto legato insieme', composto da *polýs*, 'molto', *syn*, 'insieme', e *déin*, 'legare'). Consiste nel coordinare tra loro le parole di una proposizione o le proposizioni di un periodo facendo largo uso di congiunzioni, per evidenziare particolari valori espressivi o per creare un ritmo concitato e incalzante:

> ... e mi sovvien l'eterno,
> e le morte stagioni, e la presente
> e viva, e il suon di lei... (G. Leopardi)

• **Preterizione** (dal latino *praeterire*, 'passare oltre', 'omettere'). Consiste nell'affermare di voler tacere un fatto o un argomento di cui, in realtà, si parla chiaramente:

> "Non ti dico che cosa ha combinato il cane: ha morso il postino e, poi, quando l'abbiamo rinchiuso, si è mangiato il tappeto persiano della zia."

• **Prosopopèa** (dal greco *prosopopoién*, 'personificare', composto da *prósopon*, 'volto', e *poiéin*, 'fare'). Detta anche **personificazione**, consiste nell'introdurre a parlare un personaggio assente o defunto o anche cose astratte e inanimate, come se fossero persone reali. Così, Virgilio personifica e fa parlare la Fama, Ludovico Ariosto la Frode e Giosue Carducci i cipressi di Bolgheri.

• **Reticenza** (dal latino *reticére*, 'tacere, sottacere'). Consiste nell'interrompere e lasciare in sospeso – per timore, per riguardo o anche per calcolo – una frase o una sola parola facendone però intuire la conclusione. Frequente nel linguaggio comune ("Se non ubbidisci..."; "Smetti subito, se no..."), è spesso usata anche da scrittori e poeti. Si veda, ad esempio, come A. Manzoni intesse di reticenze l'intero colloquio tra il Conte Zio e il Padre provinciale dei Cappuccini, nel capitolo XIX dei *Promessi Sposi*:

> «C'entra il puntiglio; diviene un affare comune; e allora... anche chi è nemico della pace... Sarebbe un vero crepacuore per me, di dovere... di trovarmi..., io che ho sempre avuta tanta propensione per i padri cappuccini...». (A. Manzoni)

• **Similitudine** (dal latino *similis*, 'simile'). Consiste in un paragone istituito tra cose, persone e situazioni ritenute simili, attraverso la mediazione di avverbi o locuzioni avverbiali di paragone ("come", "a somiglianza di", "tale", "quale"). Usato per chiarire ciò che è oscuro o difficile da spiegare, è un espediente molto frequente nella poesia epica. Famose, in particolare, sono le similitudini omeriche:

> Come un'aquila che dall'alto a piombo
> attraverso le cupe nubi si precipita sulla campagna
> per ghermire una lepre o un'agnella,
> tale, scuotendo il ben affilato ferro,
> Ettore si scaglia nella mischia... (Omero)

• **Sinèddoche** (dal greco *synekdékhomai*, 'prendo insieme'). Consiste nell'indicare una cosa non con il suo solito nome, ma con un altro che ha un significato più o meno ampio, anche se simile. Fondata essenzialmente su un rapporto di "estensione" della parola, questa figura esprime:

– la parte per il tutto: "All'orizzonte apparve una vela (= una nave)";

– il tutto per la parte: "Il mondo (= gli uomini) non mi capisce";

– il singolare per il plurale e viceversa: "l'inglese (= gli inglesi) è molto più sportivo dell'italiano (= degli italiani)";

– il genere per la specie e viceversa: "Il felino (= la tigre) fece un grande balzo e sparì".

• **Sinestesìa** (dal greco *synaisthánomai*, 'percepisco insieme'). Consiste nell'associare, all'interno di un'unica immagine, nomi e aggettivi appartenenti a sfere sensoriali diverse, che in un rapporto di reciproca interferenza danno origine a un'immagine vivamente inedita. Frequente nella lingua comune (ad esempio "colore caldo", in cui la sensazione visiva "colore" è unita a una sensazione tattile "caldo" e "voce chiara", in cui la sensazione acustica "voce" è unita a una sensazione visiva come "chiara"), la sinestesìa dà i suoi esiti più significativi nella poesia simbolista e, poi, nella poesia ermetica del Novecento italiano. Così, S. Quasimodo parla di "urlo nero", E. Montale di "fredde luci" e M. Luzi di "voce abbrunata".

• **Zeugma** (dal greco *zéugma*, 'aggiogamento'). Consiste nel far reggere da un unico verbo più enunciati che richiederebbero ciascuno uno specifico verbo reggente. Così, nel verso dantesco, "parlare e lacrimar vedrai insieme", il verbo *vedere* si addice soltanto a "lacrimar" mentre per reggere "parlare" ci vorrebbe un'altra forma verbale (ad esempio *udire*).

La metrica

La **metrica** (dal greco *métron*, 'misura') è l'insieme delle norme che regolano la composizione e la struttura dei versi nei testi poetici.

1
Le strutture formali del testo poetico

I testi poetici si distinguono dai testi in prosa non per il contenuto, che può anche essere il medesimo, ma per la forma esteriore e per la cadenza ritmica: sono infatti strutturati in **versi**, che possono essere organizzati in strofe o restare sciolti da qualsiasi legame precostituito, e sono caratterizzati da una particolare e sempre varia cadenza musicale – il ritmo, appunto –, che dipende dalla lunghezza e dalla distribuzione dei versi, dalla posizione degli accenti e da altri elementi sonori, come la **rima**.

1. Il verso

Il verso è un insieme di parole caratterizzate da una regolata successione di sillabe accentate e di sillabe non accentate e dalla presenza di una pausa principale alla fine e da una o più pause interne, o cesure.

Il verso è il primo, anche se non l'unico, elemento formale che caratterizza un testo poetico ed è senz'altro il più evidente: l'effetto ottico delle righe, più o meno brevi, che non raggiungono quasi mai il margine laterale della pagina e lasciano ampi spazi bianchi, è indubbiamente una componente essenziale del testo poetico e, anzi, il fondamento stesso dell'"effetto poesia".

I versi possono essere di vario tipo e si distinguono **in base al numero delle sillabe** che contengono.

Per computare le sillabe di un verso, e quindi per stabilire di quale verso si tratti, bisogna tener presenti le seguenti norme:

– una sillaba tronca in fine di verso vale per due sillabe. Perciò il verso che segue è un endecasillabo anche se presenta dieci sillabe:

Deh perché fuggi rapido così (G. Carducci)

– nei versi che terminano con una parola sdrucciola o bisdrucciola, le sillabe non accentate che seguono l'ultimo accento tonico valgono per una sola sillaba. Così il verso che segue è un settenario anche se presenta nove sillabe:

L'onda su cui del mísero (A. Manzoni)

– quando una parola finisce per vocale e la parola successiva comincia per vocale, si ha generalmente la fusione delle due vocali in una sola sillaba (**sinalèfe** o *fusione*). Così, per effetto di questo fenomeno, il verso seguente è un endecasillabo, anche se presenta quindici sillabe:

Poi quand*o*‿*i*ntorn*o*‿*è* spent*a*‿*o*gn*i*‿*a*ltra face (G. Leopardi)

Più di rado e, in particolare, quando la prima delle due vocali è accentata o sono accentate entrambe, le due vocali si pronunciano separate e costituiscono due sillabe (**dialèfe** o *iato*). Così, il verso seguente presenta uno iato tra la quarta e la quinta sillaba e risulta un endecasillabo:

Incominci*ò*‿*a* farsi più vivace (Dante)

– quando due vocali si trovano l'una di seguito all'altra all'interno di una parola possono essere considerate un'unica sillaba anche se non formano dittongo (**sinèresi** o *contrazione*). Così, nel verso seguente, le vocali *i* e *a* della parola "armonia" si contraggono a formare una sola sillaba e il verso risulta un endecasillabo, anche se presenta dodici sillabe:

Ed erra l'armon*ia* per questa valle (G. Leopardi)

Talvolta, invece, due vocali che si trovano l'una di seguito all'altra all'interno di una parola sono considerate distinte e separate, come due sillabe diverse, anche se normalmente costituiscono un dittongo (**dieresi** o *separazione*). Convenzionalmente, questo fenomeno viene segnalato collocando due puntini sulla prima delle due vocali:

Forse perché della fatal qu*ï*ete (U. Foscolo)

Nei testi della tradizione poetica italiana, sono utilizzati versi che vanno dalle 2 alle 11 sillabe. Ciascuno di essi prende nome dal numero di sillabe che lo compongono ed è caratterizzato da una particolare distribuzione degli accenti, come appare dalla seguente tabella:

TIPO DI VERSO	SILLABE SU CUI CADONO GLI ACCENTI RITMICI	ESEMPI
binario (2 sillabe)	1ª sillaba	**Dié**/*tro* **qual**/*che* **vé**/*tro*. (G.A. Cesareo)
ternario (3 sillabe)	2ª sillaba	*Tos*/**sí**/*sce* *tos*/**sí**/*sce* *un*/**pó**/*co* *si*/**tá**/*ce*. (A. Palazzeschi)
quaternario (4 sillabe)	1ª e 3ª sillaba	**Sú**/*vo*/**ghiá**/*mo*. (F. Redi)
quinario (5 sillabe)	1ª e 4ª sillaba	**Quán**/*te*/*ca*/**dú**/*te*. (G. Giusti) *Il*/**mór**/*bo*‿*in*/**fú**/*ria*. (A. Fusinato)
senario (6 sillabe)	2ª e 5ª sillaba	*Che*/**pá**/*ce*/*la*/**sé**/*ra!* (G. Pascoli)
settenario (7 sillabe)	1ª e 6ª sillaba 1ª, 4ª e 6ª sillaba 2ª e 6ª sillaba 3ª e 6ª sillaba 4ª e 6ª sillaba	**Sié**/*pi*/*di*/*me*/*lo*/**grá**/*no*. (G. Pascoli) **Tór**/*na*‿*al*/*fio*/**rír**/*la*/**ró**/*sa*. (G. Parini) *E*/**mól**/*le*/*si*/*ri*/**pó**/*sa*. (G. Parini) *La*/*cam*/**pá**/*na*‿*ha*/*chia*/**má**/*to*. (D. Valeri) *Con*/*ser*/*va*/**trí**/*ce*‿*e*/**tér**/*na*. (A. Manzoni)
ottonario (8 sillabe)	3ª e 7ª sillaba	*Dol*/*ce*/**mén**/*te*/*muor*/*feb*/**brá**/*io*. (G. D'Annunzio)
novenario (9 sillabe)	2ª, 5ª e 8ª sillaba	*Tu*/**món**/*di*/*la*/**pér**/*si*/*ca*/**dól**/*ce*. (G. D'Annunzio)
decasillabo (10 sillabe)	3ª, 6ª e 9ª sillaba	*S'o*/*de*‿*a*/**dé**/*stra*‿*u*/*no*/**squíl**/*lo*/*di*/ **tróm**/*ba*. (A. Manzoni)
endecasillabo (11 sillabe)	6ª, 8ª e 10ª sillaba 4ª, 8ª e 10ª sillaba 4ª, 7ª e 10ª sillaba	*Nel*/*mez*/*zo*/*del*/*cam*/**mín**/*di*/**nó**/*stra*/**ví**/*ta*. (Dante) *Mi*/*ri*/*tro*/**vái**/*per*/*u*/*na*/**sél**/*va*‿*o*/**scú**/*ra*. (Dante) *Per*/*me*/*si*/**vá**/*nel*/*l'e*/**ttér**/*no*/*do*/**ló**/*re*. (Dante)

A questi tipi di **versi fondamentali** sono poi da aggiungere i **versi doppi**, formati da due versi fondamentali in uno solo:

doppio quinario	Sénza memórie / sénza dolóre. (G. Carducci)
doppio senario o **dodecasillabo**	Dagli àtrii muscósi / dai Fóri cadénti. (A. Manzoni)

doppio settenario	Dánzan le fíglie a l'ómbra / del mággio tra i sussúrri. (G. Carducci)
doppio ottonario	Improvvíso rompe il sóle / sopra l'úmido mattíno. (G. Carducci)

2. Le rime

Gli aspetti ritmici del testo poetico sono per lo più rinforzati e amplificati da un elemento di carattere fonico: la rima. La rima consiste nella perfetta identità di suoni tra la parte finale di due parole a partire dall'ultima sillaba accentata: fióre/amóre; montágna/campágna; zía/mía; tempésta/fésta; architétto/concétto.

Se l'identità della parte finale delle due parole non è perfetta, ma è limitata alle sole consonanti, si ha la **consonanza**: guardare/vedere; questo/posto; montagna/regno. Se invece l'identità è limitata alle sole vocali, si ha l'**assonanza**: vita/mina; ponte/corse: attento/successo.

La rima collega i versi di un componimento disponendosi secondo vari schemi, con effetti ritmico-musicali volta a volta diversi. I **tipi di rima** più usati sono i seguenti:

• **rime baciate**, quando rimano due versi consecutivi, secondo lo schema AA, BB, CC...:

Nella torre il silenzio era già alto. A
Sussurravano i pioppi del Rio Salto. A
I cavalli normanni alle lor poste B
frangean la biada con rumor di croste. B (G. Pascoli)

• **rime alternate**, quando le rime sono distribuite in modo che rimano tra loro i versi pari e i versi dispari, secondo lo schema AB, AB, AB, AB...:

Altri fiumi, altri laghi, altre montagne A
sono là su, che non son qui tra noi; B
altri piani, altre valli, altre campagne, A
l'han le cittadi, hanno i castelli suoi B
con case de le quai mai le più magne A
non vide il Paladin prima né poi. B (L. Ariosto)

• **rime incrociate** o *chiuse*, quando le rime sono distribuite in modo che il primo verso rima con il quarto e il secondo con il terzo, come nello schema ABBA:

Voi che per li occhi mi passaste 'l core — A
e destaste la mente che dormia, — B
guardate a l'angosciosa vita mia, — B
che sospirando la distrugge Amore. — A (G. Cavalcanti)

• **rime incatenate** o *terza rima*, quando in una serie di terzine il primo verso della prima terzina rima con il terzo, mentre il secondo rima con il primo verso della terzina seguente incatenandola alla prima, secondo lo schema ABA, BCB, CDC...:

Nel mezzo del cammin di nostra vita — A
mi ritrovai per una selva oscura — B
ché la diritta via era smarrita — A

Ahi quanto a dire qual era è cosa dura — B
esta selva selvaggia e aspra e forte — C
che nel pensier rinnova la paura. — B (Dante)

• **rime ripetute**, quando le rime vengono riprese in un ordine costante, secondo lo schema ABC, ABC:

Or volge, Signor mio, l'undicesimo anno — A
ch'io fui sommesso al dispietato giogo, — B
che sopra i più soggetti è più feroce. — C

Miserere del mio non degno affanno: — A
reduci i pensieri vaghi a miglior luogo — B
ramenta lor come oggi fusti in croce. — C (F. Petrarca)

La rima, inoltre, può essere:

• **rima interna**, quando si trova nel corso del verso e rima con la parola finale del verso precedente. Se coincide con la cesura del verso, costituisce una **rima al mezzo**:

Passata è la tempesta:
odo augelli far festa / e la gallina. (G. Leopardi)

• **rima equivoca**, quando rimano tra loro due parole che presentano lo stesso suono ma diverso significato. Così, nei versi seguenti, le parole *sole* e *sole* hanno lo stesso suono, ma sono rispettivamente un sostantivo maschile singolare ("il sole") e un aggettivo femminile plurale ("due sole / nuvole"):

Scendea tra gli olmi il sole
in fasce polverose;
erano in cielo due sole
nuvole, tenere, rose. (G. Pascoli)

• **rima derivata**, quando è costituita da parole che hanno la stessa radice:

Ogni soccorso di tua man s'attende
Ché 'l maggior padre ad altr'opra intende. (F. Petrarca)

• **rima ipèrmetra**, quando una parola piana rima con una parola sdrucciola e la sillaba eccedente viene elisa con la prima sillaba del verso seguente che comincia per vocale o viene computata tra le sillabe del verso successivo. Così, nei versi seguenti *resta(no)* rima con *tempesta* e la sillaba *-no* viene computata con la sillaba del verso successivo:

È, quella infinita tempesta,
finita in un rivo canoro.
Dei fulmini fragili restano
cirri di porpora e d'oro. (G. Pascoli)

In taluni casi, i versi, pur presentando una misura fissa, non hanno rime: si parla allora di **versi sciolti**, di cui costituiscono un esempio il poemetto *Il giorno* di G. Parini o il carme *Dei Sepolcri*, da cui è tratto il seguente passo:

All'ombra de' cipressi e dentro l'urne
confortate di pianto è forse il sonno
della morte men duro? Ove più il Sole
per me alla terra non fecondi questa
bella d'erbe famiglia e d'animali,
e quando vaghe di lusinghe innanzi
a me non danzeran l'ore future
né da te, dolce amico, udrò più il verso
e la mesta armonia che lo governa,
né più nel cor mi parlerà lo spirto
delle vergini Muse e dell'amore,
unico spirto a mia vita raminga,
qual fia ristoro a' dì perduti un sasso
che distingua le mie dalle infinite
ossa che in terra e in mar semina morte? (U. Foscolo)

3. La strofa

Nei testi poetici, i versi sono per lo più riuniti in una struttura ritmica detta strofa (o strofe), in cui trovano la loro vera dimensione sia sul piano musicale sia sul piano logico-concettuale, pur conservando ciascun verso la propria specificità ritmico-musicale. Le strofe possono essere a **schema fisso** o a **schema variabile.**

Le **strofe a schema fisso** o **strofe regolari** hanno un numero fisso di versi e uno schema di rime che si produce sempre in modo identico. Sono proprie della poesia tradizionale italiana dal Duecento a quasi tutto l'Ottocento e prendono nome dal numero dei versi che contengono:

• il **distico**, costituito da due versi per lo più endecasillabi, a rima baciata:

O cavallina, cavallina storna
che portavi colui che non ritorna. (G. Pascoli)

• la **terzina**, costituita da tre versi, in genere endecasillabi, a rima incatenata, come la terzina usata da Dante nella *Divina Commedia*:

Lo giorno se n'andava, e l'aere bruno
toglieva li animai che sono in terra
da le fatiche loro; e io sol uno

m'apparecchiava a sostener la guerra
sì del cammino e sì de la pietate,
che ritrarrà la mente che non erra. (Dante)

• la **quartina**, costituita da quattro versi (di qualsiasi tipo: endecasillabi, decasillabi, novenari, ottonari, settenari ecc.), legati tra loro da rime disposte in modo vario (alternate, incrociate ecc.):

Quando l'anima è stanca e troppo sola
e il cuor non basta a farle compagnia,
si tornerebbe discoli per via,
si tornerebbe scolaretti a scuola. (M. Moretti)

• la **sestina**, composta da sei versi, per lo più endecasillabi, con varie combinazioni di rima:

Sei quasi brutta, priva di lusinga
nelle tue vesti quasi campagnole,
ma la tua faccia buona e casalinga

ma i bei capelli di color di sole,
attorti in minutissime trecciuole,
ti fanno un tipo di beltà fiamminga. (G. Gozzano)

• l'**ottava**, costituita da otto versi endecasillabi, di cui i primi sei a rima alternata e gli ultimi due a rima baciata. È la strofa dei poemi epico-cavallereschi del Quattrocento e del Cinquecento:

Tre volte e quattro e sei lesse lo scritto
quello infelice, e pur cercando in vano
che non vi fosse quel che v'era scritto;
e sempre lo vedea più chiaro e piano
et ogni volta in mezzo al petto afflitto
stringersi il cor sentia con fredda mano.
Rimase alfin con gli occhi e con la mente
fissi nel sasso, al sasso indifferente. (L. Ariosto)

Le **strofe a schema variabile** o **strofe libere** sono costituite da versi distribuiti in modo vario, al di fuori di ogni modello e di ogni costante, collegati da un libero gioco di *rime*, di *assonanze*, di *consonanze* e di *richiami interni*, e regolati solo dalle particolari esigenze espressive, ritmiche e musicali, dell'autore. Tipica della poesia moderna, la strofa libera fu usata spesso da Gabriele d'Annunzio, da un cui componimento, *La pioggia nel pineto*, è tratto il seguente esempio:

Taci. Su le soglie
del bosco non odo
parole che dici
umane; ma odo
parole più nuove
che parlano gocciole e foglie
lontane.
Ascolta. Piove
dalle nuvole sparse.
Piove su le tamerici
salmastre ed arse,
piove su i pini
scagliosi ed irti,
piove su i mirti
divini,
su le ginestre fulgenti
di fiori accolti,
su i ginepri folti
di coccole aulenti,
piove su i nostri vólti
silvani,
piove su le nostre mani
ignude,
su i nostri vestimenti
leggeri,
su i freschi pensieri
che l'anima schiude
novella,
su la favola bella
che ieri
t'illuse, che oggi m'illude,
o Ermione.

(G. d'Annunzio)

4. I metri

Nei testi poetici, le strofe possono raggrupparsi in strutture ritmico-musicali più ampie, dette metri, che costituiscono i singoli componimenti poetici. I principali tipi di metri della tradizione poetica italiana sono la *ballata*, la *canzone* e il *sonetto*.

• La **ballata**, o *canzone a ballo*, è un componimento molto antico, di origine popolare, caratterizzato inizialmente dal fatto di essere accompagnato dal canto e dalla danza. La ballata è formata da una introduzione, detta *ripresa* o *ritornello*, costituita da un numero di versi variabile da uno a quattro.

Dopo la ripresa vengono le *stanze*, composte ciascuna da due piedi (rispettivamente detti *prima mutazione* e *seconda mutazione*) e da una *volta*: l'ultimo verso della volta, che ha sempre lo stesso numero di versi della ripresa, rima con l'ultimo verso della ripresa. Dopo la volta, si ripete la *ripresa*, che può essere seguita da un'altra stanza, chiusa ancora dalla ripresa e così via. La seguente ballata di A. Poliziano si articola in:

ripresa (o ritornello)		I' mi trovai fanciulla, un bel mattino	X
		di mezzo maggio, in un verde giardino.	X
stanza	1° piede (o 1ª mutazione)	Eran d'intorno violette e gigli	A
		fra l'erba verde, e vaghi fior novelli	B
	2° piede (o 2ª mutazione)	azzurri gialli candidi e vermigli:	A
		ond'io porsi la mano a côr di quelli	B
	volta	per adornar 'e mie' biondi capelli	B
		e cinger di grillanda el vago crino.	X
ripresa (o ritornello)		I' mi trovai fanciulla, un bel mattino	X
		di mezzo maggio, in un verde giardino...	X

Particolarmente in auge tra il Duecento e il Cinquecento, la ballata toccò i suoi vertici espressivi con i poeti stilnovisti, con Petrarca, Sacchetti, Poliziano e Lorenzo il Magnifico e fu recuperata, tra Ottocento e Novecento, da Carducci, Pascoli e d'Annunzio.

• La **canzone** è considerata il componimento più solenne e illustre della tradizione lirica italiana. Di origine provenzale, essa fu usata dai poeti del Duecento e raggiunse la sua struttura esemplare con Francesco Petrarca, tanto che è detta anche *canzone petrarchesca*. È costituita da una serie di *strofe* o *stanze*, miste di endecasillabi e settenari.

Ogni stanza è composta da due parti, la *fronte*, formata a sua volta da due *piedi*, e la *sìrima* (o *coda*), che può essere unica o divisa in due parti uguali, dette *volte*. La sìrima è legata alla fronte da un verso che può o restare isolato o rimare con l'ultimo verso della fronte e che si chiama *chiave* (o *concatenazione*).

All'interno di ogni stanza, gli endecasillabi e i settenari hanno rime diverse ma distribuite in modo identico in tutta la canzone. Ecco un esempio tratto da una celebre canzone di Francesco Petrarca:

fronte	1° piede	Chiare, fresche et dolci acque,	A
		ove le belle membra	B
		pose colei che sola a me par donna;	C
	2° piede	gentil ramo ove piacque	A
		(con sospir' mi rimembra)	B
		a lei di fare al bel fiancho colonna;	C
chiave		herba et fior' che la gonna	C
sìrima	1ª volta	leggiadra ricoverse	D
		co l'angelico seno;	E
		aere sacro, sereno,	E
	2ª volta	ove Amor co' begli occhi il cor m'aperse:	D
		date udïenzia insieme	F
		a le dolenti mie parole extreme.	F

Di solito la canzone è chiusa da una stanza, più breve delle altre e di struttura metrica molto varia, detta *congedo* o *commiato*, in cui il poeta si rivolge alla canzone stessa o al lettore. Ecco il congedo della canzone riportata sopra:

Se tu avessi ornamenti quant'ài voglia,
potresti arditamente
uscir del boscho, et gir in fra la gente.

Nei secoli successivi, a partire dal Cinquecento, i poeti semplificarono la struttura della canzone petrarchesca, articolando in maniera meno rigida sia le strofe sia i rapporti tra le strofe. Nell'Ottocento, poi, Giacomo Leopardi diede vita alla cosiddetta canzone *libera* o *leopardiana*, in cui gli endecasillabi e i settenari si succedono liberamente nelle strofe al di fuori di qualsiasi corrispondenza ritmica o strutturale precostituita.

• Il **sonetto** (dal provenzale *sonet*, 'melodia') è un componimento di antica tradizione. Nato nel Duecento, forse dall'uso di una stanza isolata di canzone, si impose ben presto per la sua brevità e per la sua duttilità come la forma metrica privilegiata della lirica. È costituito da 14 endecasillabi, distribuiti in due *quartine* e due *terzine*. Gli schemi delle rime sono vari: nelle quartine ABAB ABAB oppure ABBA ABBA oppure ABAB BAAB; nelle terzine CDE CDE oppure CDE EDC oppure CDC DCD. Ecco un sonetto di Ugo Foscolo:

Forse perché della fatal quïete	A
tu sei l'immago a me sì cara vieni	B
o Sera! E quando ti corteggian liete	A
le nubi estive e i zeffiri sereni,	B
e quando dal nevoso aere inquïete	A
tenebre e lunghe all'universo meni	B
sempre scendi invocata, e le secrete	A
vie del mio cor soavemente tieni.	B
Vagar mi fai co' miei pensier su l'orme	C
che vanno al nulla eterno; e intanto fugge	D
questo reo tempo, e van con lui le torme	C
delle cure onde meco egli si strugge;	D
e mentre io guardo la tua pace, dorme	C
quello spirto guerrier ch'entro mi rugge.	D

I poeti traggono effetti diversi dal sonetto non solo manipolando variamente gli accenti ritmici dei versi, i timbri, le rime e gli *enjambements*, ma anche articolando in modo diverso i rapporti tra le quartine e le terzine. Per lo più, le due quartine e le due terzine formano due blocchi autonomi e separati, ma il poeta può sfondare il limite segnato dalle quartine e dilatare il discorso ritmico e concettuale in una terzina o in entrambe le terzine.

Una forma particolare di sonetto è il cosiddetto **sonetto caudato,** cioè “con la coda”: tipico della poesia burlesca, esso presenta, dopo la seconda terzina, un settenario che rima con l’ultimo verso della terzina e due endecasillabi a rima baciata.

Indice analitico

A

B

C

D

E

F

G

H

I

M

N

O

P

Q

R

S

T

U

W

X

Y

Z

Indice

«La grammatica della lingua italiana»
di Marcello Sensini
Oscar guide
Arnoldo Mondadori Editore

Questo volume è stato stampato
presso Mondadori Printing S.p.A.
Stabilimento NSM - Cles (TN)
Stampato in Italia - Printed in Italy

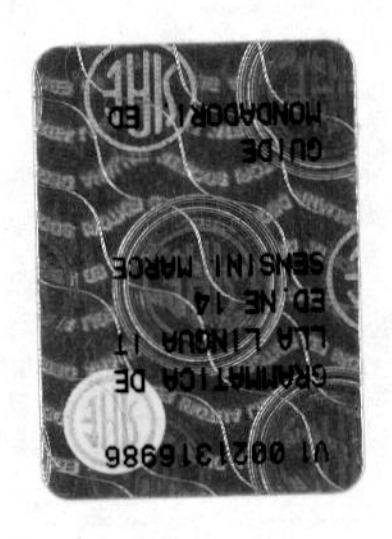